LE NUMERO 1 DEPUIS 43 ANS

LE GUIDE DE L'AUTO[MC] 2009

Rédacteur en chef
Denis Duquet
Coordination éditoriale
Alain Morin
Coordination de production
Karine Carrier, Kim Malczewski
Journalistes et photographes
Guy Desjardins, Gabriel Gélinas, Antoine Joubert,
Sylvain Raymond, Gilles Olivier, Marc Lachapelle
Conception et production
LC Média Inc. et Lexis Média Inc.
Révision et correction
Hélène Paraire, Lucie Michaud
Administration et ventes
Simon Fortin, Jean Lemieux
Fondateur du *Guide de l'auto*
Jacques Duval

1895 de l'Industrie, suite 200
St-Mathieu-de-Belœil Qc J3G 4S5
Tél. : 450-444-5773

Site Internet : www.leguidedelauto.com

Catalogage avant publication de Bibliothèque et Archives nationales du Québec et Bibliothèque et Archives Canada

Duquet, Denis

Le guide de l'auto
ISSN 0315-9205
ISBN 978-2-89568-421-3

1. Automobiles - Canada. 2. Automobiles - Catalogues. I. Gélinas, Gabriel. II. Lachapelle, Marc. III. Titre.

HD9710.A2D8 629.222 C86-030714-X

Remerciements
Les Éditions du Trécarré reconnaissent l'aide financière du gouvernement du Canada par l'entremise du Programme d'aide au développement de l'industrie de l'édition (PADIÉ) pour ses activités d'édition. Gouvernement du Québec – Programme de crédit d'impôt pour l'édition de livres – gestion SODEC.

Les Éditions du Trécarré
Groupe Librex inc.
Une compagnie de Quebecor Media
La Tourelle
1055, boul. René-Lévesque Est
Bureau 800
Montréal (Québec) H2L 4S5
Tél. : 514 849-5259
Téléc. : 514 849-1388

Dépôt légal – Bibliothèque et Archives nationales du Québec et Bibliothèque et Archives Canada, 2008

ISBN : 978-2-89568-421-3

Imprimé au Canada

Distribution au Canada
Messageries ADP
2315, rue de la Province
Longueuil (Québec) J4G 1G4
Téléphone : 450 640-1234
Sans frais : 1 800 771-3022

Diffusion hors Canada
Interforum

LE NUMERO 1 DEPUIS 43 ANS

Denis **DUQUET**

Gabriel **GÉLINAS**

Marc **LACHAPELLE**

Alain **MORIN**

LE GUIDE DE L'AUTO^MC 2009

ÉDITIONS DU TRÉCARRÉ

Le Guide de l'auto tient à remercier les personnes et les organisations dont les noms suivent et qui ont apporté leur précieuse collaboration à la réalisation de l'édition 2009

Claudie-Anne Brien
Mathieu Dextradeur
Nadia Duchesneau
François Dubois
Véronique Lauzon
Marie-Claude Valence
L'équipe des Éditions Trécarré
L'équipe de Québécor St-Jean

PARTICIPANTS AUX MATCHS COMPARATIFS:
Michèle Besner, Karine Carrier, Ghyslain Delorme, Yves Demers, Mathieu Dextradeur, Carole Dugré, Denis Duquet, Yvan Fournier, Robert Gariépy, Gabriel Gélinas, Karine Hébert, Jean-Paul Jodoin, Marc Lachapelle, Jean-Georges Laliberté, Alain Morin, Jonathan Morin, Gilles Olivier, Martin Phaneuf, Sylvain Raymond, Maurice Raymond

PHOTOGRAPHIE DU MATCH DES SPORTIVES:
Richard Fournier

POUR LEUR COLLABORATION, MERCI À:
Henri Adm (Subaru Laval), Bob Austin (Rolls-Royce), Nadine Barhouche (Suzuki Canada), Barbara Barrett (Jaguar, Land Rover), Caroline Bastien (Kia Canada), André Beaucage (Suzuki Canada), Denis Bellemarre (Mercedes-Benz du Canada), Josianne Betit (Mitsubishi Canada), Umberto Bonfa (Ferrari Québec), Rick Bye (Porsche Canada), Lyne Callaghan (Mazda Canada), Marc-André Casavant (Mazda Canada), Jo Anne Caza (Mercedes-Benz/Maybach/smart), Nicole Chambers (Subaru Canada), Josée Chaumont (Audi Lauzon), Eva Cheng (Mercedes-Benz du Canada), Doug Clark (Audi Canada), Alexandra Cygal (Nissan Canada), Phil d'Agostino (Auto Service Royal Park), Sabrina Damico (Ferrari Québec), Yves Day (Pirelli Canada), Sophie Desmarais (Mitsubishi Canada), Alain Desrochers (Mazda Canada), Rob Dexter (BMW Canada), Sandy Difelice (Toyota Canada), Bernard Durand (John Scotti Auto), Susan Elliott (Mitsubishi Canada), Erin Farquharson (Volvo Canada), Kevin Ferah (Services Spenco), Sixto Fernandez (Kia Canada), Christine Flynn (Volvo Laval), Ian Forsythe (Nissan Canada), Mathieu Fournier (Mazda Canada), Jochen Frey (BMW Canada), Louis-Philippe Gélinas (Icar), Terry Grant (BMW Laval), Elaine Griffin (Subaru Canada), Jacques Guertin (Sanair), Carole Guindon (Mazda Canada), Rania Guirguis (Mazda Canada), Cristina Guizzardi (Lamborghini), Mario Hamel (Kia Canada), Chad Heard (Volvo Canada), Christine Hollander (Ford du Canada), Richard Jacobs (Honda Canada), Franck Kirchhoff (Mécaglisse), Mike Kurnik (Suzuki Canada), Daniel Labre (Chrysler Canada), Jules Lacasse (Hyundai Canada), Alain Laforêt (BMW Canada), Tony LaRoca (General Motors du Canada), Ghyslain Lavallée (Garage Roch Lavallée et fils), Robert Lupien (Nissan Canada), Gilles Marleau (PMG Technologies), Richard Marsan (Subaru Canada), Virginie Martel (Nissan Canada), Josée Marin (Hyundai Canada), Nadia Mereb (Honda Canada), Natalie Nankil (General Motors du Canada), Stéphane Narbonne (Parkway Plaza), Cort Nielsen (Audi Canada), Roberto Oruna (Audi Canada), Robert Pagé (General Motors du Canada), Luc Paquette (Hyundai Canada), Antony Paulozza (Pirelli Canada), Barbara Pitblado (Hyundai Canada), Normand Primeau (Seitz Communications), Louis Renaud (Mitsubishi Gabriel), Jacinthe Rioux (Volkswagen Canada), Simon Robillard, Céline Rodier (Sanair), Stuart Y. Schorr (Chrysler LLC du Canada), John Scotti (John Scotti Auto), Paul Seitz (Seitz Communications), Frédéric Senay (Icar), Joel Siegal (Décarrie Motors), Marie-Claude Simard (Subaru Canada), Pierre Sirois (Parkway Plaza), Daniel Soicher (Audi Canada), Steve Spencer (Spenco), Patrick St-Pierre (Volkswagen - Audi Canada), Hélène B. Tessier, Melanie Testani (Toyota Canada), Me Ti-Lou, Donna Trawinski (Nissan Canada), Paul Vaillancourt (Torchia Communications), Stéphanie Viger (Des Sources Chrysler), Peter Viney (Volkswagen Canada), Alex Yandle (BMW Canada), Greg Young (Mazda Canada), Karen Zlatin (Mercedes-Benz, Québec)

ET À CES PERSONNES SANS QUI LES MATCHS COMPARATIFS N'AURAIENT PU AVOIR LIEU:
Louis-Philippe Gélinas (Icar), Jacques Guertin (Sanair), Céline Rodier (Sanair), Frédéric Senay (Icar)

COUP D'ŒIL SUR LE FUTUR

Vous avez pu le constater, notre page couverture met en évidence un véhicule futuriste. Si nous avons choisi la Mercedes-Benz F700 comme la grande vedette de notre édition 2009, ce n'est pas uniquement pour des raisons esthétiques bien que sa silhouette soit vraiment sensationnelle. Ce choix s'explique par la technologie utilisée dans cette nouvelle venue. En effet, compte tenu des problèmes environnementaux auxquels fait face la planète, il est de plus en plus urgent de trouver des solutions rapides et relativement simples. Le constructeur allemand a mis au point un moteur à essence de nouvelle technologie qui permet de réduire considérablement la consommation de carburant tout en étant très propre au chapitre des émissions de gaz d'échappement. Et il ne s'agit pas non plus d'une technologie farfelue dont l'application ne pourra être réalisée que dans une décennie : le moteur diesoto se retrouvera d'ici quelques mois sous le capot de la Mercedes-Benz Classe S. Vous trouverez d'ailleurs un article fort intéressant à ce sujet rédigé par Sylvain Raymond dans la présente édition de cet ouvrage.

Mais puisque notre vocation de base est d'informer le public sur toutes les facettes du monde de l'automobile, nous avons organisé un match comparatif fort complet opposant toutes les voitures de la catégorie des compactes à l'exception d'une seule. Les résultats sont très révélateurs et devraient faciliter la tâche des gens recherchant un véhicule de cette catégorie. Alain Morin s'est démené comme pas un pour rassembler toutes ces voitures et pour comptabiliser les résultats. Et je profite de l'occasion pour remercier toutes les personnes qui ont participé à ce comparatif.

Un autre match comparatif, à saveur écologique cette fois, nous a permis de vérifier les performances du système hybride à deux modes proposé par General Motors sur ses gros VUS et ses camionnettes. Pour les besoins de la cause, nous avons comparé un GMC Yukon hybride à un Chevrolet Tahoe à moteur traditionnel.

Nous vous présentons également un troisième match comparatif et non le moindre. En effet, dans le cadre d'un essai assez original, nous comparons le rapport performance-prix de certains véhicules haute performance. C'est Marc Lachapelle, en collaboration avec Gabriel Gélinas, qui a organisé cet événement pour le moins spécial et les résultats vous surprendront. Par la même occasion, j'en profite pour souhaiter la bienvenue à Marc au sein de notre équipe. J'ai eu la chance de travailler avec ce dernier qui fut coauteur de cet ouvrage pendant plusieurs années et c'est avec un grand plaisir que nous saluons son retour. Si vous ne le saviez pas, Marc Lachapelle a remporté à plusieurs reprises le titre tant convoité de « Meilleur journaliste automobile » au Canada en plus d'être un pilote et un photographe hors pair ! Avant de terminer ce paragraphe, je m'en voudrais de ne pas remercier Gilles Olivier, journaliste bien connu dans la région de Québec, pour l'aide aussi précieuse qu'agréable qu'il nous a apportée lors de la rédaction de ce *Guide*.

Malgré plusieurs nouveautés, il est dommage que le nombre de voitures de faible consommation et visant à réduire la pollution atmosphérique n'ait pas tellement progressé… La raison de cet état de fait est bien simple, il faut plusieurs années pour développer ces véhicules dont la technologie est parfois délicate à mettre au point. Et même si les compagnies mettent dorénavant les bouchées doubles, il faudra encore patienter avant que le gros du parc automobile ne soit majoritairement constitué de véhicules plus propres et de faible consommation. Un autre problème à cette équation est le coût de ces véhicules. C'est bien beau de développer de nouveaux produits, encore faut-il que ceux-ci soient de prix abordable et ce n'est pas pour demain non plus. Pour l'instant, la solution qui s'impose est l'achat de véhicules qui consomment le moins dans leur catégorie. À cet effet d'ailleurs nous avons ajouté plusieurs pages à la fin de cet ouvrage afin de vous fournir le plus d'informations possible quant aux cotes de consommation de carburant et d'émissions de CO_2 des véhicules commercialisés au Canada.

Sur le plan personnel, l'année 2008 a été passablement difficile concernant la santé en raison d'une bactérie qui s'est attaquée à mon poignet gauche, ce qui a nécessité une chirurgie plutôt délicate et plusieurs jours d'hospitalisation. Je profite de l'occasion pour remercier le Dr Didier Cocle, le personnel de l'hôpital Notre-Dame et tout particulièrement le Docteur Michel Danino, plasticien émérite, et Tokiko Hamasaki, ergothérapeute, qui m'ont permis de revenir en santé.

Cette année encore, toute l'équipe a travaillé avec ardeur et passion pour vous offrir le meilleur produit possible et nous espérons que vous allez apprécier nos efforts.

Denis Duquet

SOMMAIRE

L'AVENUE
546 ETB 75

LES PROTOTYPES

AUDI • BMW • BUICK • CADILLAC • CHEVROLET • CHRYSLER • DAIHATSU
DODGE • FORD • HONDA • HUMMER • HYUNDAI • KIA • LEXUS • LINCOLN • LOTUS
MASERATI • MAZDA • MITSUBISHI • NISSAN • PININFARINA • RINSPEED • SAAB
SATURN • SUBARU • SUZUKI • TATA • THINK • TOYOTA • VOLKSWAGEN • VOLVO

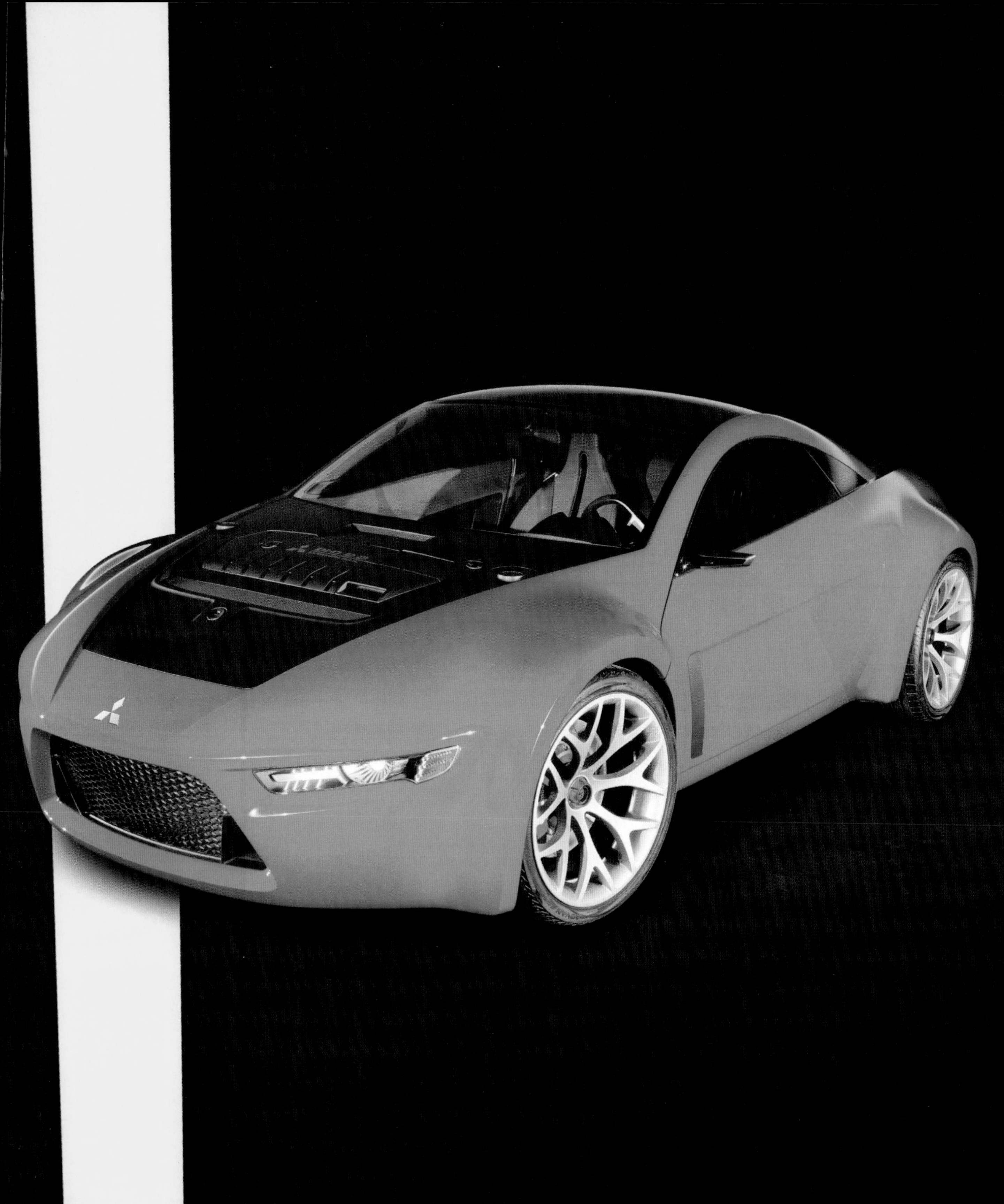

Audi
Metroproject Quattro

Elle a été dévoilée à Tokyo, sous forme de concept-car appelé Metroproject Quattro. D'abord présentée en version coupé, il appert qu'une berline ainsi qu'un élégant cabriolet viendraient compléter cette nouvelle gamme appelée Audi A1. Sa motorisation hybride regroupe un moteur quatre cylindres à essence de 1,4 litre TFSI de 150 chevaux, associé à un moteur électrique de 40 chevaux. Cette technologie hybride offrirait une consommation de 4,9 L/100 km (56 mi/gal), ne rejetant que 112g/km de CO2. Ses batteries au lithium-ion, lui octroient une autonomie de 100 km en mode tout électrique. Sa production débuterait en 2009, en Belgique.

Audi
R8 V12 LeMans

Les victoires cumulatives du constructeur Audi aux 24heures du Mans avec ses increvables R10 à motorisation V12 TDI de 650 chevaux, vont bientôt faire place à des véhicules qui pourront prendre la route en utilisant un moteur similaire, mais plus civilisé. Cette année, la marque aux quatre anneaux a présenté deux R8 TDI, dont la fantastique R8 V12 TDI LeMans à Genève. Sous le capot de ce beau monstre, le V12 TDI déploie 500 chevaux et surtout 738 lb-pi de couple dès 1 750 tr/min. Cette bombe annonce une consommation de 9,5 L/100 km (30 mi/gal). Le Q7 V12 TDI, sera le premier à offrir cette motorisation, dès 2010.

Voici ce que l'on pourrait appeler un laboratoire sur quatre roues. Cette voiture qui pourrait aisément servir de Batmobile à Bruce Wayne, regroupe une panoplie de technologies des plus pointues, qui pourraient être intégrée dans les prochains véhicules BMW, dans un avenir très rapproché. Parmi celles-ci, on retrouve une carrosserie conçue de matière textile, déjà employée en avionnerie pendant la 2e guerre mondiale. Cette matière a la propriété de camoufler les fonctions du véhicule non utilisées et de ne donner accès qu'au strict nécessaire. La Gina Light Concept pourrait également servir de développement au futur roadster Z4, voire à une nouvelle Z8.

GINA Light Concept

BMW

Présentée lors de la tenue du concours d'élégance de la Villa d'Este en Italie, la BMW M1 Hommage fait directement référence à la BMW M1 de 1978, première de la marque à porter l'emblème M pour Motorsport. Seulement 450 unités furent produites, mais on lui doit aujourd'hui une lignée de voitures hautes performances griffées M, dont les M3, M5 et M6 qui ne cessent de nous étonner. Réalisée par l'équipe de designers de Chris Bangle, cette voiture-concept présente une silhouette qui s'inspire étroitement de la BMW M1 originale, mais en lui empruntant ses jalousies, qui firent sensation à l'époque. À gauche de la photo, on retrouve la M1 Hommage, à droite la Turbo tandis qu'au centre, trône la BMW M1 originale.

M1 Hommage

BMW

Buick

Invicta Concept

Le nom Invicta a déjà été choisi par la marque Buick entre les années 1959 et 1963. Aujourd'hui, il nous revient sous les traits d'une grande berline au design sagement agressif, dévoilée au Salon de Pékin, en Chine où le nom Buick est extrêmement populaire. Son moteur est un quatre cylindres de 250 chevaux à injection directe, accouplé à une boîte automatique à six rapports. Selon certaines rumeurs qui courent allègrement, il y aurait de fortes chances que ce concept soit utilisé pour le développement de la prochaine Buick LaCrosse (Allure), et que cette dernière pourrait prendre le nom Invicta dès 2010.

Cadillac

CTS Coupé Concept

Lors de sa présentation à Detroit en janvier dernier, ce coupé conçu autour des appendices de la berline du même nom annonçait la venue prochaine d'une version additionnelle aux CTS de Cadillac. Ce coupé à configuration 2+2 présente des dimensions extérieures écourtées par rapport à celles de la berline, lui accordant une silhouette très élancée et surtout des plus séduisantes. L'habitacle est quasi similaire à celui de la berline, bien qu'étant légèrement plus étroit. Côté motorisation, on découvre un nouveau moteur diesel de 2,9 litres qui viendrait accompagner le V6 de 3,6 litres sur les marchés mondiaux.

Toujours à Detroit, Cadillac a clairement annoncé ses intentions de s'attaquer au marché des VUS compacts de luxe, avec son concept Provoq. Esthétiquement, il possède tous les atouts pour s'imposer sur l'échiquier automobile mondial. Contrairement aux Chevrolet Volt et Opel Flextreme, il cache sous son capot une pile à combustible accordant une autonomie de 480 km. Actuellement, des prototypes de Cadillac CTS familiale sont en développement à dessein d'une commercialisation prochaine et devraient suivre de quelques mois le VUS Provoq, utilisant les motorisations propres aux produits Cadillac.

Provoq
Cadillac

L'an dernier, nous avions eu droit à trois petits prototypes de voiture de ville, les Chevrolet Beat, Groove et Trax. Cette année, c'est le coupé Beat qui s'est retrouvé à l'avant-scène. Ce sont les designers et ingénieurs des studios sud-coréens de GM qui ont pris ce projet en mains, basé sur la Suzuki Splash. Elle existe actuellement en Europe, sous les noms d'Opel et Vauxhall Agila. Bien que la haute direction de General Motors, affirme que cette jolie citadine ne devrait pas traverser l'Atlantique, le manque flagrant de petites voitures économiques de la part des constructeurs américains pourrait leur faire changer rapidement d'idée.

Beat
Chevrolet

Chrysler
ecoVoyager

Ce n'est sûrement pas demain que vous croiserez l'ecoVoyager, mais cet exercice de style combiné à un cahier des charges technologiques très pointu demeure un laboratoire roulant pour les futurs produits de cette marque. Ses lignes, bien qu'inhabituelles, doivent cependant servir au développement d'une nouvelle génération de mini fourgonnettes qui devront répondre aux normes futures en matière d'économie et surtout d'écologie. Pour ce faire, l'ecoVoyager abrite un moteur électrique de 275 chevaux associé à une pile à combustible à hydrogène, ayant une autonomie de 500 km et de simples rejets de vapeur d'eau.

Daihatsu
HSC

Le spécialiste japonais dans la conception de petits véhicules Daihatsu, propriété du géant Toyota, nous présente son concept HSC (*Heart & Smile Mover Concept*). Ce petit multisegment de gabarit sous-compact peut offrir un maximum d'espace pour quatre passagers, même de forte taille. Son plancher entièrement plat dispose de rails sur lesquels les sièges arrière coulissants peuvent être déplacés. La disposition de la planche de bord permet aux passagers avant de profiter d'un maximum de dégagement au niveau des jambes. L'accessibilité à ce véhicule est largement facilitée par l'absence du montant central et l'utilisation de portières de type suicide.

Dodge
ZEO

Il existera toujours un nombre important d'automobilistes qui voudront se retrouver au volant d'un véhicule aux lignes attrayantes, voire sportives. Le concept Dodge ZEO nous démontre que la réalité peut souvent dépasser la fiction. Ainsi, ce séduisant coupé à quatre portières suicide qui s'ouvrent à la verticale, en est un bel exemple. À propulsion 100 % électrique, le ZEO est alimenté par des batteries dont la puissance est évaluée à 268 chevaux. Celles-ci peuvent être rechargées par le truchement d'une prise domestique. Selon les données du constructeur, cette voiture originale profite d'une autonomie de 400 km.

Ford
Kuga

Chez nous, on peut encore considérer le Ford Kuga en tant que véhicule-concept, alors qu'il s'apprête à envahir le marché européen. Fidèle au style Kinetic de Ford Europe, il arbore fièrement sa calandre à double trapèze. Ce véhicule multisegment compact peut aisément accueillir cinq passagers. Normalement, il devrait servir de base au développement du prochain Ford Escape, sinon traverser l'Atlantique d'ici deux ou trois ans. En sol européen, il dispose de plusieurs motorisations essence et diesel, dont certaines, une fois calibrées selon nos normes, pourront être disponibles ici.

Depuis son dévoilement, le Honda CR-Z semble nourrir bon nombre de spéculations concernant sa mise en marché. Ce dernier nous rappelle le coupé CR-X très prisé par les amateurs de coupés sport entre les années 1984 et 1997, ainsi que le coupé Insight à motorisation hybride. Lors de son dévoilement au Salon de Tokyo, les ingénieurs furent plus que discrets à propos de son groupe propulseur, se contentant de dire qu'ils étudiaient sérieusement la possibilité d'offrir un coupé sport hybride, d'ici 2010, mû par un moteur à essence de petite cylindrée, associée à un moteur électrique alimenté par des piles au lithium-ion, d'une autonomie de près de 400 km.

CR-Z
Honda

Ici, les lettres OSM sont utilisées pour désigner l'*Open Study Model*, et non l'Orchestre Symphonique de Montréal ! Ce véhicule-concept de type roadster semble annoncer les intentions du constructeur de revoir sa philosophie en la matière, dans le but d'offrir une remplaçante au modèle S2000, mais à vocation plus écologique. Ce roadster présenté au Salon de Londres s'est fait très discret concernant sa fiche technique. Cependant, et pour la première fois, nous avons droit à une voiture agréable et attrayante, pouvant être propulsée par une motorisation hybride, mais dont les données techniques sont demeurées un secret d'État.

Roadster OSM
Honda

Hummer
Hx

Cette fois-ci, ça passe ou ça casse pour la division Hummer de General Motors. À défaut de ne pouvoir se départir de cette marque, GM devra en assurer la survie et c'est là que le concept Hummer HX entrerait en jeu. Compact, il présente des dimensions semblables à celles d'un Jeep Wrangler. Son moteur est un V6 de 3,6 litres de 304 chevaux FlexFuel (E85) à injection directe, accouplé à une boîte automatique à six rapports. Dédié aux sportifs, il regroupe des panneaux de porte, de toit et de bas de caisse amovibles, lui permettant de se transformer en VUS découvrable, prêt à affronter les dunes ou les montagnes.

Hyundai
i-Blue

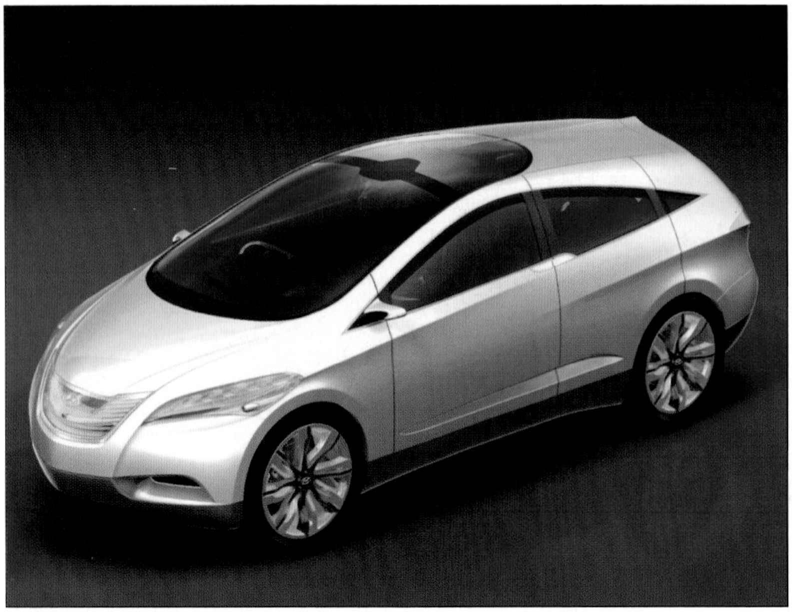

Hyundai, comme tous les autres, travaille très fort à la réalisation d'un véhicule mû par une pile à combustible et le concept i-Blue confirme les avancées technologiques du constructeur. La pile est alimentée par de l'hydrogène de 3e génération pressurisé à hauteur de 700 bars, dans un réservoir de 115 litres placé à l'arrière du véhicule. Ce type de multisegment se veut performant, économique et « *full* écologique » avec ses rejets de vapeur d'eau. Hyundai vient tout juste de commercialiser, en Corée du Sud, son modèle Avante (Elantra) à moteur hybride, qui devrait se retrouver chez nous au plus tard en 2010.

Kia
KOUP

Après le concept SOUL, Kia récidive avec le KOUP Concept qui annonce une fois de plus la venue prochaine d'un petit coupé sport aux allures musclées, qui viendra faire la lutte aux Chevrolet Cobalt SS, Ford Mustang, Dodge Caliber SRT4 et Hyundai Tiburon. De configuration 2+2, le KOUP bénéficie d'un intérieur stylisé sport avec ses appliques en carbone. Sous son capot très profilé se cache un puissant moteur quatre cylindres de 2,0 litres, turbocompressé, dont la puissance délivrée est de 290 chevaux. Toutefois, c'est son couple de 289 lb-pi qui impressionne, atteint dès les 2 000 tours/min et soutenu jusqu'à 4 000 tours/min, à l'exemple des moteurs VW-Audi.

Lexus
LF-A Roadster

Tous les marchés intéressent l'actuel numéro un des fabricants mondiaux de l'automobile. Et le prochain marché qu'il convoitera est la très exclusive niche des voitures exotiques, dominée par les marques Porsche, Ferrari, Lamborghini et quelques autres. Le véhicule concept LF-A en version coupé hautes performances est aujourd'hui accompagné d'une version roadster aux lignes très élancées et agressives, qui annoncent bien les intentions de ces deux bolides conçus pour la route. Son moteur à position centrale avant est un V10 de 5,0 litres de plus de 500 chevaux. Il est couplé à une boîte séquentielle à huit rapports.

Depuis son lancement en 1997, le véhicule utilitaire sport RX de Lexus est vite devenu la référence reconnue mondialement. Après une sérieuse révision en 2003 et l'ajout d'une version hybride en 2005, il est évident que l'on planche déjà pour concevoir le RX de 3e génération et le concept LF-Xh en est la preuve plus que convaincante. Ses lignes, inspirées des futurs modèles Lexus, bénéficieront du nouveau style L-Finesse, exclusif à la marque. Comme son nom l'indique, ce concept met surtout l'emphase sur une motorisation hybride, et pour cause, car depuis la montée des prix de l'or noir, les Américains désirent de plus en plus rouler en véhicule hybride.

LF-Xh
Lexus

Oui, malgré la conjoncture économique, Ford offrira dès l'an prochain un gros véhicule multisegment griffé Lincoln, le MKT. Selon les données techniques du constructeur, ce dernier bénéficiera de la force et de la puissance d'un V8, mais bénificiera d'une motorisation V6 de 3,5 litres, biturbo, flex-fuel (E85) et EcoBOOST de 340 chevaux avec essence et de 415 chevaux avec de l'éthanol. En dépit de ses fortes dimensions, il ne sera pas plus lourd qu'un véhicule de classe intermédiaire. Lors de sa conception, on utilisera bon nombre de matières recyclées et de matériaux composites.

MKT
Lincoln

Lotus
Eco Elise

Le petit constructeur Lotus s'affaire déjà à développer de nouvelles façons de rendre ses voitures moins gourmandes et surtout moins polluantes, tout en conservant le côté sportif de ses voitures. Pour ce faire, il utilise dans un premier temps de nouveaux matériaux de matières composites, voire recyclables, afin de réduire le plus possible le poids de ses voitures sportives. Cette première phase de recherches a donné naissance au concept Eco Elise, qui présente un poids allégé de 32 kilos par rapport au poids d'un coupé Elise de série. Ça peut paraître minime de prime abord, mais l'économie d'essence enregistrée aurait été plus que convaincante.

Maserati
Quattroporte Bellagio

La Carrozzeria Touring Superleggera de Milan a réalisé, sur la base d'une luxueuse Maserati Quattroporte, une version unique de familiale à cinq portières de cette voiture, qui fit tourner bien des têtes lors de la dernière édition du célèbre Concours d'Élégance de la Villa d'Este, en Italie. Ce chef-d'œuvre appelé Maserati Quattroporte Bellagio possède évidemment un moteur Maserati V8 de 4,2 litres dont la puissance est demeurée secrète Une telle exclusivité se paie très cher, car elle fait déjà partie d'un groupe sélect de voitures produites à tirage limité, et qui deviennent rapidement des voitures de collection qui prennent de la valeur.

Voici un concept à double vocation. D'une part, il est dévolu à la course, étant volontairement conçu autour d'une plate-forme Courage C5 utilisée en série American Le Mans. Mais on veut aussi démontrer la puissance et surtout l'endurance du moteur rotatif, et que ce dernier est là pour rester, voire même se développer et devenir plus écolo. Le Furai est mû par un moteur rotatif RENESIS nourris à l'éthanol E10 (90 % essence, 10 % éthanol), fournissant une puissance de 450 chevaux. Non seulement le puissant coupé RX-8 restera, mais on songe également à faire revivre le modèle RX-7, moins puissant, plus économique et moins cher...

Furai
Mazda

Bien que le constructeur ait montré, en juillet dernier, les premières photos de son concept Kazamai (Tourbillons), c'est au Salon de Moscou qu'il fut officiellement dévoilé. Malgré ses lignes futuristes, quasiment irréalisables pour un modèle de série, le Kazamai présente plusieurs avancées technologiques en matière de motorisations plus écologiques. Sous son capot trapu à la calandre distinctive, on retrouve un nouveau moteur à essence à injection directe qui, selon les dires du constructeur, consomme à peine et rejette peu d'émanations de CO_2. C'est un véhicule de type multisegment de gabarit compact.

Kazamai
Mazda

Mitsubishi
i-MIEV

Mitsubishi, la société japonaise aux trois diamants semble vouloir donner préséance à ses concepts i-MIEL et i-MIEL Sport, qui se paient actuellement une tournée mondiale. Les véhicules Mitsubishi de la famille i-MIEV sont dotés de trois moteurs électriques. Le moteur principal de 47kW (63 ch) dirige sa puissance aux roues arrière, tandis que les deux autres de 20 kW (27 ch) chacun ont été placés dans chacune des roues avant. Ils sont alimentés par des batteries au lithium-ion, sises sous le plancher, côté passager. Elles offriraient une autonomie maximale de 200 km, malgré le fait qu'elles puissent atteindre une vitesse maximale de 180 km/h.

Mitsubishi
RA Concept

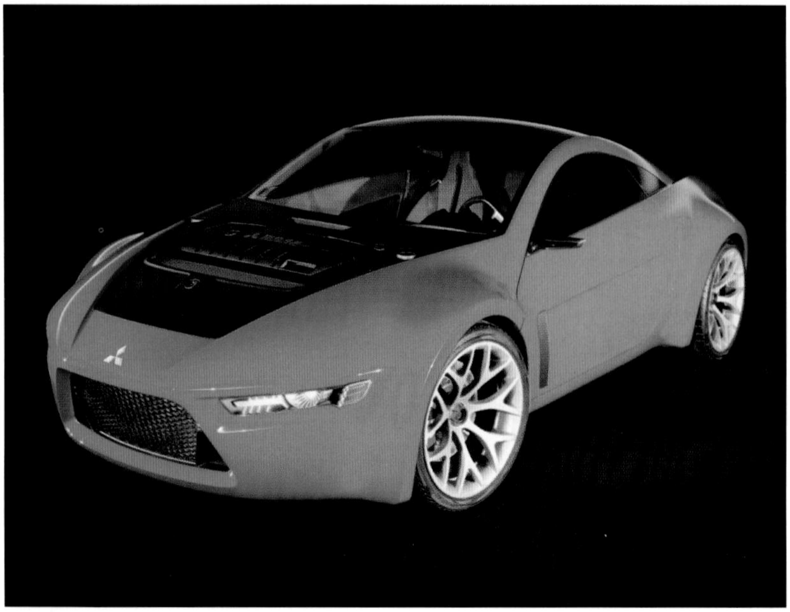

Pour plusieurs, il s'agit de la future Mitsubishi Eclipse et ils n'ont peut-être pas tort. Mais au-delà des formes du coupé sport RA Concept, se dessine une motorisation à la fois très puissante, en plus d'être respectueuse de l'environnement. Le moteur est un quatre cylindres de 2,2 litres turbo diesel à filtre à particules, de 204 chevaux et 310 lb-pi de couple, accouplé à une boîte séquentielle à double embrayage. L'instrumentation de style futuriste dont dispose ce véhicule-concept est cependant positionnée conventionnellement, nous laissant entrevoir ce à quoi pourrait ressembler l'habitacle de la prochaine Mitsubishi Eclipse.

Le concept Nissan Forum mise sur la convivialité entre les passagers. Avec trois rangées de sièges, dont deux en position centrale qui pivotent sur 180 degrés, il est évident que les gens peuvent plus aisément communiquer entre eux, visionner des films et profiter de jeux vidéo. Ainsi, on peut mieux surveiller les enfants, et même les avertir à l'aide d'un micro placé au niveau de la planche de bord. Bien que ce véhicule-concept ne dispose pas de moteur, Nissan travaille actuellement sur des moteurs nourris au diesel, propres et moins polluants, associés à une boîte à variation continue (CVT), capable de propulser un tel mastodonte.

Forum
Nissan

Depuis son dévoilement au Salon de Tokyo, la Nissan Intima a ébloui les visiteurs des salons de l'auto, par sa grandeur, ses lignes de type coupé à quatre portières et surtout son intérieur qui incite au cocooning. Grâce à l'absence de pilier central, à une ouverture des portières de type suicide et à un siège conducteur pivotant sur 80 degrés, son accessibilité est grandement facilitée. Ses quatre passagers ont droit à un système de climatisation quadri zone. Son moteur est un V6 diesel conçu par Renault. Il est plus qu'évident que cette gracieuse berline a de fortes chances de devenir le prochain vaisseau amiral de la marque Infiniti de Nissan.

Intima
Nissan

Pininfarina
Sintesi

Les célèbres carrossiers italiens sont aujourd'hui totalement dépassés par une nouvelle génération de designers qui œuvrent au sein des nouveaux groupes industriels de l'automobile, tel Chris Bangle du Groupe BMW. Mais Pininfarina résiste et a présenté à Genève un élégant coupé quatre portières appelé Sintesi. Celui-ci se veut une synthèse entre les deux dernières créations du carrossier, la fabuleuse Birdcage 75th et l'anonyme Nido. Sa motorisation à pile à combustible utilise des batteries au lithium placées autour du châssis, afin de mieux répartir les masses.

Rinspeed
sQuba

Ian Fleming, celui qui a donné vie au célèbre agent secret James Bond, a dû, une fois de plus, se retourner dans sa tombe lorsque le constructeur Suisse Rinspeed a présenté sa sQuba. Conçu autour des principaux éléments mécaniques de la Lotus Elise, ce coupé se sent tout aussi à l'aise de se promener sous l'eau, que sur la terre ferme. Trois moteurs électriques rechargeables assurent ses déplacements. L'un d'eux est exclusivement utilisé comme force motrice terrestre, tandis que les deux autres reliés aux hélices se chargent de ses mouvements sous l'eau. Deux moteurs de moto marine placés à l'avant complètent le tout.

Ce véhicule-concept de Saab aurait pour mission d'amener la marque suédoise dans le monde des véhicules multisegments compacts, mais cette fois-ci développés chez Saab. Parmi ses nombreuses innovations, on retrouve une carrosserie sans moulures et barres de toit. Ainsi, ses concepteurs ont dû imaginer de nouvelles et inhabituelles solutions en matière de chargement. Saab met beaucoup d'emphase dans les avancées biénergétiques (BioPower) et ce concept n'y échappe pas, bien au contraire. Son moteur quatre cylindres turbo de 300 chevaux se nourrit en combinant le bioéthanol (85 %) et l'essence (15 %).

9-4x
Saab

Les dernières études de style du constructeur suédois Saab, nous font découvrir certaines de ses intentions, notamment celles de demeurer en piste, en développant de nouveaux produits qui lui permettront d'élargir ses horizons. Le concept 9-x BioHybrid annonce clairement la venue prochaine de Saab dans le secteur des voitures compactes de luxe, en suivant l'exemple de la Volvo C30. Parmi ses principales innovations, on note la présence d'un moteur de 1,4 litre turbo qui s'abreuve d'essence et d'éthanol E85, associé à un moteur électrique utilisant des batteries au lithium-ion, ainsi il ne devrait émettre que 105g/km de CO_2.

9-x Bio-Hybrid
Saab

Saturn
Flextreme

Développé dans le sillage de la très médiatisée Chevrolet Volt, le véhicule concept Opel Flextreme est devenu la Saturn Flextreme, offrant un peu plus de subtilités. Parmi celles-ci, nous retrouvons des caméras à la place des rétroviseurs et des portes de style papillon appelées Flexdoor. Le moteur électrique alimenté par des batteries au lithium autorise une autonomie de seulement 55 km, toutefois ces dernières peuvent se recharger en trois heures. En version hybride, une fois associé à un petit moteur diesel de 1,3 litre, ce véhicule de type multisegment compact voit alors son autonomie devenir beaucoup plus intéressante.

Subaru
G4e

Les immenses avantages octroyés par l'utilisation de batteries au lithium-ion dans le secteur automobile sont incommensurables. Tous le savent fort bien, notamment Subaru en nous dévoilant son petit véhicule-concept G4e. Sa motorisation électrique a été développée avec le concours de la société Tokyo Electric Power Company. Elle utilise une batterie au lithium-ion d'une puissance de 88 chevaux et d'une autonomie de 200 km. Cette batterie prend huit heures à se recharger, via une prise de courant domestique, ou atteint 80 % de sa charge en seulement 15 minutes, mais une fois branchée dans une prise spéciale.

La trilogie est enfin complétée et il est indéniable que le constructeur Suzuki a de la suite dans les idées. Ainsi, après avoir dévoilé les véhicules Kizashi premier et deuxième volet, voici qu'il présente la troisième et dernière monture. Le Kizashi 3, dont les lignes et la silhouette se rapprochent nettement de celles d'une berline, confirme bel et bien les intentions de ce constructeur de se lancer dans le créneau des berlines intermédiaires. Le moteur serait un V6 de 3,6 litres dont la puissance avoisinerait les 300 chevaux, le tout s'accouplerait à une boîte automatique à six rapports.

Kizashi3
Suzuki

Pouvait-on sincèrement éviter de parler de la voiture la plus médiatisée en 2008, et ce, à travers la planète ? Un tel affront, nous aurait fait passer pour de beaux tatas, voire une gang de nonos... Sérieusement, la petite Tata Nano peut d'ores et déjà être considérée comme la nouvelle voiture du peuple. Elle est mue par un minuscule moteur bicylindre de 623 cc d'une puissance de 33 chevaux. La société CVTech de Drummundville (oui, oui, le Drummondville en banlieue de St-Germain-de-Grantham) fournira les boîtes CVT de la Tata Nano. Volkswagen, Toyota et Renault/Nissan se proposent eux aussi de concevoir une voiture abordable, mais qui dépassera largement les 2 500 $ demandés pour une Tata Nano...

Nano
Tata

Think
Ox Concept

La compagnie norvégienne Think Global AS conçoit, fabrique et vend depuis plus de 17 ans de petites voitures mues exclusivement à l'électricité. Au dernier Salon de Genève, elle nous a présenté son modèle Think City, une voiture parfaitement non polluante dite de 5e génération. Vendue en versions à trois ou cinq portières, elle propose plusieurs motorisations électriques, dont l'une associée à des batteries au lithium-ion. Cette version haut de gamme à cinq portières jouit d'une autonomie de 200 km, mais avec l'utilisation de panneaux solaires responsables de l'activation des différents accessoires.

Toyota
IQ Concept

La Toyota IQ Concept ne vise pas le marché de la Tata Nano, mais bien celui de la petite smart de Mercedes-Benz, notamment en sol européen. De dimensions à peine plus généreuses que celles de sa future rivale, la petite IQ peut tout de même accueillir quatre personnes selon la configuration adoptée. Bien que peu d'informations aient circulé concernant la motorisation de cette dernière, il appert que plusieurs hypothèses sont à l'étude, avec moteur à essence de très petite cylindrée, voire diesel à rampe commune ou tout simplement la combinaison de ces deux mondes. Tout indique qu'elle serait commercialisée dès 2010 en Europe.

Passé pratiquement inaperçu au dernier Salon de Detroit, ce camion de dimensions compactes pourrait bien devenir le prochain Tacoma, sinon être utilisé technologiquement pour le développement de ce dernier. Esthétiquement, il fait un peu penser au camion Ridgeline de Honda, notamment au niveau du design de la caisse. Toutefois, en ces temps durs pour le marché de la camionnette grand format, le concept A-BAT bénéficie d'un groupe motopropulseur fort intéressant. Sous ce capot très haut et massif, se cache un moteur quatre cylindres associé à un moteur électrique, en plus de profiter des avantages de panneaux solaires.

A-BAT Concept
Toyota

Les constructeurs américains et asiatiques travaillent au développement de moteurs hybrides ou tout électriques. Volkswagen et autres constructeurs européens mettent plutôt l'accent sur le développement de moteurs TDI plus économiques et plus écologiques, voire associés à un petit moteur électrique. À titre d'exemple, la Volkswagen Golf TDI Hybrid utilise un petit moteur TDI de 1,2 litre de 75 chevaux, associé à un moteur électrique et accouplé à une boîte séquentielle DSG à sept rapports. Sa consommation serait de 3,4 litres/100km (81 mi/gal) et ne rejetterait que 89g de CO_2/km. Volkswagen travaille également sur une version à batteries rechargeables.

Golf TDI Hybrid
Volkswagen

DE BELLES RÉALISATIONS QUÉBÉCOISES !

Vous informer sur les véhicules-concepts et prototypes qui sont dévoilés dans le cadre des grands Salons de l'auto, c'est fort instructif et intéressant. Toutefois, cela nous amène à oublier que chez nous, il y a aussi des gens fascinants qui ne manquent pas d'ingéniosité quand vient le temps de concevoir un véhicule de rêve ou très écologique.

Or, c'est dans cette optique que l'équipe de rédaction du présent *Guide de l'auto* a voulu rendre hommage à deux Québécois qui travaillent très fort, à leur façon, pour que l'automobile devienne plus conviviale et surtout plus propre et respectueuse de l'environnement.
Voici donc un aperçu des réalisations de ces derniers.

Le Verdier

Solar Power

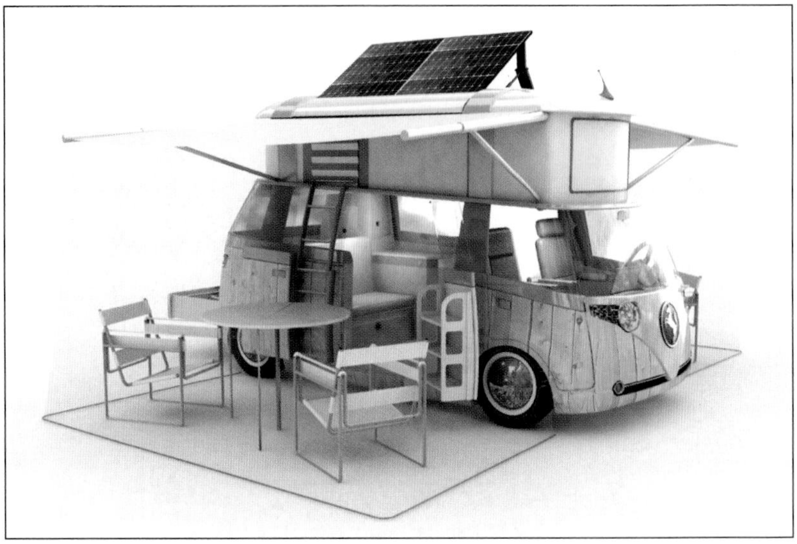

Ce véhicule-concept pensé et développé par M. Alexandre Verdier comprend bon nombre d'avancées technologiques, dont plusieurs panneaux solaires orientables chargés de fournir de l'électricité une fois le véhicule stationné. À l'intérieur, l'échelle qui vous permet d'accéder à la couchette est ingénieusement intégrée dans le dossier du siège du passager et la cuisinière est pivotante. Les technologies du multimédia font partie du lot des gâteries, incluant un système de navigation. Côté moteur, M. Verdier aurait un penchant non dissimulé vers une motorisation hybride, semblable à celle de la Prius. Actuellement, on est à la recherche de partenaires sérieux pour réaliser le prototype...

Mazda3

électrique

Photo : Hai Au Bui

Une Mazda3 silencieuse, voilà ce que vous propose M. Loïc Daigneault qui s'est fait une spécialité de transformer une Mazda3 à moteur à combustion en Mazda3 totalement légale à motorisation tout électrique. Le moteur électrique est alimenté par 24 batteries courantes au plomb. Ces dernières sont recyclables et leur durée de recharge peut prendre entre cinq et dix heures, via le circuit électrique domestique. Son autonomie est de 100 km et elle peut atteindre une vitesse de pointe de 120 km/h. Cette modification demande un déboursé de l'ordre de 21 500 $, vous permettant ainsi de rouler avec grande discrétion et surtout en n'émettant aucune émission toxique. Une recharge coûte 1,20 $ d'électricité. Une production en petite série pourrait être envisagée.

SALON DE L'AUTO
PALAIS DES CONGRÈS DE MONTRÉAL
16 AU 25 JANVIER 2009
PRÉSENTÉ PAR
Desjardins
Assurances générales
Lowell
Laflam
NOUVEAU
VALEUR À NEUF 5 ANS
Obtenez la tranquillité d'esprit à bon prix avec l'une des garanties les plus complètes et flexibles sur le marché. Informez-vous !
T PAS L'ASSUREUR
R ACCIDENT.
se concentrer sur le prix et que son
est reconnu, pas étonnant qu'il soit
oumission :
• sur assureurnumero1.com
ASSURANCE AUTO
Desjardins
Assurances générales
Conjuguer avoirs et êtres

MERCEDES-BENZ F700,

LA VOITURE DE DEMAIN DEVENUE RÉALITÉ

Par Sylvain Raymond

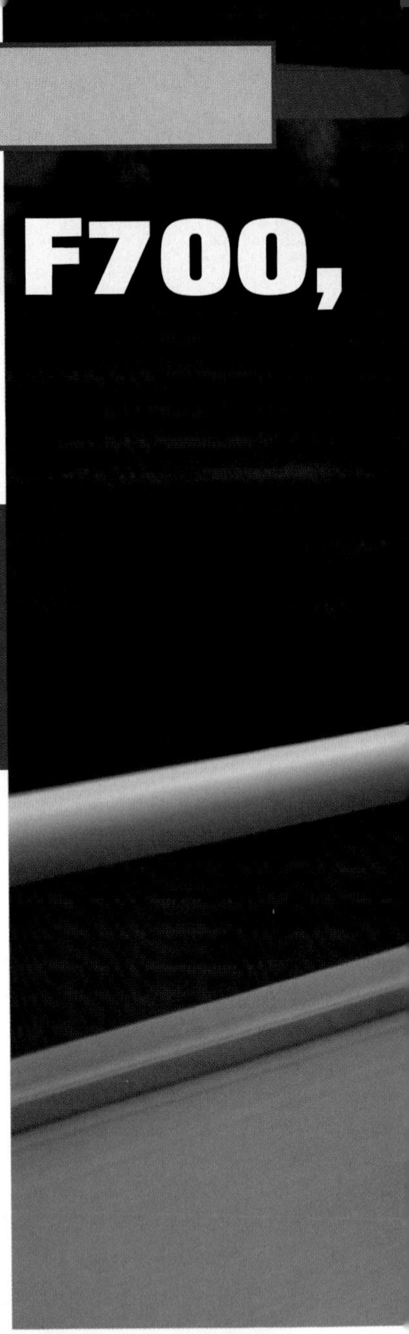

Le constructeur Mercedes-Benz a convié quelques journalistes dans la région de Séville en Espagne afin de présenter l'ensemble de ses nouvelles technologies dites « Bleu » et surtout, pour nous permettre de prendre le volant de divers nouveaux véhicules plus propres qui seront offerts très bientôt. Le clou de cette présentation a certes été une balade à bord de la Mercedes F700, un véhicule-concept exposé au dernier Salon de Francfort et regroupant plusieurs des nouvelles technologies du constructeur.

La F700 offre un amalgame de nouveaux éléments, certains destinés à la sécurité et au confort, d'autres permettant une économie de carburant accrue. Bien entendu, le véhicule-concept revêt une robe moderne qui inspirera certainement de futurs modèles, notamment le porte-étendard du constructeur, la Classe S. Utilisant d'ailleurs la plate-forme de cette dernière, la F700 affiche des lignes futuristes inspirées des milieux aquatiques Ses flancs sont parés de lumières LED qui imitent des ouïes de poisson, alors que le toit arbore une antenne à la silhouette d'un aileron de requin. Avec ses 3,45 mètres de long, la F700 favorise également le confort et l'espace intérieur.

À bord, on découvre un habitacle futuriste et spacieux. Le siège arrière droit, baptisé Reverse, peut coulisser d'une manière semi-circulaire, faisant alors face à l'arrière. Idéal pour converser yeux dans les yeux avec l'autre passager! À l'avant, le conducteur dispose d'une interface multimédia permettant de dicter tous ses désirs à un gentil avatar, qui s'occupera d'opérer les divers équipements, comme le téléphone intégré et les systèmes audio et de navigation.

LE MEILLEUR DU MOTEUR À ESSENCE ET DIESEL

Outre les équipements destinés au luxe et au confort, c'est avant tout les technologies d'ordre mécanique qui attirent le plus notre attention puisque ces dernières seront proposées sous peu dans divers modèles. Exit les V8 et V12, la F700 cache sous son long capot un moteur quatre cylindres de 1,8 litre. C'est très peu vous direz pour une voiture de cette taille, mais en fait, ce moteur incorpore de multiples éléments regroupés, ce qui aboutit à la technologie DIESOTTO et qui assure de bonnes performances tout en consommant très peu.

On retrouve donc à la base un moteur de cylindrée réduite, auquel on a greffé un compresseur volumétrique afin d'en améliorer le rendement. Tout comme c'est le cas avec un moteur diesel, c'est la compression qui cause l'explosion du mélange air/essence, non pas une bougie d'allumage. Pour pouvoir obtenir la combustion sans bougie d'allumage dans un moteur à essence, les ingénieurs ont réussi à développer la première application fonctionnelle d'un taux de compression variable des cylindres. Ajoutez à cela un système d'injection directe, une nouveauté chez Mercedes-Benz, et vous obtenez une grande berline de luxe alignant des chiffres de consommation similaires à ceux d'une voiture sous-compacte, soit

Photos: Mercedes-Benz

5,3 L/100 Km dans le cas de la F700. Pas mal pour une motorisation qui culmine au total 238 chevaux issus d'une cylindrée inférieure à 2,0 litres.

Non content d'en rester là, Mercedes-Benz a également greffé à la F700 un petit moteur électrique qui permet d'assister la motorisation à essence. Voilà donc l'apparition d'un système hybride à mode simple (le moteur à essence demeure toujours sollicité), une technologie qui sera proposée à bord de la Classe S dès l'an prochain.

UNE SUSPENSION DYNAMIQUE

L'autre élément intéressant de la F700 est sans contredit l'intégration du système PRE-SCAN. Deux lasers, intégrés aux phares avant, balaient continuellement l'avant de la voiture à la recherche d'imperfections et d'aspérités de la chaussée. Le système transmet ensuite l'information au contrôle actif de la suspension qui fera réagir indépendamment la suspension de chaque roue afin de minimiser les impacts dans l'habitacle, améliorant ainsi le niveau de confort. En fait, ce système réussit à inhiber presque entièrement le passage sur un dos-d'âne. Voilà une technologie qui sera certainement utile sur nos routes...

AU VOLANT

Nous avons eu la chance d'effectuer quelques tours de piste à bord de la F700 et au volant d'une Classe S équipée des mêmes technologies. Il faut avouer que malgré la cylindrée réduite, le groupe motopropulseur s'est avéré performant et c'est surtout son couple qui surprend. Toute cette technologie demeure transparente alors que la voiture se compare pratiquement à un modèle de série. Il y a certes quelques ajustements à apporter à la suspension et à la direction, mais on ne peut pas trop en demander à des véhicules-concepts.

Mercedes-Benz prend définitivement un virage « Bleu » et d'ici quelques années, l'environnement automobile auquel nous sommes habitués changera du tout au tout.

PLUSIEURS AUTRES TECHNOLOGIES

Chez Mercedes-Benz, on prévoit lancer au fil des années diverses technologies améliorant l'efficacité des véhicules. La majeure partie de celles-ci est d'ailleurs regroupée à bord de la F700. Par ailleurs, l'injection directe fera son apparition dans plusieurs modèles. Baptisé CGI chez Mercedes-Benz, l'injection directe améliore les performances et donc, la puissance, puisque le carburant est injecté directement dans la chambre à combustion, optimisant ainsi le mélange air/essence. Le taux de compression plus élevé permet un mélange plus pauvre, procurant par le fait même une économie de carburant appréciable. Depuis déjà quelque temps, Audi dispose d'une technologie similaire baptisée FSI. Voilà une solution intéressante qui permet d'améliorer à peu de frais l'efficacité des moteurs à combustion traditionnels.

LA CLASSE B F-CELL, LA PILE À COMBUSTIBLE

Le constructeur nous a présenté il y a quelques années un modèle de Classe A, propulsé par une pile à combustible. Le concept F600 Hygenius était dévoilé un peu après et poussait un peu plus cette technologie en améliorant notamment l'autonomie et son utilisation par température plus froide. Fruit de ces développements, un modèle de Classe B sera produit à petite échelle dès 2010 et pourrait devenir le premier véhicule compact fonctionnant à l'hydrogène à être commercialisé. À ce chapitre, la course est aussi lancée avec GM et son Equinox Fuel Cell tout comme avec Honda et sa Clarity FCX, deux modèles déjà à l'essai aux États-Unis et qui pourraient être commercialisés sous peu.

BLUE HYBRIDE, DANS LA COUR DE TOYOTA

Des 2010, le VUS Mercedes-Benz ML sera proposé avec la première motorisation hybride bimode du constructeur. Similaire à la technologie de Toyota, le système de Mercedes est composé d'un moteur à essence de taille réduite ainsi que d'un moteur électrique. Alors que

la Classe S disposera d'une technologique hybride à mode simple, dont le moteur à essence est toujours sollicité, la ML 450 hybride pourra se déplacer soit en deux modes, soit en essence assistée ou entièrement à l'électricité. Cette même technologie sera combinée à un moteur diesel dans le cas du Mercedes-Benz GLK BlueTEC Hybrid, un véhicule actuellement au stade de concept, mais qui risque d'entrer en production assez rapidement.

Tandis que certains constructeurs ciblent une technologie en particulier, Mercedes-Benz, tout comme GM d'ailleurs, mise sur les trois principales technologies du futur, même si le constructeur germanique semble moins se concentrer sur les véhicules 100 % électriques. Il y a bien quelques smart de ce type en essai dans la ville de Londres en Grande-Bretagne, mais l'essentiel de sa technologie repose pour le moment sur les motorisations hybrides et à pile à combustible.

On commence réellement à voir les résultats de plusieurs années de développement. Une automobile comme la F700 est non seulement plus propre et plus économique, mais elle est également performante et dotée d'une silhouette fort élégante. Mieux encore, sa technologie DIESOTO sera bientôt sur le marché.

C'est une bonne nouvelle puisque cette technologie de demain deviendra réalité d'ici l'an prochain. ■

ES PREMIERS DE CLASSE 2009

ASTON MARTIN · AUDI · BENTLEY · BMW · BUICK · CADILLAC · CHEVROLET
CHRYSLER · DODGE · FERRARI · FORD · HONDA · HUMMER · HYUNDAI · INFINITI · JAGUAR
JEEP · KIA · LAMBORGHINI · LAND ROVER · LEXUS · LINCOLN · LOTUS · MASERATI · MAYBACH
MAZDA · MERCEDES-BENZ · MINI · MITSUBISHI · NISSAN · PONTIAC · PORSCHE · ROLLS ROYCE
SAAB · SATURN · SUBARU · SUZUKI · TOYOTA · VOLKSWAGEN · VOLVO

SOUS-COMPACTES

EN LICE

Chevrolet Aveo / Pontiac G3
Honda Fit
Hyundai Accent
Kia Rio/Rio5
Nissan Versa
smart Fortwo
Suzuki Swift+
Toyota Yaris
Volkswagen Golf / Jetta City

#1 HONDA FIT

#2 NISSAN VERSA

#3 VOLKSWAGEN GOLF/JETTA CITY

COMPACTES

#1 MAZDA3

#2 HONDA CIVIC

#3 VOLKSWAGEN RABBIT

EN LICE

Acura CSX	Mitsubishi Lancer
Chevrolet Cobalt	Nissan Sentra
Chevrolet HHR	Pontiac Vibe / Toyota Matrix
Chrysler PT Cruiser	Pontiac G5
Dodge Caliber	Saturn Astra
Ford Focus	Subaru Impreza
Honda Civic	Suzuki SX-4
Hyundai Elantra	Toyota Corolla
Kia Spectra	Volkswagen Rabbit
Kia Rondo	Volkswagen Jetta
Mazda 3	Volkswagen New Beetle
Mazda 5	

INTERMÉDIAIRES

EN LICE

Buick Allure	Mitsubishi Galant
Chevrolet Malibu	Nissan Altima
Chrysler Sebring	Pontiac G6
Dodge Avenger	Saturn Aura
Ford Fusion	Subaru Legacy
Honda Accord	Toyota Camry
Hyundai Sonata	Toyota Solara
Kia Magentis	Toyota Prius
Mazda 6	Volkswagen Passat

#1 MAZDA6

#2 TOYOTA CAMRY

#3 HONDA ACCORD

GRANDES BERLINES/GRANDS COUPÉS

EN LICE

- Buick Lucerne
- Chevrolet Impala
- Chrysler 300 / 300C
- Dodge Challenger
- Dodge Charger
- Ford Taurus
- Hyundai Azera
- Hyundai Genesis
- Kia Amanti
- Lexus ES
- Nissan Maxima
- Pontiac G8
- Toyota Avalon

#1 HYUNDAI GENESIS

#2 NISSAN MAXIMA

#3 PONTIAC G8

COMPACTES DE LUXE

EN LICE

- Acura TSX
- Audi A3
- BMW Série 1
- Mercedes-Benz Classe B
- Volvo C30 / S40 / V50

#1 BMW SÉRIE 1

#2 AUDI A3

#3 ACURA TSX

BERLINES/COUPÉS SPORT DE LUXE

EN LICE

- Acura TL
- Audi A4
- Audi A5
- BMW Série 3
- Cadillac CTS
- Infiniti G
- Jaguar X-TYPE
- Lexus IS
- Lincoln MKZ
- Mercedes-Benz Classe C
- Saab 9-3
- Volvo S60

#1 BMW SÉRIE 3

#2 MERCEDES-BENZ CLASSE C

#3 AUDI A4

BERLINES/FAMILIALES INTERMÉDIAIRES DE LUXE

EN LICE

Acura RL
Audi A6
BMW Série 5
Cadillac STS
Cadillac DTS
Infiniti M
Jaguar XF
Lexus GS
Lincoln MKS
Mercedes-Benz Classe E
Saab 9-5
Volkswagen Passat CC
Volvo V70 / XC70
Volvo S80

#1 BMW SÉRIE 5

#2 MERCEDES-BENZ CLASSE E

#3 AUDI A6

BERLINES DE GRAND LUXE

EN LICE

Audi A8
BMW Série 7
Bentley Flying Spur
Jaguar XJ
Lexus LS
Maserati Quattroporte
Maybach 57 - 62
Mercedes-Benz Classe CLS
Mercedes-Benz Classe S
Mercedes-Benz Classe CL
Rolls-Royce Phantom
Rolls-Royce Drophead

#1 MERCEDES-BENZ CLASSE S

#2 AUDI A8

#3 BMW SÉRIE 7

VUS COMPACTS

EN LICE

Chevrolet Equinox
Dodge Nitro
Honda CR-V
Honda Element
Hyundai Tucson
Hyundai Santa Fe
Jeep Compass
Jeep Patriot
Jeep Liberty
Kia Sportage
Mazda Tribute
Mitsubishi Outlander
Nissan Rogue
Pontiac Torrent
Saturn VUE
Subaru Forester
Suzuki Grand Vitara
Toyota RAV4
Volkswagen Tiguan

#1 VOLKSWAGEN TIGUAN

#2 MITSUBISHI OUTLANDER

#3 NISSAN ROGUE

VUS INTERMÉDIAIRES

#1 FORD EXPLORER

#2 JEEP GRAND CHEROKEE

#3 TOYOTA 4RUNNER

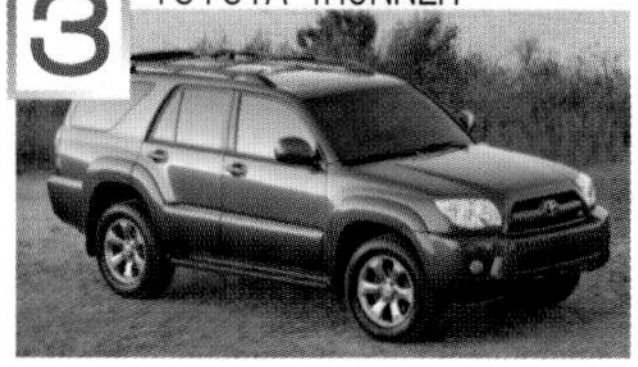

EN LICE

Chevrolet Trailblazer
Ford Explorer
GMC Envoy
Hummer H3
Jeep Grand Cherokee
Jeep Commander
Kia Sorento
Nissan Xterra
Nissan Pathfinder
Toyota 4Runner
Toyota FJ Cruiser

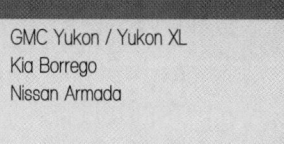

GRANDS VUS

#1 CHEVROLET TAHOE / SUBURBAN

Ex-æquo

#1 GMC YUKON / YUKON XL

EN LICE

Chevrolet Tahoe / Suburban
Chrysler Aspen
Dodge Durango
Ford Expedition
GMC Yukon / Yukon XL
Kia Borrego
Nissan Armada

#2 FORD EXPEDITION

#3 DODGE DURANGO

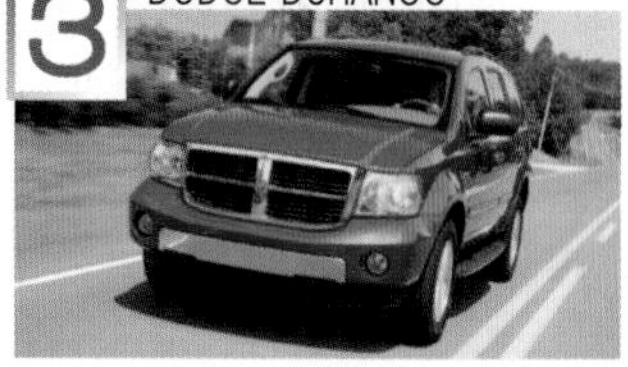

VUS COMPACT DE LUXE

#1 MERCEDES-BENZ CLASSE GLK

#2 AUDI Q5

#3 INFINITI EX

EN LICE

Acura RDX
Audi Q5
BMW X3
Infiniti EX
Land Rover LR2
Mercedes-Benz Classe GLK
Volvo XC60

VUS INTERMÉDIAIRE DE LUXE

EN LICE

Acura MDX	Lexus RX
Audi Q7	Lexus GX
BMW X5	Lincoln MKX
BMW X6	Mercedes-Benz Classe M
Buick Enclave	Mercedes-Benz Classe R
Cadillac SRX	Porsche Cayenne
Infiniti FX	Saab 9-7x
Land Rover LR3	Volkswagen Touareg
Land Rover Range Rover Sport	Volvo XC90

#1 MERCEDES-BENZ CLASSE M

#2 BMW X5

#3 AUDI Q7

GRANDS VUS DE LUXE

EN LICE

Cadillac Escalade	Lexus LX
Hummer H2	Lincoln Navigator
Infiniti QX	Mercedes-Benz Classe GL
Land Rover Range Rover	Mercedes-Benz Classe G

#1 MERCEDES-BENZ CLASSE GL

#2 CADILLAC ESCALADE

#3 LINCOLN NAVIGATOR

MULTISEGMENT

EN LICE

Chevrolet Traverse	Mazda CX-7
Dodge Journey	Mazda CX-9
Ford Flex	Mitsubishi Endeavor
Ford Edge	Nissan Murano
Ford Taurus X	Saturn Outlook
GMC Acadia	Subaru Tribeca
Honda Pilot	Suzuki XL-7
Hyundai Veracruz	Toyota Highlander

#1 HONDA PILOT

#2 MAZDA CX-9

#3 CHEVROLET TRAVERSE

GMC ACADIA

Ex-æquo

SATURN OUTLOOK

Ex-æquo

#1 FERRARI F430

#2 AUDI R8

#3 LAMBORGHINI GALLARDO

GT/SPORT PERFORMANCE/EXOTIQUE

EN LICE

Aston Martin DBS	Ferrari F430
Aston Martin V8 Vantage	Ferrari 599 Fiorano
Aston Martin DBS	Ferrari 612 Scaglietti
Audi R8	Lamborghini Murciélago
Bentley Arnage	Lamborghini Gallardo
Bentley Continental GT / GTC	Maserati Gran Turismo
Bugatti Veyron 16.4	Mercedes-Benz McLaren SLR

COUPÉS SPORT/SPORTIVES COMPACTES

EN LICE

Chevrolet Cobalt SS	Mini Cooper
Dodge Caliber SRT4	Mitsubishi Lancer Ralliart / Evolution
Honda Civic Si	Nissan Sentra SE-R
Hyundai Tiburon	Subaru Impreza WRX / Sti
Mazdaspeed3	Volkswagen GTi

#1 MITSUBISHI LANCER RALLIART/EVOLUTION

#2 MAZDASPEED3

#3 VOLKSWAGEN GTi

#1 NISSAN GT-R

#2 PORSCHE BOXSTER / CAYMAN

#3 MAZDA MX-5

COUPÉ/ROADSTER DE MOINS DE 80 000 $

EN LICE

Audi TT	Nissan 350Z
Ford Mustang	Nissan GT-R
Honda S2000	Pontiac Solstice
Lotus Elise / Exige	Porsche Boxster / Cayman
Mazda MX-5	Saturn Sky
Mazda RX-8	Volkswagen Eos
Mercedes-Benz Classe SLK	

COUPÉ/CABRIOLET DE PLUS DE 80 000 $

EN LICE

- BMW Série 6
- Chevrolet Corvette
- Cadillac XLR
- Dodge Viper
- Jaguar XK
- Lexus SC
- Mercedes-Benz Classe SL
- Porsche 911

#1 PORSCHE 911

#2 CHEVROLET CORVETTE

#3 MERCEDES-BENZ CLASSE SL

FOURGONNETTES

EN LICE

- Chevrolet Uplander
- Dodge Grand Caravan
- Chrysler Town & Country
- Honda Odyssey
- Hyundai Entourage
- Kia Sedona
- Nissan Quest
- Pontiac Montana SV6
- Toyota Sienna
- Volkswagen Routan

#1 HONDA ODYSSEY

#2 CHRYSLER TOWN & COUNTRY

Ex-æquo

#2 DODGE GRAND CARAVAN

#3 TOYOTA SIENNA

GRANDES CAMIONNETTES

#1 CHEVROLET SILVERADO

Ex-æquo

#1 GMC SIERRA

EN LICE

- Chevrolet Avalanche
- Chevrolet Silverado
- Dodge Ram
- Ford Série F
- GMC Sierra
- Nissan Titan
- Toyota Tundra

#2 FORD SÉRIE F

#3 DODGE RAM

MEILLEURE NOUVELLE VOITURE DE L'ANNÉE

MAZDA 6

EN LICE

- Acura TSX
- Audi A4
- BMW Série 1
- Dodge Challenger
- Hyundai Genesis
- Jaguar XF
- Lincoln MKS
- Mazda 6
- Mini Cooper
- Mitsubishi Lancer Evolution
- Nissan GT-R
- Nissan Maxima
- Pontiac G8
- Pontiac Vibe
- Subaru Impreza WRX / WRX STi
- Toyota Corolla
- Toyota Matrix

WWW.LEGUIDEDELAUTO.COM
LA RÉFÉRENCE AUTOMOBILE DEPUIS 43 ANS
MAINTENANT SUR LE WEB
Primeurs :: Actualités :: Essais routiers
Fonds d'écran :: Photos et vidéos
Forum :: Véhicules d'occasion
Le Guide de l'auto
avec Denis Duquet et Gabriel Gélinas
Volkswagen dévoile les prix de la Routan 2009
Gabriel Gélinas au Land Rover G4 Challenge
En direct du Guide de l'auto
PASSION PERFORMANCE.ca

MEILLEUR NOUVEAU MULTISEGMENT DE L'ANNÉE

MERCEDES-BENZ GLK

EN LICE

Audi Q5
BMW X6
Chevrolet Traverse
Dodge Journey
Dodge RAM
Ford F150
Ford Flex
Infiniti EX35
Kia Borrego
Lexus LX570
Mercedes-Benz GLK
Nissan Rogue
Subaru Forester
Toyota Sequoia
Volkswagen Tiguan

FACE À FACE

LES COMPACTES • LES SPORTIVES • LES HYBRIDES

COMPACTES SANS

Dans *Le Guide de l'auto 2006*, nous avions tenu un match comparatif entre cinq des compactes les plus populaires du moment (Ford Focus, Mazda3, Chevrolet Cobalt, Honda Civic et Toyota Corolla). Aussi bien vous le dire tout de suite pour vous éviter des recherches : la Mazda3 l'avait emporté haut la main !

Trois années plus tard, ce segment du marché a drôlement changé. Les prix de l'essence qui ne cessent de grimper amènent plusieurs personnes à considérer les compactes comme des alternatives très alléchantes, ce qui mousse les ventes ! Et quand un secteur est en demande, l'offre se bonifie. Ce n'est pas au niveau de la quantité des véhicules que l'offre s'est améliorée, mais plutôt au niveau de la qualité et du nombre d'accessoires de série. Dans le match de cette année, toutes les voitures possédaient des vitres électriques et un climatiseur, et le moteur le moins puissant développait tout de même 132 chevaux !

Il y a trois ans, il n'y avait pas moins de quatorze modèles dans la catégorie des compactes, contre treize en 2009. Outre les Mazda3, Chevrolet Cobalt et Kia Spectra, tous les modèles ont depuis connu des changements plus ou moins importants. Les Chevrolet Optra, Saturn Ion, Suzuki Aerio et Volkswagen Golf nous ont quittés et, excepté l'Optra, toutes ont été remplacées par des modèles plus intéressants. Juste depuis 2006, la Honda Civic et la Toyota Corolla, deux joueurs majeurs de la catégorie, ont subi de profondes transformations.

Puisque la catégorie des compactes s'avère de plus en plus populaire, nous avons décidé, pour l'édition 2009 du *Guide de l'auto*, de porter un grand coup… Toutes les comparer, sans exception ! Ce qui implique un match de treize voitures. Seule la Dodge Caliber n'a pu se présenter… et ce n'est pas parce qu'elle n'a pas été « invitée » ! Pour que les chances soient égales, toutes les voitures devaient posséder une

COMPLEXES

transmission automatique et avoir un prix de vente de moins de 25 000 $. Puisque rien n'est parfait en ce bas monde, Mitsubishi a réussi à nous livrer une Lancer manuelle et Ford nous a prêté une Focus de 24 764 $... avant la livraison et la préparation, ce qui en fait le seul modèle à plus de 25 000 $. Mais comme je n'avais pas été suffisamment clair avec la représentante de Ford, nous ne lui en avons pas tenu rigueur. Au début des discussions internes concernant ce match, nous avions pensé demander uniquement des berlines, mais l'envie de comparer la nouvelle Saturn Astra (qui n'est offerte qu'en version à hayon) aux autres compactes nous a fait réviser nos critères. C'est ainsi que la Volkswagen Rabbit a été « conviée » elle aussi.

Un match avec autant de véhicules demande plusieurs essayeurs. Et plus il y a d'essayeurs, plus les résultats sont précis. Une personne peut se tromper. Treize en même temps, c'est plus rare... Trêve de placotage, place à nos treize voitures en commençant, à tout seigneur tout honneur, par la première place.

TROP FORTE POUR LA LIGUE

Lorsque *Le Guide de l'auto* avait tenu son match des compactes en 2006, la Mazda3 avait occupé le premier rang. Aujourd'hui, elle nous refait le coup ! Le fait qu'elle soit la plus vieille voiture du groupe (elle fut lancée en 2004) prouve à quel point sa conception a été sérieuse. Par contre, son avance n'est plus ce qu'elle était et elle ne gagne que par la peau des pneus. Et heureusement pour la Mazda3 que nous avons une section rapport qualité/prix qui donne des points très subjectifs pour l'agrément de conduite et le choix des essayeurs...

Autant le haut niveau de la finition intérieure, la beauté du tableau de bord et la quantité d'équipements ont été salués. Personne, toutefois, n'a été dupe des places arrière plutôt restreintes et de la position de conduite que certains ont eu plus de difficulté à trouver que d'autres. Elle a tout de même terminé deuxième sur ce plan ! La petite ouverture du coffre a aussi été soulignée mais, malheureusement, cette caractéristique semble de plus en plus populaire chez les compactes. Pour compenser. Il y a également une version *hatchback*, non essayée dans ce match. Quant à l'esthétique de la carrosserie, la Mazda3 est arrivée deuxième, derrière la Honda Civic. Nous nous attendions à un pire résultat à ce sujet puisque la ligne de la Mazda fait preuve de plus de retenue que certaines autres voitures de la catégorie et qu'on la voit depuis déjà quelques années. Pour ce qui est de l'assemblage des différents panneaux de la carrosserie, il est difficile de le prendre en défaut.

Un des essayeurs a lancé une belle fleur à la Mazda3 en lui décernant le titre de la « plus européenne des japonaises ». Et c'est vrai. On ne peut pas dire que son comportement routier soit aussi affuté que celui d'une Rabbit, par exemple, mais, pour une japonaise, elle se débrouille extrêmement bien. Par contre, lorsqu'est venu le temps de laisser parler leur cœur, nos essayeurs ont choisi la Mazda3 sans hésitation. Au tableau des performances, cette compacte figure banalement en milieu de peloton, elle qui, il n'y a pas si longtemps ramassait toutes les premières places. La concurrence n'a pas de pitié. Une version GT, avec son 2,3 litres de 148 chevaux lui aurait permis d'engranger encore plus de points... mais à quoi bon ? Aussi, des suspensions un tantinet moins rigides auraient été appréciées par plusieurs. Dans la gamme 3, on retrouve aussi la version Sport, un beau terme pour désigner un modèle à hayon. Mais il y a aussi une mini-bombe, appelée MazdaSpeed3.

Quoi qu'il en soit, au chapitre du rapport qualité/prix/plaisir, la Mazda3 est imbattable. Les rumeurs les plus persistantes parlent d'un nouveau modèle pour 2010. On ne connait pas encore la teneur des changements, mais peu importe. La Mazda3 actuelle pourra sortir la tête haute, très haute.

Le plus beau compliment...

« Voilà la plus équilibrée du groupe ! Belle à l'extérieur comme à l'intérieur. » Martin Phaneuf

...et le pire commentaire !

« La position de conduite pourrait être améliorée. » Mathieu Dextradeur

2ième RANG HONDA CIVIC

À UN POIL D'ÊTRE LA MEILLEURE

Ce qui fait généralement la force d'un athlète, d'une équipe ou d'une voiture, c'est souvent la régularité. La preuve ? La Honda Civic finit en deuxième position de ce match des compactes mais n'a gagné que dans deux catégories, soit le style et la carrosserie, qui pourtant, ne comptent que pour 80 points. Mais elle a su rester dans le peloton de tête dans à peu près toutes les autres catégories. Au final, elle termine deuxième, à quelques dixièmes de points de la Mazda3. Et, aussi bien l'avouer, elle se fait chauffer par la Volkswagen Rabbit. D'ailleurs, si la consommation d'essence de cette dernière n'avait pas été si élevée, la Civic se serait retrouvée en troisième position !

La plupart des essayeurs ont souligné le style original de sa carrosserie et de l'habitacle. Même le tableau de bord à deux niveaux semble avoir fini par rallier les gens à sa cause. Enfin, presque tous... Un de nos testeurs l'a même qualifié de spectaculaire. Et tous ont apprécié l'ergonomie de ses commandes, qui, toutefois, n'est pas meilleure que celles des Toyota Corolla et Volkswagen Rabbit. Le levier du frein à main, situé sur la console, incite aux dérapages hivernaux, contrôlés bien entendu ! Au niveau de la carrosserie, la Civic est la mieux construite du lot concernant les tolérances entre divers panneaux de carrosserie, tel que décrit dans le tableau qui accompagne ce match. Mentionnons que la bonne visibilité procurée par la Civic a aussi été remarquée par quelques personnes et qu'on a qualifié la position de conduite de « jeune » car elle invite à la sportivité. La qualité de sa finition a plu mais l'accès aux places arrière s'est révélé un peu difficile pour certains. Heureusement pour la Civic, nous n'attribuons pas de points pour la qualité de la climatisation... Avec un thermomètre de grande précision, Denis Duquet, notre rédacteur en chef, a mesuré la différence de température engendrée par le système de climatisation en vingt secondes. La Civic possède le climatiseur le moins efficace du groupe !

Parmi les autres commentaires recueillis lors de nos deux journées d'essai, notons que les performances du quatre cylindres 1,8 litre de 140 chevaux et 128 livres-pied de couple n'ont enthousiasmé personne. En fin de compte, c'est la Civic qui remporte le 0-100 km/h et détient la troisième place pour les reprises entre 80 et 120 km/h... Y aurait-il donc une différence entre les performances et la perception de ces performances ? Notre véhicule d'essai était un modèle EX-L, équipé au bouchon, d'une valeur de 23 385 $, avant le transport et la préparation, ce qui est loin d'en faire un modèle d'économie. Il s'agissait de la deuxième voiture la plus chère du match. Par contre, on se reprend sur le plan de la consommation. Lors de nos essais, nous avons établi une moyenne de 8,8 litres aux cent kilomètres, soit la cinquième meilleure note.

Le plus beau compliment...

« Un succès sur toute la ligne. »
Robert Gariépy

...et le pire commentaire !

« Faut s'habituer au tableau de bord à deux niveaux... » Jean-Paul Jodoin

3ième RANG VOLKSWAGEN RABBIT

LA SPORTIVE DU LOT

C'est un fait. Les produits Volkswagen font l'objet d'une vénération, voire d'un fanatisme, de la part de leurs utilisateurs. On est «un gars ou une fille de Volks» comme on est «un gars de *truck*» ou une «fille de moto». Peut-être que des sociologues pourraient expliquer ce phénomène. Quoi qu'il en soit, aucune voiture de la catégorie n'a osé s'approcher du plaisir de conduite de notre Rabbit d'essai, sauf la Mazda3. L'un de nos participants qui n'avait jamais conduit de Volks de sa vie est tombé sous son charme.

Tous ont célébré sa direction précise, sa tenue de route sportive, son châssis d'une extrême rigidité et ses performances relevées. Pourtant, malgré son moteur de 170 chevaux et 177 livres-pied de couple (le plus puissant du lot), elle n'a pas réussi à gagner le 0-100 ou le 80-120 mais tous ont eu la perception qu'elle présentait les meilleures performances du groupe. Il faut dire que nos amis sont tenus de conduire les voitures dans des conditions de route tout à fait normales. Pas question que l'éditeur du *Guide* paie les contraventions! Aussi, la solidité de la caisse et la direction sportive peuvent donner l'impression que la voiture roule plus vite qu'en réalité. Ceux qui font du karting le savent. À 80 km/h on croit rouler à 200! Contrairement à plusieurs modèles, la transmission automatique de la Rabbit ne l'empêche pas de bien paraître.

Un participant au match, propriétaire d'une Golf diesel, se demandait: «À quand la version diesel?» Bientôt, nous le souhaitons, malgré les prix de moins en moins favorables de ce carburant désormais propre. Peut-être qu'avec une version diesel, la Rabbit aurait terminé au deuxième rang. Rang qu'elle a perdu aux mains de la Honda Civic à cause de sa consommation très élevée lors de nos essais (10,4 litres aux 100 km). Faut payer pour avoir du fun…

Le fait d'avoir un hayon plutôt qu'un coffre a valu à la Rabbit de nombreux commentaires élogieux. Ce type de configuration se solde souvent par un habitacle plus bruyant que la moyenne, ce qui n'a pas été noté par nos bénévoles. Par contre, le sérieux de l'assemblage et la qualité des matériaux ne sont pas passés inaperçus, tout comme l'excellent support procuré par les sièges avant dans les courbes. La fiabilité, il n'y a pas si longtemps fort problématique sur tous les produits Volks, semble toutefois refroidir certaines ardeurs. Nous comprenons, mais il faut noter que la fiabilité des organes électriques ou électroniques (c'est-à-dire à peu près tout!) a l'air de constamment s'améliorer chez Volks. L'avenir demeure le meilleur moyen d'avoir la réponse!

C'est l'amalgame de toutes ces qualités qui ont permis à la Rabbit d'amasser beaucoup de points. Peut-être que si nos essayeurs avaient eu à mettre de l'essence dans son réservoir, leurs commentaires auraient été un peu moins dithyrambiques…

Le plus beau compliment…

«Mon coup de cœur!» Karine Carrier

…et le pire commentaire!

«Une réputation constamment à refaire, c'est désagréable pour tout le monde.» Gilles Olivier

4ième RANG
SUBARU IMPREZA

ET INTÉGRALE EN PLUS !

Dans le passé, il est arrivé à maintes reprises que les produits Subaru paraissent plutôt mal lors de nos matchs comparatifs. Quelquefois parce que Subaru ne nous avait pas fourni une voiture représentative du marché ou, tout simplement, parce que le véhicule essayé ne pouvait soutenir la comparaison avec les autres.

Cette fois, l'Impreza est dans le coup. Et pas à peu près! Elle se situe souvent au milieu du plateau mais dans l'ensemble, elle s'est bien débrouillée. Dans la colonne du style, personne ne semble s'ennuyer de la calandre précédente, une extravagante grille en trois morceaux qui se terminait par des phares bridés. C'est désormais beaucoup plus sobre et élégant. Quant à l'habitacle, il a beau avoir été revampé, certains auraient aimé qu'il affiche un peu plus de gaieté. Il a été jugé bien ficelé mais quiconque s'est assis à la place du passager a remarqué à quel point son assise était basse. Et ce siège n'est pas ajustable en hauteur. Même si l'Impreza n'est pas la voiture la plus silencieuse du groupe, certains membres de la CEPP (Confrérie des Essayeurs Payés à la Pizza) ont observé que le niveau sonore, lors d'accélérations, était moins envahissant qu'auparavant. Comme le faisait remarquer un amateur de pepperoni-fromage, une transmission à cinq rapports « fitterait » bien dans ce véhicule. En plus de réduire la consommation, l'habitacle serait encore plus silencieux.

Parmi les notes, on retrouve à l'occasion la mention « moteur doux ». En fait, on ne peut pas dire que le 2,5 de Subaru soit un moteur très doux. Mais comme son niveau sonore est bien contenu et que les accélérations ne donnent pas l'impression d'être pénibles, on peut effectivement penser que le moteur est doux. Même si l'essai a été réalisé en juin, tous les participants du match ont fait mention du rouage intégral, le seul du groupe. Chacun connaît les avantages de ce système et c'est sans doute pour cette raison qu'ils lui ont décerné la première place au niveau de la tenue de route, suivie de peu par la Rabbit.

Que Subaru ait réussi à présenter une intégrale à moins de 25 000 $ tient du prodige. Sécurité à prix abordable, que demander de plus ? Un peu plus d'équipement de base, ont écrit certains dans leurs notes. Mais, à ce moment, le prix aurait été plus élevé... et l'Impreza n'aurait pu participer à notre match. La Subaru Impreza est aussi offerte en version à hayon, qui tient plus de la familiale que du *hatchback*, ce qui nous a incités à réclamer une version berline à Subaru. Cette dernière est très sage mais il semble que cela n'ait refroidi que très peu les participants qui ont apprécié ses qualités intrinsèques. Un peu plus de « wow ! » ne lui ferait cependant pas de tort...

Le plus beau compliment...

« J'ai vraiment aimé l'Impreza. C'est une voiture très, très plaisante à conduire. » Karine Hébert

...et le pire commentaire !

« Le siège du passager est beaucoup trop bas. Je ferais un *burn-out* si je devais effectuer un long voyage assise de ce côté. » Michelle Besner

5ième RANG MITSUBISHI LANCER

LA CHANCEUSE

Franchement, à la fin des journées d'essai, nous nous attendions à un bien piètre classement pour la Mitsubishi Lancer. Les commentaires entendus ici et là n'avaient rien de très réjouissant pour la belle japonaise. Un de nos participants, qui n'avait jamais conduit de Lancer auparavant, avait été mandaté pour aller chercher la voiture à Ottawa (ben quoi, vous pensiez qu'elles nous étaient livrées dans des camions fermés, directement à nos bureaux?). À son retour, il n'avait que de bons mots au sujet de cette bagnole. Pourtant, 48 heures plus tard, après avoir conduit toutes les autres voitures, son avis était plus nuancé. C'est fou ce qu'un match comparatif peut faire ressortir!

Disons-le tout de suite. Ce qui a sauvé la Lancer, c'est sa transmission « fautive ». En effet, nous avions demandé à Mitsubishi de nous procurer une Lancer munie d'une transmission CVT, c'est-à-dire à rapports continuellement variables (comme la Nissan Sentra) mais une erreur quelconque là-bas a eu pour résultat que nous avons reçu une manuelle. Mais comme nous nous en sommes aperçus la veille, il était trop tard pour recevoir une nouvelle voiture et nous ne voulions pas faire perdre à nos lecteurs le privilège de voir où la Lancer se situait par rapport à ses « amies ».

Or, c'est grâce à ses performances relevées que la Lancer s'est hissée à la cinquième position. Sûrement pas grâce à son habitacle jugé mal fini, pauvre, sombre et recouvert de plastiques bon marché. L'absence d'appui-bras sur notre modèle d'essai semble en avoir frustré plus d'un. Le siège arrière non rabattable a aussi été souligné. Plusieurs ont entendu des bruits de caisse qui provenaient davantage de pièces mal assemblées que du très bon châssis, d'une rigidité exemplaire.

La Lancer s'est aussi très bien classée dans la section du style extérieur. Sa calandre lui donne une de ces gueules à laquelle il est difficile de résister. Même la partie arrière, plus sage, est tout de même réussie. L'assemblage des panneaux de carrosserie se situe dans la bonne moyenne.

Côté comportement routier, encore là, c'est plutôt bien mais le fait que la transmission ait été manuelle (certains l'ont aimée, d'autres moins) ne nous a pas permis de la mesurer adéquatement face à ses rivales. Le moteur 2,0 litres de 152 chevaux est performant et économique, comme le prouve sa quatrième place dans le tableau de la consommation. Si, au moins, il était un peu plus silencieux en accélération... On a aussi apprécié la tenue de route, la direction précise et le confort général. Le fait que Mitsubishi propose la meilleure garantie sur le marché semble avoir un certain poids.

La Lancer DE que Mitsubishi nous avait fournie n'était pas la voiture qu'il aurait fallu. Une version SE, mieux équipée et sans doute mieux préparée, lui aurait probablement fait gagner au moins une place, tout en respectant la limite des 25 000 $.

Le plus beau compliment...

« Sa jolie gueule fait des ravages! »
Gilles Olivier

...et le pire commentaire!

« La déception du groupe. »
Martin Phaneuf

6ième RANG TOYOTA COROLLA

PAS ASSEZ

La championne des ventes canadiennes et des pyramides du CAA connaît, en 2009, une refonte majeure. C'est d'ailleurs en grande partie à cause d'elle si nous avons tenu ce match. Nous voulions savoir où elle se situait face à ses rivales. Son résultat en sixième position peut surprendre de prime abord. Mais comme elle ne fait rien de vraiment bien ni rien de vraiment mal, il aurait été étonnant de la retrouver ailleurs qu'en milieu de peloton.

Il faut tout d'abord préciser que la nouvelle Corolla est construite sur la même plateforme qu'avant, passablement rigidifiée par les ingénieurs. Le moteur 1,8 litre est demeuré le même mais on lui a injecté six chevaux de plus. Vous comprendrez donc que les impressions générales auraient été à peu près les mêmes si nous avions eu un modèle de l'ancienne génération !

Personne, mais alors là personne, n'a eu de coup de cœur ou de coup de gueule pour la Corolla. Ses lignes extérieures ont été qualifiées d'ordinaires, peu extravagantes, etc. Cependant, si tout le monde avait mesuré les différences entre les panneaux de carrosseries — comme Denis Duquet, Jean-Paul Jodoin et son épouse Cécile l'ont fait —, ils auraient remarqué que la qualité de l'assemblage était particulièrement relevée. L'avantage d'une carrosserie aussi anonyme, c'est qu'elle ne se démodera pas de sitôt ! Les mêmes remarques s'appliquent à l'habitacle dont le tableau de bord, efficace malgré tout, n'a soulevé aucune passion. La bonne ergonomie des commandes et les nombreux espaces de rangement ont souventes fois été mentionnés. Le coffre à gants à deux niveaux semble avoir été spécialement apprécié, contrairement au tissu des sièges qui avait des airs bon marché.

Sur la route, même constat de banalité. Les suspensions s'avèrent un zeste plus fermes qu'avant mais elles demeurent tout de même très sages et ont mérité le titre de suspensions les plus confortables ! La direction désormais électrique procure un meilleur *feedback* qu'avant et n'a pas reçu de commentaires négatifs... ni positifs. Comme la plupart des éléments mécaniques de la Corolla, ils sont là, ils font bien leur boulot et... se font oublier ! Comme on dit au Québec : « ça fait la job » ! Le moteur, tout comme la transmission, a, lui aussi, la particularité de se faire oublier. Le confort, de son côté, a réussi à percer la morosité et tous l'ont salué bien bas. En un sens, il contribue à l'absence d'émotions. Même la fiabilité légendaire de la Corolla devient ennuyante.

Après une telle évaluation, la vie dans une Corolla peut sembler bien platte. Mais la plupart des gens se soucient bien peu de pousser une voiture à la limite du dérapage dans une courbe prononcée. Pour aller de A à B, en tout confort et en toute tranquillité d'esprit, à peu près rien ne bat une Corolla. Ah oui, avions-nous souligné que la Corolla fut la moins assoiffée d'essence lors de notre match ?

Le plus beau compliment...

« La plus bourgeoise et la plus silencieuse du groupe. » Gilles Olivier

...et le pire commentaire !

« L'habitacle de mon ancienne 93 LE était beaucoup plus valorisant. »
Jean-Georges Laliberté

7ième RANG
HYUNDAI ELANTRA

NE LUI MANQUE QU'UN PEU DE PERSONNALITÉ

Même si la Hyundai Elantra avait à se mesurer à de très fortes pointures, elle n'a pas démérité pour autant. Son classement en milieu de grille confirme sa prestance générale, mais les commentaires glanés ici et là au fil des conversations et des comptes-rendus de nos émérites collègues laissent supposer qu'entre le cœur et les chiffres, il y a une certaine différence.

Ses lignes extérieures n'ont pas soulevé les passions même si plusieurs l'ont trouvé jolie. L'habitacle a aussi reçu de gentilles remarques concernant l'éclairage bleuté des cadrans du tableau de bord qui a conquis quelques personnes. Le confort des sièges et des places arrière, le silence de roulement, l'équipement abondant (même si, comme le mentionnait très justement l'un des participants « l'Elantra n'est plus aussi bradée que les générations précédentes ») et son grand coffre ont été soulignés. Cette Hyundai a d'ailleurs récolté la première position des cases « finition intérieure » et « volume du coffre ».

Côté mécanique, c'est à se demander si l'Elantra possède un moteur ! On pourrait résumer les quelques commentaires de nos critiques (et non critiqueux, il y a une nuance) par un laconique « les performances sont adéquates ». C'est tout. Cela ne veut pas dire que nos essayeurs d'un jour ont ignoré la mécanique de cette voiture (un quatre cylindres de 2,0 litres de 138 chevaux et 136 livres-pied de couple accouplé à une transmission automatique à quatre rapports). Dans ce genre de match, où il y a beaucoup de voitures, la journée se déroule très rapidement. Après avoir fait l'essai d'une voiture et couché ses notes sur papier, on passe à une autre voiture. À la fin de la journée, ce qui ressort, ce sont les points les plus forts et les plus faibles des voitures. Avec treize participants, on est assuré de couvrir un éventail très large d'observations et de constatations qui se recoupent très souvent. Si peu d'essayeurs ont abordé le sujet de la mécanique, c'est donc qu'elle n'est ni mauvaise, ni excellente. À preuve, si on fait la moyenne des notes de toutes les voitures dans les catégories de la conduite et des performances mesurées, l'Elantra se trouve exactement dans cette moyenne.

Tant sur le plan de l'assemblage de la carrosserie que sur celui du confort général, de la climatisation, de l'accélération, du freinage et de la consommation, l'Elantra se situe dans la « bonne moyenne ». Peut-être que si les piètrespneus d'origine avaient été remplacés par des chaussures de meilleure qualité, la voiture aurait gagné quelques points au niveau du silence de roulement, pourtant déjà bien nantie à ce propos. Heureusement pour Hyundai, notre voiture d'essai était une version GLS qui, contrairement aux versions L et GL moins dispendieuses, possédait des freins ABS et six coussins gonflables.

Si l'Elantra n'a fait ni bonne ni mauvaise figure lors de notre match, elle s'est révélée une agréable surprise pour plusieurs essayeurs qui ont su passer outre leurs préjugés.

Le plus beau compliment...

« Agréablement surprise ! »
Karine Carrier

...et le pire commentaire !

« Je la recommanderais pour une location à cause de sa rapide dépréciation... » Jean-Georges Laliberté

8ième RANG NISSAN SENTRA

QUERELLE FAMILIALE

Autant la Versa — une autre création de Nissan — impressionne, autant la Sentra laisse froid. Malgré tout, les deux sœurs, sans être jumelles, ont beaucoup de points en commun. Elles sont de dimensions similaires et chacune se décline en berline. La Versa s'est tout d'abord fait connaître par sa version *hatchback*, fort joliment tournée. Et au Québec, plusieurs personnes préfèrent un *hatchback* à une berline. Il est ainsi possible de transporter plus de matériel et de profiter quand même de quatre portes. Et puisque les prix de la Sentra sont un peu plus élevés que ceux de la Versa, il est facile de comprendre pourquoi on se l'arrache mais qu'on fafine concernant la Sentra.

La berline de Nissan n'est tout de même pas à dédaigner, même si elle est arrivée bonne dernière sur le plan de la visibilité. La ligne a été encensée par les uns, décriée par les autres. Yvan et Carole, couple dans la vie et lors des matchs comparatifs du *Guide* depuis des lunes, ont d'ailleurs eu des commentaires diamétralement opposés à ce sujet. Dans *Le Guide de l'auto 2008*, dans son rapport de son essai à long terme avec une Sentra, notre chroniqueur relatait la même discussion avec sa conjointe : la Sentra serait-elle une voiture de filles ? Ces dernières seraient-elles moins entichées si elles consultaient le tableau de la finition qui montre que la Sentra est arrivée en avant-dernière position ?

Si l'extérieur ne fait pas consensus, l'intérieur en a agréablement surpris plus d'un. L'habitacle est vaste, le tableau de bord bien fini et les sièges confortables. Plusieurs de nos associés d'une journée ont apprécié la disposition des commandes et leur ergonomie. Cependant, on notait des bruits éoliens inhabituels qui semblaient provenir de la base du pare-brise dès les 80 km/h atteints…

Le moteur 2,0 litres de 140 chevaux aurait pu démontrer un peu plus d'ardeur au travail que cela n'aurait choqué personne mais c'est la transmission CVT (*Continuously Variable Transmission* ou, si vous préférez, transmission à rapports continuellement variables) qui a retenu l'attention. Certains membres de notre personnel à temps très partiel l'ont trouvée adéquate, d'autres souple, une demoiselle l'a qualifiée de bizarre, tandis qu'un dernier ne lui a pas trouvé de défauts particuliers mais a mentionné qu'il n'était pas tellement convaincu par cette technologie. C'est donc dire que seul un essai sur route permettra de déterminer s'il y a des atomes crochus entre un éventuel acheteur et cette CVT ! Concernant la Sentra, on peut aussi lire que ses suspensions sont confortables mais que le passage sur quelques bosses révélait une certaine sécheresse.

La Sentra est donc loin d'être une mauvaise voiture. Une robe un peu plus stylisée et un peu plus de pep dans le moteur lui auraient sans doute permis de gagner une ou deux places.

Le plus beau compliment…

« Ma femme est vendue à ce modèle. Me reste juste à choisir la couleur ! »
Yvan Fournier

…et le pire commentaire !

« C'est du déjà vu de A à Z… »
Karine Carrier

9ième RANG SATURN ASTRA

À TROP PROMETTRE...

Les récents produits Saturn nous ont pratiquement tous séduits. Du très bien conçu VUE à la réussie Aura en passant par le très joli quoique peu pratique roadster Sky, Saturn a prouvé qu'elle n'était plus aussi moribonde qu'il y a quelques années. C'est dans ce contexte que Saturn a présenté sa nouvelle Astra qui remplace la déjà oubliée Ion. Contrairement à la croyance populaire, l'Astra n'est pas dérivée de l'Opel Astra européenne. C'EST une Opel Astra européenne ! Alors, tous les espoirs sont permis.

L'Astra n'est proposée qu'en livrée *hatchback*. On retrouve une trois portes et une cinq portes et c'est cette dernière version que General Motors nous avait prêtée. Tout d'abord, la carrosserie a mérité de bien beaux commentaires et son exécution était dans les normes. L'habitacle a aussi été gratifié de qualificatifs avantageux, tant au chapitre du style et de la finition qu'à celui du silence de roulement relativement bien contenu. Cependant, ceux qui ont réussi à trouver le régulateur de vitesse n'ont pas compris son fonctionnement du premier coup et au moins 75 % de nos participants a pesté contre les commandes de la radio, trop petites. Et les espaces de rangement, si utiles en nos jours d'oreillettes de cellulaire, de paquets de gomme, de petite monnaie et de iPod, où sont-ils ? Curieusement, même si l'Astra est un modèle à hayon plus pratique qu'une berline traditionnelle, le pointage des rangées « Accès au coffre » et « Volume du coffre » croupit dans les bas-fonds du classement. Les places arrière sont correctes, sans plus. Un de nos membres a conduit une Opel durant un récent séjour en Europe et nous faisait observer, avec beaucoup d'à propos, que GM avait importé les erreurs de la version européenne.

Là où la nouvelle petite Saturn se rattrape un peu, c'est au niveau des performances. Ce n'est pas une bombe sur quatre roues mais les reprises du 1,8 litre de 138 chevaux se montrent généralement dans la bonne moyenne. Le freinage est un peu mou par contre, malgré la présence de quatre freins à disque. Le châssis rigide a été remarqué, ainsi que la sécheresse des suspensions sur certains revêtements moins bien entretenus. Pour le reste, la tenue de route est assez neutre en dépit d'un léger roulis.

Peu importe la section du classement (excepté celle des performances mesurées où l'Astra s'est assez bien débrouillée), la Saturn se situe juste en dessous de la moyenne ou, au mieux, à cheval dessus. Ce qui s'avère un tantinet gênant, étant donné que notre voiture coûtait 24 645 $, une fois le transport et la préparation facturés, soit le même prix qu'une Subaru Impreza qui, elle, offre le rouage intégral... Vraiment, ce ne sont pas toutes les voitures allemandes qui sont parfaites !

Le plus beau compliment...

« Agréable au regard et en comportement routier, elle donne de la crédibilité au nom Saturn, souvent galvaudé. » Gilles Olivier

...et le pire commentaire !

« L'essai routier ne m'a pas convaincu. On est au volant d'une GM et quand on a conduit quelques allemandes et japonaises de qualité, on voit que GM a encore du chemin à faire. » Robert Gariépy

10ième RANG
KIA SPECTRA

ELLE VIEILLIT MAL

Sur notre marché depuis déjà quatre ans, la Kia Spectra semble beaucoup moins dans le coup qu'avant, surtout en regard de sa position dans ce match sans pitié. Mais, à la décharge de Kia, il faut avouer que nous avions demandé une berline. Sans aucun doute que la Spectra5, un modèle à hayon, aurait récolté quelques points de plus mais nous désirions une berline lorsque c'était possible. De toute façon, elle aurait tout de même été loin des premières positions. C'est un secret de polichinelle que la Kia Spectra est la cousine très germaine de la Hyundai Elantra. L'une termine en dixième position, l'autre en septième... Pourquoi ? Tout simplement parce que l'Elantra a été considérablement revue il y a deux ans tandis que la Kia date de quatre ans. Comme quoi, le temps passe vite dans le domaine de l'automobile.

La Spectra argentée que nous avait prêtée Kia était particulièrement fade. Rien dans sa carrosserie ou dans l'habitacle ne provoquait le moindre soupçon de plaisir. Ce n'est donc pas pour rien qu'elle a terminé bonne dernière dans cette section du match. On a traité son style de déjà vu, de « mononcle », d'ennuyant... inutile de continuer plus longtemps ! L'assemblage des panneaux de la carrosserie, par contre, a été bien réalisé. Dans l'habitacle, certains ont trouvé l'aménagement et le tissu des sièges terne à mourir et d'autres ont dit du tableau de bord qu'il « mériterait au minimum une transformation extrême ». Ce n'est pas étonnant que la Spectra finisse dernière au classement de la qualité des matériaux et de la finition. Parlant de matériaux, un peu plus de matériau insonorisant n'aurait pas fait de tort... Les sièges avant n'ont pas plu à toutes les morphologies et la position de conduite et l'ergonomie ont été vilipendées. Malgré tout, les spacieuses places arrière, les dimensions du coffre et son accès ainsi que les nombreux espaces de rangement ont été remarqués. Notre version LX Premium, avec ses freins ABS a évité le déshonneur. Par contre, peu importe la livrée, une Spectra ne reçoit jamais plus de deux coussins gonflables et aucun contrôle de la traction.

Le tandem 2,0 litres de 138 chevaux et la transmission automatique à quatre rapports offre des performances très raisonnables. Et surtout, ce moteur consomme très peu, comme en font foi les 8,14 litres aux 100 km de notre journée d'essai. Il s'agit de la troisième meilleure moyenne et, par les temps qui courent, d'une excellente nouvelle. Les freins, un duo disque/tambour, effectuent leur boulot avec une belle conscience professionnelle, tout comme la direction. Quant aux suspensions, elles se sont avérées un peu trop souples au goût de certains. Ce qui explique peut-être que quelques essayeurs aient trouvé la voiture endormante à conduire. D'un autre côté, il faut avouer que si on ne pousse pas la Spectra dans ses derniers retranchements, son comportement routier demeure toujours très sain.

Le plus beau compliment...

« J'ai été surpris du comportement routier de cette voiture. Elle n'a rien à envier à plusieurs autres modèles de la catégorie. » Robert Gariépy

...et le pire commentaire !

« Mis à part le coût d'acquisition sous la moyenne, cette voiture ne présente que très peu d'intérêt. » Martin Phaneuf

VICTIME DE SON NOM?

Franchement, nous sommes surpris que la Ford Focus termine en onzième position. À entendre les commentaires et à lire les notes des gens après le match, nous étions convaincus que nous avions trouvé la dernière position. Nous avons refait nos calculs et non, la Focus n'est pas dernière… ni même avant-dernière! Mais une chose est sûre. Son prix très élevé, le plus élevé du groupe, l'a défavorisé puisqu'elle a mérité la pire note de la section rapport qualité/prix.

Néanmoins, tout n'est pas perdu pour la Focus. Nous avons reçu plusieurs commentaires élogieux sur sa nouvelle robe, ainsi que sur son tableau de bord. Le niveau de finition, par contre, n'a impressionné personne. D'ailleurs, il s'agissait, chiffres à l'appui, de la voiture la moins bien construite du lot. Les écarts entre les panneaux de carrosserie étaient, du moins sur la voiture que Ford nous avait prêtée, non seulement très larges mais très inégaux. Les plus jeunes de notre groupe (on ne voudrait pas insinuer qu'il y en avait des vieux…) ont aimé le SYNC, un système de divertissement et de communication mis au point avec Microsoft. Les autres ont jugé qu'il s'agissait uniquement d'une bébelle. On aurait apprécié la grandeur du coffre n'eut été de l'immense boîte de haut-parleur à gauche. Au moins, son accès est assez aisé. Les places arrière, sans appuie-têtes, ont été considérées avec dédain.

La Focus est dotée d'un moteur de 2,0 litres de 140 chevaux et d'une transmission automatique à quatre rapports. Même si cette Ford se comporte relativement bien sur la route, notre essai comparatif a tôt fait de révéler certaines faiblesses. Les performances ne sont pas mauvaises mais elles n'ont pas le punch de plusieurs autres compactes. La lecture de la fiche technique nous apprend que cette voiture était la moins lourde du groupe, ce qui, sans lui conférer une agilité digne du Cirque du Soleil, lui permet d'offrir des performances un peu plus enlevées et, surtout, aide à conserver la consommation d'essence dans des proportions raisonnables, soit 8,9 litres aux cent kilomètres. Mais la Focus reprend d'une main ce qu'elle a donné de l'autre… Les freins ne font pas très sérieux avec des distances d'arrêt trop longues. Et comme le faisait remarquer un pince-sans-rire, il faut écraser autant l'accélérateur que la pédale de frein pour avoir un résultat. Par contre, comme des étoiles dans la nuit, plusieurs personnes ont déclaré que la Focus représentait un moyen de transport honnête, que le comportement routier était correct et que les problèmes de fiabilité semblaient avoir disparu… même si notre voiture émettait un son bizarre lors des virages serrés vers la gauche!

Comme c'est le cas de la plupart des voitures terminant dans la dernière portion d'un classement, la Focus n'est pas vilaine du tout à conduire. C'est lorsqu'on a l'occasion de la comparer à des modèles similaires provenant d'autres manufacturiers que l'on déchante un peu. Et puis, elle était la plus chère du groupe.

Le plus beau compliment…

«J'adore le son du clignotant!»
Karine Carrier

…et le pire commentaire!

«La Focus était un de mes coups de cœur jusqu'à ce que je la conduise.»
Karine Hébert

12ième RANG
SUZUKI SX4

RELATION AMOUR-HAINE

Décidément, on l'aime ou on la déteste, la Suzuki SX4! Rarement aura-t-on lu des commentaires aussi diamétralement opposés. Malheureusement pour la berline japonaise, les seules fois ou tout le monde a été d'accord, c'était sur des points très négatifs... Tâchons d'analyser froidement cette position au classement.

L'aspect extérieur fut qualifié ainsi : « irrésistible », « très laid », « impressionnant », « élégant » et « contre les principes des l'esthétisme »... Une personne a trouvé l'habitacle très vaste, une autre, étriqué. La SX4 termine en avant-dernière position mais elle n'a perdu que dans une seule catégorie, et ex-æquo en plus. Ce doit être ça, une voiture équilibrée...

Là où tout le monde s'entend, c'est lorsqu'on ne s'entend plus! En effet, le bruit du moteur devient tout simplement assourdissant dès les 100 km/h atteints. Et la piètre visibilité aux encoignures avant fut considérée comme un irritant majeur par plusieurs participants, et ce, même si les grands rétroviseurs ont été appréciés, de même que les vitres en triangle situées entre le pare-brise et les glaces latérales. Le fait qu'il n'y ait pas d'appui-bras central semble contraignant pour certains mais le dossier de la banquette arrière fixe est impardonnable. Les sièges avant n'ont pas été jugés trop confortables mais outre quelques fesses plus susceptibles, ils n'ont pas démérité. Et quelques-uns ont bien aimé la position de conduite élevée.

Les déplacements de la SX4 sont réalisés grâce à un 2,0 litres de 143 chevaux et 136 livres-pied de couple. Tout comme dans la plupart des produits Suzuki, on se demande bien où ils les ont foutus, ces chevaux. D'ailleurs, l'un de nos essayeurs les plus expérimentés a exprimé de sérieux doutes sur les données techniques... La « puissance » passe aux roues avant par l'entremise d'une boîte manuelle à cinq rapports ou, comme dans le cas de notre véhicule d'essai, d'une automatique à quatre rapports. La version *hatchback*, elle, jouit d'un rouage intégral optionnel qui vient complètement modifier notre perception de la voiture. Mais concentrons-nous sur notre berline. Les accélérations et reprises semblent torturer les chevaux du moteur, et on jurerait que la voiture n'avancera jamais assez vite. Malgré tout, le freinage est efficace et la consommation d'essence a été contenue sous les 10,0 litres aux 100 km durant nos essais, ce qui est très bien. Sans doute que son poids de 1 245 kilos, le deuxième moins élevé, y est pour quelque chose. Grâce à son châssis rigide, la voiture se débrouille assez bien sur la route mais oubliez les prestations le moindrement sportives. En passant, notre voiture était chaussée de pneus de 17", les plus gros du lot.

La Suzuki n'est certainement une voiture à dédaigner. La fiabilité à court et moyen terme des produits de la marque japonaise est rarement prise en défaut, mais le faible réseau de concessionnaires et la dépréciation généralement assez rapide de ces produits peuvent jouer contre la SX4.

Le plus beau compliment...

« Malgré mes préjugés envers la Suzuki SX4, elle a réussi à se faire apprécier. » Jean-Georges Laliberté

...et le pire commentaire!

« C'est une voiture que je n'achèterais pas. » Jean-Paul Jodoin

13ième RANG
CHEVROLET COBALT

NÉE POUR UN PETIT PAIN... SEC

Avant le début de notre méga-match, nous avions prédit que la Chevrolet Cobalt allait en arracher. Pas besoin d'être un devin pour savoir que la Cobalt aurait de la difficulté à suivre le rythme des Mazda3 et Honda Civic de ce monde. Les résultats ont confirmé nos pensées.

Curieusement, la Cobalt n'a terminé dernière que dans deux catégories (sécurité et performances mesurées) mais elle l'a fait avec éclat. Disons qu'elle n'avait pas grand-chose pour elle, la pauvre. Sur papier, son moteur Écotec 2,2 litres de 148 chevaux semble prometteur, cependant, les accélérations et les reprises ne sont pas aussi enjouées que celles des autres participantes. Et sur le plan de la consommation, qui compte pour cinquante points tout de même, elle est arrivée bonne dernière avec une consommation de 10,7 litres aux cent kilomètres. À sa décharge cependant, soulignons qu'il s'agissait de la voiture la plus neuve du groupe. Lorsque nous sommes allés la chercher, elle affichait un gros 6 kilomètres au compteur. Une fois rodée, sa moyenne devrait descendre d'environ un litre aux 100 km. Et il serait malhonnête de passer sous silence la fiabilité de ce moteur.

Personne n'a louangé ou critiqué la carrosserie. C'est ordinaire sans être laid, tout comme l'habitacle qui n'a soulevé aucune, mais alors là aucune passion. Une de nos essayeuses a toutefois murmuré quelques mots indignes de sa jolie bouche en cherchant, en vain, le bouton servant à ouvrir le coffre (voyons Michelle, il suffit d'ouvrir le bac de rangement basculant, à gauche du volant et tâter un peu pour le trouver!). Aussi, la grosse plaque de caoutchouc placée sous le contact a été jugée d'un esthétisme très discutable. Mais, entre vous et moi, j'aime mieux voir cette plaque qu'un plastique bon marché tout égratigné par des clés qui pendouillent. Car certains plastiques de la Cobalt font vraiment tiers-monde. Et aujourd'hui, n'offrir que deux coussins gonflables dans une compacte tient quasiment de l'insulte. Chevrolet manque ici une belle occasion de se faire pardonner. Malheureusement pour la Cobalt, nous ne donnons pas de points pour la qualité du système de climatisation. De toutes les voitures présentes, c'est la Chevrolet qui, en vingt secondes, voit sa température intérieure descendre le plus rapidement, passant de 12,5 degrés Celsius à 8,7.

Sur la route, outre un moteur un peu plus poussif que les autres, quelques participants à notre match ont entendu de petits bruits de caisse. Comme il fut souvent mentionné dans les notes remises à la fin de la journée, le comportement routier est correct, sans plus. Peut-être que des pneus de meilleure qualité que les ignobles Hankook Optimo, dont était aussi affligée la Kia Spectra, auraient pu légèrement aider la cause de la Cobalt.

Le prix de notre voiture d'essai était de 23 940 $, ce qui ressemble presque à un vol tant la Cobalt ne peut soutenir la comparaison avec des modèles moins dispendieux. Mais c'est sans compter sur les nombreux incitatifs que General Motors accorde généreusement. Si vous cherchez une voiture à petits paiements mensuels plutôt qu'une voiture à la fine pointe de la technologie, la Cobalt pourrait ne pas être aussi pire qu'elle en a l'air. Et puis elle est fiable.

Des rumeurs de plus en plus persistantes parlent d'une toute nouvelle génération à l'horizon (2010 ou 2011). La Cobalt laisserait alors sa place à la jolie Chevrolet Cruze, beaucoup plus moderne. On vous tiendra au courant!

Le plus beau compliment...

« Un véhicule beau, bon et pas cher grâce aux rabais de GM. » Yvan Fournier

...et le pire commentaire!

« *Look* sport. Juste le *look*... »
Mathieu Dextradeur

CONCLUSION

Suite à notre match et après avoir compilé des centaines de données et de commentaires, quelles conclusions pouvons-nous en tirer ?

Malgré une offre considérable (13 voitures, c'est pas rien), on note très peu de vraies nouveautés dans le créneau des voitures compactes. Seules les Saturn Astra, Suzuki SX-4 et Volkswagen Rabbit n'étaient pas sur le marché il y a cinq ans et elles remplacent des modèles désuets. Quant à la plupart des autres voitures, elles ont reçu leur grande part de modifications au cours des deux ou trois dernières années. C'est donc dire que ce segment est complet (et complexe !). Avec les prix de l'essence qui s'enflamment, il y a fort à parier que, d'ici quelques années, c'est le créneau des sous-compactes qui connaîtra la plus grande expansion. Mais celui des compactes ne devrait pas diminuer en popularité, bien au contraire !

DE LA PREMIÈRE À LA DERNIÈRE, LE POURQUOI DU COMMENT

Pour en revenir à notre match, on peut pratiquement diviser notre groupe de treize voitures en trois catégories. Les Mazda3, Honda Civic, Volkswagen Rabbit et Subaru Impreza sont les étoiles du match des étoiles tant elles sont supérieures. Sur un total de 550 points, seulement 5,6 points séparent la première de la quatrième position. Nous avons même refait nos calculs pour être bien surs des positions. Franchement, on se croirait dans une course de F1 où, sur un circuit de 3 ou 4 kilomètres, à peine quelques centièmes de secondes départagent les dix meilleurs ! Ces données très rapprochées veulent dire que ces voitures sont extrêmement près l'une de l'autre mais aussi que c'est, finalement, bien plus une question de goût et de budget qui va déterminer celle qui se retrouvera dans votre entrée de cour ! Est-ce que la Mazda3 qui a gagné le match est meilleure que la Subaru Impreza, qui a terminé quatrième ? Selon nos essayeurs, elle est 1,3 % meilleure !

N'allez pas croire que ces voitures sont parfaites mais les compromis qu'elles offrent ont été particulièrement bien étudiés. Ce que l'une concède aux autres en termes de confort, elle le reprend au niveau du comportement routier. Si l'une est mieux nantie au niveau de l'équipement, l'autre propose un meilleur silence de roulement. On pourrait continuer longtemps comme ça !

Vient ensuite le deuxième groupe, le plus imposant, qui accueille les positions 5 à 9 (Mitsubishi Lancer, Toyota Corolla, Hyundai Elantra, Nissan Sentra, Saturn Astra). Entre la cinquième et la neuvième place, il n'y a que 22,1 points de différence... Ces compactes, en général, ne présentent pas le même raffinement que leurs comparses du premier groupe. Mais encore là, il y a des exceptions. Par exemple, si ce n'était de ses performances relevées, la Lancer aurait été reléguée beaucoup plus bas dans le classement. Dans un autre ordre d'idées, la Corolla fait preuve d'un grand raffinement mais comme elle se situe dans la moyenne à peu près partout, il est normal qu'elle figure en milieu de peloton.

Finalement, quatre voitures croupissent dans les bas-fonds du classement (Kia Spectra, Ford Focus, Suzuki SX4 et Chevrolet Cobalt). Ici, les différences sont plus marquées et, comme le faisait remarquer un participant à la parole aisément acide : « On dirait qu'ils (les quatre derniers) s'efforcent de plus mal paraître que les uns que les autres ! » Disons que ce n'est sans doute pas le cas mais on a visiblement beaucoup moins investi dans la recherche et le développement de ces modèles, ainsi que dans la qualité des matériaux.

UNE COMPACTE À MOINS DE 25 000 $, EST-CE POSSIBLE ?

De façon assez surprenante, les prix sont loin de suivre la courbe de la qualité... ou du manque de qualité ! Si on choisit ne seraient-ce que quelques options, et ce sur toutes les compactes, la facture grimpe rapidement ! Contrairement à ce que nous croyions au début, il a été assez difficile pour plusieurs constructeurs de nous trouver une compacte à moins de 25 000 $. C'est donc dire qu'à moins d'opter pour une sous-compacte, on ne peut guère rouler pour moins de 20 ou 22 000 $. Il ne faut cependant pas blâmer les constructeurs qui ne font que répondre à la demande du marché : les gens aiment mieux payer plus cher pour des options qui alourdissent un véhicule qui consomme ainsi davantage. Mais il se pourrait que d'ici quelques années, les mentalités changent. D'un autre côté, avec les prix de l'essence qui ne cessent d'augmenter, il est de plus en plus difficile de trouver une compacte qui attend dans la cour d'un concessionnaire. Et quand la demande dépasse l'offre, il est rare que les prix diminuent...

QUAND LE PREMIER BARREAU DE L'ÉCHELLE EST PLACÉ HAUT...

Autre constat. Prenons, par exemple, la Chevrolet Cobalt qui s'est payé la dernière position de notre classement. Notre modèle d'essai était muni des vitres électriques, du climatiseur et d'un filtre à particules de pollen, du compte-tours, d'un volant ajustable en hauteur, deux coussins gonflables, la radio AM/FM bien entendu mais aussi satellite, CD et MP3, un moteur fiable de 148 chevaux et une transmission automatique à quatre rapports. La Cobalt tient très bien la route et s'avère fort confortable. Elle fait le 0-100 en 11,5 secondes et consomme, lorsque rodée, quelque 9,2 litres au cent. Comme aurait dit ma mère quand j'étais enfant et que je ne voulais pas manger mes patates : « Y'a ben des p'tits pauvres qui seraient contents d'avoir ça » C'est lorsqu'on compare la Cobalt à ce qu'offre la concurrence qu'elle démérite. Parce que le raffinement qui a gagné le segment des compactes ne semble pas avoir trouvé l'adresse de la Cobalt... et des deux ou trois autres qui ont terminé juste devant elle !

Le luxe et la technologie qui, il n'y a pas si longtemps, ne prenaient place que dans les voitures de luxe, se retrouvent désormais dans de vulgaires compactes... qui sont devenues, elles aussi, des monstres de technologie. Et avec les changements à venir dans le marché de l'automobile, il ne serait pas surprenant que de plus en plus de manufacturiers s'aventurent dans le créneau des compactes de luxe (un peu comme Acura le fait présentement avec sa CSX, une Honda Civic de luxe)

Si la Mazda3 a remporté notre match, c'est tout d'abord grâce à une mécanique moderne et des qualités dynamiques exceptionnelles mais aussi grâce à ses lignes qui ont su traverser le temps et à une construction des plus sérieuses. Comme quoi que même dans une voiture somme toute petite, on peut marier le plaisir de conduire et l'économie. Toutes les voitures de ce match réunissaient ces deux ingrédients... à des niveaux différents qui ont plus ou moins plu à nos essayeurs. ■

Résultats		Chevrolet Cobalt	Ford Focus	Honda Civic EX-L	Hyundai Elantra	Kia Spectra	Mazda3	Mitsubishi Lancer	Nissan Sentra	Saturn Astra
Extérieur	10	7.2	7.0	8.7	7.6	6.7	8.5	8.4	7.6	8.3
Intérieur	10	7.2	7.6	8.6	7.8	6.0	8.5	6.6	6.5	7.4
STYLE	20	14.4	14.6	17.3	15.4	12.7	17.0	15.0	14.1	15.7
Finition intérieure	5	3.5	3.7	4.3	4.5	3.0	4.2	3.5	3.9	3.4
Finition extérieure	5	3.6	3.3	4.5	3.9	3.4	4.3	3.9	4.0	4.2
Qualité des matériaux	10	7.0	7.2	7.8	7.8	6.1	8.2	7.4	8.1	7.5
Coffre (accès)	5	3.2	4.0	4.0	4.4	4.2	4.2	3.9	3.9	3.8
Coffre (volume)	5	3.9	3.9	3.8	4.5	4.1	4.0	3.6	4.0	3.6
Espaces de rangement	10	6.6	6.6	7.8	7.5	7.1	7.7	6.9	7.4	6.9
Astuces et originalité (innovation intéressante, gadget hors série)	10	5.6	6.7	8.4	6.7	5.3	7.1	5.0	6.4	7.3
Équipement	5	3.7	4.2	4.3	4.1	3.2	4.4	3.2	3.9	3.9
Tableau de bord	5	3.7	3.6	4.2	4.1	3.3	4.2	4.9	3.7	3.8
CARROSSERIE	60	40.7	43.1	49.1	47.4	39.8	48.1	42.3	45.3	44.4
Position conduite/volant/sièges av.	10	7.1	7.7	8.3	8.1	6.9	8.5	8.0	7.9	7.5
Places arr. (accès / espace)	10	6.6	7.0	7.7	7.8	7.4	7.8	7.8	7.9	7.6
Ergonomie (facilité d'atteindre les commandes et lisibilité des instruments)	10	7.9	7.7	8.3	8.0	7.3	8.6	7.5	7.9	7.4
Silence de roulement	10	7.3	7.0	7.9	7.5	7.2	8.2	7.3	7.9	7.7
CONFORT	40	28.9	29.4	32.2	31.4	28.8	33.0	30.6	31.6	30.2
Moteur (rendement, puissance, couple à bas régime, réponse, agrément)	30	22.6	21.4	25.2	24.1	20.9	25.8	25.5	23.4	21.8
Transmission (passage des rapports, étagement, rétrocontact, levier, agrément)	30	21.9	22.4	26.1	23.1	21.4	25.9	25.3	26.4	24.5
Tenue de route	30	22.4	21.4	25.1	24.2	21.4	26.0	24.9	25.1	24.1
Direction (précision, feedback, braquage)	25	19.8	19.5	22.4	21.4	19.0	22.9	19.8	19.1	19.7
Freins (endurance, sensations, performances)	25	18.7	20.8	21.6	21.3	20.1	21.2	20.8	20.8	21.1
Confort de la suspension	20	15.2	14.3	16.5	16.0	15.2	16.7	17.3	17.0	16.1
CONDUITE	160	120.6	119.9	136.9	130.0	118.2	138.5	133.6	131.8	127.3
Visibilité	10	7.9	8.1	8.0	8.1	8.3	8.3	8.1	7.0	7.8
Rétroviseurs	10	7.9	8.5	8.3	8.2	7.8	8.3	8.4	8.1	7.8
Nombre de coussins de sécurité	10	3.3	10.0	10.0	10.0	3.3	10.0	10.0	10.0	10.0
SÉCURITÉ	30	19.1	26.6	26.3	26.3	19.4	26.6	26.5	25.1	25.6
Reprises	30	15.0	25.2	28.7	28.7	26.9	23.4	30.0	24.7	23.8
Accélération	30	19.9	25.1	30.0	24.4	25.1	24.1	28.2	26.5	19.5
Freinage	30	27.1	22.9	26.8	27.1	27.5	29.0	27.8	25.0	26.3
Consommation	50	28.3	40.5	41.1	40.8	45.4	40.8	45.0	39.9	45.4
PERFORMANCES MESURÉES	140	90.3	113.6	126.7	121.0	124.9	117.3	131.0	116.1	115.0
Agrément de conduite	30	18.5	19.2	24.9	23.3	20.3	27.0	24.5	24.4	22.6
Choix des essayeurs	50	31.4	28.3	39.3	38.2	28.4	45.0	33.4	38.1	35.3
Valeur pour le prix	20	15.6	11.0	17.4	15.6	14.3	18.3	15.9	17.3	14.6
RAPPORT QUALITÉ/PRIX	100	65.5	58.5	81.6	77.1	62.9	90.3	73.8	79.8	72.4
TOTAL	550	379.5	405.6	469.9	448.6	406.5	470.7	452.7	443.7	430.6

Climatisation	Température °C	Après 20 secondes...	Différence en °C
Chevrolet Cobalt	12.5	8.7	3.8
Nissan Sentra	13.2	9.9	3.3
Volkswagen Rabbit	10.9	8.5	2.4
Mazda 3	7.2	5.1	2.1
Toyota Corolla	9.3	7.5	1.8
Ford Focus	12.6	10.9	1.7
Hyundai Elantra	9.9	8.4	1.5
Suzuki SX4	10.3	8.9	1.4
Kia Spectra	10.2	8.9	1.3
Mitsubishi Lancer	9.2	8.1	1.1
Subaru Impreza	14.4	13.6	0.8
Saturn Astra	8.4	7.7	0.7
Honda Civic	7.8	7.4	0.4

Subaru Impreza	Suzuki SX4 Sport	Toyota Corolla CE	Volkswagen Rabbit
8.2	7.4	7.7	7.5
8.1	7.1	7.2	7.7
16.2	**14.5**	**14.9**	**15.2**
4.1	4.0	3.8	4.1
4.3	3.7	4.3	4.1
8.4	7.5	7.3	8.0
3.8	4.1	4.0	4.6
3.5	3.3	4.2	4.5
7.3	5.9	7.5	7.5
6.5	5.6	5.9	7.1
3.9	3.7	3.8	4.1
3.9	3.4	3.5	4.4
45.7	**41.2**	**44.4**	**48.5**
8.4	7.3	8.1	9.2
7.9	7.6	8.0	8.0
8.1	7.5	8.9	8.6
7.9	6.5	8.5	8.3
32.4	**28.8**	**33.4**	**34.1**
26.1	21.1	23.9	26.8
25.7	23.4	25.5	27.0
27.6	22.3	23.5	26.5
23.2	19.5	18.9	22.6
21.4	18.5	18.9	20.9
17.1	14.4	17.9	17.8
141.1	**119.0**	**128.5**	**141.6**
8.3	7.8	8.4	7.8
8.4	8.4	7.9	7.9
10.0	3.3	10.0	10.0
26.7	**19.4**	**26.3**	**26.2**
24.3	22.1	22.9	29.1
26.9	17.8	22.3	28.6
26.8	27.5	27.1	30.0
39.8	39.7	50.0	30.5
117.7	**107.1**	**122.3**	**118.2**
25.9	22.7	23.7	27.5
42.2	31.9	38.2	41.7
17.2	15.2	17.5	16.6
85.3	**69.7**	**79.3**	**85.8**
465.1	**399.6**	**449.2**	**469.3**

Fiche technique	Chevrolet Cobalt	Ford Focus	Honda Civic EX-L	Hyundai Elantra	Kia Spectra	Mazda3	Mitsubishi Lancer
Prix total	23 940,00$	25 914,00$	24 680,00$	24 540,00$	20 950,00$	22 470,00$	21 138,00$
Moteur	4L 2,2 litres	4L 2,0 litres	4L 1,8 litre	4L 2,0 litres	4L 2,0 litres	4L 2,0 litres	4L 2,0 litres
Puissance ch à tr/min	148 à 5 600	140 à 6 000	140 à 6 300	138 à 6 000	138 à 6 000	148 à 6 500	152 à 6 000
Couple lb-pi à tr/min	152 à 4 200	136 à 4 250	128 à 4 300	136 à 4 600	136 à 4 500	135 à 4 500	146 à 4 250
Transmission	auto 4	auto 4	auto 5	auto 4	auto 4	auto 4	man 5
Consommation (L/100km)	9,2	8,4	8,2	8,2	8,6	9,1	9,6
Freins	disque/tambour	disque/tambour	disque/disque	disque/disque	disque/tambour	disque/disque	disque/disque
Pneus	205/55R16	205/50R16	205/55R16	205/55R16	195/60R15	205/55R16	205/60R16
Empattement (mm)	2 624	2 614	2 700	2 650	2 610	2 640	2 635
Longueur (mm)	4 584	4 445	4 489	4 505	4 500	4 530	4 570
Largeur (mm)	1 725	1 694	1 752	1 775	1 735	1 755	1 760
Hauteur (mm)	1 450	1 488	1 435	1 480	1 470	1 465	1 490
Poids (kg)	1 267	1 190	1 255	1 246	1 348	1 274	1 370
Capacité coffre (litres)	394	391	340	402	345	325	328
Capacité réservoir (litres)	49	51	47	53	53	55	59
Garantie de base	3/60	3/60	3/60	5/100	5/100	3/80	5/100

Fiche technique	Nissan Sentra	Saturn Astra	Subaru Impreza	Suzuki SX4 Sport	Toyota Corolla CE	Volkswagen Rabbit
Prix total	22 023,00$	24 645,00$	24 645,00$	21 345,00$	19 435,00$	23 710,00$
Moteur	4L 2,0 litres	4L 1,8 litre	4H 2,5 litres	4L 2,0 litres	4L 1,8 litre	5L 2,5 litres
Puissance ch à tr/min	140 à 5 100	138 à 6 300	170 à 6 000	143 à 5 800	132 à 6 000	170 à 5 000
Couple lb-pi à tr/min	147 à 4 800	125 à 3 800	170 à 4 400	136 à 3 500	128 à 4 400	177 à 3 750
Transmission	CVT	auto 4	auto 4	auto 4	auto 4	auto 6
Consommation (L/100km)	8,2	8,4	10,4	9	7,8	10,6
Freins	disque/tambour	disque/disque	disque/disque	disque/tambour	disque/tambour	disque/disque
Pneus	205/55R16	205/55R16	205/55R16	205/50R17	195/65R15	195/65R15
Empattement (mm)	2 685	2 614	2 620	2 500	2 600	2 578
Longueur (mm)	4 567	4 331	4 580	4 490	4 540	4 210
Largeur (mm)	1 790	1 753	1 740	1 730	1 760	1 759
Hauteur (mm)	1 512	1 458	1 475	1 545	1 465	1 479
Poids (kg)	1 340	1 325	1 415	1 245	1 245	1 379
Capacité coffre (litres)	371	345*	320	439	348	400*
Capacité réservoir (litres)	55	45	64	50	50	55
Garantie de base	3/60	3/60	3/60	3/60	3/60	4/80

* sièges arrière relevés

L'OFFRE IDÉALE EXISTE BEL ET BIEN.

SYSTÈME DE COMMUNICATION SYNC. RADIO SATELLITE SIRIUS. TRACTION INTÉGRALE. CARACTÉRISTIQUES DE SÉCURITÉ DE SÉRIE.

LA FUSION 2009. Comment résister à la tentation de mieux la connaître quand on voit tout ce qu'elle a à offrir... Parmi les caractéristiques les plus irrésistibles, se trouve le système SYNC†, une technologie exclusive à Ford qui vous permet de parler, d'utiliser la messagerie texte et d'écouter de la musique les mains libres. Parlant audio, nous avons intégré au modèle de série la radio satellite SIRIUS††, afin de vous aider à créer facilement l'ambiance qui correspond le mieux à votre état d'esprit.

Au-delà de cette technologie de communication, s'exerce un pouvoir de séduction non négligeable : la traction intégrale** intelligente évalue sans relâche la direction, le freinage et l'accélération, à une fréquence de 100 fois par seconde, assurant une maniabilité sans pareille lorsque vous en avez le plus besoin. Sans oublier que toutes les caractéristiques de sécurité de la Fusion sont de série : six sacs gonflables pour vous protéger, ainsi qu'une cellule de survie à absorption d'énergie faisant dévier l'énergie d'impact loin des occupants en cas d'accident. Quant au contrôle électronique de stabilité Advance Trac®, il est lui aussi de série. Ce système assure la stabilité du véhicule lorsque les conditions de conduite sont difficiles. Pour ce faire, il ajuste les freins et la position du papillon de manière à allier judicieusement direction du véhicule et intention du conducteur.

Qui aurait pensé qu'une voiture aurait pu vous donner tout ce dont vous aviez toujours rêvé... pour moins que vous l'auriez pensé.

PDSC de la Fusion à partir de 21 499 $.

Ford propulsée par vous

ford.ca/fusion

ord Canada, C.P. 2000, Oakville (Ontario) L6J 5E4. †Offert en option pour la Ford Fusion SE et de série pour la version SEL. Certaines caractéristiques dépendent de l'appareil téléphonique utilisé – visitez www.syncmaroute.com pour
otenir la liste des téléphones cellulaires et des caractéristiques compatibles avec SYNC. La distraction du conducteur peut occasionner la perte de contrôle du véhicule, un accident et des blessures. Ford recommande aux conducteurs
e n'utiliser les téléphones cellulaires (même les modèles commandés par la voix) et les autres appareils non essentiels à la conduite que lorsque les conditions sont tout à fait sécuritaires. ** La traction intégrale est offerte en option
our les véhicules dotés d'un moteur V6 seulement. On peut se procurer les équipements offerts en option moyennant un montant additionnel. ††Pour de plus amples renseignements, consultez votre concessionnaire Ford Canada ou
ommuniquez avec SIRIUS au 1 888 539-7474. « SIRIUS » et le logo du chien SIRIUS sont des marques déposées de SIRIUS Satellite Radio Inc. Abonnement de six mois prépayé inclus.

Photos: Alain Morin

RÉVOLUTION OU SIMPLE MIRAGE?

ESSENCE VS HYBRIDE

Les récentes fluctuations du prix du carburant un peu partout sur la planète ont convaincu les gens qu'on ne pouvait plus consommer l'essence comme si elle était inépuisable. Le litre de carburant à prix record a peut-être grevé les budgets de plusieurs, mais cette situation nous a tous fait prendre conscience de l'importance de réduire la consommation de nos véhicules. Pour un particulier, il est relativement facile de changer son moyen de transport soit en prenant sa voiture moins souvent ou en achetant un véhicule dont la consommation est moindre que celui qu'il possède déjà.

Chevrolet Tahoe

GMC Yukon Hybride

Mais les choses ne sont pas aussi simples pour celui qui doit utiliser un gros VUS ou encore une camionnette pleine grandeur que ce soit pour son travail ou pour ses loisirs. Par exemple, si vous êtes un adepte du camping avec roulotte, il est certain que vous ne pourrez remorquer votre roulotte de 36 pieds avec une Honda Civic. De même, si vous êtes propriétaire d'une pourvoirie et devez utiliser un véhicule utilitaire sport pour votre travail, une berline à moteur hybride ne fera pas le travail, tout écologique soit-elle.

C'est pour trouver une solution simple et intelligente à cette problématique que trois constructeurs ont uni leurs efforts. C'est ainsi que BMW, Daimler-Chrysler à l'époque et General Motors ont mis au point un rouage hybride appelé bimode spécialement destiné pour les véhicules généralement propulsés par un gros moteur V8. Pour cette raison, les chercheurs de ces compagnies ont conclu que le système hybride parallèle ne pourrait pas effectuer le travail et ont élaboré une toute nouvelle technique faisant appel à une transmission révolutionnaire intégrant des moteurs électriques pour assurer la propulsion. De plus, comme sur les autres modèles hybrides, il est possible de rouler en mode purement électrique à basse vitesse.

Selon les constructeurs concernés par le développement de ce groupe propulseur, l'économie de carburant anticipée est de l'ordre de 25 %. Dans le but de vérifier ces dires, nous avons soumis à un test comparatif un GMC Yukon Hybride à un Chevrolet Tahoe à moteur à essence. Dans les deux cas, l'équipement était sensiblement le même ainsi que le prix de vente. Ceci afin de consacrer notre évaluation uniquement aux rouages d'entraînement et à la consommation de carburant.

COMMENT ÇA FONCTIONNE ?

Notre modèle d'essai hybride était propulsé par un moteur V8 de 6,0 litres avec bloc d'aluminium. Pour améliorer la réduction de consommation d'essence, ce moteur est doté de la technologie de fermeture des soupapes d'admission retardée, de la distribution variable de soupapes ainsi que de la gestion active du carburant appelé AFM (*Active Fuel Management*). Ce dernier mécanisme désactive temporairement quatre des huit cylindres dans des conditions de charges légères. De plus, plusieurs accessoires sont à commande électrique notamment la climatisation. Le moteur V8 6,0 litres produit à lui seul une

Chevrolet Tahoe

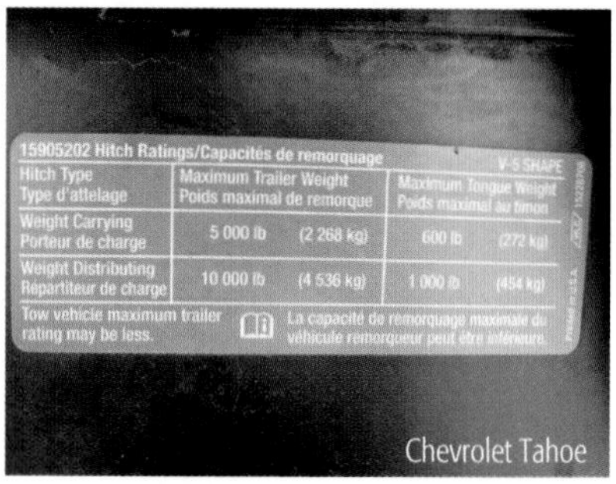

Chevrolet Tahoe

puissance de 332 chevaux et de 367 lb-pi de couple. Combiné à la boîte électrique, la puissance totale est de 369 chevaux et le couple est de 380 lb-pi.

Mais le cœur de ce système bimode est la transmission automatique. La boîte de vitesses hybride bimode comporte deux moteurs électriques de 60 kW de couple maximum de 272 lb-pi chacun, doté de trois trains planétaires et de quatre embrayages à disques humides. Il est intéressant de souligner que cette boîte de vitesses n'est pas dotée d'un convertisseur de couple. Un amortisseur de torsion rempli de liquide se trouve entre le plateau flexible et l'entrée de la pompe de liquide de la boîte de vitesses mécanique. Il faut également ajouter que le moteur est désactivé si le véhicule est immobilisé, ceci lorsque les batteries sont pleinement rechargées.

Le véhicule hybride bimode, comme son nom l'indique, peut fonctionner en deux modes distincts. Le premier est un mode tout électrique en accélération légère : en dessous de 45 km/h. Le second est un mode mixte essence/électricité à des vitesses supérieures ou quand les demandes de charge sont plus importantes. La désactivation de l'arrêt automatique du moteur s'effectue au-dessus de 45 km/h.

Toujours dans le même but de réduire la consommation de carburant, les ingénieurs affectés à ce projet ont réussi à améliorer l'aérodynamique de cet utilitaire sport afin de diminuer la résistance aérodynamique. C'est ainsi que les deux ouvertures de phares antibrouillard et les ouvertures de crochet de remorquage du carénage avant ont été supprimées. En plus, la suspension a été abaissée de 10 mm et la galerie de toit a été éliminée. En fait, le carénage avant a été abaissé de 76 mm. Ces changements ont permis une réduction de 2 % de la résistance aérodynamique. Enfin, dans le but d'abaisser le poids du véhicule, les ingénieurs ont fait appel à plusieurs éléments en aluminium, notamment les bras inférieurs de la suspension, la barre du pare-chocs avant, le capot et le couvercle du coffre. L'arbre de transmission arrière est également en aluminium. En outre, on a conçu des roues spéciales plus légères afin d'alléger le poids non suspendu. Ajoutons à cela des cadres en aluminium dans les sièges avant. Et n'oublions pas, la roue de secours a été supprimée et remplacée par un système de trousse de dépannage avec injection de mousse dans le pneu.

GMC Yukon Hybride

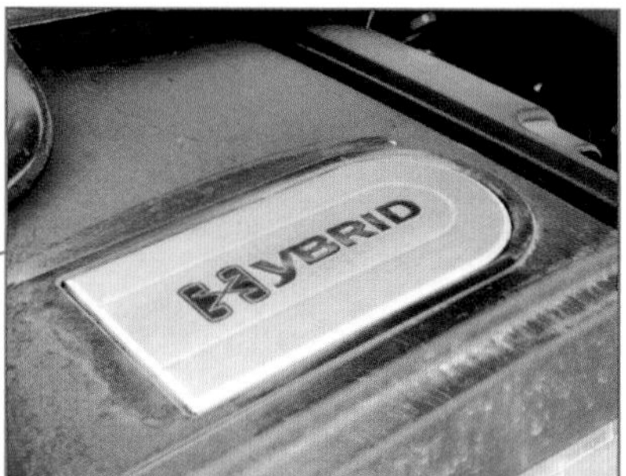

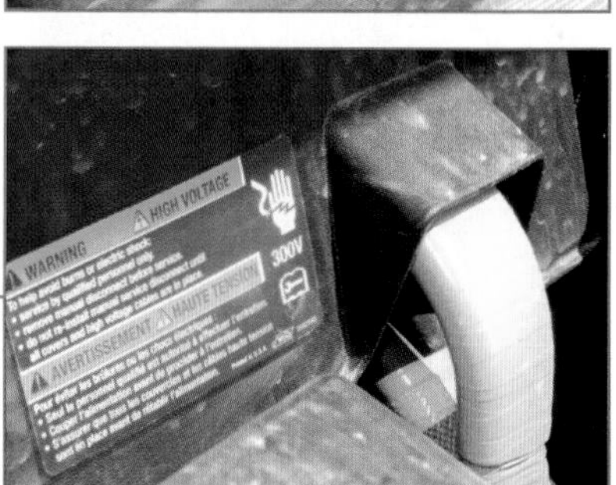

D'autre part, la Chevrolet Tahoe à moteur ordinaire, était propulsée par un moteur V8 de 5,3 litres de 320 chevaux associé à une transmission automatique à six rapports. Les deux véhicules étaient sensiblement équipés des mêmes accessoires et options, de sorte que leur prix de détail était de 73 320 $ pour le GMC Yukon Hybride et de 69 500 $ pour le Chevrolet Tahoe.

Mais puisque cette comparaison ne portait que sur la consommation de carburant et les performances de la mécanique, cette parité en fait d'équipement n'avait pour but que de rendre les choses encore plus égales.

PREUVES À L'APPUI

Pour commencer ce test, nous avons vérifié les valeurs d'accélération et de freinage. Comme vous pouvez le constater sur le tableau à la fin de ce texte, nos deux mastodontes ont bouclé le 0-100 km/h dans des temps presque similaires. En effet, le Yukon Hybride a réalisé l'exercice en 9,7 secondes tandis que le Chevrolet Tahoe en a pris 10,5. C'est presque un match égal entre les deux, ce qui confirme les dires de la compagnie qui soutient qu'un véhicule hybride doit assurer des performances similaires à celles d'un modèle traditionnel.

Par contre, l'hybride s'est révélé plus rapide dans l'exercice du 80-120 km/h : 6,2 secondes ont été comptées. Il en a fallu 7,4 au Chevrolet. Une explication : le couple du moteur essence/électrique est plus généreux. Nous avons enfin terminé cette batterie de tests dynamiques avec un freinage d'urgence à partir de 100 km/h. Cette fois, c'est quasiment ex aequo puisque le Yukon Hybride s'est immobilisé après 47,3 mètres de distance alors que le Tahoe en nécessitait 47,5.

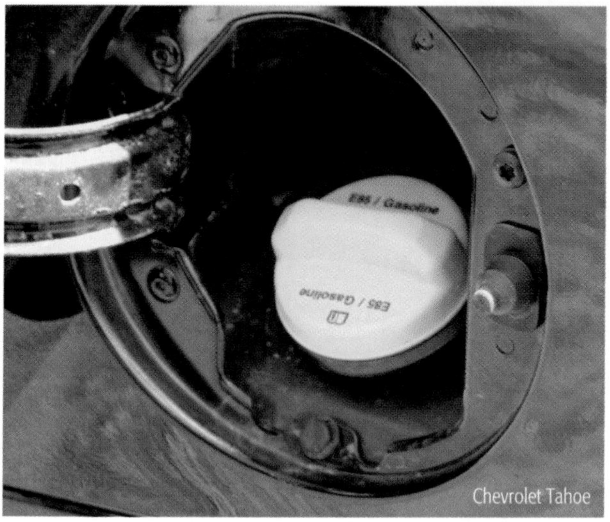

Chevrolet Tahoe

GMC Yukon Hybride

Restait maintenant à observer la consommation de carburant de nos véhicules, et ce, dans toutes les conditions possibles : dans la circulation urbaine, sur la grand-route et sur des routes secondaires à des vitesses moyennes.

La première partie de l'essai s'est déroulée sur les routes secondaires où nous avons parcouru 56,3 km tout en respectant religieusement les limites de vitesse affichées qui étaient majoritairement de 90 km/h. Le Chevrolet Tahoe a obtenu une moyenne de 13,8 litres aux 100 km tandis que le véhicule à moteur hybride a établit une moyenne de 9,9 litres aux 100 km. Bref, il a fallu 7,3 litres au moteur ordinaire pour couvrir cette distance et 5,5 litres à l'hybride.

La seconde étape s'est effectuée sur la grand-route alors que le trajet parcouru a été de 59,6 kilomètres. Une fois encore, nous avons strictement suivi les limites de vitesse qui étaient de 100 km/h. Dans ces conditions, il a fallu 7,5 litres au Tahoe pour franchir cette distance, soit une moyenne de 12,7 litres aux 100 km. Quant à la version hybride, la consommation a été inférieure, le moteur ayant ingéré 6,0 litres pour une moyenne de 10,2 litres aux 100 km. Ces chiffres ne sont pas surprenants puisque dans les deux cas, seul le moteur à combustion interne a été sollicité. Et comme les cylindrées sont presque semblables, la différence de consommation est moindre.

Nous avons complété le tout dans la circulation intense et en ville, des conditions qui sont généralement défavorables à ces gros véhicules. Cette fois, la distance parcourue a été un peu moindre, soit 35 km. Le Tahoe a été le plus gourmand des deux car il a avalé 4,9 litres de carburant, soit une moyenne de 14,1 litres aux 100 km. Le Yukon Hybride n'a consommé que 3,3 litres pour une moyenne de 9,2 litres aux 100 km. La différence entre les deux modèles s'explique en bonne partie par le fait que, dans la circulation dense, on roulait pratiquement toujours en mode électrique et le moteur à essence était éteint.

DES VRAIES PROMESSES

Généralement, lorsque les constructeurs lancent un nouveau produit, ils ne se gênent pas pour nous faire des promesses qui vont au-delà de la réalité... Cette fois, on parle d'économies de carburant d'environ 25 % par rapport à un modèle courant ce qui fut confirmé par notre match. De plus, une fois cet essai comparatif terminé, nous avons utilisé le Yukon Hybride pendant plusieurs jours, et avons toujours obtenu une consommation de carburant souvent inférieure à 10 litres aux 100 km. En fait, la consommation la plus élevée enregistrée aura été de 11,6 litres aux 100 km, ce qui est tout de même inférieur à la moyenne observée du Chevrolet Tahoe qui était supérieure à 16 litres aux 100 km.

Il est vrai que la consommation peut varier selon la charge et les conditions d'utilisation, mais force est de reconnaître que ce système hybride bimode ne déçoit pas. Nous n'avons pas effectué de tests de remorquage, car nous savons fort bien qu'avec plusieurs milliers de livres attachés aux véhicules, la consommation pourrait atteindre allègrement les 25 litres aux 100 kilomètres.

C'est une bonne chose que ce système tienne ses promesses, car il sera également utilisé sur tous les gros VUS et camionnettes de GM et de Chrysler tandis que BMW le réserve à ses utilitaires sport.

Curieusement, le système hybride bimode n'a pas tellement fait parler de lui malgré son potentiel. Serait-ce à cause des constructeurs concernés ? Il semble que la presse n'en a que pour Toyota et son système hybride. Quoi qu'il en soit, on n'a pas fini de parler du système hybride bimode car au fil des mois, de nombreux modèles en seront équipés. Mais inutile de s'en procurer un si vous n'en avez pas besoin : le prix à payer est fort élevé pour devenir un ami de l'environnement... ■

GMC Yukon Hybride

GMC Yukon Hybride

CONSOMMATION	Chevrolet Tahoe	GMC Yukon Hybride
ROUTE SECONDAIRE		
CARBURANT UTILISÉ	7,3 litres	5,5 litres
CONSOMMATION MOYENNE	13,8 litres aux 100 km	9,9 litres aux 100 km
DISTANCE PARCOURUE	56,2 km	56,3 km
GRAND-ROUTE		
CARBURANT UTILISÉ	7,5 litres	6,0 litres
CONSOMMATION MOYENNE	12,7 litres aux 100 km	10,2 litres aux 100 km
DISTANCE PARCOURUE	59,6 km	59,6 km
VILLE		
CARBURANT UTILISÉ	4,9 litres	3,3 litres
CONSOMMATION MOYENNE	14,1 litres aux 100 km	9,2 litres aux 100 km
DISTANCE PARCOURUE	35,1 km	35,0 km

PERFORMANCES	Chevrolet Tahoe	GMC Yukon Hybride
0-100 KM/H	10,5 sec	9,7 sec
80-120 KM/H	7,4 sec	6,2 sec
100-0 KM/H	47,5 mètres	47,3 mètres

Photos: Marc Lachapelle et Richard Fournier

4 MACHINES, 2 CIRCUITS ET LA ROUTE EN QUÊTE DE LA SPORTIVE IDÉALE

Par Marc Lachapelle

Malgré le prix de l'essence, les caprices de l'économie et le devoir moderne d'écologie, les sportives continuent de nous passionner. Nous nous sommes donc mis à la recherche de la plus complète et emballante du moment, quel que soit son prix. Notre match met aux prises quatre machines exceptionnelles et très différentes. La plus chère coûte même presque huit fois plus que la plus accessible. Nous cherchions simplement le meilleur amalgame de performance, de qualité et de pur plaisir.

Chacune des quatre participantes à ce match est remarquable à sa manière. L'Audi R8, rouge et resplendissante sur la couverture du *Guide* l'an dernier, trône au sommet dans l'échelle des prix. La première grande sportive du constructeur d'Ingolstadt a fait une entrée spectaculaire l'année passée avec ses lignes racées, sa structure et sa carrosserie tout aluminium et son V8 de 420 chevaux monté en position centrale. Elle fut même couronnée Voiture de l'année au pays en plus de décrocher les prix de meilleure voiture de prestige et de meilleur design décernés par l'AJAC (Association des journalistes automobiles du Canada). Cette nouvelle diva possède les attraits et les charmes des voitures exotiques sans leurs inconvénients, à prix nettement plus abordable. Nous l'avons même conduite en pleine tempête de neige l'hiver dernier, sans le moindre ennui. C'était un choix incontournable pour notre match.

Notre deuxième sportive est la Porsche Boxster, premier fruit du redressement et de la métamorphose interne qui ont fait de Porsche le constructeur automobile le plus prospère et rentable de la planète en une décennie. Mais l'essentiel pour nous est de savoir qu'avec son moteur central, la Boxster offre une tenue de route d'un équilibre rarement égalé et la puissance toujours croissante de ses six cylindres à plat, à un prix carrément inférieur à celui des légendaires 911 Carrera, sans parler de l'Audi R8. Pour notre essai, nous disposions de la Boxster la plus rare du moment. Le modèle RS 60 Spyder est un hommage à la voiture de course du même nom qui avait surclassé des voitures plus puissantes pour remporter les 12 Heures de Sebring au classement général en 1960. La RS 60 Spyder semblait donc prédestinée à se mesurer à l'Audi R8, qui est à la fois plus puissante et nettement plus chère. Ce modèle à tirage très limité dont Porsche n'a fabriqué que 1960 exemplaires (nous avons conduit le numéro 156) profite d'une version légèrement plus puissante du groupe de 3,4 litres qui équipe la Boxster S. Cette année, ce moteur de 303 chevaux actionne des éditions spéciales de la Boxster et de son frère, le coupé Cayman.

Notre troisième joueuse est la Mitsubishi Lancer Evolution en version MR Premium, animée par un bouillant quatre cylindres turbocompressé de 2,0 litres et 291 chevaux couplé à une boîte de vitesses séquentielle mécanique à double embrayage automatisé et au nouveau rouage intégral S-AWC (*Super All Wheel Control*) de Mitsubishi. Cette berline compacte inspirée d'une série maintes fois championne du monde des rallyes a ses inconditionnels de par le monde. Véritable voiture-culte, il aura fallu attendre la dixième génération pour qu'elle soit offerte chez nous. Elle se présente également avec des sièges avant Recaro, quatre freins à disque Brembo et une suspension montée sur ressorts Eibach et amortisseurs Bilstein. Sans compter une pléthore d'accessoires allant d'une chaîne stéréo Rockford Fosgate de 650 watts avec radio satellite Sirius à un système de navigation avec disque dur et la connectivité Bluetooth.

Et finalement, puisque chacune des deux dernières voitures que nous venons de présenter coûte environ moitié moins que la précédente et que la Mitsubishi vaut plus de 40000$, nous nous sommes demandé quelle pouvait être la sportive la plus satisfaisante et performante qu'on puisse se payer pour à peu près 20000$. Le prix d'une voiture économique, en somme. La réponse vous surprendra peut-être parce que celle qui complète notre carré d'as roule sur trois roues et ne possède ni toit, ni radio, ni volant, ni le moindre coussin gonflable. Il s'agit du Can-Am Spyder, dernier-né de Bombardier Produits Récréatifs, la firme qu'a fondée l'inventeur et bricoleur de génie Joseph-Armand Bombardier en 1941 et qui est connue sous le sigle BRP depuis 2004. Après avoir inventé et réinventé la motoneige, relancé l'industrie de la motomarine avec la deuxième mouture de ses Sea-Doo et tâté très sérieusement de la moto et des VTT, BRP parie maintenant gros sur ce trois-roues conçu exclusivement pour la route. Le Spyder est propulsé par un bicylindre en V de 998 cm^3 et 106 chevaux fabriqué par sa division Rotax, assurément un des meilleurs motoristes mondiaux. Le pari semble en bonne voie d'être gagné puisqu'il y a déjà bon nombre de Spyder sur nos routes et que les ventes se multiplient également aux États-Unis et en Europe. Comme le Spyder se trouve à mi-chemin entre la moto et l'automobile à bien des égards mais qu'il n'est ni l'une ni l'autre, nous avons voulu savoir de quoi il est vraiment capable, tant sur la route que sur un circuit, dans le registre sportif. Et nous avons par la même occasion inscrit un produit du Québec à cette confrontation.

UNE ÉQUIPE ÉCLECTIQUE ET DEUX CIRCUITS

En plus de l'équipe de choc du *Guide de l'auto*, notre groupe comptait deux invités spéciaux dont le savoir, l'expérience et les compétences allaient apporter beaucoup à notre match et même s'avérer providentielles. Costa Mouzouris est rédacteur en chef de *Cycle Canada* et rédacteur associé de *Moto Journal*, les deux grands magazines sur la moto au pays depuis plus de 35 ans. Également mécano

NISSAN GT-R : RENDEZ-VOUS RATÉ

Photo : Alain Morin

Le proverbe dit: « les absents ont toujours tort ». C'est sans doute ce qu'il faut conclure du refus catégorique de Nissan Canada de nous laisser soumettre sa nouvelle GT-R à un essai complet, sur route et sur circuit, face à quelques sportives exceptionnelles. Elle rate ainsi la chance de démontrer les qualités réelles de cette nouvelle coqueluche des amateurs de sportives nipponnes.

L'idée de ce match comparatif nous est venue après la tempête de superlatifs qui a suivi les premiers ébats de la Nissan GT-R dans la presse automobile. Nous avons évidemment voulu en savoir plus. Or, pour évaluer pleinement une voiture et connaître l'ensemble de ses qualités et ses véritables limites, il n'y a qu'un endroit: un circuit. À plus forte raison une sportive à laquelle on attribue une puissance de 480 chevaux. Pourtant, malgré notre insistance, nos demandes répétées et l'assurance que nous allions prendre le plus grand soin de leur joyau en ne bouclant qu'une poignée de tours soigneusement chronométrés, sur un circuit parfaitement sûr, aux mains de pilotes d'expérience, rien n'y fit. Plutôt que de tronquer notre essai, nous avons préféré en exclure, à regret, la GT-R. Mieux vaut ne pas imaginer les risques qu'a courus Nissan en laissant plutôt les journalistes évaluer une voiture aussi performante et tenter d'en explorer les limites sur les routes du Québec. De toute manière, nos collègues n'auront pu en tirer le maximum puisque le constructeur avait également pris soin de désactiver, sur la voiture d'essai, le mode « départ-canon » (ou *launch control*) qui permet des départs arrêtés au maximum des capacités de la GT-R en laissant le régime grimper à environ 4500 tr/min avant de débrayer. Sans lui, la GT-R n'atteint les 100 km/h qu'en 4,61 secondes et boucle le quart de mille en 12,46 secondes, à 198,3 km/h. C'est loin des meilleures marques que nous ayons enregistrées soit 3,8 secondes pour le 0-100 km/h et 11,75 secondes pour le quart de mille dans la Porsche 911 Turbo. La plus rapide en bout de quart de mille demeure la Corvette Z06 avec une pointe de 202,3 km/h. La GT-R n'a pas non plus freiné le plus court de 100 km/h, cet honneur revenant au coupé Porsche 911 Carrera 4S, avec une distance de 34,22 mètres contre les 35,76 mètres de la Nissan. Et là, ce n'était pas une question de système électronique désactivé.

Marc Lachapelle

expert, Costa connaissait déjà très bien le Can-Am Spyder pour l'avoir longuement essayé, mais nous étions aussi grandement intéressés de connaître ses impressions sur nos sportives à quatre roues, lui qui a même piloté la YZF-M1 de MotoGP du multiple champion du monde Valentino Rossi, une machine qui développait plus de 230 chevaux pour ses maigres 148 kg. La performance ultime, Costa connaît bien.

Le hasard a voulu que nous profitions aussi des connaissances techniques et de la débrouillardise d'Yves Demers, notre deuxième essayeur invité. Yves et Costa ont effectivement réussi à bricoler un branchement électrique qui nous a permis d'effectuer nos mesures de performance sur le Can-Am Spyder à l'aide de notre appareil VBox. Après des études de mécanique, Yves a fait carrière comme gestionnaire. Il nourrit sans relâche sa passion pour la mécanique comme préparateur émérite en karting où les jeunes pilotes qu'il parraine se retrouvent généralement à l'avant du peloton. Nous recherchions les capacités d'analyse technique pointues du préparateur conjuguées aux impressions d'un exigeant amateur de sportives qui aime toujours sa Boxster à moteur de 2,7 litres.

Pour prendre toutes les mesures et recueillir toutes les données voulues, nous avons visité deux circuits différents en tirant à chaque fois le maximum des parcours qui nous y ont menés pour évaluer nos quatre montures en conduite normale et plus sportive. Premier arrêt : le circuit Sanair à St-Pie-de-Bagot où l'équipe du *Guide* s'est rendue à de multiples reprises depuis trois décennies. Je m'y suis occupé des mesures d'accélération et de freinage sur chacun des véhicules pendant que les autres membres de l'équipe parcouraient une boucle routière et enfilaient quelques virages sur le circuit routier pour évaluer la tenue de route. On y a également fait l'examen statique de rigueur.

Le lendemain, nous nous sommes retrouvés au nouveau complexe ICAR, voisin de l'aérogare de Mirabel. Nous cherchions un circuit sûr, exigeant et varié où explorer pleinement la tenue de route et les limites de nos quatre machines. Chez ICAR, c'est Gabriel Gélinas qui s'est chargé de boucler quatre tours de circuit à fond, dûment chronométrés. Notre confrère connaissait déjà ce circuit technique pour y avoir œuvré et roulé maintes fois à titre d'instructeur-chef du programme Trioomph, exotiques et grandes sportives à la clé. Et tant qu'a faire, nous y avons confié la Spyder à Costa Mouzouris, en raison de sa longue expérience du pilotage sur circuit à moto, pour avoir son avis sur le comportement à la limite de cette sportive hors-norme.

DÉCOUVERTES ET SURPRISES

Vous trouverez dans ce qui suit, en textes et en tableaux, les conclusions auxquelles nous en sommes arrivés après des centaines de kilomètres de conduite et de pilotage sur des parcours extrêmement variés. Avec les grandes différences de technique et d'architecture qui séparent nos quatre sportives et les écarts de prix énormes de l'une à l'autre, il n'était évidemment pas question d'établir une hiérarchie rigide et d'en arriver à un bête classement. Notre tableau de pointage vous révélera plutôt les forces et faiblesses de chacune telles qu'établies par nos essayeurs. Et leurs conclusions sont appuyées sur des mesures de performances objectives et une fiche technique comparative complète. Une fois toutes les notes et mesures compilées, nous avons eu des surprises qui démontrent que la valeur d'une sportive ne tient pas uniquement à son prix. Cela dit, notre match a aussi prouvé que les honneurs récoltés et la grande réputation de certaines ne sont nullement usurpés.

AUDI R8

UNE DIVA BRILLANTE ET CONVIVIALE

La R8 nous est arrivée auréolée de ses titres et en rupture de stock pour les deux prochaines années. Or, la voiture la plus puissante et la plus chère de notre match n'a pas déçu. On a salué sa beauté, la qualité et l'insonorisation de sa cabine, son confort de roulement exceptionnel et le rendement spectaculaire de son moteur central de 420 chevaux. Pour mieux profiter de la sonorité de ce V8 dont il se trouve que les passants jouissent plus que le conducteur, Costa Mouzouris dit: «J'installerais des microphones aux échappements et je porterais des écouteurs». Côté pilotage, Gabriel Gélinas souligne que la R8 est stable, mais également «joueuse» sur un circuit et qu'il est relativement facile de la faire dériver des quatre roues en sortie de virage pourvu qu'on ait désactivé l'antipatinage. Il ne demande en fait qu'une centaine de chevaux de plus pour qu'elle ait plus de punch en sortie de courbe. Nos essayeurs ont par contre critiqué la lenteur et le fonctionnement saccadé de la boîte séquentielle en conduite normale. Yves Demers trouve la direction «surassistée pour une grande sportive» et la souhaiterait plus «directe» pour «garder les mains sur le volant en braquage pour actionner les manettes.» Alain Morin se demande: «avec de telles performances, souvent obtenues en piste, pourquoi ne pas offrir une poignée de maintien pour le passager et plus d'espace pour ses pieds? Et Costa Mouzouris de conclure que la R8 est une voiture de rêve mais qu'en dépit du fait qu'elle ait surclassé les autres sur le circuit; «elle est trop chère et n'offre pas les sensations tactiles que je préfère.»

PORSCHE BOXSTER RS 60 SPYDER

QUINTESSENCE DE LA SPORTIVE MODERNE

La Porsche 911 est évidemment la rivale directe de l'Audi R8 en prix et en puissance mais ce match n'était pas un duel à finir. Dans notre quête sportive, nous étions plus intéressés par l'équilibre supérieur qu'affiche la Boxster avec son moteur central. La finesse et l'équilibre de sa tenue de route, la sonorité ravissante de son six cylindres à plat et ses deux coffres – qui en font la championne du groupe côté pratique – ont largement compensé l'écart de puissance avec la R8. Sans compter qu'elle est la seule qui permet de rouler à ciel ouvert en seulement 12 secondes. De toute manière, l'écart en accélération avec la R8 ne fut que de 0,6 seconde sur ¼ de mille et elle a freiné presque aussi court. Assurément, la médaille d'argent de la RS 60 Spyder, à un infime 1,2 point de la R8 au tableau d'évaluation, a un goût de médaille d'or. Gabriel Gélinas affirme: «quel plaisir que de se retrouver au volant d'une voiture qui est aussi à l'aise à la limite sur circuit qu'en conduite enjouée sur la route!» Alain Morin déclare: «C'est encore la plus confortable, celle dont la mécanique est la moins brutale tout en étant extrêmement performante». Costa Mouzouris note que la Porsche est celle qui procure les plus riches sensations, tactiles autant qu'auditives et visuelles: «l'intérieur rouge est sexy». Et Alain Morin de conclure: «des quatre voitures, c'est la Boxster S que j'achèterais demain matin si j'étais riche.»

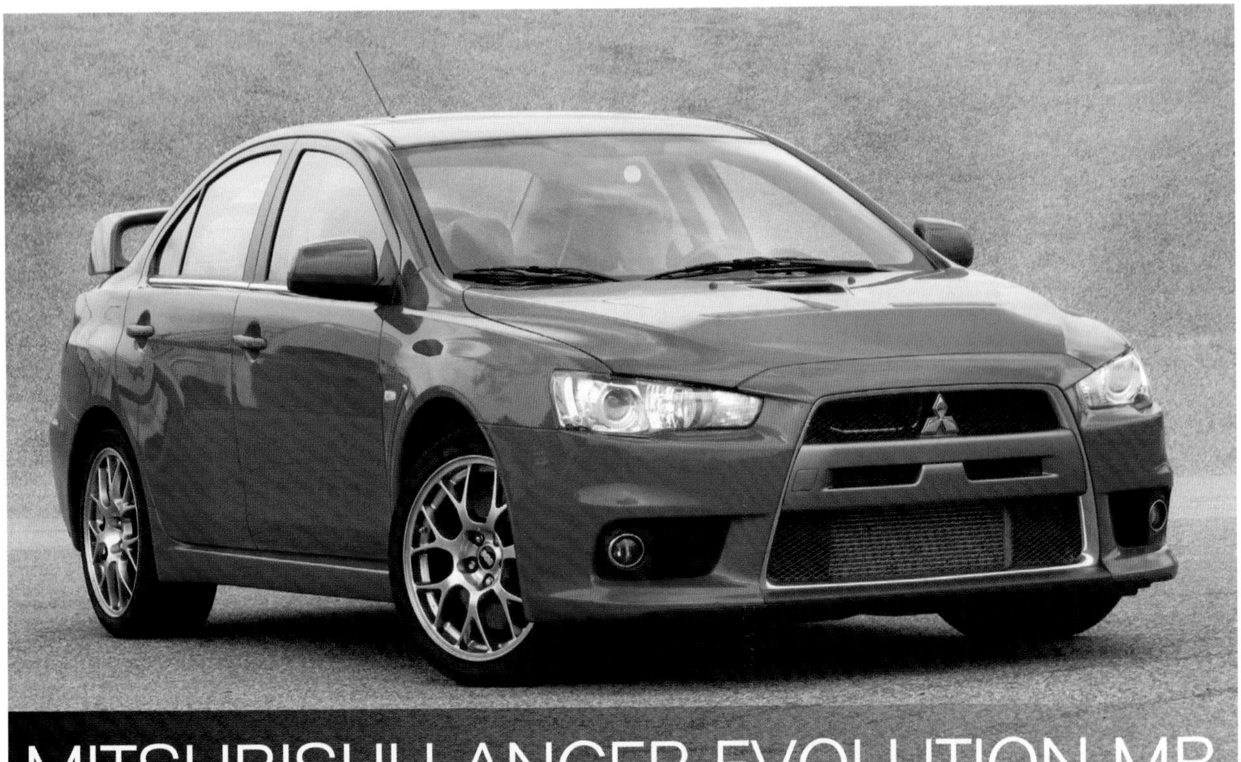

MITSUBISHI LANCER EVOLUTION MR

UNE TROUBLE-FÊTE TROP SAGE

Les générations précédentes de la Lancer Evolution – mieux connue comme l'« Evo » auprès des inconditionnels – avaient la réputation d'être des voitures pointues qui ne faisaient guère de compromis au nom du confort. À sa dixième génération, l'Evo s'est assagie un brin, du moins si on choisit la version MR Premium de notre essai, la plus chère et la mieux équipée. Sa boîte de vitesses séquentielle à double embrayage a impressionné par sa rapidité et sa douceur, mais plusieurs préféreraient des manettes de sélection montées derrière le volant et non la colonne de direction. On a d'ailleurs critiqué sa suspension : « trop sèche sur la route et trop souple en conduite intense », de dire Costa Mouzouris. L'Evo affichait également beaucoup de roulis sur le circuit ICAR où Gabriel Gélinas a noté aussi un sous-virage trop prononcé. Yves Demers juge la silhouette réussie : « mais à la limite des ajouts de type aileron, déflecteurs et bavettes » tout en lui reprochant son tableau de bord « trop sobre pour une sportive », Alain Morin note que son volant n'est pas télescopique « ce qui nuit un peu à la position de conduite » et déplore la piètre qualité des plastiques de l'habitacle et de la finition. La version MR Premium jouit d'une pléthore d'accessoires qui gonflent toutefois son prix. Costa déclare : « c'est une berline performante mais si je dépense plus de 50 000 $ sur un véhicule de performance, je le fais pour moi, pas la famille. Qu'ils suivent dans la fourgonnette. » Pour profiter du potentiel sportif de l'Evo mieux vaut choisir la GSR à boîte manuelle, plus légère, plus vive, plus performante et nettement moins coûteuse.

CAN-AM SPYDER GS – SE5

UN SYMPATHIQUE EXTRATERRESTRE

Le nouveau Can-Am Spyder est moins cher et plus performant que tout roadster ou compacte gonflée. Sa conduite a également des risques inhérents à celle d'une moto, surtout avec les systèmes électroniques dont on l'a équipé: ABS, antidérapage, antipatinage, etc. En fait, il est strictement impossible d'atteindre la limite des pneus avant ou de faire patiner la roue arrière si le guidon est braqué et que les capteurs détectent le moindre pivotement du Spyder sur son axe. Imaginez sur le circuit ICAR où nos deux pilotes ont instantanément atteint la limite imposée par l'électronique, dès le premier virage. Le défi consiste à rouler sans provoquer son intervention. Gabriel Gélinas affirme carrément: «Le Spyder n'est pas du tout agréable à piloter sur circuit.» Lui et Costa Mouzouris l'ont piloté chez ICAR et lui reprochent l'effort beaucoup trop élevé au guidon en piste, malgré l'assistance dont la direction est censée profiter. En freinage d'urgence, le conducteur doit également se cramponner pour ne pas basculer vers l'avant pendant que la roue arrière se soulève et louvoie. Cela dit, le Spyder a beaucoup de cœur avec son bicylindre de 106 chevaux et une sonorité réjouissante avec l'échappement optionnel Hindle. Tous ont jugé sa boîte séquentielle SE5 quasi parfaite, avec son sélecteur monté à gauche sur le guidon. On a également loué la qualité de la fabrication, la selle très confortable pour deux, la bonne position de conduite et le coffre étonnamment pratique à l'avant. Et Costa Mouzouris de conclure: «avec des sacoches et un pare-brise plus haut vous avez une bonne machine de sport-tourisme».

PERFORMANCES MESURÉES	Audi R8	Can-Am Spyder	Mitsubishi Evolution MR	Porsche Boxster
Tour de piste chronométré - 3,36 km - circuit ICAR				
MINUTES / SECONDES	2,01	2,28	2,09	2,05
VITESSE MOYENNE - EN KM/H	99,99	81,74	93,78	96,78
Accélération - *1/4 de mille* - circuit Sanair (secondes/km/h)				
TEMPS EN SECONDES	13,1	14,1	14,1	13,7
VITESSE EN KM/H	174,0	156,9	160,6	162,4
Freinage de 100 km/h - 1/4 de mille - circuit Sanair				
DISTANCE D'ARRÊT EN MÈTRES	34,7	46,1	38,4	34,9

Photo: Alain Morin

FICHES TECHNIQUES	Audi R8 R-Tronic	Can-Am Spyder GS SE5	Mitsubishi Lancer Evolution MR	Porsche Boxster RS 60 Spyder
Empattement (mm)	2650	1727	2650	2415
Longueur (mm)	4431	2667	4545	4359
Largeur (mm)	2029	1506	1810	1801
Hauteur (mm)	1252	1145	1480	1295
Poids (kg)	1560	316	1630	1355
Boîte de vitesses	séquentielle *	séquentielle *	séquentielle **	manuelle
Nombre de rapports	6	5	6	6
Rouage	intégral	propulsion / courroie	intégral	propulsion
Moteur	V8 DACT	V2 DACT	4L DACT turbo	P6 DACT
Cylindrée	4163 cm^3	998 cm^3	1998 cm^3	3387 cm^3
Puissance maximale	420 ch à 8250 tr/min	106 ch à 8500 tr/min	291 ch à 6500 tr/min	303 ch à 6250 tr/min
Couple maximal	317 lb-pi à 4500 tr/min	77 lb-pi à 6250 tr/min	300 lb-pi à 4000 tr/min	251 lb-pi à 4400 tr/min
Suspension avant	indépendante	indépendante	indépendante	indépendante
Suspension arrière	indépendante	bras oscillant	indépendante	indépendante
Freins avant / diamètre	disques / 318 mm	disques / 250 mm	disques / 350 mm	disques / 318 mm
Frein(s) arrière / diamètre	disques / 300 mm	disque / 250 mm	disques / 330 mm	disques / 300 mm
ABS	oui	oui	oui	oui
Pneus avant	235/35 ZR19	165/65 R14	245/40 R18	235/35 ZR19
Pneu(s) arrière	295/30 ZR19	225/50 R15	245/40 R18	265/35 ZR19
Direction	crémaillère assistée	tringlerie assistée	crémaillère assistée	crémaillère assistée
Diamètre de braquage (m)	12,7	n.d.	11,8	11,1
Coussins gonflables	frontaux / latéraux	aucun	frontaux / latéraux	frontaux / latéraux
Réservoir de carburant (litres)	90	27	55	64
Capacité du coffre (litres)	100	44	184	280
Consommation ville / route (L/100 km)	16,1 / 10,6	7,6 / 8,8 ***	12,2 / 9,1	11,8 / 7,7
Prix	150000$	20399$	51498$	81800$

* boîte mécanique à embrayage automatisé ** boîte mécanique à double embrayage automatisé *** consommation réelle boucle routière / circuit-route

POINTAGE DÉTAILLÉ	Audi R8	Can-Am Spyder	Mitsubishi Evolution MR	Porsche Boxster
STYLE				
Extérieur	18,8	12,6	14,4	16,2
Intérieur	9	6,4	6,4	8,4
CARROSSERIE				
Finition intérieure et extérieure	28	20,8	22,2	27,2
Qualité des matériaux	28,4	21,2	20,8	28
Tableau de bord	8,6	7	6,2	7,4
Équipement (accessoires, innovations, gadgets)	8,2	6,6	6,4	6,8
Coffres (accès, volume)	6,4	6,2	6,9	8
Rangements (accès, nombre, efficacité)	6,3	3,1	7,4	6,8
CONFORT/ERGONOMIE				
Position de conduite (volant guidons, sièges avants, repose-pieds réglables)	8,8	6,8	6,5	8,2
Ergonomie (facilité d'atteindre les commandes et lisibilité des instruments)	8,8	7,3	6,9	8,4
Place(s) arrière	0	3,2	4,4	0
Silence de roulement	3,8	1,5	3,3	3,8
CONDUITE				
Tenue de route (équilibre, agilité, stabilité, marge de sécurité en virage)	37,4	26	31,6	33,6
Moteur (rendement, puissance, couple à bas régime, réponse, agrément)	35,6	30,8	31,6	33,6
Transmission (passage de rapports, rétrocontact, levier, agrément)	15,8	17,4	16,8	17
Direction (précision, *feedback*, braquage)	16,6	12,3	14,3	17,7
Freins (endurance, sensations, performances)	17,8	15	14,8	17,8
Confort de roulement (suspension, solidité structurelle)	17,6	13,4	14,2	17
SÉCURITÉ				
Visibilité	6,4	10	7	7
Rétroviseurs	7,9	6,8	7,4	7,8
Coussins gonflables	7	0	6,3	7
RAPPORT QUALITÉ/PRIX				
Choix des essayeurs	47	26,6	34,2	45,8
Plaisir de conduite	45,2	27,9	34,8	47,8
Valeur pour le prix	40,1	39,6	44	44
Total	429,5	328,8	368,7	428,3

ESSAIS LONG TERME

ACURA • BMW • GMC • KIA
MAZDA • MITSUBISHI • NISSAN

10 000 KM AU COMPTEUR

Avec la flambée récente du prix de l'essence, les utilitaires sport de taille compacte gagnent en popularité, plusieurs conducteurs choisissant maintenant ce type de véhicule au détriment de ceux de taille moyenne. Voilà pourquoi nous avons décidé de mettre le RDX à l'essai sur plusieurs mois.

Premier constat, la consommation de carburant s'est avérée plutôt élevée au début de notre essai avec une moyenne de 13,5 litres aux 100 km pour les premiers 5 000 km. Une fois ce cap passé, la consommation s'est bonifiée graduellement pour se stabiliser à 12,5 litres en moyenne, ce qui demeure toujours plutôt élevé. Cette cote de consommation s'explique partiellement par le poids relativement élevé du RDX, qui ne pèse que 246 kg de moins que le MDX de plus grande taille malgré ses dimensions plus compactes.

Si le RDX est aussi lourd, c'est en partie à cause de sa dotation de série qui est très complète. En fait, plus on ajoute d'équipements et d'accessoires à un véhicule, plus le poids est en hausse et le RDX est un parfait exemple de ce principe élémentaire. Le moins qu'on puisse dire, c'est que le modèle de base ne mérite en rien cette caractérisation, car il est équipé de sièges en cuir à commande électrique, de la climatisation, d'un groupe électrique complet et de plusieurs accessoires qui ne sont souvent offerts qu'en option dans les véhicules concurrents. Les amateurs de gadgets seront amplement servis par l'ajout de l'ensemble Technologie qui équipe notre véhicule d'essai et qui comprend le système de navigation assisté par satellites et à commande vocale bilingue, la caméra de recul, ainsi qu'un système audio ELS ambiophonique de 410 watts. Au jeu de l'équipement de série, le RDX sort donc grand gagnant de la comparaison avec le BMW X3. Toutefois, il faut préciser que la lecture de l'écran central est parfois difficile lors de certaines conditions d'ensoleillement et que le fonctionnement du système de navigation laissait à désirer, la classification de certaines localités dans le menu de sélection n'étant pas toujours évidente. De plus, le système de reconnaissance vocale, pourtant programmé en français, avait parfois de la difficulté à comprendre ce qu'on lui disait au point où l'on abandonnait carrément l'idée de s'en servir.

Bien que la très grande majorité des acheteurs de ce type de véhicule ne s'aventurent jamais en conduite hors route, nous avons quand même choisi d'évaluer le RDX dans ces conditions, puisqu'il s'agit après tout d'un véhicule utilitaire sport. De ce côté, le RDX s'est montré moins à l'aise que certains véhicules concurrents, en raison d'une garde au sol limitée et de l'absence de plaques de protection ou du contrôle électronique de la vitesse en descente. Par contre, sur routes asphaltées, le RDX se révèle à la hauteur de la situation, le système SH-AWD (*Super Handling All-Wheel Drive*) assurant une grande stabilité non seulement lorsque la route est sèche, mais également lorsqu'elle est détrempée. Pour ce qui est de la tenue de route, le RDX est aussi efficace que le BMW X3, et comme les sièges offrent un très bon support latéral, la conduite sur routes secondaires est particulièrement agréable.

Après 10 000 km, le RDX a fait preuve d'une fiabilité sans faille et n'a réclamé que la vidange d'huile prévue au calendrier d'entretien. Peu importe les conditions météo, le RDX s'est toujours montré d'attaque et d'une stabilité rassurante, que ce soit sur les autoroutes ou sur les routes secondaires, et n'a jamais engendré la moindre inquiétude, même lors de notre récent hiver record.

Gabriel Gélinas

LA VOITURE IDÉALE POUR UN HIVER RECORD

Au cours de l'hiver 2007 et du printemps 2008, le *Guide de l'auto* a entrepris un essai à long terme de la BMW 535xi Touring, une voiture familiale à traction intégrale qui a fait preuve d'une fiabilité parfaite tout au long de notre essai de plus de 10000 km. Elle s'est montrée tout à fait capable de remplacer un VUS, ce qui constitue l'un des aspects les plus intéressants de cette voiture en raison de la récente flambée du prix des carburants. Notre moyenne de consommation s'est d'abord fixée à 13,1 litres aux 100 km au cours des premiers 7000 km, pour ensuite se bonifier à 12,5 litres aux 100 km, ce qui est très bon compte tenu du poids de la voiture et du fait qu'elle est équipée d'un rouage intégral.

Précisons que la 535xi Touring est la familiale la plus puissante de l'histoire de la marque bavaroise, puisqu'elle compte sur un six cylindres en ligne turbocompressé de 3,0 litres qui développe 300 chevaux et 300 livres-pied de couple. Ces chiffres lui permettent d'abattre le sprint de 0 à 100 km/h en 6,1 secondes, et ce, même s'il s'agit d'une voiture à traction intégrale, le «xi» faisant référence à l'ajout du système X-Drive. Ce moteur turbo est tout simplement fabuleux en plus d'être parfaitement adapté à la Série 5, et il a d'ailleurs remporté à deux reprises le Prix international du moteur de l'année. La 535xi Touring fait partie de ces voitures qui peuvent livrer des performances plus que convenables lorsque le conducteur désire s'amuser au volant sur des routes de campagne pour ensuite assurer un confort serein lorsqu'il est simplement question de parcourir des centaines de kilomètres sur l'autoroute. C'est d'ailleurs lors de ces moments que le charme de la 535xi Touring opère le plus. Notre voiture était équipée d'un système de visualisation tête haute qui projette les indications du système de navigation et de l'indicateur de vitesse à la base du pare-brise, ce qui permet d'en faire la lecture sans quitter la route des yeux. De plus, le régulateur de vitesse intelligent avec radar nous a permis de maintenir une consommation optimale et de conserver automatiquement une distance sécuritaire avec les véhicules roulant au-devant. Ce système est très efficace dans toutes les situations, exception faite des sorties d'autoroute, où il faut se souvenir de le désactiver avant que la voiture se mette à accélérer. En effet, le véhicule qui précède n'étant plus directement devant lorsqu'il emprunte la boucle de décélération, il n'est donc plus «visible» pour le radar de la BMW.

La vie à bord a été parfaitement agréable grâce à l'insonorisation de l'habitacle, aux sièges grand confort et à la présence du système Bluetooth qui assurait l'utilisation mains libres d'un portable tout en permettant la lecture et la sélection des contacts par le biais du système iDrive. De plus, une interface pour lecteur MP3 était également au programme.

Au cours de l'hiver, nous avons pu apprécier au plus haut point l'efficacité du rouage intégral xDrive qui nous a permis de circuler librement et sans problème entre Montréal et Québec même au plus fort des tempêtes records qui se sont abattues sur la belle province. La 535xi Touring est également équipée d'un système de contrôle électronique de la stabilité, qu'il est possible de calibrer en mode DTC (*Dynamic Traction Control*) qui autorise le conducteur à provoquer de belles glissades sur surface glissante et qui peut aussi être complètement désactivé pour permettre d'effectuer des manœuvres de demi-tour «à l'accélérateur», ce qui s'est révélé tout à fait agréable. C'est donc un essai qui a démontré une fiabilité à toute épreuve, même dans des conditions difficiles, doublée d'un agrément de conduite qui a dépassé nos attentes et d'une consommation moyenne qui nous a surpris par sa frugalité. La solution de rechange aux VUS est bel et bien présente.

Gabriel Gélinas

POUR LES GROS TRAVAUX

Les camionnettes sont présentes sur nos routes depuis pratiquement aussi longtemps que l'automobile et elles génèrent toujours une grande part des ventes de véhicules au Canada. Si une bonne partie des acheteurs les utilisent pour leur travail au quotidien, les camionnettes sont aussi devenues, au fil des années, des véhicules facilitant nos loisirs. Malgré le prix de l'essence qui ne cesse de grimper, elles demeurent un outil de loisir et de travail important et elles sont là pour de bon.

Dans le cadre de notre essai, nous devions favoriser la capacité de remorquage puisque c'est dans ce contexte qu'il nous était plus facile d'évaluer les performances du véhicule. Nous avons donc opté pour le plus capable des modèles proposés chez GMC, soit un Sierra 1500 SLT avec cabine allongée et disposant de la caisse standard (6,5 pi). Profitant sous le capot du plus puissant des moteurs, le Vortec Max de 6,0 litres, ce modèle peut remorquer jusqu'à 10 700 lb, soit une capacité supérieure à la majeure partie de la concurrence. Seul Ford, avec son nouveau F-150, peut clamer un chiffre supérieur, soit 11 300 lb. C'est le Doge Ram qui occupe le bas de l'échelle avec une capacité maximale de 9 100 lb, soit un peu moins que le Nissan Titan avec ses 9 700 lb.

TOUT UN STYLE...

Il est rare qu'une camionnette fasse tourner les têtes par son style, surtout lorsque le véhicule est d'origine. Premier constat, notre modèle d'essai n'est pas piqué des vers. En fait, il en a impressionné plusieurs. Tout d'abord, le Sierra, tout comme son sosie le Chevrolet Silverado, a profité d'une refonte majeure il y a deux ans, ce qui lui a apporté son style plus fluide et bien réussi. Ford et Dodge semblent opter pour des lignes plus robustes alors que GM continue de se distinguer par des lignes classiques, plus sophistiquées. Voilà ici une question de goût. Deux éléments mettent bien en valeur notre modèle d'essai, soit sa grille avant tout en chrome et, surtout, ses jantes de 22 pouces. Mais si ces dernières rehaussent bien entendu le style du véhicule, elles apportent aussi un compromis au chapitre de l'utilisation, puisque les pneus à profil bas ne sont pas le meilleur choix lorsque vient le temps de charger un peu plus le véhicule.

À l'intérieur, notre modèle d'essai dispose d'un groupe d'options ajoutant tous les éléments de luxe que l'on retrouve dans de grandes voitures, tels des sièges en cuir, un climatiseur automatique à double zone et un système de navigation par GPS. Bref, voilà une camionnette qui ne fait aucun compromis quant au luxe et au confort. Pour le travail plus salissant, vous voudrez certainement opter pour une cabine plus classique, ce qui vous fera un peu moins mal au cœur lorsque vous le salirez.

Sur la route, on apprécie la puissance du moteur de 6,0 litres. Son couple l'avantage lorsqu'on remorque, mais comme tout moteur à essence, sa consommation grimpe drôlement à l'effort. J'ai obtenu une consommation moyenne de 16,5 litres aux 100 km en conduite normale et de 23,5 litres aux 100 km avec une remorque de plus de 10 000 lb. Voilà ici l'avantage des moteurs diesel qui, même à l'effort, ne consomment pas tellement plus. Cependant, aucun constructeur n'offre de moteur diesel chez les camionnettes d'une demi-tonne.

Un autre élément clé chez les camionnettes est sans contredit la transmission. Celle du Sierra se montre performante et offre des passages doux. Son mode remorquage permet aussi d'étirer les rapports et de conserver des régimes plus élevés, favorisant ainsi le couple et réduisant les efforts de la boîte. Les freins sont aussi efficaces, mais la force de freinage du F-150 m'a semblé légèrement supérieure. Bref, le Sierra ne déçoit pas tant par son style que par ses nombreuses fonctionnalités, alors que son bon choix de modèles et de motorisations convient à divers besoins.

Sylvain Raymond

APRÈS LA NEIGE, LE SOLEIL

Notre Rio5 à long terme en a vu de toutes les couleurs Et comme vous devez vous en souvenir, nous avons été choyés en matière de froid et de chutes de neige au cours de l'hiver. De plus, cette saison nous a paru interminable. Ces mois de misère derrière nous, c'est avec joie que nous avons entamé la partie estivale de notre essai. Au moment d'écrire ces lignes, soit à la mi-août l'odomètre affichait 10585 km au compteur, comparativement à 228 km lorsque nous avons commencé notre essai à la fin d'octobre 2007.

Le modèle qui nous a été confié est la version EX Sport, dont le niveau d'équipement est appréciable, allant des roues en alliage de 15 pouces au toit ouvrant en passant par la climatisation de série. Curieusement, le régulateur de vitesse automatique ne fait pas partie de l'équipement et ne semble pas être offert en option. Les sièges chauffants qui équipent notre voiture d'essai ont été très appréciés au cours des mois d'hiver. En plus d'être très confortables, ils sont recouverts d'un tissu très élégant qui a bien résisté à l'usure et aux attaques des rayons du soleil. Soulignons aussi que le volant est gainé de cuir, une touche de luxe sur un modèle à vocation économique. La finition est fort acceptable dans l'habitacle, bien que la présentation du tableau de bord soit assez classique. Les commandes sont simples et faciles d'utilisation.

CONFORT ET PATIENCE

La plupart de nos essayeurs nous ont affirmé que pour eux, les éléments importants dans une voiture étaient une climatisation efficace, un système audio convenable et une mécanique sans souci. Notre Rio5 nous a tenu au frais tout l'été, et ce, peu importe l'ampleur de la canicule. Par contre, le conducteur recevait un flot d'air glacial sur sa main droite lorsque la « clim » fonctionnait à plein régime. Compte tenu des goûts de la plupart de nos essayeurs, le toit ouvrant, offert de série sur ce modèle, n'a pas été ouvert trop souvent. Les commandes du système audio ont été jugées pratiques, mais on a surtout apprécié la capacité du lecteur CD à lire les disques enregistrés en MP3 et WMA, en plus de posséder une prise USB afin d'ajouter à la polyvalence. La sonorité, quant à elle, a été évaluée légèrement au-dessus de la moyenne.

Finalement, en ce qui concerne la fiabilité, il n'y a rien à signaler. Le moteur, un quatre cylindres de 1,6 litre de 110 chevaux couplé à une boîte automatique à quatre rapports, a continué de tourner comme un moulin. C'est donc une bonne chose que la climatisation et le système audio soient satisfaisants, car il faut être patient au volant de cette petite coréenne. Par exemple, 12,7 secondes sont nécessaires pour boucler le 0-100 km/h, ce qui permet quand même de suivre le flot de la circulation sans problème. Toutefois, le niveau sonore de ce moteur est assez élevé lorsqu'on tente de vouloir trop lui en demander, ce qui nous fait réaliser du même coup que l'insonorisation est perfectible. À défaut de bénéficier de performances impressionnantes, nous avons apprécié la consommation de carburant de 7,4 litres aux 100 km. Il s'agit d'une consommation moyenne inférieure à celle enregistrée en période hivernale, alors qu'on avait obtenu une moyenne de 8,5 litres aux 100 km. Voilà de bonnes nouvelles alors que les prix du carburant semblent vouloir toujours progresser.

Compte tenu de la piètre qualité de nos routes en hiver, la suspension assez souple a été appréciée de même que la tenue de route sans histoire. Une fois encore, cette voiture donne son meilleur rendement aux vitesses légales. Par contre, c'est avec regret que nous avons remplacé les pneus d'hiver de marque Marangoni, qui ont été exceptionnels sous toutes les conditions. Aussi bien sur la neige épaisse et lourde que sur les routes glacées, ces pneus ont été supérieurs à la moyenne. Quant aux pneus d'origine, disons qu'ils sont corrects sans plus.

Somme toute, la Rio5 s'est révélée être une voiture économique, fiable et économe en carburant et ce peu importe la saison.

Denis Duquet

LOUANGÉE ET FIABLE

Lancée au printemps 2007, la CX-9 était la plus grosse Mazda jamais fabriquée et aussi la plus luxueuse. Elle se joignait à la CX-7 proposée une année plus tôt. L'an dernier, un essai prolongé de la CX-7 avait mis en vedette sa polyvalence et son agrément de conduite en raison de sa tenue de route quasiment sportive.

La CX-9 est assurément plus bourgeoise, autant du fait de sa configuration mécanique que par ses dimensions. Il semble que cette combinaison plaît, car cette Mazda a remporté le titre de la camionnette nord-américaine de l'année en 2008, en plus de se hisser en tête de multiples matchs comparatifs. Bref, Mazda a de quoi se féliciter de ce modèle.

Malgré son lancement récent, ce modèle a connu de nombreuses améliorations au cours des douze derniers mois. C'est ainsi que la cylindrée du moteur est passée de 3,5 litres à 3,7 litres, juste assez pour pousser la puissance de ce moteur V6 à 273 chevaux, soit 10 de plus que le 3,5 litres.

Le niveau d'équipement a aussi été révisé à la hausse et un indicateur de présence d'un véhicule dans l'angle mort est dorénavant offert. Bien entendu, la troisième rangée de sièges a été conservée de même que l'ingénieux système d'accès aux places arrière, aussi simple qu'efficace. Notre modèle d'essai est également équipé d'un hayon arrière motorisé et d'un démarreur à distance.

La CX-9 est élaborée à partir de la plateforme du Ford Edge et du Lincoln MKX, mais elle est plus longue de 357 mm tandis que son empattement a un avantage de 51 mm par rapport à ses consœurs de chez Ford. C'est ce qui lui permet d'offrir une troisième rangée de sièges alors que les deux américaines doivent se contenter d'être des modèles cinq places. Toujours au chapitre des différences, la CX-9 est assemblée au Japon et sa boîte automatique à six rapports est fournie par Aisin.

Dans l'habitacle, les matériaux et la finition sont supérieurs à la moyenne. Le tableau de bord est bien dégagé et abrite l'écran de navigation LCD, qui se transforme en écran vidéo pour afficher la vue de la caméra de recul actionnée dès que le levier de vitesse est placé en marche arrière. Ce gadget est très pratique et contribue à la sécurité, mais en hiver, il faut nettoyer presque quotidiennement l'objectif de la caméra situé tout près de la plaque d'immatriculation, car il se salit rapidement.

Le comportement routier correspond à la vocation de ce véhicule : un grand tourisme à traction intégrale. De plus, la CX-9 est supérieure à la CX-7 en fait de confort, d'insonorisation et d'équipement. Sa conduite est moins sportive, mais elle peut transporter deux personnes de plus dans un niveau de confort supérieur. L'équipement de série est également plus cossu et plus complet. Et pour certains, certainement plus nombreux que vous ne le croyez, son gabarit plus imposant est un atout non négligeable. Le rendement du moteur V6 est adéquat et il aurait été superflu d'offrir un moteur V8 dans cette catégorie. Les accélérations et les reprises sont correctes, alors qu'il faut huit secondes pour boucler le 0-100 km/h et une seconde de moins pour exécuter le 80-120 km/h.

En conclusion, la Mazda CX-9 est un multisegment capable de tout faire bien, ou presque. Il ne faut toutefois pas faire l'erreur de croire qu'il s'agit d'un gros tout-terrain sept places. Il n'en a ni les aptitudes ni la mécanique, et encore moins la robustesse, bien que son rouage intégral offert en option soit très efficace.

Finalement, il n'y a eu aucun pépin mécanique à signaler. Malgré l'hiver rigoureux que nous avons traversé, notre CX-9 a affronté tempêtes et chutes de neige sans ennui. Puis, une fois l'été arrivé, elle a répondu à l'appel avec brio. Pour joindre l'utile à l'agréable, certains essayeurs en ont profité, lors de longs trajets, pour utiliser le système de divertissement avec son ambiophonique. Il a presque fallu les extirper de force du véhicule.

Denis Duquet

Démarrez la vidéo
et prenez le volant !

UN ÉTÉ CHARGÉ

Puisque c'est le Mitsubishi Outlander qui a remporté notre match comparatif dans la catégorie des VUS compacts organisé dans le cadre de l'édition 2008 du *Guide de l'auto*, nous avons décidé de le soumettre à un essai intensif au cours des mois d'été. L'odomètre au début de cet essai de plusieurs semaines affichait 2252 km et 6994 lorsque nous avons remis le véhicule à Mitsubishi. Même si notre essai a été de courte durée dans le temps, ce multisegment en a accumulé des kilomètres, et il a été utilisé à toutes les sauces.

L'an dernier, le modèle qui a devancé les meilleurs de la catégorie était tout équipé avec des sièges en cuir, un rouage intégral, une transmission automatique à six rapports, un système audio plus que puissant et une troisième rangée de sièges. Et on a bénéficié de l'un des plus puissants moteurs de la catégorie.

Cette année, la gamme Outlander propose une version plus économique équipée d'un moteur à quatre cylindres de 2,4 litres produisant 168 chevaux et 167 livres-pied de couple. Nous étions donc curieux de savoir si ce déficit de 42 chevaux par rapport à notre modèle victorieux de l'an dernier avait des conséquences vraiment très négatives.

Notre version essayée était un modèle ES 4WD équipé du moteur quatre cylindres et doté de l'option «son et soleil» comprenant un toit ouvrant à commande électrique et un système audio Rockford Fosgate de 650 watts. Précisons que ce système a assez de puissance pour vous faire saigner les oreilles.

CAPABLE D'EN PRENDRE

Dans cette catégorie, il est parfois étonnant de conduire des modèles dont la caisse et la plate-forme semblent être d'une surprenante fragilité. Ce n'est pas le cas de ce Mitsubishi. Dès qu'on ferme la portière, on a la sensation d'être à bord d'un véhicule solide et robuste. Ce n'est pas seulement la caisse qui donne cette impression, mais également le tableau de bord, qui est réalisé dans un plastique d'une dureté remarquable.

Malgré ce tableau de bord qui ressemble à un *puzzle* tant il comporte de pièces, la finition et l'assemblage sont sans reproche. Il faut également souligner la présentation passablement élégante avec des appliques de couleur aluminium qui viennent relever quelque peu cette mer de plastique noir.

Les sièges avant sont confortables, offrent un bon support latéral et sont fabriqués de tissus qui semblent résistants et imperméables aux taches. Les places arrière ne sont pas mauvaises non plus et le dossier est réglable. Celui-ci est de type 60/40 et se replie pour faire place à une immense soute à bagages, compte tenu des dimensions de ce véhicule.

Il est certain qu'un déficit de 52 chevaux ne peut passer inaperçu, mais cette combinaison du moteur quatre cylindres et de la transmission à rapports continuellement variables est surprenante. Bien entendu, les performances ne sont pas étourdissantes, mais un temps de 11 secondes pour atteindre les 100 km/h n'est pas mauvais pour la catégorie.

Sur la route, le véhicule offre un comportement sans surprise et dans la bonne moyenne de la catégorie. Et si jamais les conditions routières se détériorent ou si vous avez envie de faire un peu de hors route, un gros bouton placé sur la console permet de passer en mode intégral ou encore de verrouiller la distribution du couple avant et arrière de façon égale.

En résumé, l'Outlander à moteur quatre cylindres ne nous a pas déçu. Il s'est révélé être un véhicule à tout faire suffisamment confortable et performant pour plaire à la majorité des personnes. Toutefois, ce n'est pas la fiabilité de la mécanique qui a le plus impressionné au cours de cet essai trop bref, mais bien sa consommation de carburant fort raisonnable de 10 litres aux 100 km. Malgré les performances en retrait par rapport à la version équipée du moteur V6, celle propulsée par un quatre cylindres permet non seulement d'effectuer des économies à l'achat, mais également de ne pas trop investir dans le carburant.

Denis Duquet

POPULAIRE, ET AVEC RAISON

Au cours des derniers mois, l'équipe du *Guide de l'auto* a fait l'essai prolongé de la très populaire Nissan Versa. Il se joue, dans la catégorie des sous-compactes, une guerre très féroce, mais la Nissan Versa n'a rien à envier à ses concurrentes, à l'exception peut-être d'un poids plus léger.

Même si elle fait partie de la catégorie des sous-compactes, la Versa offre en effet une silhouette massive et affiche un poids de 1 261 kg, soit environ 150 kg de plus que ses principales rivales. Pour avoir pu conduire quelques-unes de ses concurrentes, j'ai constaté que cet excès de poids se fait ressentir dans le comportement routier du véhicule, principalement au freinage et en virage.

Heureusement, à l'image de l'extérieur, l'intérieur se fait spacieux. L'accès aux sièges est facile. Par contre, sortir de la voiture devient un peu plus exigeant si vous vous stationnez trop près d'un autre véhicule, la corbeille située dans le bas des portes limitant l'espace pour glisser les pieds à l'extérieur. Notons aussi que bien des amis ont apprécié son vaste espace de chargement.

Une fois assis derrière le volant, on trouve facilement une bonne position de conduite. Mais, avec mes 1 m 80, mon genou droit s'appuyait sur la console centrale. Le tableau de bord est facile à consulter. Par contre, aucune jauge de température de moteur n'y figure, seulement un voyant bleu qui s'allume lorsque le moteur est démarré et qui s'éteint après quelques minutes lorsqu'il se réchauffe. La nuit, ce voyant peut facilement être confondu pour celui des phares de route.

De l'intérieur, une bonne visibilité s'offre à vous. Par contre, l'angle mort du côté gauche est un peu plus difficile à vérifier que celui du côté opposé. Beaucoup de passagers ont remarqué avec amusement les petites vitres triangulaires situées dans le bas des piliers A. Curieusement, ces vitres, que je croyais uniquement décoratives au début, deviennent utiles dans certaines situations où la visibilité du côté de la route est limitée.

Notre modèle d'essai disposait du moteur 1,8 litre (le seul disponible, d'ailleurs!) couplé à la transmission à variation continue Xtronic. Pour avoir pu conduire la Nissan Sentra S munie de la même transmission, j'ai grandement préféré le comportement que cette dernière offrait sur la Versa, en particulier une meilleure réponse aux mouvements de l'accélérateur. En accélération, le moteur se fait bruyant, mais à vitesse constante, il se montre plus discret. Comme mentionné plus haut, la Versa dégage une impression de lourdeur en freinage, freinage qui d'ailleurs se termine par un couinement de frein à chaque occasion, du moins sur le modèle essayé.

Outre un petit échange de peinture sur les portières avec une Honda Civic, il n'y a absolument rien à déclarer au sujet de la Versa. Nous ne l'avons apportée au garage que pour passer des pneus d'hiver aux pneus d'été et pour une vidange d'huile.

Notre modèle à l'essai a consommé en moyenne 8,2 litres d'essence aux 100 km. Ses performances sont à la hauteur de celles de ses concurrentes et elle défend bien sa position dans la guerre que se livrent les sous-compactes. Et à en juger par la quantité de Versa que l'on peut apercevoir sur nos routes et les bons commentaires de ses propriétaires, elle se révèle être un excellent choix.

Jonathan Morin

Tout est à votre portée avec le système
de navigation du Ford Escape.
Même la sainte paix.
de centaines de chaînes proposant des émissions de sport, de divertissement et de nouvelles. Mieux encore, tout est offert sans pauses publicitaires. La sainte paix en version améliorée... c'est possible. Si l'on a accès à la technologie appropriée, bien entendu.
PDSC du Escape 2009 à partir de 23 999 $*. Visitez ford.ca/escape pour obtenir plus de précisions.
Ford
propulsée par vous

TOUS LES MODÈLES À L'ESSAI

ACURA • ASTON MARTIN • AUDI • BENTLEY • BMW • BUICK • CADILLAC • CHEVROLET
CHRYSLER • DODGE • FERRARI • FORD • HONDA • HUMMER • HYUNDAI • INFINITI • JAGUAR
JEEP • KIA • LAMBORGHINI • LAND ROVER • LEXUS • LINCOLN • LOTUS • MASERATI • MAYBACH
MAZDA • MERCEDES-BENZ • MINI • MITSUBISHI • NISSAN • PONTIAC • PORSCHE • ROLLS-ROYCE
SAAB • SATURN • SUBARU • SUZUKI • TOYOTA • VOLKSWAGEN • VOLVO

CUIR À TOUT PRIX

On le sait, la clientèle est parfois prête à débourser des sommes astronomiques pour le seul plaisir de se balader au volant d'une voiture arborant un prestigieux logo. L'Audi A3, dérivant de la Volkswagen Golf (notre Rabbit) en est un bon exemple, mais le meilleur de tous demeure incontestablement l'Acura CSX, une copie quasi conforme de la Honda Civic. Cependant, la clientèle n'étant pas dupe à ce point, elle a compris au fil des ans que la plus petite des Acura n'avait pas grand-chose de plus à offrir que la Civic, hormis une sellerie de cuir.

Tout cela explique pourquoi les ventes de la CSX ont chuté radicalement ces derniers temps. En effet, on vend actuellement presque deux fois moins de CSX que d'EL lors de sa dernière année de commercialisation. Et ce n'est pas parce que la refonte du modèle a été ratée, mais plutôt parce que la concurrence propose l'ensemble des caractéristiques de la CSX sur des voitures compactes produites sur une grande échelle. En effet, on peut opter pour une Toyota Corolla, une Volkswagen Jetta ou une Ford Focus et bénéficier de tout le luxe que propose la CSX.

LES AMÉRICAINS ONT COMPRIS

Voilà sans doute pourquoi nos voisins américains ne se voient pas proposer la CSX. On a plutôt choisi chez American Honda de rehausser légèrement le niveau d'options offert dans la Civic, ne lançant ainsi aucune poudre aux yeux à la clientèle. Les Canadiens sont en fait les seuls à pouvoir bénéficier de la CSX. On aurait pu croire que l'esthétique quelque peu différente de la CSX aurait donné droit à une quelconque exclusivité, mais ce n'est même pas le cas. La CSX est une copie de la Civic berline vendue en terre européenne. C'est plutôt notre Civic qui se différencie du reste du monde !

Cela dit, est-ce que la CSX constitue un mauvais achat ? Bien sûr que non. Cette compacte demeure une voiture extrêmement compétente qui n'a en fait comme point faible qu'un prix de vente beaucoup trop élevé. Esthétiquement, la voiture rejoint d'abord une clientèle élargie, par son allure audacieuse et son format compact. La version Type S, pour sa part, affiche un caractère plus sportif avec ses jantes de 17 pouces, son becquet arrière et son échappement distinct.

À bord, il faut évidemment faire fonctionner très fort son imagination pour trouver des différences avec l'habitacle de la Civic et celui de la CSX. En fait, c'est en s'aidant de la liste des équipements qu'on peut se prêter au jeu des différences. Vous retrouverez donc des éléments comme la sellerie de cuir, le toit ouvrant, les sièges chauffants à l'avant et la climatisation automatique, ce que la Civic n'offre pas toujours. Et bien sûr, vous remarquerez ce cher logo Acura qui trône au centre du volant.

Le conducteur bénéficie donc comme dans la Civic d'une position de conduite sans reproche et d'un excellent dégagement à tous les niveaux. La planche de bord avec son instrumentation à deux niveaux demande une certaine période d'adaptation, mais une fois celle-ci

FEU VERT
- Qualité évidente
- Conduite dynamique
- Performances relevées (Type S)
- Fiabilité assurée

FEU ROUGE
- Prix trop élevé
- Trop grande ressemblance avec la Civic
- Confort moyen (Type S)

passée, on adore. Même chose pour ce volant pas tout à fait circulaire, mais qui tombe parfaitement dans les mains. Sachez cependant que le levier du frein à main, positionné à la gauche du levier de vitesse, vient empiéter sur l'espace que pourrait occuper votre genou droit. Résultat, on s'y cogne souvent. À la fin de ma semaine passée au volant de la CSX, j'avais d'ailleurs développé une petite ecchymose.

QUELQUES CHEVAUX DE PLUS

Votre représentant Acura vous parlera sans doute du moteur 2,0 litres de la CSX, puisqu'il s'agit de la principale différence entre cette dernière et la Civic. Il vous mentionnera peut-être même qu'il s'agit de l'ancien moteur de la défunte sportive RSX, ce qui est vrai. Cependant, est-ce que son apport constitue un réel avantage ? Pas vraiment. Certes, vous bénéficiez d'un peu plus de couple, ce qui ne fait pas de tort, mais sa performance sur route est très semblable. En fait, vous remarquerez un peu plus de punch, au prix d'une consommation passablement plus élevée. Soyez sans crainte, la CSX n'a rien d'une gourmande, mais lorsqu'on sait à quel point la Civic ne l'est pas, on y voit un petit désavantage.

Pour un comportement radicalement plus sportif, il faut passer du côté de la version Type S, pendant « acurien » de la Civic Si. Au moment de prendre la route avec cette voiture, vous comprendrez pourquoi tant de jeunes *s'énervent* au volant des petites Civic Si. La voiture est à ce point nerveuse qu'on se sent presque obligé d'y aller à fond la caisse. Et comme les 197 chevaux n'attendent que de s'exprimer, on atteint rapidement les limites permises. Il faut cependant savoir qu'avec cette version, le confort baisse d'un cran. Non seulement le niveau sonore est considérable, mais la suspension plus ferme vient aussi diminuer la quiétude à bord. On bénéficie donc d'une tenue de route plus poussée et d'un agrément de conduite rehaussé, mais au détriment du confort. Les autres versions brillent pour leur part par un équilibre d'ensemble visant à plaire à la majorité. La conduite demeure dynamique et relativement agréable, mais vous risquez d'échapper plus facilement aux pièges des policiers !

Encore une fois, la CSX est une voiture aux nombreuses qualités, mais qui ne justifie aucunement son prix en comparaison avec la Civic. Pour se laisser séduire, il faudrait vraiment qu'une ou plusieurs caractéristiques non offertes chez Honda vous soient essentielles, et que vous ne soyez attirés par aucun modèle concurrent.

Antoine Joubert

Photos : Marc Lachapelle

VÉHICULE D'ESSAI

Version :	Acura CSX Type-S
Moteur :	4L de 2,0 litres 16s atmosphérique
Puissance :	197 ch (147 kW) à 7 800 tr/min
Couple :	139 lb-pi (188 Nm) à 6 100 tr/min
Rapport poids/puissance :	6,64 kg/ch (8,91 kg/kW)
Transmission :	manuelle, 6 rapports
Rouage :	traction
0-100 km/h · 80-120 km/h :	7,2 s · 5,2 s
Freinage 100-0 km/h :	43,6 m
Vitesse maximale :	210 km/h
Consommation (100 km) :	ordinaire, 10,2 litres
Autonomie approximative :	490 km
Émissions de CO2 :	4 176 kg/an
Emp/Lon/Lar/Haut (mm) :	2 700 / 4 544 / 1 752 / 1 435
Coffre/Réservoir :	341 / 50 litres
Nombre de coussins de sécurité :	6
Suspension avant :	indépendante, jambes de force
Suspension arrière :	indépendante, multibras
Freins av./arr. :	disque (ABS)
Antipatinage/Contrôle de stabilité :	oui/oui
Direction :	à crémaillère, assistance variable
Diamètre de braquage :	10,0 m
Pneus av./arr. :	P205/55R16
Poids :	1 310 kg
Capacité de remorquage :	non recommandé

AUTRE(S) COMPOSANTE(S) MÉCANIQUE(S)

Système hybride :	aucun
Moteur diesel :	aucun
Taxe énergivore :	aucune
Autre(s) moteur(s) :	4L de 2,0 litres 155 ch/139 lb-pi (8,7 l/100 ordinaire)
Autre(s) rouage(s) :	aucun
Autre(s) transmission(s) :	automatique, 5 rapports manuelle, 5 rapports

EN BREF

Échelle de prix :	26 990 $ à 33 400 $ (2008)
Catégorie :	berline compacte
Garanties :	4 ans/80 000 km, 5 ans/100 000 km
Assemblage :	Alliston, Ontario, Canada
Cote d'assurance :	passable

DANS LA MÊME CATÉGORIE

Honda Civic Si, Mitsubishi Lancer Ralliart, Nissan Sentra SE-R, MazdaSpeed3, Volkswagen GTi

NOS IMPRESSIONS

Agrément de conduite :	4 ½
Fiabilité :	4 ½
Sécurité :	5
Qualités hivernales :	3 ½
Espace intérieur :	3 ½
Confort :	3 ½

DU NOUVEAU EN 2009

Changements cosmétiques à l'avant, pneus 17 pouces pour toutes les versions, connection USB, Bluetooth sur Ensemble Technologie et Type-S

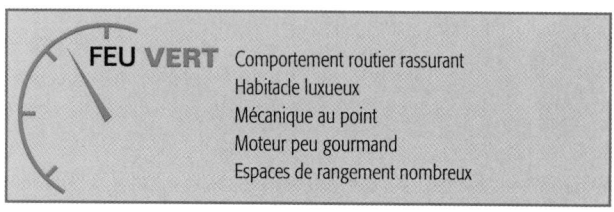

TRADITIONNEL MALGRÉ TOUT

Lorsque le MDX a fait partie, pour la première fois, du catalogue Acura, il était pratiquement seul dans la catégorie des véhicules utilitaires intermédiaires sport de luxe. En fait, on n'y retrouvait, en 2001, que les Jeep Grand Cherokee, Mercedes-Benz ML320, BMW X5 et Lexus RX300, point à la ligne. Aujourd'hui, la réalité est bien différente et ce créneau est encombré, c'est le moins qu'on puisse dire! Dans ce marché des plus prisés (sans doute que les prix de l'essence y feront un peu de ménage...), le MDX était dû l'année dernière pour une refonte majeure.

Ce qui nous avait d'abord étonné, pour ne pas dire affligé, lorsque nous avons vu le MDX de deuxième génération, c'était cette grille de calandre, immense et caricaturale, qui n'avait rien perdu de son intransigeance depuis le concept dévoilé au Salon de l'auto de New York en 2006. Avec le temps, certains s'y sont habitués. Mais au-delà de ce nez bizarre, que recèle le MDX? Tout d'abord, une carrosserie à la fois imposante et subtile qui reprend la plupart des thèmes de l'heure. Les flancs sont lisses, les passages de roues marqués et les feux arrière stylisés.

Le Acura MDX, c'est aussi une mécanique. Et toute une! Son V6 de 3,7 litres développe 300 chevaux et 275 livres-pied de couple. Même si le véhicule qu'il anime pèse au-delà des 2 000 kg, ses performances s'avèrent très intéressantes et sa sonorité, en pleine accélération, n'est pas vilaine du tout. On l'a marié à une automatique à cinq rapports au fonctionnement irréprochable. Ici, Acura paraît un peu pingre puisque plusieurs concurrents offrent six rapports. Mais puisque le niveau sonore tout comme la consommation d'essence (de la super, en passant...) sont plutôt bas, nous n'en ferons pas de cas. Cette transmission fonctionne avec transparence et possède un mode manuel, bien plus utile lorsque vient le temps de remorquer que pour ajouter une touche de sportivité. À ce sujet, mentionnons que le MDX peut remorquer jusqu'à 2 268 kg (5 000 livres).

SH-AWD, PLUS QUE DES LETTRES

Pour son VUS de luxe, Acura fait appel au système intégral SH-AWD (*Super Handling – All Wheel Drive*). Ce système, aussi sophistiqué qu'efficace, se sert du couple généreux du moteur plutôt que des freins pour diriger la voiture dans les courbes prises rapidement. Essayé sur une surface glacée, le SH-AWD a prouvé son efficacité, puisqu'il interagit avec le système du contrôle de la stabilité. Dans le cas du MDX, ce système assure une traction efficace en hors route bien que le véhicule se sente infiniment plus à l'aise sur la route. Comme ses comparses, le MDX repose sur un châssis monocoque et son comportement routier est aussi doux que celui d'une berline de luxe. À la lecture des lignes précédentes, on serait porté à croire que le MDX est un sportif, au même titre qu'un Porsche Cayenne. Erreur! Le MDX affiche une bonne tenue de route, mais le roulis est tout de même important. On se rend rapidement compte que les suspensions sont surtout programmées pour le confort et, à ce chapitre, c'est réussi! La direction, bien que précise, est passablement déconnectée de la réalité. Les freins, dont l'ABS fait preuve d'une grande discrétion, présentent des

FEU VERT
- Comportement routier rassurant
- Habitacle luxueux
- Mécanique au point
- Moteur peu gourmand
- Espaces de rangement nombreux

FEU ROUGE
- Grille avant controversée
- Faible rapport prix/équipement
- Direction déconnectée
- Troisième rangée utopique
- Essence super seulement

distances d'arrêt correctes, sans plus. Lors d'un arrêt d'urgence, la mollesse de la pédale surprend.

LUXE ET BOUTONS

Il y a fort à parier que les gens se procurant un MDX s'intéressent passablement plus au luxe et à l'équipement dans l'habitacle qu'au comportement routier. Et les amateurs de boutons sont servis! L'habitacle se montre assez vaste et l'élégance se marie avec le raffinement. Les sièges sont beaux, à défaut d'offrir un bon support latéral, et le tableau de bord, avec sa partie centrale qui descend vers la console, se veut du plus bel effet. Cette partie centrale compte un nombre incalculable de boutons qui servent à réguler le chauffage et la climatisation ainsi que le système audio, dont la sonorité est excellent. Mais le son n'est pas encore aussi riche que celui d'un système Mark Levinson de Lexus.

Le MDX est un véhicule sept places. Acura devrait plutôt dire qu'il s'agit d'un 6+1, tant la place centrale de la deuxième rangée de sièges est inconfortable. D'ailleurs, on ne peut pas dire que les sièges du MDX soient trop confortables... Quant aux deux places de la troisième rangée, elles sont difficiles à atteindre (et on peine aussi à s'en sortir!) et l'espace est très compté pour des adultes. Si vous prévoyez y installer des sièges d'enfant, faites un essai chez le concessionnaire, AVANT de signer le contrat. Tous ces sièges s'abaissent pour permettre le transport d'objets encombrants. Toutefois, même si le seuil de chargement est égal au plancher, il est assez élevé. Quant au hayon, il n'ouvre pas très haut, ce qu'apprécieront les petites personnes mais que détesteront les très grandes qui s'y frotteront douloureusement le coco, et la vitre n'ouvre pas séparément. Acura, tout comme Honda, n'a pas pour politique d'en donner trop à ses clients. Même sur un véhicule de plus de 50 000 $ comme le MDX, on ne retrouve pas de cache-bagage, les sièges avant ne possèdent que deux positions de chauffage et le hayon n'est pas à commande électrique. Ce n'est pas que le MDX soit mal équipé, loin de là. Disons simplement qu'il n'y en a pas trop.

Outre une grille avant différente, l'Acura MDX présente des améliorations substantielles et demande qu'on s'y arrête sérieusement. Son comportement routier, son confort relevé et sa légendaire fiabilité mécanique jouent en sa faveur.

Alain Morin

Photos: Marc Lachapelle

VÉHICULE D'ESSAI

Version:	Acura MDX Elite
Moteur:	V6 de 3,7 litres 24s atmosphérique
Puissance:	300 ch (224 kW) à 6 000 tr/min
Couple:	275 lb-pi (373 Nm) à 5 000 tr/min
Rapport poids/puissance:	6,89 kg/ch (9,23 kg/kW)
Transmission:	automatique, 5 rapports
Rouage:	intégral
0-100 km/h · 80-120 km/h:	9,0 s · 6,8 s
Freinage 100-0 km/h:	42,4 m
Vitesse maximale:	198 km/h
Consommation (100 km):	super, 13,8 litres
Autonomie approximative:	572 km
Émissions de CO2:	5808 kg/an
Emp/Lon/Lar/Haut (mm):	2 750 / 4 844 / 1 994 / 1 733
Coffre/Réservoir:	419 à 2 364 / 79 litres
Nombre de coussins de sécurité:	6
Suspension avant:	indépendante, jambes de force
Suspension arrière:	indépendante, multibras
Freins av./arr.:	disque (ABS)
Antipatinage/Contrôle de stabilité:	oui/oui
Direction:	à crémaillère, assistance variable
Diamètre de braquage:	11,4 m
Pneus av./arr.:	P255/55R18
Poids:	2 069 kg
Capacité de remorquage:	2 268 kg

AUTRE(S) COMPOSANTE(S) MÉCANIQUE(S)

Système hybride:	aucun
Moteur diesel:	aucun
Taxe énergivore:	aucune
Autre(s) moteur(s):	aucun
Autre(s) rouage(s):	aucun
Autre(s) transmission(s):	aucune

EN BREF

Échelle de prix:	57 200 $ à 62 200 $ (2008)
Catégorie:	VUS intermédiaire
Garanties:	4 ans/80 000 km, 5 ans/100 000 km
Assemblage:	Alliston, Ontario, Canada
Cote d'assurance:	moyenne

DANS LA MÊME CATÉGORIE

Audi Q7, BMW X5, Buick Enclave, Cadillac SRX, Infiniti FX35/45, Jeep Grand Cherokee, Land Rover LR3, Lexus RX 350/400h, Mercedes-Benz Classe M, Saab 9-7x, Volkswagen Touareg, Volvo XC90

NOS IMPRESSIONS

Agrément de conduite:	3½
Fiabilité:	5
Sécurité:	4
Qualités hivernales:	5
Espace intérieur:	4
Confort:	4

DU NOUVEAU EN 2009

Aucun changement majeur

LUXE COMPACT

Avec la flambée du prix des carburants, les utilitaires sport de taille compacte sont en vogue. Plusieurs automobilistes qui ont préalablement fait l'achat de VUS de taille intermédiaire délaissent maintenant ces derniers pour choisir un véhicule de gabarit moins imposant qui offre la même configuration. Le RDX s'inscrit parfaitement dans cette démarche, et il aura d'ailleurs été l'un des précurseurs de cette vague qui fera en sorte que le volume des ventes de cette catégorie triplera au cours des trois prochaines années.

Comme le RDX est un produit Acura, il doit idéalement se distinguer du CR-V de Honda avec lequel il partage sa plate-forme. Pour bien établir cette distinction, les concepteurs ont misé sur trois éléments: le style, les équipements et la turbocompression. En effet, le RDX est le seul véhicule Honda/Acura qui soit équipé d'un turbocompresseur à géométrie variable, développé conjointement par Aisin et Honda, et dont la mission première est de permettre au quatre cylindres de 2,3 litres d'offrir une puissance égale à celle livrée par un moteur V6. Avec ses 240 chevaux et ses 260 livres-pied de couple, ce moteur laisse entrevoir un bon potentiel de performance, en quelque sorte gommé cependant par le poids relativement élevé du RDX, qui ne pèse que 246 kg de moins que le MDX de plus grande taille. Les accélérations sont donc correctes avec un chrono de 8,5 secondes pour le sprint de 0 à 100 kilomètres/heure, mais, à la lecture de la fiche technique, on s'attendrait à un peu plus de «punch» de la part du groupe motopropulseur. En effet, alors que le turbocompresseur se met en action lors d'une accélération franche, la cavalerie de 240 chevaux arrive avec un léger retard, ce qui est un peu agaçant. Ceci s'explique par le fait que Honda n'a pas encore développé une grande expertise pour ce qui est de la turbocompression, le RDX étant le premier produit de la marque à y faire appel.

SUR LA ROUTE

Par ailleurs, il faut souligner le travail impeccable de la boîte automatique à cinq rapports, qui offre la possibilité de sélectionner manuellement le passage des vitesses avec paliers au volant, ainsi que celui du rouage intégral qui permet de varier automatiquement la répartition de la puissance, qui est de 90 % aux roues avant en temps normal, jusqu'à 70 % à l'arrière si les conditions d'adhérence l'exigent. Il est cependant important de préciser que ce rouage n'autorise pas le conducteur à sortir des sentiers battus pour partir à l'aventure, puisqu'il a été conçu d'abord et avant tout pour assurer une plus grande stabilité sur pavé sec ou détrempé. De plus, le rouage intégral du RDX est une version simplifiée du système SH-AWD (*Super Handling All Wheel Drive*) qui a d'abord été développé pour la berline de luxe RL. Ce système présente une caractéristique intéressante, soit celle de varier automatiquement la répartition de la puissance d'un côté à l'autre du véhicule, ce qui fait en sorte que les roues qui sont à l'extérieur de la courbe sont accélérées plus rapidement. Bien que ce système ait été conçu afin de donner une meilleure performance et une bonne tenue de route au RDX, on s'aperçoit vite que la vraie limite en virages est imposée par la monte pneumatique d'origine, qui laisse un peu à désirer et qui ne permet pas d'exploiter parfaitement le degré élevé de sophistication technique du

FEU VERT
- Qualité d'assemblage
- Équipement complet
- Bon comportement routier
- Bonne habitabilité

FEU ROUGE
- Puissance moteur un peu juste
- Pneus moyens
- Rouage intégral d'asphalte

système SH-AWD. Bref, il s'agit encore ici d'une bonne idée en théorie qui ne se traduit pas concrètement par d'importantes améliorations en tenue de route. De plus, les suspensions ont été calibrées pour assurer un bon confort et, de ce côté, le RDX surpasse le X3 de BMW, qui dame en contrepartie le pion au Acura pour ce qui est de la tenue de route et de l'agrément de conduite.

LE STYLE ET LA VIE À BORD

Bien que le RDX d'Acura et le CR-V de Honda partagent plusieurs éléments, la filiation entre ces deux véhicules est loin d'être évidente au premier coup d'œil, le RDX ressemblant beaucoup plus à son grand frère de grande taille qu'est le MDX. Côté style, le RDX n'est pas le véhicule le plus homogène, le design de la partie avant étant très élaboré et ne s'harmonisant pas parfaitement avec celui de la partie arrière. Pour ce qui est des considérations pratiques, les sièges arrière sont repliables et permettent de configurer l'habitacle avec un fond plat sans que l'on ait à retirer les appuie-tête au préalable, ce qui est particulièrement intéressant. De plus, les passagers à l'arrière trouveront que l'espace accordé pour le dégagement des jambes est amplement suffisant. L'équipement de série est très complet, mais les amateurs de gadgets seront bien servis par l'ajout de l'ensemble Technologie offert en option qui comprend le système de navigation assisté par satellite et à commande vocale bilingue, la caméra de recul, un système audio ELS ambiophonique de 410 watts et le protocole de communication Bluetooth, entre autres. Au jeu de l'équipement de série, le RDX sort donc grand gagnant de la comparaison avec le BMW X3.

En fin de compte, le RDX remplit sa mission première, soit celle d'être un véhicule de luxe aux dimensions compactes qui assure un très bon confort avec sa dotation de série complète et un prix intéressant. De ce côté, il marque des points par rapport au BMW X3, qui présente cependant un caractère plus sportif que le RDX.

Gabriel Gélinas

Photos: Acura

VÉHICULE D'ESSAI

Version:	Acura RDX De base
Moteur:	4L de 2,3 litres 16s turbocompressé
Puissance:	240 ch (179 kW) à 6 000 tr/min
Couple:	260 lb-pi (353 Nm) à 4 500 tr/min
Rapport poids/puissance:	7,42 kg/ch (9,95 kg/kW)
Transmission:	automatique, 5 rapports
Rouage:	intégral
0-100 km/h · 80-120 km/h:	8,5 s · 7,0 s
Freinage 100-0 km/h:	39,0 m
Vitesse maximale:	198 km/h
Consommation (100 km):	super, 12,5 litres
Autonomie approximative:	544 km
Émissions de CO2:	5 280 kg/an
Emp/Lon/Lar/Haut (mm):	2 650 / 4 590 / 1 870 / 1 655
Coffre/Réservoir:	788 à 1 710 / 68 litres
Nombre de coussins de sécurité:	6
Suspension avant:	indépendante, jambes de force
Suspension arrière:	indépendante, multibras
Freins av./arr.:	disque (ABS)
Antipatinage/Contrôle de stabilité:	oui/oui
Direction:	à crémaillère, assistance variable
Diamètre de braquage:	11,9 m
Pneus av./arr.:	P235/55R18
Poids:	1 782 kg
Capacité de remorquage:	681 kg

AUTRE(S) COMPOSANTE(S) MÉCANIQUE(S)

Système hybride:	aucun
Moteur diesel:	aucun
Taxe énergivore:	n.d.
Autre(s) moteur(s):	aucun
Autre(s) rouage(s):	aucun
Autre(s) transmission(s):	aucune

EN BREF

Échelle de prix:	43 225 $ à 46 925 $
Catégorie:	VUS compact
Garanties:	4 ans/80 000 km, 5 ans/100 000 km
Assemblage:	Marysville, Ohio, É-U
Cote d'assurance:	n.d.

DANS LA MÊME CATÉGORIE

BMW X3, Infiniti EX35, Land Rover LR2, Mazda CX-7

NOS IMPRESSIONS

Agrément de conduite:	3½
Fiabilité:	4
Sécurité:	4½
Qualités hivernales:	3½
Espace intérieur:	3½
Confort:	4

DU NOUVEAU EN 2009

Aucun changement majeur

EXTRAVAGANTE SOBRIÉTÉ

Alors que nous vivons présentement un mouvement de folie où tout ce qui peut, ne serait-ce que de façon très minime, réduire la consommation d'essence et la pollution est immédiatement porté aux nues, les voitures de luxe et de sport se vendent comme des petits pains chauds. D'ailleurs, si vous feuilletez les pages de ce *Guide de l'auto*, vous constaterez que parmi la quinzaine de nouveaux modèles en 2009, on n'en retrouve aucun qui soit dans les catégories des sous-compactes et compactes. Tout ça pour dire que l'Acura RL revient cette année avec un moteur encore plus puissant!

La RL est la voiture la plus imposante de la division de luxe de Honda ainsi que la plus dispendieuse. Technologiquement, c'est aussi la plus avancée. Même au niveau de la sobriété, c'est sans aucun doute elle qui remporte la palme! Probablement pour l'aider à se trouver une personnalité, les designers d'Acura lui ont concocté, pour 2009, une calandre à la MDX que j'estime beaucoup trop lourde. Certes, on va la remarquer davantage... La partie arrière aussi diffère en présentant un coffre surélevé, à la manière d'une queue de canard. Quant aux feux arrière, ils sont changés eux aussi. Le tableau de bord n'a pas connu autant de modifications et seul le volant a été modifié.

MÉCANIQUE RÉVISÉE

Cette année, la RL connaît plusieurs changements au niveau de certains accessoires et, surtout, de la mécanique. Le V6 de 3,5 litres passe à 3,7 litres et voit sa puissance augmenter de dix chevaux pour désormais en afficher 300. C'est principalement le couple qui a progressé en passant de 256 livres-pied à 271. Ce moteur est fort moderne avec son système de calage variable des soupapes VTEC. Alors que le 3,5 litres était donné pour 12,9 litres aux cent kilomètres, le 3,7, lui, devrait faire 13,1 litres aux cent, selon Honda/Acura. Essence super recommandée, bien sûr. Étant donné que la date de tombée du *Guide* devançait la date de lancement de la RL, nous n'avons pu en faire l'essai. Nous nous basons donc sur la version 2008 tout en sachant que les impressions de conduite pour la 2009 ne seront pas bien différentes.

La transmission demeure la même, soit une automatique à cinq rapports même si plusieurs concurrents en offrent six, sept dans le cas de la Mercedes-Benz Classe E et huit pour la Lexus LS460! Par contre, cette transmission passe les rapports avec la douceur d'une grand-mère qui n'a pas vu ses petits-enfants depuis longtemps. On l'a dotée (la transmission, pas la grand-mère) d'un mode manuel qui n'apporte pas grand-chose à la conduite habituelle.

Pour bien faire passer la puissance à la route, il faut compter sur un rouage intégral. Celui de la RL, appelé SH-AWD (*Super Handling – All Wheel Drive*) agit aussi comme système de contrôle de la stabilité latérale qui, au lieu de se servir des freins ou de couper l'alimentation en essence, se sert plutôt du couple généreux du moteur pour améliorer la tenue de route. À la base, le SH-AWD est une traction mais dès que le besoin se fait sentir, une partie du couple est

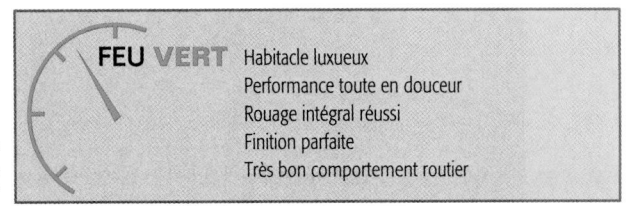

FEU VERT
- Habitacle luxueux
- Performance toute en douceur
- Rouage intégral réussi
- Finition parfaite
- Très bon comportement routier

FEU ROUGE
- Calandre controversée
- Direction déconnectée
- Technologie capricieuse
- Voiture lourde
- Grand rayon de braquage

envoyée aux roues arrière. Malgré ses trois centaines de chevaux, la RL accélère de façon très linéaire, et en toute douceur.

CONDUIRE UN NUAGE

Parlant de douceur, il ne fait pas de doute que les ingénieurs qui ont vu à la conception de la RL avaient pour mandat de préserver, à tout prix, la quiétude des passagers. Et ils ont trop bien réussi. Les accélérations et les reprises ont beau être musclées, jamais le son du moteur ne parvient à nos oreilles, ce qui est un peu décevant. La direction est engourdie et trop assistée et on a l'impression de conduire un nuage, sans avoir pris de drogue. Aussi, le rayon de braquage est un peu trop grand à mon goût. Grâce à ses suspensions parfaitement étudiées et au système SH-AWD et malgré un poids très élevé de 1 860 kilos, la RL s'accroche avec dignité au bitume et le roulis est impeccablement maîtrisé. De plus, en virage, les sièges retiennent fort bien.

La vie à bord d'une RL est loin d'être pénible mais les amateurs de conduite, ceux pour qui l'automobile est plus qu'un simple moyen de transport entre le point A et le point B risquent d'être déçus. L'habitacle est vaste mais, à cause de la console centrale très large, on ne perçoit pas cet espace. Les confortables sièges s'ajustent de plusieurs façons tout en étant chauffants et ventilés sur le modèle Elite, plus luxueux. Les jauges rétroéclairées sont du plus bel effet et semblent flotter dans le vide, un peu comme dans le récent Honda Pilot. Comme dans toute voiture luxueuse qui se respecte (et la RL se respecte beaucoup), on retrouve une pléthore de technologie, si on peut ainsi s'exprimer.

Les places arrière s'avèrent confortables même si les grandes personnes risquent de frotter le plafond. Leur accès est très aisé grâce à des portes qui ouvrent à 90 degrés, rareté. Le coffre est très grand mais son ouverture ne l'est pas tellement. Impossible d'ailleurs, sans doute pour des raisons de rigidité du châssis, d'abaisser les dossiers des places arrière pour l'agrandir. Il y a seulement une trappe à skis.

Les changements mécaniques de l'Acura RL, s'ils n'étaient pas absolument nécessaires, lui permettront de ne pas trop se laisser distancer par le peloton de tête des voitures de luxe. Quant aux modifications esthétiques, il faut aimer le genre…

Alain Morin

Photos: Acura

VÉHICULE D'ESSAI

Version:	Acura RL Elite
Moteur:	V6 de 3,7 litres 24s atmosphérique
Puissance:	300 ch (224 kW) à 6 200 tr/min
Couple:	271 lb-pi (367 Nm) à 5 000 tr/min
Rapport poids/puissance:	6,21 kg/ch (8,31 kg/kW)
Transmission:	séquentielle
Rouage:	intégral
0-100 km/h · 80-120 km/h:	7,7 s · 6,4 s
Freinage 100-0 km/h:	37,0 m
Vitesse maximale:	225 km/h
Consommation (100 km):	super, 13,1 litres
Autonomie approximative:	557 km
Émissions de CO2:	n.d.
Emp/Lon/Lar/Haut (mm):	2 800 / 4 973 / 1 847 / 1 455
Coffre/Réservoir:	371 / 73 litres
Nombre de coussins de sécurité:	6
Suspension avant:	indépendante, bras inégaux
Suspension arrière:	indépendante, multibras
Freins av./arr.:	disque (ABS)
Antipatinage/Contrôle de stabilité:	oui/oui
Direction:	à crémaillère, assistance variable électronique
Diamètre de braquage:	12,1 m
Pneus av./arr.:	P245/45R18
Poids:	1 863 kg
Capacité de remorquage:	non recommandé

AUTRE(S) COMPOSANTE(S) MÉCANIQUE(S)

Système hybride:	aucun
Moteur diesel:	aucun
Taxe énergivore:	aucune
Autre(s) moteur(s):	aucun
Autre(s) rouage(s):	aucun
Autre(s) transmission(s):	aucune

EN BREF

Échelle de prix:	65 725 $ à 71 325 $
Catégorie:	berline de luxe
Garanties:	4 ans/80 000 km, 5 ans/100 000 km
Assemblage:	Saitama, Japon
Cote d'assurance:	n.d.

DANS LA MÊME CATÉGORIE

Audi A6, BMW Série 5, Cadillac STS, Jaguar S-Type, Mercedes-Benz Classe E, Lexus GS350, Lincoln MKZ, Volvo S80

NOS IMPRESSIONS

Agrément de conduite:	3 ½
Fiabilité:	4
Sécurité:	4 ½
Qualités hivernales:	5
Espace intérieur:	4
Confort:	4 ½

DU NOUVEAU EN 2009

Moteur passe de 3,5 à 3,7 litres, changements cosmétiques

CE QUE LES CLIENTS VEULENT

La TL est un modèle important dans la gamme Acura. D'ailleurs, elle représente plus de 25 % des ventes de cette marque au Canada. Avec cette nouvelle génération, les ambitions n'ont pas diminué, bien au contraire, puisqu'on cible l'Infiniti G37 comme étant le produit dans le collimateur, tandis que la BMW de Série 3 vient ensuite au second rang. Bref, on a de grandes visées pour cette nouvelle venue dont les améliorations ont été réalisées en fonction des demandes des propriétaires de ce modèle.

Selon ces derniers, il fallait offrir davantage de performances, la possibilité de commander une version à transmission intégrale et une silhouette moins générique. À ce chapitre, la version 2009 attire l'attention, surtout en raison de sa calandre avant dont la partie supérieure est vraiment proéminente et qui est la principale signature visuelle de cette berline à vocation sport. Si cet élément de design est très controversé, l'arrière reçoit des commentaires favorables de la part de tout le monde. En plus des lignes aux angles plus aigus, une baguette contrastante sous le couvercle du coffre donne encore plus de relief à la présentation et il en est de même pour les feux arrière.

L'habitacle a lui aussi été modifié en profondeur. La planche de bord est dominée en son centre par l'écran d'affichage du système de navigation et de la caméra de recul. Il est même possible d'afficher également une photo de préservation d'écran, communément appelé *screen saver*. Ladite photo est enregistrée dans un disque dur faisant partie de l'équipement audio. Toujours au chapitre des détails, il est possible de brancher son iPod au système audio. Malheureusement, comme sur la TSX, les commandes du système audio et de la climatisation peuvent prêter à confusion.

Les sièges avant sont très confortables et se règlent de multiples façons, tandis que les places arrière offrent tout l'espace nécessaire pour les personnes de grande taille. Plusieurs vont déplorer le fait que le dossier arrière ne peut être rabattu, mais il y a au moins une trappe qui permettra le passage des skis. Le coffre à bagages est spacieux et son seuil de chargement est fortement élevé.

PUISSANCE ET TRANSMISSION INTÉGRALE

Les sondages effectués réclamaient plus de puissance et les ingénieurs ont donc vitaminé les deux moteurs disponibles. C'est pour cette raison que la cylindrée du moteur de base est passée de 3,2 à 3,5, ce qui permet d'avoir un gain de puissance de 22 chevaux. La boîte de vitesses est une manumatique à cinq rapports dont le passage peut être fait par l'entremise de palettes placées derrière le volant. La Type-S n'est pas reconduite en 2009, elle est remplacée par la version SH-AWD à transmission intégrale. Ce rouage est relié à un moteur de 3,7 litres d'une puissance de 300 chevaux. Pour démarquer cette voiture sur le plan visuel, on utilise des jantes spéciales en alliage, des prises d'air sur le pare-chocs avant plus grandes et on note même la présence d'écopes de freins permettant l'arrivée de trois fois plus d'air que sur le modèle ordinaire. On a

FEU VERT
- Silhouette plus dynamique
- Moteur plus puissant
- Rouage intégral disponible
- Habitacle confortable
- Tenue de route sécurisante

FEU ROUGE
- Disposition des commandes à revoir
- Seuil du coffre élevé
- Dossier arrière fixe
- Boîte manumatique 5 rapports

ainsi respecté tous les souhaits de la clientèle ; reste à savoir ce que tout cela vaut sur la route.

Peu importe le modèle choisi, le moteur est lancé en appuyant sur un bouton rouge placé à droite du volant. Soulignons au passage qu'il est facile de trouver une bonne position de conduite car le volant est réglable en hauteur et en profondeur. En plus, l'insonorisation est digne de mention.

Un essai avec le modèle propulsé par le moteur de 3,5 litres nous a permis de découvrir un groupe propulseur souple, silencieux et capable d'offrir de bonnes accélérations. La boîte automatique pour sa part possède un mode sport qui permet de passer les vitesses plus rapidement.

Cette voiture est équipée d'une direction à commande électrique, ce qui n'est généralement pas une bonne nouvelle. Par contre, sur la TL, c'est quand même fort bien. Et la résistance du volant est encore plus importante avec la version à traction intégrale SH-AWD.

La tenue de route est neutre et on a réussi à corriger le survirage ponctuel de la version précédente. Il faut également préciser que la suspension n'est ni trop raide, ni trop molle, ce qui ajoute considérablement à l'agrément de conduite. Le modèle optionnel à moteur de 305 chevaux associé à la transmission intégrale assure de meilleures accélérations et une meilleure tenue de route en raison d'une suspension raffermie. Si ces caractéristiques vous intéressent, le modèle SH-AWD pourrait être votre choix.

Mais peu importe le modèle choisi, la nouvelle TL a gagné en stylisme, en agrément de conduite et en performance.

Denis Duquet

Photos : Denis Duquet

VÉHICULE D'ESSAI

Version :	Acura TL SH-AWD
Moteur :	V6 de 3,7 litres 24s atmosphérique
Puissance :	300 ch (224 kW) à 6 300 tr/min
Couple :	271 lb-pi (367 Nm) à 5 000 tr/min
Rapport poids/puissance :	6,17 kg/ch (8,26 kg/kW)
Transmission :	automatique, 5 rapports
Rouage :	intégral
0-100 km/h · 80-120 km/h :	6,9 s · 5,8 s
Freinage 100-0 km/h :	37,0 m
Vitesse maximale :	225 km/h
Consommation (100 km) :	super, 11,6 litres
Autonomie approximative :	629 km
Émissions de CO2 :	n.d.
Emp/Lon/Lar/Haut (mm) :	2 800 / 4 973 / 1 847 / 1 455
Coffre/Réservoir :	371 / 73 litres
Nombre de coussins de sécurité :	6
Suspension avant :	indépendante, bras inégaux
Suspension arrière :	indépendante, multibras
Freins av./arr. :	disque (ABS)
Antipatinage/Contrôle de stabilité :	oui/oui
Direction :	à crémaillère, assistance variable
Diamètre de braquage :	12,1 m
Pneus av./arr. :	P245/45R18
Poids :	1 851 kg
Capacité de remorquage :	non recommandé

AUTRE(S) COMPOSANTE(S) MÉCANIQUE(S)

Système hybride :	aucun
Moteur diesel :	aucun
Taxe énergivore :	aucune
Autre(s) moteur(s) :	V6 de 3,5 litres 280 ch/254 lb-pi
Autre(s) rouage(s) :	traction
Autre(s) transmission(s) :	aucune

EN BREF

Échelle de prix :	n.d.
Catégorie :	berline de luxe
Garanties :	4 ans/80 000 km, 5 ans/100 000 km
Assemblage :	Marysville, Ohio, É-U
Cote d'assurance :	pauvre

DANS LA MÊME CATÉGORIE

Audi A4, BMW Série 3, Infiniti G35, Lexus ES350, Mercedes-Benz Classe C, Saab 9-5, Volvo S60

NOS IMPRESSIONS

Agrément de conduite :	4 ½
Fiabilité :	nouveau modèle
Sécurité :	4
Qualités hivernales :	4 ½
Espace intérieur :	4
Confort :	4 ½

DU NOUVEAU EN 2009

Nouveau modèle

ACCORD EUROPÉENNE, PRISE 2

C'est un secret de polichinelle: les constructeurs automobiles aiment bien présenter une nouvelle voiture comme étant un tout nouveau modèle à part entière, alors qu'il s'agit plutôt d'une refonte ou encore d'un modèle largement calqué sur une voiture développée pour un marché autre que l'Amérique du Nord. C'est un peu ce scénario qui se présente de nouveau avec la TSX de deuxième génération, qui demeure un clone de la Honda Accord européenne qui est lancée sur le marché outre-mer en même temps que la TSX l'est chez nous.

C'est donc une fois de plus un produit Honda rehaussé en équipement de série que la division Acura propose avec la TSX de deuxième génération qui a été dévoilée au Salon de l'auto de New York au printemps 2008. Cependant, cette filiation très étroite entre les marques Honda et Acura pourrait devenir chose du passé, selon les dirigeants de Honda, puisque les activités de recherche et de développement des deux marques seront désormais séparées et qu'un nouveau centre de développement exclusif à la marque Acura ouvrira en 2009 pour accueillir des ingénieurs dont le travail sera entièrement consacré au développement d'éventuels modèles de la division de luxe.

LE NOUVEAU LANGAGE DU DESIGN

Bien que les deux marques continueront sans doute de partager des éléments d'architecture communs qui seront peut-être considérablement modifiés, il est clair que l'élément design sera essentiel pour marquer visuellement la différence entre Honda et Acura chez le public. C'est pourquoi des sommes importantes ont été consacrées à la construction de studios de design à Tokyo et Los Angeles, où les concepteurs sont à élaborer la nouvelle signature visuelle de la division de luxe.

La TSX de deuxième génération marque un premier pas dans cette direction en adoptant des lignes plus ciselées avec des ailes élargies, de même qu'une nouvelle calandre surdimensionnée par rapport à celle de la TSX de première génération, lancée sur notre marché en 2004. Cette calandre et les nouveaux éléments de design seront d'ailleurs intégrés aux éventuels modèles de la marque afin de marquer un clivage évident au premier coup d'œil entre les produits Honda et Acura. Le concept de design de la nouvelle TSX ressemble beaucoup à celui adopté récemment par la division Cadillac chez General Motors, où les lignes droites ciselées au couteau sont de mise.

L'autre constatation évidente que l'on peut faire au sujet de la nouvelle TSX, c'est que les dimensions du nouveau modèle sont beaucoup plus généreuses que celles de sa devancière. À preuve, la longueur de la voiture a progressé de 61 mm et sa largeur de 76 mm, alors que l'empattement a été allongé de 33 mm et que les voies ont été élargies de 66 mm. Le résultat est une voiture qui a un peu plus de présence de même qu'une habitabilité supérieure. Sous cette nouvelle carrosserie se cachent des éléments structurels considérablement modifiés puisque certains d'entre eux sont désormais fixés en place au moyen de soudures plutôt que de boulons. Ces transformations se traduisent également par un gain de poids important de 60 kg par rapport au modèle précédent.

MOTORISATION INCHANGÉE

Dans la refonte, la TSX a conservé l'un de ses éléments les plus probants, soit son moteur quatre cylindres de 2,4 litres qui est demeuré largement inchangé par rapport au modèle précédent, mis à part un taux de compression revu légèrement à la hausse, et des tubulures d'admission et d'échappement plus efficaces. Le couple maximal est donc passé de 167 à 172 livres-pied et la puissance se chiffre à 201 chevaux, soit 4 de moins que précédemment. Le gain mesuré en couple maximal ne produit cependant aucun effet sur les performances de la voiture qui demeurent semblables à celles du modèle précédent en raison du poids maintenant plus élevé de 60 kg.

Ce moteur est toujours jumelé à la très bonne boîte manuelle à six vitesses, dont les rapports sont bien étagés et qui est commandée par un levier dont la course est à la fois courte et précise, ce qui rend le changement de vitesse très satisfaisant en conduite sportive. Une boîte automatique à cinq rapports avec paliers de changement de vitesse au volant est également offerte, tout comme sur le modèle précédent d'ailleurs. Les suspensions ont été revues, et la nouvelle TSX fait maintenant appel à l'avant à de doubles leviers triangulés, dont la géométrie a été élaborée en fonction des dimensions accrues du nouveau modèle, alors qu'une suspension multibras montée sur un sous-châssis fait le travail à l'arrière.

Sur la route, on s'aperçoit rapidement que le comportement de la voiture est toujours vif et que ses réactions sont rapides, grâce notamment à une direction à assistance électrique qui est à la fois précise et directe. En fait, ce que l'on peut dire du comportement routier, c'est que la TSX offre une très bonne tenue de route... pour une voiture à traction. Et voilà justement le principal handicap de cette voiture qui entend faire la lutte aux rivales établies de la catégorie des berlines sport où toutes les concurrentes directes sont des voitures à propulsion ou à traction intégrale. Ces deux configurations sont nettement supérieures à la simple traction pour ce qui est des qualités dynamiques et de l'agrément ressenti en conduite sportive. La nouvelle TSX réagit bien et l'on ne ressent pas d'effet de couple dans le volant lors des accélérations franches, mais on ne ressent pas non plus ce sentiment d'être aussi bien lié à la route que lorsqu'on est au volant d'une BMW de Série 3 ou d'une Audi A4. Le moteur

a beau donner dans les hauts régimes et la boîte manuelle être très agréable à manier, on sent toutefois que la TSX ne peut offrir que le maximum de ce qu'elle peut donner compte tenu des limites imposées par sa configuration de traction, alors que les rivales allemandes rehaussent la barre d'un cran pour ce qui est des qualités dynamiques.

La vie à bord est cependant très agréable pour plusieurs raisons. D'abord, la voiture est plus spacieuse que précédemment, mais surtout, la TSX est une voiture remarquablement bien équipée à la base, et qui le devient encore plus lorsqu'on opte pour l'un ou l'autre (ou les deux) des groupes d'options proposés. Par exemple, il suffit de commander le groupe d'options « Premium » pour obtenir des sièges en cuir à commande électrique avec deux mémoires côté conducteur, la radio satellite XM, une connectivité USB pour lecteur MP3 et des phares à haute intensité.

ET LE DIESEL ?

La Honda Accord européenne étant livrable avec un moteur diesel quatre cylindres de 2,2 litres qui est à la fine pointe de la technique avec injecteurs piézoélectriques, recirculation des gaz d'échappement et filtre à particules, à quand une TSX à motorisation diesel chez nous ? Pas de réponse directe à cette question pour l'instant de la part de Honda

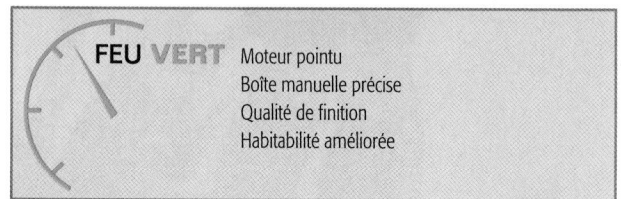

FEU VERT
Moteur pointu
Boîte manuelle précise
Qualité de finition
Habitabilité améliorée

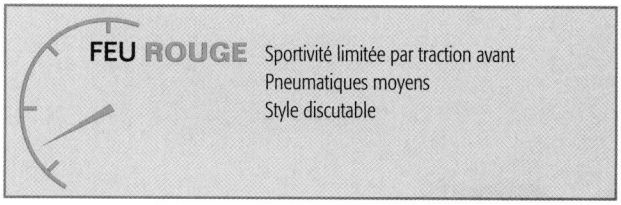

FEU ROUGE
Sportivité limitée par traction avant
Pneumatiques moyens
Style discutable

Canada, qui se contente de dire que l'un de leurs modèles à moteur quatre cylindres sera éventuellement offert avec une motorisation diesel.

La possibilité de greffer un rouage intégral à la TSX n'a pas été retenue, car, selon les ingénieurs responsables du développement de ce modèle, cela nuirait aux qualités dynamiques de la voiture. À cela, j'ajouterais que comme la puissance maximale du moteur actuel n'est atteinte qu'au régime très élevé de 7 000 tours/minute, et que le couple maximal est obtenu entre 4 300 et 4 000 tours/minute, le quatre cylindres de 2,4 litres ne serait pas très compatible avec un rouage intégral.

En résumé, la TSX de deuxième génération est plus spacieuse que sa devancière et elle demeure bien équipée, offrant un excellent rapport qualité/prix. Cependant, elle ne bénificie pas de la propulsion ou d'un rouage intégral, comme certaines de ses rivales. Si l'agrément de conduite est au sommet de vos priorités, le choix d'une BMW ou d'une Audi s'impose, mais si le budget est une considération et que vous n'êtes pas mordu à ce point de la conduite sportive à tout prix, une TSX pourrait facilement vous combler.

Gabriel Gélinas

Photos: Alain Morin

VÉHICULE D'ESSAI

Version :	Acura TSX Premium
Moteur :	4L de 2,4 litres 16s atmosphérique
Puissance :	201 ch (150 kW) à 7 000 tr/min
Couple :	172 lb-pi (233 Nm) à 4 400 tr/min
Rapport poids/puissance :	7,86 kg/ch (10,54 kg/kW)
Transmission :	manuelle, 6 rapports
Rouage :	traction
0-100 km/h · 80-120 km/h :	8,0 s · 7,3 s
Freinage 100-0 km/h :	40,0 m
Vitesse maximale :	210 km/h
Consommation (100 km) :	super, 10,6 litres
Autonomie approximative :	660 km
Émissions de CO2 :	n.d.
Emp/Lon/Lar/Haut (mm) :	2 705 / 4 726 / 1 840 / 1 440
Coffre/Réservoir :	357 / 70 litres
Nombre de coussins de sécurité :	6
Suspension avant :	indépendante, bras inégaux
Suspension arrière :	indépendante, multibras
Freins av./arr. :	disque (ABS)
Antipatinage/Contrôle de stabilité :	oui/oui
Direction :	à crémaillère, assistance variable
Diamètre de braquage :	12,1 m
Pneus av./arr. :	P225/50R17
Poids :	1 581 kg
Capacité de remorquage :	non recommandé

AUTRE(S) COMPOSANTE(S) MÉCANIQUE(S)

Système hybride :	aucun
Moteur diesel :	aucun
Taxe énergivore :	aucune
Autre(s) moteur(s) :	aucun
Autre(s) rouage(s) :	aucun
Autre(s) transmission(s) :	automatique, 5 rapports

EN BREF

Échelle de prix :	32 900 $ à 39 000 $
Catégorie :	berline sport
Garanties :	4 ans/80 000 km, 5 ans/100 000 km
Assemblage :	Saitama, Japon
Cote d'assurance :	pauvre

DANS LA MÊME CATÉGORIE

Audi A4, BMW Série3, Lexus IS250, Nissan Maxima, Saab 9-3, Volkswagen Passat, Volvo S40

NOS IMPRESSIONS

Agrément de conduite :	🚗🚗🚗🚗
Fiabilité :	🚗🚗🚗🚗 ½
Sécurité :	🚗🚗🚗🚗
Qualités hivernales :	🚗🚗🚗 ½
Espace intérieur :	🚗🚗🚗 ½
Confort :	🚗🚗🚗 ½

DU NOUVEAU EN 2009

Nouveau modèle

DE TIMIDES CHANGEMENTS

Depuis l'arrivée de son premier modèle au début des années 20, le constructeur anglais Aston Martin s'est bâti une renommée en matière de voitures exotiques. Le constructeur n'aurait fort probablement pas obtenu la même reconnaissance si plusieurs de ses modèles n'avaient pas été mis en vedette dans nombre de films, notamment ceux du célèbre agent secret James Bond. Voilà toute une tribune pour établir l'auréole d'un constructeur de prestige. Son passage du groupe Ford à Prodrive en 2007 aura fait jaser et aura surtout créé plusieurs spéculations sur l'avenir de la marque.

Introduite en 2003, la DB9 succède à la DB7 et se veut un modèle plus abordable, destiné à rendre les véhicules du célèbre constructeur plus accessibles à la masse. Histoire de ne pas être en reste au chapitre des performances, cette GT dispose sous le capot d'une puissance révisée pour 2009, tant pour le coupé que pour le cabriolet Volante. On retrouve donc cette année un moteur V12 de 6,0 litres, dérivé de celui de la Vanquish, développant 470 chevaux, soit 20 de plus que le modèle 2008. Combinée à une boîte automatique à six rapports ZF de type Touchtronic ou à la boîte manuelle Graziano également à six rapports, la DB9 peut franchir le 0-100 km/h en 4,6 secondes pour atteindre une vitesse maximale d'un peu plus de 300 km/h. Voilà tout de même des performances honorables pour un modèle d'entrée de gamme, tout étant relatif.

DES LIGNES EXQUISES

À l'extérieur, cette voiture de grand tourisme offre des lignes fluides reprenant le style traditionnel des autres modèles. L'œil averti aura remarqué quelques changements subtils pour 2009, notamment une grille avant révisée, de nouveaux miroirs latéraux ainsi que l'ajout de jantes de 19 pouces à dix rayons. Difficile de ne pas tomber sous le charme des lignes exotiques et classiques de ce bolide qui, par surcroît, demeure construit à la main. Cependant, plusieurs puristes de la marque anglaise ont déploré le fait que le styliste Ian Cullum ait calqué plusieurs éléments de style de la Aston Martin pour les appliquer à la Jaguar XK.

Si la DB9 attire l'œil au premier regard, c'est lorsque l'on monte à bord qu'on apprécie l'exclusivité d'un tel modèle. L'assemblage est d'une qualité irréprochable alors que les cuirs et autres matériaux utilisés reflètent le souci de luxe du constructeur. La DB9 se présente sous la forme d'un 2+2, vous permettant donc de profiter de deux places arrière, certes plus qu'étriquées, mais tout de même pratiques dans certaines occasions. Ce n'est pas tant l'espace qu'elles offrent qui est important, mais le fait de les posséder. D'ailleurs, le constructeur devrait nous proposer sous peu la Aston Martin Rapide, une version quatre portes destinée à rivaliser notamment avec la nouvelle Porsche Panamera.

LE COMPORTEMENT D'UNE VOITURE DE GRAND TOURISME

Grâce à sa carrosserie en aluminium, la DB9 affiche un ratio poids/puissance plus que favorable, ce qui lui assure des performances relevées. Histoire de maximiser ces performances, le constructeur a apporté pour 2009 quelques modifications au châssis, tant pour le coupé que

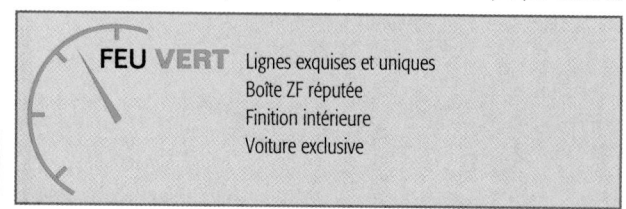

FEU VERT
- Lignes exquises et uniques
- Boîte ZF réputée
- Finition intérieure
- Voiture exclusive

FEU ROUGE
- Valeur de revente peu enviable
- Fiabilité à établir
- Réseau de concessionnaires limité
- Diffusion limitée

pour le cabriolet. On note l'utilisation d'amortisseurs Bilstein ainsi que des bras de suspension reconfigurés, le tout afin d'optimiser la tenue de route et le confort. Sans être dépourvue de capacités sur piste, la DB9 se comporte beaucoup plus comme une voiture de grand tourisme que comme un véritable bolide. Voilà certes la sportivité à l'anglaise versus la sportivité italienne!

Quant au cabriolet, il hérite des mêmes composantes mécaniques, mais son poids légèrement supérieur ampute quelque peu ses performances. Bref, encore une fois, la DB9 sera beaucoup plus à l'aise sur route que sur piste et le constructeur ne prétend pas rivaliser avec les gros canons italiens à ce chapitre.

SÉCURITÉ SIGNÉE VOLVO

Puisque le constructeur faisait partie du Premier Automotive Group de Ford, il s'est donc naturellement tourné vers Volvo, également membre du groupe, afin d'assurer la gestion des éléments de sécurité du véhicule. De la cellule protégeant les occupants aux coussins gonflables, tout a été supervisé par la firme suédoise, ce qui garantie à la DB9 une sécurité reconnue.

Tout comme les autres modèles du constructeur, la DB9 se veut une voiture d'exception qui vous assurera une reconnaissance certaine. Difficile de ne pas tomber en admiration devant les lignes exquises de ces voitures ou d'être indifférent envers la sonorité du moteur V12. Cependant, la fiabilité ne semble toujours pas au rendez-vous. J'ai connu quelques propriétaires qui, déçus de la piètre fiabilité des modèles, se sont tournés vers des modèles concurrents certes moins exclusifs, mais plus constants et moins problématiques. Parfois, le service est aussi un élément important. De plus, la faible diffusion des modèles et un réseau de concessionnaires restreint ne facilitent pas l'expérience des propriétaires.

Quoi qu'il en soit, il est permis de croire à un bel avenir pour la célèbre marque, puisque son acquisition pourrait bien lui redonner un nouvel élan.

Sylvain Raymond

Photos: Aston Martin

VÉHICULE D'ESSAI

Version:	Aston Martin DB9 Coupé
Moteur:	V12 de 6,0 litres 48s atmosphérique
Puissance:	470 ch (336 kW) à 6 000 tr/min
Couple:	420 lb-pi (570 Nm) à 5 000 tr/min
Rapport poids/puissance:	3,91 kg/ch (5,23 kg/kW)
Transmission:	manuelle, 6 rapports
Rouage:	propulsion
0-100 km/h · 80-120 km/h:	4,6 s · 4,3 s
Freinage 100-0 km/h:	37,0 m
Vitesse maximale:	300 km/h
Consommation (100 km):	super, 20,9 litres
Autonomie approximative:	382 km
Émissions de CO2:	8 160 kg/an
Emp/Lon/Lar/Haut (mm):	2 745 / 4 710 / 1 875 / 1 270
Coffre/Réservoir:	186 / 80 litres
Nombre de coussins de sécurité:	4
Suspension avant:	indépendante, bras inégaux
Suspension arrière:	indépendante, bras inégaux
Freins av./arr.:	disque (ABS)
Antipatinage/Contrôle de stabilité:	oui/oui
Direction:	à crémaillère, assistée
Diamètre de braquage:	11,5 m
Pneus av./arr.:	P235/40ZR19 / P275/35ZR19
Poids:	1 760 kg
Capacité de remorquage:	non recommandé

AUTRE(S) COMPOSANTE(S) MÉCANIQUE(S)

Système hybride:	aucun
Moteur diesel:	aucun
Taxe énergivore:	3 000 $
Autre(s) moteur(s):	aucun
Autre(s) rouage(s):	aucun
Autre(s) transmission(s):	automatique, 6 rapports

EN BREF

Échelle de prix:	198 800 $ à 206 500 $
Catégorie:	coupé, cabriolet
Garanties:	3 ans/illimité km, 3 ans/illimité km
Assemblage:	Gaydon, Warwickshire, Angleterre
Cote d'assurance:	n.d.

DANS LA MÊME CATÉGORIE

Bentley Continental GT, Ferrari F430, Lamborghini Gallardo, Mercedes-Benz SL AMG

NOS IMPRESSIONS

Agrément de conduite:	🚗🚗🚗½
Fiabilité:	🚗🚗🚗
Sécurité:	🚗🚗🚗🚗
Qualités hivernales:	nulles
Espace intérieur:	🚗🚗🚗½
Confort:	🚗🚗🚗🚗

DU NOUVEAU EN 2009

Aucun changement majeur

ENTRE LA DB9 ET LA VANQUISH

Lancée en 2006, la DBS est présentée comme étant la remplaçante de la Vanquish dans la gamme Aston Martin, mais ce n'est pas tout à fait le cas puisque la DBS est élaborée sur la plate-forme de la DB9 et n'est donc pas une toute nouvelle voiture à part entière. Par ailleurs, James Bond aura été l'un des premiers à conduire la DBS dans le film *Casino Royale*, et voilà qu'il reprend le volant de la nouvelle version cabriolet, appelée DBS Volante, dans le prochain film, *Quantum of Solace*.

Le concept de la DBS est fort simple: prendre une plateforme de DB9 et l'alléger au maximum pour ensuite y loger une version plus évoluée du moteur V12. Évidemment, la DBS se démarque de la DB9 par plusieurs éléments de carrosserie, notamment les ailes élargies, les prises d'air sur le capot, des bas de caisse profilés et surtout un diffuseur en fibre de carbone à l'arrière servant à améliorer la stabilité de la voiture à haute vitesse.

UN V12 SURVITAMINÉ

Sous le capot se trouve une version revue et corrigée du V12 de 6,0 litres qui équipe la DB9, puisque le taux de compression est maintenant plus élevé et que les tubulures d'admission ont été élargies. Le résultat, c'est que la cavalerie passe de 450 à 510 chevaux, et que toute cette puissance est livrée à la route par une boîte manuelle à six rapports. Inspirée par la voiture de course DBR9, gagnante de la catégorie GT1 aux 24 heures du Mans en 2007, la DBS adopte également des composantes réalisées en matériaux plus légers afin de réduire le poids par rapport à la DB9. Ainsi, le capot, les ailes avant, les pourtours des portières et le couvercle du coffre sont en fibre de carbone, plutôt qu'en acier ou en aluminium.

Ce souci du détail a également été repris pour d'autres éléments de la voiture avec le résultat que la DBS pèse 1 695 kg, soit 65 de moins que la DB9, ce qui représente tout un exploit sur le plan technique. La concurrence directe de la DBS comprend deux «grosses pointures» au cachet tout aussi exclusif, soit la Maserati Gran Turismo et la Ferrari 599 GTB Fiorano. Si la Maserati doit s'incliner par rapport à l'anglaise pour ce qui est de la puissance et du poids, c'est tout le contraire pour la Ferrari, qui règne sans partage à ce chapitre grâce à son cœur de feu qu'est le V12 de 620 chevaux qui n'a que 1 688 kg à déplacer, la Ferrari étant également la plus légère de ce groupe restreint.

DBS VOLANTE

Lancée au Mondial de l'automobile de Paris à l'automne 2008, la version cabriolet de la DBS fait également son entrée sur le grand écran dans le dernier film de James Bond. La DBS Volante reprend les éléments mécaniques du modèle coupé et reçoit un toit souple à commande électrique. Cela permet à la marque d'ajouter un modèle à la gamme sans avoir à investir des sommes importantes en recherche et en développement, tout en répondant à la demande de ceux qui veulent s'afficher au volant d'un cabriolet qui offre un cachet d'exclusivité indéniable.

FEU VERT
- Puissance du V12
- Style intemporel
- Puissance des freins
- Performances assurées

FEU ROUGE
- Visibilité arrière
- Volume du coffre
- Diffusion limitée
- Fiabilité problématique

pour le cabriolet. On note l'utilisation d'amortisseurs Bilstein ainsi que des bras de suspension reconfigurés, le tout afin d'optimiser la tenue de route et le confort. Sans être dépourvue de capacités sur piste, la DB9 se comporte beaucoup plus comme une voiture de grand tourisme que comme un véritable bolide. Voilà certes la sportivité à l'anglaise versus la sportivité italienne!

Quant au cabriolet, il hérite des mêmes composantes mécaniques, mais son poids légèrement supérieur ampute quelque peu ses performances. Bref, encore une fois, la DB9 sera beaucoup plus à l'aise sur route que sur piste et le constructeur ne prétend pas rivaliser avec les gros canons italiens à ce chapitre.

SÉCURITÉ SIGNÉE VOLVO

Puisque le constructeur faisait partie du Premier Automotive Group de Ford, il s'est donc naturellement tourné vers Volvo, également membre du groupe, afin d'assurer la gestion des éléments de sécurité du véhicule. De la cellule protégeant les occupants aux coussins gonflables, tout a été supervisé par la firme suédoise, ce qui garantie à la DB9 une sécurité reconnue.

Tout comme les autres modèles du constructeur, la DB9 se veut une voiture d'exception qui vous assurera une reconnaissance certaine. Difficile de ne pas tomber en admiration devant les lignes exquises de ces voitures ou d'être indifférent envers la sonorité du moteur V12. Cependant, la fiabilité ne semble toujours pas au rendez-vous. J'ai connu quelques propriétaires qui, déçus de la piètre fiabilité des modèles, se sont tournés vers des modèles concurrents certes moins exclusifs, mais plus constants et moins problématiques. Parfois, le service est aussi un élément important. De plus, la faible diffusion des modèles et un réseau de concessionnaires restreint ne facilitent pas l'expérience des propriétaires.

Quoi qu'il en soit, il est permis de croire à un bel avenir pour la célèbre marque, puisque son acquisition pourrait bien lui redonner un nouvel élan.

Sylvain Raymond

Photos: Aston Martin

ASTON MARTIN DB9

VÉHICULE D'ESSAI

Version:	Aston Martin DB9 Coupé
Moteur:	V12 de 6,0 litres 48s atmosphérique
Puissance:	470 ch (336 kW) à 6 000 tr/min
Couple:	420 lb-pi (570 Nm) à 5 000 tr/min
Rapport poids/puissance:	3,91 kg/ch (5,23 kg/kW)
Transmission:	manuelle, 6 rapports
Rouage:	propulsion
0-100 km/h · 80-120 km/h:	4,6 s · 4,3 s
Freinage 100-0 km/h:	37,0 m
Vitesse maximale:	300 km/h
Consommation (100 km):	super, 20,9 litres
Autonomie approximative:	382 km
Émissions de CO2:	8 160 kg/an
Emp/Lon/Lar/Haut (mm):	2 745 / 4 710 / 1 875 / 1 270
Coffre/Réservoir:	186 / 80 litres
Nombre de coussins de sécurité:	4
Suspension avant:	indépendante, bras inégaux
Suspension arrière:	indépendante, bras inégaux
Freins av./arr.:	disque (ABS)
Antipatinage/Contrôle de stabilité:	oui/oui
Direction:	à crémaillère, assistée
Diamètre de braquage:	11,5 m
Pneus av./arr.:	P235/40ZR19 / P275/35ZR19
Poids:	1 760 kg
Capacité de remorquage:	non recommandé

AUTRE(S) COMPOSANTE(S) MÉCANIQUE(S)

Système hybride:	aucun
Moteur diesel:	aucun
Taxe énergivore:	3 000 $
Autre(s) moteur(s):	aucun
Autre(s) rouage(s):	aucun
Autre(s) transmission(s):	automatique, 6 rapports

EN BREF

Échelle de prix:	198 800 $ à 206 500 $
Catégorie:	coupé, cabriolet
Garanties:	3 ans/illimité km, 3 ans/illimité km
Assemblage:	Gaydon, Warwickshire, Angleterre
Cote d'assurance:	n.d.

DANS LA MÊME CATÉGORIE

Bentley Continental GT, Ferrari F430, Lamborghini Gallardo, Mercedes-Benz SL AMG

NOS IMPRESSIONS

Agrément de conduite:	½
Fiabilité:	
Sécurité:	
Qualités hivernales:	nulles
Espace intérieur:	½
Confort:	

DU NOUVEAU EN 2009

Aucun changement majeur

ASTON MARTIN DBS

ENTRE LA DB9 ET LA VANQUISH

Lancée en 2006, la DBS est présentée comme étant la remplaçante de la Vanquish dans la gamme Aston Martin, mais ce n'est pas tout à fait le cas puisque la DBS est élaborée sur la plate-forme de la DB9 et n'est donc pas une toute nouvelle voiture à part entière. Par ailleurs, James Bond aura été l'un des premiers à conduire la DBS dans le film *Casino Royale*, et voilà qu'il reprend le volant de la nouvelle version cabriolet, appelée DBS Volante, dans le prochain film, *Quantum of Solace*.

Le concept de la DBS est fort simple: prendre une plate-forme de DB9 et l'alléger au maximum pour ensuite y loger une version plus évoluée du moteur V12. Évidemment, la DBS se démarque de la DB9 par plusieurs éléments de carrosserie, notamment les ailes élargies, les prises d'air sur le capot, des bas de caisse profilés et surtout un diffuseur en fibre de carbone à l'arrière servant à améliorer la stabilité de la voiture à haute vitesse.

UN V12 SURVITAMINÉ

Sous le capot se trouve une version revue et corrigée du V12 de 6,0 litres qui équipe la DB9, puisque le taux de compression est maintenant plus élevé et que les tubulures d'admission ont été élargies. Le résultat, c'est que la cavalerie passe de 450 à 510 chevaux, et que toute cette puissance est livrée à la route par une boîte manuelle à six rapports. Inspirée par la voiture de course DBR9, gagnante de la catégorie GT1 aux 24 heures du Mans en 2007, la DBS adopte également des composantes réalisées en matériaux plus légers afin de réduire le poids par rapport à la DB9. Ainsi, le capot, les ailes avant, les pourtours des portières et le couvercle du coffre sont en fibre de carbone, plutôt qu'en acier ou en aluminium.

Ce souci du détail a également été repris pour d'autres éléments de la voiture avec le résultat que la DBS pèse 1 695 kg, soit 65 de moins que la DB9, ce qui représente tout un exploit sur le plan technique. La concurrence directe de la DBS comprend deux «grosses pointures» au cachet tout aussi exclusif, soit la Maserati Gran Turismo et la Ferrari 599 GTB Fiorano. Si la Maserati doit s'incliner par rapport à l'anglaise pour ce qui est de la puissance et du poids, c'est tout le contraire pour la Ferrari, qui règne sans partage à ce chapitre grâce à son cœur de feu qu'est le V12 de 620 chevaux qui n'a que 1 688 kg à déplacer, la Ferrari étant également la plus légère de ce groupe restreint.

DBS VOLANTE

Lancée au Mondial de l'automobile de Paris à l'automne 2008, la version cabriolet de la DBS fait également son entrée sur le grand écran dans le dernier film de James Bond. La DBS Volante reprend les éléments mécaniques du modèle coupé et reçoit un toit souple à commande électrique. Cela permet à la marque d'ajouter un modèle à la gamme sans avoir à investir des sommes importantes en recherche et en développement, tout en répondant à la demande de ceux qui veulent s'afficher au volant d'un cabriolet qui offre un cachet d'exclusivité indéniable.

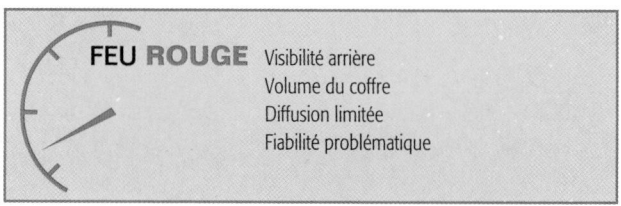

FEU VERT
- Puissance du V12
- Style intemporel
- Puissance des freins
- Performances assurées

FEU ROUGE
- Visibilité arrière
- Volume du coffre
- Diffusion limitée
- Fiabilité problématique

RAPIDE

Aston Martin devrait également commercialiser la Rapide, qui est une berline aux allures de coupé, en tant que modèle 2010. La Rapide marquera donc le retour d'une voiture à quatre portes au sein de la marque, plus de vingt ans après la célèbre Lagonda.

Conçue afin de rivaliser directement avec les versions plus performantes de la Mercedes-Benz CLS, de l'éventuelle Porsche Panamera et de l'actuelle Maserati Quattroporte, la Rapide sera assemblée à l'usine Magna Steyr de Graz en Autriche, ce qui en fera la première Aston Martin produite à l'extérieur de la Grande-Bretagne. La Rapide est elle aussi élaborée sur une version de la plate-forme utilisée pour la DB9 qui est allongée de 300 mm et pourra accueillir quatre passagers à son bord.

Tout comme la DBS, la Rapide sera également équipée de disques de freins en composite de céramique et sera animée par une version un peu plus performante du V12 de 6,0 litres. Ce dernier devrait livrer un peu plus de couple afin de composer avec le poids plus élevé de la voiture, qui devrait atteindre les deux tonnes.

Au cours de l'été 2008, les ingénieurs d'Aston Martin ont poursuivi le développement de la Rapide sur le circuit du Nurburgring en Allemagne, et les quelques photos prises de la voiture en action ont révélé la présence d'un immense toit vitré panoramique qui s'étend du sommet du pare-brise jusqu'au début du hayon arrière. Aston Martin compte vendre 2 000 exemplaires de la Rapide par année à compter de 2010, afin de satisfaire aux exigences d'acheteurs potentiels qui veulent une voiture plus pratique que la DBS.

Gabriel Gélinas

Photos : Aston Martin

VÉHICULE D'ESSAI

Version :	Aston Martin DBS
Moteur :	V12 de 6,0 litres 48s atmosphérique
Puissance :	510 ch (380 kW) à 6 500 tr/min
Couple :	420 lb-pi (570 Nm) à 5 750 tr/min
Rapport poids/puissance :	3,32 kg/ch (4,46 kg/kW)
Transmission :	manuelle, 6 rapports
Rouage :	propulsion
0-100 km/h · 80-120 km/h :	4,3 s · n.d.
Freinage 100-0 km/h :	n.d.
Vitesse maximale :	307 km/h
Consommation (100 km) :	super, n.d. litres
Autonomie approximative :	n.d.
Émissions de CO2 :	n.d.
Emp/Lon/Lar/Haut (mm) :	2 740 / 4 721 / 1 905 / 1 280
Coffre/Réservoir :	n.d / 78 litres
Nombre de coussins de sécurité :	4
Suspension avant :	indépendante, bras inégaux
Suspension arrière :	indépendante, bras inégaux
Freins av./arr. :	disque (ABS)
Antipatinage/Contrôle de stabilité :	oui/oui
Direction :	à crémaillère, assistance variable
Diamètre de braquage :	n.d.
Pneus av./arr. :	P245/35ZR20 / P295/30ZR20
Poids :	1 695 kg
Capacité de remorquage :	non recommandé

AUTRE(S) COMPOSANTE(S) MÉCANIQUE(S)

Système hybride :	aucun
Moteur diesel :	aucun
Taxe énergivore :	n.d.
Autre(s) moteur(s) :	aucun
Autre(s) rouage(s) :	aucun
Autre(s) transmission(s) :	aucune

EN BREF

Échelle de prix :	292 000 $
Catégorie :	GT
Garanties :	3 ans/illimité km, 3 ans/illimité km
Assemblage :	Gaydon, Warwickshire, Angleterre
Cote d'assurance :	n.d.

DANS LA MÊME CATÉGORIE

Ferrari 599 Fiorano, Lamborghini Murcielago, Bentley Continental GT

NOS IMPRESSIONS

Agrément de conduite :	■■■■½
Fiabilité :	nouveau modèle
Sécurité :	■■■■
Qualités hivernales :	nulles
Espace intérieur :	■■■½
Confort :	■■■½

DU NOUVEAU EN 2009

Nouveau modèle

NOUVEAU DÉPART

Pour Aston Martin, la date du 12 mars 2007 fait maintenant partie de l'histoire. Ce jour-là, Ford s'est départi de la célèbre marque britannique, qui a été rachetée par un consortium composé de deux firmes de gestion privées menées par David Richards, ex-patron de l'écurie de F1 BAR-Honda et toujours grand patron du groupe Prodrive. Ce groupe a largement profité des investissements réalisés par Ford qui a notamment financé la construction d'une toute nouvelle usine entièrement dédiée à la production des voitures Aston Martin à Gaydon en Angleterre, en 2003.

Le moins que l'on puisse dire, c'est que la nouvelle direction d'Aston Martin n'a pas perdu de temps, faisant flèche de tout bois en développant de nouvelles variantes de modèles existants afin d'élargir son offre et de cibler plus directement certaines voitures rivales, et ce, sans avoir à investir de trop fortes sommes en recherche et en développement. Cette approche plus rationnelle s'est concrétisée lors du dévoilement de l'Aston Martin V8 Vantage N400 au Salon de Francfort en septembre 2007. La nouvelle variante de la V8 Vantage a été conçue afin de commémorer la participation de la marque aux 24 heures du Nurburgring, et elle fera l'objet d'une production limitée à 480 exemplaires, soit 240 coupés et 240 roadsters. Côté style, la N400 se distingue de la V8 Vantage classique par ses jantes en alliage de 19 pouces au fini de graphite, de même que par sa calandre plus brillante.

DEUX NOUVELLES VANTAGE PLUS SPORTIVES

Essentiellement, la N400 est une version plus sportive de la V8 Vantage qui fait appel au même moteur V8 de 4,3 litres, mais dont la gestion électronique a été modifiée afin de lui permettre de développer 400 chevaux, soit 20 de plus que la V8 Vantage originale, et de rehausser le couple maximal de 302 à 310 livres-pied. De plus, la N400 reçoit des suspensions sport composées de ressorts plus fermes, d'amortisseurs Bilstein et d'une barre antiroulis de diamètre supérieur à l'arrière. Voilà qui devrait permettre à cette nouvelle venue de moins souffrir de la comparaison directe avec la Porsche 911 Carrera. La Vantage devrait également se décliner avec un moteur V12 sous le capot, comme le laisse entrevoir la récente voiture-concept V12 Vantage RS. Comme Aston Martin est maintenant une compagnie indépendante gérée par des intérêts privés, il y a fort à parier que l'on ne dépense pas sans compter simplement pour épater la galerie avec un prototype. Il faut donc prévoir une arrivée sur le marché au printemps 2009 pour ce nouveau modèle, qui est animé par le V12 de 600 chevaux emprunté à la voiture de course DBRS9... En plus d'avoir réussi à loger cet énorme V12 sous le capot de la Vantage, les ingénieurs sont également parvenus à réduire le poids de la voiture de 100 kg et l'ont équipée des freins en composite de carbone que l'on retrouve sur la DBS.

Je n'ai pas eu l'occasion de prendre le volant de ces deux dernières variantes, mais j'ai pu passer plusieurs journées avec l'Aston Martin V8 Vantage traditionnelle au circuit de Mont-Tremblant, puisque cette voiture fait partie de la flotte du Challenge Trioomph, dont je suis le directeur du programme. Sur le circuit, la Vantage n'est pas aussi rapide qu'une Porsche 911 Carrera S, l'allemande étant plus légère, ce qui est

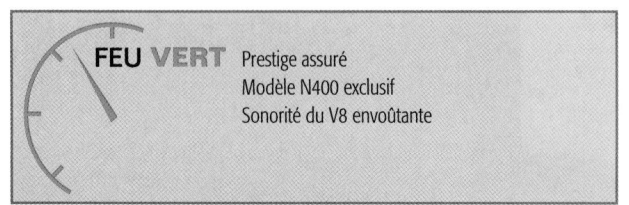

FEU VERT
Prestige assuré
Modèle N400 exclusif
Sonorité du V8 envoûtante

FEU ROUGE
Poids très élevé
Trop de ressemblances avec les autres Aston Martin
Fiabilité aléatoire
Coffre du roadster très petit

primordial pour rouler rapidement sur une piste. De plus, la Vantage demande une bonne pression sur la pédale de frein avant que l'on ne sente l'effet des étriers Brembo. Livrant seulement 380 chevaux, le V8 n'offre pas autant de puissance que certains autres moteurs de configuration et de cylindrée comparables, mais il est important de préciser que 85 % du couple maximal de 302 livres-pied est disponible dès les 1 500 tours/minute, ce qui donne un certain aplomb à la voiture lors de l'accélération initiale, même si la Vantage est un peu moins rapide qu'une Porsche 911 Carrera S pour le sprint de 0-100 km/h. La sonorité du moteur évolue dès que le régime atteint les 5 000 tours/minute, alors que le système d'échappement adopte une calibration différente, et l'effet produit est remarquable.

BELLE GUEULE

Le stylisme de la V8 Vantage est l'œuvre de Henrik Fisker, qui a été directeur du design chez Aston Martin de septembre 2001 à août 2003. Avant cette période, Fisker a œuvré chez BMW, et l'on compte d'ailleurs la voiture-concept Z07 ainsi que la Z8 parmi ses réalisations. Pour ce qui est de son allure, la Vantage partage cette filiation propre aux voitures de la marque en adoptant la calandre et les phares typiques des autres modèles Aston Martin, de même que les portières qui pivotent légèrement vers le haut lors de l'ouverture.

C'est un peu le même scénario pour ce qui est de l'habitacle où certains éléments ont été carrément repris d'autres modèles de la marque, notamment la DB9, afin de garder le contrôle sur les coûts de fabrication. Précisons également que la Vantage se décline aussi en cabriolet. Ce dernier a été lancé à l'été 2007 et son poids est légèrement supérieur (80 kg de plus que le coupé), puisque certains éléments de structure ont dû être ajoutés à la voiture afin de la rigidifier pour composer avec la perte du toit. De plus, la capacité du coffre du roadster est réduite à 144 litres, soit la moitié de celle du coupé, afin de permettre au toit souple de venir s'y loger après les 20 secondes requises pour son repli.

Personne ne peut rester insensible à l'allure à la fois athlétique et élégante de la Vantage, qui est également très exclusive, Aston Martin ne produisant que 3 000 voitures par année. Il est cependant dommage que cette voiture ne puisse égaler ses rivales directes sur le plan des performances.

Gabriel Gélinas

Photos : Aston Martin

VÉHICULE D'ESSAI

Version :	Aston Martin V8 Vantage Coupé
Moteur :	V8 de 4,3 litres 32s atmosphérique
Puissance :	380 ch (283 kW) à 7 000 tr/min
Couple :	302 lb-pi (410 Nm) à 5 000 tr/min
Rapport poids/puissance :	4,28 kg/ch (5,75 kg/kW)
Transmission :	manuelle, 6 rapports
Rouage :	propulsion
0-100 km/h · 80-120 km/h :	5,0 s · 4,5 s
Freinage 100-0 km/h :	39,0 m
Vitesse maximale :	280 km/h
Consommation (100 km) :	super, 14,5 litres
Autonomie approximative :	551 km
Émissions de CO2 :	6 864 kg/an
Emp/Lon/Lar/Haut (mm) :	2 600 / 4 380 / 1 865 / 1 255
Coffre/Réservoir :	300 / 80 litres
Nombre de coussins de sécurité :	4
Suspension avant :	indépendante, multibras
Suspension arrière :	indépendante, multibras
Freins av./arr. :	disque (ABS)
Antipatinage/Contrôle de stabilité :	oui/oui
Direction :	à crémaillère, assistée
Diamètre de braquage :	11,1 m
Pneus av./arr. :	P235/45ZR18 / P275/40ZR18
Poids :	1 630 kg
Capacité de remorquage :	non recommandé

AUTRE(S) COMPOSANTE(S) MÉCANIQUE(S)

Système hybride :	aucun
Moteur diesel :	aucun
Taxe énergivore :	2 000 $
Autre(s) moteur(s) :	V8 de 4,3 litres 400 ch/310 lb-pi (N400)
Autre(s) rouage(s) :	aucun
Autre(s) transmission(s) :	séquentielle

EN BREF

Échelle de prix :	139 700 $ à 160 200 $
Catégorie :	cabriolet, GT
Garanties :	3 ans/illimité km, 3 ans/illimité km
Assemblage :	Newport Pagnell, Angleterre
Cote d'assurance :	n.d.

DANS LA MÊME CATÉGORIE

BMW Série 6, Chevrolet Corvette, Mercedes-Benz Classe SL, Porsche 911 Carrera

NOS IMPRESSIONS

Agrément de conduite :	🚗🚗🚗½
Fiabilité :	🚗🚗🚗
Sécurité :	🚗🚗🚗🚗½
Qualités hivernales :	nulles
Espace intérieur :	🚗🚗🚗
Confort :	🚗🚗🚗

DU NOUVEAU EN 2009

Aucun changement majeur

UN PEU SNOB MAIS ATTACHANTE

La hausse récente (et future...) des prix de l'essence, combinée à une conscientisation aux problèmes environnementaux, a considérablement modifié les habitudes de conduite mais aussi d'achat des gens. Partout à travers le monde, les ventes de petites voitures ont augmenté au détriment des plus imposantes et des VUS. Cela ne veut cependant pas dire que les gens ne désirent pas un véhicule plus luxueux. Ainsi, le marché des compactes de luxe devrait exploser d'ici quelques années. Ça tombe bien, l'Audi A3 est déjà prête !

Au printemps dernier, Audi a lancé le modèle 2009 de sa jolie A3. La carrosserie et l'habitacle n'ont pas connu de changements majeurs même si les phares ont adopté la nouvelle signature d'Audi, soit des diodes dans leur partie supérieure, un élément esthétique fort réussi.

TOUJOURS DEUX MOTEURS

Le moteur quatre cylindres 2,0 litres turbocompressé de 200 chevaux et 206 livres-pied de couple et le V6 de 3,2 litres développant 250 chevaux et un couple de 236 livres-pied sont de retour. Avant de l'oublier, précisons que ces deux moteurs carburent au super. Là où il y a plus de changements, c'est au niveau des rouages. Dès que la prochaine A3 se pointera le nez chez nous, il sera possible de doter la 2,0T du rouage intégral. Le V6, lui, se mariera encore avec ce rouage uniquement, ce qui est une excellente décision puisque nous ne sommes jamais chauds à l'idée d'acheminer 250 chevaux aux seules roues avant. Le 2,0T traction pourra être jumelé à une manuelle à six rapports ou à une automatique séquentielle S-Tronic, anciennement connue sous le nom DSG. Les modèles à rouage intégral, eux, n'auront droit qu'à la S-Tronic. En passant, comme 70 % des A3 vendues au Canada le sont au Québec, on comprend mieux la décision d'Audi Canada d'importer le rouage intégral avec les deux moteurs, ce type de rouage étant très prisé chez nous.

Encore une fois, seul le modèle Sportback sera vendu aux Canadiens, la version trois portes n'étant pas suffisamment demandée. Malheureusement, la S3, la livrée sportive de l'A3, ne sera pas importée non plus. Au moins, l'ensemble S-Line, qui donne l'impression, fort avantageuse soit dit en passant, de posséder une vraie S, sera proposée pour l'A3. Quant à une version diesel (l'A3 européenne compte deux de ces moteurs), Audi ne ferme pas la porte mais il faudra probablement être patient. Et le modèle cabriolet, qui sera distribué ultérieurement, ne traversera pas l'océan.

Le moteur 2,0 litres turbocompressé se révèle un modèle du genre. Son couple maximal disponible à très bas régime et l'absence de temps de réponse du turbo en font une sportive aguerrie. D'autant plus que la transmission à double embrayage S-Tronic, qui remplace la DSG, est une merveille à manipuler. Il y a également une manuelle à six rapports qui se manie, elle aussi comme un charme. Comme le rouage intégral pourra désormais être jumelé au modèle 2,0T, cette A3 n'en sera que plus désirable. Et plus dispendieuse, aussi ! Quant au V6, il est vrai que

FEU VERT
- Style enchanteur
- Moteur 2,0 litres turbo bien adapté
- Possibilité de l'intégrale avec le 2,0T
- Qualité de finition évidente
- Direction précise

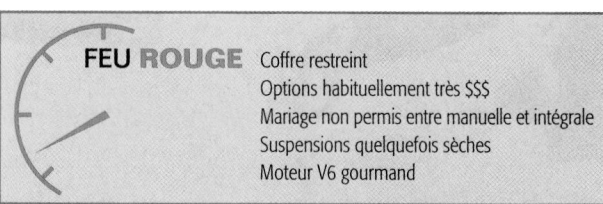

FEU ROUGE
- Coffre restreint
- Options habituellement très $$$
- Mariage non permis entre manuelle et intégrale
- Suspensions quelquefois sèches
- Moteur V6 gourmand

son poids fait perdre un peu de son agilité à la familiale mais il serait inconvenant de le repousser du revers de la main. Mais en donnant la possibilité à l'acheteur d'opter pour une version 2,0T à rouage intégral, il y a des chances que le V6 perde passablement de sa popularité.

Au châssis hyper rigide, les ingénieurs d'Audi ont accroché des suspensions généralement assez fermes. Cette année, on note l'apparition de la suspension ajustable optionnelle Magnetic Ride. Cette suspension propose trois modes, soit: Confort, Normal et Sport. La différence entre les trois est tangible, ce qui n'est pas toujours le cas dans d'autres voitures. En mode Sport, les éléments suspenseurs sont visiblement mandatés pour faire coller la voiture à la route, quitte à ce que les occupants en perdent leurs dents. Au moins, les sièges font preuve d'un confort à toute épreuve. Dans le modèle V6, les suspensions se montrent un peu plus conciliantes pour la colonne vertébrale. La direction est aussi précise qu'informative et les freins sont à la hauteur, peu importe la situation.

CE QUI AIDE À JUSTIFIER LE PRIX...

Peu importe le modèle, une Audi demeure une Audi. L'habitacle de l'A3 respire la qualité mais l'espace disponible n'est pas très vaste. C'est d'autant plus marqué à l'arrière où l'on doit compter avec la collaboration de la personne assise devant soi. Le coffre non plus n'est pas très grand. En fait, il est moins logeable que celui d'une vulgaire Dodge Caliber ou d'une Kia Spectra5. Mais pour la qualité des matériaux, l'A3 termine 750 milliards d'années-lumière avant les deux autres!

L'A3, c'est connu, est construite sur la même plate-forme que la Volkswagen GTi, ce qui fait dire à plusieurs qu'il s'agit d'une Volkswagen qui se prend pour une autre. Les deux voitures, issues de la même compagnie (Audi appartient à Volkswagen), partagent le même châssis et plusieurs composantes mécaniques. Elles s'adressent cependant à un public différent. Ceux qui recherchent une voiture aux matériaux plus nobles, à la robe plus distinctive et une marque plus exclusive se tournent vers l'Audi. Un peu comme on choisit une Acura CSX plutôt qu'une Honda Civic. C'est une question de goût... et de budget!

Alain Morin

Photos: Audi

VÉHICULE D'ESSAI

Version:	Audi A3 2,0T
Moteur:	4L de 2,0 litres 16s turbocompressé
Puissance:	200 ch (149 kW) à 5 100 tr/min
Couple:	207 lb-pi (281 Nm) à 1 800 tr/min
Rapport poids/puissance:	8,3, kg/ch (11,14 kg/kW)
Transmission:	manuelle, 6 rapports
Rouage:	traction
0-100 km/h · 80-120 km/h:	6,8 s · 5,5 s (estimé)
Freinage 100-0 km/h:	37,0 m
Vitesse maximale:	209 km/h
Consommation (100 km):	super, 9,3 litres
Autonomie approximative:	591 km
Émissions de CO2:	3 936 kg/an
Emp/Lon/Lar/Haut (mm):	2 578 / 4 292 / 1 765 / 1 423
Coffre/Réservoir:	370 / 55 litres
Nombre de coussins de sécurité:	6
Suspension avant:	indépendante, jambes de force
Suspension arrière:	indépendante, multibras
Freins av./arr.:	disque (ABS)
Antipatinage/Contrôle de stabilité:	oui/oui
Direction:	à crémaillère, assistance variable électronique
Diamètre de braquage:	10.7 m
Pneus av./arr.:	P225/45R17
Poids:	1 660 kg
Capacité de remorquage:	non recommandé

AUTRE(S) COMPOSANTE(S) MÉCANIQUE(S)

Système hybride:	aucun
Moteur diesel:	aucun
Taxe énergivore:	aucune
Autre(s) moteur(s):	V6 de 3,2 litres 250 ch/236 lb-pi (11,3 l/100 super) (3.2)
Autre(s) rouage(s):	intégral (3.2, 2.0T)
Autre(s) transmission(s):	automatique, 6 rapports (3.2, 2.0T)

EN BREF

Échelle de prix:	32 300 $ à 43 700 $ (2008)
Catégorie:	familiale
Garanties:	4 ans/80 000 km, 4 ans/80 000 km
Assemblage:	Ingolstadt, Allemagne
Cote d'assurance:	moyenne

DANS LA MÊME CATÉGORIE

Saab 9-3 SportCombi, Subaru Impreza WRX, Volkswagen GTi, Volvo V50

NOS IMPRESSIONS

Agrément de conduite:	4/5
Fiabilité:	4/5
Sécurité:	4/5
Qualités hivernales:	4 ½
Espace intérieur:	3 ½
Confort:	3 ½

DU NOUVEAU EN 2009

Esthétique révisée, possibilité d'avoir le Quattro avec le 2,0T

UN RENOUVEAU COMPLET !

Audi présente cette année sa toute nouvelle génération de l'A4, un geste important puisque c'est cette gamme qui génère la majeure partie des ventes du constructeur. Pas question de faire fausse route, car la concurrence dans le segment des berlines de luxe d'entrée de gamme est plus que féroce et on y retrouve nombre de candidates intéressantes, que ce soit chez BMW, chez Infiniti, chez Mercedes-Benz et même chez Cadillac.

Pour 2009, la gamme A4 est donc revue en entier; la berline sera introduite initialement, suivie de la familiale, l'A4 Avant. On peut s'attendre à la venue de la nouvelle S4 quelque temps après et, même si rien n'est encore confirmé, il y a fort à parier qu'une nouvelle RS4 fera son apparition, tout comme le cabriolet, à moins qu'Audi préfère utiliser le coupé A5 comme base pour le nouveau cabriolet.

UNE A5 QUATRE PORTES

Les similitudes entre l'A4 et l'A5 sont assez frappantes. Pas étonnant, puisque l'A4 2009 utilise la même plate-forme, quoique fortement modifiée, et partage également plusieurs éléments de style, sans compter l'emprunt de composantes mécaniques. Ce nouveau châssis est plus rigide et résiste mieux aux torsions que l'ancien. Sous le capot, on retrouve pour la berline deux moteurs, soit un quatre cylindres suralimenté de 2,0 litres à injection directe développant 200 chevaux pour un couple de 207 livres-pied et un six cylindres en V de 3,2 litres développant une puissance de 265 chevaux. Ce dernier devrait d'ailleurs être le premier à entraîner les A4 2009, le 2,0 litres n'arrivant qu'un peu plus tard. Le quatre cylindres sera combiné, de série, à une boîte manuelle à six rapports ou, en option, à une séquentielle de type DSG. Le V6, lui, n'aura droit qu'à l'automatique, à six rapports aussi. Quant à la familiale, l'A4 Avant, seul le quatre cylindres suralimenté sera proposé initialement, mais il serait étonnant de ne pas retrouver d'autres motorisations sous peu. Et, comme on est en droit de s'y attendre de la part d'Audi, le rouage intégral Quattro sera offert d'office avec le V6.

Pour ce qui est des moteurs diesel, même si l'A4 en propose plusieurs intéressants en Europe, la venue de ce type de motorisation est encore incertaine en Amérique du Nord. Audi préfère tester ce marché avec son VUS Q7 avant de tenter l'expérience avec ses voitures.

DE NOUVELLES DYNAMIQUES DE CONDUITE

La nouvelle A4 ne bénéficie pas uniquement d'un nouveau châssis et de nouveaux moteurs, les dynamiques ont été entièrement revues, le tout afin d'améliorer le comportement routier. Les ingénieurs ont profité de cette plate-forme pour positionner un peu plus à l'avant la nouvelle suspension multibras et reculer le moteur derrière l'essieu avant, ce qui déplace le poids du véhicule vers l'arrière, maximisant du même coup la répartition de poids. Le résultat se remarque rapidement puisque notre essai d'une familiale Avant, un véhicule à vocation souvent moins sportive, nous a permis de découvrir une voiture mieux balancée, enfilant les virages avec aplomb et sans pratiquement aucun transfert de poids.

Le quatre cylindres favorise l'économie de carburant et confère à la voiture des performances intéressantes. Je me serais attendu à une voiture un peu plus anémique, surtout en ce qui concerne la familiale, mais ce n'est pas le cas. Malgré la taille de la familiale, ce moteur réussit à livrer de bonnes performances. Cependant, on doit exploiter les régimes élevés du moteur afin d'en extirper toute sa puissance. En circulation urbaine, il faut passer souvent le second et le troisième rapport pour obtenir une conduite intéressante lorsque la voiture est dotée de la boîte manuelle. De plus, comme pour tout moteur suralimenté, le carburant super est requis, ce qui augmente le prix du plein à la pompe.

De son côté, le six cylindres de 3,2 litres offre une conduite plus vigoureuse et son couple généreux facilite la vie lorsqu'une situation demande une accélération plus importante. Sa riche sonorité est aussi un atout intéressant pour ceux qui ont l'oreille sensible à cet élément. Son poids plus élevé, par contre, entraîne un certain sous-virage lorsque la voiture est poussée plus que de raison. Heureusement, on peut compter sur un bon nombre de béquilles électroniques qui ramènent rapidement la voiture dans le droit chemin.

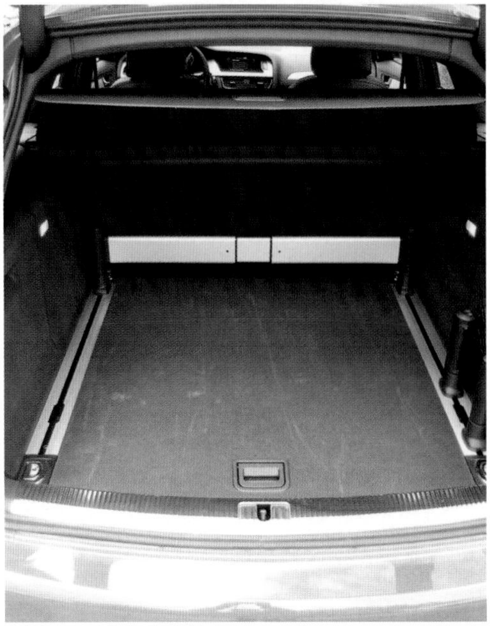

Alors que BMW était le seul à disposer d'une direction active, voilà que Mercedes-Benz et Audi introduisent cette année leurs propres versions. Très intéressant, ce système varie la démultiplication de la direction selon la vitesse du véhicule, apportant un contrôle supplémentaire à haute vitesse et plus de facilité en manœuvre de stationnement par exemple. On peut pratiquement conduire la voiture du bout des doigts. Un essai entre une version avec et sans cette direction active optionnelle nous a prouvé ses bienfaits même si cette dernière nous a semblé un peu plus lourde à basse vitesse. Dans un autre ordre d'idées, les freins de notre voiture d'essai montraient un évident plaisir à nous épater ! Même un essai sur une piste mouillée d'un côté et sèche de l'autre n'a pas réussi à les prendre en défaut. Il faut dire que dans une telle situation, les freins, la direction active et les suspensions sont pris en charge par un ordinateur. C'est à la fois sophistiqué et sécuritaire.

Autre nouveauté Audi, une commande située sur le tableau de bord permettant de sélectionner l'un des trois modes de conduite : dynamique, auto ou confort. Selon

le mode choisi, le comportement de la voiture diffèrera alors que les réglages de quatre systèmes seront modifiés, soit la suspension, la direction, l'accélérateur et les réglages du moteur, notamment sa courbe de puissance. Il faut cependant avouer que, sur la route, la différence n'est pas tellement notable lorsqu'on passe d'un mode au suivant. Il faut plutôt passer d'un extrême à l'autre pour ressentir une différence appréciable.

LUXE ET CONFORT À L'INTÉRIEUR

Réputé pour ses intérieurs, Audi a su doter la nouvelle A4 de matériaux riches, sans toutefois tomber dans la démesure. Tout est de bon goût et sportif à souhait. On a peu de reproches à faire en ce qui concerne la qualité d'assemblage. L'ensemble du poste de conduite est clairement orienté vers le conducteur et regroupe en un seul bloc tous les instruments et la console centrale. Ici, l'ergonomie règne en maître. On apprécie aussi l'incorporation de l'écran du système de navigation qui semble faire partie intégrante de cet ensemble et qui n'enlève rien au style. Il est évident qu'il faut une période d'adaptation avant de devenir familier avec tous les éléments du tableau de bord, certains se voulant moins intuitifs que d'autres. Par contre, le MMI (*Multi Media Interface*), la réplique d'Audi au démoniaque iDrive de BMW, est relativement simple à comprendre et à manipuler. En passant, soulignons la qualité du système audio Bang & Olufsen.

FEU VERT

- Lignes superbes
- Moteur 2,0 litres assez économe
- Espace intérieur accru
- Direction active (optionnelle) très vive
- Matériaux de qualité

FEU ROUGE

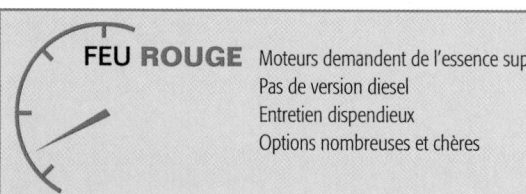

- Moteurs demandent de l'essence super
- Pas de version diesel
- Entretien dispendieux
- Options nombreuses et chères

Les dimensions accrues de l'A4 dotent également l'habitacle d'un peu plus d'espace, rapidement visible à l'arrière alors que les passagers disposent d'un meilleur dégagement aux jambes. Voilà un atout pour l'A4, notamment par rapport à la Série 3 qui demeure plus exigüe à l'arrière. L'espace cargo est aussi plus généreux, surtout, bien entendu, en ce qui a trait à la familiale. En fait, cette dernière offre pratiquement autant d'espace que l'A6. Il est ironique de constater que les voitures deviennent de plus en plus grosses alors que les VUS sont de plus en plus petits. Finalement, un ingénieux système, composé d'un ensemble de rails et d'éléments de retenue souples et rigides, permet de maintenir bien en place les objets dans l'espace cargo. Quant au coffre de la berline, il se révèle fort logeable avec ses 480 litres; son ouverture est grande et le seuil est peu élevé.

Audi a réussi à rendre l'A4 plus intéressante, tout en conservant ses qualités d'origine. Sa silhouette est encore plus désirable dans la version 2009. Son comportement est amélioré et elle présente un espace intérieur accru.

Sylvain Raymond et Alain Morin

Photos : Alain Morin / Sylvain Raymond

VÉHICULE D'ESSAI

Version :	Audi A4 Avant 2.0T
Moteur :	V6 de 3,2 litres 24s atmosphérique
Puissance :	265 ch (198 kW) à 6 500 tr/min
Couple :	243 lb-pi (330 Nm) à 3 250 tr/min
Rapport poids/puissance :	6,15 kg/ch (8,35 kg/kW)
Transmission :	manuelle, 6 rapports
Rouage :	intégral
0-100 km/h · 80-120 km/h :	7,5 s · 6,2 s
Freinage 100-0 km/h :	40,6 m
Vitesse maximale :	209 km/h
Consommation (100 km) :	super, 13,6 litres
Autonomie approximative :	470 km
Émissions de CO2 :	5 328 kg/an
Emp/Lon/Lar/Haut (mm) :	2 808 / 4 703 / 1 826 / 1 436
Coffre/Réservoir :	490 à 1 430 / 64 litres
Nombre de coussins de sécurité :	6
Suspension avant :	indépendante, bras inégaux
Suspension arrière :	indépendante, leviers triangulés
Freins av./arr. :	disque (ABS)
Antipatinage/Contrôle de stabilité :	oui/oui
Direction :	à crémaillère, assistée
Diamètre de braquage :	11.1 m
Pneus av./arr. :	P205/50R17
Poids :	1 630 kg
Capacité de remorquage :	non recommandé

AUTRE(S) COMPOSANTE(S) MÉCANIQUE(S)

Système hybride :	aucun
Moteur diesel :	aucun
Taxe énergivore :	aucune
Autre(s) moteur(s) :	4L de 2,0 litres 200 ch/207 lb-pi (10,2 l/100 super) (2.0T)
Autre(s) rouage(s) :	traction (2.0T)
Autre(s) transmission(s) :	automatique, 6 rapports (3.2, 2.0T)

EN BREF

Échelle de prix :	n.d.
Catégorie :	familiale, berline de luxe
Garanties :	4 ans/80 000 km, 4 ans/80 000 km
Assemblage :	Ingolstadt, Allemagne
Cote d'assurance :	pauvre

DANS LA MÊME CATÉGORIE

BMW Série 3, Cadillac CTS, Infiniti G35, Jaguar S-Type, Lexus GS350, Lincoln MKZ, Mercedes-Benz Classe C, Saab 9-5, Volvo S60

NOS IMPRESSIONS

Agrément de conduite :	
Fiabilité :	
Sécurité :	½
Qualités hivernales :	
Espace intérieur :	
Confort :	½

DU NOUVEAU EN 2009

Nouvelle génération (berline et familiale)

SPLENDIDE À LONGUEUR D'ANNÉE !

Pendant des années, les stylistes d'Audi ont eu le coup de crayon un brin discret et modéré. Certes, les voitures à quatre anneaux affichaient une élégance évidente, mais elles se ressemblaient toutes énormément et ne démontraient aucune excentricité. Depuis une dizaine d'années, cette marque en plein essor a cependant choisi d'épicer la sauce. Ainsi, des modèles comme la TT et le Q7 ont vu le jour. Bien sûr, la R8 aura également pris tout le monde par surprise, mais je considère que l'ultime beauté de la gamme repose en ce coupé A5/S5 lancé l'an dernier, et qui se définit à mon sens comme une grande œuvre d'art.

Peut-être n'avez-vous pas le coup de foudre comme moi pour cette voiture, et si c'est le cas, je ne tenterai pas de vous convaincre de tomber amoureux de la A5/S5. Les goûts ne se discutent pas. Toutefois, si mon opinion m'amène à affirmer qu'il s'agit de l'une des plus belles voitures du monde actuellement commercialisées, c'est parce que j'ai eu la chance de la courtiser pendant deux semaines. Je vous entends déjà me dire que la R8 est une bien plus grande réussite esthétique que ce coupé; je répondrai à cela qu'elle n'est pas plus belle mais plus impressionnante. En revanche, le coupé A5 fait partie de ces voitures qui nous émerveillent davantage de jour en jour. Il ne suffit que de poser ses yeux sur elle pour lui découvrir chaque fois de nouveaux traits formidables. Son regard félin, sa calandre imposante, sa ceinture de caisse élargie et ses lignes d'une rare fluidité contribuent sans équivoque à embellir l'environnement dans lequel elle se trouve.

A5 ou S5, la différence principale de ces deux modèles réside dans leur mécanique respective. Vous les distinguerez cependant facilement de l'extérieur, la S5 arborant un museau plus agressif, des jantes à cinq rayons doubles et des rétroviseurs extérieurs en aluminium brossé. À bord, la S5 propose également un environnement plus sportif, notamment au niveau des baquets qui offrent davantage de support. Le piquage du cuir ainsi que quelques logos S5 relèvent aussi cet habitacle, histoire de vous rappeler que vous êtes à bord d'un coupé de haute performance. Mais croyez-moi, vous n'avez nullement besoin de ces éléments pour savoir à quel type de voiture vous avez affaire.

Autrement, l'intérieur des deux versions est pour ainsi dire le même. La qualité d'assemblage et de finition est irréprochable et la présentation est aussi élégante que moderne. Étonnamment, ce coupé propose à l'avant un espace plus généreux que plusieurs autres modèles de la marque. On n'est ici nullement gêné par la largeur de la console centrale ou par un faible dégagement aux jambes. En revanche, il est clair que le dégagement à la tête n'est pas aussi généreux que dans une berline classique.

JOLI ET DÉROUTANT

Comme c'est la pratique chez la presque totalité des constructeurs allemands, l'instrumentation impressionne autant qu'elle déroute. Vous apprécierez donc la présentation des cadrans indicateurs et l'ergonomie des commandes, mais ragerez aussi contre la complexité du fonctionnement du système MMI (commande centrale qui permet de gérer

FEU VERT
- Élégance digne du grand art
- Comportement routier sensationnel
- Traction intégrale de série
- Performances relevées (S5)
- Finition superbe

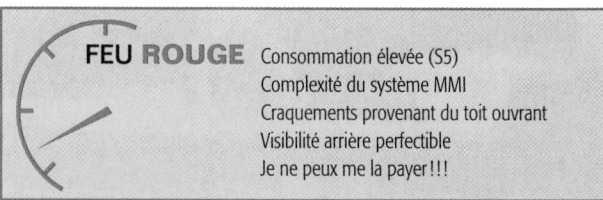

FEU ROUGE
- Consommation élevée (S5)
- Complexité du système MMI
- Craquements provenant du toit ouvrant
- Visibilité arrière perfectible
- Je ne peux me la payer!!!

le système audio, la navigation et tous les réglages de la voiture). L'ordinateur multifonction demande aussi une période d'adaptation, quoique ce dernier utilise le même procédé depuis longtemps.

La S5 est évidemment la version à favoriser si vous êtes en quête de performances ultimes. Et pardonnez-moi si je vous semble modéré, mais je crois qu'il serait inutile de débourser davantage pour encore plus de puissance, par exemple pour une RS5 qui devrait nous parvenir dans une couple d'années. Voyez-vous, des voitures comme la défunte RS4 (420 chevaux) proposent tout simplement trop de puissance pour que l'on puisse bénéficier d'une conduite équilibrée. Les 350 chevaux proposés dans la S5, qui sont livrés par un splendide V8 de 4,2 litres, permettent cet équilibre. Vous pourrez avec cette mécanique profiter d'une puissance appréciable et d'une sonorité exotique, tout en bénéficiant d'une conduite qui n'est pas enrageante lorsque l'on se retrouve dans le flot de la circulation. La puissance se dose facilement, les accélérations sont linéaires et la plage de puissance est très large. Le désavantage principal de cette mécanique réside cependant dans sa consommation, qui n'est jamais raisonnable.

NEIGE OU BITUME

Bien sûr, le système de traction intégrale Quattro est évidemment un avantage non négligeable sur ce modèle, surtout dans notre coin de pays. En fait, mis à part le coupé de Série 3 de BMW, aucun autre coupé de luxe ne propose un équivalent mécanique. Et comme Audi excelle dans l'art de la traction intégrale, vous vous doutez que les performances routières sont tout simplement sublimes. En réalité, A5 comme S5 s'accrochent au bitume avec un tel mordant qu'on n'en revient absolument pas. Les voies larges et la suspension ferme permettent une tenue de route hallucinante, le châssis démontre une rigidité sensationnelle et la direction est d'une stupéfiante précision. Il en résulte un agrément de conduite digne des plus grandes sportives de ce monde. Sur la route, seuls quelques craquements provenant du toit ouvrant dérangent, ce que j'appellerais un véritable moment de bonheur.

Plus exotique, plus jolie et certainement pas moins fiable que le coupé concurrent de BMW, l'A5/S5 est une voiture tout simplement fantastique. Et contrairement à cette même rivale, l'A5 est bien plus qu'une A4 avec deux portières en moins...

Antoine Joubert

Photos : Sylvain Raymond

VÉHICULE D'ESSAI

SIRIUS RADIO SATELLITE

Version :	Audi S5
Moteur :	V8 de 4,2 litres 32s atmosphérique
Puissance :	354 ch (264 kW) à 7 000 tr/min
Couple :	325 lb-pi (441 Nm) à 3 500 tr/min
Rapport poids/puissance :	4,78 kg/ch (6,51 kg/kW)
Transmission :	manuelle, 6 rapports
Rouage :	intégral
0-100 km/h · 80-120 km/h :	5,2 s · 4,0 s
Freinage 100-0 km/h :	36,3 m
Vitesse maximale :	250 km/h
Consommation (100 km) :	super, 15,1 litres
Autonomie approximative :	423 km
Émissions de CO2 :	6 048 kg/an
Emp/Lon/Lar/Haut (mm) :	2 751 / 4 625 / 1 981 / 1 372
Coffre/Réservoir :	455 / 64 litres
Nombre de coussins de sécurité :	6
Suspension avant :	indépendante, multibras
Suspension arrière :	indépendante, multibras
Freins av./arr. :	disque (ABS)
Antipatinage/Contrôle de stabilité :	oui/oui
Direction :	à crémaillère, assistée
Diamètre de braquage :	11,4 m
Pneus av./arr. :	P245/40R18
Poids :	1 695 kg
Capacité de remorquage :	non recommandé

AUTRE(S) COMPOSANTE(S) MÉCANIQUE(S)

Système hybride :	aucun
Moteur diesel :	aucun
Taxe énergivore :	aucune
Autre(s) moteur(s) :	V6 de 3,2 litres 265 ch/243 lb-pi (13,6 l/100 super) (A5)
Autre(s) rouage(s) :	aucun
Autre(s) transmission(s) :	automatique, 6 rapports

EN BREF

Échelle de prix :	54 750 $ à 68 800 $
Catégorie :	coupé
Garanties :	4 ans/80 000 km, 4 ans/80 000 km
Assemblage :	Ingolstadt, Allemagne
Cote d'assurance :	n.d.

DANS LA MÊME CATÉGORIE

BMW Série 3, Infiniti G37, Mercedes-Benz CLK

NOS IMPRESSIONS

Agrément de conduite :	5
Fiabilité :	3
Sécurité :	5
Qualités hivernales :	4
Espace intérieur :	3 ½
Confort :	4

DU NOUVEAU EN 2009

Changements mineurs

LOGIQUE ET RÊVE

Il est toujours assez surprenant de constater qu'en ces temps de disette automobile, où les prix de l'essence s'ajoutent à la course à l'assainissement de la planète, les voitures de luxe se vendent comme jamais. C'est à croire que tout le monde a récemment divorcé d'un ex-Beatles ! Les marques de prestige que sont Audi, Mercedes-Benz, BMW, Cadillac, Lexus et j'en passe n'ont pas à vraiment s'inquiéter de l'avenir, du moins pour le moment.

Comme l'Audi A6 est sur le marché depuis déjà 2005, il était temps de lui apporter quelques améliorations, question de faire parler un peu d'elle. L'A6 étant déjà très réussie, on se demandait bien comment les stylistes s'y prendraient pour réaliser l'exploit de ne pas la défigurer. En optant pour des changements très subtils, ils étaient assurés de ne pas se tromper. Les phares avant ont été très, très légèrement retouchés et si la voiture roule à plus de 5 km/h, je mets quiconque au défi de voir la différence ! C'est surtout au niveau de la grille de calandre que les designers ont été plus draconiens... La large bande horizontale est désormais moins large. Yé ! Les feux arrière ont aussi connu de modestes changements. Quoi qu'il en soit, l'A6 conserve sa prestance et ces changements lui permettront de demeurer d'actualité jusqu'en 2011, alors que la prochaine génération devrait être dévoilée.

L'Audi A6, c'est deux configurations, deux modèles et trois moteurs pour l'Amérique. Les Européens sont encore plus choyés que nous. Ici, on retrouve tout d'abord une élégante A6 berline, une pratique A6 familiale, appelée Avant chez Audi et, enfin, une sportive S6, proposée en configuration berline uniquement. Quant aux moteurs, l'A6 reçoit, pour l'instant, un V6 de 3,2 litres de 255 chevaux et 243 livres-pied de couple. L'Europe a déjà droit, entre autres, à deux nouveaux moteurs V6 à essence, soit un 2,8 litres de 190 chevaux et un 3,0 litres surcompressé de 290 chevaux. Selon les chiffres dévoilés par Audi, ce 3,0 litres entraînerait la A6 de zéro à cent en 5,9 secondes jusqu'à un maximum limité électroniquement à 250 km/h. Ce moteur semble très, très intéressant, autant au niveau de la consommation que des performances et nous avons déjà hâte qu'il mette les pistons en Amérique plus tard durant l'année. Quant au V8 de 4,2 litres d'une puissance de 350 chevaux et d'un couple de 325 livres-pied, il continue sa brillante carrière. Si ce n'était pas suffisant, la S6 renferme un V10 de 5,2 litres qui ne fait pas dans la dentelle avec ses 435 chevaux et 398 livres-pied de couple. Toutes les Audi A6 sont dotées, en équipement standard, du renommé rouage intégral Quattro qui reçoit ses instructions d'une transmission automatique à six rapports avec mode manuel.

RÊVER, ÇA COÛTE PAS CHER

L'humain, disait un grand sage, est une machine à rêver. Voilà une bonne raison pour s'imaginer au volant d'une S6 ultraperformante et malgré tout plaisante à vivre. Souvent, les voitures très puissantes s'avèrent désagréables à conduire au quotidien mais la S6 peut tout aussi bien servir pour les courses au magasin que pour s'amuser. Elle

FEU VERT
- S6 absolument irrésistible
- Finition de haut niveau
- Familiale invitante
- Système Quattro sécuritaire
- Conduite inspirée

FEU ROUGE
- Prix élevés (surtout S6)
- RS6 non importée
- V8 plus ou moins utile
- Coûts d'entretien faramineux
- Suspension un tantinet sèche

est trop lourde pour les circuits de course mais sur une petite route sinueuse, elle se révèle un délice à conduire. Le fait que cette brute se cache sous une carrosserie des plus placides est aussi, pour plusieurs, un élément des plus appréciés. C'est ce qu'on appelle un « sleeper ». Cependant, son prix de plus de 100 000 $ et sa consommation avoisinant les 15 litres aux cent kilomètres (de super, bien entendu) en conduite normale nous réveillent assez rapidement…

Même après avoir lu le dernier paragraphe, il faut avouer qu'une A6 munie du V8 de 4,2 litres est loin d'être une limace. Les accélérations et les reprises sont franches, les freins compétents et le rouage Quattro amènent toujours un niveau de sécurité élevé, que ce soit en améliorant la tenue de route sur pavé sec ou, en collaboration avec de bons pneus d'hiver, en augmentant la traction dans la neige. La boîte automatique à six rapports semble taillée sur mesure pour cette voiture. Si son temps de passage des rapports en mode régulier est très rapide, imaginez en mode « sport ». Même avec la basique (!) A6 à moteur V6, la tenue de route a de quoi satisfaire la plupart des conducteurs. Le roulis est minime, la direction aussi précise que communicatrice et la suspension, combinée à un châssis très rigide, autorise une tenue de cap magistrale, peu importe la condition de la chaussée.

FAMILIALE DE LUXE

Depuis quelques années, le marché de la familiale de luxe a pris de l'ampleur. Volvo, avec sa V70R il y a quelques années, BMW avec sa Série 5 Touring et Mercedes-Benz avec sa Classe E familiale se disputent le marché de l'A6 Avant. Son espace de chargement est, évidemment, beaucoup plus grand que celui de la berline mais c'est surtout son style qui en fait craquer plus d'un. Il faut toutefois composer avec un hayon qui ne lève pas très haut. Mais la qualité des matériaux compense largement. Les sièges arrière s'abaissent de façon 60/40 pour agrandir ce coffre qui passe alors de 961 à 1 660 litres, ce qui n'est pas très grand, étant donné qu'une Kia Rondo offre, tous sièges rabattus, jusqu'à 2 083 litres.

Les différentes A6 qu'Audi importe en Amérique s'avèrent de véritables bijoux, surtout la S6. Les Européens, eux, ont droit à la RS6, une bête de près de 600 chevaux et 480 livres-pied de couple et qui atteint les 200 km/h en moins de quinze secondes!

Alain Morin

Photos: Audi

VÉHICULE D'ESSAI

Version:	Audi A6 Avant
Moteur:	V6 de 3,2 litres 24s atmosphérique
Puissance:	255 ch (190 kW) à 6 500 tr/min
Couple:	243 lb-pi (330 Nm) à 3 250 tr/min
Rapport poids/puissance:	7,41 kg/ch (9,94 kg/kW)
Transmission:	automatique, 6 rapports
Rouage:	intégral
0-100 km/h · 80-120 km/h:	7,7 s · 6,0 s
Freinage 100-0 km/h:	40,5 m
Vitesse maximale:	209 km/h
Consommation (100 km):	super, 12,5 litres
Autonomie approximative:	640 km
Émissions de CO2:	5 040 kg/an
Emp/Lon/Lar/Haut (mm):	2 843 / 4 916 / 2 012 / 1 478
Coffre/Réservoir:	961 à 1 660 / 80 litres
Nombre de coussins de sécurité:	8
Suspension avant:	indépendante, multibras
Suspension arrière:	indépendante, multibras
Freins av./arr.:	disque (ABS)
Antipatinage/Contrôle de stabilité:	oui/oui
Direction:	à crémaillère, assistance variable
Diamètre de braquage:	11,9 m
Pneus av./arr.:	P245/40R18
Poids:	1 890 kg
Capacité de remorquage:	non recommandé

AUTRE(S) COMPOSANTE(S) MÉCANIQUE(S)

Système hybride:	aucun
Moteur diesel:	aucun
Taxe énergivore:	1 000 $ (S6)
Autre(s) moteur(s):	V8 de 4,2 litres 350 ch/325 lb-pi (13,1 l/100 super)
	V10 de 5,2 litres 435 ch/398 lb-pi (15,2 l/100 super) (S6)
Autre(s) rouage(s):	aucun
Autre(s) transmission(s):	aucune

EN BREF

Échelle de prix:	59 900 $ à 96 900 $ (2008)
Catégorie:	familiale, berline de luxe
Garanties:	4 ans/80 000 km, 4 ans/80 000 km
Assemblage:	Neckarsulm, Allemagne
Cote d'assurance:	n.d.

DANS LA MÊME CATÉGORIE

Acura RL, BMW Série 5, Cadillac STS, Infiniti M35/45, Lexus GS, Mercedes-Benz Classe E, Volvo S80

NOS IMPRESSIONS

Agrément de conduite:	4 ½
Fiabilité:	4
Sécurité:	4
Qualités hivernales:	4 ½
Espace intérieur:	4 ½
Confort:	4 ½

DU NOUVEAU EN 2009

Retouches esthétiques, nouveau moteur V6 3,0 litres surcompressé remplaçera le 3,2 litres (disponibilité durant l'année)

UNE VOITURE D'EXCEPTION

Audi ne fait rien comme les autres. Alors que les autres marques germaniques étaient les championnes de la propulsion, ce manufacturier se concentrait sur la traction pour ensuite développer la transmission intégrale dans les voitures de tourisme. Il a adopté une approche toute aussi originale avec sa berline de luxe A8 qui, dès son entrée en scène, proposait le rouage intégral Quattro de même qu'une plate-forme et une carrosserie en aluminium. Malheureusement, les premières générations de ce modèle étaient affublées d'une silhouette plus que discrète.

C'était toutefois il y a une couple de décennies et, si la mécanique est toujours aussi raffinée de nos jours, des gains immenses ont été faits en matière de design extérieur. Dorénavant, cette voiture nous propose un bel équilibre entre son audacieuse partie avant, qui comprend une grille de calandre bien en évidence, ses lignes latérales accentuées par un surplomb à la hauteur de la ceinture de caisse et sa section arrière s'harmonisant très bien au reste de la carrosserie. Nous sommes loin des silhouettes destinées à intéresser les croque-morts. Cette belle exécution est signée Dany Garand, un styliste originaire du Québec qui a également dessiné la Q7.

LA RÉFÉRENCE EN LA MATIÈRE

Dans l'industrie automobile, les habitacles conçus et fabriqués par Audi sont réputés pour être ce qu'il se fait de mieux aussi bien en matière de conception que d'exécution. Il est donc normal que le modèle haut de gamme de la marque soit encore mieux réussi. On ne tente pas de nous éblouir par des astuces visuelles ou des gadgets inutiles. Les matériaux, les couleurs, les lignes de la planche de bord, la conception de la console, tout se marie et s'harmonise pour créer une impression de luxe. Et ici, pas de toc ! Les cuirs sont parmi les plus fins et l'aluminium brossé n'est pas du plastique mais bien la vraie chose. Et si vous croyez que les Lexus sont la référence en fait de finition intérieure, jetez un coup d'œil à l'habitacle de cette Audi. Vous allez changer d'idée.

Les sièges avant sont confortables, réglables de toutes les façons possibles, et chauffants et climatisés selon la saison. De plus, malgré les dimensions extérieures assez imposantes, les places arrière sont quelque peu justes dans la version à empattement régulier. Pour que les occupants de cette berline puissent prendre leurs aises, il est plus sage d'opter pour la version à empattement allongé. Comme toute voiture de luxe qui se respecte, seulement deux places arrière sont disponibles, l'espace central étant réservé à un accoudoir.

Je vous fais grâce de tous les gadgets et accessoires, mais il est presque impossible de ne pas trouver l'accessoire voulu pour votre confort. Par contre, le réglage de la climatisation, du système audio et d'autres éléments semblables est confié à une molette placée sur la console. Ce système appelé MMI nécessite un certain temps avant que l'on s'y habitue, même si son fonctionnement est plus simple que le bouton i-Drive de BMW.

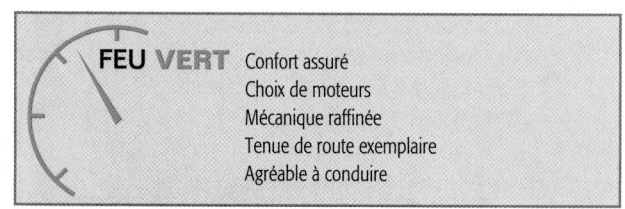

FEU VERT
- Confort assuré
- Choix de moteurs
- Mécanique raffinée
- Tenue de route exemplaire
- Agréable à conduire

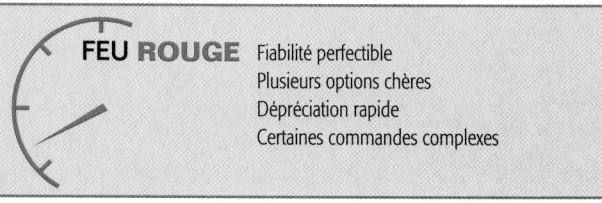

FEU ROUGE
- Fiabilité perfectible
- Plusieurs options chères
- Dépréciation rapide
- Certaines commandes complexes

UNE VOITURE POUR CONDUCTEUR

Bien des berlines de luxe se contentent de nous gaver d'accessoires onéreux et des matériaux les plus exotiques, tout en laissant de côté l'agrément de conduite et la tenue de route. Là encore, l'A8 se démarque, car sa conduite est vraiment similaire à celle d'une berline sport. En fait, elle me semble plus intéressante à ce chapitre que l'A6. Il faut dire que la plate-forme de type *Space Frame* réalisée en aluminium est à la fois rigide et légère, ce qui influence certainement le comportement routier, d'autant plus que les suspensions, elles aussi en aluminium, sont très efficaces.

Le moteur V8 de 4,2 litres d'une puissance de 350 chevaux et la boîte automatique à six rapports forment un tandem bien adapté à la voiture. Cette dernière est très neutre en virage et sa stabilité latérale est exemplaire. Tous ces éléments se conjuguent pour nous offrir une conduite fort agréable et aussi rassurante lorsque les conditions de la chaussée se détériorent. J'ai eu l'occasion de conduire cette voiture sur une route recouverte de gadoue, et alors que tous les autres conducteurs avaient des problèmes de stabilité et d'adhérence, ma Audi demeurait imperturbable.

Les conducteurs plus sportifs verront leurs attentes comblées avec la S8 et son moteur V10 de 450 chevaux. Soulignons que ce modèle me semble destiné davantage aux autoroutes allemandes qu'aux routes cahoteuses du Québec. Enfin, ultime modèle, la version propulsée par le moteur W12 affiche la même puissance que la S8, mais la douceur du moteur est de loin supérieure.

Il est vrai que cette allemande de luxe se vend à des prix prohibitifs, mais vous en avez pour votre argent. Il faut une fois de plus souligner que sa silhouette ultra sobre lui fait perdre des ventes en Amérique.

Denis Duquet

Photos: Audi

VÉHICULE D'ESSAI

Version:	Audi S8
Moteur:	V10 de 5,2 litres 40s atmosphérique
Puissance:	450 ch (336 kW) à 7 000 tr/min
Couple:	398 lb-pi (540 Nm) à 3 500 tr/min
Rapport poids/puissance:	4,32 kg/ch (5,80 kg/kW)
Transmission:	automatique, 6 rapports
Rouage:	intégral
0-100 km/h · 80-120 km/h:	4,9 s · n.d.
Freinage 100-0 km/h:	n.d.
Vitesse maximale:	250 km/h
Consommation (100 km):	super, 16,6 litres
Autonomie approximative:	542 km
Émissions de CO2:	6 720 kg/an
Emp/Lon/Lar/Haut (mm):	2 944 / 5 062 / 1 894 / 1 444
Coffre/Réservoir:	413 / 90 litres
Nombre de coussins de sécurité:	7
Suspension avant:	indépendante, multibras
Suspension arrière:	indépendante, leviers triangulés
Freins av./arr.:	disque (ABS)
Antipatinage/Contrôle de stabilité:	oui/oui
Direction:	à crémaillère, assistance variable
Diamètre de braquage:	12,5 m
Pneus av./arr.:	P255/40R18
Poids:	1 945 kg
Capacité de remorquage:	Non recommandé

AUTRE(S) COMPOSANTE(S) MÉCANIQUE(S)

Système hybride:	aucun
Moteur diesel:	aucun
Taxe énergivore:	1 000 $ (A8LW12, S8)
Autre(s) moteur(s):	W12 de 6,0 litres 450 ch/428 lb-pi (16,4 l/100 super) (W12) V8 de 4,2 litres 350 ch/325 lb-pi (13,1 l/100 super) (A8, A8L)
Autre(s) rouage(s):	aucun
Autre(s) transmission(s):	aucune

EN BREF

Échelle de prix:	95 000 $ 166 400 $
Catégorie:	berline de grand luxe
Garanties:	4 ans/80 000 km, 4 ans/80 000 km
Assemblage:	Ingolstadt, Allemagne
Cote d'assurance:	n.d.

DANS LA MÊME CATÉGORIE

BMW Série 7, Jaguar XJ8, Lexus LS460, Maserati Quattroporte, Mercedes-Benz Classe S

NOS IMPRESSIONS

Agrément de conduite:	½
Fiabilité:	
Sécurité:	½
Qualités hivernales:	
Espace intérieur:	
Confort:	½

DU NOUVEAU EN 2009

Aucun changement majeur. Nouvelle génération sera dévoilée durant l'année.

MIEUX VAUT TARD QUE TROP TÔT !

Il est encore aujourd'hui difficile de comprendre pourquoi Audi a mis autant de temps avant de s'immiscer dans le segment des VUS. En effet, alors que Mercedes, Lexus, BMW et Volvo y sont depuis belle lurette, Audi propose un véhicule (le Q7) dans ce segment depuis seulement deux ans. Dans le segment des VUS compacts de luxe, actuellement en pleine expansion, c'est BMW et Land Rover qui ont ouvert la voie. Et Audi, qui excelle pourtant dans l'art de la traction intégrale, y est jusqu'ici demeuré absent. C'est à croire que chez ce constructeur, on désire observer comment les véhicules rivaux se portent sur le marché avant de lancer un produit concurrent.

Est-ce que cette formule est la bonne? Est-ce qu'Audi met trop de temps avant d'offrir un produit concurrent à sa clientèle? Dans le cas du Q7, il y avait effectivement matière à interrogation. Mais pour le Q5, c'est une autre histoire. Certes, il aurait peut-être été plus lucratif pour le constructeur de lancer un véhicule comme le Q5 avant la R8, mais l'image qu'Audi continue de se forger dans l'industrie depuis une dizaine d'années en est d'abord une de performance et de luxe. Et pour la renforcer, quoi de mieux qu'une bagnole comme la R8? Ensuite, il vous suffit de lancer un produit tendance qui répond aux exigences de la clientèle pour attirer un maximum d'acheteurs. C'est ce qu'Audi fait cette année. On a lancé une R8 l'an dernier pour éblouir et attirer l'attention, puis une nouvelle A4, une A3 revampée et le tout nouveau Q5 en 2009. Croyez-moi, la clientèle se ruera cette année aux portes des concessionnaires Audi comme jamais auparavant. Et vous savez quoi, elle aura raison.

Il suffit de contempler et de conduire le nouveau Q5 pendant quelques minutes seulement pour comprendre que l'objectif ici n'est pas que d'offrir un produit compétitif. On veut dominer le segment, et tout a été mis en œuvre pour y arriver. Il faut dire que Mercedes-Benz et Volvo proposent eux aussi, cette année, un nouveau produit rival qui présente plusieurs éléments convaincants. Mais Audi a bien fait les choses et parviendra certainement à ses fins. Ce qui est certain, c'est que la domination du X3 dans ce segment de marché s'est achevée en 2008.

ORIGINALITÉ ET SAGESSE DANS LES LIGNES

Le Q5 se présente d'abord sous une robe d'une rare élégance et qui, curieusement, n'est pas aussi audacieuse que celle du GLK. Elle se caractérise évidemment par certains éléments, comme la grille de calandre et le traitement du coffre qui nous permettent de reconnaître qu'il s'agit d'un Audi au premier coup d'œil, mais sa ligne ne «punche» pas autant que certains l'auraient voulu. Personnellement, je crois dur comme fer que c'était la chose à faire.

À bord, l'acheteur composera avec une présentation soignée, mais surtout une qualité d'assemblage et de finition inégalée. À cet égard, on surpasse sans hésitation les BMW X3, Acura RDX, et même le Mercedes GLK. En fait, le tout est tricoté tellement serré qu'on pourrait croire que le Q5 est sculpté dans un seul bloc. De plus, la richesse des moquettes, du cuir et des plastiques est tout simplement stupéfiante. Étonnamment, le Q5 accorde beaucoup d'espace à ses occupants. On ne se sent pas gêné par une console trop encombrante, par un pavillon trop bas ou par un manque d'espace pour les jambes à l'arrière. Le seul reproche que l'on peut lui faire concerne la soute à bagages, qui n'est pas aussi spacieuse qu'on voudrait le croire, mais il s'agit là d'un commentaire s'appliquant à l'ensemble des VUS de ce segment.

DOUZE MILLE CHANSONS SUR VOTRE DISQUE DUR !

À l'heure actuelle, Audi n'a pas dévoilé quels seront les équipements offerts de série et en option. On ne connaît pas non plus le prix de départ de ce véhicule, qui devrait toutefois se situer aux alentours de 45 000 $. Nous avons cependant eu la chance de contempler plusieurs nouvelles caractéristiques du Q5, qui seront appelées prochainement à faire leur entrée sur les modèles nord-américains. De celles-là, Audi propose des éléments aussi impressionnants qu'un système audio Bang & Olufsen avec disque dur de 40 gigs (pouvant donc contenir plus ou moins 12 000 titres), ainsi qu'un nouveau système de navigation avec vue à vol d'oiseau. Ce dernier permet non seulement au conducteur de se situer plus facilement, mais aussi de voir en deux dimensions les bâtiments qui l'entourent. Et comme la forme des nouveaux bâtiments qui abritent les concessionnaires Audi est pour le moins inhabituelle, sans doute que vous pourrez les distinguer très facilement !

Est-ce que ce véhicule déçoit à quelque égard que ce soit ? Non. Cependant, les versions qui sont destinées à l'Amérique du Nord sont certainement celles que les acheteurs du reste du monde apprécieront le moins. D'abord, il faut savoir que les véhicules nord-américains sont les seuls à recevoir une boîte automatique à six rapports, boîte que nous n'avons malheureusement pas pu mettre à l'essai. Cette dernière répondrait mieux selon Audi aux exigences des constructeurs américains, qui favorisent le confort plutôt que la performance. Et à dire vrai, ils n'ont pas tort. Mais cette réponse n'est forcément pas la bonne, puisque la boîte S-Tronic à sept rapports proposée en Europe se montre aussi confortable que discrète lors des changements de rapport. Elle est rapide, bien étagée et sait se faire oublier. En fait, la vraie raison, c'est sans doute qu'on a des boîtes automatiques en stock qu'il faut liquider pour faire place aux nouvelles. Et l'Amérique du Nord a été choisie pour s'en charger.

Du côté des moteurs, on ne bénéficiera que d'un V6 de 3,2 litres à injection directe de carburant, lequel propose 270 chevaux de puissance. Vous retrouverez ce moteur à bord de plusieurs autres produits de la marque, dont la nouvelle A4. Franchement, il

n'y a rien de négatif à dire sur cette mécanique. La puissance est honorable, le couple est bien réparti et le moteur démontre une souplesse qui rend son utilisation très agréable. Il semble également que la consommation d'essence a été améliorée, notamment grâce à l'injection directe de carburant, mais nous n'avons malheureusement pas été en mesure de le vérifier.

Cependant, histoire de nous mettre l'eau à la bouche et de nous démontrer le savoir-faire des ingénieurs, on nous a aussi donné l'occasion de faire l'essai des autres versions qui seront proposées ailleurs dans le monde. Personnellement, j'ai adoré le modèle équipé du moteur 2,0 litres turbocompressé de 220 chevaux, mais je comprends qu'il serait difficile d'offrir au Canada une mécanique similaire à celle du Volkswagen Tiguan, tout en exigeant 15 000 $ de plus pour le véhicule. Toutefois, l'expérience vécue derrière le volant d'une version à moteur V6 3,0 litres TDI m'a permis de constater que le moteur à essence qui nous sera offert est loin d'être le plus agréable. Le TDI propose de meilleures performances, un couple à vous faire dresser les cheveux sur la tête et un rendement énergétique inférieur à celui du moteur 2.0T. Et c'est à peine si vous êtes en mesure de déceler qu'il s'agit d'un moteur diesel tant son rendement est doux.

FEU VERT

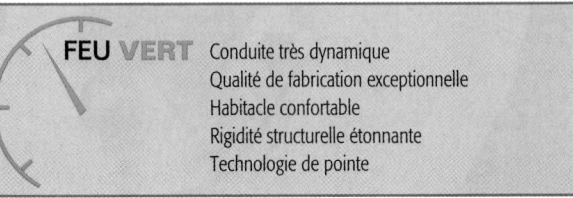

- Conduite très dynamique
- Qualité de fabrication exceptionnelle
- Habitacle confortable
- Rigidité structurelle étonnante
- Technologie de pointe

FEU ROUGE

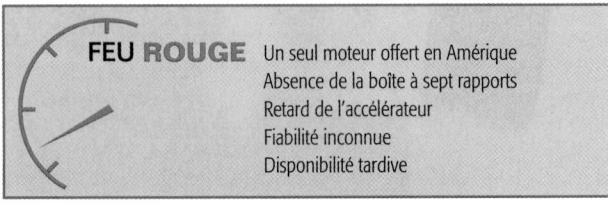

- Un seul moteur offert en Amérique
- Absence de la boîte à sept rapports
- Retard de l'accélérateur
- Fiabilité inconnue
- Disponibilité tardive

Mécaniquement, la version mise à l'essai ne différait de celle qui nous sera proposée que par la boîte automatique. Les réglages de suspension ne changeront pas, de même que tout ce qui permet d'obtenir une conduite aussi dynamique. En fait, le Q5 est, de tous les VUS compacts de luxe, celui qui met le plus l'accent sur l'agrément de conduite et l'agilité. Il n'offre peut-être pas la possibilité d'une boîte manuelle comme chez BMW, mais c'est vraiment tout ce qui lui manque. Malgré un centre de gravité plus élevé, il possède l'agilité d'une berline sport comme l'A4. Le roulis en virage est quasi inexistant, la direction est d'une rare précision, le châssis démontre une rigidité exceptionnelle et la traction intégrale Quattro repousse les limites de l'agilité. Seul l'accélérateur électronique, qui affiche un retard de réponse, apporte un peu d'ombre au bilan.

Sera-t-il fiable et sera-t-il compétitif en matière de prix ? Voilà des questions qui, pour l'instant, demeurent sans réponse. Les premiers Q5 toucheront le sol canadien au mois de mars prochain et d'ici là, votre concessionnaire ne sera qu'heureux que vous passiez votre commande. Chose certaine, si vous êtes dans le marché pour ce type de véhicule, l'attente en vaut le coup.

Antoine Joubert

Photos : Antoine Joubert

VÉHICULE D'ESSAI

SIRIUS RADIO SATELLITE

Version :	Audi Q5
Moteur :	V6 de 3,2 litres 24s atmosphérique
Puissance :	270 ch (201 kW) à 6 500 tr/min
Couple :	243 lb-pi (330 Nm) à 5 000 tr/min
Rapport poids/puissance :	6,44 kg/ch (8,65 kg/kW)
Transmission :	automatique, 6 rapports
Rouage :	intégral
0-100 km/h · 80-120 km/h :	7,8 s · 6,5 s
Freinage 100-0 km/h :	41,8 m
Vitesse maximale :	210 km/h
Consommation (100 km) :	super, n.d.
Autonomie approximative :	n.d.
Émissions de CO2 :	n.d.
Emp/Lon/Lar/Haut (mm) :	2 810 / 4 620 / 1 900 / 1 660
Coffre/Réservoir :	540 à 1 560 / n.d.
Nombre de coussins de sécurité :	n.d.
Suspension avant :	Indépendante, multibras
Suspension arrière :	Indépendante, bras trapézoïdal
Freins av./arr. :	disques (ABS)
Antipatinage/Contrôle de stabilité :	oui/oui
Direction :	Crémaillère, assistance variable
Diamètre de braquage :	n.d.
Pneus av./arr. :	P255/45R20
Poids :	1 740 kg
Capacité de remorquage :	n.d.

AUTRE(S) COMPOSANTE(S) MÉCANIQUE(S)

Système hybride :	aucun
Moteur diesel :	aucun
Taxe énergivore :	n.d.
Autre(s) moteur(s) :	aucun
Autre(s) rouage(s) :	aucun
Autre(s) transmission(s) :	aucune

EN BREF

Échelle de prix :	45 000 $ (estimé)
Catégorie :	VUS compact
Garanties :	4 ans ans/80 000 km, 4 ans ans/80 000 km
Assemblage :	n.d.
Cote d'assurance :	n.d.

DANS LA MÊME CATÉGORIE

Acura RDX, BMW X3, Infiniti EX, Land Rover LR3, Mercedes-Benz GLK, Volvo XC60

NOS IMPRESSIONS

Agrément de conduite :	🚗🚗🚗🚗
Fiabilité :	nouveau modèle
Sécurité :	🚗🚗🚗🚗🚗
Qualités hivernales :	🚗🚗🚗🚗🚗
Espace intérieur :	🚗🚗🚗🚗
Confort :	🚗🚗🚗🚗

DU NOUVEAU EN 2009

Nouveau modèle

OPÉRATION TDI

Le constructeur d'Ingolstadt s'est joint à la catégorie de VUS de luxe de façon tardive, mais cela ne l'a pas empêché de nous offrir un véhicule bien conçu et très efficace. Le contraire aurait été surprenant, puisque le Q7 est dérivé du Porsche Cayenne et du Volkswagen Touareg. Ajoutez à cela une carrosserie qui se démarque facilement de la concurrence et vous avez la recette du succès. Toutefois, rien n'est parfait, et cette Audi a bien entendu quelques défauts à se reprocher.

Il faut souligner entre autres un poids de plus de deux tonnes de même qu'un encombrement et un rayon de braquage assez importants, ce qui rend la conduite urbaine parfois délicate. Évidemment, un véhicule de cette masse affiche une consommation de carburant élevée, et ce, même avec le moteur V6 de 3,0 litres. Pour remédier à la situation, Audi propose dorénavant une version à moteur diesel. Mais avant de parler moteur et conduite, intéressons-nous à l'habitacle.

COMME UN SALON

La compagnie Audi est reconnue pour l'excellence de ses aménagements intérieurs et celui du Q7 ne fait pas exception à la règle. Les matériaux sont d'excellente qualité, la finition est impeccable et l'agencement des couleurs très réussi. La planche de bord regroupe les cadrans indicateurs dans deux lobes, ce qui est pratique et esthétique à la fois.

Par contre, le réglage et les commandes de la plupart des fonctions de la climatisation, de l'audio et du système de navigation sont confiés à une molette placée sur la console centrale. Appelé MMI, ce mécanisme est plus intuitif que celui proposé par BMW, mais il faudra potasser le manuel d'instructions pour s'y retrouver.

L'habitabilité est excellente, l'insonorisation à la hauteur d'un véhicule de cette catégorie et de ce prix, tandis que les espaces de rangement sont multiples. Malheureusement, l'accès à la troisième rangée de sièges est relativement difficile et ceux-ci ne sont pas tellement confortables.

PARLONS MOTEURS

Jusqu'au début de l'année 2009, deux moteurs continueront d'être proposés. Le moteur de base est un V6 3,6 litres produisant 280 chevaux, nettement en mesure de répondre à la plupart des situations. Sa consommation est élevée mais quand même raisonnable, compte tenu des dimensions du véhicule. L'autre moteur est un V8 de 4,2 litres d'une puissance de 350 chevaux. Les performances sont franchement plus nerveuses et la capacité de remorquage plus élevée qu'avec le moteur V6. Mais il faut payer à la pompe en raison d'une consommation assez corsée.

C'est un peu pour corriger la situation que Audi a annoncé l'arrivée d'une version munie d'un moteur V6 3,0 litres TDI d'une puissance de 221 chevaux et d'un couple de 406 livres-pied. Ce modèle sera introduit au premier trimestre de 2009.

FEU VERT
- Habitacle luxueux
- Rouage intégral efficace
- Moteur diesel économique
- Comportement routier
- Équipement complet

FEU ROUGE
- Consommation élevée (moteurs à essence)
- Dimensions encombrantes
- Prix élevés
- Finition inégale
- Troisième rangée difficile d'accès

Ce moteur est doté d'un système d'injection à rampe commune à haute pression, d'un turbocompresseur à débit variable et d'injecteurs de type piezo assurant une meilleure atomisation du carburant qui est injecté directement dans les cylindres. Il faut souligner que le tout est commandé par un système électronique fort sophistiqué de gestion du moteur. Précisons que la pression à l'intérieur du rail commun est de 29 000 livres au pouce carré ou de 2 000 bars.

Compact et léger, ce moteur diesel propose une économie de carburant moyenne de 30 pour cent par rapport à la version à essence. Audi parle donc d'une moyenne de 9,5 litres aux 100 km pour le Q7 TDI, soit une autonomie d'un peu moins de 1 000 km. En plus, les temps d'accélération sont tout de même impressionnants puisqu'il faut environ 8,4 secondes pour atteindre 100 km/h, départ arrêté.

Avec le moteur V6 TDI, ce gros VUS de luxe est tout aussi silencieux qu'avec le moteur à essence. Par contre, grâce à son couple impressionnant et plus que généreux, les accélérations et les reprises sont sans à-coups et très linéaires. Bref, en raison de la hausse spectaculaire du gazole, la version Q7 TDI est à envisager très sérieusement si vous désirez augmenter l'autonomie.

Il faut également souligner en terminant que la tenue de route est remarquable, peu importe le modèle choisi. Et le rouage intégral Quattro s'est affiné au fil des années, vous permettant de rouler en toute sécurité sur des routes glacées ou enneigées. Par contre, abandonnez l'idée de vouloir effectuer du tout terrain puisque le Q7 n'est pas un 4x4 pur et dur.

Denis Duquet

Photos: Denis Duquet

VÉHICULE D'ESSAI

Version:	Audi Q7 3,0 TDI
Moteur:	V6 de 3,0 litres 24s turbocompressé
Puissance:	221 ch (165 kW) à 4 000 tr/min
Couple:	406 lb-pi (551 Nm) à 2 750 tr/min
Rapport poids/puissance:	11,22 kg/ch (15,03 kg/kW)
Transmission:	automatique, 6 rapports
Rouage:	intégral
0-100 km/h · 80-120 km/h:	9,1 s · 6,5 s (estimé)
Freinage 100-0 km/h:	39,6 m
Vitesse maximale:	210 km/h
Consommation (100 km):	diesel, n.d.
Autonomie approximative:	n.d.
Émissions de CO2:	n.d.
Emp/Lon/Lar/Haut (mm):	3 002 / 5 086 / 1 983 / 1 737
Coffre/Réservoir:	4 077 / 100 litres
Nombre de coussins de sécurité:	6
Suspension avant:	indépendante, multibras
Suspension arrière:	indépendante, multibras
Freins av./arr.:	disque (ABS)
Antipatinage/Contrôle de stabilité:	oui/oui
Direction:	à crémaillère, assistée
Diamètre de braquage:	n.d.
Pneus av./arr.:	P275/45R20
Poids:	2 480 kg
Capacité de remorquage:	3 500

AUTRE(S) COMPOSANTE(S) MÉCANIQUE(S)

Système hybride:	aucun
Moteur diesel:	oui
Taxe énergivore:	2 000 $ (4,2 litres)
Autre(s) moteur(s):	V8 de 4,2 litres 350 ch/325 lb-pi (17,4 l/100 super) (Q7 4,2) V6 de 3,6 litres 280 ch/266 lb-pi (14,9 l/100 super) (Q7 3,6)
Autre(s) rouage(s):	aucun
Autre(s) transmission(s):	aucune

EN BREF

Échelle de prix:	57 800 $ à 75 100 $
Catégorie:	VUS intermédiaire
Garanties:	4 ans/80 000 km, 4 ans/80 000 km
Assemblage:	Bratislava, Slovaquie
Cote d'assurance:	n.d.

DANS LA MÊME CATÉGORIE

Acura MDX, BMW X5, Cadillac SRX, Infiniti FX37/50, Land Rover LR3, Lexus RX350, Lincoln MKX, Mercedes-Benz Classe M, Porsche Cayenne, Saab 9-7X, Volkswagen Touareg, Volvo XC90

NOS IMPRESSIONS

Agrément de conduite:	4 ½
Fiabilité:	3 ½
Sécurité:	4 ½
Qualités hivernales:	5
Espace intérieur:	4 ½
Confort:	4

DU NOUVEAU EN 2009

Aucun changement majeur

ÉBLOUISSANTE

Malgré sa domination sans partage des 24 Heures du Mans depuis l'an 2000 et une riche collection d'exploits au plus haut niveau en sport automobile, la marque Audi ne jouissait pas de la réputation auréolée des spécialistes Ferrari ou Porsche. Il lui fallait peut-être aussi, comme à ces dernières, créer une grande sportive inspirée de la course qui démontre sans aucune équivoque son brio technique. Ce fut chose faite l'an dernier avec les débuts fulgurants de la R8 à moteur central.

Annoncée par une étude de style baptisée Le Mans quattro, la nouvelle sportive du constructeur d'Ingolstadt fit son entrée en scène au Mondial de l'auto de Paris en 2006. Elle fut baptisée R8 pour évoquer la voiture de course déjà couverte de gloire au Mans et sur de nombreux autres circuits européens et nord-américains. Après un concert d'éloges dans la presse automobile, la R8 fut couronnée voiture de l'année au pays, en plus de récolter les prix du meilleur design et de la meilleure voiture de prestige pour les prix annuels de l'AJAC. Cette reconnaissance et une allure de voiture exotique ont sans doute suffi à faire vendre rapidement la centaine de R8 sur le marché canadien les deux premières années, malgré un prix de départ de près de 140 000 $, mais également toute la production mondiale pour 2009. Nos essais complets de cette nouvelle sportive, sur la route, sur circuit et même en plein hiver, nous amènent à conclure qu'il s'agit d'une voiture d'exception à tous égards et d'une première grande sportive superbement réussie pour Audi.

AU-DELÀ DES CHIFFRES

Si la silhouette pure et moderne de la R8 est remarquablement fidèle aux lignes du prototype Le Mans quattro, le hayon vitré qui lui tient lieu de capot à l'arrière ne révèle pas un V10, comme l'avait suggéré ce dernier, mais plutôt un V8 comme celui de la bête de course. Il s'agit toutefois d'un V8 atmosphérique à injection directe de 4,2 litres et 420 chevaux : pas de double turbo pour lui. Proche cousin du V8 de la berline RS 4, il s'en distingue surtout par une lubrification à carter sec qui permet un centre de gravité plus bas et une circulation d'huile constante même en forte accélération latérale.

La vue du moteur, dans sa nacelle, est déjà impressionnante et digne des ténors italiens de la spécialité. Sous le capot transparent, rien ne retrousse. On ne voit que les couvre-culasses en aluminium, frappés de l'emblème aux quatre anneaux, deux bouchons pour les fluides vitaux et deux grilles ajourées. Pas la moindre trace d'huile, de poussière, d'eau ou même de neige durant nos essais. Un travail de design et de finition remarquable qui s'étend à toutes les composantes de la R8, sans exception. De petites équipes assemblent les R8 pratiquement à la main, dans l'usine de Neckarsulm, au rythme de 25 par jour. Solidité, finition et qualité des matériaux sont irréprochables. À seulement la voir et la toucher, cette R8 vaut déjà le prix demandé ! Mais puisque rien ne peut être parfait, nous mentionnerons le léger tintement entendu au tableau de bord d'une des voitures.

FEU VERT
- Comportement routier remarquable
- Une exotique toutes saisons
- Confort et raffinement impressionnants
- Classique instantané

FEU ROUGE
- Grille métallique de la boîte manuelle
- Coffre minuscule et peu de rangement
- Pédale de frein trop brusque
- Consommation importante

Le V8 s'éveille au quart de tour dans un rugissement. Sa sonorité ronde et feutrée à bas régime devient plus rauque à mesure que l'aiguille grimpe vers la zone rouge qui débute à 8 250 tr/min. De l'habitacle ou de l'extérieur, rien à voir avec la RS 4. On s'étonne même de la parenté. Dans la tradition européenne, ce V8 livre sa puissance à haut régime mais se révèle néanmoins d'une grande souplesse. Pour en tirer le maximum, les quatre premiers des six rapports des boîtes de vitesses sont courts. Les performances de la version manuelle et de la R-Tronic (à embrayage automatisé) sont quasi-identiques, avec des chronos respectifs de 4,41 et 4,55 secondes pour le 0-100 km/h et de 12,78 et 12,75 secondes sur le quart de mille, avec des pointes de 183,5 et 183,7 km/h.

SURDOUÉE

La tenue de route mériterait un autre récital de superlatifs. Sur la route ou sur circuit, quels que soient la vitesse ou le profil du virage, la R8 demeure agile, stable, prévisible et passionnante à piloter. Avec 44 % du poids à l'avant et un rouage intégral quattro qui privilégie d'abord les roues arrière motrices, elle peut se conduire comme une propulsion si vous le voulez, tout en offrant une marge de sécurité nettement supérieure. Nous avons aussi été éblouis par son aisance en hiver. Même en désactivant antidérapage et antipatinage, elle se contrôle facilement du volant et de l'accélérateur. De plus, elle amorce ses virages franchement malgré ses très larges pneus, même avec 15 cm de neige au sol.

La R8 est également une superbe grand-tourisme. La cabine est spacieuse, les sièges confortables et le confort de roulement assez prodigieux pour une sportive aussi affutée. La rigidité du châssis à caissons et de la carrosserie d'aluminium est irréprochable et permet aux éléments de la suspension de faire leur boulot sans flexion parasite. La R8 peut en montrer à la majorité des berlines et coupés de luxe en cette matière, même lorsqu'on choisit le mode « Sport » pour la suspension réglable optionnelle. Quant à l'avenir, Audi a déjà dévoilé le prototype R8 V12 TDI Le Mans dont le moteur diesel produirait un couple fabuleux. Elle a de bonnes chances d'être produite mais quoi qu'il en soit, cette première R8 est déjà une pièce d'anthologie.

Marc Lachapelle

Photos: Marc Lachapelle

VÉHICULE D'ESSAI

Version :	Audi R8
Moteur :	V8 de 4,2 litres 32s atmosphérique
Puissance :	420 ch (313 kW) à 7 800 tr/min
Couple :	317 lb-pi (430 Nm) à 4 500 tr/min
Rapport poids/puissance :	3,71 kg/ch (4,98 kg/kW)
Transmission :	manuelle, 6 rapports
Rouage :	intégral
0-100 km/h · 80-120 km/h :	4,4 s · 3,2 s
Freinage 100-0 km/h :	38,0 m
Vitesse maximale :	300 km/h
Consommation (100 km) :	super, 16,9 litres
Autonomie approximative :	443 km
Émissions de CO2 :	6 672 kg/an
Emp/Lon/Lar/Haut (mm) :	2 650 / 4 431 / 1 904 / 1 252
Coffre/Réservoir :	100 / 75 litres
Nombre de coussins de sécurité :	4
Suspension avant :	indépendante, multibras
Suspension arrière :	indépendante, multibras
Freins av./arr. :	disque (ABS)
Antipatinage/Contrôle de stabilité :	oui/oui
Direction :	à crémaillère, assistée
Diamètre de braquage :	11,5 m
Pneus av./arr. :	P235/40R18 / P285/35R18
Poids :	1 560 kg
Capacité de remorquage :	non recommandé

AUTRE(S) COMPOSANTE(S) MÉCANIQUE(S)

Système hybride :	aucun
Moteur diesel :	aucun
Taxe énergivore :	1 000 $
Autre(s) moteur(s) :	aucun
Autre(s) rouage(s) :	aucun
Autre(s) transmission(s) :	automatique, 6 rapports

EN BREF

Échelle de prix :	139 000 $ à 150 000 $
Catégorie :	GT
Garanties :	4 ans/80 000 km, 4 ans/80 000 km
Assemblage :	Neckarsulm, Allemagne
Cote d'assurance :	n.d.

DANS LA MÊME CATÉGORIE

Ferrari F430, Lamborghini Gallardo, Porsche 911 Carrera

NOS IMPRESSIONS

Agrément de conduite :	5/5
Fiabilité :	4/5
Sécurité :	4/5
Qualités hivernales :	4 ½/5
Espace intérieur :	4/5
Confort :	4/5

DU NOUVEAU EN 2009

Aucun changement majeur

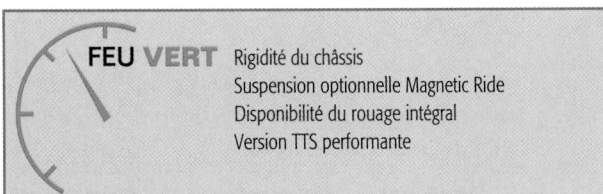

SPORTIVE TOUTES SAISONS

Avec le rouage intégral Quattro, la TT est une sportive que l'on peut envisager de conduire durant toute l'année au Québec, contrairement aux Boxster et Z4 pour lesquelles un usage hivernal s'avère moins évident. Pour 2009, Audi Canada revoit sa gamme de modèles de la TT et propose à nouveau le jumelage du moteur turbo de 2,0 litres et du rouage intégral Quattro qui était autrefois offert dans la TT de première génération.

En effet, lors de la refonte vers la TT de deuxième génération, Audi Canada avait choisi de ne proposer le rouage intégral qu'avec la version animée par le V6 de 3,2 litres de 250 chevaux, alors que les modèles équipés du moteur quatre cylindres turbocompressé de 200 chevaux n'étaient offerts qu'avec la simple traction avant. Règle générale, quand il est question d'une sportive, le choix du moteur plus puissant s'impose presque de lui-même, sauf que la TT avec le V6 de 3,2 litres a une tendance plus marquée pour le sous-virage en conduite sportive, ce moteur étant beaucoup plus lourd que le quatre cylindres turbocompressé. Avec la combinaison du moteur turbo et du rouage intégral, on retrouve une TT qui a un meilleur équilibre et dont les performances ne sont pas à dédaigner, puisque ce moteur possède une plage de couple assez large pour assurer un bon agrément de conduite.

UNE QUALITÉ DE FINITION EXEMPLAIRE

Au cours des récentes années, Audi est passé maître dans l'art de créer et d'assembler des intérieurs de qualité irréprochable et la TT ne fait pas exception à cette règle. Le cockpit de la nouvelle voiture ne produit pas un effet aussi frappant que celui de l'ancien modèle, mais on y retrouve un volant dont la base est horizontale plutôt que circulaire, tout comme dans la R8, et les designers ont choisi de conserver l'un des éléments plus typés de la TT de première génération, soit les buses de ventilation centrales aux formes rondes qui sont maintenant au nombre de trois. Comme la ceinture de caisse reste élevée, la sensation de se retrouver dans un véritable cockpit demeure présente, mais la voiture étant dorénavant plus large, son habitacle offre plus de dégagement et devient plus confortable pour deux personnes.

UNE NOUVELLE VERSION : LA TTS

Si la conduite sportive est votre premier ou seul critère de sélection, la TT passe au troisième rang derrière les Porsche Boxster et Cayman ainsi que la BMW Z4, qui sont à la fois plus puissantes et dont le degré de sportivité est supérieur. C'est d'ailleurs pour combler ce déficit de performance qu'Audi ajoute la TTS au catalogue pour 2009. Cette version plus évoluée de la sportive d'Ingolstadt dispose du moteur de la Audi S3, une version plus performante de la A3 qui n'est vendue qu'en Europe à l'heure actuelle et qui est animée par une version plus évoluée du moteur quatre cylindres turbocompressé, développant 265 chevaux, soit 65 chevaux de plus que le moteur de base de la TT et 15 de plus que le V6 de 3,2 litres. Ce surcroît de puissance s'explique par le fait que d'importantes modifications ont été apportées au

FEU VERT

- Rigidité du châssis
- Suspension optionnelle Magnetic Ride
- Disponibilité du rouage intégral
- Version TTS performante

FEU ROUGE

- Performances en retrait des Boxster/Cayman
- Places arrière inutilisables (coupé)
- Volume de chargement (roadster)

bloc-moteur et à la culasse, ainsi qu'aux pistons et aux bielles. Nous n'avons pas eu l'occasion de faire l'essai de la TTS avant de mettre sous presse, mais nous avons eu la chance de faire un court galop avec une S3 aux environs de Munich, et nous pouvons donc vous livrer quelques impressions sur le moteur qui anime la TTS.

Comme c'est souvent le cas avec les moteurs turbocompressés, on ressent une petite hésitation avant de bien sentir l'entrée en action du turbo lors de la montée en régime. Comme la pression du turbo est de 17,4 livres par pouce carré, le moteur a du couple, et le turbo siffle allègrement à pleine puissance. Lors de la comparaison de cette version plus évoluée du quatre cylindres turbo avec le V6, il devient rapidement évident que la puissance et le couple sont assez similaires. Toutefois, j'ai l'impression que la tenue de route d'une TTS sera supérieure à celle d'une TT à motorisation V6 pour plusieurs raisons. D'abord, le quatre cylindres turbo est plus léger que le V6, ce qui aura une incidence sur la répartition des masses et, par conséquent, sur l'équilibre en virages. De plus, la TTS compte sur la suspension Magnetic Ride en équipement de série. Développée l'an dernier pour la TT, cette suspension fait appel à un fluide magnétorhéologique contrôlé par un courant électrique qui agit instantanément sur la fermeté des amortisseurs, ce qui lui permet d'adopter des calibrations plus fermes, avant même que le transfert de poids latéral ne s'engage en virage. Elle demeure donc souple lors de la conduite sur surfaces inégales. Cette suspension est également offerte en option sur la TT et se montre largement supérieure aux suspensions traditionnelles de série.

Pour le reste, la TTS affiche un *look* plutôt ravageur avec ses prises d'air surdimensionnées à l'avant et ses échappements à quatre tuyaux. Aucune information n'étant disponible sur le prix en dollars canadiens de la TTS au moment d'écrire ces lignes, nous ne pouvons que spéculer à ce sujet en précisant qu'en Europe, la TTS vaut 6 000 euros de plus que la TT à moteur V6.

Gabriel Gélinas

Photos : Audi

VÉHICULE D'ESSAI

Version :	Audi TT Coupé 2,0T
Moteur :	V6 de 3,2 litres 24s atmosphérique
Puissance :	250 ch (187 kW) à 6 300 tr/min
Couple :	236 lb-pi (320 Nm) à 2 500 tr/min
Rapport poids/puissance :	5,38 kg/ch (7,23 kg/kW)
Transmission :	manuelle, 6 rapports
Rouage :	intégral
0-100 km/h · 80-120 km/h :	5,5 s · n.d.
Freinage 100-0 km/h :	n.d.
Vitesse maximale :	209 km/h
Consommation (100 km) :	super, 12,6 litres
Autonomie approximative :	436 km
Émissions de CO2 :	5 088 kg/an
Emp/Lon/Lar/Haut (mm) :	2 468/ 4 178 / 1 842 / 1 358
Coffre/Réservoir :	371 / 55 litres
Nombre de coussins de sécurité :	4
Suspension avant :	indépendante, jambes de force
Suspension arrière :	indépendante, multibras
Freins av./arr. :	disque (ABS)
Antipatinage/Contrôle de stabilité :	oui/oui
Direction :	à crémaillère, assistance magnétique
Diamètre de braquage :	n.d.
Pneus av./arr. :	P245/45R17
Poids :	1 345 kg
Capacité de remorquage :	non recommandé

AUTRE(S) COMPOSANTE(S) MÉCANIQUE(S)

Système hybride :	aucun
Moteur diesel :	aucun
Taxe énergivore :	aucune
Autre(s) moteur(s) :	4L de 2,0 litres 272 ch/258 lb-pi (TTS)
Autre(s) rouage(s) :	traction (2.0T)
Autre(s) transmission(s) :	séquentielle (TTS)
	automatique, 6 rapports (2.0T)

EN BREF

Échelle de prix :	46 900 $ à 59 800 $
Catégorie :	coupé, cabriolet
Garanties :	4 ans/80 000 km, 4 ans/80 000 km
Assemblage :	Gyor, Hongrie
Cote d'assurance :	n.d.

DANS LA MÊME CATÉGORIE

Honda S2000, Infiniti G37, Mercedes-Benz SLK, Nissan 350Z, Porsche Boxster

NOS IMPRESSIONS

Agrément de conduite :	4 ½
Fiabilité :	3 ½
Sécurité :	4 ½
Qualités hivernales :	4
Espace intérieur :	4
Confort :	3 ½

DU NOUVEAU EN 2009

Ajout de la version TTS

COMMENT VIEILLIR EN BEAUTÉ

Chez Bentley, on a le sens de la famille. Alors que tous les yeux sont tournés vers la jeune génération composée d'un coupé (Continental GT), d'un cabriolet (GTC) et d'une berline (Flying Spur), il faut se rappeler que les modèles plus vieux ont pavé le chemin au succès. Dans cette série plus très jeune mais encore très active, on retrouve les mêmes configurations, donc un coupé (Brooklands), un cabriolet (Azure) et une berline (Arnage). Et quand on y regarde bien, on découvre des traits physiques communs aux deux générations, ce qui n'était pas évident lorsque la GT est née en 2004.

Le membre le plus âgé de ce clan est l'Arnage. Développée du temps où Rolls-Royce était propriétaire de Bentley, cette immense berline cache de plus en plus difficilement son âge. Les nombreuses retouches ici et là et les améliorations mécaniques lui permettent cependant de demeurer l'une des voitures les plus admirées au monde. Trois versions de l'Arnage s'offrent au fortuné client. L'Arnage de base (!) porte le suffixe R. Son colossal V8 de 6,7 litres, dont les origines américaines remonteraient, selon des tests au carbone14, au paléontologique, est gavé par deux turbocompresseurs. Il ne développe rien de moins que 450 chevaux et un extraordinaire couple de 645 livres-pied de couple, et ce, dès 1 800 tours/minute. Ce qui signifie que ce monstre de puissance permet à l'Arnage, qui pèse pourtant près de 2 600 kilos (à peu près le poids d'un Ford Expedition !) d'accélérer comme un missile et d'effectuer des reprises entre 80 et 120 km/h avec une célérité déconcertante. Le tout avec une infinie douceur. Et si jamais le fait de mentionner que ce moteur ne requiert que de l'essence super vous fait tiquer, c'est que ce type de voitures n'est pas pour vous ! L'Arnage R peut aussi être livrée en version allongée, nommée RL. Les 5 640 mm de la carrosserie se stationnent en parallèle comme si de rien n'était… à condition d'avoir toute la rue pour soi !

Au cas où la puissance de la R ne serait pas suffisante, Bentley propose la T, une version plus sportive avec le même moteur mais gonflé à 500 chevaux et 738 livres-pied de couple. Il est intéressant de noter qu'environ 90 % des Arnage vendues sont d'abord passées par les ateliers de Mulliner, un préparateur associé à Bentley depuis des décennies. Mulliner, à la demande des clients, offre un programme de modifications, allant d'une couleur spéciale à des cuirs encore plus raffinés pour l'habitacle en passant par des roues particulières. Et si, par exemple, le client veut une carrosserie d'une couleur qui n'existe pas, Mulliner se fera un plaisir, moyennant un certain déboursé, de la créer.

AZURE ET BROOKLANDS

Il y a deux ans, Bentley dévoilait la version décapotable, l'Azure. Même si ce cabriolet à toit souple s'avère plus lourd de 110 kilos qu'une Arnage R et qu'il a droit à la même mécanique, il ne faut pas s'en faire outre mesure pour les performances… Enfin, l'an passé, Bentley époustouflait le monde de l'automobile en présentant son coupé Brooklands. Ce nom est emprunté à la mythique piste de course Brooklands, située à Weybridge dans le Surrey, en Angleterre. C'est sur cette piste qui ressemblait à un ovale sans en être un que Bentley s'était fait un nom dans les années 20 en battant plusieurs records de vitesse. Aujourd'hui, cette piste ne sert

FEU VERT
- Confort princier
- Prestige absolu
- Moteur ultraperformant
- Comportement routier étonnant
- Beauté intemporelle (Brooklands)

FEU ROUGE
- Aussi lourd qu'une navette spatiale
- Dimensions extraordinaires
- Consommation illimitée
- Finition à la main très moyenne
- Prix démesurés

plus pour la course mais on y tient souvent des activités liées à l'automobile. On y retrouve même un musée. Mais nous nous éloignons de notre sujet! Le coupé Brooklands, d'une beauté intemporelle, reprend le châssis et la mécanique de l'Arnage, tandis que la puissance affiche 530 chevaux et un couple de 774 livres-pied de couple. Dire que ce moteur est puissant serait bien l'euphémisme du siècle. Du millénaire sans doute... Construit à 550 unités annuellement, la production de ce gigantesque coupé est pratiquement toute vendue à l'avance.

Depuis l'an dernier, Bentley a remplacé la désuète transmission automatique à quatre rapports par une unité beaucoup plus moderne comportant deux rapports supplémentaires. Qui plus est, il y a la possibilité de changer les rapports manuellement! Même si le gros 6,7 litres semble dormir à 100 km/h et qu'à cette vitesse il ne boit pas nécessairement plus d'essence qu'une berline intermédiaire, il suffit d'appuyer le moindrement sur le champignon ou de rouler en ville cinq petites minutes pour que la consommation moyenne atteigne rapidement les 16 ou 17 litres aux cent kilomètres. Et amusez-vous un peu à écouter le son grave du V8 en pleine accélération que vous atteindrez les 20 ou 22 litres aux 100 km.

UNE ARNAGE SUR UNE PISTE DE COURSE!

Dans une voiture aussi puissante et lourde, les différents éléments doivent être en harmonie. Derek Bell, pilote ayant remporté cinq fois les 24 heures du Mans, avouait ne pas hésiter à mettre son Arnage sur une piste de course sans autres modifications qu'une suspension plus ferme! C'est tout dire. Le châssis reste très rigide malgré sa conception qui date et les suspensions, en effet, mériteraient, effectivement, un peu plus de fermeté. La direction étonne par sa légèreté et, surtout, par son manque de *feedback*. Sa précision n'est pas parfaite non plus. La prise en main d'une Arnage demande un certain courage. Se lancer dans la circulation dense dans une voiture aussi imposante et qui frôle le demi-million de dollars une fois les différentes taxes ajoutées n'est pas évident tout de suite...

La prochaine génération de l'Arnage sera basée sur la plate-forme de la future Audi A8, Audi faisant, tout comme Bentley, Lamborghini et Bugatti, partie de l'empire Volkswagen. Tout en étant, on le souhaite, beaucoup moins lourde, elle pourrait recevoir un V10 ou un V12, provenant de chez Audi ou Lamborghini.

Alain Morin

Photos : Bentley

VÉHICULE D'ESSAI

Version :	Bentley Arnage T
Moteur :	V8 de 6,7 litres 16s turbocompressé
Puissance :	500 ch (373 kW) à 4 200 tr/min
Couple :	738 lb-pi (1001 Nm) à 3 200 tr/min
Rapport poids/puissance :	5,17 kg/ch (6,93 kg/kW)
Transmission :	automatique, 6 rapports
Rouage :	propulsion
0-100 km/h · 80-120 km/h :	5,4 s · 5,0 s
Freinage 100-0 km/h :	39,5 m
Vitesse maximale :	270 km/h
Consommation (100 km) :	super, 22,7 litres
Autonomie approximative :	422 km
Émissions de CO2 :	8 784 kg/an
Emp/Lon/Lar/Haut (mm) :	3 116 / 5 400 / 1 900 / 1 515
Coffre/Réservoir :	374 / 96 litres
Nombre de coussins de sécurité :	8
Suspension avant :	indépendante, multibras
Suspension arrière :	indépendante, multibras
Freins av./arr. :	disque (ABS)
Antipatinage/Contrôle de stabilité :	oui/oui
Direction :	à crémaillère, assistance variable
Diamètre de braquage :	12,4 m
Pneus av./arr. :	P255/45R19
Poids :	2 585 kg
Capacité de remorquage :	non recommandé

AUTRE(S) COMPOSANTE(S) MÉCANIQUE(S)

Système hybride :	aucun
Moteur diesel :	aucun
Taxe énergivore :	4 000 $
Autre(s) moteur(s) :	V8 de 6,7 litres 530 ch/774 lb-pi (28,8 l/100 super) (Brooklands) V8 de 6,7 litres 450 ch/645 lb-pi (22,3 l/100 super) (Arnage R, RL, Azure)
Autre(s) rouage(s) :	aucun
Autre(s) transmission(s) :	aucune

EN BREF

Échelle de prix :	306 990 $ à 374 990 $ (2008)
Catégorie :	coupé, cabriolet, berline de grand luxe
Garanties :	3 ans/illimité km, 3 ans/illimité km
Assemblage :	Crew, Angleterre
Cote d'assurance :	n.d.

DANS LA MÊME CATÉGORIE

Maybach 57/62, Rolls-Royce Phantom, Drophead Coupé

NOS IMPRESSIONS

Agrément de conduite :	3 ½
Fiabilité :	3
Sécurité :	4 ½
Qualités hivernales :	2 ½
Espace intérieur :	5
Confort :	5

DU NOUVEAU EN 2009

Nouvelle version Brooklands

TOUJOURS LES MÊMES…

Alors que le marché des camionnettes, camions et VUS plonge dangereusement, alors que les ventes des petites autos économiques augmentent à vue d'œil, il existe un marché qui, au lieu de souffrir et stagner comme on serait en droit de le croire continue sa progression fulgurante. Il s'agit, vous l'aurez deviné, du marché des voitures de grand luxe. Remarquez qu'au plus fort de la Grande Crise qui avait suivi le krach boursier d'octobre 1929, Cadillac avait survécu grâce à la présence, dans sa gamme, d'une série ultra prestigieuse mue par un V16! Plus ça change…

Si aux yeux des mortels que nous sommes, les marques BMW, Mercedes-Benz ou Lexus représentent le pinacle de l'automobile, il existe des gens très fortunés qui seraient très embarrassés de voir une de ces indigentes marques dans leur cour. Pour ces clients de prestige, il y a heureusement d'autres choix qui se nomment Bugatti, Bentley, Ferrari, Maybach ou Rolls-Royce.

RENAISSANCE

Prenons, au hasard, l'exemple de Bentley. Il y a moins de dix ans, cette marque était appelée à mourir, faute de modèles intéressants. Puis, elle a été rachetée par Volkswagen qui a fourni les fonds nécessaires à sa remise à flots. Bentley présente maintenant six modèles dans deux séries distinctes. Il faut dire que l'émergence de marchés autrefois pauvres vient donner un bon coup de main à Bentley. Par exemple, elle vient d'ouvrir une troisième concession en Russie! En 2007, le marché chinois a littéralement explosé, aidant l'entreprise de Crowe, en Angleterre, à dépasser les 10 000 ventes annuelles, du jamais vu.

En 2004, Bentley présentait sa Continental GT, un coupé sport extrêmement performant. Sans tarder, la version berline de ce coupé est apparue : la Continental Flying Spur. Enfin, l'année dernière, Bentley dévoilait le cabriolet, la GTC. L'an dernier également, nous pouvions admirer, au Salon de Los Angeles, une Continental GT Speed, une version plus puissante (comme si la GT tout court ne l'était pas suffisamment !). Et cette année, la distinction Speed s'accroche à la Flying Spur.

Avec son W12 double turbo de 6,0 litres de 552 chevaux et 479 livres-pied de couple disponible dès 1 600 tours/minute, la Continental GT accélère comme un missile. La transmission automatique à six rapports passe toute la cavalerie aux quatre roues par l'intermédiaire d'un rouage intégral. Juste au souvenir des accélérations et reprises, jamais brutales mais incroyablement efficaces, j'en ai la chair de poule. On retrouve avec plaisir une mécanique identique dans la Flying Spur et dans la GTC.

ÇA MANQUAIT UN PEU DE PUNCH…

Bentley propose en plus une version Speed sur ses modèles GT et Flying Spur. Il s'agit du même moteur et de la même cylindrée mais poussé à 600 chevaux et 553 livres-pied de couple. Le 0-100 s'effectue en moins de 5 secondes, ce qui est un exploit compte tenu du

FEU VERT
- Prestige inégalé
- Puissance fantastique
- Confort fabuleux
- Version Speed exclusive
- Beauté enivrante

FEU ROUGE
- Prix indécents
- L'environnement, c'est quoi ça?
- Consommation outrageuse
- Poids exagéré
- Places arrière pénibles (sauf Flying Spur)

poids très élevé de la voiture. On parle de 2350 kilos, soit à peu près le même poids qu'un Ford F-150! La consommation, bien entendu, suit la même courbe... Le coût d'achat aussi puisqu'il ajoute en gros 20 000 $ à un prix qui frôle déjà l'indécence. Mais l'étiquette Speed apporte bien plus qu'un moteur plus puissant. Les suspensions sont plus fermes et abaissées de quelque dix millimètres, la direction répond plus vite et des Pirelli P Zéro Rosso de 20″ remplacent les vulgaires 19″ des autres versions. Aussi, le châssis a été revu. Selon Bentley, environ 40 % des propriétaires de GT et Flying Spur opteront pour les modèles Speed.

Des trois configurations (coupé, berline et cabriolet), le coupé s'avère le mieux équilibré. Son châssis est solide et sa ligne est des plus agréables. Il est certain que la visibilité trois quarts arrière est loin d'être excellente, mais qui regarde en arrière avec une telle voiture! La berline Flying Spur nous a déçus. Les 32 centimètres qui ont été ajoutés à la GT pour en faire une berline affectent la solidité du châssis. Enfin, la GTC, d'une beauté à faire pâlir n'importe quelle starlette d'Hollywood, demeure la plus désirable des trois.

Peu importe le modèle et la version, l'habitacle affiche un confort indescriptible. Un responsable de l'entreprise nous a d'ailleurs déjà avoué que le département de recherche et développement s'inspirait des sièges des camions (Mack, Freightliner, vous voyez le genre) pour concevoir ceux des Bentley. Les boiseries, les cuirs et les rares plastiques ont été choisis avec une minutie quasiment maniaque. L'assemblage est fait main et si ça enchante les propriétaires de Bentley, il est à espérer qu'ils n'inspecteront pas de trop près la carrosserie et l'habitacle dont la finition laisse à désirer... Dans la voiture, les bruits de la route et de la mécanique sont tout simplement inexistants, ce qui enlève une bonne partie du charme des accélérations. Sans doute est-ce pour mieux entendre les 1 100 watts par les quinze haut-parleurs de la chaîne audio Naim!

Conduire une de ces Bentley, peu importe qu'il s'agisse d'une version Speed ou non, devient rapidement une expérience qui amène le journaliste toujours cassé au bord de la paranoïa. Se retrouver quasiment tous les jours à la pompe à essence pour remplir le réservoir de 90 litres de super, nous fait parfois envier le propriétaire de la Chevrolet Aveo dont le plein ne coûte que 53,22 $!

Alain Morin

Photos: Bentley

VÉHICULE D'ESSAI

Version:	Bentley Continental GT C
Moteur:	W12 de 6,0 litres 48s turbocompressé
Puissance:	552 ch (412 kW) à 6 100 tr/min
Couple:	479 lb-pi (650 Nm) à 1 600 tr/min
Rapport poids/puissance:	4,51 kg/ch (6,05 kg/kW)
Transmission:	automatique, 6 rapports
Rouage:	intégral
0-100 km/h · 80-120 km/h:	6,1 s · 4,7 s
Freinage 100-0 km/h:	36,5 m
Vitesse maximale:	318 km/h
Consommation (100 km):	super, 20,8 litres
Autonomie approximative:	432 km
Émissions de CO2:	8 064 kg/an
Emp/Lon/Lar/Haut (mm):	2 745 / 4 804 / 2 101 / 1 398
Coffre/Réservoir:	235 / 90 litres
Nombre de coussins de sécurité:	6
Suspension avant:	indépendante, multibras
Suspension arrière:	indépendante, multibras
Freins av./arr.:	disque (ABS)
Antipatinage/Contrôle de stabilité:	oui/oui
Direction:	à crémaillère, assistée
Diamètre de braquage:	11,4 m
Pneus av./arr.:	P275/40R19
Poids:	2 495 kg
Capacité de remorquage:	non recommandé

AUTRE(S) COMPOSANTE(S) MÉCANIQUE(S)

Système hybride:	aucun
Moteur diesel:	aucun
Taxe énergivore:	4 000 $
Autre(s) moteur(s):	W12 de 6,0 litres 600 ch/553 lb-pi (25,3 l/100 super) (Speed)
Autre(s) rouage(s):	aucun
Autre(s) transmission(s):	aucune

EN BREF

Échelle de prix:	250 000 $ à 275 000 $ (2008)
Catégorie:	berline de grand luxe, coupé, cabriolet
Garanties:	3 ans/illimité km, 3 ans/illimité km
Assemblage:	Crew, Angleterre
Cote d'assurance:	n.d.

DANS LA MÊME CATÉGORIE

Aston Martin DB9, Maserati Gran Turismo, Mercedes-Benz SL/CL, Porsche 911

NOS IMPRESSIONS

Agrément de conduite:	3 ½
Fiabilité:	4
Sécurité:	4
Qualités hivernales:	3
Espace intérieur:	4
Confort:	4

DU NOUVEAU EN 2009

Version Speed.

L'ESPRIT DE LA BMW 2002

Avec la nouvelle Série 1, BMW reprend la formule qui a assuré le succès d'une des voitures les plus marquantes de l'histoire de la marque. En 1968, le constructeur bavarois avait alors choisi d'innover en proposant une petite voiture de catégorie coupé « 02 » avec un moteur de grande cylindrée pour l'époque, soit un 2,0 litres. C'est ainsi que la célèbre BMW 2002 est née et qu'elle est devenue un pôle d'attraction pour tous les amateurs de performance.

Par la suite, la 2002 a évolué et elle représente maintenant l'ancêtre de l'actuelle Série 3. La nouvelle Série 1 n'est donc pas la succession génétique de la 2002, mais se veut plutôt la succession spirituelle de ce modèle, selon BMW. Voilà qui est une bonne chose, car la dernière fois que BMW a procédé au lancement d'un modèle abordable sur notre marché, soit en 1995, ce fut la déroute totale, la défunte 318ti *hatchback* n'ayant jamais réussi à séduire les acheteurs avec son modeste moteur quatre cylindres et sa suspension arrière qui dataient déjà pour l'époque. La formule de proposer, une fois de plus, une petite voiture avec un moteur de grosse cylindrée est donc à la base des nouveaux coupés et cabriolet 128i et 135i. Ces derniers sont tous animés par des moteurs empruntés à l'actuelle Série 3, soit deux six cylindres en ligne atmosphérique (128i) et turbocompressé (135i). Précisons que la Série 1 ne fait pas qu'emprunter ses motorisations à la Série 3, puisque la Série 1 est également élaborée sur une version plus courte de la plate-forme des Série 3.

LE COUPÉ

Le *look* est pur BMW, avec un capot très long de même qu'un empattement allongé, des puits d'ailes élargis et une ligne très prononcée de ceinture de caisse. Sur les modèles 135i, l'allure est encore plus sportive avec des ouvertures plus larges pour les prises d'air et des phares antibrouillard, de même qu'un aileron arrière plus prononcé que sur les 128i.

Sur la route, il devient rapidement évident que le Coupé 135i est le modèle le plus performant de la gamme, partiellement en raison du fait qu'il est animé par le moteur six cylindres en ligne à double turbocompresseur, qui a remporté deux fois le prix international de l'année, et également parce que ce modèle est équipé à la fois des suspensions M Sport et du kit aérodynamique M qui ajoute certains éléments de carrosserie afin de rehausser son allure sportive. Avec ses 300 chevaux et surtout ses 300 livres-pied de couple, le moteur biturbo permet d'exploiter pleinement tout le potentiel de performance de la 135i, qui est un modèle d'équilibre et de précision dynamique. De ce côté, la répartition des masses est optimale, et comme la 135i fait appel à des suspensions aux calibrations plus fermes de même qu'à des roues de 18 pouces, l'agrément de conduite est assurément au rendez-vous sur les routes balisées.

La seule ombre au tableau vient du fait que la 135i ne pèse que 60 kg de moins que le Coupé 335i, et que l'on en vient à penser que la nouvelle venue serait encore plus performante si elle n'était pas aussi lourde. Le fait que l'architecture de la Série 1 soit commune avec celle de la Série 3 est en grande partie responsable de son excès de poids. Tout de même, avec un chrono de 5,4 secondes pour le 0-100 km/h, la 135i n'est pas loin des performances livrées par la M3 de génération précédente, qui était équipée d'un très impressionnant six cylindres en ligne atmosphérique de 333 chevaux.

Cette impression initiale très favorable a cependant été quelque peu tempérée après avoir bouclé quelques tours de piste au Circuit Mont-Tremblant. Dans cet environnement particulier, la 135i Coupé s'est montrée légèrement sous-vireuse et l'intervention hâtive et soutenue du système de contrôle électronique de stabilité DSC (*Dynamic*

Stability Control) est venu gâcher le plaisir, en coupant l'allumage et en freinant sélectivement certaines roues de la voiture afin d'éliminer les glissades en virages, et ce, même si ce système a fait l'objet d'une configuration plus « agressive » sur la 135i Coupé que sur les autres modèles, selon BMW. Afin de mieux exploiter le potentiel de performance de la voiture, il faut s'assurer de sélectionner le mode DTC (*Dynamic Traction Control*) pour retarder l'intervention du système DSC et permettre au conducteur de conserver une plus grande part du contrôle de la voiture. Comme sur toute autre BWM, il est possible de désactiver complètement le DSC et de prendre les choses en main par soi-même, ce qui est possible dans l'environnement contrôlé d'un circuit, où l'on ne met personne d'autre que soi en danger. Bref, la 135i Coupé n'est peut-être pas tout à fait équivalente à une voiture « M » de BMW pour la conduite sur circuit, où les calibrations des suspensions m'ont paru un peu trop souples. Par contre, il faut reconnaître que la très grande majorité des acheteurs circuleront plutôt sur des routes balisées et que la fermeté des suspensions a été ajustée en conséquence.

LE CABRIOLET

Le Cabriolet de Série 1 étant plus lourd d'environ 114 kg que le Coupé, ses performances sont logiquement en retrait, et la conduite d'une 128i Cabriolet n'est forcément pas aussi inspirée, quoique tout à fait convenable en conduite de tous les jours.

Côté style, le modèle Cabriolet se démarque légèrement du Coupé, en raison de sa ligne d'épaule plus plate qui crée un effet semblable à celui du pont d'un bateau, ainsi

que par son toit souple repliable. En montant à bord, les habitués de la Série 3 se retrouveront en terrain connu, puisque la planche de bord à été carrément empruntée à cette dernière. Toutes les commandes et indicateurs tombent facilement sous la main et la qualité de la finition intérieure est très bonne. La Série 1 a beau être un nouveau modèle d'entrée de gamme pour la marque bavaroise, aucun compromis n'a été fait sur la qualité des matériaux ou de l'assemblage.

Le principal défaut du Cabriolet est le manque d'espace accordé aux passagers qui s'assoient à l'arrière et qui auront le sentiment de se retrouver très à l'étroit, puisque la largeur de la surface habitable est amputée d'un pied par rapport au Coupé, afin de pouvoir loger le mécanisme d'ouverture du toit souple. Assis à l'arrière lorsque le toit est replié, il est presque impossible d'entendre le système audio à vitesse d'autoroute en raison du bruit de vent. Si votre choix se porte sur le modèle Cabriolet, il devient donc impératif de choisir le déflecteur qui est offert en option afin de réduire le refoulement du vent, ce qui a également pour effet de transformer la voiture en une deux places, l'installation du déflecteur rendant impossible l'usage des places arrière.

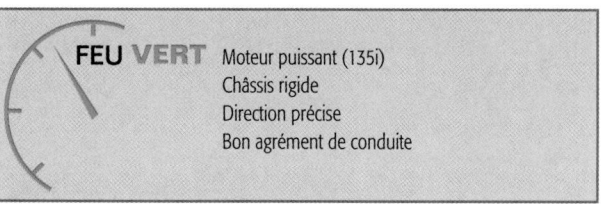

FEU VERT
- Moteur puissant (135i)
- Châssis rigide
- Direction précise
- Bon agrément de conduite

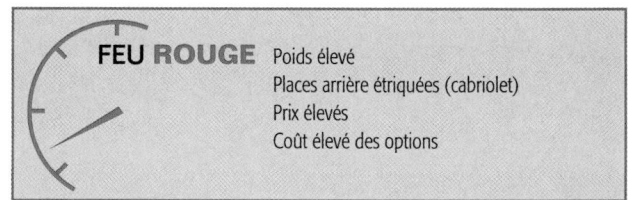

FEU ROUGE
- Poids élevé
- Places arrière étriquées (cabriolet)
- Prix élevés
- Coût élevé des options

Et puisqu'il est question de ce toit, précisons qu'il se retire ou se déploie en 22 secondes et que ce mécanisme fonctionne même lorsque la voiture est en mouvement, tant et aussi longtemps que la vitesse ne dépasse pas 50 km/h. De ce côté, les ingénieurs de BMW ont choisi un toit souple classique, plutôt qu'un toit rigide rétractable tel que celui utilisé sur la Série 3, afin de réduire le poids de la voiture. La couleur standard du toit souple est le noir, mais les acheteurs peuvent également choisir un toit de couleur taupe ou encore un toit spécial appelé « noir clair de lune métallique », partiellement composé de fibres métalliques entrelacées dans le tissu noir afin de donner un *look* qui est légèrement brillant.

Côté prix, ce n'est pas l'aubaine du siècle, l'échelle variant de 33 900 $ pour la 128i Coupé jusqu'à 47 200 $ pour la 135i Cabriolet, et cela sans l'ajout de groupes d'options qui sont toujours assez chers chez le constructeur bavarois. Bref, on parle ici non seulement de modèles d'entrée de gamme, mais également d'authentiques BMW, à tous les points de vue.

Gabriel Gélinas

Photos: Marc Lachapelle

VÉHICULE D'ESSAI

Version :	BMW Série 135i Coupé
Moteur :	6L de 3,0 litres 24s turbocompressé
Puissance :	300 ch (224 kW) à 5 800 tr/min
Couple :	300 lb-pi (407 Nm) à 1 400 tr/min
Rapport poids/puissance :	4,95 kg/ch (6,62 kg/kW)
Transmission :	manuelle, 6 rapports
Rouage :	propulsion
0-100 km/h · 80-120 km/h :	5,4 s · n.d.
Freinage 100-0 km/h :	n.d.
Vitesse maximale :	209 km/h
Consommation (100 km) :	super, 12,0 litres
Autonomie approximative :	441 km
Émissions de CO2 :	4 848 kg/an
Emp/Lon/Lar/Haut (mm) :	2 660 / 4 360 / 1 934 / 1 423
Coffre/Réservoir :	370 / 53 litres
Nombre de coussins de sécurité :	6
Suspension avant :	indépendante, bras inégaux
Suspension arrière :	indépendante, multibras
Freins av./arr. :	disque (ABS)
Antipatinage/Contrôle de stabilité :	oui/oui
Direction :	à crémaillère, assistance variable
Diamètre de braquage :	10,7 m
Pneus av./arr. :	215/40R18 / 245/35R18
Poids :	1 485 kg
Capacité de remorquage :	non recommandé

AUTRE(S) COMPOSANTE(S) MÉCANIQUE(S)

Système hybride :	aucun
Moteur diesel :	aucun
Taxe énergivore :	aucune
Autre(s) moteur(s) :	6L de 3,0 litres 230 ch/200 lb-pi (11,2 l/100 super) (128i)
Autre(s) rouage(s) :	aucun
Autre(s) transmission(s) :	automatique, 6 rapports (128i, 135i)

EN BREF

Échelle de prix :	33 900 $ à 47 200 $
Catégorie :	coupé, cabriolet
Garanties :	4 ans/80 000 km, 4 ans/80 000 km
Assemblage :	Leipzig, Allemagne
Cote d'assurance :	n.d.

DANS LA MÊME CATÉGORIE

Audi A3, Mazdaspeed3, Volkswagen GTi, Volvo C30

NOS IMPRESSIONS

Agrément de conduite :	🚗🚗🚗🚗
Fiabilité :	🚗🚗🚗½
Sécurité :	🚗🚗🚗🚗
Qualités hivernales :	🚗🚗🚗½
Espace intérieur :	🚗🚗🚗
Confort :	🚗🚗🚗🚗

DU NOUVEAU EN 2009

Nouveaux modèles coupé et cabriolet

LA MENEUSE ACCÉLÈRE ENCORE

La Série 3 est la pierre angulaire de la gamme BMW, la voiture de luxe la plus populaire au pays et la cible que visent tous les constructeurs automobiles rivaux en termes de comportement, de style et de motorisation depuis trois décennies. Ils sont mieux d'avoir du souffle parce que cette année, le constructeur bavarois poursuit le raffinement de son précieux bijou avec une série de retouches et l'ajout d'un moteur diesel « propre » puissant et frugal. Voilà qui devrait lui permettre de se maintenir confortablement à la tête du peloton.

La Série 3 a tout pour elle : élégante, sportive, performante, agile, confortable et toujours inspirante à conduire. De plus, elle est offerte en quatre types de carrosserie – berline, cabriolet, coupé et familiale – avec un choix de moteurs et de rouages à faire pâmer d'envie la concurrence. Certes, elle n'est pas fabuleusement spacieuse, surtout à l'arrière, même si elle a encore grandi légèrement à la faveur du plus récent remodelage complet en 2006. Ses qualités compensent toutefois plus que largement. Et pour couronner le tout, elle est fiable, impeccablement sûre et jouit de solides valeurs de revente. Alors que fait le constructeur avisé d'un tel joyau ? Il continue de le polir pour qu'il se maintienne en tête. Il faut mentionner que ces changements ne touchent pas les M3 qui furent lancées l'an dernier.

UN BON AIGUISAGE

Pour 2009, les modèles 323i, 328i, 328xi, 328xi Touring, 335i et 335xi ont droit à une carrosserie redessinée à petites touches, de la calandre au pare-chocs arrière. On est très loin du changement radical. De même, seul un œil exercé ou connaisseur saura vraisemblablement détecter les modifications à l'habitacle. Il y a un peu plus de chrome sur les commandes, des accoudoirs redessinés et un coffret plus grand à la console pour mieux accueillir et loger les lecteurs numériques et autres bidules électroniques qu'on peut y brancher. Le changement le plus important est nul doute une nouvelle interprétation de l'interface de contrôle iDrive qui accompagne le système de navigation optionnel. BMW reconnaît encore implicitement les critiques incessantes adressées à ce système depuis son lancement en l'entourant de quelques touches additionnelles pour les différentes fonctions autour de la grande molette. Dire que l'idée de départ était de libérer le tableau de bord au maximum... Le système de navigation profite, quant à lui, d'un nouvel écran tactile de 22 cm (8,8 po) qu'on dit le plus grand de l'heure et dont l'affichage offrirait une meilleure résolution. Ce groupe optionnel inclut un nouveau disque dur de 80 Go qui permet un accès plus rapide aux cartes numérisées et possède une mémoire de stockage pour des milliers de fichiers de musique et autres. On peut y transférer des pièces à partir d'un lecteur de CD, d'un lecteur numérique ou d'une clé USB.

UN TURBODIESEL PAS SEULEMENT FRUGAL

L'ajout d'appuie-têtes « actifs » de série aux berlines et familiales a certainement son importance, mais il aura forcément moins d'impact que l'apparition de la première Série 3 à moteur diesel en sol canadien. Le

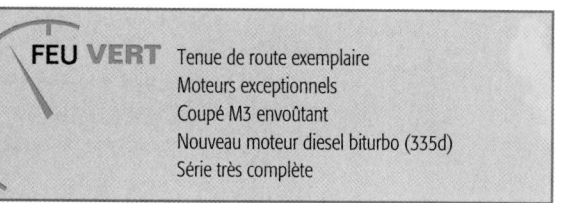

FEU VERT
- Tenue de route exemplaire
- Moteurs exceptionnels
- Coupé M3 envoûtant
- Nouveau moteur diesel biturbo (335d)
- Série très complète

FEU ROUGE
- Faible volume du coffre (Cabriolet)
- Réactions sèches sur trous et bosses (Cabriolet)
- Visibilité arrière (Cabriolet)
- Bruit mécanique du moteur V8 à froid (M3)
- Interface iDrive rébarbative

constructeur munichois nous a précédemment présenté, au milieu des années 80, la berline 524td, dont le moteur produisait 115 chevaux et un couple maxi de 155 lb-pi. Or le six cylindres en ligne diesel à double turbocompresseurs qui équipe la nouvelle 335d est coté à 265 chevaux et génère la bagatelle de 425 lb-pi de couple à seulement 1 750 tr/min. Ce serait suffisant, selon BMW, pour faire bondir cette berline de 0 à 100 km/h en 6,2 secondes, à quelques dixièmes de secondes de la bouillante 335i également à moteur biturbo. Mieux encore, ce moteur consommerait en moyenne 10,2 L/100 km en ville et 7,2 sur la route, des gains respectifs de 35,3 % et 26,9 % sur le moteur à essence. La clé de sa venue sur ce continent est le catalyseur à injection d'urée qui réduit les émissions d'oxyde d'azote et qui est baptisé BluePerformance chez BMW. Espérons que le constructeur nous prépare au plus tôt une version du turbo-diesel de 2,0 litres qui consomme environ 6 L/100 km dans la berline de Série 3 européenne et qu'il confirmera l'arrivée de la nouvelle boîte séquentielle à double embrayage automatisé qu'il a déjà dévoilée.

LA MEILLEURE M3

La toute première M3 est apparue en 1986 comme un modèle destiné à permettre l'homologation de la Série 3 à divers championnats pour voitures de tourisme où elle fit des malheurs. Deux décennies et demie plus tard, c'est virtuellement une série distincte de berlines, coupés et décapotables conçus pour allier performances et tenue de route d'exception sans presque de sacrifice en termes de luxe et de confort. La quatrième génération de la M3 a été lancée l'an dernier, propulsée par son premier V8 qui fait 4,0 litres et 414 chevaux. Loin d'empâter l'avant, ce moteur tout alliage est plus léger, plus frugal et produit 81 chevaux de plus que son devancier, à un régime de 8 300 tr/min. Nos essais complets d'un cabriolet et d'un coupé M3 ont permis de vérifier les gains en performance, particulièrement pour le coupé qui a bouclé le 0-100 km/h en 4,76 secondes et le quart de mille en 12,90 secondes, à 182,4 km/h. La Cabriolet, plus lourde de 130 kg, s'exécute en 5,17 secondes et 13,51 secondes (à 173,6) sur les mêmes tests. Le coupé est le plus convaincant, surtout si on résiste au toit ouvrant pour conserver le toit en fibre de carbone de série et qu'on a la sagesse de se passer du système de navigation, jumelé au iDrive. Sa tenue de route est sans reproche et nettement plus neutre que la M3 précédente. C'est la meilleure des M3 pour les passionnés de conduite. Jusqu'à maintenant, à tout le moins.

Marc Lachapelle

Photos : BMW

VÉHICULE D'ESSAI

SIRIUS RADIO SATELLITE

Version :	BMW M3 Coupé
Moteur :	V8 de 4,0 litres 32s atmosphérique
Puissance :	414 ch (309 kW) à 8 300 tr/min
Couple :	295 lb-pi (400 Nm) à 3 900 tr/min
Rapport poids/puissance :	4,05 kg/ch (5,43 kg/kW)
Transmission :	manuelle, 6 rapports
Rouage :	propulsion
0-100 km/h · 80-120 km/h :	4,8 s · 5,4 s
Freinage 100-0 km/h :	36,8 m
Vitesse maximale :	250 km/h
Consommation (100 km) :	super, 15,3 litres
Autonomie approximative :	398 km
Émissions de CO2 :	6 048 kg/an
Emp/Lon/Lar/Haut (mm) :	2 761/4 615/1 976/1 418
Coffre/Réservoir :	430 / 61 litres
Nombre de coussins de sécurité :	6
Suspension avant :	indépendante, jambes de force
Suspension arrière :	indépendante, multibras
Freins av./arr. :	disque (ABS)
Antipatinage/Contrôle de stabilité :	oui/oui
Direction :	à crémaillère, assistance variable
Diamètre de braquage :	n.d.
Pneus av./arr. :	P245/40ZR18 / P265/40ZR18
Poids :	1 680 kg
Capacité de remorquage :	480 kg

AUTRE(S) COMPOSANTE(S) MÉCANIQUE(S)

Système hybride :	aucun
Moteur diesel :	à venir
Taxe énergivore :	aucune
Autre(s) moteur(s) :	6L de 2,5 litres 200 ch/180 lb-pi (11,2 l/100 super) (323i) 6L de 3,0 litres 300 ch/300 lb-pi (12,4 l/100 super) (335i, 335Xi)
Autre(s) rouage(s) :	intégral
Autre(s) transmission(s) :	séquentielle (M3) automatique, 7 rapports (M3) automatique, 6 rapports

EN BREF

Échelle de prix :	35 900 $ à 81 900 $ (2008)
Catégorie :	coupé, familiale, cabriolet, berline de luxe
Garanties :	4 ans/80 000 km, 4 ans/80 000 km
Assemblage :	Dingolfing, Allemagne
Cote d'assurance :	passable

DANS LA MÊME CATÉGORIE

Audi A4/S4, Infiniti G35/G37, Jaguar X-Type, Mercedes-Benz Classe C, Lexus IS, Saab 9-3/Cabriolet

NOS IMPRESSIONS

Agrément de conduite :	
Fiabilité :	
Sécurité :	½
Qualités hivernales :	½
Espace intérieur :	
Confort :	

DU NOUVEAU EN 2009

Modifications esthétiques à la carrosserie et à l'habitacle, moteur diesel à venir (335d)

UNE GAMME ÉTOFFÉE

L'an dernier, la Série 5 a connu une évolution de milieu de cycle avec un très léger restylage et l'adoption de nouvelles motorisations, dont l'excellent six cylindres turbocompressé. Pour 2009, la Série 5 est donc largement inchangée et poursuit sa route alors que la prochaine génération de cette voiture qui sera complètement redessinée verra le jour en 2010.

La personnalité de la Série 5 est en quelque sorte dictée par les moteurs qui l'animent, puisque deux six cylindres, un V18 et un V10 sont au programme. Au sommet de la pyramide trône la M5 avec son époustouflant V10 de 500 chevaux jumelé à une boîte manuelle à six vitesses. Cette dernière est d'ailleurs devenue la boîte de série pour cette voiture en ayant remplacé la boîte séquentielle à sept rapports qui est désormais proposée en option. Véritable bombe, la M5 atteint facilement une vitesse maximale de 270 kilomètres/heure, que j'ai pu vérifier sur les autobahn allemandes. La stabilité de la voiture était à ce point impressionnante que je me suis surpris à syntoniser la radio de la main droite en tenant le volant de la gauche alors que la voiture filait à sa vitesse maximale, ce qui a quelque peu inquiété mon passager...

La tenue de route est à la mesure des performances en accélération, c'est-à-dire phénoménale, et la M5 est également capable d'une force de décélération pouvant atteindre 1,3 G grâce à des disques surdimensionnés dérivés de la course automobile. Hormis son prix très élevé, le seul problème de cette voiture, et il est de taille, c'est qu'elle s'accommode fort mal de nos routes dégradées où il est devenu impossible d'exploiter un tant soit peu le redoutable potentiel de performance de cette sportive à quatre portes.

Juste au-dessous dans la hiérarchie se trouvent la 550i et son moteur V8 de 360 chevaux qui représentent un bon compromis pour l'amateur de performances, mais la plus intéressante des Série 5 est sans contredit la 535i animée par un superbe moteur six cylindres turbocompressé développant 300 chevaux et 300 livres-pied de couple. Ce moteur, qui a été ajouté au catalogue l'an dernier, s'avère le meilleur choix puisqu'il peut être jumelé à la propulsion ou au rouage intégral xDrive qui transforme la Série 5 en une sérieuse rivale de l'Audi A6 Quattro pour affronter l'hiver québécois. La 528i n'est pas à dédaigner, mais comme la puissance de son moteur n'est que de 230 chevaux, elle ne conviendra qu'à ceux qui ne sont pas portés sur les performances ou l'agrément de conduite.

DANS LA BOULE DE CRISTAL

À l'intention des gens qui aiment planifier leur achat ou leur location à long terme bien à l'avance, voici quelques informations fragmentaires concernant la suite des choses pour la berline de taille moyenne. 2010 sera une année importante pour BMW puisque c'est à ce moment que

FEU VERT
Motorisations performantes (535i, 550i, M5)
Très bonne tenue de route
Direction precise
Freinage performant

FEU ROUGE
Prix élevés
Coût des options
Style controversé

l'on devrait assister au lancement d'une toute nouvelle génération de la Série 5 qui sera ensuite suivie d'une nouvelle Série 6. La prochaine Série 5 servira également de base au développement d'un tout nouveau modèle de véhicule multisegment de grande taille qui pourrait émuler l'actuelle Classe R de Mercedes-Benz.

Côté style, la prochaine Série 5 sera fortement inspirée de la voiture concept CS dévoilée au Salon de l'auto de Shanghai en 2007, puisque les deux naseaux de sa calandre seront plus grands et beaucoup plus évidents. De plus, BMW devrait imiter Audi en utilisant aussi des lumières DEL comme phares de jour. Selon les rumeurs, la technologie de conception de la voiture actuelle qui utilise à la fois de l'acier et de l'aluminium pour sa structure serait conservée sur la prochaine génération de la Série 5 qui bénéficierait toutefois de nombreuses avancées sur le plan technique.

L'adoption d'une boîte automatique à huit rapports permettrait de réduire la consommation de carburant, et le système permettant l'arrêt complet du moteur lorsque la voiture est immobilisée dans la circulation — que BMW a développé pour ses voitures à moteurs quatre cylindres en Europe — devrait être adapté en vue de se retrouver dans la prochaine Série 5.

Les motorisations de la Série 5 qui sont actuellement sur le marché canadien devraient subir une certaine évolution, mais il appert qu'un changement d'envergure sera apporté à la 550i qui devrait recevoir le V8 biturbo qui a fait ses débuts sur le X6. Après l'arrivée d'un moteur diesel au Canada sous les capots des X5 et de la Série 3, il y a également fort à parier que la Série 5 proposera elle aussi cette motorisation. Quant à la M5, la cylindrée de son V10 serait portée de 5,0 à 5,5 litres ce qui lui donnerait alors une puissance maximale de 550 chevaux. De plus, la prochaine M5 devrait recevoir la nouvelle boîte séquentielle à double embrayage et sept rapports, développée par BMW.

Gabriel Gélinas

Photos: BMW

VÉHICULE D'ESSAI

Version:	BMW 535i
Moteur:	6L de 3,0 litres 24s turbocompressé
Puissance:	300 ch (224 kW) à 5 800 tr/min
Couple:	300 lb-pi (407 Nm) à 1 400 tr/min
Rapport poids/puissance:	5,53 kg/ch (7,41 kg/kW)
Transmission:	manuelle, 6 rapports
Rouage:	propulsion
0-100 km/h · 80-120 km/h:	5,9 s · 5,0 s
Freinage 100-0 km/h:	39,0 m
Vitesse maximale:	240 km/h
Consommation (100 km):	super, 12,6 litres
Autonomie approximative:	555 km
Émissions de CO2:	5 040 kg/an
Emp/Lon/Lar/Haut (mm):	2 888 / 4 854 / 1 846 / 1 468
Coffre/Réservoir:	520 / 70 litres
Nombre de coussins de sécurité:	6
Suspension avant:	indépendante, jambes de force
Suspension arrière:	indépendante, multibras
Freins av./arr.:	disque (ABS)
Antipatinage/Contrôle de stabilité:	oui/oui
Direction:	à crémaillère, assistance variable
Diamètre de braquage:	11,4 m
Pneus av./arr.:	P225/50R17
Poids:	1 660 kg
Capacité de remorquage:	non recommandé

AUTRE(S) COMPOSANTE(S) MÉCANIQUE(S)

Système hybride:	aucun
Moteur diesel:	aucun
Taxe énergivore:	4 000 $ (M5)
Autre(s) moteur(s):	V8 de 4,8 litres 360 ch/360 lb-pi (14,0 l/100 super) (550i) 6L de 3,0 litres 230 ch/200 lb-pi (12,3 l/100 super) (528i, 528Xi) V10 de 5,0 litres 500 ch/383 lb-pi (19,9 l/100 super) (M5)
Autre(s) rouage(s):	intégral
Autre(s) transmission(s):	automatique, 7 rapports (M5) automatique, 6 rapports (535i, 535Xi, 528i, 528Xi, 550i)

EN BREF

Échelle de prix:	59 900 $ à 113 300 $ (2008)
Catégorie:	familiale, berline de luxe
Garanties:	4 ans/80 000 km, 4 ans/80 000 km
Assemblage:	Dingolfing, Allemagne
Cote d'assurance:	n.d.

DANS LA MÊME CATÉGORIE

Audi A6/S6, Cadillac CTS/CTS-V, Jaguar XF, Mercedes Classe E, Lexus GS350/430, Saab 9-5, Volvo S60

NOS IMPRESSIONS

Agrément de conduite:	4½
Fiabilité:	3½
Sécurité:	4½
Qualités hivernales:	4
Espace intérieur:	4
Confort:	4

DU NOUVEAU EN 2009

Aucun changement majeur

UNE CATÉGORIE NÉCESSAIRE

Toute grande marque aspirant au respect se doit de posséder un coupé de luxe dans sa gamme de modèles. Chez BMW, la légendaire 635 CSi était reconnue au début des années 80 comme l'une des plus belles voitures au monde. Il a fallu quelques années avant que le constructeur munichois nous présente un autre coupé d'envergure. Avec l'arrivée de la nouvelle Série 6 en 2003 on se donnait à nouveau les moyens à Munich de pouvoir affronter un rival de toujours, à savoir Mercedes-Benz qui a plusieurs coupés de luxe à offrir à sa clientèle.

Il faut se souvenir que si la 635 CSi est devenue une voiture d'anthologie, on grince des dents chez ce constructeur à la mention de la 850, un coupé de très grand luxe qui n'a pas connu les faveurs du public et qui devait succéder ni plus ni moins à la 635. Ce qui explique le délai de plusieurs années avant que BMW se lance de nouveau dans cette aventure.

RÉGULIER

De nos jours, le marché des voitures de luxe s'intéresse surtout aux véhicules de grand tourisme capables de fournir des performances et un niveau de confort à l'égal et même supérieur à celui des berlines de même catégorie. Ce qui justifie sans doute l'important gabarit de cette voiture. Ce n'est pas une surprise puisque la Série 6 est dérivée de la Série 5 de catégorie intermédiaire. Quant à la silhouette, il est curieux de constater qu'elle est discrète. Ce qui est surprenant quand on considère l'audace que les stylistes ont eue pour dessiner les grosses berlines comme la Série 7 et le cabriolet Z4. Mais à défaut d'être audacieuse, elle est élégante, du moins en ce qui concerne le coupé car une fois le toit souple en place, le cabriolet à des allures de Toyota Solara, ce qui est loin d'être un compliment. Par contre, ce toit souple isolé est très étanche et se remise en quelques secondes. Il est même possible de le déployer ou de le plier tout en roulant, à une vitesse très basse bien entendu.

Puisque ce modèle est dérivé de la Série 5, la disposition du tableau de bord est quelque peu dictée par l'architecture interne de cette dernière. Heureusement, les stylistes maison ont réussi à donner une apparence plus dynamique grâce à l'utilisation de matériaux de couleurs contrastantes. De plus, le volant sport à trois branches s'harmonise fort bien avec la vocation sportive de ce modèle. Il est toutefois étonnant de constater que l'habitabilité est plus que moyenne, tandis que les places arrière sont pratiquement symboliques ou réservées à de petites personnes. Comme sur toute BMW, la qualité des matériaux et de la finition est sans reproche. Malheureusement, tous ces modèles font appel aux systèmes de gestion des commandes iDrive qui continue de faire sacrer plusieurs propriétaires de BMW…

La 650i est propulsée par un moteur V8 de 4,8 litres d'une puissance de 360 chevaux, ce qui assure des performances dignes de la catégorie puisqu'il faut un peu plus de six secondes pour réaliser le 0-100 km/h. Il est relié de série à une boîte manuelle à six rapports dont le fonctionnement est d'une grande douceur. Si vous préférez confier le travail de

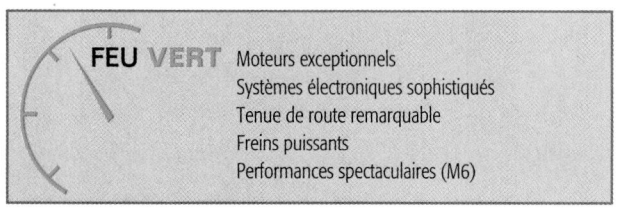

FEU VERT
- Moteurs exceptionnels
- Systèmes électroniques sophistiqués
- Tenue de route remarquable
- Freins puissants
- Performances spectaculaires (M6)

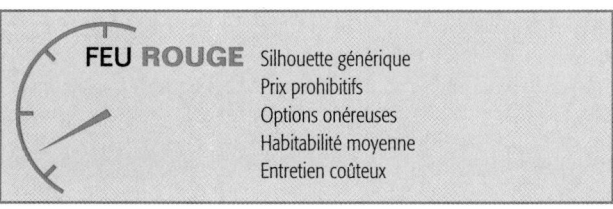

FEU ROUGE
- Silhouette générique
- Prix prohibitifs
- Options onéreuses
- Habitabilité moyenne
- Entretien coûteux

brassage des vitesses à la boîte automatique, une unité à six rapports est optionnelle. Mais peu importe la transmission, ce gros coupé est d'une assurance impressionnante sur la route tant en virage qu'en ligne droite. Et bien entendu, comme tous les moteurs de cette marque, le V8 ne se fait pas prier pour monter un régime.

SUPER!

Comme si le modèle habituel n'était pas assez épatant, on a voulu en offrir davantage aux conducteurs sportifs avec le modèle M6. Celui-ci arrive en versions coupé ou cabriolet, et dans les deux cas, il est propulsé par un vrombissant moteur V10 de 500 chevaux capable d'impressionner le plus blasé des conducteurs. Détail intéressant à souligner, ce moteur peut être contrôlé par l'intermédiaire d'une boîte manuelle à six rapports ou d'une boîte séquentielle automatique à sept vitesses, rien de moins.

Pour les amateurs de matériaux exotiques, plusieurs éléments de la carrosserie sont en aluminium, en plastique renforcé de fibres de verre ou en carbone renforcé de plastique utilisé sur le toit fixe.

Il est certain qu'un véhicule de cette puissance doit faire appel à des pneumatiques ultra sportifs et à une suspension fort efficace. Malgré tout et en dépit des astuces technologiques, cette masse emportée à toute vitesse affiche un sous-virage assez marqué lorsque poussée dans ses derniers retranchements. Cela dit, une direction très précise et des freins puissants vous permettront d'éviter la catastrophe. Sans oublier les multiples systèmes électroniques d'aide à la conduite qui vous serviront d'ange gardien si vous vous révélez trop audacieux.

Pour conclure, si on ne voit pas beaucoup de ce modèle sur nos routes, c'est tout simplement que la M3 propose presque autant pour moins cher.

Denis Duquet

Photos: Marc Lachapelle

VÉHICULE D'ESSAI

Version:	BMW Série 6 50i cabriolet
Moteur:	V8 de 4,8 litres 32s atmosphérique
Puissance:	360 ch (269 kW) à 6300 tr/min
Couple:	360 lb-pi (488 Nm) à 3400 tr/min
Rapport poids/puissance:	4,94 kg/ch (6,64 kg/kW)
Transmission:	manuelle, 6 rapports
Rouage:	propulsion
0-100 km/h · 80-120 km/h:	6,7 s · 5,0 s
Freinage 100-0 km/h:	34,6 m
Vitesse maximale:	240 km/h
Consommation (100 km):	super, 13,8 litres
Autonomie approximative:	507 km
Émissions de CO2:	5520 kg/an
Emp/Lon/Lar/Haut (mm):	2780 / 4831 / 1855 / 1374
Coffre/Réservoir:	300 / 70 litres
Nombre de coussins de sécurité:	6
Suspension avant:	indépendante, jambes de force
Suspension arrière:	indépendante, multibras
Freins av./arr.:	disque (ABS)
Antipatinage/Contrôle de stabilité:	oui/oui
Direction:	à crémaillère, assistée
Diamètre de braquage:	11,4 m
Pneus av./arr.:	P245/40R19 / P275/35R19
Poids:	1780 kg
Capacité de remorquage:	non recommandé

AUTRE(S) COMPOSANTE(S) MÉCANIQUE(S)

Système hybride:	aucun
Moteur diesel:	aucun
Taxe énergivore:	4000$ (M6)
Autre(s) moteur(s):	V10 de 5,0 litres 500 ch/383 lb-pi (19,9 l/100 super) (M6)
Autre(s) rouage(s):	aucun
Autre(s) transmission(s):	automatique, 7 rapports (M6) automatique, 6 rapports (650i)

EN BREF

Échelle de prix:	101500$ à 138300$
Catégorie:	coupé, cabriolet, GT
Garanties:	4 ans/80000 km, 4 ans/80000 km
Assemblage:	Dingolfing, Allemagne
Cote d'assurance:	n.d.

DANS LA MÊME CATÉGORIE

Cadillac XLR, Jaguar XKR, Mercedes-Benz CL, Porsche 911

NOS IMPRESSIONS

Agrément de conduite:	4 ½
Fiabilité:	3 ½
Sécurité:	4 ½
Qualités hivernales:	3
Espace intérieur:	3 ½
Confort:	4

DU NOUVEAU EN 2009

Aucun changement majeur

LA CINQUIÈME GÉNÉRATION

Lancée au Mondial de l'automobile de Paris en septembre 2008, la nouvelle Série 7 représente la cinquième génération de la grande berline de luxe du constructeur bavarois. Selon BMW, le style de la nouvelle Série 7 est inspiré de la récente voiture concept CS qui a suscité des réactions très favorables, mais il est plus juste de dire qu'à première vue, ce tout nouveau modèle ne se démarque pas beaucoup de celui de la génération antérieure.

La parution du *Guide de l'Auto 2009* précédant la date du lancement de la Série 7, nous ne pouvons vous donner des indications précises sur les impressions de conduite de ce nouveau modèle, mais voici tout de même une présentation détaillée de la nouvelle berline de luxe qui trône au sommet de la gamme chez BMW. La nouvelle Série 7 est plus longue et légèrement plus basse que le modèle précédent et se distingue par sa calandre où les deux naseaux sont plus proéminents, ainsi que par l'ajout de toute une série de dispositifs électroniques en vue d'optimiser la conduite ainsi que le confort. Tout comme la Classe S chez Mercedes-Benz, la Série 7 représente en quelque sorte la vitrine technologique du constructeur bavarois, et c'est pourquoi la nouvelle berline de luxe fait étalage d'une dotation très complète d'équipements de pointe. Du nombre, on note la présence du régulateur de vitesse intelligent qui fait usage d'un radar, d'un nouveau système de détection de la présence d'un véhicule dans l'angle mort, d'un dispositif de visualisation «tête haute» qui projette à la base du pare-brise les indications du système de navigation et la vitesse du véhicule, et d'un système de vision nocturne avec détection de la présence de piétons en bordure de la route. De plus, BMW a choisi d'intégrer à la Série 7 un dispositif développé pour la Rolls-Royce Phantom, soit un ensemble de caméras nichées à l'avant et sur les côtés de la voiture qui permettent au conducteur de voir l'état de la circulation avant de s'y engager.

LE MOTEUR TURBOCOMPRESSÉ DU X6

Pour ce qui est des motorisations, trois choix sont proposés aux acheteurs européens, soit un six cylindres en ligne turbodiesel, un six cylindres en ligne à essence avec deux turbos, ainsi que le V8 à essence et deux turbos qui équipe déjà le X6 et qui sera le seul moteur offert aux acheteurs canadiens, qui auront comme choix celui de la version à empattement régulier (750i) ou allongé (750Li). Au cours de la dernière année, plusieurs rumeurs ont circulé à savoir que la nouvelle Série 7 serait équipée d'une boîte automatique à huit rapports, histoire de rejoindre la Lexus LS, ainsi que d'un rouage intégral, mais rien de cela n'est au programme, la voiture étant dotée d'une boîte automatique à six rapports et de la simple propulsion.

Par contre, la Série 7 est la première voiture de la marque à faire appel à une suspension avant multibras avec doubles leviers triangulés, que l'on retrouve présentement sur les véhicules sport utilitaires de BMW, ainsi qu'à une suspension arrière dont plusieurs éléments sont réalisés en aluminium afin d'en réduire le poids. L'amortissement de ces

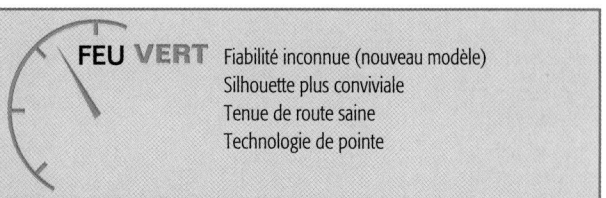

FEU VERT
Fiabilité inconnue (nouveau modèle)
Silhouette plus conviviale
Tenue de route saine
Technologie de pointe

FEU ROUGE
Fiabilité aléatoire (ancien modèle)
Certaines commandes peu intuitives
Dimensions encombrantes
Prix très élevés

nouvelles suspensions est calibré électroniquement selon les paramètres retenus par l'un des quatre modes (Confort, Normal, Sport et Sport Plus) sélectionné par le conducteur. De plus, la nouvelle 7 peut être équipée en option d'une direction active qui agit non seulement sur les roues avant mais également sur les roues arrière, jusqu'à trois degrés, pour faciliter les manœuvres de stationnement ainsi que la stabilité lors de changements de voie à plus haute vitesse.

UN HABITACLE ORIENTÉ VERS LE CONDUCTEUR

Alors que la présentation intérieure du modèle précédent était de facture plutôt classique, celle du nouveau modèle reprend un thème qui a longtemps été utilisé chez BMW, à savoir un habitacle agencé en fonction du conducteur comme en témoigne l'orientation de la console centrale ainsi que le retour d'un levier de vitesses électronique à sa base. Le système de télématique iDrive a été revu et présente maintenant quatre boutons permettant d'accéder plus directement à certaines fonctions comme la radio, le lecteur CD, le téléphone et le système de navigation. BMW reprend à sa manière un concept similaire à celui du système de télématique MMI de Audi, qui est plus facile d'opération.

De plus, la nouvelle mouture du iDrive permet au conducteur de programmer lui-même huit boutons pour retrouver rapidement une station de radio préférée, une destination fréquente ou un numéro de téléphone important. La vie à bord devrait toujours être agréable avec la présence de sièges à la fois chauffants et climatisés ou d'un système de divertissement avec lecteur DVD et deux écrans pour les passagers assis à l'arrière.

Les récentes Classe S de Mercedes-Benz et LS de Lexus ayant récemment redéfini le paysage dans le créneau des berlines de luxe de grande taille, il sera intéressant de voir comment la nouvelle Série 7 figurera au tableau et comment elle se comparera à une autre rivale directe, soit la nouvelle Audi A8 qui a également été lancée au Mondial de l'automobile de Paris.

Gabriel Gélinas

Photos: BMW

VÉHICULE D'ESSAI

Version:	BMW 750Li
Moteur:	V8 de 4,8 litres 32s atmosphérique
Puissance:	360 ch (269 kW) à 6 300 tr/min
Couple:	360 lb-pi (488 Nm) à 3 400 tr/min
Rapport poids/puissance:	5,73 kg/ch (7,70 kg/kW)
Transmission:	automatique, 6 rapports
Rouage:	propulsion
0-100 km/h · 80-120 km/h:	5,9 s · 6,8 s
Freinage 100-0 km/h:	38,0 m
Vitesse maximale:	250 km/h
Consommation (100 km):	super, 13,8 litres
Autonomie approximative:	637 km
Émissions de CO2:	5 520 kg/an
Emp/Lon/Lar/Haut (mm):	3 128 / 5 179 / 1 902 / 1 492
Coffre/Réservoir:	500 / 88 litres
Nombre de coussins de sécurité:	7
Suspension avant:	indépendante, jambes de force
Suspension arrière:	indépendante, multibras
Freins av./arr.:	disque (ABS)
Antipatinage/Contrôle de stabilité:	oui/oui
Direction:	à crémaillère, assistance variable
Diamètre de braquage:	12,1 m
Pneus av./arr.:	P245/45R19 / P275/40R19
Poids:	2 065 kg
Capacité de remorquage:	non recommandé

AUTRE(S) COMPOSANTE(S) MÉCANIQUE(S)

Système hybride:	aucun
Moteur diesel:	aucun
Taxe énergivore:	1 000 $ (760Li)
Autre(s) moteur(s):	V12 de 6,0 litres 438 ch/444 lb-pi (15,9 l/100 super) (760Li) V8 de 4,4 litres 500 ch/516 lb-pi (15,4 l/100 super) (Alpina B7)
Autre(s) rouage(s):	aucun
Autre(s) transmission(s):	aucune

EN BREF

Échelle de prix:	108 500 $ à 174 500 $ (2008)
Catégorie:	berline de grand luxe
Garanties:	4 ans/80 000 km, 4 ans/80 000 km
Assemblage:	Munich, Allemagne
Cote d'assurance:	n.d.

DANS LA MÊME CATÉGORIE

Audi A8, Jaguar XJ8, Lexus LS460, Mercedes-Benz Classe S

NOS IMPRESSIONS

Agrément de conduite:	●●●●
Fiabilité:	●●●½
Sécurité:	●●●●½
Qualités hivernales:	●●●●
Espace intérieur:	●●●●½
Confort:	●●●●½

DU NOUVEAU EN 2009

Changements majeurs à l'automne 2008

COUP DE VIEUX !

Lorsqu'il est apparu sur le marché en 2004, le BMW X3 s'est fait reprocher son habitacle aux plastiques indignes et des dimensions trop près de celles d'un vulgaire Honda CRV. Avec les années, les plastiques se sont un peu améliorés, mais pas les dimensions. Le X3 fait donc figure de parent pauvre... pour un BMW, on s'entend ! Pire, depuis ses débuts, d'autres modèles sont venus lui faire la vie dure, Acura RDX et Land Rover LR2 entre autres. Qu'à cela ne tienne, un X3 entièrement revu devrait apparaître l'an prochain. En attendant, qu'est-ce que BMW nous offre avec le X3 ?

Même si son habitacle commence à dater, par son affiliation évidente avec la génération précédente de la Série 3, et même si sa carrosserie ne porte pas les pourtours d'aile proéminents du RDX ou le style éclaté d'un Infiniti FX35, cela n'en fait pas un plus mauvais véhicule pour autant. Même que ces éléments peuvent avoir du bon, puisque le tableau de bord se consulte aisément et qu'on n'y retrouve pas l'intolérable iDrive de certaines autres versions, un ignoble bouton central par lequel on doit passer pour gérer plusieurs paramètres. Et le levier de la transmission automatique n'est pas encore devenu un monument d'électronique comme sur son grand frère, le X5. Parmi les autres anciennetés, mentionnons le lecteur à un CD seulement. Dire qu'un vulgaire Honda CRV EX offre un chargeur six CD intégré...

L'habitacle, malgré beaucoup de noir sur le tableau de bord de notre X3 3,0 si d'essai, sourit quand même à la vie. Notre modèle affichait des sièges en cuir de belle facture et d'une très jolie teinte crème... qui avait la fâcheuse tendance à se salir très rapidement ! Même si le confort général de ces sièges est très relevé, mon dos n'a jamais pu s'habituer à la double couture centrale du dossier. Les places arrière ne sont pas des plus accueillantes, tant en raison de l'espace disponible que du confort général, diminué par des dossiers trop durs. De plus, ces dossiers sont plutôt lourds, et les relever après les avoir baissés demande plus de force que de raison. Décidément, c'est un « dossier » que BMW devra étudier pour la prochaine génération... Le hayon du coffre ouvre haut et le seuil de chargement est égal au plancher et relativement bas. Et croyez-le ou non, il est possible, pour un produit allemand, de présenter un cache-bagage léger et facile à manipuler ! Le X3 en est la preuve. Notre véhicule était aussi muni du toit ouvrant panoramique optionnel. En plus d'éclairer l'habitacle, il demeure silencieux même lorsqu'il est ouvert à plus de 100 km/h.

UNE CYLINDRÉE, DEUX PUISSANCES

On retrouve deux X3 au menu, soit le 3,0i et le 3,0si. Le premier fait appel à un six cylindres en ligne de 3,0 litres qui propose 215 chevaux et 185 livres-pied de couple. Le 3,0si, lui, cache un 3,0 litres, mais de 260 chevaux et 225 livres-pied de couple. Comme de raison, les performances du premier sont en retrait par rapport à celles du second, mais, curieusement, on ne note pas d'économie d'essence. Heureusement, tous les deux s'avèrent relativement frugaux, compte tenu de la puissance et du poids assez élevé du X3. Bien entendu, prestige oblige, ils ne consomment que du super. En réalité, ce qui départage véritablement les deux

FEU VERT
- Mécanique performante
- Moteurs économes
- Comportement routier sportif
- Automatique sans frais additionnels
- Rouage intégral efficace

FEU ROUGE
- Style un peu dépassé
- Essence super seulement
- Modèle en fin de carrière
- Prix épicés
- Suspensions un peu sèches

moteurs, c'est le prix du véhicule. Quand on songe que les 6 000 $ de différence entre les deux modèles équivalent à 133 $ le cheval...

Chacun de ces modèles offre un choix de deux transmissions, soit une manuelle à six rapports, une rareté dans ce créneau, ou une automatique Steptronic (avec mode manuel) à six rapports aussi. L'une comme l'autre fonctionne parfaitement, mais les amateurs de conduite optent invariablement pour la manuelle qui se manipule comme un charme, sauf peut-être lorsque vient le temps d'enclencher la marche arrière, qui, dans notre véhicule, accrochait à l'occasion. Fait à noter, le choix de l'automatique n'entraîne aucuns frais supplémentaires. Un seul rouage est proposé et il s'agit de l'excellente intégrale Xdrive qui assure une traction supérieure, peu importe les conditions routières. Comme le Acura RDX, le BMW X3 n'est pas fait pour aller s'épivarder dans les Rocheuses, mais il s'agit d'un VUS urbain des plus compétents. D'ailleurs, il est difficile de prendre son châssis en défaut, tant il est rigide. Parlant de rigidité, soulignons que les suspensions ont perdu de leur fermeté depuis les débuts du X3, mais elles se montrent encore assez sèches à l'occasion.

Comme dans tout produit BMW, la direction est géniale. Précise et vive, elle procure un excellent retour d'information et nul doute qu'elle contribue, plus que tout autre élément, à la réputation de la marque en ce qui a trait au plaisir de conduire. De plus, les sièges retiennent bien les corps lors de virages accentués. Bien planté sur ses gros pneus, le X3 semble toujours prêt à bondir, même à l'arrêt. Dans les courbes, le roulis est bien maîtrisé pour un véhicule possédant une garde au sol quand même élevée.

LE FUTUR X3

Sur Internet, cet allié parfois peu crédible, on retrouve plusieurs informations sur le futur BMW X3, informations qui n'ont pas été validées ou invalidées par BMW au moment d'écrire ces lignes. Il y a fort à parier qu'il sera plus gros et plus puissant que le modèle actuel (ça n'a rien de surprenant !) et qu'il sera plus près du X5, question de laisser plus de place à un autre futur modèle, le X1, un VUS plus compact. On croit aussi que le prochain X3 reprendra quelques éléments du superbe prototype CS.

Alain Morin

Photos : BMW

VÉHICULE D'ESSAI

SIRIUS RADIO SATELLITE

Version :	BMW X3 .0 Si
Moteur :	6L de 3,0 litres 24s atmosphérique
Puissance :	260 ch (194 kW) à 6 600 tr/min
Couple :	225 lb-pi (305 Nm) à 2 750 tr/min
Rapport poids/puissance :	7,00 (9,38 kg/kW)
Transmission :	manuelle, 6 rapports
Rouage :	intégral
0-100 km/h · 80-120 km/h :	7,4 s · 7,0 s
Freinage 100-0 km/h :	43,0 m
Vitesse maximale :	209 km/h
Consommation (100 km) :	super, 12,8 litres
Autonomie approximative :	523 km
Émissions de CO2 :	5 184 kg/an
Emp/Lon/Lar/Haut (mm) :	2 795 / 4 569 / 1 853 / 1 674
Coffre/Réservoir :	480 à 1 560 / 67 litres
Nombre de coussins de sécurité :	8
Suspension avant :	indépendante, jambes de force
Suspension arrière :	indépendante, multibras
Freins av./arr. :	disque (ABS)
Antipatinage/Contrôle de stabilité :	oui/oui
Direction :	à crémaillère, assistance variable électronique
Diamètre de braquage :	11,7 m
Pneus av./arr. :	P235/55R17
Poids :	1 820 kg
Capacité de remorquage :	1 700 kg

AUTRE(S) COMPOSANTE(S) MÉCANIQUE(S)

Système hybride :	aucun
Moteur diesel :	aucun
Taxe énergivore :	aucune
Autre(s) moteur(s) :	6L de 3,0 litres 215 ch/185 lb-pi (12,8 l/100 super) (3.0i)
Autre(s) rouage(s) :	aucun
Autre(s) transmission(s) :	automatique, 6 rapports (3.0i, 3.0si)

EN BREF

Échelle de prix :	45 300 $ à 51 100 $ (2008)
Catégorie :	VUS compact
Garanties :	4 ans/80 000 km, 4 ans/80 000 km
Assemblage :	Dingolfing, Allemagne
Cote d'assurance :	bonne

DANS LA MÊME CATÉGORIE

Acura RDX, Infiniti EX, Land Rover LR2, Volvo XC70

NOS IMPRESSIONS

Agrément de conduite :	
Fiabilité :	
Sécurité :	
Qualités hivernales :	
Espace intérieur :	
Confort :	

DU NOUVEAU EN 2009

Aucun changement majeur.
Changements importants à venir.

OOPS !

Il y a déjà trois ans, BMW révisait de fond en comble son gros utilitaire sport X5. Ce n'était pas faute de succès puisque ce véhicule était l'un des plus populaires sinon le plus populaire de sa catégorie. C'était dans le but de l'améliorer et de répondre encore mieux aux attentes des utilisateurs et des acheteurs potentiels. Ces derniers réclamaient des dimensions plus généreuses et un habitacle plus spacieux. Ce qui fut fait avec brio. La silhouette est demeurée toujours aussi élégante, bien que la longueur hors tout ait progressé de 15 cm.

Heureusement, les designers ont évité que le X5 ressemble à un pachyderme de la route. Pour ce faire, ils ont respecté de près la silhouette de la première génération, retenant également le hayon incliné si caractéristique. En fait, la différence, du moins en ce qui a trait à la partie avant, est tellement minime entre les deux générations que les réviseurs du *Guide* de l'an dernier ne se sont pas rendu compte qu'on avait utilisé la photo du modèle de la première génération. En passant, nos mille excuses un an plus tard !

Mais il y a maintenant une ombre au tableau : malgré ses multiples qualités, le X5 ne cadre plus tellement dans le paysage, alors que le prix du carburant fait fuir les acheteurs potentiels de gros VUS, aussi raffinés soient-ils.

UN HABITACLE EXEMPLAIRE

La compagnie BMW n'a pas atteint cette popularité et cette réputation d'excellence en proposant des produits de qualité inférieure. L'habitacle reflète donc l'achèvement de cette marque avec une finition impeccable, des matériaux de qualité supérieure, une ergonomie presque sans faille et un tableau de bord que la majorité trouve très élégant. Cela dit, les sièges avant sont non seulement confortables, mais se règlent en de multiples positions, ce qui permet au conducteur de trouver une position de conduite presque idéale, favorisée encore plus par un volant réglable en hauteur et en profondeur. Malheureusement, dans le but de dégager le tableau de bord d'un trop grand nombre de boutons et commandes, les ingénieurs de BMW ont développé le système de gestion des commandes iDrive qui a fait damner bien des automobilistes depuis son introduction. Il faut un bon bout de temps avant de s'y acclimater et certains en sont incapables. Heureusement, il existe plusieurs commandes que l'on peut régler de façon traditionnelle.

L'habitabilité n'est pas en reste et les places arrière sont confortables. Par contre, la troisième rangée de sièges est quasiment symbolique et servira à punir les enfants trop turbulents. Quant à la soute à bagages, elle est d'une finition exemplaire, dotée de nombreux points d'ancrage et on y accède par un hayon en deux parties, le rabat inférieur servant également de tablette ou de siège.

LA PERFORMANCE D'ABORD

Lorsque la direction de BMW a décidé de s'immiscer dans cette catégorie de véhicules multisegments, elle a voulu concilier le caractère pratique à

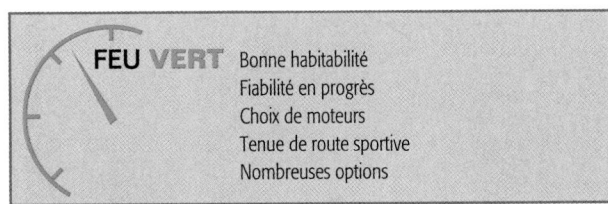

FEU VERT
- Bonne habitabilité
- Fiabilité en progrès
- Choix de moteurs
- Tenue de route sportive
- Nombreuses options

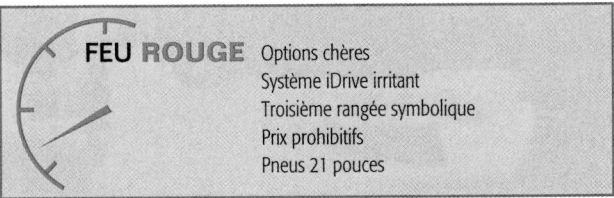

FEU ROUGE
- Options chères
- Système iDrive irritant
- Troisième rangée symbolique
- Prix prohibitifs
- Pneus 21 pouces

un comportement routier équivalant presque celui d'une berline de sport. D'ailleurs, lors du lancement de la première génération, les journalistes ont été invités à en faire l'essai non dans la forêt, mais sur le circuit routier de Road Atlanta en Georgie!

La X5 de la nouvelle génération respecte toujours cette approche. On a même renforcé la plate-forme qui était originalement très rigide afin d'améliorer la tenue de route. Par la même occasion, les suspensions ont été redessinées. Malheureusement, le contexte a changé et le prix du carburant semble décourager même les mieux nantis, clientèle de ce modèle.

Heureusement, il est toujours possible de commander une version plus économique à l'achat et en fait de consommation. Elle est équipée d'un moteur six cylindres de 3,0 litres dont la puissance est de 260 chevaux. Il est vrai qu'avec ses 2 200 kg, le X5 n'est pas un poids plume, mais ce moteur permet quand même de tenir de bonnes accélérations tout en offrant une consommation de carburant inférieure à 14 litres aux 100 km. Soulignons au passage que peu importe le modèle, la transmission intégrale xDrive est de série et il s'agit d'un système qui s'est également raffiné au fil des années. La boîte manumatique à six rapports ne s'attire aucun reproche bien que la plupart des utilisateurs vont laisser le levier de vitesses en mode totalement automatique au lieu d'intervenir pour passer les rapports.

Si une consommation de carburant moyenne de plus de 16 litres aux 100 km ne vous effraie pas et que vous aimez la conduite sportive, une X5 propulsée par le moteur V8 de 4,8 litres de 350 chevaux fera votre bonheur. Les accélérations et les reprises sont de nature sportive et vous pouvez profiter de l'excellence de la suspension et de la tenue de route de ce modèle. Et si vous optez pour le groupe d'options Dynamic Handling à direction active et contrôle électronique des amortisseurs et des barres antiroulis, vous serez heureux comme un roi, du moins jusqu'au prochain plein de carburant.

Denis Duquet

Photos: BMW

VÉHICULE D'ESSAI

Version:	BMW X5 4,8i
Moteur:	V8 de 4,8 litres 32s atmosphérique
Puissance:	350 ch (261 kW) à 6 300 tr/min
Couple:	350 lb-pi (475 Nm) à 3 400 tr/min
Rapport poids/puissance:	6,28 kg/ch (8,42 kg/kW)
Transmission:	automatique, 6 rapports
Rouage:	intégral
0-100 km/h · 80-120 km/h:	6,8 s · 6,1 s
Freinage 100-0 km/h:	38,6 m
Vitesse maximale:	209 km/h
Consommation (100 km):	super, 15,6 litres
Autonomie approximative:	544 km
Émissions de CO2:	6 336 kg/an
Emp/Lon/Lar/Haut (mm):	2 933 / 4 854 / 1 933 / 1 766
Coffre/Réservoir:	620 à 1 750 / 85 litres
Nombre de coussins de sécurité:	6
Suspension avant:	indépendante, jambes de force
Suspension arrière:	indépendante, multibras
Freins av./arr.:	disque (ABS)
Antipatinage/Contrôle de stabilité:	oui/oui
Direction:	à crémaillère, assistance variable
Diamètre de braquage:	12.1 m
Pneus av./arr.:	P225/55R18
Poids:	2 200 kg
Capacité de remorquage:	2 722 kg

AUTRE(S) COMPOSANTE(S) MÉCANIQUE(S)

Système hybride:	aucun
Moteur diesel:	aucun
Taxe énergivore:	1 000 $ (4,8i)
Autre(s) moteur(s):	6L de 3,0 litres 260 ch/225 lb-pi (13,6 l/100 super) (3.0si)
Autre(s) rouage(s):	aucun
Autre(s) transmission(s):	aucune

EN BREF

Échelle de prix:	61 900 $ à 73 500 $
Catégorie:	VUS intermédiaire
Garanties:	4 ans/80 000 km, 4 ans/80 000 km
Assemblage:	Spartanburg, Caroline du Sud, É-U
Cote d'assurance:	moyenne

DANS LA MÊME CATÉGORIE

Audi Q7, Cadillac SRX, Infiniti FX45, Land Rover LR3, Lexus LX570, Mercedes-Benz Classe M, Porsche Cayenne, Volvo XC90

NOS IMPRESSIONS

Agrément de conduite:	
Fiabilité:	
Sécurité:	½
Qualités hivernales:	½
Espace intérieur:	
Confort:	½

DU NOUVEAU EN 2009

Aucun changement majeur

2 000 KILOS DE SPORT

BMW n'en est pas à sa première controverse pour ce qui est du style de ses voitures. Rappelez-vous la Série 7 de 2002 qui avait enflammé les débats en raison du *look* très différent de ce à quoi BMW nous avait habitués au fil des ans. Malgré la tourmente, la Série 7 a été bien accueillie par la clientèle et l'on se demande maintenant si ce scénario se répètera dans le cas du X6, qui affiche lui aussi un *look* hors norme et un concept inédit, ou si le X6 connaîtra plutôt un échec retentissant en représentant en quelque sorte la réponse à la question que personne n'a posée

Avec le X6, BMW entend créer un sous-créneau, en proposant un nouveau véhicule qui reprend la plate-forme du X5. Le X6 sera donc un VUS aux allures de coupé, qui ne sera pas produit à très grande échelle, l'objectif initial étant d'en fabriquer 40 000 par année, dont plus de la moitié trouveront preneurs aux États-Unis. Selon BMW, ce nouveau venu s'adresse à ceux qui sont à la recherche à la fois d'une voiture sport et d'un véhicule de grande taille, mais qui ne veulent pas acheter deux véhicules distincts. Le X6 a donc été conçu afin de combler les attentes de ce type très particulier d'acheteur.

LE STYLE : UN *HIT* OU UN *FLOP* ?

Premier élément de discussion : le style, élément-clé qui se révèlera probablement déterminant dans le succès ou la déroute du X6. Soyez assuré que si le X6 est bien accueilli, les autres constructeurs ne tarderont pas à développer des véhicules au concept similaire. Par contre, si le X6 est un échec, l'aventure n'aura pas coûté bien cher à BMW, puisqu'il reprend plusieurs éléments du X5. Avec sa partie avant au design très agressif et sa ligne de toit très arquée, la signature visuelle du X6 est pour le moins déroutante. Personnellement, je dois avouer que je ne suis pas tombé sous le charme, mais j'admets que cela reste une question très subjective, alors libre à vous de le décrire comme un Pontiac Aztek de luxe ou comme la nouvelle tendance branchée. Chose certaine, personne ne restera indifférent au X6.

Pour ce qui est des considérations pratiques, précisons que le style du X6 joue également sur ce plan, et que le nouveau venu est largement déficient par rapport au X5 ou aux autres véhicules concurrents. À preuve, le X6 ne compte que quatre places et non pas cinq, puisqu'une console sépare les deux places arrière. De plus, le dégagement pour la tête est limité à 946 mm pour les passagers de cette deuxième rangée, alors qu'il est de 973 mm à l'avant. La forme de la lunette, conjuguée à celle des piliers C, fait en sorte que la visibilité vers l'arrière est compromise, ce qui rend l'usage de la caméra de recul presque obligatoire lors des manœuvres de stationnement. Quant à l'espace cargo, il faut composer avec un seuil de coffre beaucoup plus élevé que celui de la plupart des VUS, ce qui vous oblige à lever le chargement à une hauteur de 0,825 mètre pour le faire entrer dans un X6 chaussé de jantes et pneus de 20 pouces. Enfin, le volume de chargement comme tel varie de 570 litres (en configuration 4 places) à 1 450 litres (avec les dossiers des sièges arrière repliés), ce qui est largement inférieur au volume de chargement d'une BMW Série 5 Touring. À la lecture de ce qui précède, vous avez compris que le X6 n'est donc pas le véhicule idéal pour faire les courses en famille, ce que les concepteurs de BMW concèdent volontiers en précisant que ce n'est pas sa vocation première.

En montant à bord, on constate que la présentation intérieure du X6 est presque en tous points semblable à celle du X5. La finition est soignée, les matériaux sont de qualité, les sièges sont confortables et, comme ils sont articulés de plusieurs façons, la position de conduite idéale est facilement obtenue.

DEUX MOTORISATIONS TURBOCOMPRESSÉES

Pour le X6 xDrive35i, BMW a choisi une motorisation déjà connue, soit le six cylindres en ligne de 3,0 litres turbocompressé qui livre 300 chevaux et 300 livres-pied de couple, le même moteur que l'on retrouve sous le capot des Série 1, 3 et 5. Pour plusieurs, ce six cylindres suffira amplement à la tâche grâce au fait que le couple maximal est atteint dès la barre des 1 400 tours/minute et que le chrono du X6 xDrive35i est de 6,7 secondes pour le sprint de 0-100 km/h, ce qui est très respectable pour un véhicule de ce gabarit. Les ingénieurs de BMW ont également choisi de greffer deux turbocompresseurs au V8 de 4,4 litres. Cet ajout permet au moteur de développer 400 chevaux ainsi qu'un impressionnant couple de 450 livres-pied. Heureusement que ce X6 xDrive50i dispose du rouage intégral, sans quoi il serait très facile, avec autant de couple et de puissance, de faire s'évaporer en fumée les énormes pneus arrière au départ. Le son de ce V8 turbo est tout simplement fabuleux et ses performances le sont tout autant, puisque le chrono du 0-100 km/h est réduit à 5,4 secondes. On se croirait presque à bord d'une authentique sportive tellement les accélérations initiales sont féroces, au point de nous faire oublier que le X6 pèse plus de deux tonnes.

UN COMPORTEMENT ROUTIER PRESQUE EXEMPLAIRE

BMW réussit bien à la fois ses motorisations ainsi que les qualités dynamiques de ses véhicules, et le X6 ne fait pas exception à cette règle, au contraire. Sur la piste d'essai de Michelin à Laurens en Caroline du Sud, j'ai été surpris par la facilité déconcertante avec laquelle le X6 xDrive50i attaquait les virages; il a fait preuve d'un aplomb presque parfait. Pour le X6, les ingénieurs de BMW ont mis au point le système DPC (*Dynamic Performance Control*) qui agit sur le différentiel arrière en transférant une motricité accrue à la roue extérieure en virages, afin d'améliorer la tenue de route et de réduire

partiellement le sous-virage à très haute vitesse. L'intervention du système DPC s'est révélée particulièrement utile lors d'un parcours sur piste détrempée sur laquelle le X6 pouvait négocier des virages serrés avec beaucoup de vitesse, de même que sur une piste sèche où il était facile de négocier de grandes courbes rapides à près de 150 km/h, ce qui représente tout un exploit pour un VUS de ce poids.

Au fil des kilomètres parcourus sur les routes de la Caroline du Sud, ainsi qu'à la suite des tours de piste effectués au centre de recherche et de développement de Michelin à Laurens, il m'est venu à l'esprit que la solution idéale serait de pouvoir commander un X5 équipé du V8 turbo et du système DPC. De cette façon, on obtiendrait des performances et un dynamisme relevés d'un cran tout en profitant d'un véhicule plus pratique et plus polyvalent que le X6.

Le X6 xDrive50i est donc extrêmement performant en accélération, en reprises ainsi qu'en tenue de route, mais la conduite de tous les jours sur des routes moins que parfaites apporte son lot d'inconfort, les suspensions fermes ainsi que les pneus surdimensionnés de 20 pouces étant à blâmer pour la rudesse du X6 sur routes dégradées.

FEU VERT

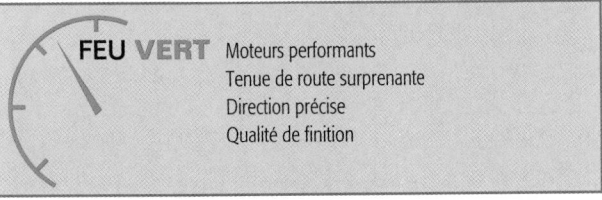

Moteurs performants
Tenue de route surprenante
Direction précise
Qualité de finition

FEU ROUGE

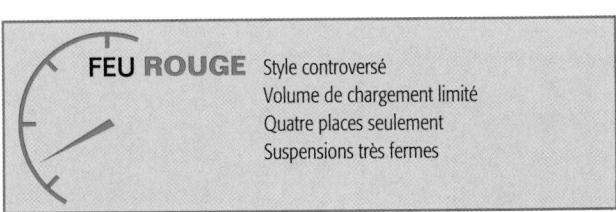

Style controversé
Volume de chargement limité
Quatre places seulement
Suspensions très fermes

Avec ses motorisations turbocompressées performantes et son système DPC qui est très avancé sur le plan technique, il est indéniable que le X6 peut rivaliser avec le Porsche Cayenne et qu'il éclipse le Range Rover Sport pour ce qui est de la tenue de route. Pourtant, la question que l'on doit se poser est la suivante : Combien d'acheteurs de VUS sont à la recherche d'un véhicule qui soit aussi performant, et combien d'entre eux feront un plein usage de ce potentiel très élevé de performance en indisposant leurs passagers ? Aussi, combien d'acheteurs sont prêts à faire des sacrifices pour ce qui est du confort et des considérations pratiques, deux éléments que l'on retrouve sur la plupart des VUS et qui sont sérieusement compromis dans le cas du X6 ? Voilà des questions qui demeurent en suspens. Pour ma part, bien que j'aie été impressionné par les qualités dynamiques du X6, je n'ai toujours pas compris l'attrait de ce véhicule au *look* franchement bizarre.

En fin de compte, si vous voulez conduire un véhicule qui a l'allure et les performances d'une voiture sport, achetez-vous donc une voiture sport… Vous profiterez alors de performances relevées avec une consommation plus raisonnable et des émissions polluantes moins élevées que celles d'un VUS de plus de deux tonnes…

Gabriel Gélinas

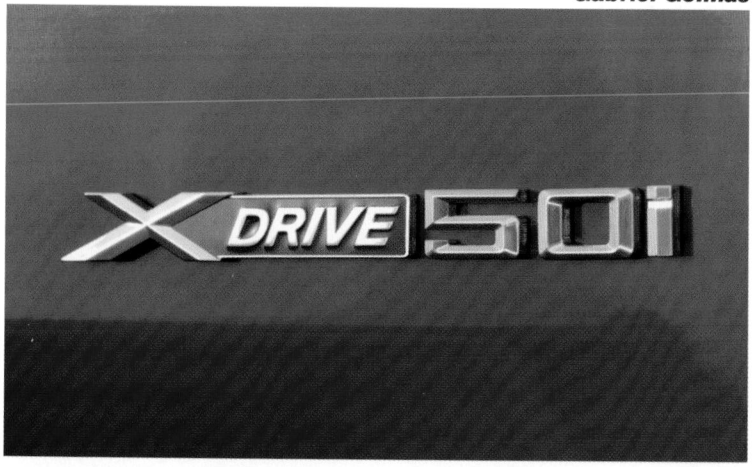

Photos : Marc Lachapelle

VÉHICULE D'ESSAI

SIRIUS RADIO SATELLITE

Version :	BMW X6 xDrive35i
Moteur :	6L de 3,0 litres 24s atmosphérique
Puissance :	300 ch (224 kW) à 5 800 tr/min
Couple :	300 lb-pi (407 Nm) à 1 400 tr/min
Rapport poids/puissance :	7,4, kg/ch (9,91 kg/kW)
Transmission :	automatique, 6 rapports
Rouage :	intégral
0-100 km/h · 80-120 km/h :	7,2 s · 6,0 s
Freinage 100-0 km/h :	40,0 m
Vitesse maximale :	210 km/h
Consommation (100 km) :	super, 14,4 litres
Autonomie approximative :	590 km
Émissions de CO2 :	5 600 kg/an
Emp/Lon/Lar/Haut (mm) :	2 993 / 4 877 / 2 195 / 1 630
Coffre/Réservoir :	570 à 1 450 / 85 litres
Nombre de coussins de sécurité :	6
Suspension avant :	indépendante, leviers triangulés
Suspension arrière :	indépendante, multibras
Freins av./arr. :	disques (ABS)
Antipatinage/Contrôle de stabilité :	oui/oui
Direction :	à crémaillère, assistance variable
Diamètre de braquage :	n.d.
Pneus av./arr. :	255/50R19
Poids :	2 220 kg
Capacité de remorquage :	n.d.

AUTRE(S) COMPOSANTE(S) MÉCANIQUE(S)

Système hybride :	aucun
Moteur diesel :	aucun
Taxe énergivore :	n.d.
Autre(s) moteur(s) :	V8 de 4,4 litres 400 ch/450 lb-pi (xDrive50i)
Autre(s) rouage(s) :	aucun
Autre(s) transmission(s) :	aucune

EN BREF

Échelle de prix :	63 900 $
Catégorie :	multisegment
Garanties :	4 ans/80 000 km, 4 ans/80 000 km
Assemblage :	n.d.
Cote d'assurance :	n.d.

DANS LA MÊME CATÉGORIE

Land Rover Range Rover Sport, Porsche Cayenne

NOS IMPRESSIONS

Agrément de conduite :	
Fiabilité :	nouveau modèle
Sécurité :	
Qualités hivernales :	
Espace intérieur :	
Confort :	

DU NOUVEAU EN 2009

Nouveau modèle

SI PETIT-FILS SAVAIT !

Du bout de la rue, grand-papa voyait son petit-fils approcher fièrement au volant de sa première voiture, une petite Honda surbaissée menant un train à réveiller les morts. Fringant et visiblement fier, petit-fils allait montrer sa « zézette » à grand-papa pour la première fois. « Salut grand-p'pa ! Y'a un moteur V-TEC là-d'dans ! C't'une vraie bombe ! » « Ça, une bombe ? T'as un moteur de brosse à dents », rétorquait le grand-père. « Ma Buick, ça c'est une bombe. J'ai un V8 de 300 chevaux capable de faire mordre la poussière à la plupart des Honda ! Mais moi, je reste calme ! Je pèse juste si un p'tit jeune comme toi vient me pousser dans le derrière ! »

Ce que vous venez de lire, c'est le récit authentique tiré de la bouche d'un propriétaire d'Allure qui me mentionnait à quel point il en avait mare de voir les jeunes d'aujourd'hui s'émouvoir à la vue d'une Honda Civic ou d'une Volkswagen Golf. Pour lui, ce ne sont pas des «vrais chars». En fait, ce monsieur roule depuis maintenant plus de quarante ans en Buick. Qu'il s'agisse de modèles Century, Wildcat, Electra ou Regal, il les a tous eus. Aujourd'hui, il vient de se payer un onzième Buick, l'Allure. Et croyez-moi, il l'adore. En fait, il l'adore comme la presque totalité des Buick qu'il a possédées, parce que cette voiture lui donne entière satisfaction jour après jour. Et il est là, le secret de la grande fidélité des acheteurs de Buick.

Bien sûr, leur âge généralement vénérable fait en sorte que cette clientèle fidèle diminue au fil du temps, ce qui explique d'ailleurs pourquoi la gamme Buick ne compte aujourd'hui que trois produits. On a beau tenter, par la publicité, d'attirer une clientèle plus jeune (surtout aux États-Unis), l'acheteur d'une Allure demeure en forte majorité une personne du troisième âge.

En quête de conservatisme et de confort, cet acheteur apprécie généralement les lignes sobres et élégantes de cette berline. Il aime aussi la présentation très épurée de l'habitacle, qui lui permet de s'y retrouver sans problèmes. Il aurait beau bénéficier d'une foule de gadgets, il ne serait jamais difficile pour lui de n'utiliser qu'une seule commande. Un des critères de base de l'acheteur de Buick est également le soin apporté aux sièges. Il souhaite un confort douillet, beaucoup d'espace et une bonne position de conduite. Bien entendu, l'Allure offre tout cela. Il faut aussi mentionner que cette voiture assemblée au Canada affiche une qualité de finition irréprochable et toujours égale d'une voiture à l'autre. Vous pourriez d'ailleurs monter à bord d'une Buick affichant 150 000 kilomètres au compteur que vous n'y verriez aucune différence.

Naturellement, la grande majorité des modèles Allure ne sont pas dotés de ce V8 de 5,3 litres à cylindrée variable, que Buick a ramené l'an dernier. Ce moteur est extrêmement puissant, mais il ne répond pas nécessairement aux besoins des acheteurs. Ce qui est dommage, c'est qu'il est venu l'an dernier reprendre le flambeau du moteur V6 de 3,6 litres à calage variable des soupapes, qu'on retrouvait auparavant dans la désormais défunte version CXS. Ce moteur, utilisé à plusieurs sauces chez GM, offrait de bonnes performances et un rendement très agréable, pour une consommation raisonnable. Il me semble donc ridicule qu'on l'ait abandonné. Cela dit, le moteur de l'Allure est cet increvable V6 de

FEU VERT
- Confort exceptionnel
- Qualité de construction honorable
- Comportement équilibré
- Excellente fiabilité
- Prix raisonnable

FEU ROUGE
- Abandon de la version CXS
- Effet de couple important (Super)
- Consommation élevée (Super)

3,8 litres à soupapes en tête, qu'on nous sert depuis des décennies puisqu'il demeure encore à ce jour le plus demandé. Aussi fiable qu'une montre suisse, il propose un rendement doux et consomme raisonnablement. Il n'aime pas nécessairement les hauts régimes, mais la clientèle cible n'en a tout simplement rien à faire. Et comme toujours, il fait équipe avec une boîte automatique à quatre rapports certes un peu vieillotte, mais aussi fiable que le moteur qu'elle assiste.

Le comportement sur route de l'Allure est évidemment axé sur le confort. L'insonorisation est notamment poussée à l'extrême, grâce à un procédé appelé QuietTuning. En version CX ou CXL, on nous propose une suspension plutôt molle, mais qui n'a heureusement rien à voir avec celle de l'ancienne LeSabre. Le conducteur bénéficie donc quand même d'une conduite douillette, sans pour autant devoir en payer le prix à l'amorce d'un virage. Je n'irais pas jusqu'à dire que le roulis est limité, mais la voiture demeure équilibrée et ne réserve jamais de mauvaises surprises. Même la direction, qui n'a bien sûr rien de ferme, demeure rassurante pour le conducteur. Du côté de la version Super (équipée du V8), la conduite est plus dynamique. Les éléments de suspension sont plus fermes tandis que les jantes de 18 pouces assurent une meilleure tenue de route. Toutefois, puisque l'on achemine 300 chevaux uniquement aux roues avant, et que le couple est très élevé à bas régime, il va sans dire que l'effet de couple est considérable. À la limite, c'en est agaçant.

Chose certaine, si vous lisez ces lignes, c'est que votre intérêt pour l'automobile ne penche pas du côté de la performance et du dynamisme. Vous souhaitez une voiture passablement traditionnelle et confortable, qui ne sera aucunement source d'ennuis. Et si tel est effectivement votre cas, l'Allure est un pari gagné d'avance. D'ailleurs, il s'agit d'une des voitures affichant l'un des meilleurs taux de satisfaction de la clientèle, selon plusieurs organismes spécialisés. Alors, faut-il en rajouter ?

Antoine Joubert

Photos: Buick

VÉHICULE D'ESSAI

Version :	Buick Allure Super
Moteur :	V8 de 5,3 litres 16s atmosphérique
Puissance :	300 ch (224 kW) à 5 600 tr/min
Couple :	323 lb-pi (438 Nm) à 4 000 tr/min
Rapport poids/puissance :	5,7, kg/ch (7,63 kg/kW)
Transmission :	automatique, 4 rapports
Rouage :	traction
0-100 km/h · 80-120 km/h :	6,5 s · 5,5 s (estimé)
Freinage 100-0 km/h :	43,0 m
Vitesse maximale :	n.d.
Consommation (100 km) :	ordinaire, 12,9 litres
Autonomie approximative :	511 km
Émissions de CO2 :	5 184 kg/an
Emp/Lon/Lar/Haut (mm) :	2 807 / 5 031 / 1 853 / 1 458
Coffre/Réservoir :	453 / 66 litres
Nombre de coussins de sécurité :	4
Suspension avant :	indépendante, jambes de force
Suspension arrière :	indépendante, multibras
Freins av./arr. :	disque (ABS)
Antipatinage/Contrôle de stabilité :	oui/oui
Direction :	à crémaillère, assistance variable
Diamètre de braquage :	12.2 m
Pneus av./arr. :	P235/50R18
Poids :	1 710 kg
Capacité de remorquage :	454 kg

AUTRE(S) COMPOSANTE(S) MÉCANIQUE(S)

Système hybride :	aucun
Moteur diesel :	aucun
Taxe énergivore :	aucune
Autre(s) moteur(s) :	V6 de 3,8 litres 200 ch/230 lb-pi (CX, CXL)
Autre(s) rouage(s) :	aucun
Autre(s) transmission(s) :	aucune

EN BREF

Échelle de prix :	26 495 $ à 38 765 $ (2008)
Catégorie :	berline grand format
Garanties :	4 ans/80 000 km, 5 ans/160 000 km
Assemblage :	Oshawa, Ontario, Canada
Cote d'assurance :	bonne

DANS LA MÊME CATÉGORIE

Ford Taurus, Honda Accord, Toyota Camry, Chrysler 300

NOS IMPRESSIONS

Agrément de conduite :	🚗🚗🚗
Fiabilité :	🚗🚗🚗🚗🚗
Sécurité :	🚗🚗🚗
Qualités hivernales :	🚗🚗🚗 ½
Espace intérieur :	🚗🚗🚗🚗 ½
Confort :	🚗🚗🚗 ½

DU NOUVEAU EN 2009

Rétroviseurs extérieurs chauffants standard, nouvelles roues, couleur rouge scarlet discontinuée remplacée par Quicksilver

BUICK ENCLAVE/GMC ACADIA/ SATURN OUTLOOK

Buick Enclave

LES TROIS MOUSQUETAIRES

Les lois non écrites qui régissent le marché de l'automobile pourraient quasiment faire l'objet d'un monologue présenté par un humoriste. Au fil des années, on a connu les familiales, les fourgonnettes de type Autobeaucoup (Dodge Caravan, etc.), les VUS et, finalement, les multisegments. Un peu comme un banc de poissons qui change de direction au gré du courant, les constructeurs tentent de suivre les mouvements des consommateurs. Ceux qui réussissent sont ceux qui les prévoient.

Il est assez rare que chez General Motors on soit en avance sur son temps. Dans le cas du trio formé par les multisegments Buick Enclave, GMC Acadia et Saturn Outlook, GM n'est peut-être pas en avance mais il est loin d'être derrière! Ces trois véhicules gagnent le pari d'être différents tout en répondant aux besoins du public. En plus, on note un quatrième mousquetaire cette année, le Chevrolet Traverse dont on peut prendre connaissance en consultant le texte qui lui est consacré.

Les quatre membres sont assemblés sur le même châssis mais chacun possède sa propre personnalité. Ce qui est un tour de force puisqu'ils partagent aussi le même moteur et la même transmission. L'engin est un V6 de 3,6 litres dont la puissance est passée de 275 chevaux à 288 et le couple de 251 à 270 grâce à la magie de l'injection directe de carburant. Curieusement, les données sont un peu moindres pour l'Outlook. La transmission est, dans tous les cas, une automatique à six rapports. Enfin, chacun offre des roues avant motrices ou, moyennant un supplément, un rouage intégral.

Il ne faut pas être devin pour savoir que malgré un poids de plus de 2 100 kilos, les performances ne sont pas à dédaigner. Le moteur est doux, silencieux et étonnamment sobre et son mariage avec la boîte à six rapports est des plus heureux. À 100 km/h, elle lui permet de dormir, littéralement. Quant au rouage intégral, oubliez les randonnées dans les champs. Dans quelques centimètres de neige, ça ira mais pas plus! Il faut aussi noter que ce rouage ajoute une centaine de kilos au véhicule, ce qui a une incidence négative sur les dynamiques et la consommation.

BUICK ENCLAVE

À tout seigneur, tout honneur! La Buick Enclave est, sans contredit, le multisegment qui se démarque le plus des trois. Ses lignes différentes lui confèrent un style à part qu'on aime ou qu'on n'aime pas. La ceinture de caisse relevée vers l'arrière, son museau très arrondi et son capot fortement bombé présentant les éternels *portholes* si chers à Buick la démarquent mais la feront sans doute paraître démodée avant les autres. Même son tableau de bord diffère. Dans l'habitacle, c'est le luxe qui prime et l'amateur de Buick ne se sentira pas dépaysé.

Outre le design, c'est surtout au niveau des suspensions que General Motors différencie ses modèles. Celles de l'Enclave sont assurément axées vers le confort et le roulis est fort présent. Malgré tout, l'Enclave

FEU VERT
- Moteur en forme
- Consommation raisonnable
- Coffre très logeable
- Vraie troisième rangée de sièges
- Style différent (Enclave)

FEU ROUGE
- Capacités hors route restreintes
- Prix corsés (AWD)
- Direction déconnectée (Enclave)
- Visibilité arrière réduite
- Rayon de braquage important

s'accroche fièrement au bitume. On retrouve aussi des différences assez marquées au chapitre de la direction. Celle de la Buick est la moins dynamique du lot, tant par son manque de *feedback* que par le vague qu'elle affiche au centre.

GMC ACADIA

Des trois modèles essayés durant l'année, c'est l'Acadia qui m'a semblé le moins au point. Sa caisse laissait entendre des craquements, et un bruit provenant sans doute des pneus devenait agaçant. Il faut dire qu'il s'agissait du véhicule ayant accumulé le plus de kilomètres. Est-ce une indication de la façon dont vieillissent ces produits ?

Des trois VUS, l'Acadia est celui qui, avec le Chevrolet Traverse, peut remorquer la plus lourde charge (2358 kilos contre 2041 pour les autres). Sa suspension et sa direction sont un peu plus fermes que dans l'Enclave mais ce n'est jamais dérangeant, bien au contraire !

SATURN OUTLOOK

L'Outlook et l'Acadia, donc, présentent des ressemblances évidentes. Comme déjà mentionné, le V6 de 3,6 litres du Outlook est un peu moins puissant que dans les deux autres modèles, les trois autres si on inclut le Traverse. Dans la version de base (XE), il développe 281 chevaux tandis que dans le XR, il en fait 286.

En plus de partager leurs organes mécaniques, les trois mousquetaires ont aussi droit au même habitacle malgré des tableaux de bord à la présentation différente. Dans tous les cas, la visibilité en manœuvre de recul est pénible (encore pire sur l'Enclave), le rayon de braquage est trop grand, les sièges avant ainsi que la deuxième rangée de sièges sont confortables et aisément accessibles. Même la troisième rangée est facilement atteinte grâce au système Smart Slide qui permet aux sièges de la rangée médiane d'avancer de plusieurs centimètres. Cette troisième rangée est confortable pour deux personnes (moins pour trois) et même en position relevée, elle autorise un bon espace de rangement dans la soute à bagages.

Ces trois modèles sont de judicieux choix pour qui a besoin de sept ou huit places, qui n'a pas à affronter des sentiers défoncés et, surtout, qui n'a pas peur d'un produit General Motors.

Alain Morin

Photos : Buick

VÉHICULE D'ESSAI

Version :	Saturn Outlook XR AWD
Moteur :	V6 de 3,6 litres 24s atmosphérique
Puissance :	286 ch (213 kW) à 6400 tr/min
Couple :	255 lb-pi (346 Nm) à 5500 tr/min
Rapport poids/puissance :	7,77 kg/ch (10,44 kg/kW)
Transmission :	automatique, 6 rapports
Rouage :	intégral
0-100 km/h · 80-120 km/h :	8,5 s · 7,3 s
Freinage 100-0 km/h :	46,5 m
Vitesse maximale :	200 km/h
Consommation (100 km) :	ordinaire, 13,5 litres
Autonomie approximative :	614 km
Émissions de CO2 :	5520 kg/an
Emp/Lon/Lar/Haut (mm) :	3021 / 5107 / 2216 / 1846
Coffre/Réservoir :	683 à 3282 / 83 litres
Nombre de coussins de sécurité :	6
Suspension avant :	indépendante, ressorts hélicoïdaux
Suspension arrière :	indépendante, multibras
Freins av./arr. :	disque (ABS)
Antipatinage/Contrôle de stabilité :	oui/oui
Direction :	à crémaillère, assistée
Diamètre de braquage :	12,3 m
Pneus av./arr. :	P255/65R18
Poids :	2225 kg
Capacité de remorquage :	2045 kg

AUTRE(S) COMPOSANTE(S) MÉCANIQUE(S)

Système hybride :	aucun
Moteur diesel :	aucun
Taxe énergivore :	n.d.
Autre(s) moteur(s) :	V6 de 3,6 litres 281 ch/253 lb-pi (13,0 l/100 ordinaire) (XE)
Autre(s) rouage(s) :	traction (XR, XE)
Autre(s) transmission(s) :	aucune

EN BREF

Échelle de prix :	35 010 $ à 42 140 $
Catégorie :	multisegment
Garanties :	3 ans/60 000 km, 5 ans/160 000 km
Assemblage :	Lansing, Michigan, É-U
Cote d'assurance :	n.d.

DANS LA MÊME CATÉGORIE

Cadillac SRX, Ford Flex, Ford Taurus X, Infiniti FX35/45, Lexus RX350

NOS IMPRESSIONS

Agrément de conduite :	½
Fiabilité :	
Sécurité :	
Qualités hivernales :	
Espace intérieur :	
Confort :	

DU NOUVEAU EN 2009

Nouveau moteur V6 de 3,6 litres, plus raffiné et plus puissant

ENTRE DEUX GÉNÉRATIONS

Au tournant du siècle, la division Buick de General Motors était confrontée à un sérieux dilemme. Si elle ne trouvait pas le moyen de rajeunir sa clientèle, elle allait devoir fermer ses portes faute d'acheteurs. Sa direction a alors entrepris une révision complète de tous les modèles et la Lucerne, apparue en 2006, fait partie de cette nouvelle vague. Pour plusieurs, c'est trop peu trop tard, mais avant de se prononcer, mieux vaut effectuer un essai routier complet de cette berline. En effet, la marque a tellement décliné qu'on est porté à l'ignorer.

Si vous aimez comparer les modèles actuels à ce qu'ils remplacent, la Lucerne est dorénavant le modèle le plus luxueux de la gamme. Elle vient s'insérer entre l'ancienne Le Sabre et la Park Avenue, qui était une version plus luxueuse de la première. Mais comme vous allez le constater, le modèle actuel est plus évolutif qu'autre chose. Il utilise entre autres la plate-forme de la Cadillac DTS, la seule de cette marque à proposer une traction.

SECOND REGARD

Je fais partie de ceux qui n'ont pas vraiment porté attention à l'arrivée de ce nouveau modèle, sans doute en raison des communiqués dithyrambiques des responsables des relations publiques, qui nous promettaient une voiture entièrement renouvelée et même futuriste. Pourtant, à part la grille de calandre chromée en forme de chute d'eau et les extracteurs d'air, les célèbres *portholes* placés sur les ailes avant, la silhouette de cette grosse berline est tout de même assez sobre, trop sobre même. Par contre, si on prend le temps d'examiner les lignes de la carrosserie de plus près, on se rend compte de leur pureté et de l'élégance du design. Ce n'est certainement pas avant-gardiste, mais d'une élégance contemporaine qui plaira à la clientèle visée.

Il ne faut pas croire pour autant que les stylistes de cette division manquent d'imagination et de créativité. Ils nous l'ont prouvé avec l'Enclave, un multisegment qui fait l'unanimité aussi bien en raison de sa silhouette que de son habitacle très innovateur. Malheureusement, le tableau de bord de la Lucerne n'est pas de cette cuvée. Tout est rectangulaire à part les cadrans indicateurs, et il semble que l'on se soit donné le mot pour rendre les commandes ultrasimples, comme si on craignait de confondre le conducteur.

Sur une note plus positive, l'habitabilité est impressionnante tandis que l'équipement de série est on ne peut plus complet. En outre, comme sur toutes les Buick, la finition est excellente. Par contre, comme c'est souvent le cas chez ce constructeur, les plastiques durs abondent. Tous les véhicules produits par cette division privilégiant le confort avant toute autre chose, il est donc normal que les sièges avant soient surtout mœlleux et offrent un support latéral assez moyen. La banquette arrière est de bonnes dimensions, mais malgré la grosseurr de la voiture, seulement deux adultes peuvent s'y asseoir de façon confortable.

Terminons ce tour du propriétaire en soulignant que le coffre est spacieux et son seuil de chargement très bas. Des mauvaises langues vont

FEU VERT
- Finition impeccable
- Confort assuré
- Mécanique fiable
- Moteur V8
- Bon rapport qualité prix

FEU ROUGE
- Roulis prononcé en virage
- Silhouette anonyme
- Boîte auto quatre rapports
- Position de conduite peu confortable
- Moteur V6 ancestral

ajouter que c'est parce que les acheteurs éventuels n'ont plus la force de soulever les objets plus haut. Peu importe la raison, c'est super. Malheureusement, les dossiers arrière ne peuvent se rabattre, limitant ainsi la possibilité de charger des objets longs.

EN DOUCEUR, MARCEL ! EN DOUCEUR !

Un jour, quelqu'un de chez Buick m'a souligné avec vigueur que les voitures de cette division ne privilégiaient pas la tenue de route mais bien le confort. C'est ce qui explique, selon moi, pourquoi tant de papys se tournent vers la marque. Il est difficile de comprendre comment on peut vouloir rajeunir la clientèle en lui proposant des voitures dont la suspension est souple, archi souple.

Il faut mentionner que l'on a effectué beaucoup de progrès à ce chapitre alors que la voiture ne tangue pas à la moindre imperfection de la route et que le roulis en virage est tout de même limité. La suspension régulière absorbe donc les trous et les bosses comme par magie. Par contre, il faut éviter d'être agressif au volant. Pour remédier à cette souplesse que certains jugent indésirable, il suffit d'opter pour la suspension Magnaride qui permet à la Lucerne d'avoir un comportement routier fort acceptable. À vous de choisir !

Pendant des années, Buick a développé avec amour et patience l'incontournable moteur V6 de 3,8 litres, qui a connu de nombreuses évolutions. Avec ses soupapes en tête, ce moteur offre un couple généreux à bas régime et il est donc bien adapté à la conduite urbaine. Il doit malheureusement se contenter d'une boîte automatique à quatre rapports qui a déjà connu des jours meilleurs.

Le moteur recommandé est le V8 de 4,6 litres originalement développé par Cadillac. Il s'agit du légendaire moteur Northstar. Il produit 292 chevaux, mais il est bridé par la même boîte automatique à quatre rapports. Malgré tout, les performances et les reprises sont correctes. Et une fois derrière le volant, même si la position de conduite n'est pas parfaite, la Lucerne est une voiture de fonction fort honorable qui privilégie le confort tout en offrant une tenue de route sans surprise.

Denis Duquet

Photos : Buick

VÉHICULE D'ESSAI

Version :	Buick Lucerne CXL (V6)
Moteur :	V6 de 3,8 litres 24s atmosphérique
Puissance :	227 ch (169 kW) à 5 700 tr/min
Couple :	237 lb-pi (321 Nm) à 3 200 tr/min
Rapport poids/puissance :	7,92 kg/ch (10,65 kg/kW)
Transmission :	automatique, 4 rapports
Rouage :	traction
0-100 km/h · 80-120 km/h :	10,8 s · 8,0 s
Freinage 100-0 km/h :	42,4 m
Vitesse maximale :	190 km/h
Consommation (100 km) :	ordinaire, 11,9 litres
Autonomie approximative :	588 km
Émissions de CO2 :	n.d.
Emp/Lon/Lar/Haut (mm) :	2 936 / 5 161 / 1 874 / 1 473
Coffre/Réservoir :	481 / 70 litres
Nombre de coussins de sécurité :	6
Suspension avant :	indépendante, jambes de force
Suspension arrière :	indépendante, multibras
Freins av./arr. :	disque (ABS)
Antipatinage/Contrôle de stabilité :	oui/oui
Direction :	à crémaillère, assistance variable
Diamètre de braquage :	13,4 m
Pneus av./arr. :	P235/55R17
Poids :	1 800 kg
Capacité de remorquage :	454 kg

AUTRE(S) COMPOSANTE(S) MÉCANIQUE(S)

Système hybride :	aucun
Moteur diesel :	aucun
Taxe énergivore :	aucune
Autre(s) moteur(s) :	V8 de 4,6 litres 292 ch/288 lb-pi (Super)
Autre(s) rouage(s) :	aucun
Autre(s) transmission(s) :	aucune

EN BREF

Échelle de prix :	31 995 $ à 47 995 $
Catégorie :	berline de luxe
Garanties :	4 ans/80 000 km, 5 ans/160 000 km
Assemblage :	Hamtrack, Michigan, É-U
Cote d'assurance :	n.d.

DANS LA MÊME CATÉGORIE

Chrysler 300, Ford Taurus, Hyundai Azera, Kia Amanti, Lexus ES350, Toyota Avalon

NOS IMPRESSIONS

Agrément de conduite :	3 ½
Fiabilité :	4
Sécurité :	4
Qualités hivernales :	3 ½
Espace intérieur :	5
Confort :	5

DU NOUVEAU EN 2009

Moteur V6 plus puissant pour CX et CXL.

À L'ASSAUT DE L'ALLEMAGNE

L'objectif de la mission confiée à la CTS par la marque Cadillac a toujours été de concurrencer directement les rivales établies de la catégorie des berlines sport. La première génération a bien réussi son entrée, mais présentait toujours des lacunes qui ont été corrigées avec l'arrivée de l'actuelle CTS. Celle-ci est maintenant en mesure d'opposer une concurrence plus sérieuse. De plus, Cadillac entend jouer sur tous les tableaux en développant de nouveaux modèles dérivés de sa berline sport, comme un coupé, dont le concept a été dévoilé au Salon de Détroit, et même une familiale, dont l'arrivée est anticipée en 2010...

Côté style, la CTS adopte toujours les lignes ciselées mises de l'avant par la génération précédente, mais la voiture actuelle fait preuve d'une personnalité plus affirmée que lui confère sa calandre surdimensionnée, directement inspirée de la voiture-concept Cadillac Sixteen. De plus, certains éléments de détail comme les prises d'air factices localisées près de la jonction des ailes avant et du pare-brise la distinguent avantageusement. L'effet est concluant et la CTS fait preuve d'une belle homogénéité côté design.

L'EFFET DE L'INTÉGRALE

Sur la route, la CTS équipée de la traction intégrale s'est montrée très compétente. La direction est assez vive et précise pour lui donner une personnalité enjouée et le V6 de 3,6 litres livre des performances tout à fait convenables lorsque jumelé à la boîte automatique à six rapports, même s'il peut paraître un peu rugueux par moments. Les calibrations des suspensions sont assez fermes pour permettre de bien sentir la route sans trop faire souffrir conducteur et passagers au passage de tronçons de route plus dégradés, mais la CTS n'offre pas une conduite aussi directe et sportive qu'une BMW. La présence du rouage intégral fait en sorte que la CTS ne rechigne pas à l'idée d'aller jouer dehors en hiver, où elle fait preuve d'un bel équilibre dans ces conditions particulières.

Somme toute, le bilan est assez reluisant, mais il y a tout de même ombre au tableau puisque la voiture d'essai que j'ai eu l'occasion de conduire émettait un son d'interférence qui était en phase avec le régime moteur de la voiture et qui venait troubler la vie à bord. Il semble cependant qu'il s'agit là d'un cas isolé, du moins si j'en juge par les commentaires recueillis auprès de certains propriétaires de CTS que j'ai sondés à cet égard et qui n'ont pas remarqué ce défaut irritant. Pour le reste, la CTS propose un habitacle confortable et la qualité de la finition intérieure et des matériaux utilisés pour la planche de bord a grandement progressé par rapport aux modèles de première génération.

LA CTS-V, LE COUPÉ ET LA FAMILIALE...

Avec son moteur V8 de 6,2 litres suralimenté par compresseur, qui est étroitement dérivé de celui qui équipe la Corvette ZR-1 et qui est capable de livrer 550 chevaux, la CTS-V a réussi l'exploit de boucler un tour du circuit de Nürburgring en 7 minutes 59 secondes et 32 dixièmes, ce qui représente un chrono record pour une berline sur

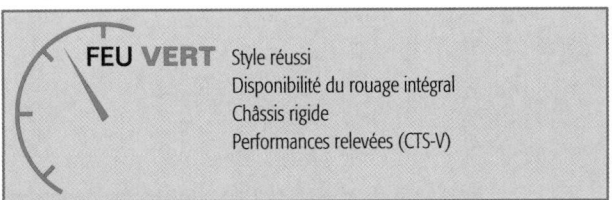

FEU VERT
- Style réussi
- Disponibilité du rouage intégral
- Châssis rigide
- Performances relevées (CTS-V)

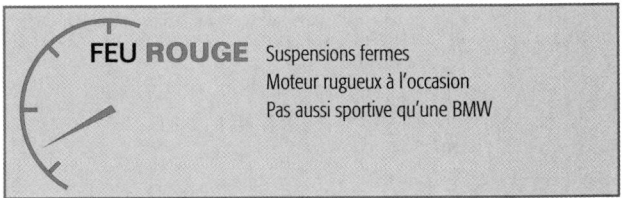

FEU ROUGE
- Suspensions fermes
- Moteur rugueux à l'occasion
- Pas aussi sportive qu'une BMW

ce mythique circuit allemand composé de 73 virages, selon Cadillac. Ce coup d'éclat a donc permis de marquer le lancement de la version « pure adrénaline » de la CTS, qui a de toute évidence les BMW M5 et les versions AMG des berlines de Mercedes-Benz dans son collimateur.

Au récent Salon de l'auto de Détroit, Cadillac a réussi l'exploit de dévoiler un modèle que personne n'attendait, et au sujet duquel aucune information n'avait filtré au préalable. Conçue dans le plus grand secret, la voiture-concept CTS Coupé aura donc été l'une des rares vraies surprises de l'actualité récente de l'automobile. Comme ce concept est étroitement calqué sur la berline CTS, sa commercialisation est presque assurée et serait prévue pour la fin de 2009. Côté style, le coupé est plus court et plus bas de deux pouces par rapport à la berline et l'angle de son pare-brise est nettement plus prononcé, mais il y a fort à parier que le coupé pourrait facilement hériter de tous les éléments mécaniques qui composent les différents modèles de l'actuelle berline sport.

De plus, des photographes-espion ont réussi à croquer sur le vif un prototype d'une version familiale de la CTS qui fait actuellement l'objet d'un protocole d'évaluation, et dont la commercialisation éventuelle serait envisagée pour 2010. Ce type de voiture étant très populaire en Europe, une CTS familiale permettrait d'élargir la gamme à peu de frais pour Cadillac, tout en proposant une rivale directe aux versions *Touring* de la BMW Série 5 ou Avant de la Audi A6, entre autres... De plus, ce nouveau modèle permettrait également à Cadillac de proposer une solution de remplacement valable aux acheteurs actuels de VUS de General Motors, devenus plus sensibles à l'augmentation récente et continue du prix du carburant.

Gabriel Gélinas

Photos : Cadillac

VÉHICULE D'ESSAI

Version :	Cadillac CTS
Moteur :	V6 de 3,6 litres 24s atmosphérique
Puissance :	304 ch (227 kW) à 6 400 tr/min
Couple :	273 lb-pi (370 Nm) à 5 200 tr/min
Rapport poids/puissance :	5,70 kg/ch (7,63 kg/kW)
Transmission :	automatique, 6 rapports
Rouage :	propulsion
0-100 km/h · 80-120 km/h :	5,9 s · 5,0 s
Freinage 100-0 km/h :	37,4 m
Vitesse maximale :	250 km/h
Consommation (100 km) :	ordinaire, 12,3 litres
Autonomie approximative :	552 km
Émissions de CO2 :	4 848 kg/an
Emp/Lon/Lar/Haut (mm) :	2 880 / 4 866 / 1 841 / 1 472
Coffre/Réservoir :	385 / 68 litres
Nombre de coussins de sécurité :	6
Suspension avant :	indépendante, bras inégaux
Suspension arrière :	indépendante, multibras
Freins av./arr. :	disque (ABS)
Antipatinage/Contrôle de stabilité :	oui/oui
Direction :	à crémaillère, assistance variable
Diamètre de braquage :	10,9 m
Pneus av./arr. :	P235/50R18
Poids :	1 733 kg
Capacité de remorquage :	454 kg

AUTRE(S) COMPOSANTE(S) MÉCANIQUE(S)

Système hybride :	aucun
Moteur diesel :	aucun
Taxe énergivore :	aucune
Autre(s) moteur(s) :	V8 de 6,2 litres 550 ch/550 lb-pi (CTS-V)
	V6 de 3,6 litres 263 ch/253 lb-pi (13,6 l/100 ordinaire)
Autre(s) rouage(s) :	intégral
Autre(s) transmission(s) :	manuelle, 6 rapports (CTS-V)

EN BREF

Échelle de prix :	39 365 $ à 46 655 $
Catégorie :	berline sport
Garanties :	4 ans/80 000 km, 5 ans/160 000 km
Assemblage :	Lansing, Michigan, É-U
Cote d'assurance :	moyenne

DANS LA MÊME CATÉGORIE

Audi A4/S4/RS4, BMW Série 3/M3, Infiniti G35, Lexs IS-F, Mercedes-Benz Classe C

NOS IMPRESSIONS

Agrément de conduite :	5
Fiabilité :	4
Sécurité :	4
Qualités hivernales :	3 ½
Espace intérieur :	4
Confort :	4

DU NOUVEAU EN 2009

Retour de la CTS-V

UN PONT AVEC LE PASSÉ !

GM a réussi un coup de maître avec sa gamme Cadillac au cours des dernières années. Le constructeur a modernisé avec succès ces véhicules et les a rendus à nouveau désirables pour une toute nouvelle clientèle qui ne les aurait pas considérés autrement. La seule voiture qui persiste dans le style classique de Cadillac et qui sert de pont avec la clientèle traditionnelle est sans aucun doute la DTS, connue précédemment sous l'appellation Deville. Cependant, malgré son évolution tout en sagesse, elle n'est pas dénuée d'attraits.

La DTS, une berline de luxe pleine grandeur, a très peu de concurrentes dans son créneau. Cette situation n'est pas due à ses caractéristiques mécaniques ou à sa taille, mais bien à sa vocation et à sa philosophie. Elle représente toujours, pour une clientèle plus âgée, la voiture de luxe soulevant l'admiration et la reconnaissance pour celui qui la possède, notamment en raison du riche passé de la célèbre marque. Si vous appréciez les berlines sport, modernes et sophistiquées, cherchez ailleurs, la DTS n'est pas pour vous.

UN SEUL MOTEUR OFFERT

Sous le capot, la DTS reçoit un moteur V8 Northstar multisoupapes de 4,6 litres qui développe 292 chevaux pour un couple de 288 livres-pied. Une variante de ce moteur, qui équipe le modèle de base, dispose d'une puissance légèrement inférieure, soit 275 chevaux. Une seule transmission est au menu, soit une boîte automatique à quatre rapports, un autre élément classique, car les boîtes modernes disposent de cinq rapports et bien souvent six ou plus. Malgré tout, c'est une puissance largement suffisante, surtout en raison du couple élevé de ce moteur qui permet de bonnes reprises et des accélérations mordantes. La boîte automatique tire bien profit de la puissance disponible, mais un nombre de rapports supérieur permettrait d'obtenir des régimes moins élevés, donc une économie d'essence supérieure. Voilà un élément qui serait fort appréciable par les temps qui courent.

Un autre élément unique à la DTS est la motricité avant, Cadillac ayant en effet privilégié un retour à la propulsion pour ses autres modèles. Comme l'électronique a permis de minimiser plusieurs désavantages liés à la propulsion, certains constructeurs privilégient à nouveau ce rouage qui favorise les performances grâce notamment à une meilleure répartition des masses.

Avec cette configuration et la puissance du moteur V8, il devient évident que la DTS, sans toutefois être anémique, n'est pas un bolide orienté vers la performance, mais plutôt vers le confort. Sous forte accélération, on note un bon effet de couple, un élément typique des voitures à traction plus puissante. En conduite, le châssis offre une bonne rigidité, mais la direction et la suspension sont calibrées en fonction d'une conduite confortable, non pas sportive. Cependant, la suspension magnétique, optionnelle et inaugurée sur les modèles STS et XLR, permettra d'obtenir une conduite plus ferme tout en réduisant les mouvements de carrosserie.

FEU VERT
- Moteur vif
- Habitacle spacieux
- Confort de roulement
- Espace cargo généreux
- Mécanique éprouvée

FEU ROUGE
- Effet de couple marqué
- Transmission à quatre rapports
- Peu performante
- Image vieillissante

STYLE MODERNISÉ

Au chapitre des lignes, une fois encore, on remarque une sage évolution. Les stylistes ont apporté dans le passé quelques changements destinés à associer la DTS aux nouvelles lignes Cadillac. De ce lot, on note les phares ainsi que les feux arrière qui sont un peu plus profilés. Du reste, les lignes de la DTS demeurent classiques, histoire de plaire à la clientèle ciblée. Un changement trop radical pourrait déplaire aux acheteurs et miner les ventes. Le constructeur essaie cependant d'attirer une clientèle plus jeune en proposant la DTS avec un groupe « performance », qui ajoute notamment des jantes sport. L'idée est certainement louable, mais l'esprit de la voiture demeure.

La DTS est une voiture imposante. Ceux qui apprécient les grosses carrosseries et les intérieurs spacieux seront servis à souhait. Le tout se transmet d'ailleurs en conduite. On sent la voiture massive et moins agile en zone urbaine. Il faut dire qu'on est maintenant habitué à des voitures au gabarit beaucoup moins imposant. Cependant, les passagers héritent d'un très bon dégagement et le volume du coffre est certainement l'un des plus importants dans ce créneau. Les sièges baquets favorisent le confort et pourront accommoder avec aise les personnes plus corpulentes. La finition est aussi très correcte, malgré qu'il reste toujours quelques éléments à peaufiner.

UN AVENIR INCERTAIN

Il faut des voitures pour plaire à tous les types d'acheteur et, pour le moment, la DTS continue de remplir une mission précise, sans avoir l'air d'un dinosaure de la route. Ses composantes mécaniques sont certes moins modernes que ce que l'on retrouve à bord des nouveaux modèles du constructeur, mais le tout demeure acceptable. Il sera intéressant de voir combien de temps la DTS continuera à tenir le coup avant de disparaître ou de subir une nette cure de jeunesse.

Sylvain Raymond

Photos : Cadillac

VÉHICULE D'ESSAI

Version :	Cadillac DTS Performance
Moteur :	V8 de 4,6 litres 32s atmosphérique
Puissance :	292 ch (218 kW) à 6 300 tr/min
Couple :	288 lb-pi (391 Nm) à 4 500 tr/min
Rapport poids/puissance :	6,22 kg/ch (8,33 kg/kW)
Transmission :	automatique, 4 rapports
Rouage :	traction
0-100 km/h · 80-120 km/h :	7,8 s · 6,7 s
Freinage 100-0 km/h :	42,4 m
Vitesse maximale :	210 km/h
Consommation (100 km) :	ordinaire, 13,8 litres
Autonomie approximative :	492 km
Émissions de CO2 :	5 520 kg/an
Emp/Lon/Lar/Haut (mm) :	2 936 / 5 274 / 1 901 / 1 464
Coffre/Réservoir :	532 / 68 litres
Nombre de coussins de sécurité :	6
Suspension avant :	indépendante, multibras
Suspension arrière :	indépendante, multibras
Freins av./arr. :	disque (ABS)
Antipatinage/Contrôle de stabilité :	oui/oui
Direction :	à crémaillère, assistance magnétique
Diamètre de braquage :	n.d.
Pneus av./arr. :	P245/50R18
Poids :	1 818 kg
Capacité de remorquage :	454 kg

AUTRE(S) COMPOSANTE(S) MÉCANIQUE(S)

Système hybride :	aucun
Moteur diesel :	aucun
Taxe énergivore :	aucune
Autre(s) moteur(s) :	V8 de 4,6 litres 275 ch/295 lb-pi (13,8 l/100 ordinaire)
Autre(s) rouage(s) :	aucun
Autre(s) transmission(s) :	aucune

EN BREF

Échelle de prix :	52 935 $ à 64 765 $
Catégorie :	berline grand format
Garanties :	4 ans/80 000 km, 5 ans/160 000 km
Assemblage :	Hamtrack, Michigan, É-U
Cote d'assurance :	n.d.

DANS LA MÊME CATÉGORIE

Acura RL, Buick Lucerne, Lexus LS460

NOS IMPRESSIONS

Agrément de conduite :	3 ½
Fiabilité :	4
Sécurité :	4
Qualités hivernales :	3 ½
Espace intérieur :	4 ½
Confort :	4 ½

DU NOUVEAU EN 2009

Trois nouvelles couleurs, nouvelles roues en aluminium

UNE RASSURANTE MATURITÉ

J'admets faire partie de ces chroniqueurs automobiles qui se sont emballés pour le modèle SRX à sa sortie. Il est vrai qu'il possédait plusieurs qualités fort intéressantes qui le plaçaient parmi les meilleurs de sa catégorie. Certains ne trouvaient pas sa silhouette élégante à l'époque, mais c'était quand même assez réussi pour une Cadillac. D'autant plus que cette division était à l'aube d'une refonte esthétique complète. Malheureusement, la finition des modèles de production laissait à désirer tandis que la fiabilité initiale aura donné bien des maux de tête aux propriétaires.

Heureusement, l'époque où ce constructeur attendait la fin du cycle de la voiture avant d'apporter des améliorations est révolue. Au fil des années, la qualité des matériaux a été améliorée, la finition s'est nettement resserrée et, en dernier lieu, le tableau de bord a été modernisé. En principe, cette Cadillac est donc, plus que jamais, en mesure de faire la lutte à ses rivales de la catégorie ? Pas tout à fait !

Si les nouvelles CTS nous éblouissent par leur silhouette racée et innovatrice, la SRX ne fait pas nécessairement tourner les têtes, et ce, même si elle se démarque par sa calandre très particulière, encadrée par deux feux de route verticaux, et par les angles aigus de sa carrosserie. La section arrière est passablement lourdaude malgré la présence de piliers C inclinés vers l'avant. Il faut se rappeler que cette Cadillac doit affronter les Lexus RX, les BMW X5, les Mercedes-Benz ML de même que la Volvo XC90. Comme vous pouvez le constater, la SRX aurait besoin d'une nouvelle silhouette, même si elle est toujours d'une certaine élégance.

La même remarque s'applique au tableau de bord. Celui-ci est sobre, pratique et assez ergonomique, bien que certaines commandes pourraient être mieux situées. De plus, la qualité des plastiques de l'habitacle s'est également améliorée au fil des années. Malgré tout, la présentation de l'ensemble est trop générique pour une voiture de ce prix.

Les sièges avant sont confortables, mais plusieurs personnes nous ont souligné qu'elles avaient de la difficulté à s'habituer à la ceinture intégrée au siège. Il est possible de commander une version à trois rangées de sièges et le déploiement de la troisième rangée est motorisé. Toutefois, l'opération prend un temps fou. Toujours au chapitre des accessoires à assistance électrique, le hayon s'ouvre et se referme à l'aide d'un moteur.

MOTORISATION ADAPTÉE

S'il est facile de critiquer la silhouette ou la configuration du tableau de bord, nous devons par contre souligner la qualité des moteurs offerts sur ce modèle. La version la plus économique est propulsée par un moteur V6 de 3,6 litres produisant 255 chevaux et associé à une boîte automatique à cinq rapports. Ce moteur ne nécessite aucune présentation, car il est utilisé sur plusieurs autres modèles produits par General Motors. Son rendement et ses performances permettent d'assurer un agrément de conduite fort intéressant, d'autant plus que la

FEU VERT
- Excellents moteurs
- Bonne tenue de route
- Habitacle confortable
- Équipement complet
- Prix compétitifs

FEU ROUGE
- Troisième banquette inutile
- Moteur V8 gourmand
- Silhouette trop sobre
- Préjugés négatifs envers la marque
- Détails d'aménagement à revoir

tenue de route est exemplaire. La plate-forme est très rigide, ce qui procure une stabilité dans les courbes de même qu'un excellent silence de roulement, et ce, malgré la présence d'un toit ouvrant aux dimensions hors de l'ordinaire.

Il faut également porter à l'attention l'efficacité de la transmission intégrale offerte en option tandis que le système de stabilité latérale est l'un des meilleurs de sa catégorie. Contrairement à certains systèmes qui entrent en jeu trop rapidement et qui ralentissent le véhicule de façon radicale, celui de la RSX se manifeste uniquement si nécessaire et permet de conserver une vitesse sécuritaire. Chez Cadillac, on a réussi à bien doser le système.

Si les 255 chevaux du moteur V6 vous semblent trop justes parce que vous prévoyez charger le véhicule plus que la moyenne ou remorquer une roulotte, il est possible de commander un moteur V8 de 4,6 litres d'une puissance de 320 chevaux et d'un couple de 315 livres-pied. Ce V8 est associé à une transmission automatique à six rapports au fonctionnement sans reproche. Le tandem permet de boucler le 0-100 km/h en 8,2 secondes, ce qui n'est pas mal, étant donné que ce véhicule pèse plus de deux tonnes.

La SRX devrait bientôt connaître une refonte en profondeur avec une silhouette plus moderne et sans doute une plate-forme plus rigide. Malgré tout, le modèle actuel a fort bien évolué, tant sur les plans de l'aménagement intérieur, de l'attention aux détails et, espérons-le, de l'amélioration de la fiabilité. Si vous avez besoin d'un véhicule de cette catégorie et que la réputation de Cadillac ne vous effraie pas, vous apprécierez fort probablement votre achat, peu importe le moteur que vous choisirez. Avec les turbulences du marché, vous avez aussi de fortes chances de trouver cette Caddy tout usage à un prix très concurrentiel.

Denis Duquet

Photos : Cadillac

VÉHICULE D'ESSAI

Version :	Cadillac SRX V8 (TI)
Moteur :	V8 de 4,6 litres 32s atmosphérique
Puissance :	320 ch (239 kW) à 6 400 tr/min
Couple :	315 lb-pi (427 Nm) à 4 400 tr/min
Rapport poids/puissance :	6,29 kg/ch (8,43 kg/kW)
Transmission :	automatique, 6 rapports
Rouage :	intégral
0-100 km/h · 80-120 km/h :	8,2 s · 8,8 s
Freinage 100-0 km/h :	39,4 m
Vitesse maximale :	225 km/h
Consommation (100 km) :	super, 16,0 litres
Autonomie approximative :	475 km
Émissions de CO2 :	6 384 kg/an
Emp/Lon/Lar/Haut (mm) :	2 958 / 4 950 / 1 845 / 1 722
Coffre/Réservoir :	238 à 1 968 / 76 litres
Nombre de coussins de sécurité :	6
Suspension avant :	indépendante, multibras
Suspension arrière :	indépendante, multibras
Freins av./arr. :	disque (ABS)
Antipatinage/Contrôle de stabilité :	oui/oui
Direction :	à crémaillère, assistance variable électronique
Diamètre de braquage :	12,1 m
Pneus av./arr. :	P235/60ZR18 / P255/55ZR18
Poids :	2 015 kg
Capacité de remorquage :	1 588 kg

AUTRE(S) COMPOSANTE(S) MÉCANIQUE(S)

Système hybride :	aucun
Moteur diesel :	aucun
Taxe énergivore :	1 000 $ (V8)
Autre(s) moteur(s) :	V6 de 3,6 litres 255 ch/254 lb-pi (14,3 l/100 ordinaire)
Autre(s) rouage(s) :	propulsion
Autre(s) transmission(s) :	automatique, 5 rapports

EN BREF

Échelle de prix :	46 910 $ à 60 725 $
Catégorie :	multisegment
Garanties :	4 ans/80 000 km, 5 ans/160 000 km
Assemblage :	Lansing, Michigan, É-U
Cote d'assurance :	n.d.

DANS LA MÊME CATÉGORIE

Acura MDX, Audi Q7, BMW X5, Buick Enclave, Chrysler Aspen, Infiniti FX 35/50, Land Rover LR3, Lexus RX 350, Mercedes-Benz Classe M, Porsche Cayenne

NOS IMPRESSIONS

Agrément de conduite :	●●●●
Fiabilité :	●●●●
Sécurité :	●●●● ½
Qualités hivernales :	●●●● ½
Espace intérieur :	●●●●
Confort :	●●● ½

DU NOUVEAU EN 2009

Éléments docaratifs en bois Sapelli authentiques et ajouts de technologies multimédia

DE GRANDES AMBITIONS

Depuis que les voitures de cette division de GM connaissent un succès digne de mention, les dirigeants de Cadillac ne désirent pas uniquement surpasser les marques Lincoln et Chrysler, mais ciblent également des marques comme Audi, BMW et Mercedes-Benz, rien de moins. Tandis que la berline CTS s'attaque, entre autres, à la Série 3 de BMW, la STS cible les clients potentiels des Audi A6 et Mercedes-Benz de Classe E. Comme vous pouvez le constater, ce n'est pas l'ambition qui manque. Mais on a beau vouloir s'attaquer à ces icônes, il faut prendre les moyens pour le faire.

Lorsque la première génération de la STS est apparue sur le marché en 2005, les ingénieurs affectés à son développement n'avaient pas lésiné au chapitre de la mécanique. La plate-forme était extrêmement rigide, les suspensions à bras inégaux étaient efficaces tandis que deux moteurs de conception mécanique moderne étaient offerts. On a par la suite ajouté la version STS V, dont le moteur suralimenté en faisait l'une des berlines les plus véloces de la catégorie.

Par contre, ce modèle souffrait d'erreurs de jeunesse, surtout au chapitre de la présentation extérieure et de l'habitacle. L'an dernier, de nombreuses améliorations tant sur les plans mécanique qu'esthétique ont été apportées. Reste à savoir si c'est suffisant pour contrer une concurrence aussi relevée.

UN AIR DE FAMILLE

Puisque la CTS de catégorie intermédiaire était dévoilée elle aussi l'an dernier et qu'elle proposait une silhouette qui faisait l'unanimité en raison de son élégance et de ses lignes audacieuses, l'équipe affectée à la STS n'avait d'autre choix que d'apporter des changements à leur modèle. C'est ainsi que la grille de calandre a été mise en évidence tandis que les extracteurs d'air chromés sont apparus aux ailes avant, comme c'est le cas pour la CTS. De nombreuses autres retouches à la carrosserie ainsi que des jantes d'un nouveau design sont également venues donner plus de punch visuel à cette grosse berline. Soulignons au passage que les modèles 2009 sont dotés de jantes standard de 17 pouces en aluminium.

Comme la voiture a été fortement redessinée l'an dernier, il est normal que les changements et modifications soient presque inexistants cette année. Parmi les quelques rares innovations, soulignons l'installation du système Bluetooth sur tous les modèles et la possibilité de choisir le japonais comme langue d'affichage du centre d'information. Par ailleurs, le tableau de bord a été transformé l'an dernier et la qualité des matériaux et de la finition s'est netteement améliorée, mais on reste sur notre appétit en fait de design. Les stylistes ont bien tenté de marier des appliques de bois à l'aluminium brossé, mais ça manque un peu d'inspiration. Surtout lorsque l'on compare à la concurrence. Il faut toutefois souligner que les sièges avant sont confortables et que leur support latéral est surprenant pour une Cadillac. Et comme le veut la tendance actuelle, cette voiture est dotée d'un système sans clé pour lancer le moteur.

FEU VERT
- Plate-forme rigide
- Choix de moteurs
- Matériaux de qualité
- Traction intégrale offerte
- Habitacle confortable

FEU ROUGE
- Dépréciation élevée
- Moteurs V8 gourmands
- Tableau de bord trop sobre
- Prix élevé
- Prestige de la marque en reconstruction

Enfin, dernier détail, il est possible de commander le système d'affichage tête haute si cher à ce constructeur.

TROIS MOTEURS!

Dans sa première mouture, force est d'avouer que le moteur V6 n'était pas en mesure de satisfaire tous les clients. Ses performances étaient correctes, mais il manquait un peu de pep sous la pédale. Cette année, une version sérieusement revue et corrigée dotée de l'injection directe porte la puissance à 302 chevaux. Comme avec tous les autres moteurs offerts sur ce modèle, il est relié à une transmission manumatique à six rapports. Compte tenu du prix demandé, c'est la version qui offre le meilleur rapport qualité/prix. D'autant plus que le moteur V8 de 4,6 litres ne produit que 18 chevaux de plus, mais affiche un prix de vente supérieur de plusieurs milliers de dollars.

Dans les deux cas, cette berline offre une excellente tenue de route, une bonne stabilité en ligne droite tandis que le roulis en virage est fort bien maîtrisé. Par contre, ses dimensions tout de même imposantes la rendent moins agile qu'une CTS, par exemple. Et il est important de souligner que cette Cadillac a évolué de façon positive depuis son lancement, aussi bien du point de vue de sa tenue de route qu'en matière de finition et de qualité des matériaux.

Dans cette catégorie, la concurrence propose des modèles dotés d'un moteur très puissant et d'une suspension très sportive. Chez Cadillac, on a répondu du tac au tac avec le modèle V. Non seulement il se distingue par une grille de calandre vraiment unique et des jantes exclusives, mais il est propulsé par un moteur suralimenté de 4,4 litres produisant 479 chevaux. Il est associé à une transmission automatique à six rapports spécialement conçue pour ce moteur tandis que la direction Servotronic II provient de la maison ZF. Bien entendu, la suspension a été modifiée en conséquence et les barres antiroulis sont également plus grosses.

Si vous avez encore des préjugés quant à la capacité des constructeurs nord-américains de construire des voitures de luxe dotées d'un comportement sportif et capables de hautes performances, un tour de piste au volant de la STS V dissipera tous vos doutes. Permettez-moi de citer le jugement d'un amateur de grosses allemandes à la suite d'un essai de cette Caddy. En descendant de la voiture, il s'est exclamé: «Ça, c'est du char!»

Denis Duquet

Photos: Cadillac

VÉHICULE D'ESSAI

Version:	Cadillac STS V8
Moteur:	V8 de 4,6 litres 32s atmosphérique
Puissance:	320 ch (239 kW) à 6 400 tr/min
Couple:	315 lb-pi (427 Nm) à 4 400 tr/min
Rapport poids/puissance:	5,55 kg/ch (7,47 kg/kW)
Transmission:	automatique, 6 rapports
Rouage:	propulsion
0-100 km/h · 80-120 km/h:	6,0 s · 5,4 s
Freinage 100-0 km/h:	40,1 m
Vitesse maximale:	225 km/h
Consommation (100 km):	ordinaire, 14,1 litres
Autonomie approximative:	468 km
Émissions de CO2:	5 472 kg/an
Emp/Lon/Lar/Haut (mm):	2 956 / 4 986 / 1 844 / 1 463
Coffre/Réservoir:	391 / 66 litres
Nombre de coussins de sécurité:	6
Suspension avant:	indépendante, jambes de force
Suspension arrière:	indépendante, multibras
Freins av./arr.:	disque (ABS)
Antipatinage/Contrôle de stabilité:	oui/oui
Direction:	à crémaillère, assistance magnétique
Diamètre de braquage:	11,5 m
Pneus av./arr.:	P235/50ZR17 / P255/45ZR17
Poids:	1 779 kg
Capacité de remorquage:	454 kg

AUTRE(S) COMPOSANTE(S) MÉCANIQUE(S)

Système hybride:	aucun
Moteur diesel:	aucun
Taxe énergivore:	1 000$ (STS -V)
Autre(s) moteur(s):	V8 de 4,4 litres 469 ch/439 lb-pi (16,4 l/100 ordinaire) V6 de 3,6 litres 302 ch/272 lb-pi (12,2 l/100 ordinaire)
Autre(s) rouage(s):	intégral
Autre(s) transmission(s):	aucune

EN BREF

Échelle de prix:	59 055$ à 103 210$
Catégorie:	berline de luxe
Garanties:	4 ans/80 000 km, 5 ans/100 000 km
Assemblage:	Lansing, Michigan, É-U
Cote d'assurance:	n.d.

DANS LA MÊME CATÉGORIE

Acura RL, Audi A6, BMW Série 5, Infiniti M35/45, Jaguar S-Type, Lexus GS, Mercedes-Benz Classe E, Volvo S80

NOS IMPRESSIONS

Agrément de conduite:	4
Fiabilité:	4
Sécurité:	3 ½
Qualités hivernales:	4
Espace intérieur:	4 ½
Confort:	4 ½

DU NOUVEAU EN 2009

Moteur 3,6 à injection directe

LA CORVETTE DE LUXE

Lorsque Cadillac a lancé le modèle XLR en 2004, la cible visée n'était rien de moins que la Mercedes-Benz SL et l'ambition de General Motors était de doter sa marque Cadillac d'un coupé-cabriolet à toit rigide à la fine pointe de la technologie. Malheureusement, la XLR n'a jamais obtenu le succès escompté et le modèle n'est pas passé à l'histoire. Au cours des années subséquentes, la XLR a poursuivi sa route sans grands changements, mais voilà que les modèles 2009 font l'objet de subtiles retouches.

Cadillac a récemment entrepris de rafraîchir sa gamme de modèles, comme en fait foi le développement de la récente CTS, et les changements apportés à la XLR pour 2009 s'inscrivent dans cette démarche, même si ces modifications ne peuvent être qualifiées de majeures. Ainsi, la XLR se décline à présent en deux modèles, soit la XLR Platinum animée par le V8 Northstar de 4,6 litres développant 320 chevaux et la XLR-V qui reçoit le V8 turbocompressé de 4,4 litres fort de 443 chevaux. Ces deux versions arborent une partie avant retouchée intégrant une nouvelle calandre ainsi qu'un système d'éclairage adaptatif faisant pivoter les phares selon les mouvements du volant. Le capot avant, autrefois exclusif à la série V, équipe désormais toutes les versions de la XLR qui affichent également des ouvertures pratiquées sur les ailes avant dont l'inspiration provient de la voiture-concept Cadillac Sixteen. C'est un peu le même scénario à l'arrière, où l'on retrouve un pare-chocs redessiné et de nouvelles tubulures d'échappement.

MOTORISATIONS INCHANGÉES

Malheureusement, les modifications apportées à la XLR ne sont que cosmétiques et les motorisations demeurent inchangées. On attendait l'arrivée du moteur LS3 sous le capot, mais c'est plutôt le V8 Northstar d'origine qui continue d'animer la XLR. Quant à la XLR-V, qui fait encore appel au V8 turbo, elle se retrouve maintenant dans l'ombre de la CTS-V et son moteur de 550 chevaux, ce qui est loin d'être une situation idéale, la XLR devant être le porte-étendard de la marque. Le fait que la XLR n'ait pas reçu de nouvelles motorisations dans la refonte indique peut-être que ce modèle en est à ses derniers milles chez Cadillac, tout comme le sport-utilitaire SRX, ou encore que les motorisations seront revues pour 2010. C'est donc soit un nouveau souffle ou une sortie sans tambour ni trompette qui attend la XLR.

Elle devait se mesurer à la Mercedes-Benz SL, mais la XLR n'a jamais été de taille pour rivaliser directement avec le coupé-cabriolet allemand, la XLR affichant toujours un déficit important de puissance-moteur par rapport à l'allemande, et ce, pour toutes les déclinaisons, et ne présentant comme seul avantage que son prix beaucoup moins élevé. Élaborée sur une plate-forme révisée de la Chevrolet Corvette, la XLR fait également appel à la suspension magnétique à commande électronique dont la calibration est trop souple en mode normal ce qui autorise le roulis en conduite sportive Et comme la direction est sur-assistée, il est difficile de bien sentir les réactions de la voiture. Ce défaut est corrigé par le choix de la XLR-V qui hérite de suspensions plus fermes et dont les

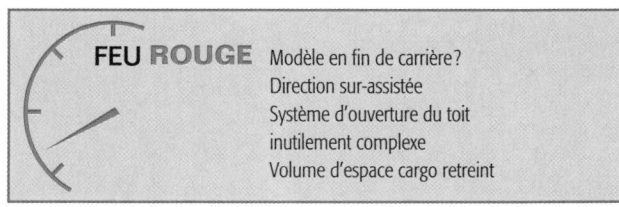

FEU VERT
Voiture exclusive
Plate-forme de la Corvette
Performances relevées (XLR-V)

FEU ROUGE
Modèle en fin de carrière?
Direction sur-assistée
Système d'ouverture du toit inutilement complexe
Volume d'espace cargo retreint

performances sont plus en phase avec son rôle de porte-étendard de la marque. Malgré ces lacunes, la XLR bénéficie d'une bonne répartition des masses grâce à la localisation de la transmission qui est logée à l'arrière du véhicule.

LA VIE À BORD

Pour 2009, Cadillac a revu la présentation intérieure qui affiche un tableau de bord recouvert de cuir ainsi qu'une nouvelle présentation graphique des cadrans. Le système OnStar est toujours au programme et la XLR est maintenant équipée de la connectivité Bluetooth. Malgré les prétentions sportives de la voiture, la XLR ne reçoit toujours pas de paliers de changement de vitesse au volant. Le mécanisme de fonctionnement du toit rigide rétractable demeure inchangé, c'est-à-dire qu'il est inutilement complexe et surtout très lent…

Avec le toit replié dans le coffre, le volume de chargement passe de 328 à 125 litres, soit à peine assez pour y loger une mallette. Avec le toit en place, le niveau sonore perçu dans l'habitacle de la XLR est plus élevé que dans la Mercedes-Benz SL, l'allemande offrant un niveau de confort largement bonifié par rapport à l'américaine.

C'est donc par un constat mitigé que se solde l'essai de la Cadillac XLR qui ne manque pas de qualités mais qui n'atteint pas parfaitement la cible. Le style est très original et permet à ce coupé-cabriolet de se démarquer dans le paysage automobile, mais le degré de raffinement n'est pas encore à la hauteur des attentes et les motorisations sont maintenant dépassées sur le plan technique. Comme General Motors procède actuellement à une restructuration sans précédent dans son histoire, l'avenir des modèles dont les chiffres de vente sont en demi-teinte est loin d'être assuré, ce qui est malheureusement le cas de la XLR.

Gabriel Gélinas

Photos: Cadillac

VÉHICULE D'ESSAI

Version:	Cadillac XLR
Moteur:	V8 de 4,6 litres 32s atmosphérique
Puissance:	320 ch (239 kW) à 6 400 tr/min
Couple:	310 lb-pi (420 Nm) à 4 400 tr/min
Rapport poids/puissance:	5,16 kg/ch (6,92 kg/kW)
Transmission:	automatique, 6 rapports
Rouage:	propulsion
0-100 km/h · 80-120 km/h:	5,8 s · 5,0 s
Freinage 100-0 km/h:	38,0 m
Vitesse maximale:	250 km/h
Consommation (100 km):	super, 14,1 litres
Autonomie approximative:	482 km
Émissions de CO2:	5 472 kg/an
Emp/Lon/Lar/Haut (mm):	2 685 / 4 514 / 1 836 / 1 280
Coffre/Réservoir:	125 à 328 / 68 litres
Nombre de coussins de sécurité:	6
Suspension avant:	indépendante, bras inégaux
Suspension arrière:	indépendante, multibras
Freins av./arr.:	disque (ABS)
Antipatinage/Contrôle de stabilité:	oui/oui
Direction:	à crémaillère, assistance variable
Diamètre de braquage:	11,9 m
Pneus av./arr.:	P235/50R18
Poids:	1 654 kg
Capacité de remorquage:	non recommandé

AUTRE(S) COMPOSANTE(S) MÉCANIQUE(S)

Système hybride:	aucun
Moteur diesel:	aucun
Taxe énergivore:	aucune
Autre(s) moteur(s):	V8 de 4,4 litres 443 ch/414 lb-pi (15,6 l/100 super) (XLR-V)
Autre(s) rouage(s):	aucun
Autre(s) transmission(s):	aucune

EN BREF

Échelle de prix:	100 315 $ à 115 870 $
Catégorie:	roasdster
Garanties:	4 ans/80 000 km, 5 ans/160 000 km
Assemblage:	Bowling Green, Kentucky, É-U
Cote d'assurance:	n.d.

DANS LA MÊME CATÉGORIE

Jaguar XK8, Lexus SC430, Mercedes-Benz SL500

NOS IMPRESSIONS

Agrément de conduite:	4
Fiabilité:	3
Sécurité:	4
Qualités hivernales:	2 ½
Espace intérieur:	3
Confort:	4

DU NOUVEAU EN 2009

Nouveau carénage et garnitures intérieures modifiées pour tous les modèles

CADILLAC XLR

CHEVROLET AVEO/PONTIAC G3 WAVE/ SUZUKI SWIFT+

Chevrolet Aveo

HISTOIRE DE PETIT PAIEMENT

Plus ou moins bien née, la petite Aveo aura connu son lot de problèmes en début de carrière nord-américaine. Née en raison du rachat de Daewoo par GM, cette sous-compacte a déçu par sa fiabilité inégale, par une consommation d'essence trop élevée et par un rendement plutôt ordinaire. Fort heureusement, chez GM, on a compris qu'il était impossible de réussir dans ce segment de marché sans se démarquer de quelque façon que ce soit. Ainsi, cette année, on a amélioré le duo Aveo/G3 Wave de façon à mieux l'adapter au marché nord-américain. Est-ce suffisant pour suivre la parade?

Avant tout, soulignons que les commentaires s'appliquent aussi à la petite Suzuki Swift+ (copie conforme de l'Aveo), puisqu'elle reçoit la presque totalité des modifications apportées cette année aux produits GM. Et pour répondre à la question de plusieurs, non, la Swift+ n'est pas un authentique produit Suzuki. Il s'agit bel et bien d'une Daewoo Kalos rebaptisée, vendue chez Suzuki parce que le constructeur japonais est lié par un partenariat d'affaire avec GM.

En 2009, c'est principalement la version à hayon qui reçoit d'importantes modifications. La berline (uniquement offerte chez Chevrolet et Pontiac) avait subi une cure de rajeunissement en 2007, ce qui avait eu un effet bénéfique sur ses ventes. Vous aurez cependant remarqué que l'Aveo à hayon n'est pas totalement redessinée. Seuls sa partie avant, son pare-chocs et ses feux arrière sont remodelés, de façon à lui conférer une allure plus moderne et plus distinctive. Il faut mentionner que la Pontiac possède une grille de calandre plus élégante et mieux adaptée, sans doute parce qu'elle sera aussi présente sur d'autres marchés. C'est d'ailleurs ce qui explique son changement de nom (G3), qui cadre mieux avec l'ensemble des modèles de cette division (G5, G6, G8).

À l'intérieur se trouvent de nombreuses modifications, comme cette nouvelle planche de bord. Selon la version, on retrouve un système audio avec prise auxiliaire, la radio satellite XM, les commandes audio au volant et même le système de télécommunication OnStar. Seuls éléments manquants: sièges avant chauffants (offerts chez la concurrence qui s'appelle Hyundai et Volkswagen) et téléphonie Bluetooth (offerte chez Nissan). Certains éléments demeurent décevants, comme la banquette arrière non rabattable à plat dans la berline. De plus, la roulette d'ajustement sommaire du siège du conducteur n'a malheureusement pas été modifiée alors que le volant télescopique brille encore par son absence. Malgré cela, on parvient tout de même à trouver une position de conduite adéquate.

VVT À LA RESCOUSSE...

Cette année, l'Aveo hérite d'une motorisation légèrement modifiée, en mesure de permettre une meilleure économie d'essence (souhaitons-le). En fait, la voiture se déplace toujours au moyen du quatre cylindres Ecotec de 1,6 litre, mais ce dernier reçoit l'addition d'un système de calage variable des soupapes (VVT). C'est ce qui explique cette maigre augmentation de puissance de 3 chevaux, pour un total de 106. Comme auparavant, une boîte manuelle à cinq

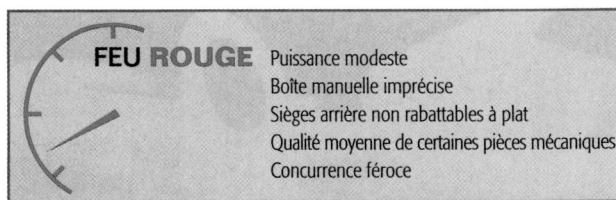

FEU VERT
- Bon choix de modèles et d'équipement
- Confort honnête
- Consommation améliorée
- Habitacle plus accueillant
- Prix alléchant

FEU ROUGE
- Puissance modeste
- Boîte manuelle imprécise
- Sièges arrière non rabattables à plat
- Qualité moyenne de certaines pièces mécaniques
- Concurrence féroce

rapports (qui manque de précision) est de série, l'automatique à quatre rapports étant optionnelle.

Sur la route, le surplus de puissance ne se fait guère sentir. Et on réalise immédiatement que la conduite n'a rien de sportif. Alors, avis à ceux qui apposent des autocollants « SS » sur leur Aveo, vous ne jouez pas dans la bonne ligue ! Il faut cependant admettre que la voiture est nettement plus intéressante à conduire qu'à ses débuts, notamment parce qu'elle possède une suspension moins souple. Les pneus de 15 pouces améliorent aussi considérablement le comportement, quoique ceux-ci soient de qualité moyenne. Sans être une grande routière, l'Aveo s'avère relativement stable et confortable, même pour de longs trajets, et démontre une maniabilité très appréciable en milieu urbain.

DU SOLIDE ?

Évidemment, l'Aveo est une voiture convoitée pour son petit prix. Ainsi, si votre objectif est d'obtenir une voiture honnête pour une mensualité réduite, vous cognez à la bonne porte. Je ne vous conseillerais toutefois pas ce modèle si le but est d'étirer la voiture jusqu'à la fin de sa vie... Certes, elle est aujourd'hui mieux construite qu'il y a cinq ans, mais la qualité de certains éléments mécaniques me laisse perplexe. Ne soyez donc pas surpris si vous remplacez fréquemment des roulements de roues ou si la suspension se détériore plus rapidement que prévu. Mince consolation, la voiture est désormais dotée d'un indicateur de vidange d'huile, ce qui vous permettra de constater qu'une fréquence de 5 000 kilomètres, c'est souvent inutile.

Oui, l'Aveo suit la parade, mais pas mieux qu'elle ne le faisait il y a cinq ans. Elle s'est effectivement améliorée pour devenir une petite voiture honnête, mais la concurrence également. Une voiture comme la Nissan Versa (aussi proposée en berline) ou la nouvelle Honda Fit fait un bien meilleur boulot, mais il faut comme toujours en payer le prix. Bref, l'Aveo, la Wave ou la Swift+, c'est l'histoire d'un petit paiement...

Antoine Joubert

Pontiac G3 Wave

Photos : Chevrolet / Pontiac

VÉHICULE D'ESSAI

Version :	Chevrolet Aveo Berline LS
Moteur :	4L de 1,6 litre 16s atmosphérique
Puissance :	106 ch (79 kW) à 6 400 tr/min
Couple :	105 lb-pi (142 Nm) à 3 800 tr/min
Rapport poids/puissance :	10,87 kg/ch (14,59 kg/kW)
Transmission :	manuelle, 5 rapports
Rouage :	traction
0-100 km/h · 80-120 km/h :	11,0 s · 8,5 s
Freinage 100-0 km/h :	44,0 m
Vitesse maximale :	170 km/h
Consommation (100 km) :	ordinaire, 8,7 litres
Autonomie approximative :	517 km
Émissions de CO2 :	3 752 kg/an
Emp/Lon/Lar/Haut (mm) :	2 480 / 4 310 / 1 710 / 1 505
Coffre/Réservoir :	350 / 45 litres
Nombre de coussins de sécurité :	2
Suspension avant :	indépendante, jambes de force
Suspension arrière :	demi-indépendante, poutre déformante
Freins av./arr. :	disque/tambour (ABS opt.)
Antipatinage/Contrôle de stabilité :	non/non
Direction :	à crémaillère, assistée
Diamètre de braquage :	10,1 m
Pneus av./arr. :	P185/60R14
Poids :	1 153 kg
Capacité de remorquage :	non recommandé

AUTRE(S) COMPOSANTE(S) MÉCANIQUE(S)

Système hybride :	aucun
Moteur diesel :	aucun
Taxe énergivore :	aucune
Autre(s) moteur(s) :	aucun
Autre(s) rouage(s) :	aucun
Autre(s) transmission(s) :	automatique, 4 rapports

EN BREF

Échelle de prix :	13 270 $ à 15 770 $
Catégorie :	berline compacte, *hatchback*
Garanties :	3 ans/60 000 km, 5 ans/160 000 km
Assemblage :	Bupyong, Corée du Sud
Cote d'assurance :	bonne

DANS LA MÊME CATÉGORIE

Honda Fit, Hyundai Accent, Kia Rio, Nissan Versa, Pontiac Wave, Toyota Yaris

NOS IMPRESSIONS

Agrément de conduite :	3/5
Fiabilité :	4/5
Sécurité :	3/5
Qualités hivernales :	3/5
Espace intérieur :	3 ½
Confort :	3/5

DU NOUVEAU EN 2009

Nouveau moteur Ecotec, version 5 portes restylée, système On Star et radio satellite offerts en option

CHEVROLET COBALT / PONTIAC G5

Chevrolet Cobalt

LA NOTE DE PASSAGE

Lorsqu'on examine une Chevrolet Malibu, on se dit que l'avenir de General Motors est prometteur en raison de son design moderne, d'une mécanique performante et d'une finition à l'égal de la concurrence. Par contre, la conduite d'une Chevrolet Cobalt nous incite à réviser notre jugement. En effet, on se rend vite compte que les concepteurs de cette voiture, sans que celle-ci soit mauvaise, visaient plus le strict minimum que l'excellence dans cette catégorie.

Et on s'interroge toujours quant aux intentions de la direction de GM lorsque ce modèle a été appelé à remplacer la Cavalier. Cette dernière réussissait à convaincre les acheteurs en grand nombre en raison de son prix très compétitif, de son entretien fort économique et d'une bonne fiabilité à long terme. En échange, le propriétaire se retrouvait au volant d'une voiture aux performances plus que moyennes, dont la tenue de route était correcte sans plus. Sans oublier que l'habitacle était affublé de pièces en plastique bon marché et que les sièges offraient un support latéral minimal.

Si cette recette a fait l'affaire pendant longtemps, il aurait tout de même été de mise d'améliorer substantiellement la Cobalt. Malheureusement, on s'est contenté de rajeunir le produit sans mettre les efforts nécessaires pour dépasser la concurrence asiatique. Nous avons affaire à deux voitures qui tentent de nous offrir un bon rapport qualité/prix, mais qui ne recherchent pas l'excellence. Avant d'aller plus loin, précisons que la Pontiac G5 est un modèle presque en tout point identique au Chevrolet. Il s'agit en plus d'une exclusivité canadienne.

CORRECTE MAIS ANONYME.

Il est vrai que la silhouette du tandem Cobalt/G5 est d'une certaine élégance, mais beaucoup trop générique en comparaison de la concurrence. Il faut se rappeler que ces modèles doivent affronter des concurrents comme la Mazda 3, la Honda Civic ou encore la Mitsubishi Lancer. Si la carrosserie est plus longue que la plupart des autres modèles de la catégorie, les stylistes affectés à l'habitacle n'ont en revanche pas tellement innové.

Une fois de plus, la qualité des matériaux laisse à désirer. Sur une note plus positive, il faut souligner que l'habitabilité est bonne et que la banquette arrière de la berline est spacieuse. Celle-ci est également de type 60/40, ce qui ajoute à la polyvalence de ces modèles.

L'équipement de série est relativement complet, et même le modèle le plus économique possède la climatisation, du moins sur la Chevrolet puisque cet accessoire est optionnel sur la Pontiac. Malheureusement, le système de freinage ABS ne fait pas partie de l'équipement de série sur ni l'un ni l'autre des deux modèles.

MUSCLES ET SOBRIÉTÉ

La grande nouvelle cette année est le retour de la version SS Turbo, aussi bien sur la Cobalt berline que sur le coupé. Les ingénieurs ont fait

FEU VERT
- Prix compétitifs
- Mécanique robuste
- Entretien économique
- Équipement adéquat
- Bonne habitabilité

FEU ROUGE
- ABS optionnel
- Silhouette générique
- Direction trop assistée
- Moteur turbo inutile

de nouveau appel au moteur Ecotec 2,0 litres turbo doté de l'injection directe et produisant 260 chevaux. Il faut préciser que ce groupe propulseur n'est pas offert sur la Pontiac. Personnellement, compte tenu de la nature peu sportive du modèle de base, je m'interroge quant à la pertinence de la version SS.

De toute manière, il s'agit d'un modèle de très faible diffusion et ce sont les multiples versions propulsées par le moteur 2,2 litres qui seront les plus populaires. De série, ce dernier est couplé à une transmission manuelle à cinq rapports, dont l'étagement est correct et la course du levier de vitesses assez précise. Robuste et fiable, cet Ecotec 2,2 litres est cependant relativement bruyant tandis que sa cote de consommation est moyenne sans plus. Il est possible de commander une boîte automatique à quatre rapports offerte en option. Cette transmission pourrait apporter un rapport de plus, mais plusieurs autres modèles concurrents ne font pas mieux.

SANS SURPRISE

En conduite de tous les jours, aussi bien la Chevrolet que la Pontiac nous proposent une tenue de route sans surprise alors que les courbes prises à vitesse normale ne présentent aucun problème. Toutefois, la voiture n'est pas tellement agile et la direction est trop assistée à basse vitesse. Enfin, ajoutons que le *feedback* de la route pourrait être nettement meilleur.

Bref, l'un ou l'autre de ces modèles, malgré certaines déficiences, propose un équipement relativement complet, une mécanique sans histoire et un comportement routier dans la bonne moyenne. Avec un minimum d'entretien, vous serez en mesure de rouler à bas prix. Par contre, si vous décidez d'effectuer une razzia dans la liste des options, vous allez constater que plusieurs modèles concurrents en offrent alors plus pour le même prix.

Denis Duquet

Pontiac G5

Photos: Chevrolet / Pontiac

VÉHICULE D'ESSAI

Version:	Chevrolet Cobalt Berline LT
Moteur:	4L de 2,2 litres 16s atmosphérique
Puissance:	155 ch (116 kW) à 6 100 tr/min
Couple:	150 lb-pi (203 Nm) à 4 900 tr/min
Rapport poids/puissance:	7,84 kg/ch (10,48 kg/kW)
Transmission:	manuelle, 5 rapports
Rouage:	traction
0-100 km/h · 80-120 km/h:	11,0 s · 9,8 s
Freinage 100-0 km/h:	42,4 m
Vitesse maximale:	195 km/h
Consommation (100 km):	ordinaire, 8,7 litres
Autonomie approximative:	574 km
Émissions de CO2:	n.d.
Emp/Lon/Lar/Haut (mm):	2 623 / 4 584 / 1 738 / 1 415
Coffre/Réservoir:	397 / 50 litres
Nombre de coussins de sécurité:	2
Suspension avant:	indépendante, jambes de force
Suspension arrière:	demi-indépendante, poutre déformante
Freins av./arr.:	disque/tambour (ABS opt.)
Antipatinage/Contrôle de stabilité:	oui/non
Direction:	à crémaillère, assistée
Diamètre de braquage:	11,4 m
Pneus av./arr.:	P195/60R15
Poids:	1 216 kg
Capacité de remorquage:	454 kg

AUTRE(S) COMPOSANTE(S) MÉCANIQUE(S)

Système hybride:	aucun
Moteur diesel:	aucun
Taxe énergivore:	aucune
Autre(s) moteur(s):	4L de 2,4 litres 260 ch/260 lb-pi (Cobalt SS)
Autre(s) rouage(s):	aucun
Autre(s) transmission(s):	automatique, 4 rapports

EN BREF

Échelle de prix:	15 225 $ à 25 045 $
Catégorie:	berline compacte, coupé
Garanties:	3 ans/60 000 km, 5 ans/160 000 km
Assemblage:	Lordstown, Ohio, É-U
Cote d'assurance:	moyenne

DANS LA MÊME CATÉGORIE

Dodge Caliber, Ford Focus, Honda Civic, Mazda 3, Nissan Sentra, Saturn Ion, Toyota Corolla

NOS IMPRESSIONS

Agrément de conduite:	3 ½
Fiabilité:	3 ½
Sécurité:	3 ½
Qualités hivernales:	3 ½
Espace intérieur:	4
Confort:	3 ½

DU NOUVEAU EN 2009

Nouveaux moteurs plus puissants, nouvelles connectivités multimédia

STUPÉFIANTE ZR1

Oubliez tout ce que vous savez ou croyez savoir de la Corvette. Oubliez les clichés et le folklore. La nouvelle ZR1 est une grande sportive qui peut se montrer aussi féroce sur un circuit que douce, raffinée et confortable sur la route. Animée par un V8 compressé de 638 chevaux, cette version redoutablement efficace de l'icône américaine peut laisser dans son sillage des exotiques européennes valant quatre ou cinq fois plus et vous mener ensuite au cinéma en tout confort et en ronronnant discrètement.

Toute la famille Corvette a droit cette année à une série de raffinements pertinents, dont une nouvelle direction à rapport variable. Ces retouches seront cependant éclipsées par l'apparition de la ZR1 qui devient du coup la voiture de série la plus puissante jamais produite chez GM. Elle se pointe presque vingt ans après la première ZR1. Dotée d'un V8 tout aluminium conçu avec l'aide de Lotus, elle fut produite de 1990 à 1995.

LE SOUHAIT DU PRÉSIDENT

La nouvelle ZR1 est née d'un défi lancé au groupe Corvette par Rick Wagoner, grand patron de GM, qui aurait dit: «j'aimerais voir ce qu'ils peuvent faire avec un prix de vente de 100 000 $ (US) ?». Le fruit de leur labeur sera offert à 103 000 $ US pour passer à 125 195 $ chez nous. Partis de la structure d'aluminium de la Z06, les ingénieurs en ont aussi repris le toit en magnésium, le plancher qui combine balsa et fibre de carbone et le berceau de magnésium sur lequel est fixé le moteur. Le moteur est le cœur de toute Corvette et la ZR1 n'y fait surtout pas exception. Le premier objectif était d'atteindre une puissance spécifique de 100 chevaux par litre avec le V8 small block de 6,2 litres. Pour l'atteindre et finalement la surpasser, l'équipe a choisi un compresseur de suralimentation Eaton dont les deux longs rotors ont chacun quatre lobes torsadés. Sur ce compresseur ils ont installé un refroidisseur d'air à «double brique». L'ensemble est remarquablement compact, grâce également à la lubrification par carter sec.

Ce nouveau moteur, baptisé LS9, dispose entre autres aussi de bielles en titane, de culasses d'aluminium et de gicleurs d'huile pour refroidir les pistons par le dessous, une technologie développée pour les Corvette C5R et C6R victorieuses au Mans. Le résultat: 638 chevaux (SAE) et 604 lb-pi de couple dont 90 % est disponible de 2 600 à 5 000 tr/min. À 2 000 tr/min on a déjà 500 lb-pi. Chaque moteur est assemblé à la main dans les ateliers de Wixom au Michigan par un artisan qui signe ensuite son œuvre, comme chez AMG. Couplé exclusivement à une boîte manuelle Tremec à 6 rapports et doté d'un embrayage à double disque inspiré de la course, le LS9 permettrait à la ZR1 de monter à 100 km/h en 3,4 secondes et des poussières, de boucler le quart de mille en 11,3 secondes (à 211 km/h) et de s'élever une vitesse de pointe de 330 km/h. Des performances d'exotique, rien de moins.

LA FONCTION DICTE LA FORME

Les ailes, les puits de roue et le capot en entier sont en fibre de carbone, pour favoriser une meilleure répartition des masses. Les ailes avant sont plus larges que celles de la Z06, pour loger des pneus qui le sont également, et les deux sorties d'air percées dans les ailes avant sont un clin d'œil à la Corvette 1963. Il y a aussi le toit, la lame sous le becquet avant et celles qui se glissent sous les bas de caisse, tous en fibre de carbone. Toutes les modifications à la carrosserie ont été faites pour l'aérodynamique. La portance (soulèvement) a été réduite de 39 % à l'avant et de 29 % à l'arrière, au prix d'une augmentation de la traînée de 6 %. Les concepteurs ont aussi optimisé l'apport d'air frais au moteur, aux quatre radiateurs et aux freins, pour ensuite maximiser l'évacuation de l'air chaud. L'arête plus nette de l'aileron arrière, les roues plus grandes (19 pouces à l'avant et 20 derrière), les lames de fibre de carbone en bas de caisse et les sorties d'air affinent sa silhouette. C'est toutefois le capot qui attirera le plus d'attention. Entièrement fait de fibre de carbone, il est percé d'un grand orifice qui permet de voir le couvercle du refroidisseur d'air.

Le dessin du tableau de bord et de l'habitacle de la Corvette n'a guère changé depuis le lancement de la C5 en 1997, ce qui n'est pas nécessairement une mauvaise chose. Les grands cadrans sont toujours superbement clairs et lisibles et l'ergonomie de conduite très correcte. Il faut tout de même espérer une présentation plus moderne et plus riche pour la Corvette, surtout si l'on considère les niveaux de performance et de raffinement technique qu'atteint la ZR1.

PARFAITEMENT CIVILISÉE SUR LA ROUTE

Selon Tadge Juechter, ingénieur-chef du groupe Corvette, la ZR1 combine «une tenue de route supérieure à celle de la Z06 et le confort de roulement du modèle de base.» C'est exactement le cas. Pour atteindre ces objectifs apparemment contradictoires, elle dispose d'amortisseurs à réglage oléomagnétique dont l'efficacité est telle que la ZR1 est équipée de ressorts plus souples que la Z06. D'autant plus impressionnant qu'elle roule sur des pneus anticrevaison Michelin Pilot Sport 2 conçus spécialement pour elle et dont le flanc est incroyablement bas. Leur taille est de P285/30ZR19 à l'avant et P335/25ZR20 à l'arrière.

La ZR1 profite en plus de freins à disque en céramique et fibre de carbone développés par le spécialiste italien Brembo. Les disques arrière ont un diamètre de 380 mm (15 po), comme ceux de la Ferrari Enzo, et les disques avant sont encore plus grands à 394 mm (15,5 po). Perforés et ventilés, les rotors sont pincés par des étriers monobloc à six pistons à l'avant et quatre à l'arrière. Ces disques permettent une réduction

de poids de 5 kg à chaque roue. En conduite normale, la ZR1 impressionne par sa douceur, sa docilité, sa souplesse et son raffinement. La direction est fine et vive, le moteur d'une souplesse totale. Qui eut cru qu'une nouvelle Corvette puisse reléguer la Z06 à un rôle de soutien!

FINE ET FÉROCE À LA FOIS

La greffe d'un compresseur produit souvent un monstre de moteur puissant mais plus lourd et plus rustre. Or, la ZR1 est tout sauf une Z06 gonflée aux stéroïdes. Elle est même plus douce, souple et raffinée en toute circonstance que sa sœur, avec une sonorité mécanique étonnamment mélodieuse pour un gros V8 à culbuteurs. En accélérant fort, la note d'échappement double carrément de volume lorsque le régime atteint 3 300 tr/min et qu'un des ordinateurs de gestion commande l'ouverture des quatre larges embouts au lieu des deux qui sont utilisés en temps normal. Sur le circuit de développement sinueux, ondulant et technique de GM au Michigan, c'est d'abord la poussée irrépressible et la sonorité fascinante du V8 qui captivent. On croirait une mécanique qui tourne nettement plus haut que le régime maxi de 6 600 tr/min. En prime, les freins en céramique-carbone ne perdront rien de leur efficacité en piste, quel que soit le rythme ou la durée, et il ne s'en dégage aucune poussière. Après une dure journée d'essais, les jantes des ZR1

FEU VERT

- Moteur LS9 hallucinant
- Tenue de route impressionnante
- Freins en céramique extraordinaires
- Confort, silence et qualité de roulement étonnants
- Peut bouffer des exotiques pour déjeuner

FEU ROUGE

- Finition de l'habitacle encore banale
- Coudes serrés en conduite sportive
- Boîte manuelle parfois lourde
- Volant télescopique réservé au groupe «luxe»
- Rareté assurée (ZR1)

n'avaient récolté qu'une poignée de boules de caoutchouc. Ces disques n'auront jamais besoin d'être remplacés et les plaquettes seulement si vous faites du circuit.

En virage, l'adhérence est énorme, au-delà de ce que l'on attend. Il suffit de désactiver l'antipatinage (on peut aussi désactiver l'antidérapage) et d'accélérer sec en sortie de virage pour que l'arrière décroche illico. Deux tours aux côtés de Tony Rifici, un jeune ingénieur qui en a bouclé des centaines sur ce tracé dans la ZR1, révèlent qu'il y a vraiment beaucoup d'adhérence à l'avant. Une fois l'avant mis en appui maximum, la ZR1 amorce une dérive des quatre roues qui se module à volonté du pied droit. Seule ombre à ce tableau : une boîte de vitesses qui se fait plus lourde en conduite intense et résiste parfois au passage 2e - 3e. Chevrolet a eu la bonne idée d'offrir un cours de pilotage à l'achat d'une ZR1. Espérons que cela tienne aussi chez nous. Il serait dommage de ne pas goûter pleinement les performances éblouissantes et la tenue de route joueuse et accrocheuse de la ZR1.

Marc Lachapelle

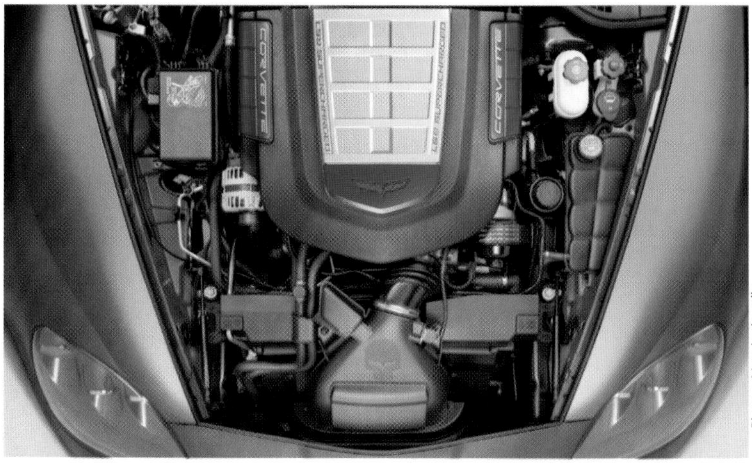

Photos: Marc Lachapelle

VÉHICULE D'ESSAI

Version :	Chevrolet Corvette ZR1
Moteur :	V8 de 6,2 litres 16s surcompressé
Puissance :	638 ch (476 kW) à 6 500 tr/min
Couple :	604 lb-pi (819 Nm) à 3 800 tr/min
Rapport poids/puissance :	2,36 kg/ch (3,16 kg/kW)
Transmission :	manuelle, 6 rapports
Rouage :	propulsion
0-100 km/h · 80-120 km/h :	3,4 s · n.d.
Freinage 100-0 km/h :	n.d.
Vitesse maximale :	330 km/h
Consommation (100 km) :	super, n.d. litres
Autonomie approximative :	n.d.
Émissions de CO2 :	n.d.
Emp/Lon/Lar/Haut (mm) :	2 685 / 4 476 / 1 928 / 1 244
Coffre/Réservoir :	634 / 68 litres
Nombre de coussins de sécurité :	4
Suspension avant :	indépendante, bras inégaux
Suspension arrière :	indépendante, bras inégaux
Freins av./arr. :	disque (ABS)
Antipatinage/Contrôle de stabilité :	oui/oui
Direction :	à crémaillère, assistance variable
Diamètre de braquage :	12,0 m
Pneus av./arr. :	P285/30ZR19 / P335/25ZR20
Poids :	1 507 kg
Capacité de remorquage :	non recommandé

AUTRE(S) COMPOSANTE(S) MÉCANIQUE(S)

Système hybride :	aucun
Moteur diesel :	aucun
Taxe énergivore :	aucune
Autre(s) moteur(s) :	V8 de 6,2 litres 430 ch/424 lb-pi (12,9 l/100 super) (Corvette) V8 de 7,0 litres 505 ch/470 lb-pi (14,2 l/100 super) (Z06)
Autre(s) rouage(s) :	aucun
Autre(s) transmission(s) :	automatique, 6 rapports (Corvette)

EN BREF

Échelle de prix :	63 795 $ à 125 195 $
Catégorie :	coupé, roasdster
Garanties :	3 ans/60 000 km, 5 ans/160 000 km
Assemblage :	Bowling Green, Kentucky, É-U
Cote d'assurance :	n.d.

DANS LA MÊME CATÉGORIE

Dodge Viper, Ferrari F430, Porsche 911

NOS IMPRESSIONS

Agrément de conduite :	🚗🚗🚗🚗🚗
Fiabilité :	nouveau modèle
Sécurité :	🚗🚗🚗🚗
Qualités hivernales :	🚗
Espace intérieur :	🚗🚗🚗
Confort :	🚗🚗🚗🚗

DU NOUVEAU EN 2009

Arrivée de la ZR1, nouvelles roues pour la Z06, nouvelles connections multimédia

CHEVROLET EQUINOX / PONTIAC TORRENT

Chevrolet Equinox

ILS TIENNENT TOUJOURS LA ROUTE!

Depuis leur introduction en 2005, le Chevrolet Equinox et le Pontiac Torrent se sont forgé une bonne position dans le marché des VUS compacts. Même si plusieurs ont en tête des véhicules tels le Toyota RAV-4, le Ford Escape ou le Honda CR-V lorsque vient le temps d'acheter un petit sport utilitaire, ce duo n'est pas sans intérêt, notamment en raison de leur prix plus abordable alors que plusieurs rivaux s'avèrent souvent plus chers.

Sans offrir le même niveau de qualité générale que certains rivaux nippons, GM à su maintenir l'intérêt pour ces deux véhicules en apportant au fil des années des améliorations notables, qui leur auront permis de demeurer compétitifs. L'an passé, quelques nouveaux propriétaires ont apprécié l'ajout d'un dispositif antiroulis électronique. Ce dernier, intégré au contrôle StabiliTrak, accroît les capacités de Torrent et de l'Equinox lorsqu'ils sont utilisés pour remorquer. Pour 2009, on ne note rien de très révolutionnaire pour les deux jumeaux, puisqu'il n'y a pratiquement aucun changement à part trois nouvelles couleurs extérieures.

BON CHOIX DE MODÈLES

Selon votre budget ou vos besoins, tant le Pontiac Torrent que le Chevrolet Equinox proposent un bon choix de modèles qui offrent un niveau d'équipement variable. Votre décision sera ici fonction du confort souhaité. Le rouage et la motorisation exigeront toutefois un peu plus de réflexion. Les versions de base héritent de série d'un moteur V6 de 3,4 litres développant 185 chevaux pour un couple intéressant de 210 livres-pied. Si la puissance est envoyée aux roues avant de série, toutes les versions pourront être équipées d'un rouage intégral. Ce moteur n'a rien de très moderne, mais il convient à la majeure partie des besoins. Son principal défaut réside peut-être dans sa consommation un peu plus élevée.

Depuis 2008, vous pourrez opter pour une seconde motorisation qui est offerte de série dans le Torrent GXP et l'Equinox Sport, les deux modèles à vocation plus sportive et situés au sommet de la gamme. D'une cylindrée de 3,6 litres, ce moteur dispose de technologies plus modernes grâce notamment à l'ajout d'un système de calage variable des soupapes. Voilà qui le rend plus souple et plus efficace, sans apporter une consommation nécessairement supérieure. De plus, ses 264 chevaux et son couple de 250 livres-pied disponible à bas régime, dès les 2 300 tours/minute, confèrent à ces modèles des performances beaucoup plus dynamiques.

STYLE AGRÉABLE

Il faut l'avouer, les VUS compacts n'ont pas été créés pour faire tourner les têtes et c'est effectivement le cas pour plusieurs modèles. Cependant, tant l'Equinox que le Torrent offrent selon moi un style agréable qui, malgré l'âge de ces véhicules, demeure au goût du jour. C'est encore plus vrai pour les versions GXP et Sport, qui reçoivent non seulement un moteur plus puissant, mais également divers éléments

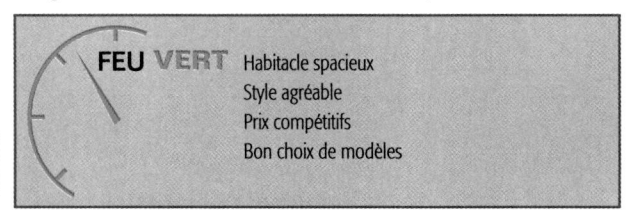

FEU VERT
- Habitacle spacieux
- Style agréable
- Prix compétitifs
- Bon choix de modèles

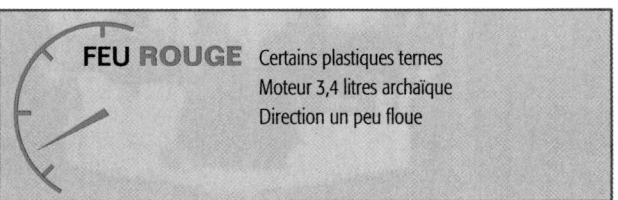

FEU ROUGE
- Certains plastiques ternes
- Moteur 3,4 litres archaïque
- Direction un peu floue

destinés à rehausser le caractère du véhicule. On note un fascia plus agressif, des jantes de 18 pouces et un ensemble aérodynamique pour les flancs. Bref, tout vêtu de noir, voilà un modèle qui fera tourner les têtes, chose peu commune pour ce type de véhicule.

À l'intérieur, la planche de bord offre une bonne ergonomie et l'habitacle se révèle fonctionnel à souhait. Un des principaux avantages de ce duo par rapport à plusieurs rivaux est sans contredit l'espace cargo et les dégagements généreux pour les passagers arrière. Le style du véhicule procure un large accès à l'espace cargo, ce qui facilite aussi son chargement. Le principal reproche concerne la qualité d'assemblage de certains panneaux et l'utilisation massive de plastique dur, ce qui donne un habitacle un peu plus terne. De plus, ces derniers s'abiment assez rapidement, surtout lorsque vous avez une petite famille assez agitée.

UN BON COMPORTEMENT

Sur la route, les modèles munis du moteur de 3,4 litres ne sont pas des plus puissants, mais c'est surtout le couple de ce moteur qui lui vient en aide, permettant des reprises plus vigoureuses. La boîte automatique à cinq rapports est un peu plus moderne que le moteur et elle s'acquitte bien de sa tâche, mais on préfère l'efficacité de la boîte automatique à six rapports. Cependant, cette dernière n'est offerte qu'à bord des deux modèles équipés du moteur six cylindres de 3,6 litres. Dommage! Du reste, on apprécie la suspension souple, qui minimise les nombreux défauts de la route, et le niveau d'insonorisation à bord.

Quant aux versions équipées du moteur de 3,6 litres, elles favorisent un comportement plus dynamique, notamment en raison de la suspension un peu plus ferme. La hauteur réduite du véhicule ainsi que ses pneus à profil bas ajoutent à la sportivité de ces deux modèles.

En résumé, c'est sans véritable gloire que le Chevrolet Equinox et le Pontiac Torrent poursuivent leur chemin, mais leurs qualités et les nombreuses améliorations apportées au fil des années ont réussi à susciter un intérêt continu de la part des acheteurs.

Sylvain Raymond

Photos: Chevrolet / Pontiac

VÉHICULE D'ESSAI

Version :	Chevrolet Equinox LT AWD
Moteur :	V6 de 3,4 litres 12s atmosphérique
Puissance :	185 ch (138 kW) à 5 200 tr/min
Couple :	210 lb-pi (285 Nm) à 3 800 tr/min
Rapport poids/puissance :	9,52 kg/ch (12,76 kg/kW)
Transmission :	automatique, 5 rapports
Rouage :	intégral
0-100 km/h · 80-120 km/h :	10,5 s · 9,2 s
Freinage 100-0 km/h :	42,0 m
Vitesse maximale :	195 km/h
Consommation (100 km) :	ordinaire, 12,2 litres
Autonomie approximative :	631 km
Émissions de CO2 :	4 992 kg/an
Emp/Lon/Lar/Haut (mm) :	2 858 / 4 796 / 1 814 / 1 726
Coffre/Réservoir :	997 à 1 943 / 77 litres
Nombre de coussins de sécurité :	2
Suspension avant :	indépendante, jambes de force
Suspension arrière :	indépendante, multibras
Freins av./arr. :	disque (ABS)
Antipatinage/Contrôle de stabilité :	oui/oui
Direction :	à crémaillère, assistance variable
Diamètre de braquage :	12,7 m
Pneus av./arr. :	P235/65R16
Poids :	1 762 kg
Capacité de remorquage :	1 588 kg

AUTRE(S) COMPOSANTE(S) MÉCANIQUE(S)

Système hybride :	aucun
Moteur diesel :	aucun
Taxe énergivore :	aucune
Autre(s) moteur(s) :	V6 de 3,6 litres 264 ch/250 lb-pi (13,0 l/100 ordinaire)
Autre(s) rouage(s) :	traction
Autre(s) transmission(s) :	automatique, 6 rapports

EN BREF

Échelle de prix :	26 870 $ à 35 745 $
Catégorie :	VUS compact
Garanties :	3 ans/60 000 km, 5 ans/160 000 km
Assemblage :	Spring Hill, Tennessee, É-U
Cote d'assurance :	n.d.

DANS LA MÊME CATÉGORIE

Ford Escape, Honda CR-V, Jeep Liberty, Mazda Tribute, Nissan X-Trail, Subaru Forester, Toyota RAV4

NOS IMPRESSIONS

Agrément de conduite :	3½
Fiabilité :	3½
Sécurité :	3½
Qualités hivernales :	4
Espace intérieur :	4
Confort :	3½

DU NOUVEAU EN 2009

Trois nouvelles couleurs, connectivité Bluetooth offerte en option

TRADITIONALISTES S'ABSTENIR

Il est toujours curieux de réaliser que bien des gens qui s'inspirent du passé ne sont pas des traditionalistes, mais plutôt des personnes qui aiment les solutions originales. Et ceci se vérifie fréquemment dans le secteur de l'automobile. C'est ainsi que plusieurs ont été quelque peu choqués par la silhouette fort spéciale de ce Chevrolet à tout faire. Ils ne savaient que dire devant cette silhouette ancienne reprenant les lignes générales d'une Suburban de la fin des années 40.

Par contre, nombreux sont ceux qui ont craqué pour le côté « funké » du HHR. Soit dit en passant, ces trois lettres signifient « Heritage High Roof ». Les stylistes de cette division ne se sont pas nécessairement fait que des amis avec leur travail, mais force est d'admettre que c'est original. Beaucoup nous ont avoué s'être procuré ce modèle uniquement en raison de son allure qui ressemble au *hot rod* qu'ils n'auraient pu se construire. Mais il y a plus que la forme. Il ne faut pas oublier que la fonction n'est pas à dédaigner puisque c'est un véhicule passablement pratique.

DU DESIGN

Les lignes de la carrosserie sont uniques en leur genre et représentent une belle interprétation de la tendance rétro, et le tableau de bord est également une réussite. Les stylistes ont réussi à recréer l'ambiance de jadis avec des cadrans indicateurs inspirés du passé et une présentation générale qui fait rétro sans vraiment l'être. Ce design est relativement pratique et les commandes sont faciles d'accès et de manipulation. Il faut toutefois déplorer l'utilisation de plastiques qui paraissent bon marché...

Les places avant sont correctes et les sièges sont moyennement confortables, tandis que la position de conduite sera appréciée par la majorité. Par contre, les places arrière sont assez difficiles d'accès et l'espace pour les jambes risque de manquer si les occupants avant reculent leur siège au maximum. Il faut souligner que le HHR n'est pas un gros véhicule, ce qui explique quelque peu cette habitabilité plutôt moyenne. La même remarque s'applique à la soute à bagages qui n'est certainement pas la plus spacieuse de la catégorie. Heureusement, on peut rabattre les sièges arrière pour caser les objets encombrants. Il n'y a pas de cache-objet à l'arrière, on a plutôt choisi d'utiliser une tablette rigide pour bloquer la vue de l'extérieur ou encore pour supporter les objets et ajouter à la polyvalence.

MODÈLE PRATIQUE

Afin de répondre à la demande des commerçants et petits entrepreneurs, une version sans fenêtre arrière a été commercialisée l'an dernier. Appelée dans le jargon un « panel », elle n'offre pas plus d'espace de chargement que la version vitrée, mais permet un aménagement commercial dans la section arrière tout en protégeant le contenu des regards concupiscents des malfaiteurs. Si la visibilité arrière de la version ordinaire laisse à désirer, il faut être un adepte de la conduite avec consultation exclusive des rétroviseurs extérieurs pour se sentir à l'aise dans la circulation au volant de la version non vitrée.

FEU VERT
Silhouette qui fait mouche
Plate-forme rigide
Choix de moteurs
Version commerciale (Panel)
Habitacle polyvalent

FEU ROUGE
Moteur 2,2 litres
Boîte automatique quatre rapports
Visibilité arrière (Panel)
Places arrière inconfortables

DE LENT À TRÈS RAPIDE

Cette année, trois moteurs sont au catalogue. Pour les amateurs de consommation réduite, de conduite sans histoire et ne recherchant pas des accélérations dignes de ce nom, le modèle équipé du moteur Ecotec de 2,2 litres sera probablement le meilleur choix. Ses 155 chevaux sont adéquats si vous ne rechignez pas à manipuler fréquemment le levier de vitesses de la boîte de manuelle à cinq rapports. Même si ce n'est pas idéal, c'est mieux qu'on pourrait le croire.

Le choix le plus logique est certainement un autre moteur Ecotec, cette fois-ci d'une cylindrée de 2,4 litres et d'une puissance de 172 chevaux. Et même s'il est couplé avec une boîte automatique à quatre rapports qui est plutôt vétuste, il se débrouille bien dans presque toutes les situations. Bien entendu, la meilleure combinaison est avec la boîte manuelle à cinq rapports dont l'étagement est correct. Le comportement routier est sain bien que la suspension soit quelquefois trop ferme face à certains obstacles de la chaussée. Ce Chevrolet ne s'en sort pas trop mal sur la route et sa tenue en virage est surprenante.

Depuis le milieu de l'année 2008, il est possible de commander le modèle SS vitaminé par l'intermédiaire d'un moteur quatre cylindres 2,0 litres turbo produisant 260 chevaux. Comme il se doit, la suspension a été modifiée en conséquence. Bien que cette combinaison apparaisse quelque peu débile aux yeux de certains, le résultat n'est pas mauvais. À condition de ne pas enfoncer l'accélérateur à fond lors de l'accélération initiale, sinon vous devrez vous cramponner au volant avec fermeté. Mais en adoptant un style de conduite plus coulé, il est facile de profiter de cette puissance sans en subir les inconvénients.

Denis Duquet

Photos : Antoine Joubert

VÉHICULE D'ESSAI

Version :	Chevrolet HHR LS
Moteur :	4L de 2,2 litres 16s atmosphérique
Puissance :	155 ch (116 kW) à 6 100 tr/min
Couple :	150 lb-pi (203 Nm) à 4 800 tr/min
Rapport poids/puissance :	9,23 kg/ch (12,33 kg/kW)
Transmission :	manuelle, 5 rapports
Rouage :	traction
0-100 km/h · 80-120 km/h :	10,0 s · 8,5 s
Freinage 100-0 km/h :	43,6 m
Vitesse maximale :	190 km/h
Consommation (100 km) :	ordinaire, 9,6 litres
Autonomie approximative :	635 km
Émissions de CO2 :	n.d.
Emp/Lon/Lar/Haut (mm) :	2 629 / 4 475 / 1 756 / 1 603
Coffre/Réservoir :	674 à 1 574 / 61 litres
Nombre de coussins de sécurité :	2
Suspension avant :	indépendante, jambes de force
Suspension arrière :	demi-indépendante, poutre déformante
Freins av./arr. :	disque/tambour (ABS opt.)
Antipatinage/Contrôle de stabilité :	oui/non
Direction :	à crémaillère, assistance variable électrique
Diamètre de braquage :	11,5 m
Pneus av./arr. :	P215/55R16
Poids :	1 431 kg
Capacité de remorquage :	454 kg

AUTRE(S) COMPOSANTE(S) MÉCANIQUE(S)

Système hybride :	aucun
Moteur diesel :	aucun
Taxe énergivore :	aucune
Autre(s) moteur(s) :	4L de 2,4 litres 172 ch/167 lb-pi (10,3 l/100 ordinaire) 4L de 2,0 litres 260 ch/260 lb-pi (9,8 l/100 super)
Autre(s) rouage(s) :	aucun
Autre(s) transmission(s) :	automatique, 4 rapports

EN BREF

Échelle de prix :	19 855 $ à 28 240 $
Catégorie :	familiale
Garanties :	3 ans/60 000 km, 5 ans/160 000 km
Assemblage :	Ramos Arizpe, Mexique
Cote d'assurance :	n.d.

DANS LA MÊME CATÉGORIE

Chrysler PTCruiser, Honda Element, Kia Rondo, Mazda5, Pontiac Vibe, Toyota Matrix

NOS IMPRESSIONS

Agrément de conduite :	●●● ½
Fiabilité :	●●●●
Sécurité :	●●●
Qualités hivernales :	●●● ½
Espace intérieur :	●●●●
Confort :	●●●●

DU NOUVEAU EN 2009

Moteur 2,2 litres à calage variable des soupapes, nouveau modèle HHR Panel SS

LES VERTUS DE LA SOBRIÉTÉ

Il ne faut pas avoir suivi de très longues études de marketing pour constater que la sobriété se vend mal. Outre la Société des alcools du Québec, on ne voit pas qui pourrait bien vanter les mérites du « moins, c'est mieux ». Quel intérêt à acheter une gomme qui ne fait pas fondre les gencives tant elle est forte? Pourquoi acheter de l'eau si la bouteille n'est pas jolie? Dans une telle société de consommation, comment une voiture comme la Chevrolet Impala peut-elle survivre?

L'Impala a connu ses beaux jours durant les années 60 et 70. Ensuite, elle a mal survécu à la période du downsizing, alors que les manufacturiers américains s'ingéniaient à réduire considérablement la taille et le poids de toutes leurs voitures (ce qui risque fort d'arriver à nouveau et dans un délai assez court…). En 2006, la berline intermédiaire de Chevrolet était entièrement revue. Désormais plus moderne, elle passe toujours inaperçue, sauf lorsqu'elle est équipée de gyrophares!

On ne peut toutefois pas dire que la carrosserie de l'Impala soit ratée. Elle est sobre, certes, mais elle a au moins l'avantage de ne pas se démoder rapidement. La preuve, elle n'est pas plus moche qu'il y a quatre ans! L'habitacle est du même moule. Le tableau de bord, d'une sobriété exemplaire, n'en est pas moins agréable à regarder. Les commandes du chauffage et de la radio se retrouvent dans un module placé au centre de la planche de bord tandis que les jauges sont placées dans une nacelle, juste devant le conducteur. La qualité des plastiques s'avère, tout comme le design, assez ordinaire, merci. Les espaces de rangement sont à peu près inexistants mais c'est davantage l'absence de rappel de la position du levier de vitesses sur la console qui étonne. Pour savoir à quelle position la transmission se trouve, il faut consulter le petit écran situé dans le compteur de vitesse. Ce n'est pas dramatique mais on a toujours l'impression qu'il manque un élément sur la console centrale.

DE LA PLACE!

La position de conduite se trouve facilement et les sièges avant sont confortables. Il faut aussi savoir que l'Impala est l'une des rares berlines à offrir en option une banquette à l'avant pouvant asseoir trois personnes. Tout comme à l'avant, les sièges arrière sont confortables et l'espace, comme partout ailleurs dans l'habitacle, n'est pas compté. Ce n'est pas pour rien que l'Impala est l'une des préférées des policiers! Sur la plupart des versions, et en option pour les quelques autres, les dossiers de la banquette arrière s'abaissent pour agrandir un coffre déjà très grand. L'ouverture est d'une bonne grandeur mais le seuil de chargement est élevé.

L'impala se décline en versions LS, LT, LTZ et SS. L'an dernier, la LT présentait une sous-série commémorant les cinquante ans de l'Impala. Évidemment, cette édition spéciale ne revient pas cette année. Les LS et LT ont droit à un V6 de 3,5 litres de 211 chevaux, la LTZ à un V6 de 3,9 litres de 233 chevaux et, enfin, la SS à un V8 de 5,3 litres de 303 chevaux. Le 3,5 litres fait généralement l'affaire, mais la plupart

FEU VERT
- Moteur 3,9 litres bien adapté
- Comportement routier sain
- Grand habitacle
- Confort assuré
- Sonorité du V8 enivrante (SS)

FEU ROUGE
- Lignes pour le moins banales
- 5,3 litres trop puissant (SS)
- Transmission automatique à 4 rapports seulement
- Direction trop assistée
- Plastiques peu raffinés

des gens lui préfèrent le 3,9 litres. Bizarrement, même si cette dernière n'a pas connu de changements majeurs depuis 2006, l'essai récent d'une Impala a démontré un effet de couple moins important qu'auparavant. La route, l'état des pneus, le conducteur, tous ces facteurs ? Allez savoir. Ce moteur consomme 11,5 litres d'essence régulière tous les cent kilomètres, ce qui s'avère être la moyenne de la catégorie, sans plus. Peut-être qu'une transmission automatique à six rapports plutôt que celle à quatre qui officie présentement améliorerait la consommation tout en autorisant des accélérations plus linéaires. Par contre, la boîte à quatre rapports effectue un excellent boulot.

Sur la route, l'Impala se comporte exactement comme sa carrosserie le laisse croire, c'est-à-dire tout à fait placidement. L'habitacle silencieux et la direction peu précise et, surtout, très peu communicative y sont pour beaucoup. Le châssis s'avère fort rigide, mais il ne donne pas cette impression à cause de suspensions définitivement plus axées vers le confort que vers la tenue de route. Cette grosse traction (roues avant motrices) affiche un certain roulis dès la première courbe prise à un rythme un peu trop élevé. Si l'on pousse l'auto plus que de raison, l'avant a tendance à continuer tout droit. Généralement, la réduction de l'angle du pied droit règle ce problème.

TROP, C'EST TROP

Alors qu'elle frise le politiquement correct parfait dans la plupart de ses versions, l'Impala se déchaîne avec la SS. Les 303 chevaux du 5,3 litres sont toujours prêts à l'action, et il faut les entendre en plein travail pour apprécier la sonorité d'un V8 américain. Cependant, 303 chevaux acheminés aux roues avant, c'est beaucoup. Beaucoup trop, oserais-je. Lors d'accélérations ou de vives reprises, il faut tenir le volant à deux mains, sinon on ne sait pas où la voiture pourrait se retrouver ! De plus, malgré des suspensions plus fermes, la SS est loin d'offrir une tenue de route adaptée au moteur.

L'impala poursuit sa route sans tambour ni trompette et c'est très bien ainsi. Elle se débrouille fort honorablement que ce soit en termes de conduite, de confort ou de fiabilité. Pour aller du point A au point B sans soucis, elle est parfaite. Enfin, presque. D'ailleurs, n'est-ce pas cela le rôle premier de toute voiture, d'amener les gens du point A au point B ?

Alain Morin

Photos : Chevrolet

VÉHICULE D'ESSAI

Version :	Chevrolet Impala LTZ
Moteur :	V6 de 3,9 litres 12s atmosphérique
Puissance :	233 ch (174 kW) à 5 600 tr/min
Couple :	240 lb-pi (325 Nm) à 4 000 tr/min
Rapport poids/puissance :	7,10 kg/ch (9,51 kg/kW)
Transmission :	automatique, 4 rapports
Rouage :	traction
0-100 km/h · 80-120 km/h :	8,6 s · 7,7 s
Freinage 100-0 km/h :	41,0 m
Vitesse maximale :	210 km/h
Consommation (100 km) :	ordinaire, 11,5 litres
Autonomie approximative :	556 km
Émissions de CO2 :	4 560 kg/an
Emp/Lon/Lar/Haut (mm) :	2 807 / 5 090 / 1 851 / 1 491
Coffre/Réservoir :	527 / 64 litres
Nombre de coussins de sécurité :	6
Suspension avant :	indépendante, jambes de force
Suspension arrière :	indépendante, multibras
Freins av./arr. :	disque (ABS)
Antipatinage/Contrôle de stabilité :	oui/oui
Direction :	à crémaillère, assistée
Diamètre de braquage :	11,6 m
Pneus av./arr. :	P235/50R18
Poids :	1 655 kg
Capacité de remorquage :	454 kg

AUTRE(S) COMPOSANTE(S) MÉCANIQUE(S)

Système hybride :	aucun
Moteur diesel :	aucun
Taxe énergivore :	aucune
Autre(s) moteur(s) :	V6 de 3,5 litres 211 ch/214 lb-pi (11,5 l/100 ordinaire)
	V8 de 5,3 litres 303 ch/323 lb-pi (12,9 l/100 ordinaire) (SS)
Autre(s) rouage(s) :	aucun
Autre(s) transmission(s) :	aucune

EN BREF

Échelle de prix :	25 995 $ à 35 995 $
Catégorie :	berline intermédiaire
Garanties :	3 ans/60 000 km, 5 ans/160 000 km
Assemblage :	Oshawa, Ontario, Canada
Cote d'assurance :	bonne

DANS LA MÊME CATÉGORIE

Chrysler 300, Ford Taurus, Honda Accord, Nissan Altima, Toyota Camry

NOS IMPRESSIONS

Agrément de conduite :	3½
Fiabilité :	3½
Sécurité :	3½
Qualités hivernales :	3½
Espace intérieur :	4
Confort :	4

DU NOUVEAU EN 2009

Coussins latéraux de cage thoracique offerts de série, nouvelles roues de 18" pour le modèle SS, nouvelles connections multimédia

MISSION PRESQUE ACCOMPLIE

De retour en 1997 après une absence de treize ans (la Malibu est disparue en 1983), la Malibu ressuscitée avait pour objectif de faire la vie dure aux nombreuses rivales japonaises. Remplaçante de la pitoyable Corsica, la voiture a connu un certain succès à ses débuts. Cependant, sa qualité déficiente a rapidement déçu la clientèle, ce qui a engendré un important recul des ventes. Ce n'est que onze ans plus tard, soit en 2008, que Chevrolet a vraiment réussi à faire honneur à la très huppée région qui a inspiré le nom de cette berline intermédiaire. Enfin, la Malibu est aujourd'hui en mesure de véritablement détourner l'attention des acheteurs de berlines nipponnes.

L'effet de surprise étant maintenant passé, il s'agit désormais de savoir si la Malibu possède tous les attributs pour se battre contre les Honda Accord et Toyota Camry. Car vous en conviendrez, la tâche n'est pas facile. Il faut en plus que Chevrolet se rebâtisse une réputation dans ce créneau, et ce, en conservant une voiture à nomenclature inchangée. Chose certaine, on fera mieux avec cette voiture qu'avec l'ancienne génération, qui se vendait au compte-gouttes à qui voulait bien profiter de l'aubaine du concessionnaire, aux prises avec un stock difficile à écouler. Et non, il n'y a pas de nouvelle Malibu Maxx à arrière ouvrant. Le concept n'était peut-être pas vilain, mais l'exécution douteuse aura tué tout espoir de réitérer avec un second modèle.

LE STYLE, PREMIÈRE CLÉ DU SUCCÈS

Pour bien évaluer la voiture, j'ai parcouru plus de 2 000 km au volant de deux différentes versions, et ce, tant en conditions hivernales qu'estivales. Aujourd'hui, je peux sans équivoque affirmer que cette voiture de masse attire vraiment les foules. En effet, rarement ai-je recueilli autant de commentaires positifs par rapport à la beauté des lignes d'une voiture qu'avec la Malibu. À 17 ans, on la trouve *chill*, à 77, on évoque toutes les raisons pour remplacer son Impala ! Elle est belle, un point c'est tout !

À bord, c'est la même chose. On craque à coup sûr pour la beauté de la planche de bord, pour l'instrumentation à éclairage aqua et blanc, pour les combinaisons de teintes et pour le souci du détail qui se fait remarquer partout dans l'habitacle. La qualité des plastiques demeure cependant moyenne, mais l'assemblage plus rigoureux que par le passé excuse la chose. Confortablement installé sur un siège ferme et enveloppant, le conducteur dispose de tous les éléments dont il a besoin pour se sentir à l'aise. Le siège est réglable de multiples façons, le volant est télescopique, les rangements et autres commodités sont nombreux et l'ergonomie est sans reproche. En fait, seule la visibilité est dérangée par l'importance de l'épaisseur des piliers A et C.

Derrière, les passagers sont confortablement installés et disposent de plus d'espace qu'il n'en faut. Le dossier des sièges avant creusé vers l'intérieur permet notamment un meilleur dégagement pour les genoux, alors que les appuie-têtes amovibles assurent confort et sécurité. Il faut cependant savoir que le coffre déçoit énormément, puisqu'on doit composer avec un seuil élevé et une ouverture ridiculement petite. Quant au volume, il est drôlement plus impressionnant sur papier que dans la vraie vie.

FEU VERT
- Ligne craquante
- Habitacle superbe
- Moteur V6 puissant
- Boîte à six rapports efficace
- Prix raisonnable

FEU ROUGE
- Version hybride
- Coffre mal conçu
- Boîte à quatre rapports désuète
- Direction à revoir
- Certains plastiques bon marché

L'ardeur au travail des ingénieurs de GM se constate dès qu'on prend le volant de la Malibu. Le sentiment de conduire une voiture bon marché n'est plus, et on ne peut qu'être agréablement surpris par la qualité de construction et la solidité de la caisse. Naturellement, les versions utilisant le moteur V6 de 3,6 litres sont celles qui impressionnent le plus par leur dynamisme. Les performances sont très relevées et le raffinement mécanique se fait davantage sentir. Fort heureusement, la boîte automatique à six rapports qui ne se mariait en 2008 qu'au moteur V6 peut être commandée en option avec certaines versions à moteur quatre cylindres. Assurément, cette boîte est la clé d'un bon rendement énergétique et d'une conduite plus agréable. Considérez-la donc avant tout.

HYBRIDE À PROSCRIRE

Cela m'amène d'ailleurs à vous recommander fortement l'acquisition d'une Malibu à moteur Ecotec et boîte à six rapports, bien avant la version hybride. Voyez-vous, c'est que l'hybride doit composer avec une boîte automatique à quatre rapports qui n'est même pas surmultipliée, et qui annule carrément tout l'effet positif que pourrait offrir l'assistance énergétique électrique. Et comme le système de la Malibu est franchement désuet par rapport à ce que Ford, Honda et Toyota proposent, il est clair que cette option n'est pas valable. Une randonnée de 1 312 km principalement composée de conduite sur autoroutes et routes secondaires s'est soldée par une consommation de 8,4 litres aux 100 km. Vous obtiendrez sans doute le même rendement avec une Malibu régulière (à boîte à six rapports), qui ne vous encombrera pas d'un bloc de batterie dans le coffre et d'un entretien futur possiblement plus délicat. Dois-je en rajouter?

Cela dit, la Malibu est une routière à découvrir. Hormis une direction qui pourrait être plus communicative et moins élastique, cette berline démontre une conduite franchement étonnante. Le niveau de confort est exceptionnel tout comme le silence de roulement, la tenue de cap est impeccable et le roulis en virage est limité. Quant aux performances du moteur V6, elles n'ont rien à envier à quiconque.

Ainsi, il est clair que la Malibu possède les éléments pour voler d'importantes parts de marché aux rivales asiatiques.

Antoine Joubert

Photos: Chevrolet

VÉHICULE D'ESSAI

Version:	Chevrolet Malibu Hybrid
Moteur:	4L de 2,4 litres 16s atmosphérique
Puissance:	164 ch (122 kW) à 6 400 tr/min
Couple:	159 lb-pi (216 Nm) à 5 000 tr/min
Rapport poids/puissance:	9,78 kg/ch (13,14 kg/kW)
Transmission:	automatique, 4 rapports
Rouage:	traction
0-100 km/h · 80-120 km/h:	10,6 s · 9,0 s
Freinage 100-0 km/h:	n.d.
Vitesse maximale:	345 km/h
Consommation (100 km):	ordinaire, 6,2 litres
Autonomie approximative:	983 km
Émissions de CO2:	3 600 kg/an
Emp/Lon/Lar/Haut (mm):	2 852 / 4 872 / 1 786 / 1 450
Coffre/Réservoir:	428 / 61 litres
Nombre de coussins de sécurité:	6
Suspension avant:	indépendante, jambes de force
Suspension arrière:	indépendante, multibras
Freins av./arr.:	disque (ABS)
Antipatinage/Contrôle de stabilité:	oui/oui
Direction:	à crémaillère, assistée
Diamètre de braquage:	12,3 m
Pneus av./arr.:	P225/50R17
Poids:	1 604 kg
Capacité de remorquage:	Non recommandé (Hybrid)

AUTRE(S) COMPOSANTE(S) MÉCANIQUE(S)

Système hybride:	Moteur/générateur élect de 36 Volt (110 lb-pi)remplace alternateur.Batteries nickel-métal hydrure. Puissance totale 164 ch.
Moteur diesel:	aucun
Taxe énergivore:	aucune
Autre(s) moteur(s):	4L de 2,4 litres 169 ch/160 lb-pi (9,6 l/100 ordinaire) V6 de 3,6 litres 252 ch/251 lb-pi (12,2 l/100 ordinaire)
Autre(s) rouage(s):	aucun
Autre(s) transmission(s):	automatique, 6 rapports

EN BREF

Échelle de prix:	23 395 $ à 27 595 $
Catégorie:	berline intermédiaire
Garanties:	3 ans/60 000 km, 5 ans/160 000 km
Assemblage:	Kansas City, Kansas, É-U
Cote d'assurance:	bonne

DANS LA MÊME CATÉGORIE

Chrysler 300, Ford Taurus, Honda Accord, Hyundai Sonata, Mazda6, Mitsubishi Galant, Nissan Altima, Toyota Camry, Volkswagen Passat

NOS IMPRESSIONS

Agrément de conduite:
Fiabilité:
Sécurité:
Qualités hivernales:
Espace intérieur:
Confort:

DU NOUVEAU EN 2009

Transmission automatique six rapports disponible avec 4L et V6

Chevrolet Tahoe

POLLUEZ PEU... OU EXCESSIVEMENT !

On dit souvent que les constructeurs ont le don de répondre aux besoins de la clientèle à retardement, ce qui fait qu'au moment d'introduire un véhicule, le synchronisme n'est plus bon. Par exemple, on pourrait citer cette année de nouveaux arrivants comme le Kia Borrego ou la Pontiac G8 qui, pour des raisons évidentes, sont voués malgré leurs qualités à un succès limité. À l'inverse, GM a su introduire sa nouvelle génération de VUS pleine grandeur à un moment que je trouve opportun, et ce, même si tous les écologistes de la planète ne souhaitent que voir cette sorte de véhicules disparaître.

C'est qu'en fait, en lançant cette nouvelle génération il y a deux ans, GM a eu la chance de prouver les qualités de ses produits avant de se faire bombarder de commentaires désobligeants en raison du prix de l'essence. Ainsi, nous savons aujourd'hui qu'il s'agit d'une gamme de véhicules extrêmement bien réussie, et qu'en dépit d'un coût d'utilisation désormais plus important, il vaut toujours la peine de la considérer.

De tous les modèles proposés dans cette gamme, le Yukon constitue celui qui connait le plus de succès chez nous. Ironiquement, alors que l'on se questionne chaque jour sur la pertinence de conserver la division GMC en vie (surtout en cette période financièrement difficile pour GM), il m'a fallu constater que plusieurs automobilistes connaissaient l'existence du Yukon, mais pas celle du Tahoe. Serait-ce la version haut de gamme Denali, qui n'a aucun équivalent chez Chevrolet, qui lui a fait gagner ses lettres de noblesse ? Qui sait ? Chose certaine, le Yukon est aux yeux de plusieurs un véhicule mythique.

HYBRIDE À LA RESCOUSSE

Cette année, l'attraction principale des Tahoe et Yukon est évidemment l'arrivée de la version hybride à deux modes. Ne laissons pas le doute planer plus longtemps, cette dernière permet d'économiser de 30 % à 35 % de carburant par rapport à une version ordinaire, ce qui se traduit par une consommation moyenne oscillant autour de 11 litres aux 100 kilomètres. En d'autres mots, avec cet immense VUS, on parvient à n'utiliser que l'énergie normalement nécessaire à une berline intermédiaire à moteur V6. Si ça, ce n'est pas un immense pas en avant, je me demande bien ce que c'est ! D'autant plus que cette version combine son ingénieux système hybride à un moteur V8 de 6,0 litres à cylindrée variable, qui produit 320 chevaux et 360 lb-pi de couple. Ainsi motorisé, il permet de gagner en performances et de ne faire aucun véritable compromis en matière de capacité de remorquage.

Sur la route, la principale différence se fait sentir au niveau des changements de vitesse, qui sont ici inexistants. C'est qu'en fait, le véhicule utilise une transmission hybride bimode à rapport électrique continu, également dotée de quatre engrenages fixes. De ce fait, on parvient à maximiser le rendement énergétique du véhicule en situation normale tout en lui permettant de travailler plus ardemment, notamment lorsqu'il est question de remorquage. Vraiment génial !

FEU VERT
- Grand choix de modèles
- Version hybride très efficace
- Qualité de construction honorable
- Puissance exceptionnelle (Escalade)
- Habitacle très confortable

FEU ROUGE
- Consommation excessive (Denali et Escalade)
- Sièges non rabattables à plat
- Dépréciation importante
- Version hybride coûteuse

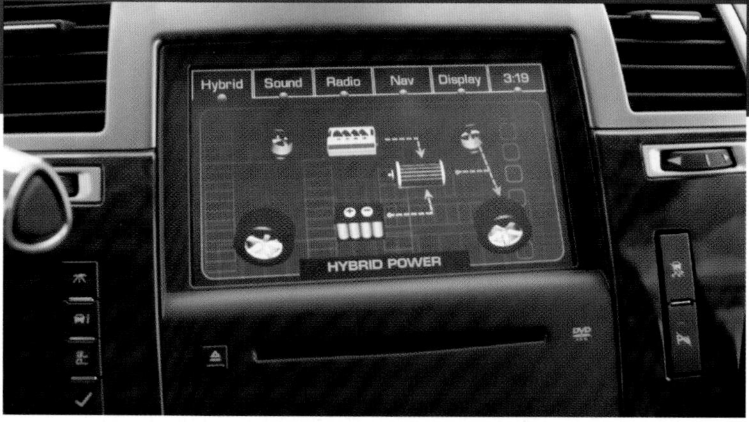

Naturellement, cette motorisation qui sera ultérieurement offerte chez Cadillac coûte sensiblement plus cher que les modèles habituels. Mais l'arrivée de cette version chez GM illustre bien les intentions du constructeur concernant la production de véhicules plus verts. Cependant, il s'agit aussi d'un moyen efficace pour faire taire les écolos qui crient à la catastrophe à la vue d'un Cadillac Escalade tout fardé de chrome.

L'ESCALADE, LE SEUL, LE VRAI !

Je vous ferai fi de tous les accessoires esthétiques qui font de l'Escalade ce qu'il est vraiment, en vous disant que ce véhicule représente aujourd'hui la référence pour plusieurs catégories d'acheteurs. Que vous ayez des aspirations pour devenir star de hip-hop, joueur de la NBA, chauffeur de limousine ou membre actif du milieu interlope, il s'agit très certainement de votre véhicule de rêve. Il faut dire qu'ici, GM en met plein la vue. Par exemple, l'habitacle regorge de gadgets luxueux et brille au moyen de chrome, d'aluminium et de boiseries lustrées. Les sièges ultraconfortables permettent également de profiter au maximum du temps passé à bord, où l'on ne finit plus de découvrir de nouvelles fonctions.

À l'instar du Tahoe et du Yukon, l'Escalade réserve plus d'espace qu'il n'en faut pour accueillir sept occupants (parfois huit, selon la configuration). Il serait mentir de vous dire que la dernière banquette est aussi douillette que les places avant, mais on parvient tout de même à y trouver un certain confort. Seul fait décevant, les sièges arrière ne se rabattent pas à plat comme dans le cas du duo Expedition/Navigator, ce qui handicape la capacité de chargement. Pour maximiser l'espace disponible, il faut obligatoirement retirer les sièges, qui sont évidemment très lourds et encombrants.

Côté motorisation, l'Escalade constitue l'ultime version grâce à son V8 de 403 chevaux, jumelé à une boîte à six rapports. Ici, nul besoin de vous dire que les performances sont aussi relevées que la consommation, qui oscille entre 18 et 19 litres aux 100 kilomètres. Toutefois, dans la majorité des cas (Tahoe, Yukon), on retrouve l'increvable V8 de 5,3 litres à cylindrée variable, qui propose un rendement tout à fait honorable.

Antoine Joubert

GMC Yukon

Photos : Chevrolet / GMC

VÉHICULE D'ESSAI

Version :	Chevrolet Tahoe Hybride (4RM)
Moteur :	V8 de 6,0 litres 16s atmosphérique
Puissance :	332 ch (248 kW) à 5 100 tr/min
Couple :	367 lb-pi (498 Nm) à 4 100 tr/min
Rapport poids/puissance :	7,59 kg/ch (10,16 kg/kW)
Transmission :	automatique, 4 rapports
Rouage :	intégral
0-100 km/h · 80-120 km/h :	8,8 s · 7,5 s
Freinage 100-0 km/h :	n.d.
Vitesse maximale :	170 km/h
Consommation (100 km) :	ordinaire, 11,0 litres
Autonomie approximative :	890 km
Émissions de CO2 :	n.d.
Emp/Lon/Lar/Haut (mm) :	2 946 / 5 130 / 2 007 / 1 955
Coffre/Réservoir :	478 à 3 084 / 98 litres
Nombre de coussins de sécurité :	6
Suspension avant :	indépendante, barres de torsion
Suspension arrière :	essieu rigide, ressorts hélicoïdaux
Freins av./arr. :	disque (ABS)
Antipatinage/Contrôle de stabilité :	oui/oui
Direction :	à crémaillère, assistée
Diamètre de braquage :	11,9 m
Pneus av./arr. :	P265/65R18
Poids :	2 522 kg
Capacité de remorquage :	3 402 kg

AUTRE(S) COMPOSANTE(S) MÉCANIQUE(S)

Système hybride :	Système bi-mode offert sur Tahoe, Yukon, Escalade. Peut fonctionner sur élect seul. Système comprend deux transmissions ECVT.
Moteur diesel :	aucun
Taxe énergivore :	2 000 $ (V8, 6,2) 1 000 $ (V8,5,3 4x4)
Autre(s) moteur(s) :	V8 de 6,2 litres 395 ch/417 lb-pi (Escalade, Tahoe, Yukon) V8 de 5,3 litres 320 ch / 340 lb-pi (Suburban, Tahoe) V8 de 6,0 litres 366 ch / 380 lb-pi (Suburban)
Autre(s) rouage(s) :	4x4 propulsion
Autre(s) transmission(s) :	automatique, 6 rapports

EN BREF

Échelle de prix :	46 110 $ à 81 320 $
Catégorie :	VUS grand format
Garanties :	3 ans/60 000 km, 5 ans/160 000 km
Assemblage :	Arlington, Texas et Janesville, Wisconsin, É-U
Cote d'assurance :	passable

DANS LA MÊME CATÉGORIE

Infiniti QX56, Lincoln Navigator, Mercedes-Benz Classe GL

NOS IMPRESSIONS

Agrément de conduite :	3½
Fiabilité :	3½
Sécurité :	4½
Qualités hivernales :	5
Espace intérieur :	5
Confort :	4½

DU NOUVEAU EN 2009

Ajout d'une version hybride (Tahoe, Yukon, Escalade)

Chevrolet Trailblazer

LES GARDIENS DU VIEUX PHARE

Il n'y a pas si longtemps le marché des véhicules utilitaires sport construits sur une plate-forme indépendante, comme sur une camionnette, était en excellente santé, mais les choses ont bien changé. Désormais, les gens leur préfèrent des véhicules pas nécessairement plus petits mais plus confortables, plus raffinés, plus urbains. Plusieurs ont enfin compris qu'on ne va pas au camp de pêche au fin fond d'une pourvoirie toutes les semaines. C'est ainsi que le créneau des multisegments a pris son envol. Pourtant, il reste encore des personnes à la recherche d'un véhicule possédant de grandes capacités de remorquage et franchissement.

C'est à ces utilisateurs que le duo Chevrolet Trailblazer/GMC Envoy s'adresse ! On peut presque affirmer qu'il s'agit de jumeaux puisque l'Envoy est, en réalité, un Trailblazer avec une grille différente. Mais les nuances vont un pas de souris plus loin. L'Envoy se veut un peu plus luxueux que le Trailblazer tandis que l'Envoy Denali est une version encore plus raffinée. De plus, le Chevrolet propose un modèle Sport, appelé SS, ce que n'offre pas l'Envoy.

DEUX MOTEURS CHACUN

Le Trailblazer et le Envoy partagent un moteur. Il s'agit d'un six cylindres en ligne de 4,2 litres développant 285 chevaux et 276 livres-pied de couple. On retrouve aussi deux autres moteurs. L'Envoy a droit à un V8 de 5,3 litres de 300 chevaux et 321 livres-pied de couple et le Traiblazer SS à un V8 de 6,0 litres de 390 chevaux et 400 livres-pied de couple. Jusqu'à l'an dernier, il était possible d'obtenir un Trailblazer avec le V8 de 5,3 litres. Certes, ce moteur était moins populaire que le six en ligne mais il aurait été sans doute préférable de laisser tomber le modèle SS qui, de toute façon, ne doit pas se vendre fort, fort ces temps-ci !

Le six cylindres se révèle fort bien adapté au véhicule. Il ne s'agit certes pas d'une bombe mais il est passablement doux et il peut remorquer jusqu'à 2 586 kilos (5 700 livres), ce qui est suffisant pour bien des utilisations. Si ce n'est pas assez, il y a toujours la possibilité de se tourner vers le V8 de 5,3 litres. Pour brûler l'asphalte en prenant garde de ne pas remorquer davantage qu'avec le 5,3 litres (2 994 kilos ou 6 600 livres), on retrouve le très politiquement incorrect V8 de 6,0 litres. Peu importe le moteur, la boîte automatique compte quatre rapports, à haut rendement (*heavy duty*) dans le cas du SS. Bien que son fonctionnement soit sans reproches, on ne peut s'empêcher de penser que GM propose, dans la plupart de ses récents modèles, des transmissions automatiques à six rapports.

Les Trailblazer et Envoy ont droit à un rouage à quatre roues motrices Autotrac. En mode 2RM, il s'agit d'une propulsion (roues arrière motrices). Grâce à un bouton au tableau de bord, le conducteur peut engager le rouage intégral (auto). Ensuite, on retrouve les modes 4Hi et 4Lo. Grâce à son châssis très rigide et à sa garde au sol de près de 200 mm (8 pouces), le Trailblazer (et l'Envoy, bien entendu !) peut passer à peu près partout. Cependant, le rapport de démultiplication de la transmission n'est pas aussi élevé que chez Jeep, Hummer ou même

FEU VERT
- 4x4 efficace
- Bonnes capacités de remorquage
- Comportement routier correct
- Bonne instrumentation
- Châssis très rigide

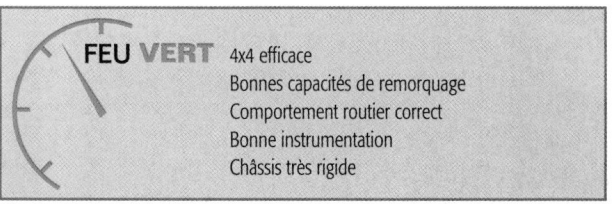

FEU ROUGE
- Fin de carrière imminente
- Finition ordinaire
- Moteurs gloutons
- Suspensions un peu sèches
- Automatique à 4 rapports seulement

certains Toyota 4x4. Quant au Trailblazer SS, il compte sur un rouage intégral moins axé sur le hors route.

CONCEPTION QUI DATE

L'expérience de conduite d'un Traiblazer ou d'un Envoy n'est pas vraiment transcendante. La direction n'est pas des plus précises ni des plus communicatives, une bonne nouvelle en conduite hors route. Les suspensions amortissent bien les coups de la route mais une série de trous ou de bosses a tôt fait de leur faire perdre leurs moyens. Les freins ont été améliorés au fil des années. N'ayant jamais eu l'occasion d'essayer ces deux véhicules quand ils sont sortis en 2002, je ne peux faire de comparaison. Mais à sentir la réaction de la pédale lors d'une simulation d'un arrêt d'urgence avec un modèle 2009, j'aurais quasiment peur de passer à travers le plancher d'un modèle 2002!

Dans l'habitacle, c'est le plastique qui règne! Et il n'est pas nécessairement de la meilleure qualité. C'est sans doute là où l'on décèle le plus facilement que la conception date de plusieurs années. Au moins, l'instrumentation est complète et facile à consulter. Les sièges sont confortables même si certaines personnes pourraient se plaindre d'un manque de soutien au niveau des cuisses. À l'avant, les pieds sont à l'étroit tandis qu'à l'arrière, l'espace ne manque pas. Par contre, les sièges sont très mous et il faut aimer ce genre de confort pour apprécier.

Le hayon ouvre haut et grand sur un bon espace de chargement. La vitre s'ouvre séparément, ce qui est toujours pratique. Le seuil est élevé et pas égal au pare-chocs, ce qui peut être dérangeant si on veut y mettre un objet très lourd. Lorsque les dossiers des sièges arrière sont baissés, ils forment un fond plat.

L'avenir des Chevrolet Trailblazer et GMC Envoy est loin d'être assuré, même si leurs coûts de développement et d'outillage sont payés depuis belle lurette. La demande pour des véhicules de ce créneau et leur conception qui commence à dater sont autant de raisons pour expliquer leur fin de carrière imminente. Leur consommation d'essence aussi… Pourtant, pour qui a vraiment besoin d'un véhicule capable de remorquer dans des sentiers défoncés, ces 4x4 sont tout à fait indiqués. Quant au Trailblazer SS, on se demande encore qui en a vraiment besoin.

Alain Morin

GMC Envoy

Photos: Chevrolet / GMC

VÉHICULE D'ESSAI

Version:	Chevrolet Trailblazer LT
Moteur:	6L de 4,2 litres 24s atmosphérique
Puissance:	285 ch (213 kW) à 6 000 tr/min
Couple:	276 lb-pi (374 Nm) à 4 600 tr/min
Rapport poids/puissance:	7,2, kg/ch (9,63 kg/kW)
Transmission:	automatique, 4 rapports
Rouage:	4x4
0-100 km/h · 80-120 km/h:	8,9 s · 7,8 s
Freinage 100-0 km/h:	44,3 m
Vitesse maximale:	180 km/h
Consommation (100 km):	ordinaire, 15,3 litres
Autonomie approximative:	542 km
Émissions de CO2:	6 240 kg/an
Emp/Lon/Lar/Haut (mm):	2 870 / 4 872 / 1 897 / 1 892
Coffre/Réservoir:	1 162 à 2 268 / 83 litres
Nombre de coussins de sécurité:	4
Suspension avant:	indépendante, double triangle
Suspension arrière:	essieu rigide, multibras
Freins av./arr.:	disque (ABS)
Antipatinage/Contrôle de stabilité:	oui/non
Direction:	à crémaillère, assistance variable
Diamètre de braquage:	11,0 m
Pneus av./arr.:	P245/65R17
Poids:	2 052 kg
Capacité de remorquage:	2 586 kg

AUTRE(S) COMPOSANTE(S) MÉCANIQUE(S)

Système hybride:	aucun
Moteur diesel:	aucun
Taxe énergivore:	3 000 $ (V8, 6,0 litres)
Autre(s) moteur(s):	V8 de 6,0 litres 390 ch/400 lb-pi (18,1 l/100 ordinaire) (SS) V8 de 5,3 litres 300ch/321 lb-pi (14,7 l/100 ordinaire)(GMC Envoy)
Autre(s) rouage(s):	intégral (SS)
Autre(s) transmission(s):	aucune

EN BREF

Échelle de prix:	39 795 $ à 52 750 $
Catégorie:	VUS intermédiaire
Garanties:	3 ans/60 000 km, 5 ans/160 000 km
Assemblage:	Moraine, Ohio, É-U
Cote d'assurance:	passable

DANS LA MÊME CATÉGORIE

Dodge Durango, Ford Explorer, Jeep Commander, Jeep Grand Cherokee, Kia Sorento, Nissan Pathfinder, Toyota 4Runner

NOS IMPRESSIONS

Agrément de conduite:	🚗🚗🚗½
Fiabilité:	🚗🚗🚗½
Sécurité:	🚗🚗🚗🚗
Qualités hivernales:	🚗🚗🚗🚗
Espace intérieur:	🚗🚗🚗🚗🚗
Confort:	🚗🚗🚗½

DU NOUVEAU EN 2009

Aucun changement majeur

LE QUATRIÈME MOUSQUETAIRE

Avec les années, General Motors a appris à créer des produits différents à partir de la même base. Autrefois, on foutait un sigle Cadillac sur une Chevrolet Cavalier et ça donnait une Cimarron ! Aujourd'hui, on va beaucoup plus loin dans les différences même si, évidemment, il est impossible de créer des véhicules totalement opposés. Ce qui serait financièrement suicidaire, de toute façon. Récemment, Chevrolet dévoilait son multisegment Traverse. Il s'agit du quatrième et dernier véhicule issu de la plate-forme Lambda qui a déjà donné naissance aux Buick Enclave, Saturn Outlook et GMC Acadia, présentant chacun un style différent.

Esthétiquement, le Chevrolet Traverse (*Traveurse* en anglais avec, et ça semble très important pour les gens du marketing de Chevrolet, l'accent sur la deuxième syllabe. Moi, en anglais, je mets les accents où je peux...), le Traverse, donc, affiche une grille avant séparée par une large bande de la couleur de la carrosserie, style Malibu. Cette grille s'intègre très bien à l'ensemble du véhicule. Un designer était très fier de nous faire remarquer que la base des phares était formée de deux demi-cercles, un peu comme sur la nouvelle Camaro. Il y a de ces détails qui passent inaperçus ! Autre détail, le hayon est souligné par deux arêtes qui se croisent au centre. Très joli. En fait, hormis les portières avant et la ligne du toit qui proviennent du GMC Acadia, tout le reste appartient au Traverse.

D'ARTAGNAN ARRIVE !

Le Traverse est un véhicule sept ou huit places, selon le modèle choisi. Tout comme le reste du catalogue Chevrolet, le Traverse se décline en versions LS, LT et LTZ. Cette dernière, plus luxueuse, ne compte que sept places. Sur les autres versions, la deuxième rangée est une banquette pleine largeur, donnant ainsi huit places dans l'habitacle. Puisque les sièges de la deuxième rangée s'avancent de plusieurs centimètres grâce au système Smart Slide, que l'on retrouve sur les trois autres mousquetaires, l'accès aux places de la troisième rangée est aisé. D'ailleurs, l'espace dévolu à cette dernière est surprenant. Et même avec la troisième rangée relevée, il reste suffisamment d'espace pour les bagages, un fait rare pour ce type de véhicule. De plus, on a prévu un bac de rangement bien camouflé sous le plancher. Inutile de se le cacher, l'habitacle du Traverse est le même que ceux des Enclave, Acadia et Outlook. Le tableau de bord est toutefois différent et s'apparente bien aux autres produits Chevrolet. Il n'est pas aussi beau que celui du Enclave, mais il se démodera sans doute moins vite ! Les quelques Traverse que nous avons pu brièvement conduire étaient des modèles de pré-production. Inutile, donc, de déblatérer contre les plastiques qui semblaient très ordinaires...

Tous les membres du quatuor de GM reçoivent un V6 de 3,6 litres. Celui du Traverse, comme celui du Outlook, développe deux puissances différentes. Dans le Chevrolet, il livre 281 chevaux et 253 livres-pied de couple dans sa configuration échappement simple, tandis que l'échappement double pousse ces données à 288 et 270 respectivement. Même si nous n'avons pas pu effectuer de tests de performance élaborés, quelques essais au centre d'essais de GM à Milford au Michigan nous ont prouvé que la puissance est au rendez-vous et que le couple

FEU VERT
Esthétique réussie
Troisième rangée spacieuse
Moteur puissant
Bonnes capacités de remorquage
Comportement routier honorable

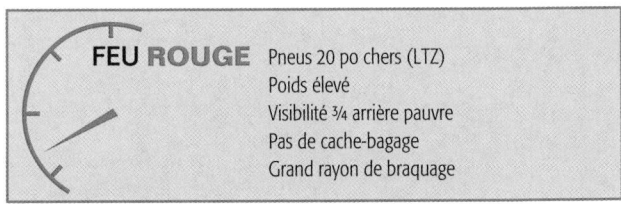

FEU ROUGE
Pneus 20 po chers (LTZ)
Poids élevé
Visibilité 3/4 arrière pauvre
Pas de cache-bagage
Grand rayon de braquage

élevé permet des dépassements sécuritaires. De plus, un essai avec un bateau (1 905 kg ou 4 200 livres, incluant la remorque) a démontré que le couple était largement suffisant dans la plupart des situations. Précisons que le Traverse peut remorquer jusqu'à 2 381 kg (5 250 livres). Il est aussi possible de remorquer le Traverse derrière un VR, par exemple. Cette année, les moteurs des quatre modèles reçoivent l'injection directe à haute pression qui, en plus d'augmenter la puissance, fait preuve d'un plus grand sens de l'environnement en diminuant un peu la consommation.

La transmission retenue est une automatique à six rapports d'une grande douceur. Tout comme les autres produits construits sur la même plate-forme, le Traverse est offert en version traction (roues avant motrices) et intégrale. Lors de nos essais, nous n'avons pu conduire que ce dernier rouage, qui n'ajoute que 93 kg au poids du véhicule et qui assure une motricité accrue, que ce soit en hiver ou pour se rendre au chalet à l'autre bout du monde. Selon le modèle, le Traverse roule sur des pneus de 17, 18 ou 20 pouces.

L'EXPÉRIENCE DES AUTRES

Tout ça pour dire que le Traverse profite de l'expérience acquise sur les trois autres modèles. Par exemple, on a revu les réglages des suspensions pour donner au Chevrolet un comportement plus dynamique. Sans devenir pour autant une voiture sport, le Traverse prend les courbes avec aplomb, sans roulis exagéré. Il est donc beaucoup plus agréable à conduire que le Buick Enclave, le plus « mou » du quatuor. La direction est assez vive et retourne relativement bien les informations et un changement brusque de voie n'entraîne pas de sueurs froides. L'autre point où Chevrolet a bien travaillé concerne l'intégration de tous les systèmes électroniques de sécurité. Leur intervention n'est pas trop rapide ni trop marquée, mais on peut toujours s'y fier.

Le Chevrolet Traverse débarquera chez les concessionnaires cet automne et les prix seront connus à ce moment. Malgré les hausses indécentes des prix de l'essence, le marché des multisegments, ces VUS modernes, demeure ferme. En concoctant quatre modèles différents à partir d'une même base, GM joue gagnant, autant du point de vue de l'offre que des coûts de production.

Alain Morin

Photos: Alain Morin

VÉHICULE D'ESSAI

Version :	Chevrolet Traverse LTZ AWD
Moteur :	V6 de 3,6 litres 24s atmosphérique
Puissance :	288 ch (215 kW) à 6 300 tr/min
Couple :	270 lb-pi (366 Nm) à 3 400 tr/min
Rapport poids/puissance :	7,75 kg/ch
Transmission :	automatique, 6 rapports
Rouage :	intégral
0-100 km/h · 80-120 km/h :	7,6 s · 6,9 s
Freinage 100-0 km/h :	41,5 m
Vitesse maximale :	200 km/h
Consommation (100 km) :	ordinaire, 13,5 litres
Autonomie approximative :	614 km
Émissions de CO2 :	5 520 kg/an
Emp/Lon/Lar/Haut (mm) :	3 019/5 206/1 991/1 846
Coffre/Réservoir :	739 à 3 340 / 83 litres
Nombre de coussins de sécurité :	6
Suspension avant :	indépendante, jambes de force
Suspension arrière :	indépendante, multibras
Freins av./arr. :	disque (ABS)
Antipatinage/Contrôle de stabilité :	oui/oui
Direction :	à crémaillière, assistée
Diamètre de braquage :	12,3 m
Pneus av./arr. :	P255/65R18
Poids :	2 234 kg
Capacité de remorquage :	2 381 kg

AUTRE(S) COMPOSANTE(S) MÉCANIQUE(S)

Système hybride :	aucun
Moteur diesel :	aucun
Taxe énergivore :	n.d.
Autre(s) moteur(s) :	V6 de 3,6 litres 281 ch/253 lb-pi (13,5 l/100 ordinaire)
Autre(s) rouage(s) :	traction
Autre(s) transmission(s) :	aucune

EN BREF

Échelle de prix :	n.d.
Catégorie :	multisegment
Garanties :	3 ans /60 000 km, 5 ans/160 000 km
Assemblage :	Spring Hill, Tennessee
Cote d'assurance :	n.d.

DANS LA MÊME CATÉGORIE

Ford Edge, Ford Taurus X, Mazda CX-7, Nissan Murano, Toyota Highlander

NOS IMPRESSIONS

Agrément de conduite :	3½
Fiabilité :	4
Sécurité :	4
Qualités hivernales :	4
Espace intérieur :	4
Confort :	4

DU NOUVEAU EN 2009

Nouveau modèle

Chevrolet Uplander

TOUJOURS OFFERTS !

Lorsque la direction de General Motors a annoncé qu'elle renonçait à développer de nouvelles fourgonnettes, plusieurs ont automatiquement conclu que le « général » se retirait de la catégorie. Pourtant, aussi bien le Chevrolet Uplander que le Pontiac Montana V6 sont toujours au catalogue. Faute de développement mécanique, ce duo nous propose un équipement complet et une mécanique fiable. Cette catégorie est stagnante pour l'instant, mais il est possible d'obtenir l'un ou l'autre modèle à un prix intéressant.

On avait beaucoup d'ambition pour ces modèles. Les concepteurs ont voulu en faire le multisegment des multisegments en tentant de combiner les atouts d'une fourgonnette et ceux d'un véhicule utilitaire sport. Comme c'est souvent le cas avec ces associations douteuses, le public n'a pas répondu avec enthousiasme à cette offre, bien au contraire. Il faut aussi admettre que les stylistes n'ont pas su agencer les caractéristiques visuelles de l'une et l'autre catégorie. En fait, la partie avant semble avoir été dessinée par une personne qui n'a jamais vu la section arrière de cette fourgonnette.

HABITACLE PRATIQUE

À défaut de nous éblouir par sa silhouette, cette fourgonnette tente de compenser par un habitacle très pratique et spacieux. Soulignons au passage que ce duo est le seul à proposer deux empattements : toutes les autres fourgonnettes ont abandonné l'empattement court.

Curieusement, alors que l'on vantait la diversité de chaque division en matière de design, toutes les fourgonnettes vendues par ce constructeur, il y a deux ans environ, nous offraient un tableau de bord identique. Comme les modèles proposés par Buick et Saturn ne sont plus produits, Chevrolet et Pontiac continuent d'afficher le même tableau de bord. Celui-ci est sobre, d'une certaine élégance et très pratique. Une multitude d'espaces de rangement et de porte-gobelets rendent l'habitacle on ne peut plus pratique.

Faute de moyens, les ingénieurs n'ont pas été en mesure de concevoir une banquette arrière qui se replie dans le plancher. Par contre, ils ont joué d'astuce en développant un système qui replie les sièges à plat, mais qui a pour conséquence de relever le seuil de la soute à bagages.

Comme c'est souvent le cas, et dans les fourgonnettes en particulier, les sièges sont moyennement confortables tandis que leur support latéral est presque nul. Ils sont cependant recouverts de tissu antitache qui résiste très bien à l'usure.

Soulignons que la version Pontiac est une exclusivité canadienne et qu'à part quelques détails, elle est en tout point similaire à la Chevrolet.

UN SEUL MOTEUR

Puisque ce véhicule est en fin de carrière, il ne faut pas se surprendre que la mécanique soit reconduite pour 2009. Afin d'offrir

FEU VERT
- Moteur adéquat
- Habitacle pratique
- Nombreux espaces de rangement
- Mécanique robuste
- Choix d'empattement

FEU ROUGE
- Moteur bruyant
- Boîte automatique à 4 rapports
- Pneumatiques moyens
- Modèle en fin de carrière

des accélérations plus rapides et de meilleures reprises, les ingénieurs ont remplacé le moteur V6 de 3,5 litres par un autre V6, un 3,9 litres de 240 chevaux qui est associé à une boîte automatique à quatre rapports. Ce tandem est suffisamment puissant et permet de boucler le 0-100 km/h en moins de 10 secondes. Par contre, cette opération est très bruyante, surtout en raison des bruits d'aspiration d'air du moteur que l'insonorisation moyenne du véhicule ne réussit pas à bloquer. Mieux vaut utiliser l'accélérateur de façon moins agressive, le niveau sonore dans l'habitacle sera alors moins élevé tout comme la consommation de carburant. Cette dernière est d'environ 13,1 litres aux 100 km, ce qui est quand même dans la moyenne de cette catégorie.

Si vous faites abstraction de la silhouette particulière ainsi que du moteur bruyant, le duo Uplander/Montana se débrouille assez bien au chapitre de la tenue de route. La conduite est bonne, la stabilité directionnelle sans surprise et les vents latéraux ont peu d'effet sur la stabilité latérale. Mais il ne faut jamais oublier qu'il s'agit d'un véhicule à vocation utilitaire et qu'il n'est pas conçu pour rouler à la limite. Si vous tentez l'exercice, vous allez découvrir que l'adhérence des pneumatiques est moyenne et le freinage, correct, tout au plus.

BON PRIX !

Comme tous les véhicules en fin de carrière, cette fourgonnette propose un niveau d'équipement de base très complet par rapport aux prix de vente suggéré. En étant à l'affût des soldes, vous pourrez profiter du prix réduit auquel ce véhicule polyvalent sera offert plus d'une fois dans l'année. Compte tenu de sa polyvalence justement, de sa mécanique fiable à défaut d'être sophistiquée et de son habitacle confortable et pratique, le Uplander/Montana ne constitue pas un mauvais choix. Par contre, sa disparition anticipée viendra anéantir sa valeur de revente. Si vous savez et acceptez cette condition, vous serez satisfait de votre achat.

Denis Duquet

Photos : Chevrolet

VÉHICULE D'ESSAI

Version :	Chevrolet Uplander LT1 empattement court
Moteur :	V6 de 3,9 litres 12s atmosphérique
Puissance :	240 ch (179 kW) à 6 000 tr/min
Couple :	240 lb-pi (325 Nm) à 4 800 tr/min
Rapport poids/puissance :	7,72 kg/ch (10,35 kg/kW)
Transmission :	automatique, 4 rapports
Rouage :	traction
0-100 km/h · 80-120 km/h :	9,5 s · 8,7 s
Freinage 100-0 km/h :	41,2 m
Vitesse maximale :	195 km/h
Consommation (100 km) :	ordinaire, 13,1 litres
Autonomie approximative :	725 km
Émissions de CO2 :	5 328 kg/an
Emp/Lon/Lar/Haut (mm) :	2 870 / 4 851 / 1 830 / 1 790
Coffre/Réservoir :	501 à 3 401 / 95 litres
Nombre de coussins de sécurité :	4
Suspension avant :	indépendante, jambes de force
Suspension arrière :	demi-indépendante, poutre déformante
Freins av./arr. :	disque (ABS)
Antipatinage/Contrôle de stabilité :	oui/non
Direction :	à crémaillère, assistée
Diamètre de braquage :	n.d.
Pneus av./arr. :	P225/60R17
Poids :	1 853 kg
Capacité de remorquage :	1 588 kg

AUTRE(S) COMPOSANTE(S) MÉCANIQUE(S)

Système hybride :	aucun
Moteur diesel :	aucun
Taxe énergivore :	aucune
Autre(s) moteur(s) :	aucun
Autre(s) rouage(s) :	aucun
Autre(s) transmission(s) :	aucune

EN BREF

Échelle de prix :	24 390 $ à 32 615 $
Catégorie :	fourgonnette
Garanties :	3 ans/60 000 km, 5 ans/160 000 km
Assemblage :	Ramos Arizpe, Mexique
Cote d'assurance :	moyenne

DANS LA MÊME CATÉGORIE

Chrysler Town & Country, Dodge Grand Caravan, Honda Odyssey, Hyundai Entourage, Kia Sedona. Nissan Quest, Toyota Sienna

NOS IMPRESSIONS

Agrément de conduite :	
Fiabilité :	
Sécurité :	½
Qualités hivernales :	
Espace intérieur :	½
Confort :	

DU NOUVEAU EN 2009

Aucun changement majeur

L'ENFANT DU DIVORCE

Voici une voiture qui dès son arrivée, s'est fait acclamer par la critique tout en permettant à la division Chrysler de regagner ses lettres de noblesse. On ne pouvait même pas, chez ce constructeur, anticiper l'impact qu'allait avoir cette grosse berline sur la culture automobile nord-américaine. À preuve, vedettes du hip-hop et autres joueurs de la NBA normalement affectés à des volants de Bentley et Range Rover se procuraient en grand nombre cette berline de « bas de gamme » ! Pourquoi? Simple question de tendance. Objet culte et dont le mot d'ordre est *attitude*, la 300 n'a aujourd'hui rien perdu de son panache, malgré ses cinq ans bien sonnés. Et c'est parfait ainsi.

Cette voiture, née de l'alliance entre Daimler AG et Chrysler, aura cependant vu sa famille déchirée par le divorce des deux entreprises en 2007. L'impact n'aura pas été important pour elle, puisque la 300 demeure encore l'un des produits les plus marquants de toute la gamme Chrysler. En revanche, il lui faut cette année dire adieu à sa jumelle non identique, la Dodge Magnum, avec qui toute cette belle aventure a débuté. Les ventes très discrètes de cette familiale (moins de 2500 unités au Canada l'an dernier) auront forcé les nouveaux gestionnaires de Chrysler à l'éliminer.

DU STYLE !

Bien sûr, le style provocateur de la 300 est en grande partie responsable de son succès. Le designer Ralph Gilles, à qui l'on doit aussi la nouvelle camionnette Ram, s'est véritablement surpassé en concevant les voitures issues de la plate-forme LX. Le porte-à-faux avant très court, la calandre agressive, les pourtours d'aile proéminents et la ceinture de caisse très élevée ne sont que quelques-uns des éléments qui font de cette voiture une pure réussite sur le plan esthétique. Bien sûr, en lui infligeant une quantité importante d'accessoires chromés et des jantes surdimensionnées, le résultat est encore plus sensationnel. Il faut cependant admettre qu'en optant pour un modèle à traction intégrale, la 300 voit sa garde au sol augmentée de quelques centimètres, ce qui influe sur le style de la voiture. Cette impression de *low-rider* que transmet la 300 s'estompe donc avec le rouage intégral, changeant ainsi son caractère de façon directe.

À bord, on affectionne la présentation soignée, l'instrumentation très riche et le style réussi de la planche de bord, mais on déplore la présence de certains plastiques un peu bon marché. Heureusement, les ingénieurs ont su corriger l'an dernier bon nombre de défauts relatifs à la qualité d'assemblage, ce qui permet d'affirmer que les craquements sont aujourd'hui presque inexistants à bord de la 300.

Grâce à une colonne de direction inclinable et télescopique ainsi qu'un siège confortable et réglable de multiples façons, le conducteur peut adopter une position de conduite des plus agréables. Certains n'affectionnent peut-être pas le fait de devoir composer avec une ceinture de caisse aussi élevée, parce que cela réduit la visibilité, mais il faut dire qu'une grande partie du caractère de la voiture est issu de cet élément de style. Naturellement, l'espace est généreux devant comme derrière, et le confort est royal. Quant au coffre, il est lui aussi très volumineux, mais sa finition est malheureusement bâclée.

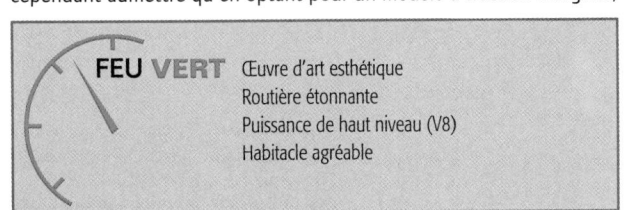

FEU VERT
- Œuvre d'art esthétique
- Routière étonnante
- Puissance de haut niveau (V8)
- Habitacle agréable

FEU ROUGE
- Traction intégrale augmente la consommation
- Gros appétit de carburant (V8)
- Facture qui grimpe vite avec les options
- Quelques plastiques encore bon marché

INTÉGRALE ASSOIFFÉE

Compte tenu du prix du carburant qui fluctue à la hausse en moins de temps qu'il en faut pour écrire ces lignes, il est clair que la majorité des acheteurs porteront leur choix sur les versions Touring et Limited. Ces dernières sont dotées d'un V6 de 3,5 litres qui fait équipe avec une boîte automatique à quatre rapports. Cette mécanique, vous en conviendrez, n'a rien de bien exceptionnel, mais propose un bon rendement, tant en matière de performance que du point de vue de la consommation. Il faut cependant savoir qu'en optant pour la traction intégrale, la consommation d'essence grimpe radicalement, au point de dépasser légèrement celle de la 300C à moteur V8 HEMI de 5,7 litres. De 12 litres aux 100 km avec un modèle à moteur V6 propulsé, vous passerez à 13,5 litres avec une 300C et à environ 14 litres avec une version à traction intégrale, qu'elle soit équipée du V6 ou du V8.

Peut-être aurez-vous compris qu'avec la traction intégrale, vaut mieux se tourner du côté du moteur HEMI qui propose un rendement nettement plus impressionnant que celui du V6. Il faut dire que ses 90 chevaux supplémentaires, ajoutés au fait qu'il compose avec une boîte automatique plus moderne, changent de façon radicale le tempérament et la conduite de la voiture. Quant à la version SRT8, elle affiche des performances carrément hallucinantes (0-100 km/h en 5 secondes), une sonorité des plus envoûtantes et une gueule à couper le souffle. Mais tout cela se paie, car la consommation appréciable vous obligera même à débourser une surcharge de taxes pour véhicule à émissions polluantes élevées.

Tenez-vous-le pour dit, la 300 est dotée d'un châssis rigide et d'une direction précise. Malgré ses dimensions, la voiture demeure maniable et n'affiche qu'un faible roulis en virage. Cependant, cette dernière affirmation concerne moins les modèles à traction intégrale, leur centre de gravité étant plus élevé. À ce propos, sachez qu'avec l'efficacité des divers systèmes d'aide à la conduite offerts sur la 300, l'option de la traction intégrale n'est pas une nécessité au Québec.

En quête d'une grosse berline ? Vous avez plusieurs choix, qu'ils se nomment Taurus, Impala, Allure, Avalon ou autres. Mais si vous désirez en plus bénéficier d'un style, d'une attitude et d'un plaisir de conduite, il n'en reste qu'un : la Chrysler 300.

Antoine Joubert

Photos : Alain Morin

VÉHICULE D'ESSAI

Version :	Chrysler 300 C AWD
Moteur :	V8 de 5,7 litres 16s atmosphérique
Puissance :	370 ch (276 kW) à 5 000 tr/min
Couple :	398 lb-pi (540 Nm) à 4 000 tr/min
Rapport poids/puissance :	5,02 kg/ch (6,73 kg/kW)
Transmission :	automatique, 5 rapports
Rouage :	intégral
0-100 km/h · 80-120 km/h :	6,7 s (estimé) · 5,0 s (estimé)
Freinage 100-0 km/h :	41,2 m
Vitesse maximale :	250 km/h
Consommation (100 km) :	ordinaire, 13,6 litres
Autonomie approximative :	529 km
Émissions de CO2 :	5 568 kg/an
Emp/Lon/Lar/Haut (mm) :	3 048 / 4 999 / 1 882 / 1 483
Coffre/Réservoir :	487 / 72 litres
Nombre de coussins de sécurité :	2
Suspension avant :	indépendante, bras inégaux
Suspension arrière :	indépendante, multibras
Freins av./arr. :	disque (ABS)
Antipatinage/Contrôle de stabilité :	oui/oui
Direction :	à crémaillère, assistée
Diamètre de braquage :	11,9 m
Pneus av./arr. :	P225/60R18
Poids :	1 858 kg
Capacité de remorquage :	907 kg

AUTRE(S) COMPOSANTE(S) MÉCANIQUE(S)

Système hybride :	aucun
Moteur diesel :	aucun
Taxe énergivore :	1 000 $ (SRT8)
Autre(s) moteur(s) :	V8 de 6,1 litres 425 ch/420 lb-pi (16,5 l/100 super) (SRT8) V6 de 3,5 litres 250 ch/250 lb-pi (12,2 l/100 ordinaire) (Touring, Limited)
Autre(s) rouage(s) :	propulsion
Autre(s) transmission(s) :	automatique, 4 rapports (Touring, Limited)

EN BREF

Échelle de prix :	27 245 $ à 46 545 $ (2008)
Catégorie :	berline grand format
Garanties :	3 ans/60 000 km, 5 ans/100 000 km
Assemblage :	Brampton, Ontario, Canada
Cote d'assurance :	moyenne

DANS LA MÊME CATÉGORIE

Acura TL, Buick Allure, Cadillac CTS, Chevrolet Impala, Ford Taurus, Nissan Maxima, Toyota Avalon

NOS IMPRESSIONS

Agrément de conduite :	4 ½
Fiabilité :	3 ½
Sécurité :	4
Qualités hivernales :	4 ½
Espace intérieur :	4 ½
Confort :	4

DU NOUVEAU EN 2009

5,7 Hemi plus puissant, nouvelles couleurs, quelques changements dans l'habitacle, connection uconnect, boîtier de transfert modifié (AWD)

Dodge Durango

L'HYBRIDE À LA RESCOUSSE !

Je dois avouer que depuis qu'il existe, j'ai toujours affectionné le Dodge Durango. Ce VUS n'est pas de dimensions trop encombrantes, ses motorisations ont constamment été bien adaptées et surtout, il était bougrement efficace lorsque venait le temps de remorquer une charge. De puis deux ans, on peut aussi se tourner vers son équivalent chez Chrysler, l'Aspen, un VUS pratiquement identique, mais offert uniquement en configuration plus luxueuse. Chrysler voulait ainsi disposer d'un VUS de luxe pour éviter la perte de clients qui n'avaient à l'époque d'autres choix que de se tourner vers la concurrence.

Cependant, peu importe l'intérêt que l'on porte à ce duo, le prix de l'essence a drôlement affecté le marché des VUS de grande taille en 2008, et l'Aspen comme le Durango n'y échappent pas. Par contre, la disponibilité pour 2009 de versions hybrides pourrait bien atténuer un peu l'effet, mais encore faudra-t-il que cette technologie réussisse à convaincre les acheteurs. L'hybride est parvenu à se tailler une place dans le marché de voitures compactes, mais il a beaucoup plus de difficulté à se faire accepter dans d'autres créneaux. Les ventes de berlines intermédiaires hybrides n'ont jamais eu la cote, alors il faudra voir si les VUS hybrides seront mieux accueillis.

ÉLECTRICITÉ ET ESSENCE, SANS COMPROMIS

Pourtant, le principe d'un VUS hybride est vraiment plus intéressant, puisqu'il est beaucoup plus efficace de réduire la consommation d'un véhicule énergivore, que celle d'un véhicule compact, ayant déjà une consommation plus réduite. C'est donc le Durango et l'Aspen qui seront proposés à la sauce hybride. On retrouve à bord un système à deux modes, similaire à celui de Toyota et développé conjointement avec GM et BMW. Dans le cas qui nous occupe, ce système hybride se compose d'une transmission à variation continue et d'un moteur à essence V8 de 5,7 litres, le tout combiné à deux moteurs électriques, ce qui porte la puissance totale à 385 chevaux pour un couple de 380 lb-pi.

L'autre élément accrocheur : la technologie de désactivation des cylindres, qui ferme quatre des huit cylindres lorsque le moteur est moins sollicité. Bref, on nous promet une économie de carburant de 25 % par rapport aux modèles à essence équivalents et cette mesure pourra atteindre jusqu'à 40 % pour une conduite en ville. Voilà qui devrait donner les chiffres d'une consommation semblable à une grande berline, ce qui est relativement intéressant pour ceux qui ont réellement besoin d'un tel véhicule. L'autre élément non négligeable, c'est que le Durango et l'Aspen hybrides conservent leur capacité de remorquage (6 000 lb), ce qui dans le cas contraire aurait été un non-sens puisque bien des gens se procurent ce type de véhicule pour cette raison.

Du reste, le Durango peut également être commandé avec un moteur à essence V8 de 4,7 litres de 303 chevaux, tout comme avec un V8 HEMI de 5,7 litres de 365 chevaux, soit une puissance légèrement supérieure par rapport à 2008. Du côté du Chrysler Aspen, de part sa vocation plus haut de gamme, il hérite uniquement du moteur HEMI.

FEU VERT
- Motorisation performante
- Espace pour sept personnes
- Version hybride
- Bonnes capacités de remorquage

FEU ROUGE
- Certains plastiques de l'habitacle
- Consommation élevée (moteur à essence)
- Colonne de direction non télescopique
- Valeur de revente affectée

LE CHRYSLER ASPEN, PLUS RICHE ET LUXUEUX

Depuis son remaniement majeur en 2004, le Durango affiche peu de changements extérieurs. Le constructeur a plutôt concentré ses efforts sur le groupe motopropulseur, ce qui n'est pas nécessairement un reproche. Malgré l'âge vénérable de cette génération, le Durango demeure au goût du jour, même si certains concurrents ont été modernisés et dotés de lignes plus fluides. C'est néanmoins l'introduction de l'Aspen qui aura apporté le plus de renouveau ces dernières années. À l'extérieur, les deux VUS montrent des lignes similaires. L'Aspen se démarque toutefois par ses jantes de 20 pouces, ses marchepieds intégrés ainsi que par ses phares. On perçoit l'inspiration des modèles 300 et de feu la Crossfire, surtout en raison du capot strié et de la calandre chromée.

À l'intérieur de l'Aspen, on note quelques touches destinées à donner un aspect un peu plus « Chrysler » à l'habitacle par rapport au Durango. Le tout débute par l'ajout d'une horloge analogique au centre du tableau de bord, ainsi que par l'utilisation de matériaux plus riches, incluant des boiseries et des garnitures chromées ici et là. L'instrumentation reprend aussi le style des autres modèles Chrysler et présente une apparence plus sophistiquée et luxueuse. Au chapitre des déceptions, il faut toutefois noter une colonne de direction non télescopique. Finalement, profitant d'une généreuse dimension, l'Aspen offre de l'espace pour sept personnes grâce à une troisième série de sièges.

Difficile de prédire le futur du Dodge Durango et du Chrysler Aspen. Il y a actuellement de bonnes aubaines si vous prêts à acquérir l'un de ces modèles, mais il faudra aussi être prêt à en assumer les coûts d'utilisation. Faudra aussi voir si les modèles hybrides sauront donner les résultats promis et se faire accepter. Du reste, voilà deux véhicules qui continuent malgré tout à combler les attentes à plusieurs niveaux.

Sylvain Raymond

Chrysler Aspen

Photos: Chrysler / Dodge

VÉHICULE D'ESSAI

Version :	Chrysler Aspen Limited
Moteur :	V8 de 5,7 litres 16s atmosphérique
Puissance :	365 ch (272 kW) à 5 600 tr/min
Couple :	390 lb-pi (529 Nm) à 4 200 tr/min
Rapport poids/puissance :	6,37 kg/ch (8,55 kg/kW)
Transmission :	automatique, 5 rapports
Rouage :	4x4
0-100 km/h · 80-120 km/h :	8,2 s · 6,0 s
Freinage 100-0 km/h :	42,9 m
Vitesse maximale :	185 km/h
Consommation (100 km) :	ordinaire, 16,4 litres
Autonomie approximative :	628 km
Émissions de CO2 :	6 720 kg/an
Emp/Lon/Lar/Haut (mm) :	3 028 / 5 100 / 1 930 / 1 887
Coffre/Réservoir :	538 à 3 095 / 103 litres
Nombre de coussins de sécurité :	4
Suspension avant :	indépendante, bras inégaux
Suspension arrière :	essieu rigide, ressorts hélicoïdaux
Freins av./arr. :	disque (ABS)
Antipatinage/Contrôle de stabilité :	oui/oui
Direction :	à crémaillère, assistance variable
Diamètre de braquage :	12,2 m
Pneus av./arr. :	P265/50R20
Poids :	2 328 kg
Capacité de remorquage :	3 969 kg

AUTRE(S) COMPOSANTE(S) MÉCANIQUE(S)

Système hybride :	Système de récupération de l'énergie du freinage, batterie nickel-métal de 300 volts, transmission à rapports variables alimentée par deux moteurs électriques. Puissance totale 385 chevaux
Moteur diesel :	aucun
Taxe énergivore :	1 000 $, sauf hybride
Autre(s) moteur(s) :	V8 de 4,7 litres 303 ch/330 lb-pi (15,6 l/100 ordinaire) (Durango) V8 de 5,7 litres 385 ch/380 lb-pi (Hybrid)
Autre(s) rouage(s) :	aucun
Autre(s) transmission(s) :	aucune

EN BREF

Échelle de prix :	34 205 $ à 55 995 $ (2008)
Catégorie :	VUS grand format
Garanties :	3 ans/60 000 km, 5 ans/100 000 km
Assemblage :	Newark, Delaware, É-U
Cote d'assurance :	moyenne

DANS LA MÊME CATÉGORIE

Chevrolet Tahoe, Ford Expedition, Nissan Armada, Toyota Sequoia

NOS IMPRESSIONS

Agrément de conduite :	4
Fiabilité :	3
Sécurité :	4
Qualités hivernales :	4 ½
Espace intérieur :	4 ½
Confort :	4 ½

DU NOUVEAU EN 2009

Ajout d'une version hybride, V8 5,7 litres plus puissant

LE DERNIER TOUR ?

Lorsque ce modèle est apparu en 2000, il a créé toute une sensation. Il a mis le rétro à la mode et incité plusieurs autres constructeurs à nous proposer des véhicules aux allures de jadis. Mais si une silhouette inspirée du passé est un gage de succès pour un certain temps, elle est vouée à passer de mode avant longtemps. Et vous conviendrez avec moi qu'il est difficile de moderniser le passé. C'est un peu le problème du PT Cruiser, qui continue d'être un véhicule compétitif à presque tous les points de vue, mais dont les gens se sont malheureusement lassés de la silhouette.

Déjà au cours de l'an dernier, le modèle cabriolet avait été sacrifié en raison de ventes trop faibles. Et puisque ce constructeur n'a pas les moyens de perdre de l'argent, cette décision était plus que raisonnable, bien que le modèle n'était pas à dédaigner. Plusieurs croyaient même que toute la gamme serait éliminée pour 2009. Ce n'est pas le cas, et cet excellent véhicule cinq portes poursuit sa carrière, tout au moins pour une année.

ORIGINAL MAIS PRATIQUE

Si on a vendu plus de 1,2 million de PT Cruiser à travers le monde depuis son lancement, ce n'est pas uniquement en raison de sa silhouette « funky ». C'est un véhicule à la fois économique et pratique, qui peut transporter cinq personnes avec une quantité assez impressionnante de bagages. On peut aussi configurer son habitacle de multiples façons en modifiant la disposition des sièges.

De plus, en raison de la hauteur des sièges, on se glisse dans l'habitacle au lieu d'y monter ou descendre, comme c'est souvent le cas, ce qui est digne de mention. Il n'y a pas que la carrosserie qui joue les originales ; le tableau de bord est unique à plus d'un point de vue. Les stylistes ont misé sur les couleurs contrastantes puisqu'une bonne partie de la planche de bord est de la même couleur que la carrosserie et tranche avec la couleur de la console centrale verticale. En complément, le volant à quatre rayons s'harmonise très bien avec l'ensemble.

Malgré le prix très concurrentiel de ce modèle, la qualité des matériaux et de la finition n'a jamais été en reste, bien que le plastique y soit dominant. Les sièges avant ont une assise relativement haute, ce qui assure une position de conduite qui plaît à la majorité et qui contribue à la bonne visibilité périphérique. Il est toutefois difficile pour certains de trouver une bonne position de conduite.

DU SOLIDE, MAIS...

Lorsque le PT Cruiser est arrivé sur le marché, plusieurs personnes s'inquiétaient du fait qu'il était fabriqué au Mexique et que la qualité ne serait pas très bonne. Je ne sais pas si c'est pour compenser, mais la construction de ce véhicule semble avoir été prévue pour résister à tout. La plate-forme est non seulement très solide, mais les composantes mécaniques de la suspension sont robustes, ce qui explique un poids de près de 1 500 kg, quand même beaucoup pour une voiture dont le moteur de base ne produit que 150 chevaux.

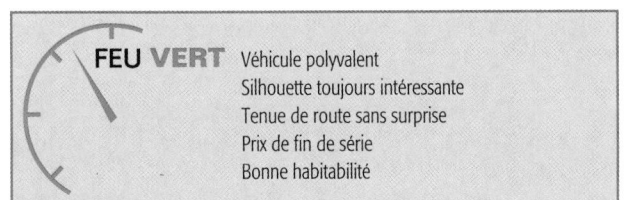

FEU VERT
- Véhicule polyvalent
- Silhouette toujours intéressante
- Tenue de route sans surprise
- Prix de fin de série
- Bonne habitabilité

FEU ROUGE
- Modèle en fin de carrière
- Performance moyenne (moteur 150 ch)
- Boîte automatique à quatre rapports
- Plastiques durs au tableau de bord

Cela constitue en fait la principale faiblesse de ce sympathique véhicule, puisque le rapport poids/puissance est assez faible et que le moteur doit toujours travailler assez fort pour déplacer cette masse. Si vous avez opté pour la boîte manuelle, vous devrez sans cesse jouer du levier de vitesses pour pouvoir suivre le flot de la circulation et compter sur des performances normales. Il est plus sage de commander la boîte automatique à quatre rapports, qui effectue du bon boulot et vous évite d'avoir une tendinite au coude pour avoir trop changé les vitesses. Toutefois, un rapport de plus serait apprécié afin de réduire la consommation de carburant.

La solution la plus logique aurait été d'opter pour la version turbocompressée de ce même moteur. Avec 30 chevaux de plus, il était alors agréable de pouvoir conduire une version avec la boîte manuelle. En plus, la différence en ce qui a trait à la consommation de carburant n'était pas trop grande d'un moteur à l'autre. Le nombre de modèles ayant été réduit à un seul pour le Canada, Chrysler a malheureusement abandonné tous les moteurs turbo du catalogue et c'est dommage. Donc, si vous trouvez une version Touring équipée du moteur turbo de 180 chevaux sautez sur l'occasion et négociez le prix à la baisse.

BON ACHAT MAIS ...

Si au fil des années les acheteurs se sont lassés de sa présence sur le marché, le PT Cruiser possède toujours de nombreuses qualités, notamment la polyvalence de son habitacle et un comportement routier équilibré et sans surprise. Aussi, puisqu'il est souvent vendu à des prix soldés au cours de l'année, il peut représenter une bonne valeur pour la personne à la recherche d'une aubaine sans se soucier du fait que le modèle sera abandonné probablement d'ici quelques mois, ce qui entraînera une perte importante de sa valeur de revente. Mais, on ne sait jamais, avec la hausse constante du prix du pétrole, il se pourrait que le public se tourne de nouveau vers ce petit véhicule à tout faire en raison de sa consommation raisonnable.

Denis Duquet

Photos: Alain Morin

VÉHICULE D'ESSAI

SIRIUS RADIO SATELLITE

Version:	Chrysler PtCruiser LX
Moteur:	4L de 2,4 litres 16s atmosphérique
Puissance:	150 ch (112 kW) à 5 100 tr/min
Couple:	165 lb-pi (224 Nm) à 4 000 tr/min
Rapport poids/puissance:	9,74 kg/ch (13,04 kg/kW)
Transmission:	automatique, 4 rapports
Rouage:	traction
0-100 km/h · 80-120 km/h:	11,7 s · 10,2 s
Freinage 100-0 km/h:	43,0 m
Vitesse maximale:	185 km/h
Consommation (100 km):	ordinaire, 9,8 litres
Autonomie approximative:	581 km
Émissions de CO2:	4 224 kg/an
Emp/Lon/Lar/Haut (mm):	2 616 / 4 290 / 1 705 / 1 601
Coffre/Réservoir:	612 à 1 776 / 57 litres
Nombre de coussins de sécurité:	4
Suspension avant:	indépendante, jambes de force
Suspension arrière:	demi-indépendante, poutre déformante
Freins av./arr.:	disque/tambour (ABS opt.)
Antipatinage/Contrôle de stabilité:	non/non
Direction:	à crémaillère
Diamètre de braquage:	12,8 m
Pneus av./arr.:	P205/55R16
Poids:	1 461 kg
Capacité de remorquage:	455 kg

AUTRE(S) COMPOSANTE(S) MÉCANIQUE(S)

Système hybride:	aucun
Moteur diesel:	aucun
Taxe énergivore:	aucune
Autre(s) moteur(s):	aucun
Autre(s) rouage(s):	aucun
Autre(s) transmission(s):	manuelle, 5 rapports

EN BREF

Échelle de prix:	18 495 $ à 22 295 $
Catégorie:	familiale
Garanties:	3 ans/60 000 km, 5 ans/100 000 km
Assemblage:	Toluca, Mexique
Cote d'assurance:	bonne

DANS LA MÊME CATÉGORIE

Chevrolet HHR, Volkswagen New Beetle

NOS IMPRESSIONS

Agrément de conduite:	4
Fiabilité:	4
Sécurité:	4
Qualités hivernales:	3 ½
Espace intérieur:	4 ½
Confort:	4

DU NOUVEAU EN 2009

Cabriolet et version Touring retirés

PAS FACILE D'ÊTRE PAUVRE

Jonglant depuis quelques années avec d'importantes coupures de budget, les ingénieurs et designers de Chrysler doivent faire beaucoup avec bien peu. La Sebring de deuxième génération, apparue en 2007, est issue de ce très fragile moule. Pourtant, on ne peut pas dire que la gamme Sebring soit réduite puisqu'elle propose une berline, un cabriolet avec un choix de deux toits, trois moteurs et deux transmissions ! Pas mal, non ?

Tout d'abord, autant la berline que le cabriolet se déclinent en livrées LX, Touring et Limited. Le moteur de base, un quatre cylindres de 2,4 litres de 173 chevaux, se retrouve sur la version LX. Il est accolé à une transmission automatique à quatre rapports. On ne peut pas dire que ce tandem soit le mieux réussi puisque la Sebring est une voiture assez lourde (1 500 kilos). Et ça, c'est pour la berline. Ajoutez 200 kilos pour la décapotable !

Vient ensuite un petit V6 de 2,7 litres qui développe 190 chevaux. Déjà plus en verve que son collègue à quatre cylindres, sa consommation d'essence n'est pas beaucoup plus élevée. Dommage qu'il soit, lui aussi, marié à l'automatique à quatre rapports. Une cinq ou, mieux, six rapports contribuerait à réduire la consommation et le niveau sonore. Ce groupe se retrouve d'office dans la livrée Touring. Cette dernière peut aussi recevoir, en option, un V6 de 3,5 litres, nettement plus puissant avec ses 235 chevaux. Ici, la transmission possède six rapports et il est possible de passer les vitesses manuellement, même si on se lasse vite de ce gadget, surtout utile lorsqu'une remorque est tirée. Habituellement, les données de consommation de Transport Canada sont assez optimistes. Pour mieux refléter la réalité, nous inscrivons toujours la consommation urbaine dans nos fiches techniques. Pour une rare fois, cette façon de faire nuit à la Sebring. Transport Canada donne le moteur de 3,5 litres pour 12,9 litres en milieu urbain. Si on fouille un peu, on découvre que sur la grand-route, il est possible de réaliser une moyenne de consommation très basse. Mais dès qu'on roule en ville, la situation se dégrade rapidement.

Le V6 de 3,5 litres est aussi l'apanage de la version Limited. Cette version s'est distinguée, durant une très courte période, par la possibilité d'opter pour le rouage intégral. Cependant, cette option n'était pas en demande ou pas au point : elle est déjà retirée du catalogue.

LIGNE RÉUSSIE... APRÈS DEUX ANS !

Si la berline de la génération précédente faisait immanquablement tourner les têtes grâce à ses lignes aussi sobres que réussies, on ne peut pas dire que la nouvelle Sebring connaisse autant de succès à ce chapitre. Personnellement, je trouve que sa robe est loin d'être ratée. Il lui manque néanmoins un zeste de raffinement, peut-être dû à un manque de moyens financiers ou de temps ou des deux. Au début, je ne pouvais sentir, même enfermé dans un scaphandre à cent mètres de profondeur, les rainures longitudinales du capot. Deux années plus tard, il me semble que cette voiture serait fade sans ces rainures...

FEU VERT

- Cabriolet à toit rigide réussi
- Moteur 3,5 litres économique sur la grand-route
- Bon confort
- Incitatifs respectables à l'achat

FEU ROUGE

- Moteur 2,4 litres inutile
- Finition très ordinaire
- Beaucoup de plastiques dans l'habitacle
- Valeur de revente faible
- Freins laissant à désirer

Même si le marché des cabriolets intermédiaires n'est plus aussi actif qu'il l'a déjà été, la demande est toujours là et Chrysler est très avisée d'y être représentée. Toutefois, on ne retrouve pas une, mais deux Sebring cabriolet ! Il y a tout d'abord le modèle avec le toit souple, plus économique, qui coiffe le modèle de base LX. Le toit rigide est optionnel pour les Touring et Limited. Dans tous les cas, il est à commande électrique. Même s'il ajoute près de 2 500 $ à la facture, le toit rigide est une bonne affaire. Dessiné par nul autre que Pininfarina, il fonctionne sans reproches, et s'avère moins inquiétant que celui, par exemple, de la Pontiac G6 cabriolet. Plus silencieux, il donne aussi droit à un peu plus d'espace pour la tête des occupants. Par contre, lorsqu'il se replie dans le coffre, il y a beaucoup moins d'espace pour les bagages. On ne peut pas tout avoir !

LOIN DES R/T ET SRT !

On peut reprocher pas mal de choses à la Sebring mais on ne peut pas l'accuser de faire de la fausse représentation. Ici, pas de modèles R/T ou SRT. La Sebring est une boulevardière et ne s'en cache pas. De toute façon, le premier coin de rue tourné un peu rapidement aura tôt fait de rappeler les aventuriers du dimanche à l'ordre, puisque le roulis est plutôt prononcé, gracieuseté de suspensions plus axées vers le confort que la sportivité. Malgré tout, le châssis est rigide, surtout sur la berline. La direction est assez précise mais les freins, comme dans la plupart des produits Chrysler, n'impressionnent guère, surtout au niveau des distances de freinage, trop longues. Ici, le poids élevé de la Sebring y est sûrement pour quelque chose.

Il y aurait encore beaucoup à écrire sur la Sebring. Sur la piètre présentation de son habitacle, sur les versions bas de gamme, sur sa valeur de revente peu encourageante, mais aussi sur son confort relevé, son entretien mécanique facile et sur sa fiabilité. Il est vrai, pourtant, que lorsque comparée directement aux gros canons que sont les Honda Accord, Ford Fusion, Hyundai Sonata et cie, la Sebring ne paraît pas à son meilleur.

Alain Morin

Photos : Alain Morin

VÉHICULE D'ESSAI

Version :	Chrysler Sebring cabriolet V6
Moteur :	V6 de 3,5 litres 24s atmosphérique
Puissance :	235 ch (175 kW) à 6 400 tr/min
Couple :	232 lb-pi (315 Nm) à 4 000 tr/min
Rapport poids/puissance :	7,64 kg/ch (10,26 kg/kW)
Transmission :	automatique, 6 rapports
Rouage :	traction
0-100 km/h · 80-120 km/h :	8,5 s · 6,5 s
Freinage 100-0 km/h :	42,0 m
Vitesse maximale :	180 km/h
Consommation (100 km) :	ordinaire, 12,9 litres
Autonomie approximative :	496 km
Émissions de CO2 :	5 088 kg/an
Emp/Lon/Lar/Haut (mm) :	2 765 / 4 922 / 1 816 / 1 485
Coffre/Réservoir :	390 / 64 litres
Nombre de coussins de sécurité :	6
Suspension avant :	indépendante, jambes de force
Suspension arrière :	indépendante, multibras
Freins av./arr. :	disque (ABS)
Antipatinage/Contrôle de stabilité :	opt./opt.
Direction :	à crémaillère, assistance variable
Diamètre de braquage :	11,1 m
Pneus av./arr. :	P215/5R18
Poids :	1 796 kg
Capacité de remorquage :	450 kg

AUTRE(S) COMPOSANTE(S) MÉCANIQUE(S)

Système hybride :	aucun
Moteur diesel :	aucun
Taxe énergivore :	aucune
Autre(s) moteur(s) :	V6 de 2,7 litres 190 ch/190 lb-pi (10,8 l/100 ordinaire) (Touring, Limited) 4L de 2,4 litres 173 ch/165 lb-pi (9,7 l/100 ordinaire) (LX)
Autre(s) rouage(s) :	aucun
Autre(s) transmission(s) :	(Touring, Limited) automatique, 4 rapports (Touring, Limited, LX)

EN BREF

Échelle de prix :	22 995 $ à 32 445 $ (2008)
Catégorie :	cabriolet, berline intermédiaire
Garanties :	3 ans/60 000 km, 5 ans/100 000 km
Assemblage :	Sterling Heights, Michigan, É-U
Cote d'assurance :	moyenne

DANS LA MÊME CATÉGORIE

Chevrolet Malibu, Ford Fusion, Honda Accord, Hyundai Sonata, Kia Magentis, Mazda6, Mitsubishi Galant, Nissan Altima, Subaru Legacy, Toyota Camry, Volkswagen Passat

NOS IMPRESSIONS

Agrément de conduite :	
Fiabilité :	½
Sécurité :	
Qualités hivernales :	
Espace intérieur :	½
Confort :	

DU NOUVEAU EN 2009

Quelques changements dans les groupes d'option, deux nouvelles couleurs, traction intégrale et toit de vinyle (cabriolet) éliminés

MI-CHARGER MI SEBRING !

Je me souviens, peu de temps avant l'introduction de l'Avenger, avoir été conquis par ses premières photos. Voilà une voiture qui affichait le style musclé du Charger, dans un format plus compact et surtout, plus abordable. J'avais même suggéré à mon voisin de reporter l'achat d'une Sebring et d'attendre la venue de l'Avenger, lui qui adorait le Charger, mais qui ne désirait pas une voiture de son gabarit. Cependant, après un essai, il faut avouer que Dodge n'a pas réussi à transposer entièrement à l'Avenger tout l'esprit du Charger.

Première voiture intermédiaire proposée par Dodge depuis plusieurs années, on se souviendra ici de la Dodge Stratus, l'Avenger se positionne entre la Caliber et le Charger. On pourrait croire qu'elle est plus petite que certaines rivales, mais en fait, elle offre des dimensions similaires à la Ford Fusion et à la Honda Accord, ce qui lui procure un bon espace intérieur.

BON CHOIX DE MODÈLES

Si l'Avenger emprunte les lignes du Charger, elle utilise sous sa robe audacieuse, la quincaillerie de sa jumelle, la Chrysler Sebring. En fait, elles partagent la même plate-forme à traction avant et à suspension entièrement indépendante que nombre de véhicules du constructeur incluant la Dodge Caliber et les Jeep Compass et Patriot. Voilà sans doute pourquoi le constructeur a mis autant d'emphase sur le style de la voiture, puisqu'au niveau mécanique, c'est du déjà vu.

Si la Chrysler Sebring peut être commandée en version cabriolet, l'Avenger de son côté n'existe qu'en berline quatre portes. Un des bons points de l'Avenger par rapport à la concurrence, c'est sans contredit son choix de modèles qui n'inclut pas moins de trois motorisations, un élément peu commun dans ce créneau qui vous permet d'obtenir au choix une version abordable ou performante. On retrouve ainsi à la base un quatre cylindres de 2,4 litres, le même que la Caliber, mais cette fois, il est combiné à une boîte automatique à quatre rapports contrairement à une boîte CVT pour la Caliber. Ce moteur, qui équipe la version d'entrée de gamme, n'est pas le plus emballant, mais il permet d'obtenir un prix plus que compétitif. Voilà qui conviendra beaucoup plus aux parcs automobiles !

Un peu plus puissant, le six cylindres de 2,7 litres se veut un choix plus sensé. C'est d'ailleurs cette motorisation qui figure dans la majeure partie des Avenger vendues. Avec sa puissance de 190 chevaux, ce n'est certes pas le plus puissant des V6 si on le compare à celui de ses rivales, mais son couple intéressant de 190 lb-pi sauve quelque peu la mise, rendant ce modèle plus sécurisant lors des dépassements.

Finalement, on retrouve au sommet de la gamme la version R/T, qui émule l'appellation du Charger R/T, un bolide de 235 chevaux apportés par son moteur V6 de 3,5 litres. Non seulement ce dernier offre plus de puissance, mais sa boîte automatique à six rapports donne un argument supplémentaire à la R/T. De plus, ce modèle peut-être équipé d'un rouage intégral, ce qui n'est pas le cas de la majeure partie de ses

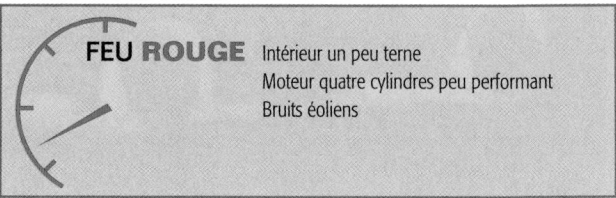

FEU VERT
Style agréable
Bon choix de modèles
Système MyGig
Prix compétitif

FEU ROUGE
Intérieur un peu terne
Moteur quatre cylindres peu performant
Bruits éoliens

rivales. Même si c'est le plus dispendieux, c'est celui qui devrait retenir votre attention et le plus digne du lot.

TOUTE UNE GUEULE

Alors que la Chrysler 300 et le Charger se sont bâti une solide réputation en raison de leur style, Dodge comptait bien répéter le tour de force en jouant de nouveau la carte du design. Il faut avouer que l'Avenger est drôlement jolie. Bon, la version de base SE n'a rien pour faire tourner les têtes, mais les Avenger SXT et R/T exhibent des lignes plus sévères, procurant tout un caractère à la voiture. En fait, elle se présente comme un mini-Charger, ce qui n'est pas un reproche. On apprécie l'affiliation avec les *muscle cars* du passé, mais disons que ce style va un peu mieux au Charger qui, par sa taille plus grande, semble mieux harmoniser le tout.

À l'intérieur, on reconnaît l'habitacle de la Sebring, mais dégarni des artifices de luxe. On opte plutôt des éléments d'aspect plus sportif, comme le groupe d'instrumentation sur fond blanc. Par contre, l'utilisation massive de plastique dur ternit quelque peu l'habitacle. On approuve plusieurs éléments pratiques, notamment un compartiment réfrigéré et des sièges en tissu antisalissures. De plus, son système MyGig convient parfaitement aux amateurs de gadgets technos et aux audiophiles. Voilà un système qui conservera une discographie complète, tout en offrant une qualité sonore peu commune dans ce créneau.

Difficile de rivaliser chez les berlines intermédiaires alors que les nippones telles la Camry, l'Accord ou l'Altima occupent le haut du pavé et se distribuent les plus grandes parts de marché. Dodge se retrouve ainsi à lutter avec la Ford Fusion ou la Pontiac G6, avec comme principal argument le style et un prix attrayant.

Sylvain Raymond

Photos : Dodge

DODGE AVENGER

VÉHICULE D'ESSAI

SIRIUS RADIO SATELLITE

Version :	Dodge Avenger R/T
Moteur :	V6 de 3,5 litres 24s atmosphérique
Puissance :	235 ch (175 kW) à 6 400 tr/min
Couple :	232 lb-pi (315 Nm) à 4 000 tr/min
Rapport poids/puissance :	6,88 kg/ch (9,24 kg/kW)
Transmission :	automatique, 6 rapports
Rouage :	traction
0-100 km/h · 80-120 km/h :	7,6 s · 6,0 s
Freinage 100-0 km/h :	41,8 m
Vitesse maximale :	210 km/h
Consommation (100 km) :	ordinaire, 12,9 litres
Autonomie approximative :	496 km
Émissions de CO2 :	5 088 kg/an
Emp/Lon/Lar/Haut (mm) :	2 765 / 4 849 / 1 824 / 1 496
Coffre/Réservoir :	368 / 64 litres
Nombre de coussins de sécurité :	4
Suspension avant :	indépendante, jambes de force
Suspension arrière :	indépendante, multibras
Freins av./arr. :	disque (ABS)
Antipatinage/Contrôle de stabilité :	opt/opt
Direction :	à crémaillère, assistée
Diamètre de braquage :	11,2 m
Pneus av./arr. :	P215/55R18
Poids :	1 618 kg
Capacité de remorquage :	907 kg

AUTRE(S) COMPOSANTE(S) MÉCANIQUE(S)

Système hybride :	aucun
Moteur diesel :	aucun
Taxe énergivore :	aucune
Autre(s) moteur(s) :	4L de 2,4 litres 173 ch/166 lb-pi (9,7 l/100 ordinaire) (SE, SXT)
	V6 de 2,7 litres 190 ch/190 lb-pi (10,8 l/100 ordinaire) (SXT)
Autre(s) rouage(s) :	aucun
Autre(s) transmission(s) :	automatique, 4 rapports (SXT, SE, SXT)

EN BREF

Échelle de prix :	18 995 $ à 27 895 $ (2008)
Catégorie :	berline intermédiaire
Garanties :	3 ans/60 000 km, 5 ans/100 000 km
Assemblage :	Sterling Heights, Michigan, É-U
Cote d'assurance :	n.d.

DANS LA MÊME CATÉGORIE

Chevrolet Malibu, Ford Fusion, Honda Accord, Hyundai Sonata, Kia Magentis, Mazda6, Mitsubishi Galant, Nissan Altima, Pontiac G6, Saturn Aura, Subaru Legacy

NOS IMPRESSIONS

Agrément de conduite :	🚗🚗🚗½
Fiabilité :	🚗🚗🚗½
Sécurité :	🚗🚗🚗🚗
Qualités hivernales :	🚗🚗🚗½
Espace intérieur :	🚗🚗🚗½
Confort :	🚗🚗🚗½

DU NOUVEAU EN 2009

Changements mineurs, modèle R/T AWD abandonné, ABS standard sur SXT et R/T

L'ÈRE NEON EST VRAIMENT RÉVOLUE !

De mémoire, jamais une voiture compacte vendue sous la bannière Dodge (sauf la Colt, fabriquée sous licence par Mitsubishi) n'a réussi à offrir une qualité permettant de se tailler une réputation honorable. Qu'il s'agisse de l'Omni, de la Shadow ou plus récemment des Neon et SX 2.0, chez Dodge, on s'est toujours retrouvé dans la cave du classement, et ce, même si les ventes n'étaient parfois pas si vilaines. Ce n'est qu'à partir de 2007 que Dodge a conçu un produit plus novateur qui, sans redéfinir les normes du segment, propose une honnête qualité.

D'accord, Dodge a encore du chemin à faire en ce qui concerne la qualité d'assemblage et de finition. Si vous avez déjà fait connaissance avec la Caliber, vous avez certainement remarqué que les plastiques à bord sont de qualité très ordinaire et que l'assemblage est inégal. Peut-être avez-vous aussi été dérangé par le bruit disgracieux qu'émet la tôle de la portière lors de sa fermeture. Toutefois, vous conviendrez qu'en dépit de ces éléments, cette compacte à hayon à possède plusieurs atouts forts intéressants.

D'abord, je ne vous cacherai pas mon admiration pour les lignes de cette voiture. Les stylistes de Dodge ont en effet réussi à y insuffler la même force de caractère attribuable à la désormais défunte Dodge Magnum, dans un format réduit. L'imposante grille de calandre, les grosses arches de roue, la ceinture de caisse élevée et le carénage arrière costaud ne sont que quelques-uns des éléments qui permettent à la Caliber de se différencier tout en élégance. Évidemment, plus vous grimpez dans la hiérarchie de la gamme, plus sa personnalité se renforce. Car si la version SE de base vous semble un peu esthétiquement dénudée, il vous faut jeter un coup d'œil à cette *Hot Wheels* que constitue la version SRT4. Jupes latérales, carénage exclusif, prise d'air, jantes de 19 pouces et becquet arrière sont présents pour afficher le niveau de performance de cette version.

CHEAP, MAIS EFFICACE !

Contrairement aux Jeep Compass et Patriot (jumeaux non identiques de la Caliber), notre sujet ne reçoit aucune modification au niveau de son habitacle. Selon les gens de Chrysler, il faudra attendre la version 2010 pour bénéficier d'une planche de bord plus riche au niveau des matériaux. Par conséquent, on conserve cette année cet habitacle un peu bon marché. Néanmoins, cela ne l'empêche pas d'être ultra fonctionnel et de permettre à la petite famille de profiter d'un environnement agréable. En effet, la disposition des éléments est étudiée et les sièges offrent un très bon confort. Le conducteur ne peut également qu'apprécier cette position de conduite surélevée, ainsi que celle du levier de vitesses situé au bas de la console centrale. Quant à l'aire de chargement, elle se compare sans gêne à celle du duo Vibe/Matrix, affichant elle aussi un plancher plat, et ce, même lorsqu'on rabat la banquette. Il est seulement dommage que les appuie-têtes de la banquette ne soient pas amovibles.

En version SE (celle qu'on voyait cet été publicisée à 11 995 $ en achat comptant), la Caliber se livre à sa plus simple expression. C'est

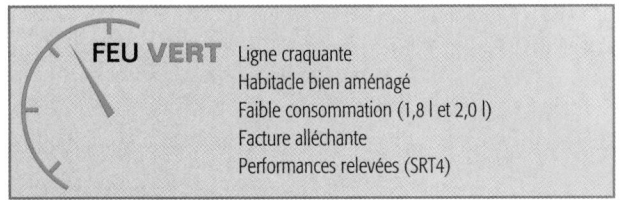

FEU VERT
- Ligne craquante
- Habitacle bien aménagé
- Faible consommation (1,8 l et 2,0 l)
- Facture alléchante
- Performances relevées (SRT4)

FEU ROUGE
- Finition décevante
- Insonorisation déficiente
- Transmission CVT à revoir
- Effet de couple important (SRT4)

ce qui explique pourquoi la plupart des gens choisissent la version SXT, plus adéquatement équipée, et qui affiche un style plus accrocheur en raison de ses roues de 17 pouces. Naturellement, il est possible de se laisser aller au jeu des options en optant par exemple pour le système d'info-divertissement MyGig, pour les lampes de lecture à diodes ou pour cette fameuse MusicGate qui permet de transformer votre voiture en disco-mobile.

AVEC OU SANS CONTRAVENTIONS !

En version SE ou SXT, on vous propose un quatre cylindres de 1,8 litre jumelé à une boîte manuelle, ou un 2,0 litres accompagné d'une boîte automatique à variation continue. Personnellement, le rendement m'apparaît plus intéressant avec la manuelle, car on parvient plus facilement à exploiter la puissance du moteur. Cependant, la boîte CVT demeure un choix éclairé puisqu'elle garde la consommation d'essence à un niveau très raisonnable. Je ne vous cacherai toutefois pas que son rendement déçoit en accélération et qu'on se lasse rapidement de faire monter le moteur en régime. Néanmoins, pour celui qui collectionne les contraventions d'excès de vitesse, c'est peut-être une bonne solution ! À l'inverse, celui qui cherche à en accumuler pourra s'en donner à cœur joie avec la version SRT4 à moteur turbocompressé de 285 chevaux. Cette dernière constitue une véritable voiture de sport de haut niveau, tant pour sa puissance hallucinante que pour son comportement. Son dynamisme émane notamment d'une suspension très ferme accompagnée d'imposantes barres stabilisatrices, de ses pneus de 19 pouces et de sa boîte manuelle à six rapports. Seul bémol, elle affiche un important effet de couple en accélération, qui aurait pu être corrigé par l'adoption du système de traction intégrale proposé en option sur la version R/T.

Sur la route, la Caliber laisse entendre quelques petits craquements. Toutefois, le comportement est équilibré et procure, surtout en manuelle, un certain plaisir. Son freinage est également à la hauteur, quoi que l'ABS optionnel déçoive. En revanche, on peut aussi obtenir en option le contrôle électronique de stabilité, ce que plusieurs rivales n'offrent pas.

Terminons en mentionnant qu'avec les offres que Dodge propose aux consommateurs, la Caliber se veut une véritable aubaine.

Antoine Joubert

Photos: Alain Morin

VÉHICULE D'ESSAI

SIRIUS RADIO SATELLITE

Version :	Dodge Caliber SRT4
Moteur :	4L de 2,4 litres 16s turbocompressé
Puissance :	285 ch (213 kW) à 6 400 tr/min
Couple :	265 lb-pi (359 Nm) à 5 600 tr/min
Rapport poids/puissance :	5,07 kg/ch (6,79 kg/kW)
Transmission :	manuelle, 6 rapports
Rouage :	traction
0-100 km/h · 80-120 km/h :	6,4 s · 4,1 s
Freinage 100-0 km/h :	40,8 m
Vitesse maximale :	n.d.
Consommation (100 km) :	super, 10,9 litres
Autonomie approximative :	467 km
Émissions de CO2 :	4 464 kg/an
Emp/Lon/Lar/Haut (mm) :	2 635 / 4 414 / 1 747 / 1 516
Coffre/Réservoir :	525 à 1 360 / 51 litres
Nombre de coussins de sécurité :	4
Suspension avant :	indépendante, jambes de force
Suspension arrière :	indépendante, multibras
Freins av./arr. :	disque (ABS)
Antipatinage/Contrôle de stabilité :	opt./opt.
Direction :	à crémaillère, assistance variable
Diamètre de braquage :	11,3 m
Pneus av./arr. :	P225/45R19
Poids :	1 447 kg
Capacité de remorquage :	454 kg

AUTRE(S) COMPOSANTE(S) MÉCANIQUE(S)

Système hybride :	aucun
Moteur diesel :	aucun
Taxe énergivore :	aucune
Autre(s) moteur(s) :	4L de 1,8 litre 148 ch/125 lb-pi (8,5 l/100 ordinaire)
	4L de 2,4 litres 172 ch/165 lb-pi (10,0 l/100 ordinaire) (R/T)
	4L de 2,0 litres 158 ch/141 lb-pi (9,0 l/100 ordinaire)
Autre(s) rouage(s) :	intégral (R/T)
Autre(s) transmission(s) :	CVT, manuelle, 5 rapports

EN BREF

Échelle de prix:	13 495 $ à 21 495 $ (2008)
Catégorie:	*hatchback*
Garanties:	3 ans/60 000 km, 5 ans/100 000 km
Assemblage:	Belvidere, Illinois, É-U
Cote d'assurance:	n.d.

DANS LA MÊME CATÉGORIE

Chevrolet HHR, Chrysler PTCruiser, Kia Spectra, Mazda3 Sport, Pontiac Vibe, Subaru Impreza, Suzuki SX4, Toyota Matrix, Volkswagen Rabbit

NOS IMPRESSIONS

Agrément de conduite :
Fiabilité :
Sécurité :
Qualités hivernales :
Espace intérieur :
Confort :

DU NOUVEAU EN 2009

Aucun changement majeur

CERBERUS AURAIT DIT NON !

L'aboutissement d'un rêve, telle est la façon de décrire la toute nouvelle Challenger selon les dirigeants de la marque. Cette voiture qui au départ, ne constituait qu'une folle idée, a été présentée en 2006 comme prototype, et ce, sans aucune intention de commercialisation future. Il ne s'agit que d'une traite que s'étaient payée les stylistes du constructeur, et rien d'autre. Mais voilà, l'enthousiasme du public américain et la fébrilité des amateurs de produits SRT ont fait en sorte qu'on a donné le feu vert à la production de la Challenger.

Vous pouvez cependant être certain d'une chose, les nouveaux propriétaires de la firme Chrysler (Cerberus), qui ont acquis la compagnie après l'approbation de la production de la Challenger, n'auraient probablement pas approuvé ce projet. On ne souhaite pour l'instant qu'une seule chose : remettre l'entreprise sur la voie de la rentabilité. Et entre vous et moi, ce n'est pas avec un modèle comme la Challenger qu'on y arrivera.

Néanmoins, si la Challenger est aujourd'hui réalité, c'est parce que son développement s'est avéré peu coûteux. En effet, elle reprend l'ensemble des éléments mécaniques et structuraux des modèles LX (300 et Charger). Le défi pour les stylistes et les ingénieurs aura donc été d'adapter à cette plate-forme une nouvelle carrosserie reprenant une bonne partie des traits caractéristiques du modèle d'antan. Est-ce que l'exercice est réussi ? Oh oui, sans hésitation ! Mais il faut garder dans l'optique que cette voiture s'adresse à une clientèle de moins en moins grande et qui n'a pas de véritables besoins spécifiques en matière de transport.

On s'est battu pour avoir l'un des premiers exemplaires comme jamais auparavant, ce qui démontre l'attrait de la voiture. Qui a hérité du premier exemplaire ? Les propriétaires du prestigieux encan Barrett Jackson, qui mettront la voiture aux enchères pour remettre les profits à des œuvres de charité.

PLUSIEURS VERSIONS

D'abord, on retrouve au catalogue les versions SE et SXT à moteur V6, la version R/T à moteur V8 HEMI et la fameuse SRT8, axée sur la haute performance. Question d'économie, l'ensemble des versions reçoit la même grille de calandre, le même capot avec prises d'air intégrées et le même traitement des feux arrière. Par conséquent, on bénéficie d'une ligne musclée et agressive avec n'importe laquelle des versions. Je me permettrai d'ailleurs de souligner que la ligne de cette voiture est incroyablement réussie et qu'elle parvient efficacement à s'afficher comme moderne, malgré son clin d'œil évident au modèle d'antan. Étonnement, son cœfficient aérodynamique n'est pas si mal, puisqu'il se chiffre à 0,35.

Une manière facile de différencier les versions ? La première (SE) n'a pas de feux antibrouillards contrairement à la seconde (SXT) qui n'a pas d'aileron arrière, et la troisième (R/T) possède un aileron de couleur inversement à la quatrième (SRT8) qui revêt un aileron noir mât. Quelques caractéristiques, comme le volet de carburant en aluminium poli et les feux à haute intensité, sont cependant exclusives aux versions R/T et SRT8. Le connaisseur pourra aussi distinguer la mécanique de la voiture par des sorties d'échappement qui lui sont propres.

Vous dire que l'habitacle impressionne serait exagéré. Il ne faut pas être très exigeant côté décorations, il faut aimer le gris et le noir et l'omniprésence du plastique. En fait, le seul élément qui soit digne de mention concerne les superbes sièges de la version SRT8, évidemment empruntés au Charger du même nom. Cet habitacle est tout de même bien ficelé et qu'il est en mesure d'accueillir quatre adultes en tout confort. Un cinquième occupant peut même s'assoir sans trop de problèmes. Côté coffre, vous bénéficierez d'un volume considérable mais d'une ouverture limitée.

LE MUSCLE D'ANTAN... ET PLUS ENCORE!

Soyez sans crainte, la nouvelle Challenger ne propose plus ce désolant six cylindres en ligne (le fameux *Méo Penché*) qui équipait les versions de base dans les années soixante-dix. Aujourd'hui, on utilise sur les versions SE et SXT un V6 de 3,5 litres développant 250 chevaux, lequel livre des performances somme toute raisonnables. Évidemment, le rapport poids/puissance de ces versions ne permet pas de semer la terreur dans votre voisinage, mais vous obtiendrez néanmoins un rendement fort honorable.

Pour faire véritablement honneur à la voiture, je vous dirais toutefois qu'un moteur HEMI s'impose. Non seulement ce dernier rehausse-t-il l'agrément de conduite, mais il lègue aussi à la voiture une surdose de cette personnalité qui a engendré l'engouement entourant ce modèle. Modifié pour 2009, le moteur HEMI de 5,7 litres (appelé Eagle HEMI) est désormais doté d'un système de calage variable des soupapes, de la désactivation des cylindres et de la mise hors fonction lors de la décélération. Il en résulte ainsi de meilleures performances et une économie d'essence accrue (plus ou moins 13 litres aux 100 kilomètres). Naturellement, la version SRT8 et ses 425 chevaux est celle qui décoiffe le plus. Amateurs de chiffres, il faut compter 5,0 secondes pour franchir le 0-100 km/h, pour ensuite atteindre une vitesse de pointe de 275 km/h! Et ces chiffres sont valables autant avec la version à boîte automatique qu'avec la manuelle. Oh, vous ne saviez pas pour la manuelle? Eh bien oui, on y a finalement droit! Yé!

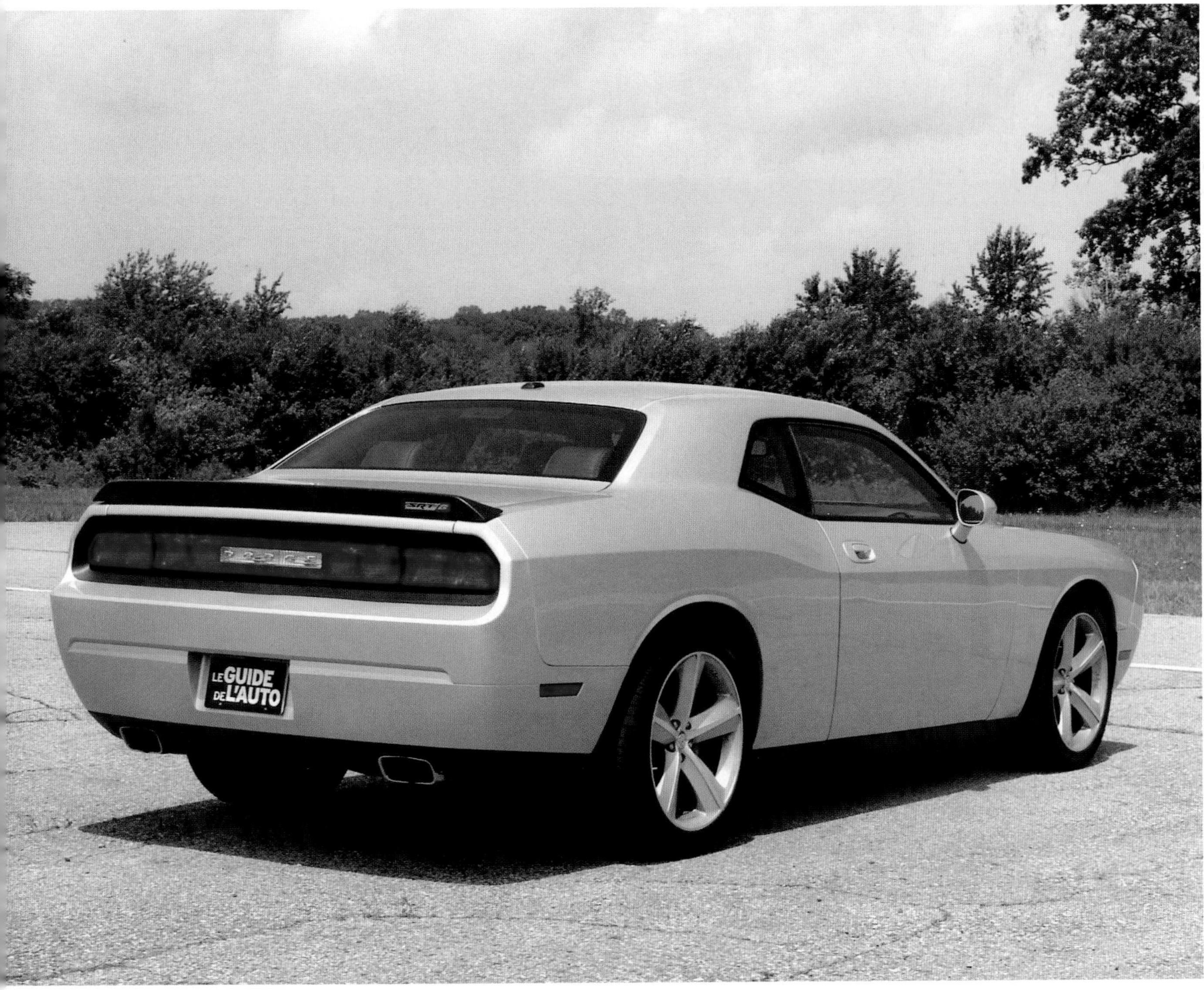

Cette boîte développée par Tremec et qui est aussi utilisée sur la Dodge Viper n'est disponible que sur les versions à moteur V8 (R/T et SRT8). Elle améliore légèrement les performances de la voiture, permettant de mieux exploiter la puissance du moteur, mais brille surtout par l'agrément additionnel qu'elle procure au conducteur. Amateurs de performance, c'est la boîte qu'il vous faut. Qui plus est, elle s'accompagne d'un système antirecul qui facilite le démarrage en pente.

UNE VRAIE VOITURE SPORT ?

La Challenger utilise une plateforme modifiée du Charger, tout simplement raccourcie de quatre pouces. Sa suspension a aussi été revue en fermeté, histoire d'offrir une conduite un tantinet plus dynamique. Ne soyez toutefois pas surpris si le comportement de la voiture vous semble quasi similaire à celui du Charger. Dodge a beau tenter nous convaincre qu'il s'agit d'une rivale directe de la Mustang, il n'en demeure pas moins que la Challenger est une voiture beaucoup plus grosse et lourde que le *pony* car de Ford. Ainsi, vous composerez avec un important roulis en virage, une maniabilité moyenne et un sentiment de contrôle qui ne s'apparente pas à celui d'une voiture sport. D'ailleurs, faut-il la considérer comme telle ? Chez Dodge, on nous dit que oui. Mais pour ma part, je vous répondrais négativement, exception faite de la version SRT8.

FEU VERT

- Ligne sensationnelle
- Performances relevées (R/T, SRT8)
- Confort honorable
- Boîte manuelle disponible
- Facture intéressante

FEU ROUGE

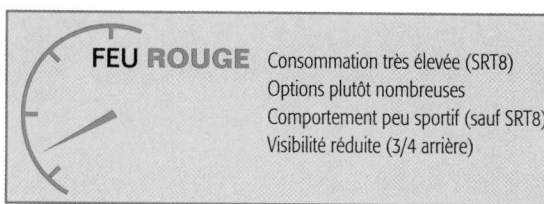

- Consommation très élevée (SRT8)
- Options plutôt nombreuses
- Comportement peu sportif (sauf SRT8)
- Visibilité réduite (3/4 arrière)

Alors là, c'est différent. On bénéficie ici de jantes de 20 pouces avec pneus de performances, d'une suspension raffermie avec amortisseurs Bilstein, d'un système de freinage Brembo très performant et de sièges qui vous tiennent vraiment en place. Ajoutez à cela une puissance hallucinante et une boîte manuelle des plus agréables, et vous obtenez finalement les éléments pour faire de ce coupé une véritable voiture de sport.

Évidemment, l'attrait de cette voiture réside aussi dans sa facture, tout à fait alléchante. Vendue à partir de 24 995 $, elle s'assure d'attirer toute la clientèle susceptible de s'y intéresser. Reste maintenant à savoir si cette dernière sera suffisamment nombreuse pour que la Challenger ne termine pas sa carrière de la même façon que la Thunderbird ou... que la Magnum !

Antoine Joubert

Photos : Alain Morin

VÉHICULE D'ESSAI

SIRIUS RADIO SATELLITE

Version :	Dodge Challenger R/T
Moteur :	V8 de 5,7 litres 16s atmosphérique
Puissance :	372 ch (278 kW) à 5 200 tr/min
Couple :	401 lb-pi (544 Nm) à 4 400 tr/min
Rapport poids/puissance :	4,92 kg/ch (6,61 kg/kW)
Transmission :	automatique, 5 rapports
Rouage :	4x4
0-100 km/h · 80-120 km/h :	5,8 s · 4,2 s
Freinage 100-0 km/h :	40,0 m
Vitesse maximale :	250 km/h
Consommation (100 km) :	ordinaire, 13,6 litres
Autonomie approximative :	529 km
Émissions de CO2 :	5 472 kg/an
Emp/Lon/Lar/Haut (mm) :	2 946 / 5 023 / 1 923 / 1 449
Coffre/Réservoir :	460 / 72 litres
Nombre de coussins de sécurité :	4
Suspension avant :	indépendante, bras inégaux
Suspension arrière :	indépendante, multibras
Freins av./arr. :	disque (ABS)
Antipatinage/Contrôle de stabilité :	oui/oui
Direction :	à crémaillère, assistée
Diamètre de braquage :	11,9 m
Pneus av./arr. :	P235/55R18
Poids :	1 833 kg
Capacité de remorquage :	non recommandé

AUTRE(S) COMPOSANTE(S) MÉCANIQUE(S)

Système hybride :	aucun
Moteur diesel :	aucun
Taxe énergivore :	n.d.
Autre(s) moteur(s) :	V8 de 6,1 litres 425 ch/420 lb-pi (16,5 l/100 ordinaire) (SRT8) V8 de 5,7 litres 376 ch/410 lb-pi (13,6 l/100 ordinaire) (R/T manuelle) V6 de 3,5 litres 250 ch/250 lb-pi (SE, SXT)
Autre(s) rouage(s) :	propulsion (SRT8, R/T manuelle, R/T automatique, SE, SXT)
Autre(s) transmission(s) :	(R/T automatique) automatique, 4 rapports (SE, SXT) manuelle, 6 rapports (SRT8, R/T manuelle)

EN BREF

Échelle de prix :	24 995 $ à 45 995 $
Catégorie :	coupé
Garanties :	3 ans/60 000 km, 5 ans/ 100 000 km
Assemblage :	Brampton. Ontario, Canada
Cote d'assurance :	n.d.

DANS LA MÊME CATÉGORIE

Ford Mustang

NOS IMPRESSIONS

Agrément de conduite :	🚗🚗🚗🚗
Fiabilité :	nouveau modèle
Sécurité :	🚗🚗🚗🚗
Qualités hivernales :	🚗🚗🚗
Espace intérieur :	🚗🚗🚗🚗
Confort :	🚗🚗🚗🚗

DU NOUVEAU EN 2009

Nouveau modèle

PORTEUSE DE RÊVE ET DE CAUCHEMAR

Le nom Charger aura été de tous les combats chez Dodge. La première génération, apparue en 1966, n'avait pas remporté le succès escompté. La suivante (1968-1974), d'une beauté à émouvoir un agent du ministère du Revenu, fait encore l'envie des jeunes et moins jeunes. Par la suite, la Dodge Charger a pris du poids en devenant une voiture axée sur le luxe. L'impardonnable s'est produit avec l'apparition, en 1982, d'une Charger en tant que sous-série de la coquerelle Omni. Carroll Shelby a eu beau tenter de redorer le blason terni de la Charger, rien n'y fit. Il a fallu attendre 2006 pour que la Dodge Charger regagne son honneur.

Certes, les amoureux de la première heure ne lui ont toujours pas pardonné de désormais présenter quatre portières, mais il faut admettre que Chrysler n'a pas fait les choses à moitié. La Charger, en configuration de base, n'est pas une bombe. Mais remarquez qu'à la belle époque aussi, il était possible d'avoir cette voiture avec un triste six cylindres en ligne... Toujours est-il qu'aujourd'hui, la Charger de base (SE) est dotée d'un V6 de 2,7 litres qui a comme seul avantage de permettre à Dodge de proposer sa voiture sous les 20 000 $, au moment d'écrire ces lignes. Le V6 3,5 litres de la livrée SXT est nettement plus intéressant. Ses 250 chevaux et 250 livres-pied de couple suffisent à donner à la Charger des performances très correctes. De plus, il s'agit sans aucun doute du moteur le mieux adapté à cette berline intermédiaire. Il est associé à une transmission automatique à quatre rapports si la traction (roues avant motrices) est choisie et à une automatique à cinq rapports lorsque le rouage intégral est coché.

R/T, COMME DANS L'TEMPS !

Vient ensuite le modèle R/T (proposé en modèles traction ou intégrale) avec un 5,7 litres Hemi qui adore laisser galoper ses 340 chevaux (350 dans la livrée R/T Daytona) appuyés par un couple des plus généreux. Les amateurs de performance saluent bien bas ce moteur, jamais essoufflé. Cependant, force est d'admettre que le surplus de puissance qu'il apporte ne semble pas avoir trouvé son égal dans les autres éléments de la voiture. Par exemple, la direction est aussi surassistée que dans la SXT, la transmission ne répond pas nécessairement plus rapidement et les suspensions se révèlent, de toute évidence, aussi peu rigides. Attention, nous ne voulons pas dire que la R/T est dénuée d'intérêt. C'est seulement que, comme « dans l'temps », la Charger R/T aime mieux les lignes droites aux pistes de course... Cependant, l'option Performance apporte plus de dynamisme. Elle offre des roues de 20 pouces, des sièges plus enveloppants, des suspensions et une direction plus aguerries, une augmentation de 10 chevaux (Daytona), un échappement moins restrictif et, enfin, des rideaux et des coussins latéraux, sans doute en prévision de quelques... imprévus. Ce n'est pas encore une SRT8, mais pour s'amuser un peu et à moindres frais, cette option est fortement recommandée.

La version SRT8, qui va à l'encontre de toutes les normes actuelles en matière de consommation, est une véritable sportive. Autant la R/T m'a déçue, autant la SRT8 mérite sa place dans la gamme Charger. Son immense Hemi 6,1 litres fait dans les 425 chevaux pour un couple de

FEU VERT
Style agressif à souhait
Valeur future de la version SRT-8
V6 3,5 litres bien adapté
Habitacle confortable
Rouage intégral (AWD) offert

FEU ROUGE
Suspensions et direction peu sportives (sauf SRT8)
Finition quelquefois sommaire
Valeur de revente plus ou moins intéressante
Visibilité arrière pauvre

420 livres-pied. Mais cette fois, le reste de la voiture peut suivre la mécanique. Par exemple, la transmission automatique à cinq rapports passe rapidement les vitesses, les suspensions de type compétition effectuent un excellent boulot tout en ne rendant pas la voiture inconfortable et les freins sont mordants à souhait. Et le son du moteur est un régal, rien de moins. Il ne s'agit pas, évidemment, d'une voiture à mettre entre toutes les mains et la meilleure raison de s'en procurer une réside dans la valeur qu'elle prendra dans les années à venir. Et pour les longues traces noires aussi !

AGRESSIVE EN DEHORS, DOUCE EN DEDANS

À l'intérieur, l'habitacle a été piqué à la Chrysler 300. Oh, il n'est pas laid, mais disons que pour l'originalité, on repassera. Dans une version aussi sportive que la SRT8, on s'attendrait à quelque chose de plus substantiel. Mais même la nouvelle Challenger, aux lignes au moins aussi brutales, reprend ce tableau de bord. Il y a des limites que les designers ne peuvent dépasser, sans doute à cause des coûts.

Les sièges sont confortables, mais le support, surtout aux cuisses, est banal. Ceux de la SRT8, par contre, sont quasiment parfaits. Les sièges arrière sont plus ou moins faciles d'accès à cause des puits de roue très prononcés. Ils sont mœlleux à souhait, mais ce type de confort ne plaît pas à tous. Le coffre présente des dimensions généreuses, son ouverture est grande, mais, dommage, son seuil de chargement est très élevé. Style oblige, la surface vitrée n'est pas des plus grandes et la visibilité vers l'arrière ou les trois quarts arrière est imparfaite.

En ce qui concerne la sécurité, Dodge fait un peu chiche en proposant seulement deux coussins gonflables pour les occupants avant. Les freins ABS sont offerts sans frais dans toutes les versions, sauf la SE où ils sont optionnels. Décevant. Même constat pour le système de contrôle de la traction (ESP). Redécevant.

Dans un monde où chacun tente de devenir plus vert que le gazon du voisin, les Charger R/T et SRT8 ont plus ou moins leur place. Mais, heureusement, il restera toujours des amateurs qui ne se priveraient, pour rien au monde, de la sonorité d'un bon gros V8 américain, au risque de se faire lancer des tomates bio !

Alain Morin

Photos : Alain Morin

VÉHICULE D'ESSAI

Version :	Dodge Charger SXT AWD
Moteur :	V6 de 3,5 litres 24s atmosphérique
Puissance :	250 ch (187 kW) à 6 400 tr/min
Couple :	250 lb-pi (339 Nm) à 3 800 tr/min
Rapport poids/puissance :	7,38 kg/ch (9,92 kg/kW)
Transmission :	automatique, 5 rapports
Rouage :	intégral
0-100 km/h · 80-120 km/h :	8,9 s · 8,0 s
Freinage 100-0 km/h :	41,0 m
Vitesse maximale :	210 km/h
Consommation (100 km) :	ordinaire, 12,5 litres
Autonomie approximative :	608 km
Émissions de CO2 :	5 040 kg/an
Emp/Lon/Lar/Haut (mm) :	3 048 / 5 082 / 1 892 / 1 478
Coffre/Réservoir :	460 / 76 litres
Nombre de coussins de sécurité :	2
Suspension avant :	indépendante, bras inégaux
Suspension arrière :	indépendante, multibras
Freins av./arr. :	disque (ABS)
Antipatinage/Contrôle de stabilité :	oui/oui
Direction :	à crémaillère, assistée
Diamètre de braquage :	11,8 m
Pneus av./arr. :	P225/60R18
Poids :	1 846 kg
Capacité de remorquage :	907 kg

AUTRE(S) COMPOSANTE(S) MÉCANIQUE(S)

Système hybride :	aucun
Moteur diesel :	aucun
Taxe énergivore :	1 000 $ (SRT8)
Autre(s) moteur(s) :	V8 de 5,7 litres 340 ch/350 lb-pi (13,6 l/100 ordinaire) (R/T)
	V6 de 2,7 litres 190 ch/190 lb-pi (11,3 l/100 ordinaire) (SE)
	V8 de 5,7 litres 350 ch/390 lb-pi (13,9 l/100 ord) (Daytona)
	V8 de 6,1 litres 425 ch/420 lb-pi (16,5 l/100 super) (SRT8)
Autre(s) rouage(s) :	propulsion
Autre(s) transmission(s) :	automatique, 4 rapports (SE)

EN BREF

Échelle de prix :	21 945 $ à 39 145 $
Catégorie :	berline grand format
Garanties :	3 ans/60 000 km, 5 ans/100 000 km
Assemblage :	Brampton, Ontario, Canada
Cote d'assurance :	passable

DANS LA MÊME CATÉGORIE

Acura TL, Buick Allure, Chevrolet Impala, Ford Taurus, Nissan Maxima, Pontiac Grand Prix, Toyota Avalon, Volkswagen Passat

NOS IMPRESSIONS

Agrément de conduite :	½
Fiabilité :	
Sécurité :	
Qualités hivernales :	½
Espace intérieur :	
Confort :	

DU NOUVEAU EN 2009

Nouvelle génération du moteur V8 de 5,7 litres, boitier de transfert modifé (AWD)

Chrysler Town & Country

UN SEUL OBSTACLE

Avec la récente refonte de ses fourgonnettes, Dodge et Chrysler se sont assurés de revenir en tête du peloton dans cette catégorie. Malgré la tendance du marché, les dirigeants ont cru bon faire « renaître » ce concept popularisé au milieu des années 80. Le but a été atteint en grande partie, avec des ventes à la hausse. Les caractéristiques « Stow'n Go » et « Swivel'n Go » aidant, les acheteurs redécouvrent la fourgonnette. Malheureusement pour le constructeur, le prix de l'essence vient freiner l'explosion du chiffre d'affaires, les consommateurs préférant se tourner vers des véhicules moins énergivores.

Avez-vous vraiment besoin d'une fourgonnette ? Bien entendu, la réponse est non pour la plupart d'entre nous, car à moins d'avoir plus de trois enfants ou d'être le transporteur officiel de l'équipe de soccer, une voiture compacte à moteur quatre cylindres fait amplement l'affaire. Il faut toutefois avouer que l'utilisation d'une fourgonnette rend la vie familiale plus aisée et que le transport d'objets volumineux est facilité par l'immense espace cargo.

PRÉSENTATION AMÉLIORÉE

Chrysler propose deux modèles de sa fourgonnette : la Town&Country sous l'enseigne Chrysler et la Grand Caravan vendue chez Dodge. Toutes les deux offrent la même silhouette, la même motorisation et la même présentation extérieure/intérieure. Évidemment, la Town&Country est plus luxueuse et présente plus de caractéristiques de base que sa consœur chez Dodge, mais son prix peut cependant en décourager plusieurs alors qu'il débute à près de 36 000 $. C'est pourquoi nous avons choisi de concentrer notre essai sur la version la plus vendue et la plus populaire, la Grand Caravan. Offerte à un prix de départ d'environ 26 500 $, la version de base dispose de pneus de 16 pouces, d'enjoliveurs de roues, d'une transmission à quatre rapports et d'un moteur six cylindres de 3,3 litres. La version SXT plus équipée propose, en option, une motorisation V6 de 3,8 litres, des jantes d'aluminium de 17 pouces et une transmission à six rapports. Seule la Chrysler Town&Country peut être équipée de la motorisation six cylindres de 4,0 litres. Quant aux options Stow'n Go et Swivel'n Go, on peut les obtenir dans toutes les versions, moyennant un supplément. Notre version d'essai, la SXT, possédait également un système de divertissement vidéo, une caméra de recul ainsi que les portes motorisées pour afficher un prix de détail avoisinant les 42 000 $.

La refonte de l'an dernier aura été des plus bénéfiques pour l'habitacle. Les lignes sont désormais plus modernes et la disposition des commandes plus ergonomique. Les sièges avant sont aussi très confortables, d'autant plus que notre véhicule d'essai était muni des tissus YES Essential de Chrysler. Ceux-ci sont moins salissants et respirent mieux, offrant un confort accru autant en été qu'en hiver. L'assise est excellente et les supports latéraux sont suffisants pour ce type de véhicule. La finition est tout de même bonne à quelques exceptions près et le choix des matériaux s'avère de bon goût malgré certains plastiques bon marché et d'autres se salissant plus rapidement. Les rangements sont nombreux et les commandes sont toutes à portée de main. Le

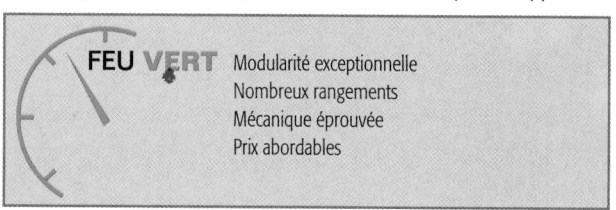

FEU VERT
- Modularité exceptionnelle
- Nombreux rangements
- Mécanique éprouvée
- Prix abordables

FEU ROUGE
- Plastique abondant
- Moteur 3,3 litres anémique
- Finition simpliste

fonctionnement du système audio demande qu'on s'y attarde quelque peu et la climatisation manuelle est un peu compliquée à régler, surtout avec l'option du système de chauffage à l'arrière. Les sièges de deuxième et troisième rangées offrent un bon confort malgré leur conception permettant de les éclipser dans le plancher. Pour ce qui est de l'espace cargo, tout dépendra de la configuration choisie. En mode Stow'n Go, les sièges médians et arrière s'engouffrent dans le plancher et procurent ainsi un impressionnant espace de chargement, alors qu'avec l'option Swivel'n go, seuls les sièges arrière s'escamotent au plancher. L'avantage du système Swivel'n go vient du fait que l'on peut tourner les sièges médians face vers l'arrière pour obtenir un semblant de salon auquel peut s'ajouter une table au centre. Très pratique pour les pique-niques en famille durant les journées pluvieuses !

BON CHOIX DE MOTORISATIONS

Le duo Grand Caravan/Town&Country offre le choix de trois motorisations V6 : l'anémique 3,3 litres, le 3,8 litres juste correct et l'efficace 4,0 litres. De toute évidence, le 3,3 litres manque de puissance, mais offre une consommation tout de même raisonnable et est de prix abordable. Notre modèle d'essai, la SXT, était équipé du 3,8 litres qui s'est avéré un bon compromis entre les versions de base et 4,0 litres. Les accélérations sont correctes, mais on détecte tout de même une certaine peine à mouvoir le poids du véhicule. Les reprises sont également un tantinet longues malgré la présence des six rapports de la transmission. Il faudra s'attendre à une augmentation des temps d'accélération et de reprises pour chaque personne additionnelle prenant place à bord du véhicule. À ce chapitre, si vous prévoyez transporter plusieurs personnes ou une bonne charge, il serait plus sage d'opter pour le 4,0 litres (donc la Town&Country) qui est beaucoup plus à l'aise dans ces conditions. Contrairement aux fourgonnettes des années passées, la tenue de route s'est grandement améliorée, à un tel point qu'on oublie que l'on se trouve au volant de ce genre de véhicule. Le roulis est maintenant limité et seules des manœuvres extrêmes viendront trahir la conception de ce véhicule. La direction se montre précise et juste assez assistée. Le châssis est également plus rigide que sur l'ancien modèle. Les freins à disques affichent une puissance impressionnante et le tangage est minimal. L'insonorisation est de qualité malgré les grands coffres au plancher. La visibilité est excellente, mais l'absence de caméra de recul viendra compliquer quelque peu les manœuvres de stationnement.

Guy Desjardins

Photos: Dodge

VÉHICULE D'ESSAI

Version :	Dodge Grand Caravan SXT
Moteur :	V6 de 3,8 litres 12s atmosphérique
Puissance :	197 ch (147 kW) à 5 200 tr/min
Couple :	230 lb-pi (312 Nm) à 4 000 tr/min
Rapport poids/puissance :	10,34 kg/ch (13,86 kg/kW)
Transmission :	automatique, 6 rapports
Rouage :	traction
0-100 km/h · 80-120 km/h :	10,2 s · 9,1 s
Freinage 100-0 km/h :	45,5 m
Vitesse maximale :	185 km/h
Consommation (100 km) :	ordinaire, 13,3 litres
Autonomie approximative :	571 km
Émissions de CO2 :	5 376 kg/an
Emp/Lon/Lar/Haut (mm) :	3 078 / 5 142 / 1 952 / 1 750
Coffre/Réservoir :	920 à 3 970 / 76 litres
Nombre de coussins de sécurité :	6
Suspension avant :	indépendante, jambes de force
Suspension arrière :	demi-indépendante, poutre déformante
Freins av./arr. :	disque
Antipatinage/Contrôle de stabilité :	oui/oui
Direction :	à crémaillère, assistée
Diamètre de braquage :	11,9 m
Pneus av./arr. :	P225/65R16
Poids :	2 038 kg
Capacité de remorquage :	1 587 kg

AUTRE(S) COMPOSANTE(S) MÉCANIQUE(S)

Système hybride :	aucun
Moteur diesel :	aucun
Taxe énergivore :	aucune
Autre(s) moteur(s) :	V6 de 4,0 litres 251 ch/259 lb-pi (13,3 l/100 ordinaire) V6 de 3,3 litres 175 ch/205 lb-pi (12,6 l/100 ordinaire)
Autre(s) rouage(s) :	aucun
Autre(s) transmission(s) :	automatique, 4 rapports

EN BREF

Échelle de prix :	25 745 $ à 29 945 $ (2008)
Catégorie :	fourgonnette
Garanties :	3 ans/60 000 km, 5 ans/100 000 km
Assemblage :	Windsor, Ontario, Canada
Cote d'assurance :	moyenne

DANS LA MÊME CATÉGORIE

Chevrolet Uplander, Honda Odyssey, Kia Sedona, Nissan Quest, Toyota Sienna, Hyundai Entourage

NOS IMPRESSIONS

Agrément de conduite :	3 ½
Fiabilité :	4
Sécurité :	4
Qualités hivernales :	3 ½
Espace intérieur :	4
Confort :	4

DU NOUVEAU EN 2009

Changements dans les groupes d'option et dans l'équipement standard, écran DVD de 9" au lieu de 8", 4,0 litres disponible sur SXT

PRESQUE RÉUSSI

Dans un marché où chacun tente de tirer son épingle du jeu et où certains constructeurs jouent leur avenir tous les jours, proposer un produit qui soit parfaitement adapté aux besoins des consommateurs devient impératif. Il y a près de 20 ans, l'arrivée de la Dodge Caravan, l'Autobeaucoup, prouvait qu'on pouvait, en s'insérant entre deux catégories, en créer une nouvelle. Bien des manufacturiers ont compris l'astuce et n'ont cessé de créer des véhicules se plaçant entre deux créneaux, ce qui fait qu'il y a de plus en plus de catégories et de moins en moins de concurrents dans chacune de ces catégories.

L'automne dernier, Dodge profitait du Salon de l'auto de Francfort pour dévoiler ce qui allait devenir, quelques mois plus tard, le Journey, un multisegment à mi-chemin entre la fourgonnette traditionnelle et la familiale. Si on compare les fiches techniques, le Journey se situe, au niveau des dimensions générales, exactement entre la Grand Caravan et la Mazda5. En fait, ses dimensions sont à peu près identiques à celles du Ford Taurus X mais, comme nous le verrons plus tard, ses véritables rivales sont plutôt les multisegments Mazda5 et Kia Rondo. Les voies du marketing sont parfois très impénétrables...

Question de réduction des coûts, on a pris le châssis et les organes mécaniques du duo Dodge Avenger et Chrysler Sebring et on les a adaptés pour une utilisation plus utilitaire. Pour les besoins de la cause, les ingénieurs ont allongé non seulement l'empattement mais aussi toutes les dimensions extérieures, question de pouvoir insérer une troisième rangée de sièges.

QUATRE OU SIX CYLINDRES

Au Canada, le Dodge Journey se décline en quatre versions, soit SE, SE Plus, SXT et R/T. Les deux premières versions sont mues par un quatre cylindres de 2,4 litres de 173 chevaux et 166 livres-pied de couple tandis que les deux autres reçoivent un V6 de 3,5 litres de 235 chevaux et 232 livres-pied de couple. De plus, les versions SXT et R/T peuvent être commandées avec un rouage intégral. Sinon, il s'agit d'une traction (roues avant motrices). Les modèles à quatre cylindres sont dotés d'une transmission automatique à quatre rapports et les autres à une boîte, automatique elle aussi, à six rapports.

Ce Dodge n'est pas ce que nous pourrions considérer comme un poids plume... Par exemple, la version quatre cylindres pèse tout de même plus de 1700 kilos. Avec un moteur de 173 chevaux, il est facile de comprendre que le Journey n'a rien pour entamer une carrière dans le *drag*. Puisqu'il est possible, avec cette version, d'avoir trois rangées de sièges, nous n'osons imaginer la pénibilité des accélérations lorsqu'il transporte sept personnes et leurs bagages. Sans doute pour compenser le manque de puissance à bas régime, la transmission à quatre rapports de notre véhicule d'essai tardait à changer les rapports, montant allègrement à plus de 4000 tours/minute avant d'enclencher le rapport supérieur, et ce, en accélération normale. Aussi, on ne retrouve aucune surmultipliée sur cette transmission. Malgré tout, nous avons réussi à maintenir une moyenne de 11,6 litres aux cent kilomètres, ce qui est très bien compte tenu du poids de la voiture, mais qui est encore au-delà de la consommation de la Mazda5.

Après avoir fait l'essai du quatre cylindres, nous avons mis la main sur un modèle R/T à moteur V6 3,5 litres. Les performances s'avèrent certes plus intéressantes mais il n'y a toujours pas raison de s'exciter le poil des jambes. La transmission à six rapports permet de conserver le rythme du moteur à un niveau plus bas (1 800 tours/minute à 100 km/h comparativement à 2250 pour le 2,4 litres), mais elle a la fâcheuse manie, du moins sur notre voiture d'essai, de constamment passer du quatrième au cinquième rapport dès la première côte venue. Pour remédier à ce problème, il faut placer la transmission sur le mode manuel. Pour une fois qu'un mode manuel sur une automatique peut servir à quelque chose... Autrement, son comportement est sans reproches. Puisque nous avons fait environ 85 % de notre semaine sur les autoroutes (un événement à Mont-Tremblant et de la parenté en Estrie, ça fait beaucoup d'autoroutes !), nous avons réussi à obtenir une consommation moyenne de 12,1 litres aux cent, ce que confirme au millilitre près, l'ordinateur de bord. À première vue, ça semble peu, mais dès qu'on roule en ville ou qu'on accélère avec le moindrement d'insouciance, la consommation augmente indécemment. Si le quatre cylindres ne peut remorquer plus de 450 kilos (1 000 livres), le V6, lui, peut tirer jusqu'à 1 600 kilos (3 500 livres) lorsqu'équipé en conséquence.

COINS RONDS

Au niveau de la conduite, encore là, on ne peut guère crier au génie. Le comportement routier est correct mais le châssis pourrait être plus rigide. À preuve, les nombreux bruits de caisse, souvent appelés *rattles*, qui ont parsemé nos deux essais, particulièrement dans la version V6. Les suspensions, MacPherson à l'avant et multibras à l'arrière, sont souples et incontestablement plus axées vers le confort que vers la sportivité, même dans la version R/T alors que Dodge leur donne l'étiquette « performance ». En virage, on dénote un important roulis, surtout avec le moteur V6, plus lourd. Sur ce dernier modèle, il aurait été préférable d'installer des pneus de bonne qualité plutôt que les très ordinaires Kumho Solus de 19 pouces qui criaient à en fendre l'âme dès la première courbe venue.

L'accès à bord n'est pas des plus réussis puisque le siège est placé assez loin du bord. Il faut donc s'étirer la jambe plus que de raison. Au moins, une fois assis, la position

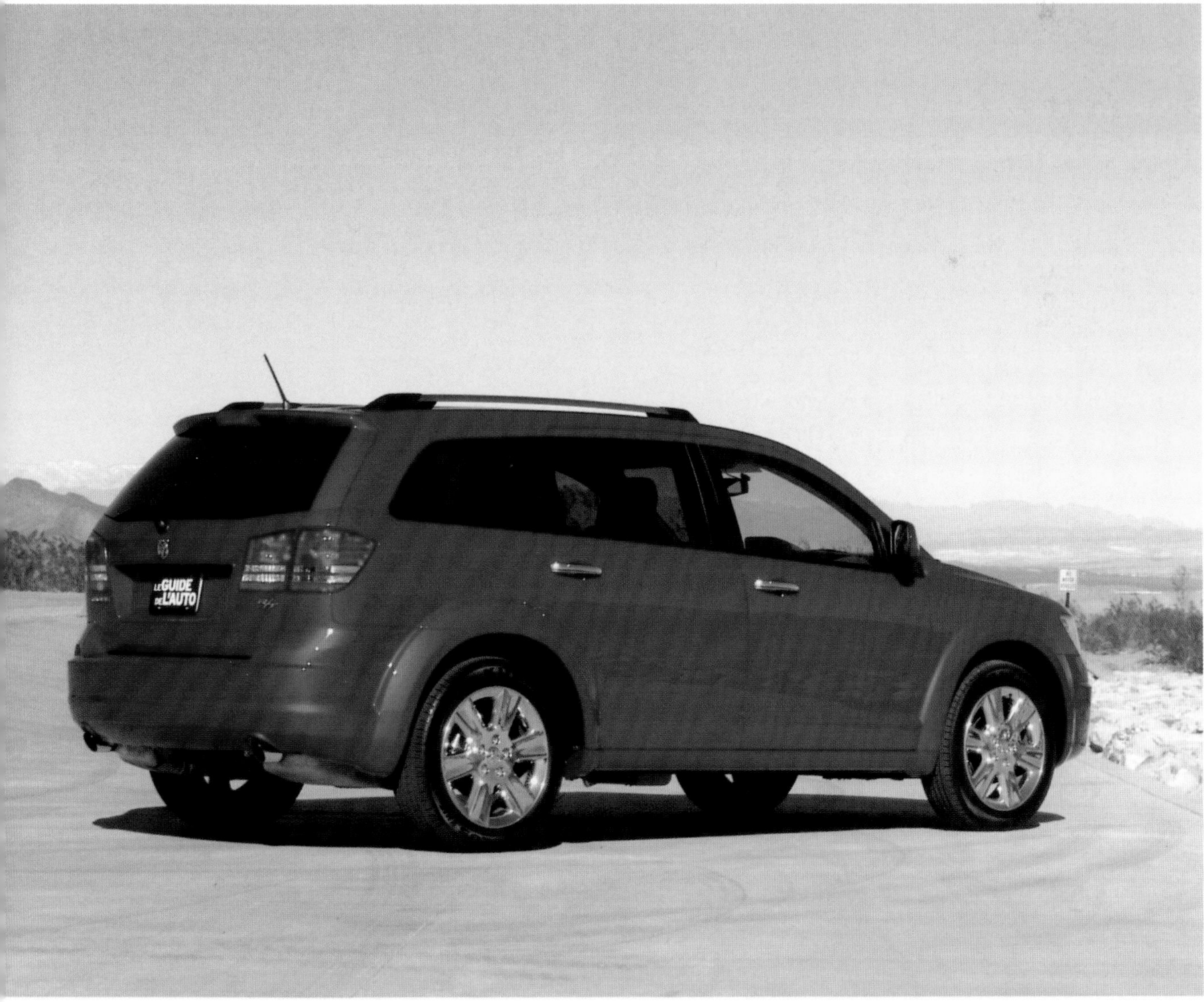

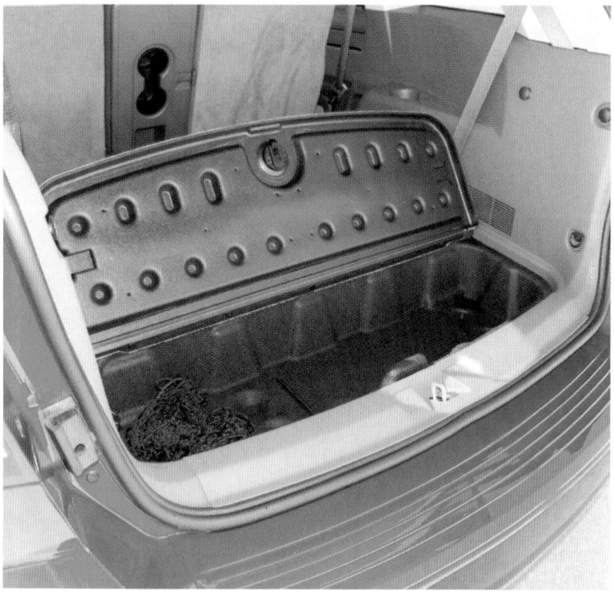

de conduite se trouve facilement grâce à une direction ajustable en hauteur et en profondeur et la visibilité n'est pas vilaine du tout sauf vers l'avant où les piliers A sont très larges et peuvent bloquer la vue, surtout en ville. Les sièges sont confortables et sont dotés d'accoudoirs, parfaits pour les longs voyages. Le conducteur fait face à un tableau de bord dont le design surprend par son style rétro et les espaces de rangement sont nombreux et bien disposés. La plupart des matériaux affichent une qualité honorable sans tomber dans l'excellence. Là où ça se corse, c'est au niveau de la qualité de la finition.

HAUT DEGRÉ DE PERFECTIONNEMENT?

On accède aux sièges de la deuxième rangée grâce à des portes qui ouvrent à 90 degrés, une trouvaille très appréciée. Les dossiers de ces sièges s'abaissent de façon 40/20/40, c'est-à-dire qu'il est possible d'abaisser la place centrale indépendamment des deux autres. Leur confort est convenable malgré la dureté du matériel et l'espace dévolu aux jambes et à la tête se révèle très correct. Quant aux places de la troisième rangée, si le véhicule en est équipé, elles s'avèrent facilement accessibles puisque les sièges de la deuxième rangée s'avancent passablement, mais elles ne doivent être considérées que pour de très courtes distances.

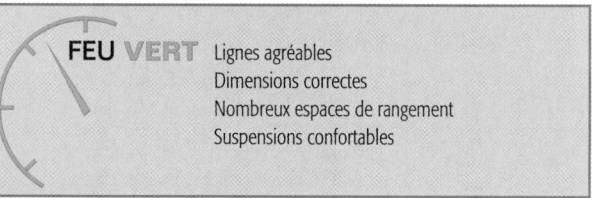

FEU VERT
- Lignes agréables
- Dimensions correctes
- Nombreux espaces de rangement
- Suspensions confortables

FEU ROUGE
- Moteurs mal adaptés
- Consommation exagérée (V6)
- Freins peu convaincants
- Fiabilité à confirmer
- Finition lamentable

Une fois les rangées de sièges relevées, l'espace pour les bagages est bien mince, seulement 302 litres, soit beaucoup moins que le Ford Taurus X mais bien davantage que la Mazda5. Par contre, lorsque les deux rangées de sièges sont baissées, les 1 915 litres sont fort appréciés. Il est même possible de rabattre le dossier du siège avant droit vers l'avant pour transporter des objets mesurant jusqu'à 2,75 mètres de longueur. Ce même siège cache, sous son assise, un bac de rangement. Il y en a d'autres, logés sous les pieds des passagers de la deuxième rangée, qu'il est possible de remplir de glace pour conserver les cannettes ou les bouteilles de boissons gazeuses au frais. Par contre, il n'y a pas de cache-bagages, même en option.

Quiconque recherche un véhicule cinq ou sept passagers ne doit pas ignorer le Dodge Journey. Comme mentionné plus tôt, ses dimensions le rapprochent d'un Ford Taurus X dont le prix est nettement supérieur. En fait de prix, il fait match presque égal avec les Mazda5 et surtout Kia Rondo, moins logeables mais bien plus agiles et infiniment mieux finies. Le Journey n'est pas un mauvais véhicule mais il est loin de répondre aux goûts des amateurs de conduite inspirée.

Alain Morin

Photos : Alain Morin

VÉHICULE D'ESSAI

SIRIUS RADIO SATELLITE

Version :	Dodge Journey R/T AWD
Moteur :	V6 de 3,5 litres 24s atmosphérique
Puissance :	235 ch (175 kW) à 6 400 tr/min
Couple :	232 lb-pi (315 Nm) à 4 000 tr/min
Rapport poids/puissance :	8,17 kg/ch (10,97 kg/kW)
Transmission :	automatique, 6 rapports
Rouage :	intégral
0-100 km/h · 80-120 km/h :	10,4 s · 8,8 s
Freinage 100-0 km/h :	43,0 m
Vitesse maximale :	n.d.
Consommation (100 km) :	ordinaire, 12,1 litres
Autonomie approximative :	661 km
Émissions de CO2 :	n.d.
Emp/Lon/Lar/Haut (mm) :	2 890 / 4 888 / 1 834 / 1 765
Coffre/Réservoir :	302 à 1 915 / 80 litres
Nombre de coussins de sécurité :	6
Suspension avant :	indépendante, jambes de force
Suspension arrière :	indépendante, multibras
Freins av./arr. :	disque (ABS)
Antipatinage/Contrôle de stabilité :	oui/oui
Direction :	à crémaillère, assistée
Diamètre de braquage :	11,7 m
Pneus av./arr. :	225/55R19
Poids :	1 920 kg
Capacité de remorquage :	1 600 kg

AUTRE(S) COMPOSANTE(S) MÉCANIQUE(S)

Système hybride :	aucun
Moteur diesel :	aucun
Taxe énergivore :	n.d.
Autre(s) moteur(s) :	4L de 2,4 litres 173 ch/166 lb-pi (SE)
Autre(s) rouage(s) :	traction (SE, SXT 2RM, SXT AWD, R/T)
Autre(s) transmission(s) :	automatique, 4 rapports (SE)

EN BREF

Échelle de prix :	19 995 $ à 29 995 $
Catégorie :	multisegment
Garanties :	3 ans/60 000 km, 5 ans/100 000 km
Assemblage :	Toluca, Mexique
Cote d'assurance :	n.d.

DANS LA MÊME CATÉGORIE

Ford Taurus X, Honda Element, Mazda CX-7, Mitsubishi Endeavor

NOS IMPRESSIONS

Agrément de conduite :	½
Fiabilité :	nouveau modèle
Sécurité :	
Qualités hivernales :	
Espace intérieur :	
Confort :	

DU NOUVEAU EN 2009

Nouveau modèle

DODGE NITRO / JEEP LIBERTY

Jeep Liberty

ON RIT, MAIS C'EST PAS DRÔLE...

Depuis quelques années, soit depuis l'époque de l'association avec Daimler-Benz, Chrysler s'est répandu en modèles. Chaque véhicule a désormais son pendant chez Dodge, Jeep ou Chrysler, question de canaliser le plus de public possible dans les salles de montre. C'est dans ce contexte que sont nés les Dodge Nitro et Jeep Liberty, basés sur le duo Dodge Caliber/Jeep Compass. Nous n'avons rien contre la prolifération des modèles... Encore faut-il qu'ils apportent quelque chose à l'industrie automobile, ce qui n'est pas évident ici.

Le Jeep Liberty a d'abord connu une belle carrière dans sa génération précédente. Lancé en 2002 en remplacement du Cherokee, il était mûr pour une refonte majeure l'année dernière. 2008 a donc vu arriver un tout nouveau Liberty, dérivé du Dodge Nitro présenté l'année précédente. Les deux véhicules présentent des lignes semblables. Très carrés, ce qui leur donne une allure vraiment à part et très macho, ils ne gagneront jamais de concours d'aérodynamisme, mais pourraient bien se classer dans un concours de dynamisme!

Mais la beauté générale de ces deux petits VUS ne saurait cacher leur piètre niveau de finition. Par exemple, les différents panneaux de carrosserie, en plus de ne pas toujours être bien alignés, semblent recouverts d'une pelure d'orange. À ce chapitre, le Nitro nous a paru un peu mieux fini que les quelques Liberty essayés. Dans l'habitacle, ce n'est guère mieux et la qualité de certains plastiques laisse pantois. À l'avant, l'espace pour les pieds est réduit par une énorme bosse qui s'étend de chaque côté du tunnel de la transmission. De plus, on ne retrouve aucun repose-pied pour le conducteur. Les sièges s'avèrent relativement confortables même s'ils offrent peu de support latéral. Trouver une position de conduite convenable demande une patience que je ne possède pas. Soit la colonne de direction est trop longue (elle ne s'ajuste pas en profondeur) ou les pédales sont trop éloignées du conducteur. D'ailleurs, c'est à se demander le sérieux de Chrysler dans l'élaboration de ces modèles. Contrairement à ce que l'extérieur laisse supposer, l'habitacle n'est pas très grand.

Le tableau de bord est joliment dessiné, à défaut d'être aussi inspiré que l'extérieur, et l'instrumentation est assez complète. On retrouve aussi des commandes pour le chauffage, mais elles sont plus décoratives qu'autre chose. Essayés en plein hiver, autant le Nitro que le Liberty ont eu de la difficulté à faire monter la température dans l'habitacle et à dégivrer le pare-brise. En passant, notre Liberty possédait l'infâme toit ouvrant de toile qui fait un boucan d'enfer dès les 60 km/h atteints. Et ils demandent plus de 1 500 $ pour ça!

TRISTE LIBERTÉ

Un seul moteur prend place sous le capot du Liberty. Il s'agit du très impotent 3,7 litres, aussi rustre que gourmand, de 210 chevaux et 235 livres-pied de couple. Jusqu'à l'année dernière, ce moteur troublé était associé à une désolante transmission manuelle à six rapports. Maintenant on retrouve seulement une automatique à quatre rapports, mieux adaptée même si un rapport supplémentaire permettrait

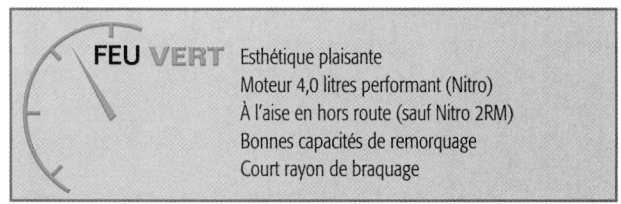

FEU VERT
- Esthétique plaisante
- Moteur 4,0 litres performant (Nitro)
- À l'aise en hors route (sauf Nitro 2RM)
- Bonnes capacités de remorquage
- Court rayon de braquage

FEU ROUGE
- Moteur 3,7 litres à bannir
- Suspensions trop molles (sauf Nitro R/T)
- Suspensions trop dures (Nitro R/T)
- Valeur de revente à pleurer
- Freins exécrables

de réduire la consommation, car 16,8 litres aux 100 km, même par temps froid, c'est comme la neige reçue l'hiver dernier, c'est beaucoup trop.

Le Liberty de base reçoit le rouage Command-Trac II. En option, et uniquement offert avec la transmission automatique, on retrouve le système Select-Trac II. Ces deux rouages ont fait leurs preuves depuis longtemps et sont appréciés des amateurs de hors route. Ils permettent même de remorquer le véhicule derrière un véhicule récréatif, par exemple. Parlant de remorquer, le Liberty peut tirer jusqu'à 2 268 kg (5 000 livres) selon le type d'attache.

LE PÉTARD MOUILLÉ

Le Nitro, le pauvre, propose lui aussi l'indigent 3,7 litres. Et, dans sa version R/T plus sportive, il offre un V6 de 4,0 litres qui développe 260 chevaux et 265 livres-pied de couple. Enfin, un moteur intéressant, qui consomme trop mais pas plus que le 3,7 litres. La transmission automatique à cinq rapports qu'on lui a assignée est en grande partie responsable de cette consommation plus modeste. Évidemment, la solution facile serait de recommander le Nitro R/T, le seul modèle de ce duo qui représente le moindrement d'intérêt. Eh bien, sachez qu'il roule sur des roues de 20 pouces qui coûteront une fortune à changer. En plus, si les autres versions du Nitro et du Liberty sont affublées de suspensions de trampoline, celles du R/T se révèlent trop dures. Vous ai-je parlé des freins ? D'une incompétence totale, ils affligent ce triste duo de distances d'arrêt trop longues. De plus, lors de la simulation d'un freinage d'urgence, j'ai eu la surprise de me retrouver au volant d'un Nitro qui refusait de s'immobiliser. La raison ? Selon un technicien d'un concessionnaire Dodge/Chrysler, j'avais placé mon pied trop haut sur la pédale et le bout de ma botte d'hiver appuyait sur le support, ce qui venait fausser les données du système ABS. Au dire de Chrysler, toutefois, ces freins n'ont jamais fait l'objet de plaintes et respectent les normes de sécurité. Je dois donc m'en remettre à ces informations...

De prime abord, les prix des Liberty, et surtout Nitro, peuvent sembler alléchants. Mais il faut aller plus loin dans l'analyse et considérer le rapport qualité/prix. On dit qu'il ne se fait plus de mauvais véhicules... C'est faux. Si jamais Chrysler LLC se demandait quel produit couper pour réduire ses dépenses, j'ai deux modèles en tête...

Alain Morin

Dodge Nitro

Photos : Alain Morin

VÉHICULE D'ESSAI

SIRIUS RADIO SATELLITE

Version :	Dodge Nitro R/T AWD
Moteur :	V6 de 4,0 litres 12s atmosphérique
Puissance :	260 ch (194 kW) à 6 000 tr/min
Couple :	265 lb-pi (359 Nm) à 4 200 tr/min
Rapport poids/puissance :	7,33 kg/ch (9,82 kg/kW)
Transmission :	automatique, 5 rapports
Rouage :	4x4
0-100 km/h · 80-120 km/h :	7,7 s · 6,7 s
Freinage 100-0 km/h :	43,2 m
Vitesse maximale :	190 km/h
Consommation (100 km) :	ordinaire, 13,6 litres
Autonomie approximative :	544 km
Émissions de CO2 :	5 760 kg/an
Emp/Lon/Lar/Haut (mm) :	2 763 / 4 544 / 1 857 / 1 776
Coffre/Réservoir :	906 à 2 140 / 74 litres
Nombre de coussins de sécurité :	4
Suspension avant :	indépendante, bras inégaux
Suspension arrière :	essieu rigide, multibras
Freins av./arr. :	disque (ABS)
Antipatinage/Contrôle de stabilité :	oui/oui
Direction :	à crémaillère, assistance variable
Diamètre de braquage :	11,1 m
Pneus av./arr. :	P245/50R20
Poids :	1 906 kg
Capacité de remorquage :	2 268 kg

AUTRE(S) COMPOSANTE(S) MÉCANIQUE(S)

Système hybride :	aucun
Moteur diesel :	aucun
Taxe énergivore :	n.d.
Autre(s) moteur(s) :	V6 de 3,7 litres 210 ch/235 lb-pi (13,2 l/100 ordinaire)
Autre(s) rouage(s) :	propulsion
Autre(s) transmission(s) :	automatique, 4 rapports

EN BREF

Échelle de prix :	19 845 $ à 28 045 $ (2008)
Catégorie :	VUS compact
Garanties :	3 ans/60 000 km, 5 ans/100 000 km
Assemblage :	Toledo, Ohio, É-U
Cote d'assurance :	n.d.

DANS LA MÊME CATÉGORIE

Chevrolet Equinox, Ford Escape, Hyundai Santa Fe, Jeep Liberty, Mazda Tribute, Nissan Rogue, Saturn VUE, Suzuki Grand Vitara, Toyota RAV4

NOS IMPRESSIONS

Agrément de conduite :	2½
Fiabilité :	3½
Sécurité :	3½
Qualités hivernales :	4½
Espace intérieur :	3½
Confort :	3

DU NOUVEAU EN 2009

Nouveaux groupes d'options, abandon transmission manuelle

LA BRUTE

Après un premier contact avec la nouvelle Dodge Viper sur le circuit de Virginia International Raceway et sur les routes du Québec l'an dernier, j'ai renoué avec elle puisque nous avons fait l'acquisition d'une Viper Coupé pour le Challenge Trioomph. C'est donc sur le Circuit Mont-Tremblant que s'est poursuivie l'évaluation de cette brute de 600 chevaux...

Seulement une centaine d'exemplaires de la nouvelle Viper ont été alloués au marché canadien pour la première année de production, et nous avons eu la chance d'être parmi les heureux élus. C'est ainsi qu'une Viper Coupé rouge avec bandes argentées est venue remplacer notre Viper Coupé noire de la génération antérieure, le choix du modèle Coupé plutôt que Roadster s'imposant de lui-même pour des raisons évidentes de sécurité en vue de la conduite sur circuit.

UNE PURE ET DURE

Avant d'arriver sur la piste, il faut cependant emprunter les routes balisées où la conduite d'une Viper ne présente pas de problèmes majeurs, mais plutôt certains inconvénients. En effet, le côté pratique est loin d'être évident, la visibilité étant limitée et le conducteur devant apprivoiser la bête qui est totalement dépourvue des « anges gardiens » électroniques que l'on retrouve maintenant sur toutes les voitures haut de gamme. Lors de la refonte vers le modèle actuel, les ingénieurs ont choisi de respecter la vocation première de cette sportive hors norme et de ne pas la doter d'un système de traction asservie ou de contrôle électronique de la stabilité; seul un système de freinage ABS est au programme. Pour cette nouvelle génération, l'embrayage de la Viper a été revu et il est maintenant composé de deux disques plutôt que d'un seul, ce qui demande moins d'effort de la part du conducteur et le rend également plus facile à doser. Le niveau sonore dans l'habitacle fait en sorte que le confort est tout à fait relatif, et il y a fort à parier que si la ministre des Transports disposait d'une Viper comme voiture de fonction, elle ne pourrait s'assoupir en se faisant conduire...

RADICALE AU POINT DE COMMANDER LE RESPECT

Vous l'aurez compris, la Viper n'a pas été conçue pour les douces balades à 100 km/h sur l'autoroute, avec un moteur qui tourne à seulement 1 250 tours/minute en sixième vitesse, mais plutôt pour s'exprimer pleinement dans l'environnement contrôlé et sécuritaire d'un circuit. Premier conseil : avant de prendre la piste, servez-vous un *espresso* bien tassé, histoire d'éveiller tous vos sens. Deuxième conseil : prenez le temps de bien réchauffer les pneus en louvoyant sur les lignes droites, puis de compléter leur montée en température par une série d'accélérations et de freinages toujours sur les lignes droites. Les mots-clés ici sont « lignes droites ». Si vous tentez ce genre de manœuvres en virages alors que les pneus sont encore froids, la glissade ou le tête-à-queue risque de survenir sans avertissement. Il faut donc faire preuve d'une certaine autodiscipline avant d'exploiter

FEU VERT
- Voiture exclusive
- Moteur assez performant, merci !
- Embrayage moins dur
- Prix réaliste

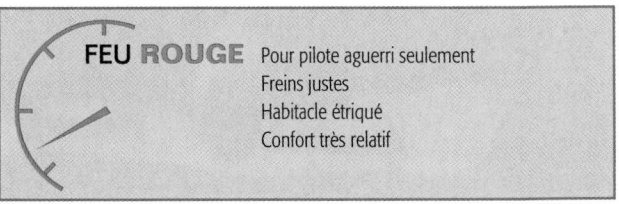

FEU ROUGE
- Pour pilote aguerri seulement
- Freins justes
- Habitacle étriqué
- Confort très relatif

son potentiel de performance. Ce n'est qu'une fois cette première étape passée que vous serez prêt pour l'action.

Le deuxième mot-clé qui doit guider votre pilotage de la Viper sur circuit est le mot anglais *smooth*, que l'on peut traduire par les termes français « progressif, graduel, fluide ». Au volant de la Viper, on n'écrase pas l'accélérateur à fond d'un coup brutal, mais on appuie fermement et progressivement sur l'accélérateur ; on ne freine pas violemment, mais on trouve le point de friction des freins avant d'appuyer avec force sur la pédale ; on ne donne pas de coup de volant brusque, mais on inscrit graduellement la voiture en virage. Ce n'est qu'en conduisant de cette façon que l'on peut atteindre le maximum de ce que la Viper a à offrir.

Et maintenant, voici quelques chiffres qui vous permettront d'apprécier la Viper à sa juste valeur : la puissance est de 600 chevaux, la vitesse maximale est de 322 km/h (200 mi/h), et la Viper est capable d'atteindre 1,05 g d'accélération latérale en virages. Lors d'une accélération franche, le bond en avant est tout simplement prodigieux, et la Viper vous donne l'impression d'avoir été littéralement catapultée vers le prochain virage. Sur circuit, le principal point faible de la Viper se trouve au niveau du freinage. Le système de freinage, mis au point par les experts de Brembo en Italie, ne pose aucun problème en conduite normale, mais comme les freins sont beaucoup plus sollicités sur circuit, leur efficacité diminue légèrement tour après tour, ce qui est normal, mais il devient alors difficile de bien sentir l'effort de freinage maximal avant l'intervention du système ABS, la pédale de frein ne donnant pas beaucoup de *feedback*. Malgré ce point faible, piloter une Viper sur un circuit relève du pur délice.

La Viper, c'est une sportive à l'américaine qui ne fait pas dans la dentelle. Elle est aux antipodes des sportives de haut calibre qui sont plus avancées sur le plan technique, et elle propose une notion plus simpliste de la performance pure avec son V10 qui est un véritable monstre de puissance. La Viper est radicale au point de commander le respect, et comme elle est produite en série limitée, elle possède un cachet d'exclusivité et un pouvoir d'attraction bien réel.

Gabriel Gélinas

Photos : Dodge

VÉHICULE D'ESSAI

Version :	Dodge Viper Coupé
Moteur :	V10 de 8,4 litres 20s atmosphérique
Puissance :	600 ch (448 kW) à 6 100 tr/min
Couple :	560 lb-pi (759 Nm) à 5 000 tr/min
Rapport poids/puissance :	2,60 kg/ch (3,47 kg/kW)
Transmission :	manuelle, 6 rapports
Rouage :	propulsion
0-100 km/h · 80-120 km/h :	4,0 s · 3,6 s
Freinage 100-0 km/h :	36,5 m
Vitesse maximale :	322 km/h
Consommation (100 km) :	super, 16,8 litres
Autonomie approximative :	416 km
Émissions de CO2 :	6 432 kg/an
Emp/Lon/Lar/Haut (mm) :	2 510 / 4 459 / 1 911 / 1 210
Coffre/Réservoir :	193 / 70 litres
Nombre de coussins de sécurité :	2
Suspension avant :	indépendante, bras inégaux
Suspension arrière :	indépendante, bras inégaux
Freins av./arr. :	disque (ABS)
Antipatinage/Contrôle de stabilité :	non/non
Direction :	à crémaillère
Diamètre de braquage :	12,3 m
Pneus av./arr. :	P275/35ZR18 / P345/30ZR19
Poids :	1 565 kg
Capacité de remorquage :	non recommandé

AUTRE(S) COMPOSANTE(S) MÉCANIQUE(S)

Système hybride :	aucun
Moteur diesel :	aucun
Taxe énergivore :	1 000 $
Autre(s) moteur(s) :	aucun
Autre(s) rouage(s) :	aucun
Autre(s) transmission(s) :	aucune

EN BREF

Échelle de prix :	96 100 $ à 97 100 $ (2008)
Catégorie :	coupé, roasdster
Garanties :	3 ans/60 000 km, 5 ans/100 000 km
Assemblage :	Détroit, Michigan, É-U
Cote d'assurance :	n.d.

DANS LA MÊME CATÉGORIE

Chevrolet Corvette Z06, Ferrari 599 GTB Fiorano, Porsche 911 Turbo et GT2, Mercedes-Benz SLR McLaren

NOS IMPRESSIONS

Agrément de conduite :	
Fiabilité :	
Sécurité :	½
Qualités hivernales :	nulles
Espace intérieur :	
Confort :	

DU NOUVEAU EN 2009

Aucun changement majeur

UN CŒUR DE FEU

La 599 GTB Fiorano appartient à la fois à la catégorie des voitures de type grand tourisme et à cette sous-catégorie très restreinte des coupés dont le moteur développe plus de 600 chevaux... Tout comme sa rivale directe, la Mercedes-Benz SLR McLaren, la 599 GTB Fiorano est directement inspirée de l'engagement de la marque italienne en formule 1.

En guise de présentation, précisons que la 599 GTB Fiorano a remplacé la 575 Maranello dans la gamme du constructeur italien. Son nom évoque ses origines, Fiorano étant le nom de la piste d'essai de Ferrari, alors que les lettres GTB signifient Gran Turismo Berlinetta et que le chiffre 599 représente la cylindrée de son moteur divisée par dix.

En montant à bord, on est immédiatement séduit par l'environnement très riche de la 599 GTB Fiorano qui conjugue à la fois cuir, fibre de carbone et aluminium pour créer un habitacle de très grand luxe. Le volant, partiellement conçu en fibre de carbone et qui n'est pas parfaitement circulaire, rappelle celui de la monoplace F1 de la Scuderia avec l'intégration du bouton de démarrage, du *manettino* qui permet de calibrer le degré d'intervention du système de contrôle électronique de la stabilité et des diodes lumineuses dans la partie supérieure qui indiquent au conducteur qu'il est temps de changer de rapport.

UN MOTEUR DÉRIVÉ DE CELUI DE L'ENZO

C'est un véritable cœur de feu qui anime la 599 puisque son moteur V12 est dérivé de celui de la très exclusive Enzo que Ferrari n'a produit qu'à 399 exemplaires. Avec ses 620 chevaux, ce V12 atmosphérique ne concède que 40 chevaux à l'Enzo et livre un énorme potentiel de performance avec un ratio de 103 chevaux par litre de cylindrée. Les ingénieurs ont porté une attention particulière à la signature vocale du moteur en concevant des tubulures d'admission et d'échappement de façon à créer une trame sonore envoûtante pour ce moteur V12. Tout comme les Formule 1 actuelles, la 599 GTB Fiorano témoigne de l'obsession des designers pour l'aérodynamisme, même si ce n'est pas évident au premier coup d'œil puisque les proportions de la voiture sont celles d'une GT classique avec son long capot avant et non pas celles d'une voiture de course. Ainsi, le coefficient aérodynamique de la 599 est remarquablement bas à 0,336, grâce à sa carrosserie étudiée en soufflerie. Pour obtenir ce genre de coefficient et permettre à la voiture de générer une charge aérodynamique de 160 kg à 300 km/h, plusieurs éléments ont dû être optimisés, comme le diffuseur arrière ainsi que les piliers C, dont la forme permet de canaliser le flot d'air sur la lunette arrière.

CALIFORNIA DREAMING

L'an dernier, les rumeurs circulaient sur l'arrivée possible d'une version cabriolet de la 599 GTB Fiorano, mais c'est plutôt à un nouveau modèle auquel nous avons droit cette année, avec le dévoilement de la

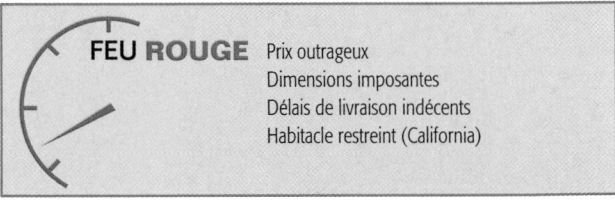

FEU VERT
- Luxe évident
- Mécanique noble
- Aérodynamisme étudié
- Version California

FEU ROUGE
- Prix outrageux
- Dimensions imposantes
- Délais de livraison indécents
- Habitacle restreint (California)

Ferrari California au Mondial de l'automobile de Paris. Cette nouvelle voiture de type grand tourisme à configuration 2+2 avec toit rigide rétractable reprend le nom de la mythique 250 California produite par Ferrari au cours des années 50 et 60. Cette plus récente création en provenance de Maranello est animée par un moteur composé du bloc de la F430, qui est cependant coiffé d'une nouvelle culasse adoptant l'injection directe de carburant.

La puissance annoncée est de 454 chevaux pour ce moteur monté à l'avant et jumelé à une nouvelle boîte à double embrayage qui compte sept rapports, ce qui représente une première pour la marque italienne. Le choix de ce type de boîte a été retenu afin d'obtenir des changements de rapport tout aussi rapides mais moins brusques que ceux livrés par la boîte séquentielle F1, ce qui convient mieux à la vocation de voiture grand tourisme de la California, selon Ferrari.

Tout comme les autres modèles de la marque, la California fait usage d'aluminium pour son châssis et sa carrosserie et, bien que cette nouvelle GT emprunte son bloc-moteur à la F430, elle est génétiquement plus reliée à la Maserati Grand Turismo et à l'Alfa Roméo 8C qu'à la sportive de Maranello, alors que le style est en phase avec la 599 GTB Fiorano et la première California de l'histoire de la marque. Au premier coup d'œil, la configuration de type 2+2 semble similaire à celle de la Porsche 911, ce qui signifie que les places arrière ne conviendront qu'à de très jeunes enfants et que les dossiers de ces sièges sont rabattables, histoire d'offrir un volume de chargement limité dans l'habitacle. Comme toujours avec Ferrari, il faudra prévoir un prix très élevé et de très longs délais de livraison pour ceux qui sont dans les bonnes grâces de la marque au cheval cabré et qui auront l'occasion d'acquérir sa plus récente création.

Gabriel Gélinas

Photos : Ferrari

FERRARI 599 GTB FIORANO

VÉHICULE D'ESSAI

Version :	Ferrari 599 GTB Fiorano
Moteur :	V12 de 6,0 litres 48s atmosphérique
Puissance :	620 ch (463 kW) à 7 600 tr/min
Couple :	448 lb-pi (608 Nm) à 5 600 tr/min
Rapport poids/puissance :	2,72 kg/ch (3,65 kg/kW)
Transmission :	séquentielle
Rouage :	propulsion
0-100 km/h · 80-120 km/h :	3,7 s · 3,0 s
Freinage 100-0 km/h :	30,0 m (estimé)
Vitesse maximale :	330 km/h
Consommation (100 km) :	super, 20,1 litres
Autonomie approximative :	522 km
Émissions de CO2 :	8 160 kg/an
Emp/Lon/Lar/Haut (mm) :	2 750 / 4 666 / 1 961 / 1 336
Coffre/Réservoir :	320 / 105 litres
Nombre de coussins de sécurité :	2
Suspension avant :	indépendante, bras inégaux
Suspension arrière :	indépendante, triangles superposés
Freins av./arr. :	disque (ABS)
Antipatinage/Contrôle de stabilité :	oui/oui
Direction :	à crémaillère, assistance variable
Diamètre de braquage :	11,6 m
Pneus av./arr. :	P245/40ZR19 / P305/35ZR20
Poids :	1 688 kg
Capacité de remorquage :	non recommandé

AUTRE(S) COMPOSANTE(S) MÉCANIQUE(S)

Système hybride :	aucun
Moteur diesel :	aucun
Taxe énergivore :	4 000 $
Autre(s) moteur(s) :	aucun
Autre(s) rouage(s) :	aucun
Autre(s) transmission(s) :	aucune

EN BREF

Échelle de prix :	403 120 $ à 425 600 $
Catégorie :	GT
Garanties :	2 ans/ illimité km, 2 ans/ illimité km
Assemblage :	Maranello, Italie
Cote d'assurance :	n.d.

DANS LA MÊME CATÉGORIE

Aston Martin Vanquish, Bentley Continental GT, Mercedes-Benz CL65 AMG

NOS IMPRESSIONS

Agrément de conduite :	
Fiabilité :	
Sécurité :	
Qualités hivernales :	nulles
Espace intérieur :	
Confort :	

DU NOUVEAU EN 2009

Aucun changement majeur

HOMMAGE MODERNE AU PASSÉ

Chez Ferrari, on a toujours eu le sens de l'histoire. La plupart du temps, même les modèles les plus techniquement avancés portent une désignation reliée au passé. C'est le cas de la 612 Scaglietti, ce coupé quatre places qui veut rendre hommage à Sergio Scaglietti, un carrossier de la région de Modène qui a contribué à fabriquer les carrosseries en aluminium de plusieurs Ferrari légendaires au cours des années 50 et 60. Cela ne signifie pas pour autant que la silhouette et la mécanique soient rétro.

Bien au contraire! La plus grosse des Ferrari est propulsée par un moteur douze cylindres dont la technologie est inspirée des moteurs de formule 1. En plus, sa plate-forme et sa carrosserie font appel à un usage intensif de l'aluminium. Contrairement à plusieurs marques de prestige qui aiment nous rappeler le passé en proposant des mécaniques plus ou moins modernes, à Maranello, on fait le contraire.

MOTEUR AVANT!

Au cours des trois dernières décennies, il était presque automatique, du moins dans les voitures ultra sportives, de placer le moteur en position centrale afin d'optimiser le comportement routier et la performance. Chez Ferrari toutefois, on a préféré, dans la dernière génération des voitures à moteur V12, placer ce moteur à l'avant. Non seulement cette configuration facilite-t-elle la disposition des éléments mécaniques, mais elle permet aussi d'avoir un habitacle plus confortable et plus spacieux, un must pour une voiture quatre places. Et le plus intéressant dans cette équation, c'est que le positionnement du moteur à l'avant ne nuit nullement à la tenue de route ni au comportement routier. Selon Amedeo Felisa, le grand responsable du développement des voitures chez Ferrari, l'utilisation de la conception par l'ordinateur, de nouveaux matériaux et de l'assistance électronique au pilotage permet d'obtenir des résultats impressionnants avec cette architecture mécanique.

Ce gros moteur V12 de 5,7 litres est placé derrière l'essieu avant afin d'optimiser la répartition des masses. Pour la même raison, la transmission est placée à l'arrière avec le différentiel, ce qui explique en bonne partie l'empattement très long de cette Ferrari. Celui-ci est de 2 950 mm, soit 300 mm de plus que l'empattement de la F430! Ce moteur extraordinaire produit 540 chevaux, ce qui explique un rapport poids/puissance impressionnant pour une voiture de ce gabarit.

Soulignons au passage que la Ferrari 612 a été la première Ferrari de route équipée d'un système antipatinage.

ÉLÉGANCE ET PERFORMANCE

Les stylistes de Pininfarina, le designer attitré de la marque, n'ont pas toujours eu le coup de crayon heureux pour dessinerer des modèles quatre places. Il y a eu tout de même des modèles d'exception, mais il s'agissait souvent de versions 2+2 qui sacrifiaient le confort des places arrière à l'esthétique. La Scaglietti pour sa part réussit à combiner confort, élégance et performance.

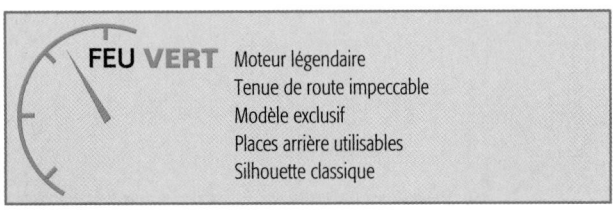

FEU VERT
- Moteur légendaire
- Tenue de route impeccable
- Modèle exclusif
- Places arrière utilisables
- Silhouette classique

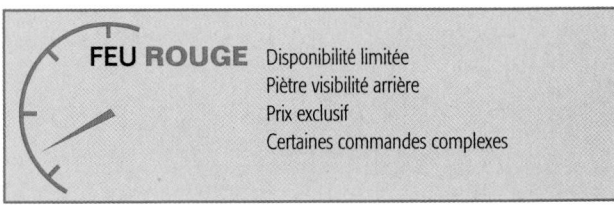

FEU ROUGE
- Disponibilité limitée
- Piètre visibilité arrière
- Prix exclusif
- Certaines commandes complexes

Au chapitre du confort, les places arrière ne sont pas symboliques et peuvent être utilisées par des adultes de taille moyenne. Il est vrai que leur accès nécessite certaines contorsions, mais une fois en place, le confort est surprenant, tout comme le dégagement pour les jambes. Toutefois, si vous avez le gabarit d'un joueur de football, inutile d'essayer. Les occupants des places avant jouissent de tout l'espace dont ils ont besoin et les sièges offrent à la fois confort et support latéral, bien que la sellerie en cuir soit très glissante.

À première vue, la disposition des commandes sur le tableau de bord paraît très confuse. Les boutons de la climatisation semblent avoir été empruntés à la navette spatiale, mais il suffit de quelques secondes pour s'y retrouver. Un écran d'affichage est situé à la gauche du compte-tours placé en plein centre de la nacelle des instruments.

Malgré ses dimensions imposantes pour une Ferrari, la 612 surprend par son agilité et ses performances. Pour la petite histoire, le constructeur annonce une vitesse de pointe de 320 km/h et un temps d'accélération de 4,2 secondes pour boucler le 0-100 km/h. Comme sur les voitures de formule 1, la boîte de vitesse à six rapports est séquentielle et se commande par des palets placés derrière le volant. Il est inutile de consacrer bien des lignes à sa conduite, car cette voiture est exceptionnelle à tous points de vue. Son agilité surprend sur la piste et son confort s'apprécie sur la grande route.

Un détail en terminant : les parois latérales incurvées de la Scaglietti sont inspirées de la 375 MM, un modèle exclusif commandé par Roberto Rossellini en 1954 pour en faire cadeau à Ingrid Bergman !

Denis Duquet

Photos : Ferrari

VÉHICULE D'ESSAI

Version :	Ferrari 612 Scaglietti
Moteur :	V12 de 5,7 litres 48s atmosphérique
Puissance :	540 ch (403 kW) à 7 250 tr/min
Couple :	434 lb-pi (589 Nm) à 5 250 tr/min
Rapport poids/puissance :	3,40 kg/ch (4,56 kg/kW)
Transmission :	manuelle, 6 rapports
Rouage :	propulsion
0-100 km/h · 80-120 km/h :	4,2 s · 3,2 s
Freinage 100-0 km/h :	32,3 m
Vitesse maximale :	320 km/h
Consommation (100 km) :	super, 22,8 litres
Autonomie approximative :	473 km
Émissions de CO2 :	8 784 kg/an
Emp/Lon/Lar/Haut (mm) :	2 950 / 4 900 / 1 957 / 1 345
Coffre/Réservoir :	240 / 108 litres
Nombre de coussins de sécurité :	4
Suspension avant :	indépendante, multibras
Suspension arrière :	indépendante, multibras
Freins av./arr. :	disque (ABS)
Antipatinage/Contrôle de stabilité :	oui/oui
Direction :	à crémaillère, assistance variable
Diamètre de braquage :	n.d.
Pneus av./arr. :	P245/45ZR18 / P285/40ZR19
Poids :	1 840 kg
Capacité de remorquage :	non recommandé

AUTRE(S) COMPOSANTE(S) MÉCANIQUE(S)

Système hybride :	aucun
Moteur diesel :	aucun
Taxe énergivore :	4 000 $
Autre(s) moteur(s) :	aucun
Autre(s) rouage(s) :	aucun
Autre(s) transmission(s) :	séquentielle

EN BREF

Échelle de prix :	390 570 $ (2008)
Catégorie :	GT
Garanties :	2 ans/ illimité km, 2 ans/ illimité km
Assemblage :	Maranello, Italie
Cote d'assurance :	n.d.

DANS LA MÊME CATÉGORIE

Aston Martin Vanquish, Bentley Continental GT, Mercedes-Benz CL65 AMG

NOS IMPRESSIONS

Agrément de conduite :	
Fiabilité :	
Sécurité :	
Qualités hivernales :	
Espace intérieur :	
Confort :	

DU NOUVEAU EN 2009

Aucun changement majeur

INSPIRATION COURSE

L'édition 2008 du *Guide de l'auto* nous a permis de célébrer à notre façon le soixantième anniversaire de la marque au cheval cabré avec un essai spécial de la F430 réalisé sur le circuit du Mont-Tremblant. Compte tenu des performances exceptionnelles de cette voiture sur la piste, on avait peine à croire que Ferrari serait en mesure de les améliorer d'un cran et c'est pourtant ce qui s'est produit avec l'arrivée de la nouvelle version F430 Scuderia dont la mise au point résulte du Challenge Ferrari.

Si vous avez assisté au Grand Prix du Canada au cours des dernières années, vous avez sûrement remarqué la présence en piste des voitures du Challenge Ferrari qui est organisé par la marque à l'intention des richissimes clients qui désirent courir entre eux dans un championnat de type *gentleman racer*. Les F430 qui prennent part à ces courses ont été considérablement modifiées, et la plupart des changements apportés à ces voitures, exception faite de la cage de sécurité et d'autres éléments de sécurité directement reliés à l'usage de la voiture en compétition, se retrouvent maintenant sur la nouvelle F430 Scuderia.

OPÉRATION MINCEUR

Tout comme les Porsche 911 GT3 et GT3RS ainsi que la Lamborghini LP 560-4, la Scuderia a été optimisée en vue d'en faire une voiture de course avec plaque d'immatriculation. La puissance du moteur a été portée à 503 chevaux, et le poids de la voiture a été réduit de 100 kilos, les ingénieurs ayant remplacé le verre de la lunette arrière par du Lexan en plus d'enlever les tapis de l'habitacle et d'installer des sièges de course plus moulants et plus légers. Dès la sortie des puits, on perçoit immédiatement que la « trame sonore » du moteur est beaucoup plus présente que celle de la F430 « ordinaire », et que cette pure musique annonce une expérience hors du commun. Ferrari prétend que la Scuderia est aussi rapide qu'une Enzo sur le circuit de Fiorano, ce que je n'ai aucune peine à croire sur la base des tours que j'ai bouclés avec cette voiture sur un circuit.

OPTIMISATION COURSE

Au freinage, les freins en composite de céramique entrent en action et la décélération est à la fois massive et bien contrôlée. En accélération à pleine charge à la sortie d'un virage, c'est la boîte séquentielle F1 Superfast 2 qui impressionne, les changements de rapports se faisant maintenant en 60 millièmes de seconde, soit aussi rapidement qu'une Formule Un d'il y a quelques années, alors que la F430 habituelle prend 150 millièmes de seconde à chaque changement de rapport. Vous l'aurez compris, tout ici est une question de détails et de petites améliorations apportées à chacun des systèmes de la voiture en vue d'en optimiser la performance.

Cette approche se confirme avec les réglages du système de contrôle électronique de la stabilité et de la traction asservie qui permettent, sur la Scuderia, l'adoption d'une configuration qui désactive la traction asservie, mais qui garde le contrôle de la stabilité en fonction, ce qui

FEU VERT
La référence de la catégorie
Direction ultra précise
Moteur fabuleux
Fiabilité surprenante

FEU ROUGE
Prix stratosphérique
Diffusion limitée
Usage estival seulement

autorise le conducteur à pousser la voiture au maximum tout en conservant une certaine marge de sécurité. Même la calibration des amortisseurs peut être contrôlée par le conducteur, cela permet d'adapter les réglages de suspension d'un virage à l'autre. C'est dans les virages rapides que l'on sent vraiment la différence entre une « simple » F430 et la Scuderia, cette dernière offrant une meilleure adhérence. Véritable bête de circuit, la Scuderia se conduit quand même facilement sur les routes, où il est cependant préférable de choisir l'amortissement le plus souple pour moins souffrir de la piètre qualité de notre réseau routier...

FIABILITÉ ÉPROUVÉE

On pourrait croire que des voitures aussi performantes et si fortement sollicitées lors de la conduite sur circuit demandent de fréquentes et très chères visites à l'atelier, mais ça pas été le cas de la F430 que nous avons utilisée pendant les trois premières années du Challenge Trioomph. Elle n'a consommé que du carburant, de l'huile moteur, des pneus et des plaquettes de freins, ce qui est tout à fait normal compte tenu de l'usage intensif que nous en avons fait.

Contrairement à la Scuderia, qui n'existe qu'en coupé, la F430 est également proposée en modèle Spyder, qui est la désignation italienne d'un cabriolet, et qui est presque aussi performant que le modèle coupé, malgré le fait que son poids est supérieur de l'ordre de 70 kilos. Peu importe le modèle sélectionné, la F430 est l'une des sportives les plus performantes au monde, il faut simplement choisir le degré de « sportivité » de la voiture, la Scuderia représentant l'évolution la plus performante et la plus radicale de la gamme, et se préparer à payer un prix astronomique ainsi qu'à composer avec d'importants délais de livraison.

Gabriel Gélinas

Photos : Ferrari

VÉHICULE D'ESSAI

Version :	Ferrari F430 Coupé F1
Moteur :	V8 de 4,3 litres 32s atmosphérique
Puissance :	490 ch (366 kW) à 8 500 tr/min
Couple :	343 lb-pi (465 Nm) à 5 250 tr/min
Rapport poids/puissance :	2,95 kg/ch (3,97 kg/kW)
Transmission :	manuelle, 6 rapports
Rouage :	propulsion
0-100 km/h · 80-120 km/h :	4,0 s · 3,2 s
Freinage 100-0 km/h :	n.d.
Vitesse maximale :	315 km/h
Consommation (100 km) :	super, 18,9 litres
Autonomie approximative :	502 km
Émissions de CO2 :	7 680 kg/an
Emp/Lon/Lar/Haut (mm) :	2 600 / 4 512 / 1 923 / 1 214
Coffre/Réservoir :	250 / 95 litres
Nombre de coussins de sécurité :	2
Suspension avant :	indépendante, multibras
Suspension arrière :	indépendante, multibras
Freins av./arr. :	disque (ABS)
Antipatinage/Contrôle de stabilité :	oui/oui
Direction :	à crémaillère, assistée
Diamètre de braquage :	10,8 m
Pneus av./arr. :	P225/35ZR19 / P285/35ZR19
Poids :	1 450 kg
Capacité de remorquage :	non recommandé

AUTRE(S) COMPOSANTE(S) MÉCANIQUE(S)

Système hybride :	aucun
Moteur diesel :	aucun
Taxe énergivore :	4 000 $
Autre(s) moteur(s) :	V8 de 4,3 litres 510 ch/347 lb-pi (19,0 l/100 super) (Scuderia)
Autre(s) rouage(s) :	aucun
Autre(s) transmission(s) :	séquentielle (Coupé, Coupé F1, Spider, Spider F1) automatique, 6 rapports (Scuderia)

EN BREF

Échelle de prix :	256 595 $ à 350 000 $ (2008)
Catégorie :	coupé, roasdster
Garanties :	2 ans/ illimité km, 2 ans/ illimité km
Assemblage :	Maranello, Italie
Cote d'assurance :	n.d.

DANS LA MÊME CATÉGORIE

Aston Martin DB9, Chevrolet Corvette Z06, Dodge Viper SRT10, Lamborghini Gallardo, Maserati Gran Turismo, Mercedes-Benz SL55 AMG, Porsche 911 Turbo

NOS IMPRESSIONS

Agrément de conduite :	🚗🚗🚗🚗🚗
Fiabilité :	🚗🚗🚗🚗 ½
Sécurité :	🚗🚗🚗 ½
Qualités hivernales :	nulles
Espace intérieur :	🚗🚗🚗
Confort :	🚗🚗🚗

DU NOUVEAU EN 2009

Aucun changement majeur

UNE AUTRE PREUVE

Après s'être entêté à produire de gros véhicules utilitaires sport et à vanter les mérites des camionnettes, Ford a finalement décidé de se mettre au goût du jour l'an dernier en lançant le Edge. Avec ce véhicule, le constructeur a mis sur le marché un produit moderne dont la silhouette, la conception et la mécanique sont en mesure d'affronter ce qu'il y a de mieux chez la concurrence dans la catégorie des multisegments. Le Edge est la preuve que Ford peut nous proposer des produits intéressants et compétitifs.

Mais, même si les résultats sont probants sur les plans de la conduite et de l'esthétique, Ford n'a pas gagné la partie pour autant. Il doit en effet convaincre les acheteurs que ses nouveaux produits sont non seulement attrayants et agréables à conduire, mais dotés d'une fiabilité aussi bonne que celle proposée par la concurrence asiatique.

SILHOUETTE ORIGINALE

Puisque le Edge partage plusieurs de ses éléments avec la Mazda 6, il aurait été facile de concevoir une carrosserie ressemblant aux modèles CX-7 et CX-9, comme cela s'est fait avec les Ford Escape et Mazda Tribute. Heureusement, on a résisté à cette solution simpliste et les designers ont dessiné une silhouette à la fois originale et élégante qui se démarque, au premier coup d'œil, des autres véhicules sur la route. Les feux arrière cristallins, la grille de calandre constituée de trois languettes horizontales chromées ainsi que des passages de roues en relief sont autant d'éléments qui le différencient du lot. Nous sommes loin du design tentant de faire ressembler tous les véhicules à hayon à l'Explorer.

Le tableau de bord est pas mal réussi également, avec sa console centrale bien en évidence encadrée par deux buses de ventilation verticales. Les commandes qui y logent sont faciles d'accès et de manipulation. Les cadrans indicateurs à fond blanc pourraient être de dimensions plus généreuses, tandis que les commandes montées en périphérie du moyeu du volant ne sont pas tellement intuitives. Il faut souligner la qualité de la finition et de l'assemblage, bien que certains matériaux pourraient être de meilleure qualité.

Un autre point positif est l'espace disponible pour les occupants autant à l'avant qu'à l'arrière. La banquette arrière est bien rembourrée et confortable, d'autant plus que l'inclinaison du dossier est réglable. Celui-ci peut être rabattu de l'arrière à l'aide d'une télécommande mécanique. Et si vous vous demandez pourquoi il n'y a pas de troisième rangée, la réponse est simple : il y a déjà la Taurus X et la Flex, qui vient s'ajouter cette année, qui offrent cette possibilité.

En fait, si ce genre de détail vous intéresse, le Edge peut être équipé d'un toit panoramique double moyennant un supplément. Il faut noter que l'équipement de série de ce modèle est bien étoffé et que les principales options offertes sont assez luxueuses, comme le système de commandes parlées et de navigation par satellite.

FEU VERT
Mécanique moderne
Silhouette élégante
Tenue de route saine
Bonne habitabilité
Équipement de série complet

FEU ROUGE
Direction engourdie
Agrément de conduite mitigé
Certains plastiques à remplacer
Pneumatiques moyens

MÉCANIQUE MODERNE, COMPORTEMENT SAIN

Si la direction de la compagnie ne s'était pas sentie menacée par une concurrence de plus en plus affûtée, je suis certain qu'on nous aurait servi encore une fois un vieux moteur à soupapes en tête et une boîte automatique à quatre rapports. Cependant, la situation est critique et il fallait contrer la concurrence par une mécanique moderne. Le Edge bénéficie donc d'un moteur V6 de 3,5 litres d'une puissance de 265 chevaux et relié à une transmission automatique à six rapports. Les deux travaillent en parfaite harmonie, bien que la transmission soit quelque peu paresseuse, surtout pour rétrograder.

Un bon moteur avec une plate-forme déficiente ne donne pas de bons résultats. Heureusement, celle du Edge est rigide à souhait et la suspension indépendante aux quatre roues accomplit du bon travail également. Ce modèle se comporte non pas comme une camionnette modifiée, mais davantage comme une grosse familiale. J'aurais aimé pour ma part être assis moins haut et avoir le sentiment de conduire un véhicule un peu plus agile. Mais il faut reconnaître le fait que la clientèle visée aime se sentir en sécurité au volant d'un VUM, ce qui explique la position de conduite élevée et le *feeling* de gros véhicule.

En fait de conduite, le Edge n'a pas la sportivité d'une Mazda CX-7 ou le caractère pantouflard de la CX-9, mais se situe entre les deux. Bien insonorisé, confortable et doté d'un groupe propulseur adéquat qui peut aussi être jumelé avec une transmission intégrale optionnelle, il est en mesure d'accomplir bien des tâches sans décevoir, en plus d'offrir une soute à bagages aux dimensions généreuses. Et, dernier détail, la fiabilité de ce modèle depuis son entrée sur le marché est supérieure à la moyenne, tandis que le taux de satisfaction de ses propriétaires est excellent, surpassant ainsi la Toyota Highlander dans cette catégorie.

Denis Duquet

Photos : Ford

VÉHICULE D'ESSAI

Version :	Ford Edge Sport AWD
Moteur :	V6 de 3,5 litres 24s atmosphérique
Puissance :	265 ch (198 kW) à 6 250 tr/min
Couple :	250 lb-pi (339 Nm) à 4 500 tr/min
Rapport poids/puissance :	6,99 kg/ch (9,35 kg/kW)
Transmission :	automatique, 6 rapports
Rouage :	intégral
0-100 km/h · 80-120 km/h :	8,1 s · 6,2 s
Freinage 100-0 km/h :	48,0 m
Vitesse maximale :	185 km/h
Consommation (100 km) :	ordinaire, 12,8 litres
Autonomie approximative :	562 km
Émissions de CO2 :	5 184 kg/an
Emp/Lon/Lar/Haut (mm) :	2 824 / 4 717 / 1 925 / 1 702
Coffre/Réservoir :	909 à 1 971 / 72 litres
Nombre de coussins de sécurité :	6
Suspension avant :	indépendante, jambes de force
Suspension arrière :	indépendante, multibras
Freins av./arr. :	disque (ABS)
Antipatinage/Contrôle de stabilité :	oui/oui
Direction :	à crémaillère, assistance variable
Diamètre de braquage :	11,5 m
Pneus av./arr. :	P265/40R22
Poids :	1 853 kg
Capacité de remorquage :	907 kg

AUTRE(S) COMPOSANTE(S) MÉCANIQUE(S)

Système hybride :	aucun
Moteur diesel :	aucun
Taxe énergivore :	aucune
Autre(s) moteur(s) :	aucun
Autre(s) rouage(s) :	traction
Autre(s) transmission(s) :	aucune

EN BREF

Échelle de prix :	31 529 $ à 36 869 $ (2008)
Catégorie :	multisegment
Garanties :	3 ans/60 000 km, 5 ans/100 000 km
Assemblage :	Oakville, Ontario, Canada

DANS LA MÊME CATÉGORIE

GMC Acadia, Honda Pilot, Hyundai Veracruz, Kia Sorento, Mazda CX-7/CX-9, Mitsubishi Endeavor, Nissan Murano, Saturn Outlook, Subaru Tribeca, Toyota Highlander

NOS IMPRESSIONS

Agrément de conduite :	3 ½
Fiabilité :	4 ½
Sécurité :	4 ½
Qualités hivernales :	4 ½
Espace intérieur :	4
Confort :	4 ½

DU NOUVEAU EN 2009

Nouvelle version Sport

Ford Escape

APRÈS L'ESTHÉTIQUE, LA MÉCANIQUE !

L'année dernière, le duo Ford Escape et Mazda Tribute avait connu sa part d'améliorations cosmétiques, autant à l'extérieur qu'à l'intérieur, ce qui était plus que bienvenu. Par contre, les mécaniques n'avaient pas été changées... et ce n'est pas parce qu'elles n'en avaient pas besoin ! Cette année, Ford a remédié à la situation. Il aura fallu deux ans au duo pour être mis au goût du jour et, après tout ce temps, on est en droit de se demander si l'attente en valait la peine. Voyons-y de plus près...

Tout d'abord, mentionnons que l'an passé, les changements cosmétiques apportés aux Escape et Tribute leur ont permis de demeurer visuellement dans le coup. La meilleure nouvelle avait cependant trait à l'habitacle, tout nouveau. Et avant que vous nous posiez la question, si nous incluons le Mazda Tribute dans notre essai du Ford Escape, c'est qu'il s'agit du même véhicule malgré quelques petites différences visuelles. D'ailleurs, ils sont assemblés à la même usine ! À partir d'ici, nous ne parlerons que de l'Escape, dans le but d'alléger le texte.

MOTEURS AMÉLIORÉS

Tout comme auparavant, le Ford Escape propose trois moteurs, soit deux quatre cylindres dont un à essence et un hybride, ainsi qu'un V6. Tous ces moteurs peuvent être associés à la traction (roues avant motrices) ou à un rouage intégral. Le quatre cylindres est passé de 2,3 litres à 2,5 et affiche maintenant 171 chevaux et autant de couple. Ce 2,5 litres est doté de la technologie i-VCT (*intake variable cam timing*) qui agit sur l'admission pour aider à réduire la consommation et améliorer les performances. Le modèle de base (XLS) reçoit, d'office, une transmission manuelle à cinq rapports tandis qu'une boîte automatique à six rapports est aussi disponible. En équipant cette transmission de deux rapports supplémentaires par rapport à l'ancienne, le moteur se montre plus économique et plus silencieux. Alors que le modèle V6 4WD était, jusqu'à récemment, l'Escape plus populaire, le quatre cylindres, toujours à rouage intégral, remonte drôlement la pente à cause du prix de l'essence.

La cylindrée du moteur V6 demeure à 3,0 litres mais la puissance passe de 200 à 240 chevaux, et le couple fait maintenant 223 livres-pied comparativement à 193 dans l'ancienne version. La seule transmission qui peut s'associer avec ce moteur est l'automatique à six rapports. Ce V6 n'est pas plus léger que celui qu'il remplace, ni plus moderne, mais on l'a sérieusement modifié (culasses, arbres à cames, injecteurs, collecteurs d'admission et d'échappement et pistons). L'ajout de puissance et le mariage avec la transmission à six rapports le rendent mieux adapté au véhicule et le rendent plus performant tout en consommant un peu moins... ce qui veut dire encore beaucoup !

On a aussi profité de l'occasion pour réviser le moteur hybride. À noter que ce dernier n'est pas proposé dans la gamme du Mazda Tribute. Celui à essence livre 153 chevaux et 136 livres-pied de couple et on lui

FEU VERT
- Quatre cylindres bien adapté
- Transmission automatique à six rapports
- Version hybride plus conviviale (Ford)
- Manuelle offerte avec 4 cylindres
- Style macho

FEU ROUGE
- Version hybride non offerte chez Mazda
- V6 trop gourmand
- Performances en retrait
- Quatre cylindres bruyant en accélération
- Nullement sportif

a adjoint un moteur électrique de 94 chevaux et de 330 volts. Ce moteur est encore lié à une transmission à rapports continuellement variables (CVT). Les ingénieurs ont passablement travaillé pour réduire les vibrations lors du passage entre celui à essence et l'électrique et vice-versa, et leurs efforts doivent être salués tant ils ont bien réussi. Ils ont aussi peaufiné le système de freinage. Comme avant, il est possible de rouler uniquement en mode électrique, mais il faut alors se montrer des plus délicats avec l'accélérateur et ne pas se préoccuper de ce que les autres conducteurs pensent (ou disent) de nous...

PAS SPORTIF MAIS PLUS AGRÉABLE À CONDUIRE QU'AVANT

Malgré toutes ces améliorations, on ne peut toujours pas affirmer que l'Escape mérite le qualificatif « sportif ». Certes, on a moins l'impression que le véhicule traîne un barrage de la Baie James derrière lui, mais une conduite rapide sur des routes sinueuses nous ramène à la réalité. Tant qu'à modifier les moteurs, les ingénieurs en ont profité pour resserrer le ratio de la direction électrique et rendre les amortisseurs et ressorts plus fermes qu'avant. Ces modifications ne changent pas le comportement routier du tout au tout, mais permettent à l'Escape d'être un peu plus incisif tout en n'affectant aucunement le confort. À noter que le quatre cylindres peut remorquer jusqu'à 1 500 livres (680 kilos) tandis que l'hybride tracte 1 000 livres (654 kilos). Le V6, lorsqu'équipé en conséquence, peut tirer jusqu'à 3 500 livres (1 588 kilos).

À notre grande surprise, le niveau de finition de l'habitacle des quelques exemplaires 2009 mis à notre disposition par Ford était nettement supérieur à ce que nous étions habitués. Aux États-Unis, l'union entre Ford et Sirius, fournisseur de service de radio satellite, a donné naissance à une intéressante innovation, le Travel Link. L'écran dédié au GPS devient ainsi une source d'information sans cesse renouvelée. On peut y trouver, entre autres, l'adresse du cinéma le plus proche et l'horaire des films ainsi que les prix de l'essence. Mais plus important encore, ce système reconnaît les zones de travaux et de congestion et avise le conducteur de l'action à prendre. Souhaitons que ce système parvienne au Canada dans les plus brefs délais !

Selon nous, le meilleur compromis demeure une version quatre cylindres à traction. Plus économique, ce modèle devrait satisfaire les besoins de la majorité des acheteurs.

Alain Morin

Photos : Alain Morin

VÉHICULE D'ESSAI

SIRIUS RADIO SATELLITE

Version :	Ford Escape LTD 4 cyl FWD
Moteur :	4L de 2,5 litres 16s atmosphérique
Puissance :	171 ch (128 kW) à 6 000 tr/min
Couple :	171 lb-pi (232 Nm) à 4 500 tr/min
Rapport poids/puissance :	8,90 kg/ch (11,89 kg/kW)
Transmission:	manuelle, 5 rapports
Rouage :	traction
0-100 km/h · 80-120 km/h :	11,0 s · 8,6 s
Freinage 100-0 km/h :	40,0 m
Vitesse maximale :	n.d.
Consommation (100 km) :	ordinaire, 10,3 litres (2008)
Autonomie approximative :	601 km
Émissions de CO2 :	4 368 kg/an
Emp/Lon/Lar/Haut (mm) :	2 618 / 4 437 / 1 805 / 1 725
Coffre/Réservoir :	826 à 1 877 / 62 litres
Nombre de coussins de sécurité :	6
Suspension avant :	indépendante, jambes de force
Suspension arrière :	indépendante, multibras
Freins av./arr. :	disque/tambour (ABS)
Antipatinage/Contrôle de stabilité :	oui/oui
Direction :	à crémaillère, assistance variable
Diamètre de braquage :	11,1 m
Pneus av./arr. :	P235/70R16
Poids :	1 522 kg
Capacité de remorquage :	680 kg

AUTRE(S) COMPOSANTE(S) MÉCANIQUE(S)

Système hybride :	Deux moteurs/générateurs électriques, piles nickel-métal hydrure de 330 volts, Puissance moteurs électriques de 94 chevaux.
Moteur diesel :	aucun
Taxe énergivore :	aucune
Autre(s) moteur(s) :	V6 de 3,0 litres 240 ch/223 lb-pi 4L de 2,5 litres 153 ch/136 lb-pi (5,7 l/100) (Hybride)
Autre(s) rouage(s) :	intégral (, Hybride)
Autre(s) transmission(s) :	CVT (Hybride) automatique, 6 rapports

EN BREF

Échelle de prix :	23 914 $ à 30 739 $ (2008)
Catégorie :	VUS compact
Garanties :	3 ans/60 000 km, 5 ans/100 000 km
Assemblage :	Wayne, Michigan, É-U
Cote d'assurance :	bonne

DANS LA MÊME CATÉGORIE

Chevrolet Equinox, Honda CR-V, Hyundai Tucson, Jeep Liberty, Kia Sportage, Mazda Tribute, Mitsubishi Outlander, Nissan Rogue, Pontiac Torrent, Saturn VUE

NOS IMPRESSIONS

Agrément de conduite :	
Fiabilité :	
Sécurité :	
Qualités hivernales :	
Espace intérieur :	
Confort :	

DU NOUVEAU EN 2009

4 cyl passe de 2,3 à 2,5 litres, V6 plus puissant, transmission automatique à six rapports

Ford Expedition

TANT D'EFFORTS, SI PEU DE VENTES

Vous savez quoi? Je me bidonne pratiquement chaque fois que Ford nous fait part de son supposé souci de l'environnement. Certes, le constructeur nous propose l'Escape et la Fusion en version hybride, mais ces deux véhicules sont offerts à taux ridicules et sont presque aussi rares qu'un caribou sur l'île de Montréal. Quant au segment des compactes et sous-compactes, il ne se résume, chez Ford, qu'à cette désolante Focus qui n'a d'avenir que dans les parcs de location de voitures. À l'opposé, on remarque que les ingénieurs de Ford n'y sont pas allés de main morte en renouvelant en 2007 leur duo d'utilitaires pleine grandeur, très pollueurs...

En fait, en constatant la qualité et l'innovation présentes dans l'Expedition et le Navigator, on pourrait même croire que les ingénieurs de Ford, surtout reconnus pour leur passion et leur savoir-faire en matière de camion, ont choisi de suivre ce que leur cœur leur disait. C'est à croire qu'ils sont entrés à l'aube pour travailler avec passion et dévouement sur un projet comme celui de l'Expedition, pour ensuite être convoqués à travailler en heures supplémentaires pour le développement de la Focus. Le problème, c'est que le travail bâclé, tant par désintérêt que pour des raisons de compressions budgétaires, a été effectué sur un produit qui se vend carrément dix fois plus que l'Expedition.

Bien sûr, ce bref exposé n'est que fiction, mais c'est tout de même l'impression que laisse le constructeur en nous présentant des produits populaires aussi moches, et des véhicules à contre-courant aussi exceptionnels. C'est aussi la conclusion que j'en tire après avoir essayé et analysé les différentes versions des Expedition et Navigator qui m'ont été confiées au cours des deux dernières années.

GAGE DE QUALITÉ

C'est en effectuant plusieurs exercices de comparaison avec la concurrence que l'on peut apprécier la qualité supérieure des VUS pleine grandeur Ford. Des cuirs aux plastiques, en passant par les moquettes, boiseries, accents métalliques et autres éléments décoratifs, tout ici respire la qualité. Lors d'un match comparatif effectué entre un Cadillac Escalade et un Lincoln Navigator, tous les essayeurs avaient préféré, de loin, l'habitacle du Lincoln. L'accès facile à toutes les places, la disposition des éléments, la qualité rehaussée des matériaux et la richesse de la présentation avaient contribué à surclasser l'ennemi.

Bien sûr, le fait que le duo Expedition/Navigator soit en mesure d'offrir un plancher de charge totalement plat demeure un grand atout. On a qu'à rabattre les dossiers des sièges des deux rangées arrière pour bénéficier d'un espace cargo pouvant dépasser, dans la version allongée, les 3 700 litres. C'est grâce à l'adoption d'une suspension arrière indépendante qu'on a pu abaisser le plancher pour prendre en défaut les Tahoe/Yukon/Subarban/Escalade.

Étonnamment, le conducteur qui prend place derrière le volant n'a pas l'impression de se trouver aux commandes d'un paquebot, comme c'est le cas avec le Toyota Sequoia. L'équilibre de la présentation intérieure, la position de conduite sans reproche et l'excellent champ de vision

FEU VERT

- Comportement routier à couper le souffle
- Qualité de fabrication honorable
- Bonne rigidité structurelle
- Espace cargo gargantuesque
- Bonne capacité de remorquage

FEU ROUGE

- Pas vraiment écolo !
- Coûte très cher à nourrir
- Moteur peu compétitif
- Faible valeur de revente

apportent donc un sentiment de maîtrise du véhicule très rassurant. Il faut aussi dire que, contrairement à ses rivaux nippons (qui n'ont rien de nippon!), la disposition des commandes est moins éparpillée. Du côté de l'Expedition, on retrouve une planche de bord fortement inspirée de la camionnette F-150 alors que chez Lincoln, on joue à la fois la carte de la pureté et de la mode rétro.

Ce serait mentir de vous dire que le V8 Triton de 5,4 litres est un moteur exempt de tout défaut. On le sent rugueux et plus essoufflé que les moteurs proposés par la concurrence, et force est de constater que la puissance, bien qu'adéquate, demeure inférieure à la moyenne. Heureusement, Ford a su développer pour ce modèle une boîte automatique à six rapports très efficace, qui permet de tirer le meilleur du moteur. Malgré cela, la consommation d'essence demeure extrêmement élevée. Il faut assurément prévoir un minimum de 17 litres aux 100 km, si vous êtes poli avec l'accélérateur. Et vous pouvez facilement en ajouter cinq ou six de plus si vous accrochez une bonne charge à votre véhicule.

AU DIABLE LES 22 POUCES!

Comme vous pouvez le constater, ce duo a un peu perdu de son côté macho lors de sa refonte. Principalement du côté de Lincoln, on a opté pour un style un peu plus traditionnel qui ne rejoint plus uniquement les joueurs de la NBA. Vous aurez aussi remarqué qu'on a abandonné la course aux plus grosses roues, aujourd'hui dominée par Cadillac. Au maximum, vous obtiendrez des jantes de seulement (!) 20 pouces. Mais à défaut d'épater la galerie avec des montes pneumatiques qui valent presque aussi cher qu'une Hyundai Accent, vous jouirez du meilleur comportement routier qui soit chez les utilitaires pleine grandeur. La plateforme rigide, la suspension bien calibrée, la direction précise et l'étonnant équilibre des masses permettent à ces véhicules d'afficher une agilité routière carrément surprenante. Et cette constatation est aussi valable lorsqu'on y accroche une remorque de 8000 ou 9000 livres.

Que les rares acheteurs d'un tel véhicule soient donc rassurés, l'Expedition, comme le Navigator, est un produit de grande qualité et extrêmement efficace. Mais dans le contexte actuel, et avec la folie du prix du carburant, ne soyez pas surpris si vous devez acheter votre véhicule par catalogue.

Antoine Joubert

Lincoln Navigator

Photos: Ford / Lincoln

VÉHICULE D'ESSAI

Version:	Ford Expedition MAX Limited
Moteur:	V8 de 5,4 litres 24s atmosphérique
Puissance:	300 ch (224 kW) à 5000 tr/min
Couple:	365 lb-pi (495 Nm) à 3750 tr/min
Rapport poids/puissance:	9,30 kg/ch (12,46 kg/kW)
Transmission:	automatique, 6 rapports
Rouage:	4x4
0-100 km/h · 80-120 km/h:	9,3 s · 8,2 s
Freinage 100-0 km/h:	45,4 m
Vitesse maximale:	190 km/h
Consommation (100 km):	ordinaire, 17,1 litres
Autonomie approximative:	619 km
Émissions de CO2:	7009 kg/an
Emp/Lon/Lar/Haut (mm):	3327 / 5621 / 2002 / 1974
Coffre/Réservoir:	1206 à 3704 / 106 litres
Nombre de coussins de sécurité:	6
Suspension avant:	indépendante, bras inégaux
Suspension arrière:	indépendante, multibras
Freins av./arr.:	disque (ABS)
Antipatinage/Contrôle de stabilité:	oui/oui
Direction:	à crémaillère, assistance variable
Diamètre de braquage:	12,4 m
Pneus av./arr.:	P265/70R17
Poids:	2792 kg
Capacité de remorquage:	4172 kg

AUTRE(S) COMPOSANTE(S) MÉCANIQUE(S)

Système hybride:	aucun
Moteur diesel:	aucun
Taxe énergivore:	n.d.
Autre(s) moteur(s):	aucun
Autre(s) rouage(s):	propulsion
Autre(s) transmission(s):	aucune

EN BREF

Échelle de prix:	42319$ à 76299$ (2008)
Catégorie:	VUS grand format
Garanties:	3 ans/60000 km, 5 ans/100000 km
Assemblage:	Wayne, Michigan, É-U
Cote d'assurance:	passable

DANS LA MÊME CATÉGORIE

Chevrolet Tahoe, Chrysler Aspen, Hummer H2, Nissan Armada, Toyota Sequoia

NOS IMPRESSIONS

Agrément de conduite:	4
Fiabilité:	4
Sécurité:	4
Qualités hivernales:	4 ½
Espace intérieur:	5
Confort:	4 ½

DU NOUVEAU EN 2009

Niveaux d'équipements rehaussés

LES TEMPS CHANGENT

Au cours des trois dernières années, la popularité des VUS a progressivement diminué en faveur des véhicules multisegments qui proposent des caractéristiques presque similaires, mais qui sont plus confortables, qui tiennent mieux la route et surtout qui consomment moins. Les choses n'iront pas en s'améliorant avec la hausse sauvage des prix du carburant qui incite les consommateurs à délaisser ces VUS, qui avaient pourtant la cote au début du siècle.

Et la compagnie Ford est sévèrement touchée par cette tendance, car ses ventes dans cette catégorie étaient très importantes. Il est vrai que l'arrivée du Edge et du Flex permettra de compenser les ventes perdues chez les VUS, mais la situation demeure difficile pour le constructeur de Dearborn.

Il faut avouer, de plus, qu'il n'est pas facile de faire la critique des véhicules utilitaires sport, car si l'on manifeste trop d'enthousiasme, on est accusé d'encourager la pollution et si on se montre trop négatif, on est catégorisé comme un embrasseur d'arbre. En fait, ce n'est pas le véhicule lui-même qui est en cause, mais bien de savoir si vous en avez vraiment besoin. Car si les VUS ont connu une grande popularité, il est certain que de nombreux acheteurs les acquéraient pour faire comme tout le monde.

UNE ALLURE À REVOIR

La silhouette de l'Explorer a été volontairement dessinée pour la faire paraître plus haute et plus grosse qu'elle ne l'est en réalité. Il n'y a pas si longtemps, ces véhicules étaient les plus populaires sur le marché et il était de bon ton d'être vu au volant d'un véhicule aux allures de costaud. Il a suffi que le prix du baril de pétrole se mette à grimper pour que cette approche soit maintenant décriée. La silhouette mise à part, il faut souligner que la qualité de finition extérieure n'est pas parmi les meilleures, aussi bien en ce qui concerne l'ajustement des pièces de métal que la qualité de la peinture.

Une fois monté à bord, on se retrouve assis en face d'un tableau de bord qui ressemble à s'y méprendre à celui de la camionnette F-150 de la génération précédente. Mais il serait erroné de croire que le raffinement et le confort ne sont pas de la partie. Avec ses cadrans indicateurs à fond blanc, sa console centrale verticale avec écran de navigation cerclé de bois et l'utilisation de pièces de métal contrastantes, la présentation est soignée. Par contre, la console médiane est très large et donne l'impression que l'habitacle manque de largeur, ce qui n'est pas le cas. Les places arrière seront confortables pour deux adultes, tandis que la personne qui osera s'asseoir au centre trouvera le trajet long. Il est également possible de commander une troisième rangée de sièges en option et celle-ci peut même être motorisée. Cette banquette est moyennement confortable, mais quand même supérieure à bien d'autres dans la catégorie.

ROBUSTESSE ASSURÉE

Il est curieux de parler aujourd'hui des avantages d'un véhicule

FEU VERT
- Bonne capacité de remorquage
- Châssis robuste
- Habitacle confortable
- Rouage intégral flexible
- Moteur V8

FEU ROUGE
- Popularité décroissante
- Consommation élevée
- Direction légère
- Valeur de revente à la baisse

possédant un châssis autonome et une capacité de remorquage de plus de trois tonnes. Ce qui était considéré comme un atout digne de mention il y a quelques années n'a plus la cote maintenant, alors que ces caractéristiques s'associent automatiquement aux facteurs «consommation de carburant» et «véhicule indésirable». Pourtant, même si l'on paye plus cher à la pompe, il ne faut pas perdre son jugement pour autant. Si vous avez besoin de rouler hors route ou encore de tracter une remorque ou une embarcation, il vous faut bien un véhicule capable de le faire.

Deux moteurs sont au catalogue. Le premier est un moteur V6 de 4,0 litres de 210 chevaux, ce qui est suffisant pour la plupart des utilisations. Malheureusement, sa consommation de carburant est presque similaire à celle du moteur V8 offert en option. Avec ses 292 chevaux, ce dernier sera le choix des personnes devant tracter une remorque ou rouler souvent hors route, alors que la puissance est nécessaire pour se sortir d'un étang de boue. Malgré la transmission automatique à six rapports offerte avec ce moteur, la consommation de carburant est assez élevée avec une moyenne de 16 litres aux 100 km. Toujours en fonction d'une utilisation pratique, le rouage intégral est efficace et d'application simple, puisqu'un bouton rotatif placé sur le tableau de bord permet de choisir les modes appropriés.

Sur la route, la présence d'une suspension indépendante aux quatre roues, d'une bonne insonorisation et de sièges confortables nous permet de croire que nous sommes à bord d'une automobile de grosses dimensions. Par contre, le pilote doit s'accommoder d'une direction trop assistée et d'un centre de gravité élevé qui provoque du roulis dans les virages.

Finalement, ce véhicule est équipé depuis le milieu de l'année 2008 d'un réservoir d'essence sans bouchon qui facilite le plein, mais qui ne fait rien pour abaisser le prix du carburant ou diminuer la cote de consommation.

Denis Duquet

Photo: Marc Lachapelle

Photos: Ford

VÉHICULE D'ESSAI

Version:	Ford Explorer XLT
Moteur:	V6 de 4,0 litres 12s atmosphérique
Puissance:	210 ch (157 kW) à 5 100 tr/min
Couple:	254 lb-pi (344 Nm) à 3 700 tr/min
Rapport poids/puissance:	9,99 kg/ch (13,36 kg/kW)
Transmission:	automatique, 5 rapports
Rouage:	4x4
0-100 km/h · 80-120 km/h:	8,8 s · 7,5 s
Freinage 100-0 km/h:	36,9 m
Vitesse maximale:	180 km/h
Consommation (100 km):	ordinaire, 15,9 litres
Autonomie approximative:	534 km
Émissions de CO2:	6 528 kg/an
Emp/Lon/Lar/Haut (mm):	2 888 / 4 915 / 1 867 / 1 849
Coffre/Réservoir:	385 à 2 429 / 85 litres
Nombre de coussins de sécurité:	6
Suspension avant:	indépendante, bras inégaux
Suspension arrière:	indépendante, bras inégaux
Freins av./arr.:	disque (ABS)
Antipatinage/Contrôle de stabilité:	oui/oui
Direction:	à crémaillère, assistée
Diamètre de braquage:	11,2 m
Pneus av./arr.:	P235/70R16
Poids:	2 099 kg
Capacité de remorquage:	3 175 kg

AUTRE(S) COMPOSANTE(S) MÉCANIQUE(S)

Système hybride:	aucun
Moteur diesel:	aucun
Taxe énergivore:	1 000 $
Autre(s) moteur(s):	V8 de 4,6 litres 292 ch/300 lb-pi (16,6 l/100 ordinaire)
Autre(s) rouage(s):	intégral
Autre(s) transmission(s):	automatique, 6 rapports

EN BREF

Échelle de prix:	38 711 $ à 49 535 $ (2008)
Catégorie:	VUS intermédiaire
Garanties:	3 ans/60 000 km, 5 ans/100 000 km
Assemblage:	Louisville, KY et St-Louis, MO, É-U
Cote d'assurance:	moyenne

DANS LA MÊME CATÉGORIE

Acura MDX, BMW X5, GMC Envoy, Jeep Grand Cherokee, Mercedes-Benz Classe M, Toyota 4Runner

NOS IMPRESSIONS

Agrément de conduite:	3½
Fiabilité:	4½
Sécurité:	4
Qualités hivernales:	4
Espace intérieur:	4½
Confort:	4½

DU NOUVEAU EN 2009

Système de démarrage intelligent de série, Ford Sync optionnel, introduction du Capless fuel filler

SUIVRE LA MODE À SA FAÇON

C'est clair, les acheteurs qui se procuraient auparavant de gourmands VUS se sont tournés graduellement vers des véhicules qu'on appelle des multisegments. Les Acadia, Highlander, Pilot, CX-9 et autres ne sont que quelques-uns de ces innombrables véhicules qui nous sont aujourd'hui offerts. Pour reprendre la part de marché que Ford détenait dans les années 90 avec l'Explorer, on a décidé chez Ford de jouer doublement la carte du style et de la qualité. On nous a donc présenté l'Edge en 2008, suivi cette année par le Flex.

Certains d'entre vous se souviendront peut-être que Ford avait annoncé la production du Flex à la suite de l'abandon de la Freestar. On mentionnait chez Ford que ce véhicule allait en quelque sorte remplacer la fourgonnette au sein de la gamme. Il serait évidemment difficile de comparer le Flex à une authentique fourgonnette, mais avec sept places assises et de l'espace à revendre, il est clair qu'il s'agit du véhicule, chez Ford, qui s'y rapproche le plus.

Pour nous présenter ce nouveau véhicule multisegment, Ford a convié l'équipe du *Guide de l'auto* à un événement médiatique dans la ville de New York, où les taxis arborant l'ovale bleu sont omniprésents. Bien honnêtement, les quelques exemplaires du Flex que j'avais aperçus dans les divers salons automobiles m'avaient auparavant laissé sur mon appétit. Je me demandais même comment Ford allait s'y prendre pour vendre quelque chose d'aussi laid. Par conséquent, je n'anticipais pas le déroulement de notre journée d'un très bon œil. Toutefois, en sortant de l'aéroport John F. Kennedy, j'ai soudainement été estomaqué. L'équipe chargée de nous transporter jusqu'à l'endroit où se déroulait l'événement venait nous chercher en Ford Flex. Et je vous le jure, le seul fait de voir apparaître ce véhicule dans le paysage automobile embellit l'environnement à coup sûr. Mon opinion défavorable s'est donc volatilisée sur-le-champ, pour laisser place à un sentiment d'excitation et de curiosité. Une chose est sûre : le Flex ne grandira pas dans l'ombre comme ce fut le cas du Taurus X.

INSPIRATION À L'ANGLAISE

Esthétiquement très original, le Flex reprend néanmoins quelques éléments de style issus d'autres produits. Sa ligne droite et élancée ainsi que sa partie avant ne sont pas sans rappeler le noble Range Rover, alors que les piliers de toit noirs et le pavillon de couleur contrastante s'inspirent directement de la Mini Cooper. L'équipe de design de Ford ne s'en cache d'ailleurs pas du tout, ce qui est tout à son honneur. Il faut cependant admettre que cette équipe a su ajouter sa touche personnelle, en dotant par exemple le véhicule de stries latérales et, sur la version Limited, d'une plaque d'aluminium sur le hayon qui crée un effet unique. Un peu plus et on ne serait pas étonnés de voir réapparaître sur ce véhicule les fameux panneaux de similibois qui décoraient les grosses familiales de nos parents !

RESPIREZ LA QUALITÉ

Si la ligne extérieure de ce véhicule pique votre curiosité, vous ne pourrez faire autrement que de succomber en montant à bord. Ce véhicule démontre à quel point le souci du détail et la qualité d'assemblage sont aujourd'hui des éléments prioritaires chez Ford. On vous propose un habitacle où cuirs, plastiques, boiseries, tissus et moquettes se marient tous parfaitement et dont la qualité est stupéfiante.

Première constatation derrière le volant, le poste de conduite est superbe. La présentation est soignée, les éléments sont bien disposés et les commodités sont très nombreuses. On constate également que les sièges sont extrêmement confortables, au point de diminuer de façon substantielle l'impression du temps requis pour effectuer le trajet Montréal–Fort-Lauderdale. Si, comme moi, vous avez l'habitude de conduire avec un dossier très légèrement incliné, il est cependant probable que l'appuie-tête vous agace. Ce dernier, qui n'est pas de type actif, est positionné de façon à réduire le contrecoup que vous pourriez subir lors d'un impact. Toutefois, son inclinaison vers l'avant est trop prononcée, ce qui annule tout dégagement possible avec votre tête. Autre déception, le volant télescopique brille par son absence. Certes, on nous propose un pédalier ajustable, mais ce n'est pas la même chose. Pour expliquer ce manquement, Ford fait tout simplement mention des coûts excessifs que cet élément aurait exigés. Selon vos habitudes, vous pourriez donc trouver la position de conduite inadéquate.

Si le Flex est confortable à l'avant, il en va de même à l'arrière. De série, le véhicule est livré avec deux baquets centraux séparés par une console dans laquelle peut se trouver un petit réfrigérateur. À la demande de l'acheteur, une banquette à trois places peut remplacer ces deux baquets, offrant ainsi de l'espace pour sept occupants au lieu de six. Qu'importe l'option choisie, l'espace accordé aux passagers de la rangée médiane est immense. En fait, le dégagement pour les jambes est tel qu'on a même pris soin d'installer des repose-pieds ! Quant à la troisième rangée, elle offre suffisamment d'espace pour des adultes de taille normale, et dans un confort qui étonne de façon unanime. C'est donc clair, le confort est de mise avec ce véhicule.

Naturellement, qui dit véhicule multisegment dit véhicule à tout faire. Et le Flex ne déroge pas à cette règle. De ce fait, il propose un volume de charge de 2355 litres grâce à la possibilité de rabattre à plat les dossiers des sièges des deux rangées arrière, ainsi que le dossier du siège du passager avant. Il offre également la possibilité de remorquer des charges pouvant atteindre 4500 livres, ce qui lui permet de rivaliser à cet égard avec son concurrent numéro un, le GMC Acadia.

TRAVEL LINK… MAIS PAS POUR NOUS

Ce n'est qu'une question de temps avant que nous puissions bénéficier, comme nos voisins du sud, du fameux système Sirius Travel Link, qui accompagne la radio satellite Sirius et le système de navigation. Ce système, extrêmement efficace, permet notamment à l'automobiliste de se renseigner sur les conditions routières, la météo, l'horaire des films au cinéma, l'emplacement des stations-service et même le prix auquel l'essence est vendue.

Mécaniquement, le Flex utilise une motorisation bien connue, soit le V6 Duratec de 3,5 litres aussi utilisé dans les modèles Edge et Taurus X. Dans ce cas-ci, on produit 262 chevaux et 248 livres-pied de couple, ce qui est amplement suffisant pour offrir un rendement confortable et de bonnes performances. Il faut dire que ce moteur est jumelé à une boîte automatique à six rapports qui effectue du très bon boulot. Au choix, on peut opter pour un modèle à traction ou à rouage intégral. L'ajout de la traction intégrale, tant sur la version SEL que Limited, exige un supplément de 2 000 $. Il faut aussi prévoir une augmentation de consommation d'environ 7,5 %, se chiffrant ainsi autour de 13,5 litres aux 100 km.

FEU VERT

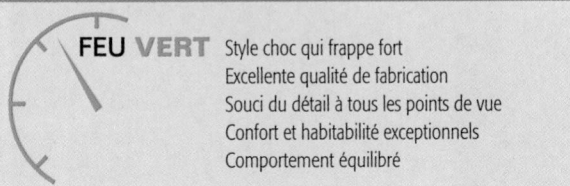

- Style choc qui frappe fort
- Excellente qualité de fabrication
- Souci du détail à tous les points de vue
- Confort et habitabilité exceptionnels
- Comportement équilibré

FEU ROUGE

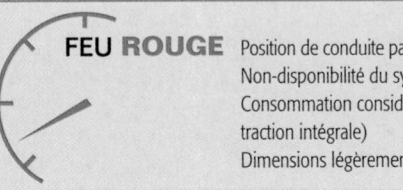

- Position de conduite parfois agaçante (voir texte)
- Non-disponibilité du système Travel Link
- Consommation considérable (surtout avec traction intégrale)
- Dimensions légèrement encombrantes

Pour tous les occupants, se balader à bord du Flex est un bonheur. On ne peut qu'apprécier le confort des sièges, l'espace disponible, l'excellente visibilité de tous les côtés et l'insonorisation poussée de l'habitacle. Et que dire de ce fameux toit Vista Roof qui propose une surface vitrée au-dessus de chaque occupant? Ces puits de lumière créent une ambiance à bord carrément unique. Le conducteur aura pour sa part le plaisir de conduire un véhicule dont la maniabilité en fait oublier les dimensions. La direction pourrait être plus rapide, mais elle est précise et permet d'effectuer des virages dans des endroits étonnamment serrés. La rigidité structurelle du véhicule ainsi que les éléments de suspension bien adaptés engendrent une conduite prévisible, une bonne tenue de route et une réaction de caisse sécuritaire lors des manœuvres d'évitement.

En conclusion, Ford frappe fort avec le Flex. Son style unique, sa grande polyvalence et ses qualités indéniables font de ce véhicule un produit voué au succès. Mais par-dessus tout, il confirme que Ford est capable de grandes choses et que l'avenir ne s'annonce que meilleur pour ce constructeur. Souhaitons seulement que les efforts investis dans la création des prochaines compactes et sous-compactes de la marque soient aussi notables que ceux qui ont contribué à la mise au monde du Flex…

Antoine Joubert

Photos: Sylvain Raymond

VÉHICULE D'ESSAI

SIRIUS RADIO SATELLITE

Version:	Ford Flex Limited (TI)
Moteur:	V6 de 3,5 litres 24s atmosphérique
Puissance:	262 ch (195 kW) à 6 250 tr/min
Couple:	248 lb-pi (336 Nm) à 4 500 tr/min
Rapport poids/puissance:	8,03 kg/ch (10,78 kg/kW)
Transmission:	automatique, 6 rapports
Rouage:	intégral
0-100 km/h · 80-120 km/h:	8,3 s · 6,6 s
Freinage 100-0 km/h:	43,0 m
Vitesse maximale:	180 km/h
Consommation (100 km):	ordinaire, 13,0 litres
Autonomie approximative:	561 km
Émissions de CO2:	5 088 kg/an
Emp/Lon/Lar/Haut (mm):	2 994 / 5 125 / 1 926 / 1 726
Coffre/Réservoir:	426 à 2 355 / 73 litres
Nombre de coussins de sécurité:	6
Suspension avant:	indépendante, jambes de force
Suspension arrière:	indépendante, multibras
Freins av./arr.:	disque (ABS)
Antipatinage/Contrôle de stabilité:	oui/oui
Direction:	à crémaillère, assistée
Diamètre de braquage:	12,4 m
Pneus av./arr.:	P235/60R18
Poids:	2 104 kg
Capacité de remorquage:	2 041 kg

AUTRE(S) COMPOSANTE(S) MÉCANIQUE(S)

Système hybride:	aucun
Moteur diesel:	aucun
Taxe énergivore:	aucune
Autre(s) moteur(s):	aucun
Autre(s) rouage(s):	traction
Autre(s) transmission(s):	aucune

EN BREF

Échelle de prix:	33 354 $ à 40 474 $
Catégorie:	multisegment
Garanties:	3 ans/60 000 - 5 ans/100 000 km
Assemblage:	Oakville, Ontario, Canada
Cote d'assurance:	n.d.

DANS LA MÊME CATÉGORIE

Chevrolet Traverse, Dodge Journey, Honda Pilot, Hyundai Veracruz, Subaru Tribeca, Toyota Highlander

NOS IMPRESSIONS

Agrément de conduite:	4 voitures sur 5
Fiabilité:	nouveau modèle
Sécurité:	5 voitures sur 5
Qualités hivernales:	4 voitures ½ sur 5
Espace intérieur:	5 voitures sur 5
Confort:	5 voitures sur 5

DU NOUVEAU EN 2009

Nouveau modèle

SYNC ALORS !

Lorsque la direction de Ford a dévoilé la nouvelle Focus l'an dernier, l'accent a non pas été mis sur la voiture elle-même, mais bien sur son système de gestion par la voix de la fonction téléphonique et audio. Appelé SYNC, ce système développé conjointement avec Microsoft est censé sauver la donne pour la Focus. À mon avis, il s'agit davantage d'un écran de fumée destiné à nous faire oublier le fait que ce modèle n'est pas tout à fait nouveau, mais plutôt une tiède évolution de la version précédente.

Il n'est pas question ici de vouloir diminuer la valeur ou l'importance du système SYNC, qui est quand même sophistiqué et qui représente, aux yeux de certains, l'avenir de la gestion des commandes vocales dans les automobiles de demain. Mais contrairement à Ford, je ne crois pas qu'une personne va s'intéresser à ce modèle en raison de cette caractéristique. Je ne suis pas tellement doué pour opérer ces systèmes, mais je me suis bien amusé devant les efforts de mon collègue Sylvain Raymond qui tentait de me montrer les qualités de cet accessoire. Comme tout système de reconnaissance vocale, il faut une bonne dose de patience pour arriver à ses fins et je ne suis pas certain que la majorité des automobilistes ait le goût ou le temps d'en apprivoiser les subtilités. L'avenir nous le dira, mais en attendant, je fais partie de ceux qui ont des doutes.

OCCASION RATÉE

Étant donné que la direction annonçait une Focus transformée du tout au tout, plusieurs s'attendaient à ce que l'on choisisse la version européenne beaucoup plus moderne et sophistiquée que son vis-à-vis nord-américain. Mais il ne faut pas oublier que ce constructeur est aux prises avec une sérieuse crise financière et que les Nord-Américains ont toujours considéré la voiture compacte comme une catégorie secondaire offrant des modèles à bas prix. On a donc décidé de rafistoler tant bien que mal le modèle précédent. Ce qui signifie que la plate-forme et la mécanique ont été reconduites. De plus, dans l'opération, on a abandonné les modèles *hatchback* et familial, qui n'étaient pas tellement populaires sur le marché des États-Unis. Et, tant qu'à y être, on s'est contenté de choisir un moteur unique, un quatre cylindres de 2,0 litres produisant 140 chevaux. Il est livré de série avec une boîte manuelle à cinq rapports tandis que la boîte automatique à quatre rapports est offerte en option. Là encore, on n'achètera pas une Focus pour sa mécanique.

Curieusement, alors que les stylistes européens de Ford ont l'imagination en feu, ceux de Détroit semblent en panne de créativité. Cette voiture n'est pas laide, mais on semble avoir planché très fort pour la rendre le plus anonyme possible. S'il y a un avantage à cette approche, c'est que sa silhouette devrait vieillir assez bien. Pour une raison que j'ignore, la direction de Ford a également décidé de commercialiser une version coupé, un type de carrosserie assez peu populaire. Pire encore, sa silhouette n'est pas excitante.

EFFICACE ET ÉCONOMIQUE, MAIS ENNUYANTE

Malgré mes commentaires négatifs, la Focus n'est pas une mauvaise

FEU VERT
- Mécanique fiable
- Faible consommation
- Tenue de route saine
- Bonne habitabilité
- Système SYNC prometteur

FEU ROUGE
- Plate-forme vétuste
- Moteur bruyant
- Stylisme trop discret
- Système SYNC inutile pour plusieurs
- Version coupé saugrenue

voiture. Une fois à bord, on constate que l'habitabilité est bonne et que la position de conduite est correcte. De plus, la finition se révèle adéquate et la qualité des matériaux, égale à celle des meilleures de la catégorie. Par contre, si certains apprécient le nouveau tableau de bord, mon opinion diffère. Il y a trop de plastique et l'ensemble fait bon marché, du moins en apparence. On ne peut que plaindre le passager avant qui doit contempler toute cette surface grise. Heureusement, les commandes sont fort bien placées et les cadrans indicateurs faciles à consulter.

Avec un moteur plus économique et fiable que performant, pas besoin d'être un grand chroniqueur automobile pour conclure que la conduite de cette voiture ne vous donnera pas de sensations fortes. Heureusement, la plate-forme aura toujours été très bonne et, malgré l'absence de modifications majeures, la tenue de route est sans histoire et sans surprise. Cependant, pour obtenir des accélérations quelque peu nerveuses, il faut jouer du levier de vitesse et faire monter le moteur en régime, et c'est là que nous découvrons que la course du levier de vitesse est plus ou moins précise et que le moteur est bruyant. La transmission automatique à quatre rapports ne fait rien pour arranger les choses.

Bref, la Focus est une voiture à vocation économique et utilitaire, confortable, et dont la consommation de carburant est plus que raisonnable. Compte tenu de la hausse du prix du pétrole, cela réussira à en convaincre plusieurs. Et il faut aussi ajouter que cette petite Ford se vend pour pas trop cher. D'ailleurs, si l'on se fie aux communiqués de presse de Ford, le public semble montrer son appréciation de ce produit, en se tournant en nombre vers la Focus dans le but d'obtenir un moyen de transport simple, économique et fiable. Que demander de plus ?

Denis Duquet

Photos : Ford

VÉHICULE D'ESSAI

Version :	Ford Focus SE berline
Moteur :	4L de 2,0 litres 16s atmosphérique
Puissance :	140 ch (104 kW) à 6 000 tr/min
Couple :	136 lb-pi (184 Nm) à 4 250 tr/min
Rapport poids/puissance :	8,5, kg/ch (11,44 kg/kW)
Transmission :	manuelle, 5 rapports
Rouage :	traction
0-100 km/h · 80-120 km/h :	9,6 s · 10,0 s
Freinage 100-0 km/h :	47,9 m
Vitesse maximale :	175 km/h
Consommation (100 km) :	ordinaire, 8,5 litres
Autonomie approximative :	600 km
Émissions de CO2 :	3 456 kg/an
Emp/Lon/Lar/Haut (mm) :	2 613 / 4 445 / 1 722 / 1 488
Coffre/Réservoir :	391 / 51 litres
Nombre de coussins de sécurité :	2
Suspension avant :	indépendante, jambes de force
Suspension arrière :	indépendante, multibras
Freins av./arr. :	disque/tambour (ABS opt.)
Antipatinage/Contrôle de stabilité :	oui/non
Direction :	à crémaillère, assistée
Diamètre de braquage :	10,4 m
Pneus av./arr. :	P195/60R15
Poids :	1 190 kg
Capacité de remorquage :	454 kg

AUTRE(S) COMPOSANTE(S) MÉCANIQUE(S)

Système hybride :	aucun
Moteur diesel :	aucun
Taxe énergivore :	aucune
Autre(s) moteur(s) :	aucun
Autre(s) rouage(s) :	aucun
Autre(s) transmission(s) :	automatique, 4 rapports

EN BREF

Échelle de prix :	16 409 $ à 20 935 $ (2008)
Catégorie :	berline compacte, coupé
Garanties :	3 ans/60 000 km, 5 ans/100 000 km
Assemblage :	Wayne, Michigan, É-U
Cote d'assurance :	moyenne

DANS LA MÊME CATÉGORIE

Chevrolet Cobalt, Honda Civic, Hyundai Elantra, Kia Spectra, Mazda3, Mitsubishi Lancer, Nissan Sentra, Pontiac G5, Saturn Astra, Suzuki SX4, Toyota Corolla, Volkswagen Rabbit

NOS IMPRESSIONS

Agrément de conduite :	3 ½
Fiabilité :	4
Sécurité :	4
Qualités hivernales :	3 ½
Espace intérieur :	4
Confort :	3 ½

DU NOUVEAU EN 2009

Nouveau modèle

LE DÉBUT DE LA RENAISSANCE

Il y a maintenant trois ans que la Fusion a été lancée. À l'époque, les sceptiques étaient nombreux. Après avoir pratiquement délaissé le développement de berlines, Ford nous arrivait avec un produit dérivé de la Mazda 6 et plusieurs doutaient que le public lui accorde un accueil enthousiaste. Après tout, pourquoi se contenter d'un produit dérivé alors que l'original n'était pas mal, merci? Heureusement pour ce constructeur, les concepteurs de la Fusion lui ont donné un caractère à part, capable d'intéresser les amateurs de voitures nord-américaines.

En effet, même si les produits issus des constructeurs de Détroit n'ont plus nécessairement la cote auprès de plusieurs, il existe toujours bon nombre d'acheteurs qui recherchent certaines caractéristiques qui sont propres à ces véhicules, et qui sont prêts à faire confiance à Détroit. Et cela ne signifie pas non plus des moteurs d'une autre époque, des suspensions guimauve et une tenue de route approximative. Il faut oublier cette opinion caricaturale et la Fusion est la preuve que les voitures nord-américaines ont grandement progressé au cours des dernières années.

FIABILITÉ RASSURANTE

Avant de parler de la mécanique et surtout avant de l'oublier, je veux préciser une chose. Il est vrai que, par le passé, la fiabilité des voitures nord-américaines était de loin inférieure à celle des japonaises. Par contre, s'il faut se fier aux récents sondages en fait de qualité et de fiabilité, la Fusion surpasse bien des japonaises à ce chapitre. En fait, sa cote de fiabilité est supérieure à la moyenne et c'est la même chose pour la satisfaction de la clientèle.

Mécaniquement parlant, le moteur de base est un quatre cylindres de 2,3 litres d'une puissance de 160 chevaux. Il est associé de série à une boîte manuelle à cinq rapports, ce qui permet d'obtenir une économie d'essence fort appréciable compte tenu des dimensions de la voiture. Si vous n'aimez pas manipuler le bras de vitesse dans la circulation dense, il est possible de commander en option une boîte automatique à cinq rapports. Peu importe la transmission choisie, les performances du moteur sont adéquates pour autant que l'on ne soit pas trop impatient. Si on enfonce l'accélérateur vigoureusement lors de l'accélération, ce moteur devient bruyant.

ROUAGE INTÉGRAL, S.V.P

Vous appréciez la douceur et la puissance d'une plus grosse cylindrée? Il est alors possible de commander en option le moteur V6 3,0 litres d'une puissance de 221 chevaux. Cette fois, une seule transmission est au programme. Il s'agit d'une boîte automatique à six rapports. Celle-ci est non seulement de conception fort moderne, mais son fonctionnement est sans reproche. La présence d'un moteur six cylindres sous le capot vous permet également de commander en option la transmission intégrale. Cette caractéristique est presque unique pour la catégorie. Et il ne s'agit pas d'un accessoire au fonctionnement déevant puisque ce rouage intégral est fort efficace.

FEU VERT
- Rassurante fiabilité
- Groupes propulseurs adéquats
- Rouage intégral optionnel
- Habitacle confortable
- Tenue de route

FEU ROUGE
- Finition inégale
- Moteur 2,3 litres bruyant
- Valeur de revente incertaine
- Pneus d'origine quelconque

Dernier détail, ce véhicule Ford utilise une plate-forme modifiée de la Mazda 6 de l'avant-dernière génération puisque ce modèle vient d'être renouvelé en 2009.

DU SÉRIEUX

Puisque les goûts et les couleurs ne se discutent pas, il est inutile de s'étendre trop longtemps sur la silhouette de cette voiture. Malgré tout, après trois ans sur le marché, certains détails esthétiques, notamment les feux arrière transparents, commencent à faire vieux jeu. Il faut mentionner que ce modèle a été le premier à étrenner la calandre aux barres transversales chromées, dorénavant la signature de tous les produits Ford.

Le tableau de bord ne ressemble à aucun autre sur le marché et son influence est carrément nord-américaine. La plupart des commandes sont faciles d'accès et leur utilisation est sans surprise. Les sièges avant comme la banquette arrière sont amplement rembourrés afin de répondre sans doute aux attentes des consommateurs nord-américains. Ajoutons également que l'insonorisation est légèrement supérieure à la moyenne.

Sur la route, la direction est un tantinet moins précise que celle d'une Mazda 6 et il en est de même pour la suspension qui est moins ferme. Il ne faut pas en conclure pour autant que l'agrément de conduite soit nul. Il est différent et mieux adapté à nos conditions et au goût de bon nombre de consommateurs. Bref, il s'agit d'une berline bien équilibrée offrant deux groupes propulseurs valables en plus d'un habitacle confortable et d'une tenue de route sans surprise. Et si vous aimez les gadgets du genre, le système Sync vous permet d'accéder au monde du multimédia.

Denis Duquet

Photos : Ford

VÉHICULE D'ESSAI

Version :	Ford Fusion SEL traction
Moteur :	V6 de 3,0 litres 24s atmosphérique
Puissance :	221 ch (165 kW) à 6 250 tr/min
Couple :	205 lb-pi (278 Nm) à 4 800 tr/min
Rapport poids/puissance :	6,73 kg/ch (9,01 kg/kW)
Transmission :	automatique, 6 rapports
Rouage :	traction
0-100 km/h · 80-120 km/h :	7,5 s · 6,8 s
Freinage 100-0 km/h :	40,0 m
Vitesse maximale :	200 km/h
Consommation (100 km) :	ordinaire, 12,4 litres
Autonomie approximative :	532 km
Émissions de CO2 :	5 040 kg/an
Emp/Lon/Lar/Haut (mm) :	2 725 / 4 831 / 1 816 / 1 422
Coffre/Réservoir :	442 / 66 litres
Nombre de coussins de sécurité :	6
Suspension avant :	indépendante, bras inégaux
Suspension arrière :	indépendante, multibras
Freins av./arr. :	disque (ABS)
Antipatinage/Contrôle de stabilité :	opt./non
Direction :	à crémaillère, assistée
Diamètre de braquage :	12,0 m
Pneus av./arr. :	P205/60R16
Poids :	1 488 kg
Capacité de remorquage :	454 kg

AUTRE(S) COMPOSANTE(S) MÉCANIQUE(S)

Système hybride :	aucun
Moteur diesel :	aucun
Taxe énergivore :	aucune
Autre(s) moteur(s) :	4L de 2,3 litres 160 ch/156 lb-pi (10,1 l/100 ordinaire)
Autre(s) rouage(s) :	intégral
Autre(s) transmission(s) :	manuelle, 5 rapports

EN BREF

Échelle de prix :	23 268 $ à 30 043 $ (2008)
Catégorie :	berline intermédiaire
Garanties :	3 ans/60 000 km, 5 ans/100 000 km
Assemblage :	Hermosillo, Sonora, Mexique
Cote d'assurance :	moyenne

DANS LA MÊME CATÉGORIE

Chevrolet Malibu, Chrysler Sebring, Honda Accord, Hyundai Sonata, Kia Magentis, Mazda6, Mitsubishi Galant, Nissan Altima, Pontiac G6, Saturn Aura, Subaru Legacy

NOS IMPRESSIONS

Agrément de conduite :	4
Fiabilité :	4
Sécurité :	4
Qualités hivernales :	4 ½
Espace intérieur :	4
Confort :	4

DU NOUVEAU EN 2009

Changements mineurs à l'équipement de série et optionnel

TOUJOURS UN COUP DE CŒUR

Il faut avouer que Ford a réussi un coup de maître il y a quelques années en nous présentant une Mustang aux lignes plus rétro, un geste qui aura permis de raviver l'intérêt du modèle, et ce, à une époque où les autres constructeurs avaient jeté l'éponge envers leurs véhicules issus de l'ère des *Muscle Cars*. Il semble que l'opération a été un succès puisque tant GM que Chrysler vont revenir avec des modèles destinés à rivaliser avec la Mustang.

Un des éléments qui expliquent la réussite de la Mustang est sans contredit le choix de modèles. Il faut avouer que le constructeur a su étudier judicieusement le positionnement et le rapport prix/équipement de ses modèles. On retrouve à la base la Mustang à moteur V6, qui s'attire les faveurs de plusieurs avec son prix plus qu'abordable. D'une cylindrée de 4,0 litres, ce moteur développe une puissance de 210 chevaux pour un couple de 240 livres-pied. Pour un léger déboursé supplémentaire, vous pourrez profiter des plaisirs de la conduite à ciel ouvert grâce au cabriolet, une autre version qui intéresse un bon nombre d'acheteurs, non seulement en raison de son prix attrayant, mais pour ce qu'elle dégage.

D'un style plus épuré ou moins agressif, le modèle à moteur V6 offre tout de même l'expérience Mustang sans négliger les éléments visuels importants. Il constitue une façon intéressante de posséder une voiture au riche passé et dotée d'une personnalité toujours reconnue. Malgré sa large diffusion, la Mustang continue de faire tourner les têtes tout en attirant l'attention des plus passionnés.

DEUX MOTEURS V8

Pour ceux qui désirent un véhicule qui possède l'esprit Mustang autant que son cœur, un moteur V8 équipe le coupé et le cabriolet GT. Non seulement la riche sonorité typiquement américaine de ce moteur nous fait sourire à chaque accélération, mais ses 300 chevaux favorisent une conduite relevée et performante, surtout lorsqu'il est combiné à la boîte manuelle à cinq rapports, la même qui équipe le modèle V6. À une époque où l'électronique inhibe de plus en plus notre contrôle sur les voitures, on apprécie un système de contrôle de la traction efficace sans être trop intrusif. Il pourra d'ailleurs être désactivé entièrement, vous permettant alors de valser un peu avec la voiture.

Plus agressive, la Mustang GT se distingue à l'avant par son capot relevé, par ses phares auxiliaires intégrés à la grille avant ainsi que par ses jantes typiques. L'échappement double à l'arrière permet aussi de détecter rapidement la présence du moteur huit cylindres. Cependant, on apprécierait quelques éléments supplémentaires à l'intérieur, notamment une colonne de direction télescopique, ce qui favoriserait une meilleure position de conduite, ainsi qu'un repose-pied, histoire de bien s'ancrer au siège. Du reste, on remarque le puissant système de sonorisation, mais la Mustang demeure une voiture relativement dégarnie en matière d'équipements de luxe et de gadgets.

FEU VERT
- Performances relevées (GT et GT500)
- Style agréable
- Prix attrayant
- Modèle exclusif (GT500)

FEU ROUGE
- Volant non télescopique
- Freinage peu endurant
- Finition sommaire
- Niveau d'équipement un peu juste

On retrouve finalement au sommet de la gamme un modèle plus exclusif, la Shelby GT500, qui se veut une véritable bombe grâce à son moteur huit cylindres suralimenté de 5,4 litres ne développant pas moins de 500 chevaux pour un couple de 480 livres-pied. Combiné à une boîte manuelle à six rapports, ce bolide offre l'un des ratios prix/puissance les plus favorables sur le marché. À l'extérieur, on remarque les bandes de type Le Mans qui traversent les flancs, alors que la mention GT500 est bien mise en évidence au bas de la caisse. Le carénage avant est plus agressif, incorporant des prises d'air plus proéminentes. L'arrière exhibe au bas du pare-chocs des pièces qui imitent les diffuseurs d'air de la défunte Ford GT ainsi qu'un béquet inspiré des modèles classiques.

Afin de maintenir l'intérêt du public pour ce modèle, le constructeur nous présente encore une fois quelques variantes de la Mustang, comme par le passé. À ce chapitre, on a droit cette année à la Mustang Bullit, une édition reprenant les traits de caractère du célèbre modèle mis en vedette dans le film *Bullit*. Plus sobre à l'extérieur que la GT, elle dispose des mêmes composantes mécaniques, mais ajoute quelques chevaux supplémentaires notamment en raison d'un échappement moins restrictif. Il y a fort à parier que le constructeur nous ramènera sous peu la Mach 1!

SPORTIVE AMÉLIORÉE

La Mustang est devenue plus civilisée au fil des années et son comportement s'est aussi amélioré. Négocier un virage à vive allure et freiner à vitesse plus grande ne sont plus des épreuves vous procurant des frissons. Sans avoir l'agilité de certains autres coupés sport, la Mustang n'est plus simplement une voiture de ligne droite et on peut exploiter un peu plus son potentiel en matière de performances. Malgré tout, on apprécierait une meilleure endurance des freins et une plus grande rigidité du châssis, notamment dans le cas du cabriolet.

La Mustang est une voiture qui sait se faire apprécier en raison de sa personnalité et de ce qu'elle dégage. C'est de nos jours un élément recherché par les consommateurs, en seconde place après l'aspect financier. Et puisqu'à cet égard la Mustang demeure relativement accessible, voilà sans doute ce qui explique son succès. Reste à voir comment le constructeur réussira à faire évoluer la Mustang dans le futur, alors qu'une concurrence s'amorce avec l'arrivée de la Chevrolet Camaro et de la Dodge Challenger.

Sylvain Raymond

Photos: Ford

VÉHICULE D'ESSAI

SIRIUS RADIO SATELLITE

Version:	Ford Mustang GT cabriolet
Moteur:	V8 de 4,6 litres 24s atmosphérique
Puissance:	300 ch (224 kW) à 5 750 tr/min
Couple:	320 lb-pi (434 Nm) à 4 500 tr/min
Rapport poids/puissance:	5,46 kg/ch (7,31 kg/kW)
Transmission:	manuelle, 5 rapports
Rouage:	propulsion
0-100 km/h · 80-120 km/h:	5,7 s · 5,2 s
Freinage 100-0 km/h:	38,5 m
Vitesse maximale:	240 km/h
Consommation (100 km):	ordinaire, 13,8 litres
Autonomie approximative:	442 km
Émissions de CO2:	5 472 kg/an
Emp/Lon/Lar/Haut (mm):	2 720 / 4 775 / 1 877 / 1 384
Coffre/Réservoir:	275 / 61 litres
Nombre de coussins de sécurité:	4
Suspension avant:	indépendante, jambes de force
Suspension arrière:	essieu rigide, ressorts elleptiques
Freins av./arr.:	disque (ABS)
Antipatinage/Contrôle de stabilité:	oui/non
Direction:	à crémaillère, assistée
Diamètre de braquage:	11,6 m
Pneus av./arr.:	P235/55ZR17
Poids:	1 638 kg
Capacité de remorquage:	454 kg

AUTRE(S) COMPOSANTE(S) MÉCANIQUE(S)

Système hybride:	aucun
Moteur diesel:	aucun
Taxe énergivore:	1 000 $ (Shelby GT500)
Autre(s) moteur(s):	V6 de 4,0 litres 210 ch/240 lb-pi (12,1 l/100 ordinaire) V8 de 5,4 litres 500 ch/480 lb-pi (15,4 l/100 super) (Shelby GT500)
Autre(s) rouage(s):	aucun
Autre(s) transmission(s):	manuelle, 6 rapports (Shelby GT500) automatique, 5 rapports (GT)

EN BREF

Échelle de prix:	24 226 $ à 58 399 $ (2008)
Catégorie:	coupé, cabriolet
Garanties:	3 ans/60 000 km, 5 ans/100 000 km
Assemblage:	Dearborn, Michigan, É-U
Cote d'assurance:	passable

DANS LA MÊME CATÉGORIE

Chrysler Sebring cabriolet, Honda Accord coupé, Hyundai Tiburon, Mitsubishi Eclipse, Pontiac G6 coupé/cabriolet, Volkswagen Eos

NOS IMPRESSIONS

Agrément de conduite:	4 ½
Fiabilité:	3 ½
Sécurité:	5
Qualités hivernales:	2 ½
Espace intérieur:	3
Confort:	4 ½

DU NOUVEAU EN 2009

Coussins latéraux de série, nouvelles options

AU DIABLE LES PRÉJUGÉS

Nous sommes tous victimes de préjugés. Et tous, nous avons, à des niveaux plus ou moins élevés, des préjugés. Que ce soit envers un type de personnes, une chaîne de magasins, une ville ou une marque d'automobile. Une des marques les plus victimes de cet ostracisme est Ford. Il est vrai qu'on peut reprocher beaucoup de choses, et des pas belles, à Ford mais si des tests à l'aveugle étaient faits, nous serions sans doute surpris des résultats. Les produits Ford risqueraient de terminer en meilleure position !

La Ford Taurus (ex Five-Hundred) souffre beaucoup à cause de son écusson ovale qu'elle affiche avec évidence. Cette voiture fait partie d'une catégorie en voie de disparition, celle des berlines grand format. Pourtant, plusieurs personnes aiment les voitures qui offrent beaucoup d'espace, autant pour les humains que pour leurs bagages, et qui peuvent effectuer le trajet Québec-Floride dans un confort très relevé. Donc, la Taurus s'adresse à un public assez âgé pour apprécier ses belles qualités.

La Ford Taurus est une berline imposante et son style sobre lui donne des airs de « char de police », surtout lorsqu'elle est de couleur foncée. La ligne de toit arquée amène à penser à une Volkswagen Passat, ce qui est loin d'être une insulte. En fait, je trouve que la Taurus est plus agréable à regarder en « personne » que sur papier. La qualité de la finition varie énormément d'une voiture à l'autre mais, dans l'ensemble, on note une amélioration année après année. Par contre, il est très difficile de trouver une Taurus (ou n'importe quel produit Ford) qui affiche des interstices égaux entre les panneaux de la carrosserie.

PARLE PLUS FORT, T'ES TROP LOIN...

L'habitacle de la Taurus est vaste, c'est le moins qu'on puisse dire. Franchement, il y a des autobus qui riraient jaune s'ils voyaient un tel habitacle ! Trois adultes peuvent d'ailleurs s'assoir sur la banquette arrière sans aucun problème, même si la place centrale est un peu moins douillette car assez dure. Et avec les sièges avant reculés au maximum, il reste assez d'espace pour se dégourdir les genoux. À l'avant, les sièges sont confortables mais j'ai eu passablement de difficultés à trouver une bonne position de conduite même si le siège s'ajuste de plusieurs façons et que le pédalier est réglable en profondeur. Il faut noter que ce siège peut reculer très loin et ainsi accueillir des géants. Le volant, puisque vous me le demandez, est un tantinet trop grand à mon goût. Esthétiquement, le tableau de bord est sobre mais le petit écran avisant du statut du coussin gonflable du passager, placé en plein centre, à droite de la planche de bois, ressemble à un élément oublié, foutu là à la dernière minute. Parlant de choses très ordinaires, soulignons que le vert blafard des jauges lorsqu'on roule la nuit fait dans le très ordinaire, merci. Quant à l'écran digital GPS, si la voiture en est dotée, le moindre rayon de soleil le met K.O. et on voit alors beaucoup plus les traces de doigts que l'information ! Malgré tout, la finition de l'habitacle de notre Taurus d'essai était mieux réussie que celle de la carrosserie et la plupart des matériaux sont de bonne qualité même si, parfois, ils ne paient pas de mine.

FEU VERT
- Habitacle très vaste
- Comportement routier serein
- Possibilité d'un rouage intégral
- Coffre immense
- Excellente visibilité

FEU ROUGE
- Lignes soporifiques
- Direction trop assistée
- Consommation un zeste trop élevée
- Finition aléatoire
- Dimensions encombrantes

Le coffre mériterait une page à lui seul tellement il est vaste ! Il est à peu près impossible de l'emplir complètement ! Si le seuil est un peu trop élevé, l'ouverture, elle, possède des dimensions impressionnantes. Les dossiers des sièges arrière s'abaissent mais ne forment pas un fond plat. Il est aussi possible de replier le dossier du siège du passager avant pour transporter de très longs objets.

IL NE FAUDRAIT PAS OUBLIER LE MOTEUR

Il faut admettre que le V6 3,5 litres fait un excellent boulot, épaulé par une transmission automatique à six rapports, s.v.p. Ce moteur de 263 chevaux et 249 livres-pied de couple assure à la Taurus des performances très correctes. S'il était un peu moins gourmand, personne ne s'en formaliserait. Durant notre essai, nous avons obtenu une moyenne de 12,8 litres aux cent kilomètres. Heureusement, comme sur la plupart des voitures américaines, il carbure à l'essence régulière. La transmission fonctionne avec une grande douceur même si elle ne semble pas trop apprécier le travail vite fait.

La Taurus se décline en quatre modèles, soit SEL et Limited ainsi que SEL AWD et Limited AWD. Les SEL et Limited sont des tractions et les autres sont des versions à rouage intégral. Ce rouage n'ajoute que 85 kilos à la voiture, ce qui est bien peu par rapport aux avantages évidents qu'il apporte durant la blanche saison. Conduire une Ford Taurus n'est pas une expérience dont on se souviendra longtemps. La direction est trop assistée et manque de précision, les suspensions sont très confortables, l'habitacle est silencieux. Franchement, on croirait lire les caractéristiques d'une Lincoln 1979 ! D'un autre côté, la Taurus affiche un comportement routier très contemporain. Elle négocie les virages avec aplomb, sans trop de roulis et sa stabilité en ligne droite impressionne. Les freins, malheureusement, présentent une pédale molle et des distances d'arrêt, en situation d'urgence, un peu longues.

Il est fort possible que dès l'an prochain, la Taurus ait droit à une refonte majeure. Au passage, elle pourrait bénéficier d'un moteur Ecoboost. Il s'agit d'une nouvelle génération de moteurs Ford de plus petite cylindrée, turbocompressés et munis de l'injection directe de carburant. C'est, à mon avis, la plus belle chose qui pourrait arriver à la Taurus. En souhaitant sincèrement qu'elle demeure au catalogue.

Alain Morin

Photos : Alain Morin

VÉHICULE D'ESSAI

Version :	Ford Taurus Limited AWD
Moteur :	V6 de 3,5 litres 24s atmosphérique
Puissance :	263 ch (196 kW) à 6 250 tr/min
Couple :	249 lb-pi (338 Nm) à 4 900 tr/min
Rapport poids/puissance :	6,57 kg/ch (8,82 kg/kW)
Transmission :	automatique, 6 rapports
Rouage :	intégral
0-100 km/h · 80-120 km/h :	7,4 s · 6,0 s
Freinage 100-0 km/h :	39,1 m
Vitesse maximale :	200 km/h
Consommation (100 km) :	ordinaire, 12,7 litres
Autonomie approximative :	566 km
Émissions de CO2 :	5 136 kg/an
Emp/Lon/Lar/Haut (mm) :	2 868 / 5 126 / 1 892 / 1 562
Coffre/Réservoir :	595 / 72 litres
Nombre de coussins de sécurité :	6
Suspension avant :	indépendante, jambes de force
Suspension arrière :	indépendante, multibras
Freins av./arr. :	disque (ABS)
Antipatinage/Contrôle de stabilité :	oui/non
Direction :	à crémaillère, assistée
Diamètre de braquage :	12,2 m
Pneus av./arr. :	P215/60R17
Poids :	1 730 kg
Capacité de remorquage :	454 kg

AUTRE(S) COMPOSANTE(S) MÉCANIQUE(S)

Système hybride :	aucun
Moteur diesel :	aucun
Taxe énergivore :	aucune
Autre(s) moteur(s) :	aucun
Autre(s) rouage(s) :	traction
Autre(s) transmission(s) :	aucune

EN BREF

Échelle de prix :	29 645 $ à 37 922 $ (2008)
Catégorie :	berline grand format
Garanties :	3 ans/60 000 km, 5 ans/100 000 km
Assemblage :	Chicago, Illinois, É-U
Cote d'assurance :	bonne

DANS LA MÊME CATÉGORIE

Buick Allure, Chevrolet Impala, Chrysler 300, Dodge Charger, Hyundai Azera, Kia Amanti, Nissan Maxima, Pontiac Grand Prix, Toyota Avalon

NOS IMPRESSIONS

Agrément de conduite :	
Fiabilité :	½
Sécurité :	½
Qualités hivernales :	½
Espace intérieur :	
Confort :	

DU NOUVEAU EN 2009

Contrôle de la stabilité standard

OUBLIEZ LE NOM !

Il n'y a que les imbéciles qui ne changent pas d'idée, et il faut croire que certains dirigeants de Ford sont plus brillants que d'autres. Ils se sont attirés les railleries des spécialistes en abandonnant le nom de Freestyle pour celui de Taurus X, mais puisque ce modèle ne se vendait pas, mieux valait faire quelque chose. On ne s'est toutefois pas limité à ce changement d'appellation et les modifications esthétiques et mécaniques ont été considérables. L'avenir à long terme du Taurus X n'est cependant pas garanti puisque le nouveau Flex, un autre véhicule sept places, vient de faire son entrée sur le marché.

Quoi qu'il en soit, le Taurus X constitue un achat intéressant pour une personne à la recherche d'un véhicule sept places vendu en traction ou en intégrale. Il faut se souvenir que le Freestyle a été un échec cuisant pour Ford. Malgré d'indéniables qualités dynamiques et pratiques, le public a boudé ce véhicule qui ressemblait de trop près à un VUS tout en étant propulsé par un moteur plutôt anémique. Alors, en plus d'effectuer un changement de nom l'an dernier, la direction en a profité pour offrir une silhouette rafraîchie et une mécanique mieux adaptée.

HISTOIRE DE DÉTAILS

En voulant insister sur le caractère plus polyvalent du véhicule et son comportement routier similaire à celui d'une berline, les stylistes ont abandonné le caractère assez équarri de la silhouette pour apporter des retouches importantes surtout au chapitre de la calandre avant, ce qui fait toute la différence dans la présentation visuelle. Ce ne sont pas tous les gens qui aiment cette grille de calandre constituée de trois barres longitudinales identiques à celles de la Fusion. Mais c'est la nouvelle approche de Ford. D'ailleurs, la nouvelle Flex arbore une calandre similaire. Je vous fais grâce de toutes les petites retouches apportées çà et là, mais force est d'admettre que c'est mieux réussi que précédemment.

D'autre part, si on s'est contenté de rafistoler les détails en fait de présentation extérieure, les changements apportés à la mécanique sont nettement plus importants. Depuis 2008, le bruyant moteur V6 de 3,0 litres a cédé sa place à un autre V6, un moteur de 3,5 litres associé à une boîte automatique à six rapports. La transmission à rapports constamment variables a également été abandonnée. Ces modifications ont complètement transformé le caractère de ce véhicule qui, de poussif, est devenu correct.

Il est aussi important de souligner que ce modèle construit par Ford possède une fiche rassurante au chapitre de la fiabilité, comme plusieurs autres produits de ce constructeur. Il a d'ailleurs reçu la cote « recommandée » par la publication américaine *Consumer Reports*.

UN BEL ÉQUILIBRE

Si, comme moi, vous n'êtes pas entiché du stylisme corporatif de Ford, il faut au moins admettre que la présentation du tableau de bord est réussie. On a l'impression d'être assis dans une automobile et non dans un multisegment sept places. Le volant est moderne et les multiples commandes placées sur son moyeu sont appréciées. La pièce d'attraction est la console centrale verticale dont les buses

FEU VERT
- Bonne habitabilité
- Moteur adéquat
- Troisième rangée correcte
- Finition sérieuse
- Tenue de route équilibrée

FEU ROUGE
- Direction trop assistée
- Faible diffusion
- Freins peu efficaces
- Carrière incertaine

chromées attirent l'attention. À la droite de ce poste de commande, on retrouve une barre d'appoint située juste au-dessus du coffre à gants. Certains lui reprochent sa finition inégale, mais le modèle essayé était exemplaire à ce sujet.

L'habitacle est très spacieux, les places arrière de la troisième rangée sont faciles d'accès et peuvent accueillir avec un confort notable des occupants de taille moyenne. Rares sont les véhicules de cette catégorie qui peuvent faire mieux.

Ce côté pratique et polyvalent de l'habitacle est heureusement appuyé par un moteur bien adapté, dont les performances sont adéquates et dont la consommation peut être qualifiée de normale pour la catégorie, avec une moyenne de 13 litres aux 100 km. La boîte de vitesses effectue un bon travail et ses rapports sont bien adaptés à une conduite quotidienne partagée entre la circulation urbaine et les autoroutes.

D'autre part, le rouage intégral du Taurus X, combiné avec le système de stabilité latérale, est vraiment efficace. Par exemple, arrêté au milieu d'une pente lors d'une évaluation comparative, il a été le seul à repartir sans difficulté. Par contre, la direction est trop assistée et les freins sujets à l'échauffement.

En conclusion, malgré sa silhouette générique et fonctionnelle, le Taurus X est un véhicule en mesure de combler les besoins d'une famille. Et compte tenu des sommets atteints par le coût de l'essence, la présence sous le capot d'un moteur V6 fonctionnant à l'essence ordinaire est un argument fort intéressant.

Denis Duquet

Photos: Ford

VÉHICULE D'ESSAI

Version :	Ford Taurus X Limited AWD
Moteur :	V6 de 3,5 litres 24s atmosphérique
Puissance :	263 ch (196 kW) à 6 250 tr/min
Couple :	249 lb-pi (338 Nm) à 4 500 tr/min
Rapport poids/puissance :	7,09 kg/ch (9,51 kg/kW)
Transmission :	automatique, 6 rapports
Rouage :	intégral
0-100 km/h · 80-120 km/h :	9,5 s · 7,7 s
Freinage 100-0 km/h :	43,6 m
Vitesse maximale :	210 km/h
Consommation (100 km) :	ordinaire, 13,6 litres
Autonomie approximative :	529 km
Émissions de CO2 :	5 568 kg/an
Emp/Lon/Lar/Haut (mm) :	2 868 / 5 088 / 1 902 / 1 712
Coffre/Réservoir :	493 à 2 413 / 72 litres
Nombre de coussins de sécurité :	6
Suspension avant :	indépendante, jambes de force
Suspension arrière :	indépendante, multibras
Freins av./arr. :	disque (ABS)
Antipatinage/Contrôle de stabilité :	oui/non
Direction :	à crémaillère, assistée
Diamètre de braquage :	12,2 m
Pneus av./arr. :	P225/60R18
Poids :	1 865 kg
Capacité de remorquage :	907 kg

AUTRE(S) COMPOSANTE(S) MÉCANIQUE(S)

Système hybride :	aucun
Moteur diesel :	aucun
Taxe énergivore :	aucune
Autre(s) moteur(s) :	aucun
Autre(s) rouage(s) :	traction
Autre(s) transmission(s) :	aucune

EN BREF

Échelle de prix :	32 429 $ à 39 994 $ (2008)
Catégorie :	multisegment
Garanties :	3 ans/60 000 km, 5 ans/100 000 km
Assemblage :	Chicago, Illinois, É-U
Cote d'assurance :	bonne

DANS LA MÊME CATÉGORIE

Buick Enclave, Chrysler Pacifica, Nissan Murano, Toyota Highlander

NOS IMPRESSIONS

Agrément de conduite :	4
Fiabilité :	4 ½
Sécurité :	4
Qualités hivernales :	4 ½
Espace intérieur :	4 ½
Confort :	4

DU NOUVEAU EN 2009

Aucun changement majeur

PLUS HAUT, PLUS LOIN

Honda était, il n'y a pas si longtemps, un manufacturier très frileux qui avait fait du conservatisme stylistique sa marotte. On peut certes parler des anciennes Prelude et des plus récentes S2000 comme de véritables explosions esthétiques mais, aux côtés de ces mignonnes sportives, les Civic, Accord, CR-V, Odyssey et autres affichaient des lignes d'une sobriété quasiment déprimante. Puis est apparue la Civic 2006 aux lignes tout à fait différentes. Puis l'année dernière, l'Accord. Dans les deux cas, il nous a fallu un peu de temps pour digérer!

Cette année encore, la Honda Accord est proposée en deux configurations, soit berline et coupé. Même si le châssis et la mécanique ont des points communs, les deux modèles présentent des différences notables. Autant le coupé que la berline cachent un quatre cylindres de 2,4 litres développant 190 chevaux et 162 livres-pied de couple. Mais la berline offre, en plus, une version plus édulcorée de ce moteur qui ne dégage alors que 177 chevaux et 161 livres-pied de couple. Aussi bien le dire tout de suite, ce moteur n'a d'autres utilités que de faire bien paraître Honda sur les listes de consommation d'essence. La version à 190 chevaux se montre nettement plus intéressante tout en consommant à peine davantage.

DEUX MOTEURS, TROIS PUISSANCES

L'Accord propose aussi un V6 de 3,5 litres de 271 chevaux. Franchement, à moins d'avoir à remorquer une charge dans des régions montagneuses (en passant, Honda ne dévoile pas les capacités de remorquage de ses automobiles), je ne vois pas en quoi il est si important d'accélérer entre 0 et 100 km/h en moins de 8,0 secondes. Ce moteur a beau se montrer souple, performant et économique pour un V6, il semble de plus en plus incongru dans un monde où les prix de l'essence ne sont pas appelés à descendre de sitôt. Le quatre cylindres est amplement suffisant dans la plupart des cas, d'autant plus qu'il n'affiche pas l'effet de couple du V6 dans le volant lors d'accélérations brusques.

Tous les modèles à quatre cylindres sont dotés, à la base, d'une transmission manuelle à cinq rapports, autant pour le coupé que pour la berline. Les versions V6, elles, reçoivent d'office une automatique à cinq rapports, aussi proposée en option pour les quatre cylindres. Et il est possible de doter le V6 d'une manuelle à six rapports. Comme c'est l'habitude chez Honda, l'automatique fonctionne avec précision et douceur et est bien étagée. Contrairement à la plupart des autres manufacturiers, Honda n'offre pas de mode manuel sur son automatique et bien peu s'en plaignent. Quant aux manuelles, à cinq ou six rapports, leur embrayage présente une certaine résistance, ce qui tranche agréablement avec la mollesse habituelle des produits Honda.

Sur la route, l'Accord montre de belles dispositions. La tenue de route est relevée, la résistance aux vents latéraux minime et le confort notable. Il ne faut toutefois pas s'attendre à de grandes prestations sportives, surtout de la part de la berline, dont l'empattement est plus long que celui du coupé. La direction offre peu de retour d'information et les

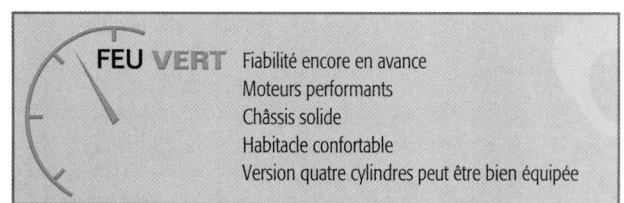

FEU VERT
Fiabilité encore en avance
Moteurs performants
Châssis solide
Habitacle confortable
Version quatre cylindres peut être bien équipée

FEU ROUGE
V6 plus ou moins utile
Certains matériaux pauvres
Insonorisation perfectible
Places arrière pénibles (coupé)
Esthétique discutable

freins, s'ils sont efficaces, ne sont pas sont exceptionnels. Le coupé manifeste des aptitudes sportives plus évoluées. Le système de contrôle de la traction et de la stabilité latérale fait preuve de discrétion et son intervention se fait toujours en douceur mais avec autorité. Son action apparaît plus tardivement que dans la berline. Nous avons eu l'occasion de faire l'essai de quelques Accord durant l'hiver (et Dieu sait qu'on en a eu tout un!). Chaussée de bons pneus d'hiver (des Blizzak), la voiture a affronté tempêtes, neige et glace avec brio.

QUESTION DE GOÛT

Au chapitre du style, on aime ou on n'aime pas. Si le coupé passe plus facilement le test, la berline en a fait tiquer plus d'un. Quoi qu'il en soit, l'Accord de nouvelle génération est imposante. Et, très important pour Honda, ses dimensions sont plus grandes que celles de l'ennemie jurée, la Toyota Camry. Comme de raison, ces généreuses dimensions se reflètent dans l'habitacle où l'espace ne manque pas, même à l'arrière... de la berline. Le coupé se veut nettement moins accueillant et le simple fait d'accéder aux places arrière se transforme en une épreuve athlétique! Le tableau de bord est sobre, joli et, surtout, bien agencé. On dirait du Acura! Là où Honda semble avoir épargné, c'est au niveau de la qualité des matériaux. Certains plastiques de l'habitacle nous ont semblé pauvres. Le cuir (ou cuirette?) qui recouvrait les portes d'une berline essayée l'hiver dernier devenait rapidement très sale.

Comme tous les autres produits de ce constructeur, l'Accord propose des accessoires et des douceurs à ses propriétaires mais elle est loin de trop les gâter. À preuve, le dossier des sièges arrière qui ne s'abaisse que d'un pan laisse songeur. Une simple Honda Civic possède des dossiers arrière s'abaissant de façon 60/40! Le système audio de l'Accord n'est pas mauvais du tout, mais si vous avez l'oreille le moindrement musicale vous risquez de faire la baboune! Par contre, rendons à César sa salade, la possibilité d'avoir une version quatre cylindres aussi bien équipée que le V6 est grandement appréciée par plusieurs consommateurs.

Au fil des années, la Honda Accord s'est embourgeoisée mais c'est sans doute ce que demande la clientèle nord-américaine. Le coupé se veut beaucoup plus dynamique que la berline qui, elle, privilégie le confort.

Alain Morin

Photos: Alain Morin

VÉHICULE D'ESSAI

Version:	Honda Accord EX V6 berline
Moteur:	V6 de 3,5 litres 24s atmosphérique
Puissance:	271 ch (202 kW) à 6200 tr/min
Couple:	254 lb-pi (340 Nm) à 5000 tr/min
Rapport poids/puissance:	5,98 kg/ch (8,02 kg/kW)
Transmission:	automatique, 5 rapports
Rouage:	traction
0-100 km/h · 80-120 km/h:	8,2 s · 6,3 s
Freinage 100-0 km/h:	42,3 m
Vitesse maximale:	225 km/h
Consommation (100 km):	ordinaire, 11,0 litres
Autonomie approximative:	636 km
Émissions de CO2:	4368 kg/an
Emp/Lon/Lar/Haut (mm):	2800 / 4930 / 1846 / 1476
Coffre/Réservoir:	397 / 70 litres
Nombre de coussins de sécurité:	6
Suspension avant:	indépendante, bras inégaux
Suspension arrière:	indépendante, multibras
Freins av./arr.:	disque (ABS)
Antipatinage/Contrôle de stabilité:	oui/oui
Direction:	à crémaillère, assistance variable électronique
Diamètre de braquage:	5,7 m
Pneus av./arr.:	P225/50R17
Poids:	1621 kg
Capacité de remorquage:	n.d.

AUTRE(S) COMPOSANTE(S) MÉCANIQUE(S)

Système hybride:	aucun
Moteur diesel:	aucun
Taxe énergivore:	aucune
Autre(s) moteur(s):	4L de 2,4 litres 190 ch/162 lb-pi (9,9 l/100 ordinaire)
	4L de 2,4 litres 177 ch/161 lb-pi (9,4 l/100 ordinaire)
Autre(s) rouage(s):	aucun
Autre(s) transmission(s):	manuelle, 6 rapports
	manuelle, 5 rapports

EN BREF

Échelle de prix:	25090$ à 38290$
Catégorie:	coupé, berline intermédiaire
Garanties:	3 ans/60000 km, 5 ans/100000 km
Assemblage:	Marysville, Ohio, É-U
Cote d'assurance:	passable

DANS LA MÊME CATÉGORIE

Chevrolet Malibu, Chrysler Sebring, Ford Fusion, Hyundai Sonata, Kia Magentis, Mazda6, Mitsubishi Galant, Nissan Altima, Pontiac G6, Saturn Aura, Subaru Legacy

NOS IMPRESSIONS

Agrément de conduite:	½
Fiabilité:	
Sécurité:	
Qualités hivernales:	
Espace intérieur:	
Confort:	

DU NOUVEAU EN 2009

Changements mineurs

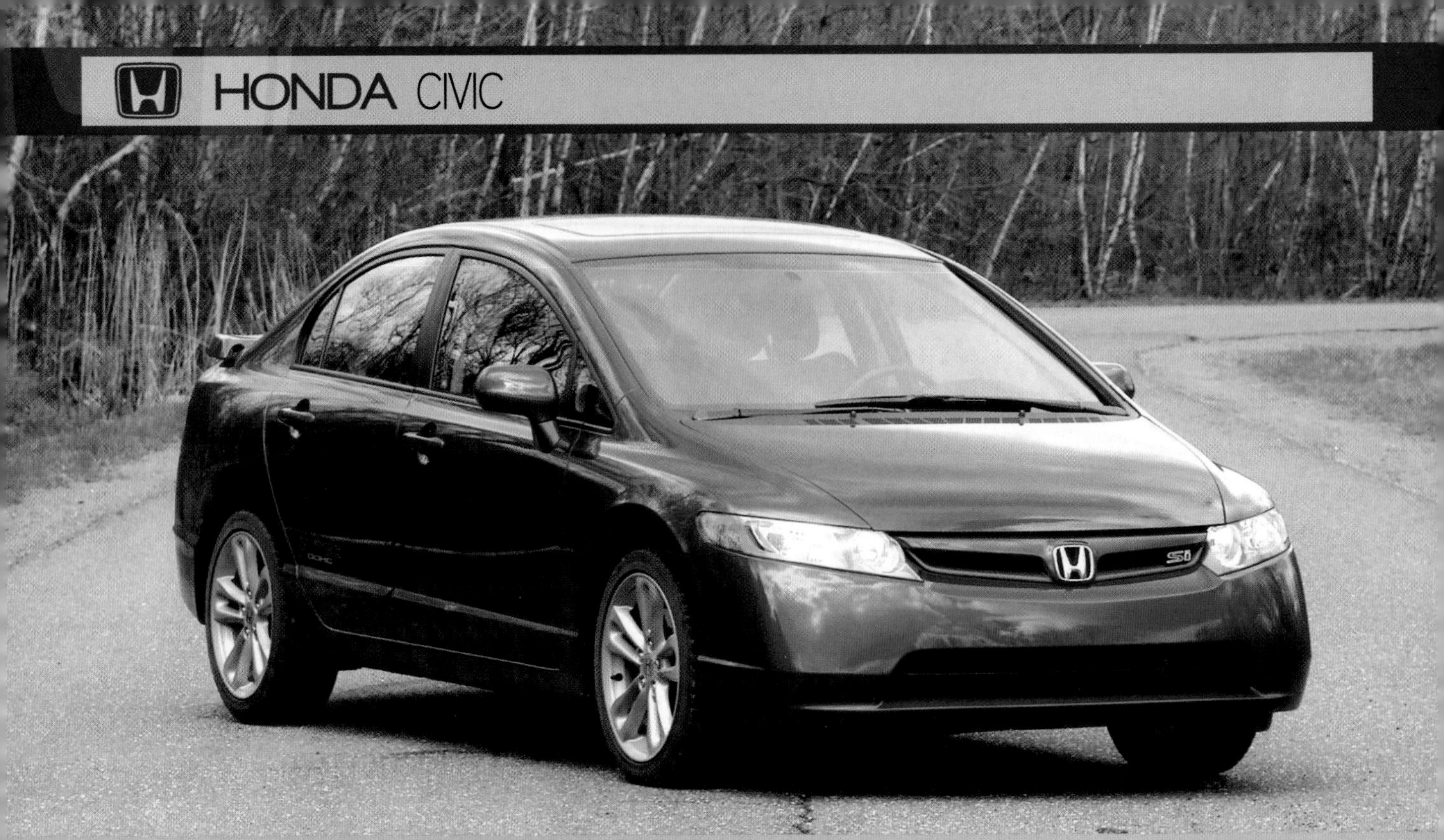

ET VLAN ! POUR LA CONCURRENCE

Le marché des berlines compactes est probablement l'un des plus dynamiques ces temps-ci. Étant donné que ce créneau est appelé à devenir encore plus populaire d'ici quelques années, l'équipe du *Guide de l'auto* a réalisé, en première partie, un des plus importants match comparatif de son histoire, opposant treize de ces compactes. Aussi bien vous le dire tout de suite, la Honda Civic a terminé en deuxième position, à quelques centièmes de points de la première !

Il faut dire que la refonte de 2006 lui a été grandement bénéfique mais que Honda a joué gros. Contrairement à Toyota qui peaufine sa Corolla sans la changer dramatiquement, les stylistes de Honda y ont été avec le manche de la cuillère, pas avec le dos ! Au début, les lignes ont certes choqué mais, avec le temps, on s'est habitué. Même l'habitacle est différent. Le tableau de bord mérite au moins un coup d'œil. L'information est donnée sur deux niveaux, ce à quoi certains automobilistes n'ont jamais pu se faire. Mais qui en enchante plusieurs !

La Civic se décline en versions berline et coupé. La berline, somme toute assez sage, peut, depuis l'année passée, se transformer en petit bolide grâce à la livrée Si, auparavant offerte uniquement sur le coupé. À l'autre bout du spectre de la berline, on retrouve, encore cette année, la Hybrid, de plus en plus populaire. Quant au coupé, il propose toujours les modèles réguliers et la Si.

Les versions coupé et berline régulières sont mues par un quatre cylindres 1,8 litre de 140 chevaux et 128 livres-pied de couple. Ce moteur n'est pas le plus puissant sur papier mais, dans les faits, il se montre drôlement en forme ! La transmission automatique à cinq rapports, une rareté dans ce créneau, fonctionne généralement très bien. La manuelle à cinq rapports demeure très « Honda » ; c'est-à-dire que l'embrayage offre peu de résistance et que la course du levier est un peu longue malgré sa précision. Le châssis est rigide, les suspensions proposent un bon compromis entre la tenue de route et le confort. D'ailleurs, il faut souligner que l'habitacle est plus silencieux que dans l'ancienne génération améliorant ainsi la douceur de roulement.

ICI LA SI

Les plus sportives Si, elles, ont droit à un très moderne quatre cylindres de 2,0 litres. Certes puissant, 197 chevaux, son couple n'est pas très élevé, soit 139 livres-pied seulement. En plus, ce couple est disponible à haut régime (6 100 tours/minute). C'est donc dire qu'il faut passablement jouer du levier pour bénéficier de bonnes performances puisque la puissance à bas régime fait défaut. La manuelle a beau être fort plaisante à manipuler, il arrive qu'on se fatigue un peu de travailler pour avoir du plaisir. C'est fou comme on a perdu l'art du travail depuis que tout est facile ! Quoi qu'il en soit, la transmission manuelle à six rapports, la seule offerte, s'avère beaucoup plus plaisante à manipuler que celle reliée au 1,8 litre. Pour améliorer la tenue de route, il a fallu rigidifier les suspensions et revoir les rapports de démultiplication de la

FEU VERT
- Fiabilité reconnue
- Valeur de revente élevée
- Plusieurs espaces de rangement
- Moteurs économiques
- Plaisir de conduite évident (Si)

FEU ROUGE
- Lignes ne font pas l'unanimité
- Certains plastiques tristes
- Version hybride dispendieuse
- Insonorisation encore pauvre
- Suspensions dures (Si)

Photo : Honda

direction. Contrairement à certaines sportives à traction (roues avant motrices), on ne retrouve que très peu d'effet de couple dans le volant. On a alors droit à une voiture très nerveuse, très agréable à piloter et malgré tout très économique. Heureusement, car cette version sportive dédaigne l'essence régulière !

VERS L'HYBRIDE

Quant à la version hybride, ses prestations sont très correctes, étant donné qu'il s'agit d'un... hybride ! Comme sur la plupart des hybrides, une fonction auto-stop permet au moteur de complètement arrêter lorsque le véhicule n'avance pas et ainsi économiser de l'essence. Aussi, la chaleur générée par les freins est récupérée et cette énergie sert à recharger les batteries. Même si c'est moins marqué qu'auparavant, la pédale de frein est un peu plus dure que celle des Civic standards. Lors de notre essai, nous avons obtenu une moyenne de 5,9 litres aux cent kilomètres (75 % route, 25 % ville), ce qui est moins élevé, mais plus réaliste, que les 4,7 litres de Transport Canada. Que c'est beau la technologie quand elle sert à améliorer l'environnement ! Mais il faut avoir les reins solides puisqu'un prêt de Honda sur location augmente de 2 % (3,9 pour les modèles ordinaires, 5,9 pour la Hybrid au moment d'écrire ces lignes) et de 5,4 % sur le financement (1,9 contre 7,3). Déjà que la Hybrid est passablement dispendieuse...

Qui dit Honda Civic dit qualité de fabrication. Certes, depuis quelques années, on sent une légère baisse à ce niveau, et ce, chez tous les constructeurs japonais mais, malgré quelques plastiques piqués dans des bacs de recyclage, l'habitacle de la Civic respire la qualité. La surface vitrée est importante, gracieuseté d'un immense pare-brise très incliné et la visibilité s'avère très bonne dans la berline mais un peu plus pénible dans le coupé, en raison du pilier C. Le coffre est assez grand mais son seuil est un peu élevé. Les dossiers des sièges s'abaissent en tout ou en partie pour agrandir le coffre, sauf sur la version hybride où, à cause de la batterie, ils sont fixes.

La Honda Civic demeure l'une des voitures les plus intéressantes actuellement sur le marché. La qualité de sa finition, sa, économique et fiable, son comportement routier à l'avenant et sa valeur de revente déjà élevée mais qui est appelée à encore augmenter sont autant d'incitatifs pour la choisir. Faut juste aimer ses lignes.

Alain Morin

Photos : Alain Morin

VÉHICULE D'ESSAI

Version :	Honda Civic DX-G berline
Moteur :	4L de 1,8 litre 16s atmosphérique
Puissance :	140 ch (104 kW) à 6 300 tr/min
Couple :	128 lb-pi (174 Nm) à 4 300 tr/min
Rapport poids/puissance :	8,69 kg/ch (11,70 kg/kW)
Transmission :	automatique, 5 rapports
Rouage :	traction
0-100 km/h · 80-120 km/h :	8,6 s · 7,1 s
Freinage 100-0 km/h :	42,8 m
Vitesse maximale :	180 km/h
Consommation (100 km) :	ordinaire, 8,2 litres
Autonomie approximative :	609 km
Émissions de CO2 :	3 408 kg/an
Emp/Lon/Lar/Haut (mm) :	2 700 / 4 489 / 1 752 / 1 430
Coffre/Réservoir :	340 / 50 litres
Nombre de coussins de sécurité :	6
Suspension avant :	indépendante, jambes de force
Suspension arrière :	indépendante, multibras
Freins av./arr. :	disque (ABS)
Antipatinage/Contrôle de stabilité :	non/non
Direction :	à crémaillère, assistance variable électrique
Diamètre de braquage :	10,6 m
Pneus av./arr. :	P195/65R15
Poids :	1 217 kg
Capacité de remorquage :	n.d.

AUTRE(S) COMPOSANTE(S) MÉCANIQUE(S)

Système hybride :	Batteries nickel-métal hydrure. Puissance combinée 110 ch et 123 lb-pi. Puissance moteur élec. 20 ch à 2 000 tr/min, 76 lb-pi entre 0 et 1 160 tr/min
Moteur diesel :	aucun
Taxe énergivore :	aucune
Autre(s) moteur(s) :	4L de 2,0 litres 197 ch/139 lb-pi (10,2 l/100 ordinaire) (Si) 4L de 1,3 litre 110 ch/123 lb-pi (4,7 l/100) (Hybride)
Autre(s) rouage(s) :	aucun
Autre(s) transmission(s) :	CVT (Hybride) manuelle, 6 rapports (Si) manuelle, 5 rapports

EN BREF

Échelle de prix :	16 990 $ à 26 680 $ (2008)
Catégorie :	berline compacte, coupé, hybride
Garanties :	3 ans/60 000 km, 5 ans/100 000 km
Assemblage :	Alliston, Ontario, Canada
Cote d'assurance :	pauvre

DANS LA MÊME CATÉGORIE

Chevrolet Cobalt, Ford Focus, Hyundai Elantra, Kia Spectra, Mazda3/Sport, Mitsubishi Lancer, Nissan Sentra, Toyota Corolla, Volkswagen Rabbit

NOS IMPRESSIONS

Agrément de conduite :	½
Fiabilité :	
Sécurité :	
Qualités hivernales :	½
Espace intérieur :	
Confort :	½

DU NOUVEAU EN 2009

Modifications esthétiques

LE PRIX DE LA QUALITÉ !

On le sait, si les VUS classiques ou plus imposants ont connu leurs belles années, la tendance se tourne de plus en plus vers les VUS compacts, aussi appelés multisegments. Ce type de véhicule, plus économe, offre les éléments appréciables d'un VUS en même temps qu'une conduite similaire à celle d'une voiture. Honda est présent dans ce créneau depuis plusieurs années avec son CR-V, un véhicule qui a eu un succès immédiat et dont la vocation devient plus urbaine au fil des années. Alors que la troisième génération du modèle nous est proposée depuis un peu plus d'un an, on peut se demander si le CR-V demeure l'incontournable de son créneau.

On doit l'avouer, la concurrence est plus que féroce chez les VUS compacts. Pratiquement tous les constructeurs se sont dotés d'un modèle et sincèrement, il y a plusieurs choix intéressants. Honda se positionne pour sa part dans une gamme plus élevée, ce qui place le CR-V dans une fourchette de prix moins accessible à la masse. Si plusieurs reconnaissent les qualités du CR-V, tous ne sont pas prêts à débourser la prime supplémentaire pour l'acquérir, surtout face à des rivaux fortement intéressants.

UN MOTEUR DE QUATRE CYLINDRES

Le CR-V est proposé en plusieurs versions, toutes équipées d'un moteur quatre cylindres de 2,4 litres développant 166 chevaux pour un couple de 161 livres-pied à 4 200 tours/minute. Combiné à la boîte automatique à cinq rapports, la seule offerte depuis l'avènement de la nouvelle génération, ce moteur permet des performances louables, mais il ne faut pas s'attendre à être cloué au siège. On peut cependant affirmer dans le cas du CR-V qu'il s'agit d'une puissance raisonnable pour la majeure partie des utilisations.

Il y a peu de reproches à faire concernant cette mécanique. Le moteur est doux et comme la majorité des produits Honda ont intégré au premier plan la préoccupation de la consommation dans leur mécanique, le CR-V ne fait pas exception. Plusieurs préfèrent un peu moins de puissance mais une économie de carburant maximale, et le CR-V répond bien à ce principe. Ceux qui par contre ont besoin de plus de puissance et d'une capacité de remorquage accrue devront se tourner vers la concurrence qui, dans certains cas, propose un moteur six cylindres ou encore opter pour le modèle Pilot.

PLAISIRS REHAUSSÉS

Sur la route, la conduite du CR-V s'apparente fortement à celle d'une voiture, objectif recherché chez Honda. Ce sentiment est favorisé par la position de conduite plus basse. En introduisant cette nouvelle génération, le constructeur a décidé de rendre le CR-V un peu plus urbain en abaissant notamment le véhicule et en réduisant son empattement. On obtient un véhicule plus agile, dont le plaisir de conduite est aussi rehaussé. Bref, on ne se croit pas au volant d'un véhicule lourdaud et instable en virage.

Autre fait intéressant, on peut maintenant acheter le CR-V en version à traction ce qui était impossible avec la génération précédente. Voilà qui permet au constructeur d'abaisser un peu le coût du modèle de

FEU VERT
Mécanique éprouvée
Conduite agréable
Lignes modernes
Moteur économique

FEU ROUGE
Prix élevé
Angles morts à l'arrière
Boîte manuelle non offerte

base, mais encore... Pour les partisans de la traction intégrale, le CR-V peut aussi être équipé d'un système à prise partielle qui envoie la puissance aux roues arrière en cas de besoin.

STYLE ET ERGONOMIE

Le CR-V dispose de lignes agréables et passe-partout. Son style appuie également sa nouvelle vocation, puisque ses bas de porte et son pare-chocs bas lui donnent un aspect moins haut, réduisant la perception qu'on pourrait s'en faire d'un VUS classique. C'est lorsqu'on le regarde de côté que la migration d'un VUS plus carré vers un VUS plus urbain devient évidente. Les lignes sont beaucoup plus fluides et l'arrière se termine en plongeant plutôt que d'être simplement carré.

L'intérieur du CR-V reflète au premier coup d'œil le souci du détail du constructeur. Tout est bien positionné et ergonomique, alors que la qualité de finition est sans reproche. Les commandes et le tableau de bord sont orientés vers le conducteur, ce qui procure une conduite plus sécuritaire. Tous les passagers profitent d'un habitacle assez spacieux, mais les nouvelles lignes du CR-V amputent quelque peu le dégagement à la tête à l'arrière, tout en créant des zones de visibilité réduite à l'arrière pour le conducteur. C'est d'ailleurs le cas de beaucoup de ces VUS.

À mon avis, le CR-V se distingue toujours dans sa catégorie. Peu de concurrents offrent une qualité d'assemblage similaire, ses composantes mécaniques sont difficilement contestables et son style demeure élégant. Cependant, il faudra vous attendre à débourser un peu plus pour obtenir le CR-V, facteur qui le rend moins concurrentiel par rapport à ses rivaux.

Sylvain Raymond

Photos: Honda

VÉHICULE D'ESSAI

Version:	Honda CR-V EX
Moteur:	4L de 2,4 litres 16s atmosphérique
Puissance:	166 ch (124 kW) à 5 800 tr/min
Couple:	161 lb-pi (218 Nm) à 4 200 tr/min
Rapport poids/puissance:	9,66 kg/ch (12,93 kg/kW)
Transmission:	automatique, 5 rapports
Rouage:	intégral
0-100 km/h · 80-120 km/h:	10,3 s · 8,7 s
Freinage 100-0 km/h:	42,5 m
Vitesse maximale:	190 km/h
Consommation (100 km):	ordinaire, 10,7 litres
Autonomie approximative:	542 km
Émissions de CO2:	4 512 kg/an
Emp/Lon/Lar/Haut (mm):	2 620 / 4 518 / 1 820 / 1 680
Coffre/Réservoir:	1 011 à 2 064 / 58 litres
Nombre de coussins de sécurité:	6
Suspension avant:	indépendante, jambes de force
Suspension arrière:	indépendante, multibras
Freins av./arr.:	disque (ABS)
Antipatinage/Contrôle de stabilité:	oui/oui
Direction:	à crémaillère, assistance variable
Diamètre de braquage:	10,6 m
Pneus av./arr.:	P225/65R17
Poids:	1 604 kg
Capacité de remorquage:	680 kg

AUTRE(S) COMPOSANTE(S) MÉCANIQUE(S)

Système hybride:	aucun
Moteur diesel:	aucun
Taxe énergivore:	aucune
Autre(s) moteur(s):	aucun
Autre(s) rouage(s):	traction
Autre(s) transmission(s):	aucune

EN BREF

Échelle de prix:	27 790 $ à 37 790 $
Catégorie:	VUS compact
Garanties:	3 ans/60 000 km, 5 ans/100 000 km
Assemblage:	East Liberty, Ohio, É-U et El Salto, Mexique
Cote d'assurance:	passable

DANS LA MÊME CATÉGORIE

Chevrolet Equinox, Dodge Nitro, Ford Escape, Hyundai Santa Fe, Jeep Liberty, Mazda Tribute, Mitsubishi Outlander, Nissan Rogue, Pontiac Torrent, Saturn VUE

NOS IMPRESSIONS

Agrément de conduite:	½
Fiabilité:	½
Sécurité:	½
Qualités hivernales:	½
Espace intérieur:	
Confort:	

DU NOUVEAU EN 2009

Nouveau modèle EX traction

POUR SON *LOOK* AVANT TOUT

L'Element fait partie de notre paysage depuis plus de sept ans et depuis, année après année, les mêmes rengaines se font entendre à son sujet : le véhicule est laid, bizarre et contraire aux principes d'aérodynamisme. Même les journalistes automobiles ont fait des constats similaires. Le véhicule est avant tout reconnu par son design et non par pour ses caractéristiques. Certains commerçants l'ont même utilisé maintes fois pour faire leur publicité. Et aujourd'hui, en 2009, n'en déplaise à plus d'un, tout cela est encore vrai, l'effet de nouveauté en moins.

Le design est effectivement toujours innovateur et original, il reste cependant que toute bonne idée finit par s'effriter. Les dirigeants de Honda ne sont pas dupes, mais récoltent des chiffres de vente qui s'avèrent encore bons. Il faut également avouer que le véhicule continue de faire tourner bien des têtes sur son passage. L'Element présente de nombreuses qualités et quiconque en a déjà fait l'essai comprend bien la flexibilité et la polyvalence du modèle.

NOUVELLE VERSION « SPORT COUPÉ »

Depuis peu, Honda propose la version SC de l'Element, une version désormais nécessaire afin d'attirer une clientèle plus jeune et souvent plus ouverte à la différence. Cette variante, qui ne signifie malheureusement pas « Sport Coupé », se veut une personnalisation (ce que les jeunes appellent *tuning*) de l'Element. C'est pourquoi elle a été baptisée SC, pour *Street Custom*. Précisons toutefois ici qu'il s'agit de modifications légères, principalement associées à l'apparence du véhicule et qui ne viennent en rien modifier ses performances. Au cœur de l'Element SC, le même moteur quatre cylindres de 2,4 litres est jumelé, au choix, à une transmission manuelle ou automatique à cinq rapports. S'ajoutent ensuite des jantes spéciales de 18 pouces, un ensemble de jupes avant et latérales ainsi que de nombreuses modifications esthétiques. L'intérieur bénéficie également de quelques changements, dont des appliqués appliques reprenant les couleurs de la carrosserie, des cadrans à rétro-illumination cuivre et un système audio offrant un bon potentiel de « boum boum ». La finition est correcte sans être exceptionnelle et, selon le modèle choisi, les ailes seront assorties à la couleur de la carrosserie ou d'un gris foncé mat. Que ce soit assis sur le siège du conducteur ou sur celui du passager, l'expérience à bord de l'Element restera toujours spéciale. Le pare-brise presque à la verticale, ainsi que la position de conduite bien « droite », nous donne l'impression de conduire un camion de plus grande dimension. Mais c'est au moment de manœuvrer que la surprise se fait sentir : le véhicule se révèle très agile et se faufile aisément dans la circulation.

La présentation de l'habitacle se veut tout de même très originale et bien pensée. On retrouve toutes les commandes à la portée de la main. On notera par contre que, compte tenu de la position de conduite, les commandes du système audio sont situées un peu trop loin sur la console centrale. Malgré sa grande habitabilité, l'Element ne propose que deux places à l'arrière. Elles sont peu confortables et la visibilité est bloquée par l'immense pilier C. Il est à remarquer que l'Element possède trois piliers : A, C et D, le B étant éliminé par l'ouverture de type suicide des

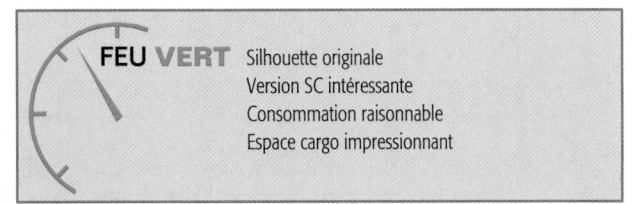

FEU VERT
- Silhouette originale
- Version SC intéressante
- Consommation raisonnable
- Espace cargo impressionnant

FEU ROUGE
- Places arrière limitées
- Console centrale éloignée
- Visibilité ¾ arrière réduite
- Direction lourde

portes arrière. La configuration des sièges arrière permet de les replier contre les parois du véhicule pour agrandir considérablement l'espace cargo. Le plancher plat et la grande ouverture du coffre donnent un accès plus que suffisant à cet espace.

NE JAMAIS JUGER SANS ESSAI ROUTIER

Un précédent essai de l'Element nous avait laissé quelque peu sur notre appétit. La puissance était juste, les performances anémiques, les pneumatiques décevants et la consommation au-dessus de nos attentes. C'était la version Y 4RM, donc à quatre roues motrices. Cette année, les données ont changé, car notre version d'essai, la SC, nous a agréablement surpris. Nous aurions pu reprendre ici l'intégrale du texte déjà paru sans vraiment en faire l'essai (le véhicule a en effet peu changé), mais nous aurions alors rendu un verdict inapproprié pour la version SC. C'est que cette version est une traction (impossible de la commander avec le système à quatre roues motrices), ce qui change considérablement la dynamique du véhicule. Les accélérations sont alors plus vives et les reprises plus instantanées.

L'absence du rouage « Real time » de Honda allège le véhicule de plusieurs kilogrammes et permet de meilleures économies d'essence. On a moins l'impression d'être ralenti par le système lorsque vient le temps d'appuyer ou de relâcher l'accélérateur. L'expérience de conduite est également plus agréable avec la transmission manuelle, nous permettant d'exploiter davantage la puissance disponible. On retrouve donc dans l'ensemble un véhicule mieux équilibré et plus agile que la version à quatre roues motrices. Les pneumatiques sont également mieux adaptés à ce type de véhicule, probablement en raison du diamètre de 18 pouces qui procure un flanc de pneu de plus bas profil. Le freinage s'inscrit toujours dans la moyenne de la catégorie. On se surprend donc à conduire ce véhicule de façon ludique, tout en profitant d'un immense espace de chargement.

L'Element n'a pour ainsi dire pas de rival côté design. Aucun autre véhicule ne présente un *look* aussi original. On peut assurément l'inclure dans la catégorie des véhicules « original, pratique, on aime ou on déteste », au même titre que les Chevrolet HHR et Chrysler PT Cruiser. Difficile donc de juger un véhicule seulement sur son apparence, car l'Element ne dévoile ses atouts qu'à ceux qui veulent bien en faire l'essai. Et c'est à ce moment qu'on oublie totalement sa forme extérieure.

Guy Desjardins

Photos : Honda

VÉHICULE D'ESSAI

Version :	Honda Element SC
Moteur :	4L de 2,4 litres 16s atmosphérique
Puissance :	166 ch (124 kW) à 5 800 tr/min
Couple :	161 lb-pi (218 Nm) à 4 500 tr/min
Rapport poids/puissance :	9,81 kg/ch (13,13 kg/kW)
Transmission :	manuelle, 5 rapports
Rouage :	traction
0-100 km/h · 80-120 km/h :	10,3 s · 9,2 s
Freinage 100-0 km/h :	40,0 m
Vitesse maximale :	190 km/h
Consommation (100 km) :	ordinaire, 11,3 litres
Autonomie approximative :	530 km
Émissions de CO2 :	4 848 kg/an
Emp/Lon/Lar/Haut (mm) :	2 575 / 4 326 / 1 815 / 1 762
Coffre/Réservoir :	710 à 2 112 / 60 litres
Nombre de coussins de sécurité :	6
Suspension avant :	indépendante, jambes de force
Suspension arrière :	indépendante, leviers triangulés
Freins av./arr. :	disque (ABS)
Antipatinage/Contrôle de stabilité :	oui/oui
Direction :	à crémaillère, assistance variable
Diamètre de braquage :	11,2 m
Pneus av./arr. :	P225/55R18
Poids :	1 629 kg
Capacité de remorquage :	680 kg

AUTRE(S) COMPOSANTE(S) MÉCANIQUE(S)

Système hybride :	aucun
Moteur diesel :	aucun
Taxe énergivore :	aucune
Autre(s) moteur(s) :	aucun
Autre(s) rouage(s) :	intégral
Autre(s) transmission(s) :	automatique, 5 rapports

EN BREF

Échelle de prix :	25 290 $ à 31 590 $ (2008)
Catégorie :	VUS compact
Garanties :	3 ans/60 000 km, 5 ans/100 000 km
Assemblage :	East Liberty, Ohio, É-U
Cote d'assurance :	moyenne

DANS LA MÊME CATÉGORIE

Chevrolet HHR, Chrysler PTCruiser, Jeep Compass/Patriot

NOS IMPRESSIONS

Agrément de conduite :	4
Fiabilité :	4 ½
Sécurité :	3 ½
Qualités hivernales :	4
Espace intérieur :	4 ½
Confort :	3 ½

DU NOUVEAU EN 2009

Essuies-glaces intermittents, pares-boue et régulateur de vitesse pour tous les modèles, radio satellite XM standard pour EX 4WD et SC

LA PETITE SE RAFFINE

Le moins que l'on puisse dire, c'est que le retour de la sous-compacte à hayon chez Honda aura rendu beaucoup de Québécois heureux. Non seulement les acheteurs pouvaient se procurer de nouveau une telle voiture chez un constructeur qu'ils chérissaient, mais les concessionnaires n'avaient désormais plus à diriger la clientèle chez la concurrence. Ce qu'Honda n'avait toutefois pas prévu, c'est l'arrivée de la Nissan Versa. Plus confortable, mieux équipée et moins couteuse à équipement égal, la Versa a convaincu dès sa première année de commercialisation presque deux fois plus de consommateurs que la Fit.

Naturellement, plusieurs expliquent le succès commercial plus important de la Versa. D'abord, cette Nissan se décline en version à hayon et en berline, ce que la Fit ne fait pas. Puis, elle a engendré une diminution majeure des ventes de la compacte Sentra, ce que ne fait pas non plus la Fit. Toutefois, l'arrogance des concessionnaires lors de son arrivée ainsi que la disponibilité quasi nulle de la version d'entrée de gamme aura obligé plusieurs acheteurs à rebrousser chemin et à se tourner vers des produits offrant une meilleure valeur.

Il semble maintenant qu'Honda ait appris de cette expérience, puisque la nouvelle Fit 2009 corrige en grande partie les lacunes de la version antérieure. En premier lieu, la clientèle sera heureuse d'apprendre qu'il est désormais possible d'obtenir le climatiseur sur la version de base DX, ce qui ne l'obligera plus à grimper à la version LX, beaucoup plus chère. Néanmoins, cette dernière qui est vendue à partir de 17 380 $, demeurera selon Honda la version la plus populaire. La version LX est celle qui permet notamment de bénéficier d'un groupe électrique complet, d'une meilleure chaîne audio, de jantes d'alliage et d'un becquet arrière. Quant à la version Sport, elle constitue toujours le modèle le plus huppé. Son prix est cependant conséquent...

Les lignes de la nouvelle Fit sont évolutives. De là à dire qu'elles sont plus harmonieuses, je ne sais pas, mais elles permettent à tout le moins de reconnaître qu'il s'agit d'une Honda au premier coup d'œil. C'est toutefois l'habitacle qui mérite de belles mentions. On a d'abord radicalement amélioré le confort, en équipant l'habitacle de sièges de bien meilleure qualité. L'ajout d'un accoudoir rabattable, d'un véritable repose-pied et d'un volant télescopique contribue aussi améliorer le confort et le positionnement du conducteur. Esthétiquement, la planche de bord est avant-gardiste et superbement dessinée. Le volant issu de la Civic est agréable, la console centrale est aussi audacieuse qu'ergonomique et les commodités sont innombrables. Quant à la qualité de finition, elle se situe à la hauteur de la réputation du constructeur en la matière.

Évidemment, la Fit conserve cette caractéristique unique, consistant en ce fameux système MagicSeat permettant de transformer l'habitacle selon vos besoins. On peut par exemple relever verticalement la banquette arrière pour bénéficier d'un volume exceptionnel en hauteur, ou encore rabattre à plat la banquette pour obtenir un volume de charge inégalé dans ce segment. Pour abaisser le plancher de coffre, Honda a même choisi d'éliminer la roue de secours pour la remplacer par une trousse de gonflage temporaire.

FEU VERT
- Nouvel habitacle superbe
- Consommation minimaliste
- Espace de chargement impressionnant
- Comportement routier amélioré
- Voiture plus confortable

FEU ROUGE
- Pas de version trois portes, ni de berline
- Prix élevé (Sport)
- Choix de couleurs (DX)

PLUS DE PUISSANCE, CONSOMMATION RÉDUITE

Cette année, la Fit hérite du même quatre cylindres de 1,5 litre, développant par contre 8 chevaux de plus que le modèle précédent en raison de l'adoption du système i-VTEC. Toujours aussi nerveux, ce moteur est agréable et ne montre jamais de signes de fatigue. On obtient avec la boîte manuelle des performances très semblables à celles du modèle antécédent, ainsi qu'une cote de consommation similaire. En revanche, il en va autrement avec les modèles équipés de l'automatique. En effet, l'adoption d'une boîte à cinq rapports qui s'adapte au type de conduite permet d'exploiter plus facilement les performances du moteur, par rapport au modèle antérieur. Cette dernière permet également d'économiser davantage à la pompe, même en comparaison avec la version 2009 à boîte manuelle. Et non, Honda n'a pas cru bon de ramener le mode séquentiel avec la boîte automatique, qui était l'an dernier proposé sur la version Sport.

Sur la route, la voiture est améliorée en tout point. La Fit est plus stable, plus agile, moins sensible aux vents latéraux et plus à l'aise en virage. Naturellement, la version Sport dotée de roues de 16 pouces permet une conduite encore plus dynamique, mais on peut aujourd'hui affirmer que la Fit est une voiture beaucoup plus plaisante à conduire, et dynamiquement plus intéressante. Il faut aussi mentionner que son confort sur route est accentué par un niveau d'insonorisation supérieur, qui se compare désormais à celui de la Versa.

Avec l'ensemble des améliorations apportées à la nouvelle Fit, il me semble clair que les acheteurs seront plus nombreux à la considérer. Ceux qui trouvaient les modèles 2007 et 2008 moins agréables à conduire que la défunte Civic Hatchback seront finalement choyés, tout comme ceux qui recherchaient davantage de confort. Ajoutez à cela le fait qu'il s'agisse de l'une des voitures à motorisation traditionnelle les moins gourmandes sur le marché, et qu'elle est offerte au même prix que l'an dernier, et vous obtenez une formule gagnante. Aux concessionnaires de se montrer plus conciliant et ce sera la clé du succès.

Antoine Joubert

Photos: Antoine Joubert

VÉHICULE D'ESSAI

Version:	Honda Fit LX
Moteur:	4L de 1,5 litre 16s atmosphérique
Puissance:	118 ch (88 kW) à 6 000 tr/min
Couple:	107 lb-pi (145 Nm) à 4 800 tr/min
Rapport poids/puissance:	9,47 kg/ch (12,70 kg/kW)
Transmission:	manuelle, 5 rapports
Rouage:	traction
0-100 km/h · 80-120 km/h:	n.d. · n.d.
Freinage 100-0 km/h:	n.d.
Vitesse maximale:	n.d.
Consommation (100 km):	ordinaire, 6,5 litres
Autonomie approximative:	615 km
Émissions de CO2:	n.d.
Emp/Lon/Lar/Haut (mm):	2 500 / 4 105 / 1 695 / 1 525
Coffre/Réservoir:	645 à 1 597 / 40 litres
Nombre de coussins de sécurité:	6
Suspension avant:	indépendante, jambes de force
Suspension arrière:	essieu rigide, ressorts hélicoïdaux
Freins av./arr.:	disque/tambour (ABS)
Antipatinage/Contrôle de stabilité:	non/non
Direction:	à crémaillère, assistance variable électrique
Diamètre de braquage:	10,5 m
Pneus av./arr.:	P175/65R15
Poids:	1 118 kg
Capacité de remorquage:	non recommandé

AUTRE(S) COMPOSANTE(S) MÉCANIQUE(S)

Système hybride:	aucun
Moteur diesel:	aucun
Taxe énergivore:	aucune
Autre(s) moteur(s):	aucun
Autre(s) rouage(s):	aucun
Autre(s) transmission(s):	automatique, 5 rapports

EN BREF

Échelle de prix:	14 980 $ à 20 480 $ (2008)
Catégorie:	familiale
Garanties:	3 ans/60 000 km, 5 ans/100 000 km
Assemblage:	Suzuka, Japon
Cote d'assurance:	n.d.

DANS LA MÊME CATÉGORIE

Chevrolet Aveo, Hyundai Accent, Kia Rio, Nissan Versa, Suzuki SX4, Toyota Yaris

NOS IMPRESSIONS

Agrément de conduite:	4
Fiabilité:	4
Sécurité:	4
Qualités hivernales:	3
Espace intérieur:	4
Confort:	3 ½

DU NOUVEAU EN 2009

Nouveau modèle

MATANTE A LE PIED PESANT !

Bien des gens ne veulent, pour rien au monde, être vus au volant d'une fourgonnette par crainte d'avoir l'air « mononcle » ou « matante ». Alors, pour loger les quatre ou cinq enfants de la famille reconstituée, bien des couples vont chercher un VUS ou un multisegment, tellement plus moderne. Ils y retrouvent certes plusieurs avantages malgré le manque d'espace du coffre ou de la troisième banquette. Nonobstant les valeurs esthétiques discutables des fourgonnettes, nous ferons remarquer à notre couple moderne que dans ce type de véhicule, l'espace n'est pas compté et qu'il ne consomme souvent pas plus d'essence !

Au niveau du style, la Odyssey est loin de redéfinir le genre mais, visuellement, elle demeure toujours dans le coup même quatre ans après son lancement. Aussi bien vous l'apprendre tout de suite, l'Odyssey ne fait l'objet d'aucun changement pour 2009, sauf pour le hayon, désormais à assistance électrique dans les versions EX-L et Touring, les plus huppées. D'ailleurs, depuis son lancement, ce véhicule n'a connu que des modifications de détail, ce qui prouve qu'il est bien né.

Côté mécanique, on ne retrouve qu'un moteur toutefois, selon le modèle, il présente une puissance différente. Le V6 de 3,5 litres VTEC développe 244 chevaux et 240 livres-pied de couple dans les versions DX, LX et EX. Ce même moteur, doté du calage variable des soupapes « intelligent » (i-VTEC), donne trois chevaux de moins mais augmente le couple de deux livres-pied. Cette dernière version profite du VCM (Variable Cylinder Management) qui permet de désactiver les soupapes de trois des six cylindres lorsque la demande en puissance est moindre. Le passage entre le mode trois et six cylindres se fait de façon tout à fait transparente et si ce n'était d'une indication ECO (pour économie) au tableau de bord, on ne saurait jamais combien de cylindres fonctionnent. En passant, cette indication au tableau de bord est agaçante durant la nuit, observation confirmée par quelques propriétaires d'Odyssey rencontrés au hasard. Fait à souligner, ce moteur carbure à l'essence régulière. Lors d'un essai mené l'hiver dernier entre Montréal et Québec par la 20, en grande partie durant une tempête de neige, l'Odyssey a consommé 11,2 litres en moyenne tous les cent kilomètres, ce qui est excellent, compte tenu de son gabarit.

La transmission est une automatique à cinq rapports dont le fonctionnement est sans reproches. Elle ne présente pas de mode manuel mais, mieux, elle est dotée de la fonction « grade logic » qui lui permet de rétrograder d'un rapport ou de retarder le changement d'un rapport dans le cas où, par exemple, le véhicule tire une remorque. L'Odyssey peut d'ailleurs traîner jusqu'à 1 588 kilos (3 500 livres) lorsque l'ensemble remorquage est coché.

EXCITANTE ? NON. ÉQUILIBRÉE ? OUI.

Grâce à ses suspensions indépendantes aux quatre roues, l'Odyssey propose un comportement routier plus près de celui d'une automobile que d'un utilitaire. Certes, la caisse penche en virage et on sent que l'avant désire continuer tout droit si on roulait trop vite (sous-virage) mais, dans l'ensemble et dans le respect des limites de vitesse,

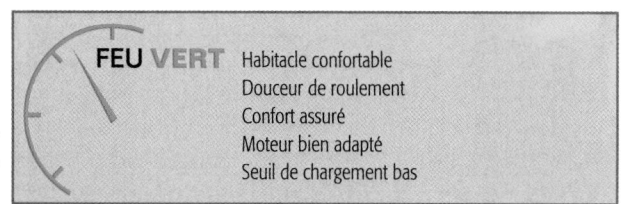

FEU VERT
- Habitacle confortable
- Douceur de roulement
- Confort assuré
- Moteur bien adapté
- Seuil de chargement bas

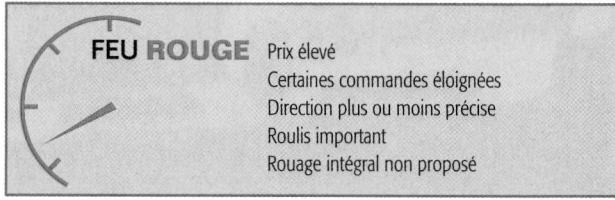

FEU ROUGE
- Prix élevé
- Certaines commandes éloignées
- Direction plus ou moins précise
- Roulis important
- Rouage intégral non proposé

l'Odyssey se débrouille très bien. La direction constitue l'un des seuls points faibles de la fourgonnette de Honda, étant aussi peu communicative que précise. Au moins, elle autorise un rayon de braquage assez court pour la catégorie.Si on opte pour une fourgonnette, c'est sans aucun doute pour les qualités de son habitacle. Encore une fois, l'Odyssey ne déçoit pas. La position de conduite est haute et permet une excellente visibilité tout autour. Le tableau de bord n'a pas changé d'un iota depuis 2005 et c'est tant mieux même si certains boutons à droite du système de navigation et du système audio peuvent être difficiles à rejoindre. Puisqu'il est question d'audio, mentionnons que Honda, fidèle à son habitude, a équipé l'Odyssey d'un système dont la sonorité, sans être mauvaise, est loin d'être parfaite. Notre Odyssey d'essai, un modèle Touring, était munie du système GPS qui incluait aussi la caméra de recul. L'été, cette caméra est une bénédiction. L'hiver, son objectif se salit très rapidement.

BAGAGES ET KILOMÈTRES

Les sièges avant font preuve de confort et je n'aurais aucune crainte d'effectuer un long trajet. Ceux de la deuxième rangée ne sont pas piqués des vers non plus. Dans toutes les versions (sauf la DX, de base), Honda parle de huit places. Il faut être très optimiste pour espérer qu'une personne s'assoie le moindrement longtemps sur l'espèce de chaise entre les deux sièges capitaines de la deuxième rangée... Heureusement, cette honte se replie pour offrir deux porte-gobelets. Quant aux sièges de la troisième rangée, ils ne sont, évidemment, pas aussi confortables que les autres, mais ils ne sont pas non plus à classer dans la catégorie «supplice». Pour augmenter l'espace de chargement, ils se rabattent dans le plancher tandis que ceux de la deuxième rangée se replient sur eux-mêmes. C'est mieux que rien mais lors d'un voyage au Salon de l'auto de Québec l'hiver dernier, alors que le véhicule était chargé comme une mule, nous aurions apprécié qu'eux aussi basculent dans le plancher, comme le fait le système Stow 'N Go de Chrysler, ce qui aurait augmenté le nombre de litres disponibles.

Belle finition et qualité des matériaux relevée, comportement routier sain, confort pratiquement à toute épreuve, consommation bien maîtrisée, technologie de pointe, excellente valeur de revente c'est tout ça, la Honda Odyssey.

Alain Morin

Photos: Alain Morin

VÉHICULE D'ESSAI

Version:	Honda Odyssey Touring
Moteur:	V6 de 3,5 litres 24s atmosphérique
Puissance:	241 ch (180 kW) à 5 750 tr/min
Couple:	242 lb-pi (325 Nm) à 4 500 tr/min
Rapport poids/puissance:	8,73 kg/ch (11,7, kg/kW)
Transmission:	automatique, 5 rapports
Rouage:	traction
0-100 km/h · 80-120 km/h:	10,7 s · 8,6 s
Freinage 100-0 km/h:	43,0 m
Vitesse maximale:	195 km/h
Consommation (100 km):	ordinaire, 12,4 litres
Autonomie approximative:	645 km
Émissions de CO2:	4 944 kg/an
Emp/Lon/Lar/Haut (mm):	3 000 / 5 105 / 2 198 / 1 779
Coffre/Réservoir:	1 934 / 4 173 / 80 litres
Nombre de coussins de sécurité:	6
Suspension avant:	indépendante, jambes de force
Suspension arrière:	indépendante, multibras
Freins av./arr.:	disque (ABS, EBD)
Antipatinage/Contrôle de stabilité:	oui/oui
Direction:	à crémaillère, assistance variable
Diamètre de braquage:	11,2 m
Pneus av./arr.:	P235/65R17
Poids:	2 106 kg
Capacité de remorquage:	1 588 kg

AUTRE(S) COMPOSANTE(S) MÉCANIQUE(S)

Système hybride:	aucun
Moteur diesel:	aucun
Taxe énergivore:	aucune
Autre(s) moteur(s):	V6 de 3,5 litres 244 ch/240 lb-pi (13,3 l/100 ordinaire)
Autre(s) rouage(s):	aucun
Autre(s) transmission(s):	aucune

EN BREF

Échelle de prix:	31 490 $ à 48 990 $ (2008)
Catégorie:	fourgonnette
Garanties:	3 ans/60 000 km, 5 ans/100 000 km
Assemblage:	Lincoln, Alabama, É-U
Cote d'assurance:	moyenne

DANS LA MÊME CATÉGORIE

Chevrolet Uplander, Chrysler Town&Country, Dodge Grand Caravan, Hyundai Entourage, Kia Sedona, Nissan Quest, Toyota Sienna

NOS IMPRESSIONS

Agrément de conduite:	●●●●
Fiabilité:	●●●●½
Sécurité:	●●●●●
Qualités hivernales:	●●●●
Espace intérieur:	●●●●½
Confort:	●●●●½

DU NOUVEAU EN 2009

Porte coulissante électrique standard sur EX-L et Touring

DANS LA GUEULE DU LOUP ?

Depuis environ un an, les prix de l'essence augmentent régulièrement. Mais ce n'est que depuis quelques mois que l'on remarque vraiment un changement dans les mentalités des Québécois. On roule désormais moins vite sur les routes de la belle province (l'abus d'opérations radars y est sans doute pour quelque chose aussi...). De plus, les ventes de camionnettes et VUS plein format ont chuté radicalement, coûtant des milliers d'emplois en Amérique. Lorsque le Honda Pilot 2009 a été pensé et dessiné, il y a quelques années, on était loin de se douter de ce brusque revirement de situation.

Le nouveau Pilot répond aux demandes des propriétaires actuels ou passés d'un Pilot : plus de puissance et une consommation moins importante, plus d'espace pour les passagers et un *look* plus robuste qu'avant. Réglons le cas du *look*. Le nouveau Pilot offre, effectivement, une allure beaucoup plus robuste. Les angles ont été équarris et les divers éléments semblent avoir été « gossés » à la hache. Le tout fait même un peu rétro, à des lieues du style des Mazda CX-9, GMC Acadia, Hyundai Veracruz et même du très tranquille Toyota Highlander, de fiers concurrents qui ont plutôt opté pour le style multisegment. À l'arrière, un décroché au niveau des feux s'étend jusque dans le hayon et ajoute une touche de modernité qui est la bienvenue. Mais c'est surtout la calandre qui risque de faire jaser le plus. Personne ne reste indifférent face à ce gros H entouré d'une très large bande chromée, elle-même entourée d'une autre bande. On ne peut discuter des goûts.

HABITACLE RÉUSSI

C'est dans l'habitacle que les changements sont les mieux réussis, à mon avis. Le tableau de bord est tout nouveau et les jauges, réunies dans une nacelle, semblent flotter dans le vide. Très réussi. Au centre du tableau de bord, on retrouve une large bande verticale contenant les commandes de la climatisation, de la radio et du système de navigation par satellite, lorsque présent. Ce système n'est offert que dans la version Touring, la plus chère. Toujours dans cette partie de la planche de bord, on remarque le levier de vitesses qui était localisé, auparavant, sur la colonne de direction. Une bonne partie des commandes est placée sur une plaque bleutée, qui ressemble à ce que Toyota offre sur l'Avalon.

Les propriétaires actuels désiraient plus d'espace intérieur ? Honda leur en a donné. Et ça se remarque dès qu'on ouvre une portière. Ce sont davantage les deuxième et troisième rangées de sièges qui profitent le plus des quelques millimètres supplémentaires du Pilot. Même la troisième rangée peut accueillir deux adultes dans un grand confort. On retrouve certes trois ceintures de sécurité, mais après un voyage le moindrement long, la personne assise au centre devrait être bonne pour une thérapie... Cela dit, le Pilot est un véhicule huit places et plusieurs familles reconstituées ont besoin d'un tel moyen de transport. Bien entendu, lorsque les dossiers de la banquette de la troisième rangée sont relevés, l'espace de chargement diminue grandement. Autrement, lorsque tous les dossiers sont baissés, formant ainsi un fond plat, le Pilot peut engouffrer jusqu'à 2 464 litres. Le seuil est bas, égal

FEU VERT
- Fiabilité honorable
- Habitacle logeable
- Comportement routier surprenant
- Rouage intégral compétent
- Moteur économique

FEU ROUGE
- Grille de calandre « différente »
- Équipement chiche
- Version 2RM peu prisée
- Prix assez élevés

au plancher, et le dessus du pare-chocs arrière est recouvert de caoutchouc, une heureuse initiative qui empêche les égratignures. Aussi, la vitre ouvre séparément du hayon, une autre heureuse initiative.

MÉCANIQUE MODERNE

En ce qui concerne la mécanique, Honda est demeuré fidèle au V6 de 3,5 litres. Ce moteur, fort moderne, développe 250 chevaux et 253 livres-pied de couple. Une seule transmission est proposée, soit une automatique à cinq rapports. On n'y retrouve pas de mode manuel, ce qui ne devrait pas indisposer beaucoup de monde. Le Pilot de base débarque avec les roues avant motrices (traction) et les autres versions ont droit au VTM-4 (Variable Torque Management). Honda prévoit que 95 % des acheteurs de Pilot se prévaudront de ce dernier rouage, très efficace en hors route comme nous avons pu le constater sur un circuit aménagé pour ce type de conduite. Les pneus Michelin LTX à la semelle très agressive, dont était muni notre véhicule d'essai, le Hill Start Assist empêchant le Pilot de reculer ou d'avancer lorsqu'on relâche les freins dans une côte, ainsi que la possibilité de bloquer le différentiel central par une simple pression d'un bouton au tableau de bord (mais on ne retrouve pas de gamme basse LO), voilà autant d'éléments permettant au Pilot de passer à peu près n'importe où... à peu près jamais ! En effet, bien peu de conducteurs iront s'amuser au point d'avoir besoin de tous ces attributs, mais le fait de penser qu'ils peuvent le faire rehausse le niveau de confiance. Le Pilot peut remorquer une charge de 1 590 kg (2RM) à 2 045 kg (intégrale).

C'est bien davantage sur la route que le Pilot sera apprécié. L'habitacle est silencieux, les sièges confortables, et la direction n'est toujours pas des plus communicatives, mais Honda a fait de valeureux efforts en ce sens. Les suspensions, indépendantes aux quatre coins, savent marier confort et tenue de route. Ils ne font pas du Pilot un Porsche Cayenne, mais si on conserve le moindrement de jugement, on ne risque pas de se retrouver en fâcheuse position. Le roulis en virage est très bien maîtrisé

Avec son style à l'encontre des dictats de la mode, sa motorisation certes économique mais sans dieselisation ou hybridation à venir, le Pilot pourrait connaître certaines difficultés sur le marché. Et c'est malheureux, car ce Honda revisité propose un comportement routier relevé, un confort appréciable et une fiabilité bienvenue.

Alain Morin

Photos : Alain Morin

HONDA PILOT

VÉHICULE D'ESSAI

Version :	Honda Pilot Touring AWD
Moteur :	V6 de 3,5 litres 24s atmosphérique
Puissance :	250 ch (187 kW) à 5 700 tr/min
Couple :	253 lb-pi (343 Nm) à 4 800 tr/min
Rapport poids/puissance :	8,32 kg/ch (11,19 kg/kW)
Transmission :	automatique, 5 rapports
Rouage :	intégral
0-100 km/h · 80-120 km/h :	10,0 s · 7,4 s
Freinage 100-0 km/h :	42,0 m
Vitesse maximale :	175 km/h
Consommation (100 km) :	ordinaire, 13,1 litres
Autonomie approximative :	610 km
Émissions de CO2 :	n.d.
Emp/Lon/Lar/Haut (mm) :	2 775 / 4 850 / 1 995 / 1 846
Coffre/Réservoir :	589 à 2 464 / 80 litres
Nombre de coussins de sécurité :	6
Suspension avant :	indépendante, jambes de force
Suspension arrière :	indépendante, multibras
Freins av./arr. :	disque (ABS)
Antipatinage/Contrôle de stabilité :	oui/oui
Direction :	à crémaillère, assistance variable
Diamètre de braquage :	11,8 m
Pneus av./arr. :	P245/65R17
Poids :	2 082 kg
Capacité de remorquage :	1 590 kg

AUTRE(S) COMPOSANTE(S) MÉCANIQUE(S)

Système hybride :	aucun
Moteur diesel :	aucun
Taxe énergivore :	aucune
Autre(s) moteur(s) :	aucun
Autre(s) rouage(s) :	traction
Autre(s) transmission(s) :	aucune

EN BREF

Échelle de prix :	36 820 $ à 49 920 $
Catégorie :	VUS intermédiaire
Garanties :	3 ans/60 000 km, 5 ans/100 000 km
Assemblage :	Alliston, Ontario, Canada
Cote d'assurance :	moyenne

DANS LA MÊME CATÉGORIE

Acura MDX, Buick Enclave, Dodge Durango, Ford Explorer, GMC Acadia, Jeep Grand Cherokee, Nissan Pathfinder, Saturn Outlook, Toyota Highlander

NOS IMPRESSIONS

Agrément de conduite :	4
Fiabilité :	4 ½
Sécurité :	4 ½
Qualités hivernales :	4 ½
Espace intérieur :	4 ½
Confort :	4

DU NOUVEAU EN 2009

Nouveau modèle

HONDA S2000

UNE MOTO SUR QUATRE ROUES

En attendant l'arrivée de la remplaçante de la défunte NSX, la S2000 porte à elle seule le flambeau de la performance chez Honda et elle poursuit sa route en 2009 en demeurant essentiellement inchangée par rapport aux modèles des années antérieures. Cette voiture mérite pleinement son qualificatif de moto sur quatre roues tellement sa conduite est directe et précise. Mais comme la S2000 ne fait aucun compromis pour ce qui est du confort, on peut également dire qu'elle possède les défauts de ses qualités.

Cette sportive intransigeante doit son origine au cinquantième anniversaire de la marque Honda en l'an 2000, pour lequel les ingénieurs ont développé une voiture dans le plus pur esprit d'un roadster, en guise de célébration. La S2000 s'inscrit également dans le respect des traditions établies chez ce constructeur pour ce qui est de la motorisation, puisqu'elle était alors animée par un moteur atmosphérique de 2,0 litres très poussé sur le plan technique qui donnait dans la haute voltige avec sa limite de révolutions-moteur de 8 000 tours/minute. Avec son rapport de 120 chevaux par litre de cylindrée sans l'apport d'un turbocompresseur ni d'un compresseur volumétrique, le moteur de la S2000 était alors, et demeure aujourd'hui, une véritable démonstration de l'expertise technique de Honda.

Par la suite, la cylindrée a été portée à 2,2 litres afin d'améliorer légèrement le couple du moteur à bas régime, sans toutefois corriger une lacune qui demeure encore et toujours le point faible le plus évident de la S2000. Entre le ralenti et 4 000 tours/minute, il ne se passe absolument rien et l'on ne sent pas du tout la poussée du moteur qui ne s'exprime avec pleine force qu'entre 4 000 et 8 000 tours/minute. Résultat, le conducteur d'une S2000 qui veut exploiter la performance de sa voiture a l'air d'un dangereux psychopathe aux yeux de tous ceux qui le regardent passer, les hauts régimes moteur étant accompagnés d'un cri strident qui s'apparente presque à celui d'une moto sport. Le fait que l'on doive constamment rouler en affichant un régime élevé au compte-tours signifie que c'est un style de conduite plus radical qui doit être préconisé au volant de la S2000, qui partage d'ailleurs ce point faible avec une autre sportive japonaise, soit la Mazda RX-8.

Il faut donc jouer du levier de vitesses afin d'exploiter pleinement les performances du moteur, mais on ne rechigne pas à cette idée, la course du levier étant ultraprécise, exactement comme sur une voiture de course de type Formule 2000. La boîte de la S2000 demeure l'une des meilleures transmissions manuelles de toute l'industrie automobile. Le parallèle avec une voiture de course est d'ailleurs intéressant à d'autres égards, la S2000 se comportant presque avec l'agilité d'un kart de compétition.

Par rapport aux premiers modèles, l'actuelle S2000 est dotée d'une suspension arrière légèrement assouplie et de pneus plus larges montés sur des jantes de 17 pouces. Ces deux correctifs, apportés à

FEU VERT
- Go-kart pour la route
- Moteur technologiquement poussé
- Direction très directe
- Lignes encore dans le coup

FEU ROUGE
- Couple inexistant à bas régime
- Confort rudimentaire
- Habitacle très petit
- Disparition prévue pour bientôt

la voiture en 2004, ont été adoptés afin de corriger la tendance au survirage qu'exhibait la première version de la S2000, et qui a parfois pris par surprise certains conducteurs trop téméraires. De plus, les ingénieurs de Honda ont ajouté en 2006 un système de contrôle électronique de la stabilité afin de corriger les impairs des conducteurs qui font preuve de plus d'enthousiasme que de talent.

UN HABITACLE DE STYLE « COCKPIT »

L'habitacle de la S2000 propose un environnement spartiate dans le plus pur esprit d'une voiture de compétition. Le tableau de bord n'est pas composé des traditionnels cadrans, mais présente plutôt l'information sous forme numérique alors que le système audio se cache derrière une plaque métallique. Le pédalier ajouré et le pommeau du levier de vitesses, parfaitement localisé et tombant facilement sous la main, ajoutent à cette présentation plus sportive.

Parmi les points faibles, on peut relever le fait que les rangements à bord sont limités, tout comme le volume du coffre qui propose à peine 152 litres de volume utilisable. De plus, la colonne de direction n'est pas ajustable, ce qui représente un réel handicap pour les conducteurs de grande taille. Finalement, les sièges, qui offrent un très bon support latéral en virages, seront peut-être trop étroits pour certains gabarits.

Si vous êtes à la recherche d'un cabriolet confortable pour rouler paisiblement pendant la courte saison estivale, je ne vous recommande pas l'achat de la S2000, qui a plutôt été conçue dans l'optique de la performance pure propre à un vrai roadster et qui ne fait pas de compromis côté confort. Si par contre vous cherchez à remplacer votre moto par une véritable voiture sport exaltante qui vous demandera le même niveau de concentration derrière le volant que derrière un guidon, la S2000 conviendra parfaitement à vos besoins.

Gabriel Gélinas

VÉHICULE D'ESSAI

Version :	Honda S2000
Moteur :	4L de 2,2 litres 16s atmosphérique
Puissance :	237 ch (177 kW) à 7 800 tr/min
Couple :	162 lb-pi (220 Nm) à 6 800 tr/min
Rapport poids/puissance :	5,48 kg/ch (7,35 kg/kW)
Transmission :	manuelle, 6 rapports
Rouage :	propulsion
0-100 km/h · 80-120 km/h :	6,2 s · 6,2 s
Freinage 100-0 km/h :	37,0 m
Vitesse maximale :	240 km/h
Consommation (100 km) :	super, 11,8 litres
Autonomie approximative :	423 km
Émissions de CO2 :	4 896 kg/an
Emp/Lon/Lar/Haut (mm) :	2 400 / 4 135 / 1 750 / 1 270
Coffre/Réservoir :	152 / 50 litres
Nombre de coussins de sécurité :	2
Suspension avant :	indépendante, bras inégaux
Suspension arrière :	indépendante, bras inégaux
Freins av./arr. :	disque (ABS)
Antipatinage/Contrôle de stabilité :	oui/oui
Direction :	à crémaillère, assistée
Diamètre de braquage :	10,8 m
Pneus av./arr. :	P255/45R17 / P245/40R17
Poids :	1 301 kg
Capacité de remorquage :	non recommandé

AUTRE(S) COMPOSANTE(S) MÉCANIQUE(S)

Système hybride :	aucun
Moteur diesel :	aucun
Taxe énergivore :	aucune
Autre(s) moteur(s) :	aucun
Autre(s) rouage(s) :	aucun
Autre(s) transmission(s) :	aucune

EN BREF

Échelle de prix :	50 600 $
Catégorie :	roasdster
Garanties :	3 ans/60 000 km, 5 ans/100 000 km
Assemblage :	Suzuka, Japon
Cote d'assurance :	n.d.

DANS LA MÊME CATÉGORIE

Audi TT, Lotus Elise, Mercedes-Benz SLK350, Nissan 350Z, Porsche Boxster

NOS IMPRESSIONS

Agrément de conduite :	●●●●●
Fiabilité :	●●●●
Sécurité :	●●●●
Qualités hivernales :	●●
Espace intérieur :	●●
Confort :	●●

DU NOUVEAU EN 2009

Changements mineurs

Photos : Honda

L'ENNEMI DES ÉCOLOS

Dans notre civilisation moderne, plusieurs marques de commerce sont devenues des mots courants de notre vocabulaire. Par exemple, on utilise le terme Kodak pour désigner un appareil photo, le mot Frigidaire pour un réfrigérateur et Kleenex est automatiquement associé à un papier mouchoir. Ainsi, lorsque vient le temps de parler des véhicules 4X4, c'est Jeep qui a préséance. Cependant, quand les gens veulent décrier les excès des véhicules de cette catégorie, on songe immédiatement au Hummer.

En effet, ce gros tout-terrain est synonyme de consommation élevée, de dimensions hors normes et de véhicule particulièrement inutile. En fait, de nos jours, il faut être passablement culotté pour se promener en H2. Au contraire, il fait bon chic, bon genre de rouler en Toyota Prius par exemple.

LA FAUTE À LA SILHOUETTE

S'il est vrai que le modèle original de ce véhicule était destiné aux forces armées, la seconde génération n'a rien à voir avec ce guerrier. En fait, le Hummer H2 fait appel à la plate-forme de l'avant-dernière génération du Chevrolet Tahoe, un gros utilitaire sport qui n'est pas placé au ban de la société pour autant. La raison de cette levée de boucliers envers le H2 réside dans le fait que les stylistes ont conservé la silhouette utilitaire taillée au couteau de l'ancien H1 qui lui donne des airs de super macho. Ce véhicule paraît plus gros et plus costaud qu'il ne l'est en réalité.

Si cette approche militaire dans le design a plu initialement, ce n'est plus la même chose aujourd'hui alors que les véhicules écologiques ont la cote des acheteurs. Pourtant, lorsqu'on compare ce modèle aux autres proposés par la concurrence, il n'est ni meilleur ni pire en matière de consommation de carburant et de pollution atmosphérique. Malheureusement, ses airs de costaud lui causent des ennuis. Sur une note plus pratique, soulignons que la fenestration est très étroite, ce qui rend la visibilité très difficile pour le conducteur. En outre, le pneu de secours est accroché à la porte arrière, ce qui vient obstruer la vision davantage. Il est intéressant de se rappeler que la première version voyait ce pneu de secours placé dans le coffre. Non seulement il occupait beaucoup d'espace, mais une forte odeur de caoutchouc flottait en permanence dans l'habitacle.

Compte tenu de la hauteur du véhicule et de ses portières arrière assez étroites, il est difficile de monter à bord. Une fois assis cependant, les sièges sont confortables, bien que l'habitabilité soit moyenne en dépit des dimensions extérieures. Et si vous aimez punir vos amis ou des membres de votre famille, vous n'avez qu'à les asseoir dans la troisième rangée de sièges.

Le tableau de bord a été entièrement redessiné l'an dernier et cet élément constitue une amélioration notable. La qualité de la finition et des matériaux a aussi beaucoup progressé, comme c'est le cas sur la plupart des véhicules de ce constructeur.

FEU VERT
- 4X4 ultra efficace
- Comportement routier sain
- Moteur bien adapté
- Finition améliorée
- Silhouette exclusive

FEU ROUGE
- Conduite urbaine délicate
- Visibilité limitée
- Accès à bord difficile
- Consommation prohibitive
- Image très négative

AMENEZ-EN, DES OBSTACLES!

Il faut se souvenir que ce véhicule n'a pas été conçu, à l'origine, pour être vendu à des gens voulant parader sur la rue principale. Si les «poseurs» apprécient les Hummer, ceux-ci ont toutefois été initialement dessinés pour être de redoutables véhicules tout-terrains. Difficile à comprendre, puisque les acheteurs, en grande majorité, tombent en amour avec son caractère semi-militaire exclusif, sans pour autant vouloir l'utiliser en hors route. Cependant, si vous l'achetez pour les bonnes raisons et prévoyez vous en servir pour effectuer des déplacements hors sentier, vous serez impressionné par les capacités de ce gros 4X4.

L'an dernier, le H2 a été doté d'un nouveau moteur V8 d'une cylindrée de 6,2 litres et d'une puissance de 395 chevaux et de 415 livres-pied de couple. Bref, avec de telles statistiques, vous serez en mesure d'affronter les conditions les plus difficiles tout en étant capable de remorquer des charges allant jusqu'à 3 720 kg. Le moteur est couplé à une boîte automatique à six rapports, dont le fonctionnement est sans reproche. Les ingénieurs en ont également profité, en 2008, pour raffiner le système de transmission intégrale. Il est possible de régler de plusieurs façons ce système débrayable qui permet au conducteur de verrouiller les différentiels avant et arrière. Dans les mains d'un spécialiste de la conduite tout-terrain, ce costaud est capable de passer pratiquement partout avec aisance.

Malgré une visibilité plus que moyenne et un centre de gravité élevé, le H2 propose une tenue de route correcte et sans surprise, pour autant que l'on respecte les limites de la catégorie. En plus, le freinage est puissant et bien dosé tandis que le rayon de braquage est court.

Il est également possible de commander la camionnette H2 SUT, dont la silhouette est vraiment à part, et qui permet de transporter des objets à la verticale ou que l'on ne veut pas placer à la soute à bagages. Les ingénieurs ont fait appel à la cloison escamotable Midgate afin d'améliorer l'espace de chargement.

Denis Duquet

Photos: Hummer

VÉHICULE D'ESSAI

Version:	Hummer H2
Moteur:	V8 de 6,2 litres 16s atmosphérique
Puissance:	393 ch (293 kW) à 5 700 tr/min
Couple:	415 lb-pi (563 Nm) à 4 400 tr/min
Rapport poids/puissance:	7,67 kg/ch (10,29 kg/kW)
Transmission:	automatique, 6 rapports
Rouage:	4x4
0-100 km/h · 80-120 km/h:	11,2 s · 9,4 s
Freinage 100-0 km/h:	44,0 m
Vitesse maximale:	165 km/h
Consommation (100 km):	ordinaire, 17,0 litres
Autonomie approximative:	711 km
Émissions de CO2:	6 984 kg/an
Emp/Lon/Lar/Haut (mm):	3 118 / 5 170 / 2 063 / 1 993
Coffre/Réservoir:	1 132 à 2 452 / 121 litres
Nombre de coussins de sécurité:	4
Suspension avant:	indépendante, barres de torsion
Suspension arrière:	essieu rigide, multibras
Freins av./arr.:	disque (ABS)
Antipatinage/Contrôle de stabilité:	oui/oui
Direction:	à billes, assistée
Diamètre de braquage:	13,2 m
Pneus av./arr.:	LT315/70R17
Poids:	3 017 kg
Capacité de remorquage:	3 720 kg

AUTRE(S) COMPOSANTE(S) MÉCANIQUE(S)

Système hybride:	aucun
Moteur diesel:	aucun
Taxe énergivore:	n.d.
Autre(s) moteur(s):	aucun
Autre(s) rouage(s):	aucun
Autre(s) transmission(s):	aucune

EN BREF

Échelle de prix:	70 395 $ à 72 295 $
Catégorie:	VUS grand format
Garanties:	4 ans/80 000 km, 5 ans/160 000 km
Assemblage:	Mishawaka, Indiana, É-U
Cote d'assurance:	n.d.

DANS LA MÊME CATÉGORIE

Chevrolet Tahoe, Chrysler Aspen, Ford Expedition, Nissan Armada, Toyota Sequoia

NOS IMPRESSIONS

Agrément de conduite:	½
Fiabilité:	
Sécurité:	
Qualités hivernales:	
Espace intérieur:	
Confort:	

DU NOUVEAU EN 2009

Moteur V8 de 6,2 litres FlexFuel E85

UN 4X4 ENLISÉ

À l'image de Ford qui s'est départi de sa filiale Land Rover, voilà que General Motors voudrait faire de même avec Hummer. En plus de voir ses ventes dépérir à un rythme décourageant, la marque Hummer est désormais pointée du doigt, et pas nécessairement l'index, pour tous les problèmes de la planète, y compris ceux qui n'ont aucun rapport avec la pollution et les ressources pétrolières ! Quoi qu'il en soit, c'est dans ce contexte pour le moins difficile que Hummer tente de générer un regain d'intérêt envers son modèle le plus populaire, le H3, en présentant une version *pick-up*.

Comme pour alimenter davantage la controverse, le H3 revient inchangé en 2009. Il y a un an, lors de la présentation des modèles 2008, le directeur général de Hummer nous annonçait que d'ici deux ans, deux ans et demi, tous les Hummer auraient droit à un moteur diesel ou biodiesel ou, à tout le moins, un moteur FlexFuel, compatible avec l'éthanol. Une année plus tard, outre le H2 qui obtient un moteur FlexFuel, c'est le néant. Il faut dire que les finances de General Motors sont au plus bas et que les prix du diesel sont au plus haut, ce qui n'aide en rien la cause de Hummer. Attendons encore un an.

UNE CAMIONNETTE HUMMER !

L'an dernier, pour la première fois, le H3 avait droit à un V8. Cette année, la nouveauté consiste en une version camionnette du H3, baptisée H3T. En réalité, il s'agit d'un H3 dont on a modifié la partie arrière pour en faire une boîte de chargement. Pour parvenir à offrir un véhicule à cinq places et comprenant une boîte de chargement de 5 pieds (1 524 mm), les ingénieurs ont dû allonger l'empattement du H3 de 566 mm, ce qui ne sera pas de nature à impressionner favorablement les amateurs de hors route. Les angles d'approche, de départ et ventraux sont moins grands sur le H3T que sur le H3. De par ses dimensions, le H3T se situe entre les Chevrolet Colorado et Silverado. D'ailleurs, il faut noter que le H3 n'est pas aussi imposant que ses lignes le laissent croire. Il est plus petit qu'un Chevrolet Trailblazer… et jamais personne ne dénigre ce dernier ! Le H3 est victime de son apparence.

Le H3 et le H3T se déclinent en deux versions, soit de base et Alpha, les deux se distinguant par leur mécanique. Le H3 de base se déplace à l'aide d'un cinq cylindres en ligne de 3,7 litres de 239 chevaux relié d'office à une transmission manuelle à cinq rapports. Une boîte automatique à quatre rapports peut aussi s'y rattacher, moyennant un supplément. Le 3,7 litres, tel le détestable Vladek « Killer » Kowalski de mon enfance, a beaucoup de difficulté à se montrer doux. Pourtant, comme le lutteur, il fait toujours son travail avec conviction et peut même remorquer jusqu'à 2 041 kilos (4 500 livres).

Même en cette période d'incertitude pétrolière, la version Alpha, désignée H3x et H3Tx, avec son V8 de 5,3 litres de 300 chevaux et 320 livres-pied de couple se montre beaucoup plus agréable à vivre. Toujours très en forme, il n'hésite pas à arracher les 2 200 kilos du H3 (et les 2 300 du H3T) de la force d'inertie avec une étonnante vélocité. Sa consommation d'environ 16,5 litres aux cent kilomètres n'a certes

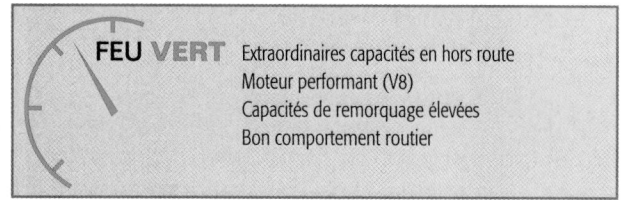

FEU VERT
- Extraordinaires capacités en hors route
- Moteur performant (V8)
- Capacités de remorquage élevées
- Bon comportement routier

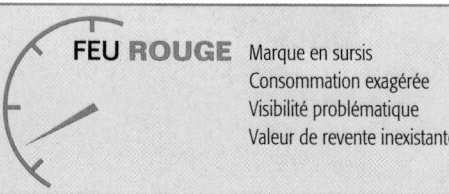

FEU ROUGE
- Marque en sursis
- Consommation exagérée
- Visibilité problématique
- Valeur de revente inexistante

pas sa raison d'être par les temps qui courent mais on lui pardonne un peu mieux quand on sait qu'il peut tirer jusqu'à 2 721 kilos (6 000 livres). Seule une transmission automatique à quatre rapports relie le moteur au rouage quatre roues motrices.

ROCHES, SABLE, EAU, BOUE

L'an dernier, nous avons eu la chance d'effectuer une petite virée dans des sentiers rappelant le très célèbre Rubicon Trail. Cette excursion nous a convaincus des capacités phénoménales du H3, quoi qu'en disent les amateurs de Jeep Wrangler. Grâce à ses dimensions plus réduites, le H3 passait à des endroits plus difficilement accessibles pour le H2. Garde au sol très élevée (594 mm), plaques d'acier sous le véhicule et pneus à semelle agressive sont autant d'éléments prouvant à quel point le H3 peut se sortir d'à peu près n'importe quelle impasse. Comme si ce n'était pas suffisant, les groupes d'options Z85 et Off-Road Adventure amènent des rapports de démultiplication du boîtier de transfert en mode verrouillé de 2,64 (4,03 en option) et pouvant aller jusqu'à 56,2 en mode rampant (crawl), avec le 3,7 litres à boîte automatique.

Contrairement à ce qu'on pourrait croire, vivre quotidiennement avec un Hummer est loin d'être dramatique... à condition d'éviter les centres-villes et les pompes à essence ! Si les ingénieurs ont doté le H3 d'un court rayon de braquage, ce n'est pas pour mieux se stationner en parallèle sur St-Denis, c'est pour améliorer les capacités en hors route. La tenue de route, en respectant les limites du véhicule, est étonnante. Certes, il y a du roulis, les transferts de poids sont importants et la direction présente un bon flou au centre mais, on le répète, la fonction première d'un H3 ou d'un H3T est de grimper des montagnes.

Après une brève séance de gymnastique pour accéder à de confortables sièges avant, on se rend compte que l'habitacle est bien insonorisé, par contre, la faible surface vitrée nuit à la visibilité. Sur le H3, le pneu de secours placé sur la porte arrière n'arrange pas les choses et rend ladite porte très lourde, ce qui ne facilite pas sa manipulation. Sur le H3T, le même pneu loge là où il doit être sur une camionnette, en dessous. Pour en finir avec la visibilité, mentionnons que le rétroviseur intérieur présente un petit écran qui permet de voir ce qui se passe à l'arrière. Ce système semble beaucoup plus sérieux que l'écran coulissant qui, auparavant, sortait du rétroviseur.

Alain Morin

Photos : Hummer

VÉHICULE D'ESSAI

Version :	Hummer H3
Moteur :	V8 de 5,3 litres 16s atmosphérique
Puissance :	300 ch (224 kW) à 5 200 tr/min
Couple :	320 lb-pi (434 Nm) à 4 000 tr/min
Rapport poids/puissance :	7,35 kg/ch (9,84 kg/kW)
Transmission :	automatique, 4 rapports
Rouage :	intégral
0-100 km/h · 80-120 km/h :	9,2 s · 8,7 s
Freinage 100-0 km/h :	43,0 m
Vitesse maximale :	185 km/h
Consommation (100 km) :	ordinaire, 15,0 litres
Autonomie approximative :	580 km
Émissions de CO2 :	6 096 kg/an
Emp/Lon/Lar/Haut (mm) :	2 842 / 4 763 / 2 161 / 1 860
Coffre/Réservoir :	709 à 1 780 / 87 litres
Nombre de coussins de sécurité :	6
Suspension avant :	indépendante, bras inégaux
Suspension arrière :	essieu rigide, ressorts semi-elleptiques
Freins av./arr. :	disque (ABS)
Antipatinage/Contrôle de stabilité :	oui/oui
Direction :	à crémaillère, assistance variable
Diamètre de braquage :	11,3 m
Pneus av./arr. :	LT235/75R16
Poids :	2 206 kg
Capacité de remorquage :	2 721 kg

AUTRE(S) COMPOSANTE(S) MÉCANIQUE(S)

Système hybride :	aucun
Moteur diesel :	aucun
Taxe énergivore :	1 000 $ (5L, auto) 2 000 $ (5L man + V8, 5.3 litres)
Autre(s) moteur(s) :	5L de 3,7 litres 239 ch/241 lb-pi (15,7 l/100 ordinaire)
Autre(s) rouage(s) :	aucun
Autre(s) transmission(s) :	manuelle, 5 rapports

EN BREF

Échelle de prix :	40 995 $
Catégorie :	VUS intermédiaire
Garanties :	4 ans/80 000 km, 5 ans/160 000 km
Assemblage :	Shreveport, Louisiane, É-U
Cote d'assurance :	bonne

DANS LA MÊME CATÉGORIE

BMW X3, Jeep Wrangler Unlimited, Land Rover LR2, Nissan Xterra, Toyota FJ Cruiser

NOS IMPRESSIONS

Agrément de conduite :	3 ½
Fiabilité :	3 ½
Sécurité :	3 ½
Qualités hivernales :	4 ½
Espace intérieur :	3 ½
Confort :	3 ½

DU NOUVEAU EN 2009

Version camionnette H3T, nouvelles connectivités multimédia

PLUS QU'UNE AUBAINE

À ses débuts, l'Accent était une petite voiture économique qu'on achetait en raison de son prix vraiment imbattable. Ses acheteurs se souciaient peu de son moteur à la sonorité agricole, de son niveau d'équipement quasiment spartiate et de ses performances presque anémiques. On savait qu'on ne pouvait pas se payer mieux et l'on s'en contentait. Au fil des années, la sous-compacte du numéro un coréen a progressé en qualité et en fiabilité. Pourtant, sa toute dernière génération apparue en 2006 n'a pas connu le succès initial escompté.

Est-ce à cause de ses formes trop génériques ou bien d'une concurrence de plus en plus forte ? Peu importe, les objectifs n'ont pas été atteints. Heureusement pour ce constructeur, au cours de l'année 2008, les ventes ont littéralement explosé sur le marché québécois. Et il faut rendre hommage à la direction québécoise de Hyundai pour ce spectaculaire renversement. En effet, coup de théâtre un lundi matin dans les pages des grands quotidiens, on annonçait l'Accent à un prix inférieur à 10 000 $, soit 9 995 $! Toute la province en a parlé pendant plusieurs jours et les salles de démonstration n'ont pas dérougi. Il faut se souvenir que ce prix tenait si on finançait soi-même sa voiture ou si on la payait comptant. Pas de location, pas de financement maison, sinon le prix était différent.

On ne sait pas combien de gens ont répondu à cet appel, mais cela a sérieusement sensibilisé le public à l'existence de ce modèle et à ses qualités. Car si elle est populaire ce n'est pas uniquement en raison de son prix fort alléchant.

SOBRIÉTÉ EN DEUX VERSIONS

Il est certain qu'on ne s'achète pas une Accent pour sa silhouette tape-à-l'œil. Bien au contraire, les stylistes semblent s'être donné le mot pour concevoir un modèle aux lignes modernes, mais fort discrètes surtout en ce qui concerne la berline. Le modèle trois portes se démarque par son allure plus particulière qu'élégante, mais il se fait remarquer davantage ne serait-ce que parce qu'il est offert dans une gamme de couleurs particulièrement voyantes...

Sous cette robe se révèlent un habitacle passablement spacieux, une finition supérieure à la moyenne pour la catégorie, tandis que la qualité des matériaux a fortement progressé. Il faut noter que l'équipement de la version de base est assez étoffé compte tenu du prix demandé. Le volant est inclinable et le dossier arrière est rabattable et de type 60/40.

Par contre, si nous devons ajouter un bémol, il faut souligner que seule la version la plus cossue propose des coussins latéraux et un rideau latéral. On aurait pu tout au moins les rendre disponibles en option, espérons que le constructeur le fera dans un avenir rapproché...

HABITACLE CORRECT

Le tableau de bord est tout simple et il est certain que sa console centrale pourrait bénéficier d'un design un peu plus poussé. Heureusement,

FEU VERT
- Fiabilité en progrès
- Très bonne garantie
- Équipement de base complet
- Confortable
- Tenue de route correcte

FEU ROUGE
- Absence de version cinq portes
- Pneumatiques à remplacer
- Radio de piètre qualité
- Silhouette générique

les commandes sont très faciles d'utilisation et tombent aisément sous la main. La climatisation est l'histoire de trois gros boutons rotatifs. La radio et ses commandes sont en plein centre de la planche de bord mais les boutons de préréglage des postes sont un peu trop petits. De plus, la qualité sonore fera frémir les amateurs de musique, quelle qu'elle soit. Quant aux cadrans indicateurs, ils sont constitués du compte-tours à gauche et de l'indicateur de vitesse à droite et abritent respectivement le thermomètre et la jauge de carburant.

COMPORTEMENT SEREIN

À son arrivée sur notre marché, les propriétaires de ce modèle se souviennent des rugissements du moteur, de la tenue de route incertaine et de freins plus ou moins efficaces. De nos jours, la donne a passablement changé puisque cette petite coréenne se débrouille fort honorablement au chapitre des performances, du confort et de la tenue de route. Le moteur demeure toujours bruyant et sa boîte automatique à quatre rapports est plus robuste que raffinée, mais on réussit quand même à boucler le 0-100 km/ h en un peu plus de 10 secondes tandis que la tenue en virage est bonne.

Elle le serait encore beaucoup mieux avec des pneumatiques de meilleure qualité. Ceux qui vous sont livrés d'origine ressemblent davantage à des protecteurs de jantes qu'à autre chose. Bref, à son volant, on n'aura pas l'impression de conduire la championne des bas prix, mais une sous-compacte de qualité. Et l'équation est encore plus alléchante quand on compare son prix de vente à ceux de ses plus proches concurrentes, d'autant plus que la fiabilité de cette coréenne est très bonne.

Denis Duquet

Photos : Hyundai

VÉHICULE D'ESSAI

Version :	Hyundai Accent GL *hatchback*
Moteur :	4L de 1,6 litre 16s atmosphérique
Puissance :	110 ch (82 kW) à 6 000 tr/min
Couple :	106 lb-pi (144 Nm) à 4 500 tr/min
Rapport poids/puissance :	9,61 kg/ch (12,90 kg/kW)
Transmission :	manuelle, 5 rapports
Rouage :	traction
0-100 km/h · 80-120 km/h :	10,8 s · 9,7 s
Freinage 100-0 km/h :	40,9 m
Vitesse maximale :	175 km/h
Consommation (100 km) :	ordinaire, 7,4 litres
Autonomie approximative :	608 km
Émissions de CO2 :	3 312 kg/an
Emp/Lon/Lar/Haut (mm) :	2 500 / 4 280 / 1 695 / 1 470
Coffre/Réservoir :	479 / 45 litres
Nombre de coussins de sécurité :	2
Suspension avant :	indépendante, jambes de force
Suspension arrière :	essieu rigide, ressorts hélicoïdaux
Freins av./arr. :	disque/tambour (ABS opt.)
Antipatinage/Contrôle de stabilité :	non/non
Direction :	à crémaillère, assistance variable
Diamètre de braquage :	n.d.
Pneus av./arr. :	P185/65R14
Poids :	1 058 kg
Capacité de remorquage :	non recommandé

AUTRE(S) COMPOSANTE(S) MÉCANIQUE(S)

Système hybride :	aucun
Moteur diesel :	aucun
Taxe énergivore :	aucune
Autre(s) moteur(s) :	aucun
Autre(s) rouage(s) :	aucun
Autre(s) transmission(s) :	automatique, 4 rapports

EN BREF

Échelle de prix :	13 595 $ à 18 145 $
Catégorie :	berline compacte, coupé
Garanties :	5 ans/100 000 km, 5 ans/100 000 km
Assemblage :	Ulsan, Corée du Sud
Cote d'assurance :	moyenne

DANS LA MÊME CATÉGORIE

Chevrolet Aveo, Honda Fit, Kia Rio, Nissan Versa, Pontiac Wave, Suzuki Swift+, Toyota Yaris, Volkswagen Golf City

NOS IMPRESSIONS

Agrément de conduite :	3
Fiabilité :	4
Sécurité :	3½
Qualités hivernales :	3½
Espace intérieur :	3
Confort :	3

DU NOUVEAU EN 2009

Ajustements au niveau des groupes d'options

HYUNDAI ACCENT

LA PREMIÈRE ÉTAPE

Avec l'arrivée de la Genesis, le constructeur coréen s'attaque à la catégorie des voitures de luxe. Si vous doutez de la capacité de Hyundai de concurrencer des marques et des modèles prestigieux, rappelez-vous l'arrivée de l'Azera sur le marché en 2006 et vous réaliserez à quel point ce constructeur peut nous surprendre. Il faut se souvenir en effet que l'Azera venait remplacer l'insipide XG350, dont la silhouette et la mécanique étaient d'une autre époque. Non seulement sa remplaçante affichait une silhouette moderne, mais sa mécanique a impressionné.

Cependant, comme c'est souvent le cas chez ce constructeur, les stylistes se sont contentés de nous proposer une voiture aux allures correctes, moderne même, mais sans innover à ce chapitre. Tant et si bien que cette berline de catégorie grand format a des allures quelque peu rétro depuis que les Mazda 6, Toyota Camry et Honda Accord ont changé de robe.

LA POLITIQUE DU PLUS POUR MOINS

Il aurait été quasiment suicidaire de la part de Hyundai de se présenter dans cette catégorie largement dominée par Toyota et Honda en proposant une berline coûtant nettement plus cher. On a sagement adopté la politique inverse en dotant l'Azera d'un équipement de série plus que complet, comprenant bien entendu la climatisation automatique, le toit ouvrant à commande électrique, un volant télescopique ainsi qu'une banquette arrière de type 60/40, les sièges avant à commande électrique et la sellerie de cuir, pour ne nommer que quelques-uns des accessoires standards.

Alors que la quantité est au rendez-vous, on ne peut parler d'audace en fait de design du tableau de bord. En effet, si la carrosserie est à peine contemporaine, la planche de bord peut être qualifiée de légèrement rétro. Elle est, en fait, une génération en retard par rapport à la plupart des concurrentes de la catégorie. Par contre, il faut souligner la facilité à consulter les cadrans indicateurs, dont les chiffres blancs se démarquent fort bien sur un fond noir. Ils sont de plus électroluminescents.

Quant aux diverses commandes audio et de climatisation, ils sont la simplicité même et c'est tant mieux, car la tendance actuelle est de vouloir éparpiller de multiples boutons un peu partout sur la planche de bord. Mais cette simplicité recherchée à un effet pervers, puisque la partie inférieure du tableau de bord est dénuée de tout élément, ce qui nous porte à croire que les concepteurs ont manqué d'imagination.

En terminant ce tour de l'habitacle, il faut souligner l'excellente habitabilité, la bonne finition et une position de conduite facile à trouver en raison des multiples ajustements du volant et du siège.

DOUCEUR ET PERFORMANCE

La première fois qu'on conduit une Azera, on a l'impression que les ingénieurs affectés à son développement ont déjà travaillé chez Buick. En effet, la suspension, sans être guimauve, absorbe avec facilité les

FEU VERT
- Moteur adéquat
- Équipement très complet
- Bonne habitabilité
- Finition sérieuse
- Système audio de qualité

FEU ROUGE
- Silhouette rétro
- Direction engourdie
- Transmission lente
- Consommation à revoir
- Faible diffusion

trous et les bosses tout en affichant un certain roulis en virage. En plus, la direction est relativement précise, mais son assistance est nettement trop généreuse.

Une fois de plus, on associe le luxe à un comportement routier privilégiant le confort et le silence de roulement avant tout. En fait, les réglages de la suspension ont été raffermis l'an dernier, mais il y a encore place à l'amélioration. Il faut toutefois se souvenir que ce modèle cible une clientèle qui fait fi des performances et de la tenue de route pour se payer du confort tant derrière le volant qu'au chapitre des accessoires.

C'est quand même dommage, puisque le moteur V6 de 3,8 litres est non seulement puissant en raison de ses 263 chevaux, mais il répond vivement. Plus d'un conducteur a été surpris la première fois qu'il a appuyé franchement sur l'accélérateur et que la voiture a littéralement bondi vers l'avant, cela malgré une boîte automatique à cinq rapports relativement paresseuse. Toujours à propos de ce moteur, il faut savoir qu'il s'abreuve de carburant ordinaire, une bonne nouvelle pour tout le monde. Par contre, sa consommation pourrait être un tantinet moins élevée.

BIEN FICELÉE

Il faut donc passer outre sa silhouette un peu en retrait des tendances actuelles pour s'intéresser à sa finition impeccable, à la qualité générale de ses matériaux et à son groupe propulseur assez nerveux. En contrepartie, vous devrez vous attendre à une conduite somme toute soporifique et à une tenue de route qui ne fait pas toujours bon ménage avec une conduite agressive. Mais puisque son prix est très compétitif, plusieurs vont lui pardonner ce comportement.

Denis Duquet

Photos : Hyundai

VÉHICULE D'ESSAI

Version :	Hyundai Azera GLS
Moteur :	V6 de 3,8 litres 24s atmosphérique
Puissance :	263 ch (196 kW) à 6 000 tr/min
Couple :	257 lb-pi (349 Nm) à 4 500 tr/min
Rapport poids/puissance :	6,15 kg/ch (8,26 kg/kW)
Transmission :	automatique, 5 rapports
Rouage :	traction
0-100 km/h · 80-120 km/h :	7,3 s · 6,8 s
Freinage 100-0 km/h :	40,5 m
Vitesse maximale :	200 km/h
Consommation (100 km) :	ordinaire, 12,2 litres
Autonomie approximative :	614 km
Émissions de CO2 :	4 896 kg/an
Emp/Lon/Lar/Haut (mm) :	2 780 / 4 895 / 1 850 / 1 490
Coffre/Réservoir :	470 / 75 litres
Nombre de coussins de sécurité :	8
Suspension avant :	indépendante, bras inégaux
Suspension arrière :	indépendante, multibras
Freins av./arr. :	disque (ABS)
Antipatinage/Contrôle de stabilité :	oui/oui
Direction :	à crémaillère, assistance variable
Diamètre de braquage :	11,4 m
Pneus av./arr. :	P255/55R17
Poids :	1 620 kg
Capacité de remorquage :	454 kg

AUTRE(S) COMPOSANTE(S) MÉCANIQUE(S)

Système hybride :	aucun
Moteur diesel :	aucun
Taxe énergivore :	aucune
Autre(s) moteur(s) :	aucun
Autre(s) rouage(s) :	aucun
Autre(s) transmission(s) :	aucune

EN BREF

Échelle de prix :	35 995 $ à 39 195 $
Catégorie :	berline de luxe
Garanties :	5 ans/100 000 km, 5 ans/100 000 km
Assemblage :	Ulsan, Corée du Sud
Cote d'assurance :	n.d.

DANS LA MÊME CATÉGORIE

Buick Lucerne, Chevrolet Impala, Chrysler 300, Ford Taurus, Kia Amanti, Lexus ES350, Nissan Maxima, Toyota Avalon

NOS IMPRESSIONS

Agrément de conduite :	3½
Fiabilité :	4
Sécurité :	4½
Qualités hivernales :	4
Espace intérieur :	4
Confort :	4½

DU NOUVEAU EN 2009

Légères retouches esthétiques, nouvelles connections multimédia

Hyundai Elantra Touring

HAYON DU PLAISIR !

En 2007, lors du renouvellement de l'Elantra, Hyundai choisissait d'abandonner la version à hayon, qui connaissait pourtant chez nous un certain succès. Sa ligne charmante rappelant celle des vieilles Saab, sa suspension plus ferme et son immense coffre transformable figuraient parmi les éléments appréciés de la clientèle. Pour expliquer cette disparition, on mentionnait à l'époque chez Hyundai qu'il serait possible de séduire la même clientèle avec un Tucson de bas de gamme. Il s'agissait bien sûr d'une grossière erreur! Deux ans plus tard, le constructeur a heureusement choisi de revenir sur sa décision pour nous offrir à nouveau une configuration bicorps.

L'Elantra Touring, qui se veut en fait une version américanisée de la Hyundai I30 commercialisée dans plusieurs pays d'Europe, nous arrive donc avec comme objectif de rivaliser avec les Matrix, Vibe, Astra, Caliber et autres. Elle ne reprend que certains éléments mécaniques et structuraux de la berline. Toutefois, vous ne retrouverez aucune similitude avec cette dernière en ce qui a trait aux divers panneaux de carrosserie. Même l'habitacle, qui à première vue est semblable, diffère presque totalement de celui de la berline.

Difficile pour nous de vous transmettre des impressions de conduite de l'Elantra Touring, puisqu'elle n'était pas encore des nôtres au moment d'aller sous presse. Cependant, tout porte à croire que ses origines européennes nous feront découvrir une voiture dynamiquement plus intéressante que la berline. Les éléments de suspension sont certainement plus fermes et les jantes de 16 ou 17 pouces font assurément en sorte que la tenue de route soit plus sportive. Il faut cependant s'attendre à un comportement semblable en matière de performance, puisque la Touring utilise le même quatre cylindres que la berline.

ET LA BERLINE, ELLE ?

L'Elantra berline est une voiture à ne pas dénigrer. Au cours des dernières années, nous aurons eu la chance de faire l'essai de plusieurs versions de cette voiture pour découvrir chaque fois qu'il s'agit d'une joueuse de choix. C'est vrai, ce n'est pas la plus sexy du point de vue de l'esthétique, et ce n'est pas non plus la plus raffinée. Les versions L et GL arborent notamment des enjoliveurs de roues qui semblent sortir tout droit du Dollarama, ce qui contribue malheureusement à son allure bon marché. Il faut aussi souligner l'absence de moulures latérales, ce qui lui donne un *look* un peu dénudé. Mais bon, le résultat n'est pas pire que celui d'une Toyota Corolla, qui connait pourtant un succès incroyable. C'est donc dire que dans ce créneau, le style n'est pas l'élément prioritaire des acheteurs.

Esthétiquement banale et plutôt anonyme, l'Elantra fait heureusement les choses différemment en ce qui a trait à son habitacle. On y retrouve en premier lieu un poste de conduite des plus accueillants, notamment mis en valeur par l'éclairage bleu électrique de l'instrumentation. D'une ergonomie sans failles, l'environnement du conducteur est en plus rehaussé de nombreux espaces de rangement et de commodités de toutes sortes. Il faut aussi admettre que les sièges sont extrêmement confortables, et ce, tant à l'avant qu'à l'arrière.

FEU VERT
- Retour du modèle à hayon
- Habitacle très spacieux
- Bon rapport équipement/prix
- Excellent confort de roulement
- Garantie sérieuse

FEU ROUGE
- Sécurité en option
- Voiture bruyante en accélération
- Boîte automatique hésitante
- Dépréciation supérieure à la moyenne

L'Elantra, qui a pris du volume au fil du temps, constitue aujourd'hui l'une des compactes les plus spacieuses. Nos voisins américains, qui utilisent un système basé sur l'espace habitable pour catégoriser une voiture, qualifient même l'Elantra de berline intermédiaire tant elle est logeable. Petits et grands n'ont donc aucun problème à trouver du confort à bord, sauf peut-être pour celui qui utilise la position centrale de la banquette arrière. Quant au coffre, il est non seulement doté d'une grande ouverture, mais se classe aussi parmi les plus spacieux de la catégorie. En fait, seule la Suzuki SX4 berline surpasse l'Elantra à ce jeu. Mais puisque le coffre de la SX4 n'est pas transformable, il n'est pas difficile de remettre les honneurs à Hyundai.

Confortablement installé au volant, le conducteur de l'Elantra sera cependant déçu par la piètre insonorisation de la voiture. C'est surtout lors des accélérations ou par temps froid que le bruit atteint un niveau très élevé, car, en plus d'être mal isolée, la voiture est dotée d'un moteur quatre cylindres plutôt bruyant. Ce moteur propose en revanche des performances tout à fait honnêtes et demeure raisonnable en matière de consommation de carburant. On exploite toutefois mieux la puissance du moteur avec la boîte manuelle, puisque l'automatique se révèle parfois hésitante. Confortable, l'Elantra propose une conduite dont le mot d'ordre est équilibre. Le confort est honorable, la maniabilité est bonne et la tenue de route est prévisible. Pour améliorer les performances routières, il serait cependant recommandé de remplacer les pneus d'origine de marque Khumo, qui ne sont rien d'autre que de véritables savonnettes.

Égale ou supérieure à ses rivales dans la plupart des cas, l'Elantra tire cependant de la patte en matière de sécurité. C'est qu'en fait, les versions couramment vendues n'offrent aucun coussin gonflable latéral ou en rideau, pas d'appuie-têtes actifs ni même de freins antiblocage. Il faut pour tout cela opter pour la version la plus chère, vendue à plus de 23 000 $. Voilà donc une pratique qui, aujourd'hui, n'a plus sa place.

Malgré quelques petits irritants, l'Elantra est une voiture fiable, confortable et qui en offre beaucoup pour le prix demandé. Sans doute que la version Touring fera de même, d'autant plus qu'elle sera elle aussi couverte par cette garantie de base de cinq ans ou 100 000 kilomètres.

Antoine Joubert

Photos: Hyundai

VÉHICULE D'ESSAI

Version :	Hyundai Elantra
Moteur :	4L de 2,0 litres 16s atmosphérique
Puissance :	138 ch (103 kW) à 6 000 tr/min
Couple :	136 lb-pi (184 Nm) à 4 600 tr/min
Rapport poids/puissance :	9,05 kg/ch (12,13 kg/kW)
Transmission :	manuelle, 5 rapports
Rouage :	traction
0-100 km/h · 80-120 km/h :	9,5 s · 10,9 s
Freinage 100-0 km/h :	42,5 m
Vitesse maximale :	190 km/h
Consommation (100 km) :	ordinaire, 8,4 litres
Autonomie approximative :	630 km
Émissions de CO2 :	3 504 kg/an
Emp/Lon/Lar/Haut (mm) :	2 650 / 4 505 / 1 775 / 1 480
Coffre/Réservoir :	402 / 53 litres
Nombre de coussins de sécurité :	6
Suspension avant :	indépendante, jambes de force
Suspension arrière :	indépendante, multibras
Freins av./arr. :	disque (ABS)
Antipatinage/Contrôle de stabilité :	non/non
Direction :	à crémaillère, assistance variable
Diamètre de braquage :	10,3 m
Pneus av./arr. :	P205/55R16
Poids :	1 250 kg
Capacité de remorquage :	680 kg

AUTRE(S) COMPOSANTE(S) MÉCANIQUE(S)

Système hybride :	aucun
Moteur diesel :	aucun
Taxe énergivore :	aucune
Autre(s) moteur(s) :	aucun
Autre(s) rouage(s) :	aucun
Autre(s) transmission(s) :	automatique, 4 rapports

EN BREF

Échelle de prix :	15 845 $ à 23 795 $
Catégorie :	berline compacte, familiale
Garanties :	5 ans/100 000 km, 5 ans/100 000 km
Assemblage :	Ulsan, Corée du Sud
Cote d'assurance :	bonne

DANS LA MÊME CATÉGORIE

Chevrolet Cobalt, Ford Focus, Honda Civic, Kia Spectra, Mazda3, Mitsubishi Lancer, Nissan Sentra, Pontiac G5/Vibe, Saturn Astra, Toyota Corolla/Matrix, Volkswagen Rabbit

NOS IMPRESSIONS

Agrément de conduite :	3 ½
Fiabilité :	4
Sécurité :	3
Qualités hivernales :	4
Espace intérieur :	4
Confort :	4

DU NOUVEAU EN 2009

Ajout de la version familiale Touring

UN NOUVEAU DÉPART !

Depuis plusieurs années, le constructeur Hyundai est réputé pour proposer une gamme de véhicules offrant un bon rapport qualité/prix. Récemment, le manufacturier coréen a même tenté une incursion dans le domaine des véhicules de luxe avec sa Azera, mais sans grands résultats. Il n'est jamais évident pour un constructeur qui a débuté dans les bas prix de se tailler une place au royaume des véhicules de luxe. L'image et la renommée du logo y jouent un rôle très important. Quoi qu'il en soit, le constructeur coréen renouvelle l'expérience et cette fois, ce pourrait bien être un nouveau départ.

Modèle porte-étendard du constructeur, la Genesis inaugure la nouvelle philosophie de Hyundai, soit des véhicules offrant toujours une bonne valeur mais également dotés d'une sportivité accrue. Alors que Toyota essaie depuis nombre d'années de se frotter sérieusement aux Allemands dans ce créneau, Hyundai nous arrive avec un nouveau modèle qui, contrairement aux attentes initiales, se révèle drôlement intéressant. Voilà tout un premier pas pour Hyundai qui n'a pas peur d'avoir des ambitions et pas nécessairement pour le marché des voitures économiques. Avec ses nouveaux modèles Genesis, un coupé est prévu l'an prochain, le numéro un coréen s'attaque à de nouveaux marchés et à une nouvelle clientèle. Il est toutefois important de souligner que Hyundai fabrique depuis des années dans son pays de production des berlines de luxe. Mais celles-ci n'avaient pas jusqu'à aujourd'hui les éléments pour affronter la concurrence étrangère. Mais, cette fois, on a concocté un modèle capable de s'illustrer sur notre marché.

De par sa taille et son positionnement, la Genesis prétend rivaliser avec des voitures telles la BMW de Série 5 ou la Mercedes-Benz de Classe E. Cependant, il serait utopique de croire que l'on peut se pointer dans ce créneau et détrôner ainsi de tels modèles. Le constructeur en est d'ailleurs très conscient et ses véritables conquêtes se feront beaucoup plus chez les acheteurs de Lexus ES350, de Cadillac CTS, d'Acura TL ou même de certaines Buick. Par contre, il faut avouer que la Genesis est bien équipée pour concurrencer les véhicules mentionnés. La Genesis risque aussi de sonner le glas de l'Azera, car elle en offre beaucoup plus pour un prix à peine supérieur.

PREMIER V8 À LA SAUCE CORÉENNE

Alors que le coupé Genesis sera introduit pour 2010, on a droit cette année à la berline, une voiture offrant comme toujours une bonne valeur, mais cette fois, beaucoup plus compétitive au chapitre des performances. Deux modèles font leur entrée, se distinguant principalement par leur motorisation. La Genesis 3.8, certainement la version qui générera la majeure partie des ventes, dispose d'un six cylindres de 3,8 litres, le même que celui du VUS Veracruz. Ce moteur déploie une puissance non négligeable, soit 290 chevaux pour un couple de 264 lb-pi. Il est combiné à une boîte automatique à six rapports, la seule proposée. Bien entendu, divers ensembles d'équipement pourront rehausser le niveau de luxe à bord permettant notamment l'ajout d'un système de navigation et d'une chaîne stéréo de 17 haut-parleurs.

Pour ceux qui recherchent plus de puissance, Hyundai nous présente un premier moteur V8, le même qui équipera le Kia Borrego, un VUS classique également introduit cette année. D'une cylindrée de 4,6 litres, ce moteur développe une puissance de 375 chevaux pour un couple de 333 lb-pi. Elle est transmise aux roues arrière via la même boîte automatique qui équipe la Genesis six cylindres, mais l'étalonnage des rapports est différent afin de mieux tirer profit de la puissance supplémentaire.

UN TEST À L'AVEUGLE

Afin de bien vendre sa salade, le constructeur devrait effectuer un test à l'aveugle avec la Genesis. Je suis certain que peu de gens pourraient croire qu'ils sont en présence d'une Hyundai, tant par ses lignes extérieures que par son habitacle. En fait, c'est pratiquement le cas puisque le seul logo visible à l'extérieur se retrouve sur le coffre arrière. Voilà qui force les curieux à faire le tour de la voiture pour découvrir qu'il s'agit de la dernière mouture de Hyundai, ce qui est certainement voulu de la part du constructeur. Quant à ses lignes, la Genesis est gracieuse et élégante, notamment en raison de l'attention portée aux détails et de l'utilisation massive du chrome. Seule la grille avant me paraît moins bien réussie visuellement. Du reste, les lignes semblent inspirées parfois de chez Lexus, tantôt de chez Infiniti, en passant par chez BMW.

À bord, on découvre un habitacle spacieux, le tout s'expliquant principalement par les dimensions généreuses de la voiture. À ce sujet, la Genesis se retrouve pratiquement en concurrence avec des voitures telles la Classe S de Mercedes-Benz. L'instrumentation et le tableau de bord disposent d'une bonne ergonomie alors que le choix des matériaux utilisé et la qualité d'assemblage n'ont rien à envier à ses rivales. Bref, du beau travail de la part de Hyundai. L'habitacle, très similaire en termes de qualité à ce que l'on retrouve chez la concurrence, affiche les efforts valeureux d'une compagnie qui n'a jamais été réputée pour l'éclat de ses intérieurs.

CONFORT ET PERFORMANCE

Sur la route, la Genesis à moteur V6 démontre une bonne souplesse sans être anémique. Le poids inférieur du moteur à l'avant procure une meilleure répartition de poids, un élément appréciable en conduite plus sportive. De plus, sa consommation de carburant est relativement faible, un élément non négligeable par les temps qui courent. Bref, le V6 constitue un excellent choix.

La Genesis à moteur V8 surprend par sa puissance et son couple généreux. On apprécie également sa riche sonorité, surtout lorsque l'on enfonce l'accélérateur. Voilà qui est peu banal pour une voiture d'origine coréenne. La souplesse dudit moteur est bien appuyée par la boîte automatique à six rapports. Si les boîtes automatiques n'ont jamais été la grande force de Hyundai, le constructeur s'est tourné cette fois vers ZF pour le fournir la transmission, la même utilisée par d'autres constructeurs de luxe. Le résultat est probant : elle est efficace et répond promptement à chaque changement de rapport. Il ne manque peut-être que des palliers derrière le volant afin de s'amuser un peu plus avec la voiture.

En conduite plus poussée, le surcroît de puissance apporté par le moteur V8 dote la voiture de prestations plus dynamiques et malgré la présence d'une direction électromécanique dans ce modèle, on a un bon sentiment de contrôle. Sa suspension manque d'un peu de fermeté afin de bien contenir les transferts de poids, mais comme dans le cas de la Genesis V6, on y gagne en confort sur route. C'est une question de goût.

Le véritable défi de la Genesis n'est pas de rivaliser avec la concurrence. Elle dispose de pratiquement tous les arguments nécessaires en plus d'être offerte à un prix plus que favorable. Son défi réside plutôt dans

FEU VERT
Style agréable
Prix compétitif
Finition soignée
Freinage mordant et efficace

FEU ROUGE
Image de prestige à définir
Grille avant un peu terne
Modèle V8 peu distinctif

sa capacité à changer la perception que l'on a de Hyundai et à ce dernier de se faire accepter parmi les constructeurs plus renommés. Plusieurs constructeurs s'y sont cassé les dents, ce qui confine nombre de modèles intéressants à des diffusions beaucoup plus limitées. La perception est un élément drôlement important !

Seul l'avenir nous le dira si ce défi a été relevé de belle façon. Il faut toutefois se souvenir que pour plusieurs acheteurs plus jeunes, les débuts « économiques » de cette marque leur sont inconnus et ils n'ont que pour réputation de Hyundai celle d'un constructeur de voiture solide, fiable et offrant beaucoup à prix compétitif. On oublie trop souvent qu'une marque comme Samsung dans le domaine de l'électronique était considérée comme Hyundai à ses débuts sur notre marché. Aujourd'hui, elle est l'une des principales références en téléphonie cellulaire de par le monde. Et la compagnie LG vendait ses produits sous le nom « Goldstar » et ceux-ci étaient identifiés à des éléments bon marché.

C'est sans doute à la lueur des succès des autres multinationales coréennes que Hyundai a décidé d'avoir des ambitions plus élevées.

Sylvain Raymond

Photos : Sylvain Raymond

VÉHICULE D'ESSAI

Version :	Hyundai Genesis 3.8
Moteur :	V6 de 3,8 litres 24s atmosphérique
Puissance :	290 ch (216 kW) à 6 200 tr/min
Couple :	264 lb-pi (358 Nm) à 4 500 tr/min
Rapport poids/puissance :	5,99 kg/ch (8,05 kg/kW)
Transmission :	automatique, 6 rapports
Rouage :	propulsion
0-100 km/h · 80-120 km/h :	6,5 s · n.d.
Freinage 100-0 km/h :	39,6 m
Vitesse maximale :	n.d.
Consommation (100 km) :	ordinaire, 11,4 litres
Autonomie approximative :	640 km
Émissions de CO2 :	n.d.
Emp/Lon/Lar/Haut (mm) :	2 935 / 4 975 / 1 890 / 1 475
Coffre/Réservoir :	450 / 73 litres
Nombre de coussins de sécurité :	8
Suspension avant :	indépendante, bras inégaux
Suspension arrière :	indépendante, multibras
Freins av./arr. :	disque (ABS)
Antipatinage/Contrôle de stabilité :	oui / oui
Direction :	à crémaillère, assistance variable
Diamètre de braquage :	10,9 m
Pneus av./arr. :	P225/55R17
Poids :	1 739 kg
Capacité de remorquage :	non recommandé

AUTRE(S) COMPOSANTE(S) MÉCANIQUE(S)

Système hybride :	aucun
Moteur diesel :	aucun
Taxe énergivore :	n.d.
Autre(s) moteur(s) :	V8 de 4,6 litres 375 ch/333 lb-pi
Autre(s) rouage(s) :	aucun
Autre(s) transmission(s) :	aucune

EN BREF

Échelle de prix :	37 995 $ à 43 995 $
Catégorie :	berline de luxe
Garanties :	5 ans/100 000 km, 5 ans/100 000 km
Assemblage :	n.d.
Cote d'assurance :	n.d.

DANS LA MÊME CATÉGORIE

Acura RL, Audi A4/A6, BMW Série 3 et 5, Buick Lucerne, Cadillac CTS et DTS, Chrysler 300, Infiniti G et M, Jaguar X-Type, Lexus IS et GS, Mercedes Classe C et E, Saab 9-3 et 9-5, Volvo S80

NOS IMPRESSIONS

Agrément de conduite :	½
Fiabilité :	nouveau modèle
Sécurité :	
Qualités hivernales :	½
Espace intérieur :	
Confort :	

DU NOUVEAU EN 2009

Nouveau modèle

TOUJOURS DANS LE COUP

Malgré plusieurs lacunes et défauts, la première génération du Santa Fe a connu plus que sa part de succès. Sa silhouette originale, son habitabilité et un prix défiant toute concurrence ont été autant d'arguments qui ont convaincu les acheteurs, et ce, même si le rouage intégral était plus symbolique qu'autre chose. La seconde génération de ce modèle est apparue il y a deux ans et la surprise a été de taille. Finie la silhouette presque inspirée d'une bande dessinée, fini également le tableau de bord inutilement compliqué, adieu aux performances modestes : on nous proposait un véhicule drôlement réussi.

L'arrivée du Santa Fe sur le marché aura précédé, pour Hyundai, le lancement de plusieurs autres modèles tout aussi compétitifs et modernes. Enfin, le constructeur coréen avait atteint sa maturité.

UN BEL ÉQUILIBRE

Un bon design ne transforme pas une voiture médiocre en un véhicule de qualité, mais il a certainement son rôle à jouer au moment de l'achat et même lorsque vient le temps de revendre le véhicule. Cette fois, les stylistes attitrés au Santa Fe ont fait fi des gadgets visuels pour nous proposer une carrosserie simple et élégante. Les feux de route encadrent une grille de calandre traversée horizontalement par deux barres chromées et le pare-chocs avant comprend, dans sa partie centrale, une large prise d'air en plus d'un bouclier protecteur. À chacune des extrémités avant, on retrouve un phare antibrouillard tandis que le capot est relativement plat. Le tout confère une élégance sobre et s'harmonise à la partie arrière. Celle-ci comprend des feux arrière horizontaux qui débordent sur la paroi latérale. Les stylistes ont fait un clin d'œil au modèle antérieur en conservant la poignée montée en relief qui facilite l'ouverture du hayon.

La planche de bord est moins ésotérique que celle de la version précédente, mais elle est quand même assez tourmentée ; la nacelle des instruments est isolée de la planche de bord, qui comprend dans sa partie centrale la console verticale, en relief elle aussi par rapport à la partie supérieure. Dans l'ensemble, les commandes sont faciles d'accès et d'opération.

Tous ces éléments cosmétiques sont remarquables, mais ce qui impressionne le plus, c'est l'habitabilité du Santa Fe, de même que son confort en général. Il est vrai que les sièges avant pourraient offrir un meilleur support latéral et que la troisième rangée de sièges offerte sur le modèle GLS n'est pas tellement confortable, mais on se sent à l'aise à bord. Ceci s'explique en bonne partie par le généreux dégagement pour les jambes et les coudes. Sans oublier que, peu importe le modèle choisi, la qualité de la finition et des matériaux est bonne et la qualité sonore du système audio en surprendra plusieurs.

IMPRESSIONS POSITIVES

La première fois que j'ai pris le volant de la Santa Fe de la nouvelle génération, j'ai été immédiatement impressionné par sa douceur de roulement, sa stabilité et sa précision dans les virages. J'avais

FEU VERT
- Silhouette élégante
- Comportement routier sain
- Excellente habitabilité
- Choix de moteurs
- Rouage intégral

FEU ROUGE
- Boîte automatique à quatre rapports (V6 2,7 litres)
- Troisième rangée inutile
- Direction trop assistée
- Consommation élevée du moteur 2,7 litres

l'impression de conduire une grosse familiale ou une berline intermédiaire, et non pas d'être à bord d'un utilitaire sport intermédiaire. Il faut dire que ce premier contact s'est effectué avec un modèle doté du moteur V6 de 3,3 litres couplé avec une boîte automatique à cinq rapports dont le fonctionnement était sans reproche. Par la suite, j'ai eu l'occasion d'essayer d'autres modèles et le verdict était toujours le même : comportement remarquable et confort assuré. Chez Hyundai, on fait tout un plat avec le mode manuel Shiftronic de cette transmission, mais si vous voulez mon avis, ce mécanisme n'est pas plus utile que son équivalent offert par la concurrence. Son utilisation demeure épisodique et peut se révéler intéressante uniquement dans des circonstances bien particulières.

Le rouage intégral de la première génération était très peu efficace. Il est remplacé par un mécanisme dont le fonctionnement est bon, et il est même possible de répartir de façon égale le couple à l'avant et à l'arrière. Il ne faut pas oublier que le modèle de base est équipé de série d'un autre moteur V6. Il s'agit cette fois d'un moteur de 2,7 litres développant une puissance de 185 chevaux. Il concède donc 57 chevaux au moteur 3,3 litres. De plus, il n'est offert qu'avec la traction. Pour les amateurs du genre, il est livré avec une boîte manuelle à cinq rapports tandis qu'une automatique à quatre rapports est optionnelle.

À moins de tenir mordicus à une version avec boîte manuelle, ce petit V6 n'offre pas tellement d'avantages, puisque ses performances sont moins nerveuses et sa consommation presque égale au V6 de 3,3 litres. Mais peu importe le groupe propulseur choisi, la tenue de route est sensiblement la même et l'agrément de conduite est toujours présent. En fait, à part une direction passablement engourdie, il est difficile de trouver à redire sur ce véhicule.

Avec le Santa Fe, Hyundai nous a dévoilé ses nouvelles capacités, et les modèles qui ont suivi ont confirmé cette tendance.

Denis Duquet

Photos : Hyundai

VÉHICULE D'ESSAI

Version :	Hyundai Santa Fe GLS (4RM)
Moteur :	V6 de 3,3 litres 24s atmosphérique
Puissance :	242 ch (181 kW) à 6 000 tr/min
Couple :	226 lb-pi (306 Nm) à 4 500 tr/min
Rapport poids/puissance :	7,53 kg/ch (10,13 kg/kW)
Transmission :	automatique, 5 rapports
Rouage :	traction
0-100 km/h · 80-120 km/h :	9,0 s · 7,6 s
Freinage 100-0 km/h :	43,9 m
Vitesse maximale :	190 km/h
Consommation (100 km) :	ordinaire, 12,2 litres
Autonomie approximative :	614 km
Émissions de CO2 :	5 136 kg/an
Emp/Lon/Lar/Haut (mm) :	2 700 / 4 675 / 1 890 / 1 795
Coffre/Réservoir :	969 à 2 213 / 75 litres
Nombre de coussins de sécurité :	6
Suspension avant :	indépendante, jambes de force
Suspension arrière :	indépendante, multibras
Freins av./arr. :	disque (ABS)
Antipatinage/Contrôle de stabilité :	oui/oui
Direction :	à crémaillère, assistance variable
Diamètre de braquage :	10,9 m
Pneus av./arr. :	P235/70R16
Poids :	1 824 kg
Capacité de remorquage :	1 588 kg

AUTRE(S) COMPOSANTE(S) MÉCANIQUE(S)

Système hybride :	aucun
Moteur diesel :	aucun
Taxe énergivore :	aucune
Autre(s) moteur(s) :	V6 de 2,7 litres 185 ch/183 lb-pi (11,3 l/100 ordinaire)
Autre(s) rouage(s) :	intégral
Autre(s) transmission(s) :	automatique, 4 rapports manuelle, 5 rapports

EN BREF

Échelle de prix :	25 995 $ à 36 945 $
Catégorie :	VUS compact
Garanties :	5 ans/100 000 km, 5 ans/100 000 km
Assemblage :	Ulsan, Corée du Sud
Cote d'assurance :	excellente

DANS LA MÊME CATÉGORIE

Chevrolet Equinox, Dodge Nitro, Ford Escape, Honda CR-V, Jeep Liberty, Mazda Tribute, Mazda CX-7, Mitsubishi Outlander, Nissan Rogue, Pontiac Torrent

NOS IMPRESSIONS

Agrément de conduite :	🚗🚗🚗🚗
Fiabilité :	🚗🚗🚗🚗
Sécurité :	🚗🚗🚗🚗
Qualités hivernales :	🚗🚗🚗🚗 ½
Espace intérieur :	🚗🚗🚗🚗
Confort :	🚗🚗🚗🚗

DU NOUVEAU EN 2009

Aucun changement majeur

HYUNDAI SONATA

HEUREUSEMENT, LE VENT A TOURNÉ

La Sonata a vingt ans cette année. On se souvient de sa naissance plutôt difficile alors que Hyundai inaugurait en grandes pompes une usine québécoise (bromontoise serait plus juste!) pour la déserter à peine deux années plus tard, n'ayant jamais réussi à lui implanter une cadence profitable. Révoltés, nous croyions à l'époque que Hyundai, qui construisait des voitures plutôt bas de gamme, n'était qu'un courant d'air. D'ailleurs, au moment d'écrire ces lignes, l'ancienne usine de Hyundai accueille une entreprise spécialisée dans les éoliennes! Toujours est-il qu'aujourd'hui, Hyundai a le vent dans les voiles et sa Sonata se porte assez bien merci.

Pour marquer ses vingt ans, Hyundai offre une cure de rajeunissement à la Sonata qui avait été entièrement modifiée en 2006. Ce n'est pas qu'elle datait, mais la concurrence a la mauvaise manie de s'améliorer chaque année. Il faut dire que la Sonata, même de première génération, n'a jamais été une mauvaise voiture. Le problème est venu, surtout au début, du fait qu'elle affichait un prix moindre que les japonaises (Honda Accord et Toyota Camry, par exemple), ce qui a entraîné une perception négative des consommateurs. Pourtant, son équipement de base a toujours été plus généreux, ce que plusieurs personnes ont su apprécier. Pour le raffinement, par contre…

ENFIN, UN BEAU TABLEAU DE BORD!

Avec cette dernière génération, la Sonata hérite d'un raffinement rarement vu chez une intermédiaire, coréenne de surcroît. Une des critiques adressées à la Sonata 2008 concernait son tableau de bord d'une sobriété que ne lui enviaient que les plus sérieux des comptables. Les designers de Hyundai ont donc profité de ce rafraîchissement pour donner un peu de vie à ce morose élément. Et vous savez quoi? C'est réussi! On a enfin abandonné cette ligne horizontale qui séparait le tableau de bord en deux au profit d'un module central qui descend jusqu'à former la console. Les jauges sont demeurées les mêmes, mais on a modifié le petit écran numérique dans l'odomètre pour qu'il ressemble à ceux déjà utilisés dans les plus récents véhicules de Hyundai, soit les Veracruz et Santa Fe. Cet affichage bleu est du plus bel effet la nuit venue. Les matériaux affichent une bonne qualité et on se croirait aisément dans une voiture plus chère. La banquette arrière n'a pas changé d'un iota, ce qui se traduit encore par un confort certain (sauf pour la place centrale, résolument peu sociable) et un dégagement correct pour la tête et les jambes. On peut reprocher à leur dossier, lorsqu'ils s'abaissent de façon 60/40, de ne pas former un fond plat avec le coffre. De plus, le passage entre les deux volumes n'est pas très grand.

MOTEURS PLUS PUISSANTS

Les ingénieurs du département de mécanique de Hyundai ont planché plus fort que leurs collègues du design. On a conservé les deux moteurs proposés auparavant mais leur puissance a été augmentée. Le quatre cylindres de 2,4 litres développe désormais 175 chevaux et 168 livres-pied de couple, comparativement à 162 et 164 respectivement. Malgré cette hausse, la consommation est moindre, le crédo habituel par les temps qui courent. Ce moteur est relié d'office à une transmission

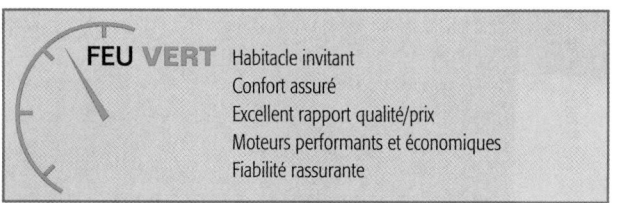

FEU VERT
- Habitacle invitant
- Confort assuré
- Excellent rapport qualité/prix
- Moteurs performants et économiques
- Fiabilité rassurante

FEU ROUGE
- Lignes très (trop?) sobres
- Direction trop assistée
- Pneus d'origine honteux
- Antipatinage non offert sur modèles quatre cylindres

manuelle à cinq rapports, mais les chiffres de Hyundai indiquent qu'à peine 5 % des acheteurs se prévalent de cette boîte. L'autre transmission est une automatique à cinq rapports aux passages quelquefois lents. Ce quatre cylindres et cette transmission travaillent main dans la main et constituent le choix de la plupart des acheteurs de Sonata. En outre, le moteur est assez puissant pour que, lors de la présentation, j'aie cru que la dame de Hyundai s'était trompée et m'avait donné les clés d'un modèle V6 ! Il faut cependant avouer qu'il s'agissait d'un modèle Limited. Il est très rare que l'on puisse opter pour un modèle aussi huppé avec un moteur quatre cylindres.

Quant au V6 de 3,3 litres, il est passé de 234 à 249 chevaux et son couple de 226 livres-pied en a gagné trois. Bien entendu, ses performances s'avèrent plus relevées que le quatre cylindres, mais les accélérations vives sont marquées d'un plus grand effet de couple dans le volant, la Sonata étant une traction (roues avant motrices). De plus, son poids plus élevé la rend un peu moins maniable, mais ce point ne devrait pas tellement déranger l'acheteur type d'une Sonata... Maintenant, la question qui tue : Avez-vous vraiment besoin d'un V6 ?

Sur la route, la Sonata n'a jamais eu de prétentions sportives et ce fait ne change pas cette année. La légèreté de la direction et l'absence de retour d'information contribuent à rehausser cette image de berline plus familiale que dynamique. Les sièges, dont l'assise et le dossier demandent une période d'adaptation (en tout cas pour moi) et qui retiennent plus ou moins bien en virage, les pneus d'origine bas de gamme et, surtout, les suspensions un peu trop souples au goût de certains confirment son statut d'intermédiaire tranquille. Heureusement, les modèles GL Sport, proposés avec les deux moteurs, amènent des suspensions un peu plus fermes sans qu'elles deviennent inconfortables et des pneus d'origine de meilleure qualité que Hyundai appelle, sans doute avec humour, « pneus de performance »...

Les prix de la génération actuelle de la Sonata marquent encore des points. La version de base est annoncée à 21 995 $, soit environ 3 000 $ de moins que la Honda Accord équivalente et près de 1 000 $ de moins que la Toyota Camry la moins chère. Tout ça pour vous dire que la Sonata offre, pour le prix, un équipement des plus relevés, un physique sans grand éclat mais tout de même élégant.

Alain Morin

Photos : Alain Morin

VÉHICULE D'ESSAI

Version :	Hyundai Sonata Limited
Moteur :	4L de 2,4 litres 16s atmosphérique
Puissance :	175 ch (131 kW) à 6 000 tr/min
Couple :	168 lb-pi (228 Nm) à 4 000 tr/min
Rapport poids/puissance :	9,05 kg/ch (12,09 kg/kW)
Transmission :	manuelle, 5 rapports
Rouage :	traction
0-100 km/h · 80-120 km/h :	10,7 s · 8,0 s
Freinage 100-0 km/h :	41,0 m
Vitesse maximale :	195 km/h
Consommation (100 km) :	ordinaire, 9,9 litres
Autonomie approximative :	676 km
Émissions de CO2 :	4 032 kg/an
Emp/Lon/Lar/Haut (mm) :	2 730 / 4 800 / 1 832 / 1 475
Coffre/Réservoir :	462 / 67 litres
Nombre de coussins de sécurité :	6
Suspension avant :	indépendante, bras inégaux
Suspension arrière :	indépendante, multibras
Freins av./arr. :	disque (ABS)
Antipatinage/Contrôle de stabilité :	oui / oui (V6)
Direction :	à crémaillère, assistance variable
Diamètre de braquage :	10,9 m
Pneus av./arr. :	P215/55R17
Poids :	1 585 kg
Capacité de remorquage :	454 kg

AUTRE(S) COMPOSANTE(S) MÉCANIQUE(S)

Système hybride :	aucun
Moteur diesel :	aucun
Taxe énergivore :	aucune
Autre(s) moteur(s) :	V6 de 3,2 litres 249 ch/229 lb-pi (11,1 l/100 ordinaire)
Autre(s) rouage(s) :	aucun
Autre(s) transmission(s) :	automatique, 5 rapports

EN BREF

Échelle de prix :	21 995 $ à 31 495 $
Catégorie :	berline intermédiaire
Garanties :	5 ans/100 000 km, 5 ans/100 000 km
Assemblage :	Montgomery, Alabama, É-U
Cote d'assurance :	moyenne

DANS LA MÊME CATÉGORIE

Chevrolet Malibu, Chrysler Sebring, Honda Accord, Kia Magentis, Mazda6, Mitsubishi Galant, Nissan Altima, Pontiac G6, Saturn Aura, Subaru Legacy, Toyota Camry

NOS IMPRESSIONS

Agrément de conduite :	🚗🚗🚗 ½
Fiabilité :	🚗🚗🚗🚗
Sécurité :	🚗🚗🚗🚗 ½
Qualités hivernales :	🚗🚗🚗🚗
Espace intérieur :	🚗🚗🚗🚗 ½
Confort :	🚗🚗🚗🚗

DU NOUVEAU EN 2009

Retouches esthétiques, nouvel habitacle et moteurs plus puissants

C'EST LA FAUTE À L'INTERNET

Si la Tiburon actuelle est en perte de vitesse depuis quelques années, c'est tout simplement que cette nouvelle version apparue il y a environ deux ans a sévèrement déçu les attentes de ses inconditionnels. En effet, alors que cette voiture était presque en fin de carrière, les gens qui surfaient sur l'internet étaient bombardés de nouvelles de toutes sortes concernant la Tiburon de la nouvelle génération. Des illustrations dévoilaient un coupé aux lignes exotiques, les données techniques faisaient mention d'un moteur V8 de plus de trois cents chevaux, du vrai délire!

Imaginez la réaction des gens lorsque la nouvelle version de la Tiburon est arrivée avec seulement quelques retouches esthétiques tant à la carrosserie qu'au tableau de bord et avec une mécanique pratiquement inchangée. Une fois de plus, les attentes causées par l'Internet étaient sans fondement. En fait, pour voir un coupé sport performant en provenance de Hyundai, il faudra attendre le coupé Genesis à moteur V8.

PAS PIRE, MAIS...

Ce n'est pas parce que la Tiburon actuelle ne répond pas aux attentes d'hier qu'il faille être fort critique envers sa silhouette. J'admets que ce n'est pas ce qui se fait de mieux en matière de design, mais il faut avouer que ce coupé est relativement élégant. Le seul problème c'est que les lignes de la caisse ne sont plus modernes et nous font songer aux années 90. Avis aux nostalgiques.

Pour tenter de donner une allure plus moderne, les parois latérales affichent une ligne montante en relief et une fausse prise d'air à l'arrière de la roue avant, mais ça ressemble plus à la défunte Toyota Celica qu'à autre chose... Sur le modèle antérieur, les stylistes s'étaient fortement inspirés de l'Audi TT pour le tableau de bord, et les buses de ventilation circulaires étaient carrément caricaturales. C'était d'autant plus ridicule, que la qualité des plastiques et de la finition n'était nullement à la hauteur de ce que nous proposait l'élégante Audi. Heureusement, avec la révision effectuée il y a deux ans, on nous présente une planche de bord beaucoup plus homogène avec une console centrale protubérante qui facilite l'accès aux principales commandes, notamment les trois gros boutons de climatisation.

Si la présentation esthétique est réussie, l'habitabilité est déficiente. Non seulement le dégagement pour la tête aux places avant est fort limité, même pour une personne de taille moyenne, mais les places arrière sont pour ainsi dire symboliques. Et la position de conduite sera sans doute difficile pour certaines personnes puisque le volant n'est pas réglable. Toujours au chapitre des critiques, la visibilité arrière est à revoir sérieusement. Sur une note plus positive, il faut souligner que la qualité des matériaux et de la finition sur tous les produits Hyundai s'est grandement améliorée au fil des années.

LE QUATRE CYLINDRES L'EMPORTE

Sans doute influencé par notre société de consommation qui nous incite à toujours dépenser davantage et à choisir ce qui coûte le plus cher,

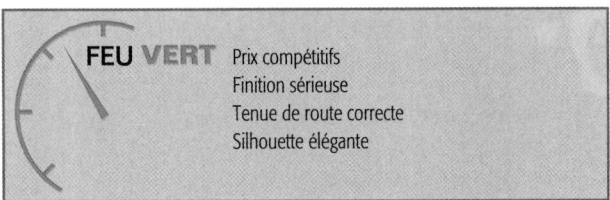

FEU VERT
- Prix compétitifs
- Finition sérieuse
- Tenue de route correcte
- Silhouette élégante

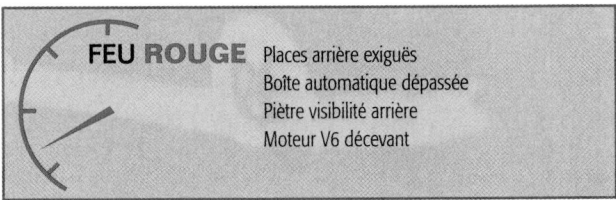

FEU ROUGE
- Places arrière exiguës
- Boîte automatique dépassée
- Piètre visibilité arrière
- Moteur V6 décevant

nous avons naturellement le même réflexe dans le domaine de l'automobile. Ce qui signifie que la majorité des gens sera initialement tentée de commander la Tiburon avec le moteur V6, le moteur de plus forte cylindrée et le plus puissant. Il y a même un « dicton » qui dit que rien ne peut battre une cylindrée plus importante. En ce qui concerne la Tiburon, ce moteur V6 est sans doute l'exception qui confirme la règle puisque ses performances sont supérieures à celles du moteur quatre cylindres, mais au détriment de la consommation de carburant, de l'agrément de conduite et de l'équilibre général de la voiture...

Par ailleurs, la douceur de ce moteur V6 de 2,7 litres pourra compenser vis-à-vis de certains, et il est nettement plus en verve avec la boîte manuelle à six rapports qui est de série sur ce modèle. La transmission automatique à quatre rapports offerte en option est décevante et dépassée en fait de conception mécanique. La Tiburon V6 est vraiment plus à l'aise sur les lignes droites car le déséquilibre apporté par le poids additionnel du moteur vient quelque peu affecter la tenue en virage.

D'autre part, le moteur quatre cylindres 2,0 litres paraît anémique avec ses 138 chevaux par rapport aux 172 du moteur V6, mais encore une fois, les chiffres ne disent pas tout. Malgré ce déficit, cette motorisation est fort honnête et les performances sont quand même adéquates surtout avec la boîte manuelle à cinq rapports. Si vous optez pour l'automatique, il s'agit de la même unité à quatre rapports proposée avec le V6 et ça ne s'améliore pas avec le « quatre ».

Légèrement en retrait au chapitre des performances, le modèle à moteur quatre cylindres est plus agile et plus léger. Il offre en conséquence un agrément de conduite plus équilibré tout en se vendant moins cher. Une fois de plus, l'équilibre l'emporte sur la puissance.

Denis Duquet

Photos: Hyundai

VÉHICULE D'ESSAI

Version :	Hyundai Tiburon GS
Moteur :	4L de 2,0 litres 16s atmosphérique
Puissance :	138 ch (103 kW) à 6 000 tr/min
Couple :	135 lb-pi (183 Nm) à 4 600 tr/min
Rapport poids/puissance :	9,65 kg/ch (12,94 kg/kW)
Transmission :	manuelle, 5 rapports
Rouage :	traction
0-100 km/h · 80-120 km/h :	9,5 s · 8,0 s
Freinage 100-0 km/h :	43,0 m
Vitesse maximale :	205 km/h
Consommation (100 km) :	ordinaire, 10,2 litres
Autonomie approximative :	539 km
Émissions de CO2 :	4 224 kg/an
Emp/Lon/Lar/Haut (mm) :	2 530 / 4 395 / 1 760 / 1 330
Coffre/Réservoir :	419 / 55 litres
Nombre de coussins de sécurité :	4
Suspension avant :	indépendante, jambes de force
Suspension arrière :	indépendante, multibras
Freins av./arr. :	disque (ABS)
Antipatinage/Contrôle de stabilité :	non/non
Direction :	à crémaillère, assistée
Diamètre de braquage :	10,9 m
Pneus av./arr. :	P215/45R17
Poids :	1 333 kg
Capacité de remorquage :	non recommandé

AUTRE(S) COMPOSANTE(S) MÉCANIQUE(S)

Système hybride :	aucun
Moteur diesel :	aucun
Taxe énergivore :	aucune
Autre(s) moteur(s) :	V6 de 2,7 litres 172 ch/181 lb-pi (12,7 l/100 ordinaire)
Autre(s) rouage(s) :	aucun
Autre(s) transmission(s) :	automatique, 4 rapports manuelle, 6 rapports

EN BREF

Échelle de prix :	18 995 $ à 28 995 $ (2008)
Catégorie :	coupé
Garanties :	5 ans/100 000 km, 5 ans/100 000 km
Assemblage :	Ulsan, Corée du Sud
Cote d'assurance :	pauvre

DANS LA MÊME CATÉGORIE

Chevrolet Cobalt SS, Ford Mustang V6, Honda Civic Si, Mitsubishi Eclipse, Pontiac G5 coupé, Volkswagen New Beetle

NOS IMPRESSIONS

Agrément de conduite :	4
Fiabilité :	4
Sécurité :	3½
Qualités hivernales :	3
Espace intérieur :	3
Confort :	3½

DU NOUVEAU EN 2009

Aucun changement majeur

Hyundai Tucson

LE TEMPS EST VENU

Même Einstein ne l'avait pas vu venir. La configuration de l'espace-temps n'est pas la même dans le domaine de l'automobile qu'ailleurs dans l'univers. Et plus le temps passe, plus il semble en distorsion par rapport à la réalité du moment. Encensé à ses débuts en 2005, le duo formé par le Hyundai Tucson et le Kia Sportage n'est plus l'ombre de ce qu'il a été. La preuve? En 2006, *Le Guide de l'auto* tenait un match comparatif entre VUS compacts. Le Tucson terminait troisième. Deux années plus tard, même match et le Tucson croupissait au neuvième rang... sur onze véhicules!

Question de raviver un peu l'intérêt, le Tucson et le Sportage profitent d'un dépoussiérage en 2009. La partie avant du Sportage s'avère nettement plus moderne qu'avant, les phares, la grille de calandre et le pare-chocs ayant été modifiés. La partie arrière aussi a été touchée quoique de façon beaucoup plus subtile. Le tableau de bord a été rafraîchi mais, sur les photos dévoilées, on ne voit pas grand changements! Sur le Sportage le plus haut de gamme (LX-V6), on pourra écouter la radio satellite Sirius. D'après les photos, les changements sont beaucoup plus subtils chez Hyundai. Cette année, Hyundai offrira une édition spéciale version 25e anniversaire (on se souvient de la Pony 1983!). Il sera alors possible d'obtenir un Tucson à quatre cylindres avec toit ouvrant et GPS Garmin inclus dans le tableau de bord. Est-ce une façon pour Hyundai de démontrer qu'après un départ pénible, elle a su trouver sa route en Amérique? Quant aux dimensions et à la mécanique, c'est le statu quo le plus statu quo qu'on puisse imaginer...

MÉCANIQUE INCHANGÉE

Ce duo de VUS compacts compte donc toujours sur deux moteurs. Il y a tout d'abord un quatre cylindres de 2,0 litres de 140 chevaux et 136 livres-pied de couple. Même si ses prestations ne sont pas très reluisantes, il demeure économique avec une consommation d'environ 11 litres aux 100 km. Le V6 de 2,7 litres, lui, fort de ses 173 chevaux et 178 livres-pied de couple fait preuve de plus de dynamisme même s'il n'a pas encore la verve de plusieurs concurrents. Sa consommation de 11,9 litres aux cent kilomètres selon Transport Canada est plutôt optimiste. Un essai récent, avec une traction (roues avant motrices) a plutôt révélé une moyenne de 12,7. Ajoutez environ un demi-litre aux cent kilomètre avec un modèle à rouage intégral.

Avec les prix de l'essence qui grimpent immodérément, le quatre cylindres prend toute son importance. D'ailleurs, il peut remorquer autant que le V6, soit 454 kilos (1 000 livres). Et chez Hyundai, ce V6 doit se battre contre la concurrence fratricide du Santa Fe, plus gros, plus moderne, qui peut remorquer davantage tout en coûtant et en consommant à peine plus. Voilà qui amène de l'eau au moulin du quatre cylindres, proposé avec une transmission manuelle, une rareté dans ce créneau.

Les Tucson et Sportage sont offerts avec la traction ou l'intégrale. Il arrive souvent que le mariage V6 et traction amène un effet de couple important dans la direction lors d'accélérations vives. Dans le cas présent, cet effet est bien maîtrisé la plupart du temps et l'intégrale vient

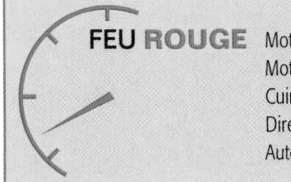

FEU VERT
- Lignes mignonnes
- Excellent rapport prix/équipement
- Habitacle confortable
- Comportement routier honorable
- Finition très correcte

FEU ROUGE
- Moteur V6 assoiffé
- Moteur 4 cylindres peu enjoué
- Cuir du volant glissant
- Direction offre peu de *feedback*
- Automatique quelquefois lente

définitivement réduire cet indésirable effet à zéro. Cette intégrale n'est pas destinée à jouer les chèvres de montagnes mais améliore grandement la qualité de la traction durant l'hiver.

LA VIE À BORD

La présentation intérieure des deux modèles diffère et c'est simplement une question de goût qui fait pencher les gens d'un bord ou de l'autre. Dans les deux cas, cependant, les modèles haut de gamme proposent un détestable volant (non réglable en profondeur) recouvert d'un cuir trop glissant. D'ailleurs, le cuir des sièges fait plutôt penser à de la cuirette. Les versions moins huppées reçoivent des sièges en tissu qui ne sont pas chauffants. La plupart des versions ont droit à un climatiseur. Sur un des Tucson essayés récemment, le compresseur du climatiseur était anormalement bruyant, surtout à l'arrêt avec le pied sur le frein. Sans doute une question d'ajustement. Parlant de bruit, mentionnons que le toit ouvrant ne péchait pas par excès de silence lorsqu'il était ouvert. La plupart des plastiques ne paient pas de mine même si leur qualité est assez bonne.

La banquette de la deuxième rangée n'est pas des plus confortables même si on a déjà vu pire. L'espace pour la tête et les jambes est correct, par contre on se demande parfois où mettre les coudes ! De plus, le dossier est trop dur pour les physiques douillets. Au moins, les dossiers s'inclinent pour améliorer le dodo. Ces dossiers se rabattent à plat pour agrandir l'espace de chargement. Ils sont d'ailleurs recouverts du même dur plastique noir s'égratignant trop facilement qui se trouve sur le plancher du coffre. Avec ce type de recouvrement, il faut absolument prendre le temps de sécuriser les objets qu'on y place. Ayant eu à transporter un escabeau « lousse » dans le coffre, je peux vous assurer qu'après deux ou trois coins de rue, des mots, généralement réservés aux impies, commençaient à jaillir de ma bouche... Heureusement, le seuil de chargement est bas et le dessus du pare-chocs est recouvert de caoutchouc pour le protéger des égratignures. Le hayon n'ouvre pas très haut mais il faut noter que la lunette ouvre séparément, ce qui est toujours apprécié.

Les Kia Sportage et Hyundai Tucson n'ont peut-être plus l'aura qu'elles avaient mais le petit face lift qu'elles reçoivent cette année devrait leur donner un peu de pep avant leur refonte complète d'ici deux ans.

Alain Morin

Kia Sportage

Photos : Hyundai/Kia

VÉHICULE D'ESSAI

Version :	Hyundai Tucson LX V6
Moteur :	V6 de 2,7 litres 24s atmosphérique
Puissance :	173 ch (129 kW) à 6 000 tr/min
Couple :	178 lb-pi (241 Nm) à 4 000 tr/min
Rapport poids/puissance :	8,49 kg/ch (11,39 kg/kW)
Transmission :	automatique, 4 rapports
Rouage :	traction
0-100 km/h · 80-120 km/h :	11,2 s · 8,1 s
Freinage 100-0 km/h :	39,4 m
Vitesse maximale :	185 km/h
Consommation (100 km) :	ordinaire, 11,9 litres
Autonomie approximative :	546 km
Émissions de CO2 :	4 944 kg/an
Emp/Lon/Lar/Haut (mm) :	2 630 / 4 325 / 1 795 / 1 730
Coffre/Réservoir :	644 à 1 856 / 65 litres
Nombre de coussins de sécurité :	6
Suspension avant :	indépendante, jambes de force
Suspension arrière :	semi-indépendante, multibras
Freins av./arr. :	disque (ABS)
Antipatinage/Contrôle de stabilité :	oui/oui
Direction :	à crémaillère, assistée
Diamètre de braquage :	10,8 m
Pneus av./arr. :	P215/60R16
Poids :	1 470 kg
Capacité de remorquage :	454 kg

AUTRE(S) COMPOSANTE(S) MÉCANIQUE(S)

Système hybride :	aucun
Moteur diesel :	aucun
Taxe énergivore :	aucune
Autre(s) moteur(s) :	4L de 2,0 litres 140 ch/136 lb-pi (10,7 l/100 ordinaire)
Autre(s) rouage(s) :	intégral
Autre(s) transmission(s) :	manuelle, 5 rapports

EN BREF

Échelle de prix :	21 195 $ à 30 795 $ (2008)
Catégorie :	VUS compact
Garanties :	5 ans/100 000 km, 5 ans/100 000 km
Assemblage :	Ulsan, Corée du Sud
Cote d'assurance :	excellente

DANS LA MÊME CATÉGORIE

Chevrolet Equinox, Ford Escape, Honda CR-V, Jeep Compass, Mazda Tribute, Mitsubishi Outlander, Nissan Rogue, Pontiac Torrent, Saturn VUE

NOS IMPRESSIONS

Agrément de conduite :	🚗🚗🚗½
Fiabilité :	🚗🚗🚗🚗
Sécurité :	🚗🚗🚗🚗
Qualités hivernales :	🚗🚗🚗🚗
Espace intérieur :	🚗🚗🚗🚗
Confort :	🚗🚗🚗🚗

DU NOUVEAU EN 2009

Révisions esthétiques

LA FOLIE DES GRANDEURS

Malgré le titre *La folie des grandeurs*, il ne faut pas croire que le Hyundai Veracruz soit une folie ! Loin de là. Par contre, il faut savoir que Hyundai n'a pas envie de demeurer un constructeur marginal. Depuis quelques mois, l'entreprise sud-coréenne, aidée de son partenaire Kia, est devenue le cinquième plus important producteur d'automobiles au monde. Ce n'est pas rien. Pour y arriver, Hyundai doit, un peu comme Toyota, être présent sur tous les marchés. À preuve, la nouvelle berline de luxe Genesis. Mais revenons à notre Veracruz...

Le Veracruz est le plus gros véhicule de Hyundai. Ce véhicule utilitaire sport de format intermédiaire à sept places pourrait, à la limite, être considéré comme un multisegment. Enfin, ce n'est pas tellement grave puisque ces deux catégories se chevauchent de plus en plus. Quoi qu'il en soit, le Veracruz, dont le châssis est basé sur celui du Santa Fe, reprend les lignes typiques des récents produits Hyundai, à savoir le gros H au centre de la calandre et le pli qui serpente les côtés de la carrosserie, à la manière de l'Elantra. Dans l'habitacle non plus, on ne se sent pas dépaysé. Le design du tableau de bord, la couleur de ses composantes et celle des indicateurs ainsi que la qualité des matériaux nous rappellent inévitablement les autres modèles de la marque au H écrasé.

FINITION A1

Au niveau de la finition générale, on peut difficilement reprocher quoi que ce soit au Veracruz sauf, peut-être, des bas de caisse en PVC gris anthracite qui peuvent contribuer à garder le sel et le calcium des routes dans les replis de la carrosserie et ainsi accélérer l'apparition de la rouille. D'ici un ou deux ans maximum, nous le saurons ! À l'intérieur, on note des plastiques de bonne qualité et un bel agencement des couleurs. L'accès aux places avant est facile mais trouver une bonne position de conduite, quand on a un corps de rêve comme le mien, s'avère difficile. Comme le siège n'offre pas beaucoup de dégagement vers l'arrière, les grands conducteurs risquent de ne pas apprécier. Une fois bien placé, on remarque qu'on est assis haut, un peu comme dans une fourgonnette. Si la visibilité vers l'avant est bonne, on ne peut en dire autant de celle vers les trois quarts arrière, bloquée par un pilier très arqué. Les sièges avant m'ont paru inconfortables, surtout à cause de leurs dossiers trop plats. Le volant se prend bien en main mais, comme sur d'autres produits Hyundai, son cuir est trop glissant. La banquette de deuxième rangée laisse beaucoup de dégagement pour la tête et les jambes et, malgré une assise un peu dure, offre un bon confort. Quant aux sièges de la troisième rangée, leur accès, et la sortie, est peu commode mais le dégagement pour la tête et les pieds n'est pas mauvais.

Un peu plus tôt dans ce texte, j'ai utilisé le terme fourgonnette pour désigner la position de conduite du Veracruz. La comparaison peut être poussée plus loin. En fait, j'ai souvent eu l'impression que je conduisais une fourgonnette dont les portes latérales n'étaient pas coulissantes ! De plus, l'espace dévolu aux bagages est franchement impressionnant lorsque tous les sièges sont baissés, ce qui rappelle encore une

FEU VERT
- Habitacle confortable
- V6 performant
- Prix bien étudiés
- Coffre vaste (tous sièges baissés)
- Finition hors pair

FEU ROUGE
- En manque de prestige
- Direction trop assistée
- Sièges avant peu confortables
- Cuir du volant glissant
- Phares peu puissants

fourgonnette. Le seuil est assez bas et une bande de caoutchouc recouvre le dessus du pare-chocs, lui évitant ainsi d'être égratigné. Sous le plancher, on retrouve un bac de rangement dont les compartiments sont amovibles. Astuce appréciée, cette partie du plancher demeure ouverte grâce à une petite tige. Par contre, il manque à peine un ou deux centimètres de profondeur à ce bac pour contenir un bidon de lave-glace.

PUISSANCE SILENCIEUSE

Le Veracruz se décline en trois versions (GL, GLS et Limited) et un seul moteur est proposé. Il s'agit d'un V6 de 3,8 litres de 260 chevaux et 257 livres-pied de couple. Ce moteur offre des prestations fort relevées et sa consommation demeure dans les normes. De plus, il prend de l'essence régulière, un détail fort apprécié! La transmission est une automatique à six rapports dont les passages quelquefois lents ne doivent pas faire oublier la douceur d'opération. Elle contribue à réduire la consommation et le bruit dans l'habitacle. Habitacle toujours fort silencieux, d'ailleurs. La version GL est une traction (roues avant motrices) tandis que les deux autres reçoivent une intégrale. Cette dernière est munie d'un mode « Lock » qui permet de verrouiller le différentiel central pour obtenir une meilleure traction lorsque les conditions de la route se détériorent. Cependant, dès que la voiture roule à plus de 30 km/h, le rouage se déverrouille. Malgré une garde au sol assez élevée, il est évident que le Veracruz n'est pas conçu pour escalader les Rocheuses. Mais dans quelques pouces de neige et de gadoue, il peut faire son chemin.

Comme dans plusieurs produits coréens, la direction est trop assistée et sa précision n'est pas particulièrement remarquable. Un arrêt d'urgence semble prendre les freins par surprise et si les distances d'arrêt se trouvent dans la bonne moyenne, la sensation de mollesse de la pédale n'a rien pour inspirer confiance. Dès le premier coin de rue tourné à vive allure, on se rend compte que le Veracruz préfère dorloter ses occupants plutôt que leur procurer des sensations fortes. Avec son Veracruz, Huyndai prouve qu'elle peut construire, et bien les construire, des véhicules plus luxueux. Mais le nom Hyundai a trop longtemps été lié aux petites voitures économiques pour que les gens oublient les racines modestes de l'entreprise, une perception qui nuit encore à la valeur de revente. Quant à la qualité de construction et de finition des récents produits Hyundai, elle est infiniment meilleure que ce qu'elle a déjà été.

Alain Morin

Photos: Guy Desjardins

VÉHICULE D'ESSAI

Version:	Hyundai Veracruz Limited AWD
Moteur:	V6 de 3,8 litres 24s atmosphérique
Puissance:	260 ch (194 kW) à 6 500 tr/min
Couple:	257 lb-pi (349 Nm) à 4 500 tr/min
Rapport poids/puissance:	7,73 kg/ch (10,36 kg/kW)
Transmission:	automatique, 6 rapports
Rouage:	intégral
0-100 km/h · 80-120 km/h:	8,6 s · 7,7 s
Freinage 100-0 km/h:	44,4 m
Vitesse maximale:	195 km/h
Consommation (100 km):	ordinaire, 13,9 litres
Autonomie approximative:	561 km
Émissions de CO2:	5 616 kg/an
Emp/Lon/Lar/Haut (mm):	2 805 / 4 840 / 1 945/ 1 807
Coffre/Réservoir:	184 à 2 458 / 78 litres
Nombre de coussins de sécurité:	6
Suspension avant:	indépendante, jambes de force
Suspension arrière:	indépendante, multibras
Freins av./arr.:	disque (ABS)
Antipatinage/Contrôle de stabilité:	oui/oui
Direction:	à crémaillère, assistée
Diamètre de braquage:	11,2 m
Pneus av./arr.:	P245/60R18
Poids:	2 010 kg
Capacité de remorquage:	1 588 kg

AUTRE(S) COMPOSANTE(S) MÉCANIQUE(S)

Système hybride:	aucun
Moteur diesel:	aucun
Taxe énergivore:	aucune
Autre(s) moteur(s):	aucun
Autre(s) rouage(s):	traction
Autre(s) transmission(s):	aucune

EN BREF

Échelle de prix:	39 995 $ à 45 995 $ (2008)
Catégorie:	multisegment
Garanties:	5 ans/100 000 km, 5 ans/100 000 km
Assemblage:	Ulsan, Corée du Sud
Cote d'assurance:	n.d.

DANS LA MÊME CATÉGORIE

Buick Enclave, Ford Edge, Ford Taurus X, GMC Acadia, Honda Pilot, Mazda CX-7/CX-9, Mitsubishi Endeavor, Nissan Murano, Saturn Outlook, Subaru Tribeca, Toyota Highlander

NOS IMPRESSIONS

Agrément de conduite:	★★★★
Fiabilité:	★★★★
Sécurité:	★★★★½
Qualités hivernales:	★★★★
Espace intérieur:	★★★★½
Confort:	★★★★½

DU NOUVEAU EN 2009

Aucun changement majeur

VOITURE SPORT DÉGUISÉE EN VUS

Depuis un an, Nissan et sa division de luxe Infiniti n'ont pas chômé. Plusieurs modèles ont été rafraîchis ou carrément redessinés et diverses nouveautés ont été lancées. Parmi celles-ci, on retrouve le EX35, un multisegment lancé presque en même temps que le petit VUS Rogue de Nissan. Il n'a donc pas été long que plusieurs ont soupçonné le EX35 d'être un Rogue de luxe. Pourtant, ce n'est absolument pas le cas. Il ne s'agit pas, non plus, d'un Infinti FX plus petit. Il faut plutôt associer le EX35 à la berline G35x, une voiture sport capable d'en découdre avec les meilleures de la catégorie.

De là à dire que le EX35 est plus sport qu'utilitaire il n'y a qu'un pas que je franchis allègrement. Si on réfère souvent à l'Infiniti FX lorsqu'on parle du EX, c'est que leurs lignes reprennent des thèmes identiques même si le FX est passablement plus imposant. La partie avant du EX35 arbore, comme sur le FX, une grille très stylisée à bandes horizontales, la ligne du toit plonge vers l'arrière et les passages de roue sont bien soulignés. Les tableaux de bord se ressemblent également. Du côté des dimensions, le EX35 se compare aux BMW X3 et Acura RDX, ses concurrents directs.

PERFORMANCES D'UNE SPORTIVE

Le EX35 tient son nom de sa position hiérarchique, c'est-à-dire sous le FX, ce dernier étant à la fois plus imposant, plus luxueux et plus dispendieux. Quant au 35, il provient, comme chez tous les véhicules Infiniti, de la cylindrée du moteur, soit 3,5 litres. Ce V6, utilisé avec bonheur à toutes les sauces chez Nissan/Infiniti, est bon pour 297 chevaux et 253 livres-pied de couple. Ce moteur très moderne compte sur un double arbre à cames en tête et un système de distribution à calage variable des soupapes d'admission et d'échappement. Avec autant de technologie, il n'est pas surprenant que ses performances soient très relevées et les accélérations et les dépassements se font sans aucun effort, le tout dans un grand silence. Un peu trop même puisqu'on perd une partie du plaisir qui consiste à écouter le moteur travailler. Même si l'ordinateur de bord de notre EX d'essai indiquait une moyenne de 10,6 litres aux cent kilomètres à la fin de notre semaine d'essai, nos calculs nous donnent plutôt 12,0 litres, ce qui est sans doute plus réaliste. Transport Canada, de son côté, lui concède 12,9 litres. Comme pour tout moteur officiant dans un véhicule huppé, le EX35 ne requiert que de l'essence super.

On a accolé au 3,5 litres une transmission automatique à cinq rapports avec un mode manuel. Quand ce mode est sélectionné, il hausse le nombre de révolutions par minute (RPM) du moteur, en prévision d'une conduite plus sportive. Malgré tout, on se lasse rapidement de ce petit jeu même si son fonctionnement s'avère très correct. Comme tout multi-segment récent, le EX35 reçoit un rouage intégral fort sophistiqué, déjà vu sur la berline G35x. Il est nommé « Intelligent AWD » et se veut une variante du ATTESSA E-TS. Sur surface sèche, il s'agit donc d'une propulsion. Lorsque les roues arrière appréhendent une perte de traction, jusqu'à 50 % du couple est transféré aux roues avant. Au départ par contre, si plus de puissance est requise, le système envoie environ 25 % du couple aux roues avant, même s'il ne détecte pas de perte de traction des roues arrière. En fait, dès que le conducteur appuie sur l'accélérateur, les roues avant reçoivent leur part du couple. Ce n'est donc pas un système qui réagit mais, plutôt, qui anticipe. Les Américains ont droit à une version propulsion tandis que les Canadiens n'ont d'autre choix que l'intégrale. Cette décision est facilement justifiable quand on sait que dans la grande majorité des cas, les consommateurs canadiens choisissent le rouage intégral même si la traction est moins dispendieuse et consomme moins.

Il aurait été assez surprenant qu'un véhicule Infinti, fût-il utilitaire, présente un comportement routier indigne. Le EX35 ne fait pas honte à la réputation de la marque de prestige de Nissan mais on ne peut pas, non plus, le qualifier de mini Porsche Cayenne. Les performances, nous l'avons vu, ne font pas défaut, la transmission automatique fonctionne avec douceur mais on ne peut pas dire que le EX soit très sportif. Puisqu'il reprend plusieurs éléments de la berline G35x, il serait facile de croire que le comportement des deux véhicules est très semblable. D'une certaine façon, oui, on retrouve un peu de la G35x dans le EX35. La direction est précise et procure un bon *feedback*, les suspensions tapent quelquefois un peu dur sur les bosses et trous qui parsèment notre réseau routier même si, en général, elles savent marier confort et tenue de route. S'il est agréable de lancer le EX35 dans les longues bretelles d'autoroute, son centre de gravité plus élevé que la G35x nous rappelle qu'on est au volant d'un multisegment. Il n'est pas long que les différents systèmes de contrôle de la traction et de la stabilité latérale interviennent avec douceur mais aussi avec une autorité certaine. Heureusement, il sera possible de les désactiver l'hiver venu si le véhicule s'enlise. Car il ne faudrait pas penser que le EX35, malgré son rouage intégral, peut franchir les bancs de neige avec autant d'assurance qu'un Jeep Grand Cherokee.

GADGETS UTILES

Pour son nouvel EX, Infiniti n'a pas lésiné sur la sécurité. Six coussins gonflables (frontaux, latéraux et rideaux) sont au rendez-vous et, en équipement optionnel, on retrouve le LDP (Lane Departure Prevention), le AVM (Around View Monitor) et le ICC (Intelligent Cruise Control). Dans le premier cas, il s'agit du même système sophistiqué visant à empêcher la voiture de franchir les lignes peintes sur la route. Le AVM est une innovation vraiment intéressante. Plutôt que d'avoir seulement une caméra qui montre ce qui se trouve en arrière du véhicule lors d'une manœuvre de recul, ce système permet de voir tout le tour grâce à quatre caméras. Sur l'EX, il s'agit d'une

Photo : Infiniti

véritable aide à la conduite, étant donné que la visibilité trois quarts arrière n'est pas terrible. Il ne faut cependant pas que ce système, aussi intéressant soit-il, remplace le bon vieux coup d'œil en arrière. Enfin, le ICC est un régulateur de vitesse qui se sert d'ondes, un peu comme un radar, pour détecter la présence de véhicules ou d'obstacles devant et d'ajuster la vitesse en fonction de ces véhicules.

UN PEU DE CHRISTINE...

Mais ce qui frappe davantage l'attention, c'est le Scratch Shield Paint. Il s'agit d'une couche de vernis (*clear coat*) flexible qui est appliquée par-dessus la peinture et qui possède la particularité de « s'auto réparer » ! En fait, avec l'action de la chaleur, les égratignures très superficielles pourront s'effacer d'elles-mêmes. Apparemment que ce type de peinture est facile à entretenir et ne demande pas de formation de personnel particulière ni d'atelier spécialisé pour la réparation après un impact, par exemple. Nous aurions aimé faire un test avec une clé mais devant le manque d'enthousiasme des gens de Infiniti, nous avons abandonné notre plan.

On ne choisit pas un EX pour se lancer dans le déménagement. L'espace pour les bagages est assez restreint autant en hauteur qu'en

FEU VERT
Lignes agréables
Moteur performant
Prix juste
Bon confort
Finition impeccable

FEU ROUGE
Essence super seulement
Espace intérieur restreint
Direction légère
Coût des ensembles optionnels prohibitif

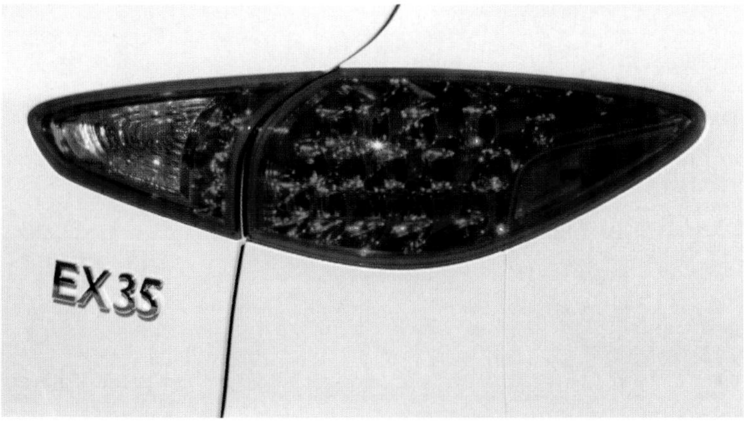

largeur puisque les tours des suspensions empiètent allègrement dans le coffre. Bien entendu, il est possible d'abaisser les dossiers des sièges de la deuxième rangée (l'EX est un véhicule cinq places) grâce à des boutons électriques. La qualité des matériaux est relevée mais si vous trouvez où placer le bidon de lave-glace pour qu'il ne bouge pas, appelez-moi. L'habitacle n'est pas des plus grands et si l'espace réservé aux gens assis à l'avant est correct, ceux d'en arrière ont plus de raisons de rouspéter.

Avec un prix de départ de 40400$ au moment d'écrire ces lignes, l'EX n'est pas donné mais il est moins dispendieux que la plupart de ses confrères, qu'ils s'appellent Acura RDX, BMW X3, Lexus RX350 ou Lincoln MKX. Là où il perd son intérêt, c'est lorsqu'on commence à cocher les ensembles optionnels... Un 4000$ ici, un système audio Bose à 3000$, un p'tit 1600$ par là, un autre 3250$ pour un système de navigation... Finalement, il est possible, avec un peu de volonté, de se retrouver avec un EX35 de plus de 50000$, ce qui n'en fait plus une aubaine. Somme toute, l'Infiniti EX35 s'adresse à une clientèle assez restreinte qui apprécie davantage le style que l'utilité et la conduite sportive aux virées hors route.

Alain Morin

Photos: Alain Morin

VÉHICULE D'ESSAI

Version:	Infiniti EX 35 Luxury
Moteur:	V6 de 3,5 litres 24s atmosphérique
Puissance:	297 ch (222 kW) à 6800 tr/min
Couple:	253 lb-pi (343 Nm) à 4800 tr/min
Rapport poids/puissance:	5,98 kg/ch (8,00 kg/kW)
Transmission:	automatique, 5 rapports
Rouage:	intégral
0-100 km/h · 80-120 km/h:	7,4 s · 5,6 s
Freinage 100-0 km/h:	39,5 m
Vitesse maximale:	n.d.
Consommation (100 km):	super, 12,9 litres
Autonomie approximative:	581 km
Émissions de CO2:	5280 kg/an
Emp/Lon/Lar/Haut (mm):	2800 / 4631 / 1803 / 1589
Coffre/Réservoir:	476 / 75 litres
Nombre de coussins de sécurité:	6
Suspension avant:	indépendante, bras inégaux
Suspension arrière:	indépendante, multibras
Freins av./arr.:	disque (ABS)
Antipatinage/Contrôle de stabilité:	oui/oui
Direction:	crémaillère, assistance variable
Diamètre de braquage:	11,0 m
Pneus av./arr.:	P225/55R18
Poids:	1778 kg
Capacité de remorquage:	n.d.

AUTRE(S) COMPOSANTE(S) MÉCANIQUE(S)

Système hybride:	aucun
Moteur diesel:	aucun
Taxe énergivore:	aucune
Autre(s) moteur(s):	aucun
Autre(s) rouage(s):	aucun
Autre(s) transmission(s):	aucune

EN BREF

Échelle de prix:	40400$ (modèle unique)
Catégorie:	multisegment
Garanties:	4 ans/100000 km, 6 ans/110000 km
Assemblage:	Tochigi, Japon
Cote d'assurance:	n.d.

DANS LA MÊME CATÉGORIE

Acura RDX, Audi Q5, BMW X3, Land Rover LR2, Mercedes-Benz GLK, Volvo XC70

NOS IMPRESSIONS

Agrément de conduite:	
Fiabilité:	nouveau modèle
Sécurité:	
Qualités hivernales:	½
Espace intérieur:	½
Confort:	½

DU NOUVEAU EN 2009

Nouveau modèle

MÊME RECETTE, PLUS D'ADN

Le constructeur Infiniti compte bien augmenter ses parts de marché cette année et pour ce faire, il a entrepris de renouveler sa gamme entièrement. Voilà donc une année occupée chez Infiniti puisqu'en 2009, pratiquement tous les modèles, mis à part le QX56, auront été complètement remaniés. On ne peut passer sous silence l'ajout du EX pour 2008, un VUS multisegment s'inscrivant dans un créneau en forte croissance.

Il faut avouer que, malgré son âge, la présente génération du FX demeure au goût du jour. Ses lignes sont toujours agréables à l'œil et le véhicule continue de faire tourner les têtes. Pour 2009, on nous présente une nouvelle génération, conservant certes les attributs d'origine du véhicule, mais rehaussant certains éléments, rendant le nouveau FX plus compétitif.

DEUX MODÈLES, DEUX MÉCANIQUES

Tout comme ce fut le cas avec le FX d'ancienne génération, deux modèles sont proposés, se distinguant principalement par leur mécanique. Le FX35, le plus abordable et certainement le plus populaire, est muni d'un moteur six cylindres de 3,5 litres développant 303 chevaux pour un couple de 262 livres-pied. Grâce à un nouveau système de calage variable des soupapes, les ingénieurs auront donc réussi à extirper 25 chevaux de plus que le 3,5 litres qui équipait le FX35 de génération précédente. C'est d'ailleurs ce moteur qui figurera dans la majeure partie des FX vendus ici. Bientôt, ce moteur fera place au 3,7 litres, puisque c'est cette motorisation qui a été retenue pour l'introduction du FX en Europe, un peu plus tard au cours de l'année. Puisque chez Infiniti la plupart des produits vendus sont équipés du rouage intégral, le FX l'offre de série au Canada, alors que des modèles à deux roues motrices sont proposés dans certains autres marchés.

La grande nouveauté constitue l'ajout du FX50, modèle succédant au FX45. Propulsé par un tout nouveau moteur V8 de 5,0 litres déballant 390 chevaux, ce modèle dote la gamme FX de performances plus impressionnantes, tout en affichant, selon le constructeur, une économie d'essence supérieure à l'ancien V8. Ces deux motorisations sont combinées à une boîte automatique à sept rapports, également une première utilisation de la part du constructeur.

VUS OU ROADSTER ?

Malgré la filiation qui persiste avec l'ancienne génération, on remarque à l'avant une nouvelle grille torsadée arborant du chrome noir très élégant ainsi que des phares allongés et plus petits. Les flancs intègrent des prises d'air fonctionnelles alors que la ligne du toit plonge largement vers l'arrière. Ajoutez un habitacle en recul et un long capot et vous obtenez l'aspect typique d'un roadster. De son côté, Infiniti préfère comparer les lignes du FX à un guépard. Bref, le FX vous assure de ne pas passer inaperçu.

FEU VERT
- Bon choix de moteurs
- Lignes très modernes
- Comportement sportif
- Rouage intégral

FEU ROUGE
- V8 gourmand
- Peu d'espace de chargement
- Pneus 21 pouces dispendieux
- Systèmes d'aide à la sécurité trop envahissants

À l'intérieur, le tableau de bord reflète le style insufflé à tous les nouveaux produits du constructeur. Sa partie centrale est en fait presque identique à celle de son petit frère, l'EX. Cependant, le tout est fonctionnel et simple à utiliser. Avec ses lignes, le FX n'est certes pas le plus spacieux. On a suffisamment de dégagement à l'arrière, mais on devient moins à l'aise lorsque trois passagers s'y assoient. Pour ce qui est de l'espace de chargement, la possibilité de coucher les sièges à plat ajoute au côté pratique, mais le plancher haut et le hayon plus étroit amputent légèrement son volume.

UN BON DUO DE MOTEURS

Au volant, on apprécie la puissance et le couple du moteur V8 du FX50.Chaussé de pneus de 21 pouces et profitant d'une suspension sport, le FX45 enfile les virages comme peu de VUS peuvent le faire. On ne remarque pratiquement aucun transfert de poids. Le tout est complété par un empattement supérieur alors qu'on a amené les roues un peu plus aux extrémités. La boîte automatique à sept rapports favorise l'économie d'essence et tire bien profit de la puissance disponible, tout en réalisant de doux changements.

Le FX adopte la philosophie de sécurité d'Infiniti et propose donc une panoplie de technologies destinées non seulement à accroître la sécurité en cas d'impact, mais également à prévenir toute situation potentiellement à risque. De ce lot, on note plusieurs caméras vous permettant de voir tout le tour du véhicule lorsque vous êtes en manœuvre de stationnement, un système destiné à vous avertir si vous franchissez une ligne sans avoir mis votre clignotant ou un autre vous alertant en cas de collision imminente si vous n'aviez pas appliqué les freins.

Le nouveau FX 2009 reprend là où l'ancienne génération a laissé, mais il offre un peu plus de tout ce qui a fait l'intérêt de la génération précédente. On l'apprécie pour ses lignes modernes et fluides et, surtout, pour son comportement digne d'une voiture sport.

Sylvain Raymond

Photos : Sylvain Raymond

VÉHICULE D'ESSAI

Version :	Infiniti FX 35
Moteur :	V6 de 3,5 litres 24s atmosphérique
Puissance :	303 ch (226 kW) à 6 800 tr/min
Couple :	262 lb-pi (355 Nm) à 4 800 tr/min
Rapport poids/puissance :	6,43 kg/ch (8,62 kg/kW)
Transmission :	automatique, 7 rapports
Rouage :	intégral
0-100 km/h · 80-120 km/h :	n.d. · n.d.
Freinage 100-0 km/h :	n.d.
Vitesse maximale :	n.d.
Consommation (100 km) :	n.d.
Autonomie approximative :	n.d.
Émissions de CO2 :	n.d.
Emp/Lon/Lar/Haut (mm) :	2 885 / 4 859 / 1 928 / 1 680
Coffre/Réservoir :	702 à 1 756 / 90 litres
Nombre de coussins de sécurité :	6
Suspension avant :	indépendante, double triangulation
Suspension arrière :	indépendante, multibras
Freins av./arr. :	disque (ABS)
Antipatinage/Contrôle de stabilité :	oui/oui
Direction :	à crémaillère, assistance variable
Diamètre de braquage :	11,2 m
Pneus av./arr. :	265/60R18
Poids :	1 950 kg
Capacité de remorquage :	1 587 kg

AUTRE(S) COMPOSANTE(S) MÉCANIQUE(S)

Système hybride :	aucun
Moteur diesel :	aucun
Taxe énergivore :	2 000 $ (FX50)
Autre(s) moteur(s) :	V8 de 5,0 litres 390 ch/369 lb-pi (FX50)
Autre(s) rouage(s) :	aucun
Autre(s) transmission(s) :	aucune

EN BREF

Échelle de prix :	50 700 $ à 70 650 $ (2008)
Catégorie :	multisegment
Garanties :	4 ans/100 000 km, 6 ans/110 000 km
Assemblage :	Tochigi, Japon
Cote d'assurance :	pauvre

DANS LA MÊME CATÉGORIE

Audi Q7, BMW X5, Cadillac SRX, Mercedes-Benz Classe R, Porsche Cayenne, Volkswagen Touareg, Volvo XC90

NOS IMPRESSIONS

Agrément de conduite :	🚗🚗🚗🚗
Fiabilité :	nouveau modèle
Sécurité :	🚗🚗🚗🚗
Qualités hivernales :	🚗🚗🚗🚗½
Espace intérieur :	🚗🚗🚗½
Confort :	🚗🚗🚗🚗

DU NOUVEAU EN 2009

Nouveau modèle

INFINITI G35 / G35X / G37

UN TRIO PERFORMANT

Les divisions de voitures de luxe des marques japonaises épousent toutes une philosophie similaire lorsque vient le temps de développer de nouveaux modèles : cibler directement la voiture qui sert de référence de la catégorie. C'est le scénario qui prévaut depuis que Lexus a lancé la LS avec la Mercedes-Benz de Classe S comme cible, et c'est ce même scénario qui se répète avec les modèles G d'Infiniti qui se portent à l'assaut de la BMW de Série 3.

Aux berlines G35 et G35x à traction intégrale s'est ajouté l'an dernier un nouveau modèle, le coupé G37 dont la désignation technique fait référence à la cylindrée du moteur qui est passée de 3,5 à 3,7 litres. L'accroissement de la cylindrée a permis de rehausser la puissance de cette nouvelle version du moteur VQ de 306 à 330 chevaux par l'entremise d'une course allongée et de l'ajout du calage variable des soupapes du côté de l'admission ainsi que d'un taux de compression plus élevé. Le résultat est probant et la G37 offre ainsi 30 chevaux de plus que la BMW 335i, de même qu'une sonorité plus agréable que le moteur de 3,5 litres qui équipe les G35. Deux boîtes peuvent être jumelées au moteur, soit une manuelle à six vitesses ou une automatique à cinq rapports qui s'avère être le meilleur choix en raison de la constante vibration qui afflige le levier de vitesses de la manuelle.

PLUS PUISSANTE MAIS PAS PLUS RAPIDE

Comme la G37 est plus puissante que la G35, on s'attendrait à une bonne différence pour ce qui est des performances en accélération. Mais ce n'est pas le cas, la G37 pèsant environ 50 kilos de plus à cause de l'ajout de pièces de renforcement dans ses longues portières assurant une meilleure protection en cas d'impact latéral. Et puisqu'il est question des portières, précisons que les seules pièces de carrosserie qui sont partagées entre les G37 et G35 sont justement les poignées des portières ! Comme la G37 est plus courte, plus basse et plus large que la G35, aucun des panneaux de carrosserie de la berline n'a pu migrer vers le coupé qui affiche ainsi sa propre silhouette.

En ce qui a trait à l'espace accordé aux passagers, la G37 possède les défauts de ses qualités dans la mesure où la ligne du toit compromet sérieusement le dégagement pour la tête des passagers arrière, sans parler de celui des jambes qui est réduit de 11,4 cm par rapport à la berline. Vous aurez donc compris que la G35 conviendra mieux si vous devez y faire monter plus d'une personne, alors que la G37 fera le bonheur des célibataires et des couples sans enfants.

LE BONHEUR DE LA TRACTION INTÉGRALE

En raison de notre climat, la berline G35x possède des arguments plus que convaincants, grâce à son rouage intégral performant qui permet à la voiture de se jouer de nos hivers en offrant un confort serein et une très bonne stabilité même lorsque les conditions routières se dégradent sérieusement. En conditions normales, le couple est envoyé aux roues arrière, mais le système peut intervenir et acheminer jusqu'à

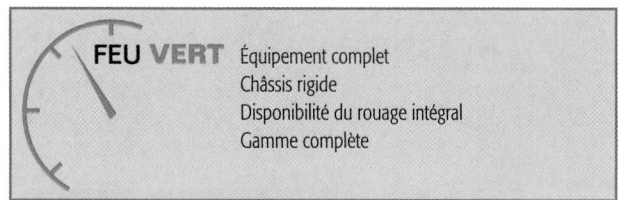

FEU VERT
- Équipement complet
- Châssis rigide
- Disponibilité du rouage intégral
- Gamme complète

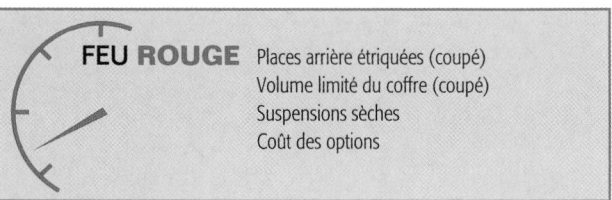

FEU ROUGE
- Places arrière étriquées (coupé)
- Volume limité du coffre (coupé)
- Suspensions sèches
- Coût des options

50 pour cent du couple aux roues avant en cas de perte de motricité à l'arrière. La G35x représente donc le meilleur choix pour rouler au Québec durant toute l'année.

G37 VS 335i

Et puisqu'il en a été question au début, qu'en est-il de la comparaison avec la 335i de BMW ? En quelques mots, le coupé G37 est un peu plus lourd et un peu moins agile que le coupé bavarois. Son poids plus élevé a également une incidence sur les distances de freinage qui sont légèrement plus longues. Les performances sont donc un peu en retrait, mais elles sont compensées par un prix beaucoup moins élevé, par une dotation plus relevée en ce qui a trait à l'équipement de série et par une fiabilité remarquable. C'est un peu le même constat pour ce qui est de la comparaison entre les berlines à propulsion ou à traction intégrale.

Moins raffinés mais aussi moins chers et presque aussi performants, les modèles G d'Infiniti opposent une concurrence sérieuse à la BMW de Série 3 qui demeure la référence de la catégorie, malgré le fait que l'écart entre ces deux voitures se soit considérablement réduit. Un tout nouveau modèle coupé-cabriolet à toit rigide de la G37 sera également proposé en 2009 de façon à livrer une concurrence directe au coupé-cabriolet BMW de Série 3 dont le concept est similaire. Il est donc acquis que la rivalité entre la division de voitures de luxe de Nissan et le constructeur allemand se poursuivra sur ce nouveau terrain de jeu.

Gabriel Gélinas

Photos : Infiniti

VÉHICULE D'ESSAI

Version :	Infiniti G 37 Coupé
Moteur :	V6 de 3,7 litres 24s atmosphérique
Puissance :	330 ch (246 kW) à 7 000 tr/min
Couple :	270 lb-pi (366 Nm) à 5 200 tr/min
Rapport poids/puissance :	4,96 kg/ch (6,66 kg/kW)
Transmission :	manuelle, 6 rapports
Rouage :	propulsion
0-100 km/h · 80-120 km/h :	6,2 s · 4,4 s
Freinage 100-0 km/h :	39,5 m
Vitesse maximale :	n.d.
Consommation (100 km) :	super, 12,0 litres
Autonomie approximative :	633 km
Émissions de CO2 :	4 848 kg/an
Emp/Lon/Lar/Haut (mm) :	2 850 / 4 651 / 1 824 / 1 392
Coffre/Réservoir :	210 / 76 litres
Nombre de coussins de sécurité :	6
Suspension avant :	indépendante, bras inégaux
Suspension arrière :	indépendante, multibras
Freins av./arr. :	disque (ABS)
Antipatinage/Contrôle de stabilité :	oui/oui
Direction :	à crémaillère, assistance variable
Diamètre de braquage :	11,2 m
Pneus av./arr. :	P255/50R18
Poids :	1 640 kg
Capacité de remorquage :	454 kg

AUTRE(S) COMPOSANTE(S) MÉCANIQUE(S)

Système hybride :	aucun
Moteur diesel :	aucun
Taxe énergivore :	aucune
Autre(s) moteur(s) :	V6 de 3,5 litres 306 ch/268 lb-pi (12,2 l/100 super) (G35, G35x)
Autre(s) rouage(s) :	intégral (G35, G35x)
Autre(s) transmission(s) :	automatique, 5 rapports (G35, G35x, G37 coupé)

EN BREF

Échelle de prix :	39 990 $ à 49 950 $ (2008)
Catégorie :	coupé, berline de luxe
Garanties :	4 ans/100 000 km, 6 ans/110 000 km
Assemblage :	Tochigi, Japon
Cote d'assurance :	pauvre

DANS LA MÊME CATÉGORIE

Audi A4, BMW Série 3, Cadillac CTS, Chrysler 300, Lexus IS, Mercedes-Benz Classe C, Saab 9-3, Subaru Impreza WRX

NOS IMPRESSIONS

Agrément de conduite :	4 ½
Fiabilité :	5
Sécurité :	5
Qualités hivernales :	4
Espace intérieur :	3 ½
Confort :	3 ½

DU NOUVEAU EN 2009

Modèles G37 cabriolet et G37 berline à venir

BRILLANTES ET MÉCONNUES

La chance et la réussite n'ont jamais souri à Infiniti dans la catégorie des grandes voitures de prestige, mais la marque de luxe de Nissan a trouvé la bonne recette en créant une famille de berlines de luxe intermédiaires à la fois racées, agiles, confortables, performantes et fiables. À sa quatrième année, la série des berlines M présente un éventail de modèles mieux armés que jamais pour affronter une concurrence aguerrie. Leurs qualités indiscutables suffiront-elles à les sortir enfin de l'ombre face à leurs rivales griffées?

Infiniti a d'abord eu la bonne idée de poser la deuxième génération de ses berlines M sur une version de l'excellente plate-forme FM qui sous-tendait déjà, entre autres, les berlines G35 et G35x, des voitures bien nées, performantes, solides et douées en comportement routier. L'empattement s'est allongé de 50 mm et les voies avant et arrière sont plus larges de 29 mm. La carrosserie des berlines M est également plus longue que celle de la G35 de 153 mm et plus haute de 45 mm. Tout cela a suffi à les hisser parmi les berlines de luxe intermédiaires avec les Série 5 de BMW en ligne de mire, de toute évidence.

ROUAGES EXCEPTIONNELS

Pour la motorisation, on a pris une version de l'omniprésent V6 de 3,5 litres pour créer la M35 et une version du V8 de 4,5 litres qui propulsait la M45 précédente pour équiper la nouvelle. La série M compta dès le départ un modèle à rouage intégral, la M35x, qui fut rejointe l'an dernier par la M45x, dont le rouage intégral allait permettre de mieux maîtriser et exploiter les 325 chevaux du V8 en toute saison et dans toutes les conditions. La M35x est moins puissante et moins chère que la M45 mais elle n'a certes rien d'un pis-aller. Au contraire, le *Guide de l'auto* en a fait sa version préférée dès la première année. Ce sera d'autant plus vrai pour la version 2009 qui profite d'un nouveau V6 plus puissant. Le V6 de type VQ35HR produit 303 chevaux soit 28 de plus que le précédent pour une cylindrée identique de 3,5 litres. La M35x savait déjà sprinter de 0 à 100 km/h en moins de 8 secondes. Elle y gagnera sans doute encore quelques dixièmes mais elle ne pourra encore rivaliser avec la M45 qui le boucle en 6 secondes et des poussières, même si son V8 n'affiche que 19 chevaux de plus. C'est le couple qui fait la différence.

Dans les deux cas, la boîte automatique à cinq rapports est irréprochable, sans doute parmi les meilleures toutes catégories confondues, à l'heure actuelle. Le sélecteur est à la fois très court et très précis. Son parcours est droit, parce qu'il n'y a nul besoin d'un tracé en zigzag quand une boîte automatique possède un mode manuel. Et celui des berlines M est sans doute le meilleur qui soit, puisqu'il ajuste parfaitement, en une fraction de seconde, le régime du moteur chaque fois qu'on rétrograde d'un rapport, comme le ferait un pilote expert en jouant du pédalier avec une boîte manuelle. Infiniti fut la première à offrir un tel dispositif sur les berlines M et plusieurs constructeurs l'ont imitée depuis, sans la surpasser.

MACHINES SANS COMPLEXES

En fait, tous les éléments du poste de conduite de ces voitures; le siège,

FEU VERT
M45 performante et sportive
M35x sûre et agile
Fiabilité reconnue

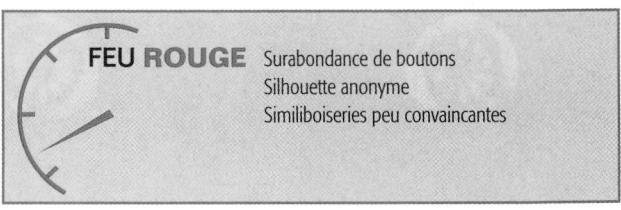

FEU ROUGE
Surabondance de boutons
Silhouette anonyme
Similiboiseries peu convaincantes

le volant, les contrôles et le sélecteur mentionné plus haut, ont manifestement été conçus et raffinés par des ingénieurs et concepteurs qui savent et qui aiment vraiment conduire. C'est un compliment qu'on a longtemps dû réserver à BMW, mais ils ne sont plus les seuls maîtres de l'ergonomie de conduite. Et je ne parle pas ici de l'exécrable commande multifonctionnelle iDrive. Les M35 et M45 sont équipées, elles aussi, d'une grosse molette de contrôle montée sur une portion inclinée du tableau de bord. Elle est cependant entourée de touches assez logiques et clairement identifiées pour rendre le tout acceptablement efficace et sûr à manipuler en conduite. Mais ça fait quand même une joyeuse collection de boutons !

Les voitures de luxe japonaises paraissent souvent lisses, aseptisées et plutôt dénuées de caractère. Ce n'est certes pas le cas pour la M45 dont les réactions, le comportement et les contrôles sont ceux d'une bête mécanique. Ne vous méprenez pas : la plus chère des berlines Infiniti est tout à fait civilisée et raffinée. C'est seulement qu'elle ne dissimule jamais qu'elle est une machine, pas un appareil ménager et encore moins un ordi sur roues. On entend même parfois, dans la M45, un petit chuintement d'engrenages qui fera sourire celui qui aime encore la mécanique en cet âge de plastique et de puces électroniques. En cela, comme pour bien autre chose, cette Infiniti puissante et sans complexe évoque les meilleures mécaniques allemandes où le métal n'est jamais loin de la surface et les sonorités mécaniques jamais complètement étouffées.

Assurément, les M45 et M35 sont les plus germaniques des berlines japonaises tout en offrant la fiabilité et la qualité de fabrication exemplaires des berlines Infiniti, dont elles sont les meilleures ambassadrices. Cette année, par exemple, leurs carrosseries sont toutes enrobées d'une peinture anti égratignures dont Infiniti est la pionnière. Cela dit, il faudra plus qu'un succès de critique et d'excellentes cotes de fiabilité pour assurer leur survie et leur progression. Il faut simplement souhaiter qu'elles cessent d'être des secrets trop bien gardés. Mais pour ça, il faudra sans doute un remodelage inspiré.

Marc Lachapelle

Photos : Infiniti

VÉHICULE D'ESSAI

Version :	Infiniti M 45
Moteur :	V8 de 4,5 litres 32s atmosphérique
Puissance :	325 ch (242 kW) à 6 400 tr/min
Couple :	336 lb-pi (456 Nm) à 4 000 tr/min
Rapport poids/puissance :	5,59 kg/ch (7,50 kg/kW)
Transmission :	automatique, 5 rapports
Rouage :	propulsion
0-100 km/h · 80-120 km/h :	6,0 s · 5,1 s
Freinage 100-0 km/h :	37,1 m
Vitesse maximale :	n.d.
Consommation (100 km) :	super, 13,5 litres
Autonomie approximative :	666 km
Émissions de CO2 :	5 520 kg/an
Emp/Lon/Lar/Haut (mm) :	2 900 / 4 900 / 1 798 / 1 509
Coffre/Réservoir :	422 / 90 litres
Nombre de coussins de sécurité :	6
Suspension avant :	indépendante, bras inégaux
Suspension arrière :	indépendante, multibras
Freins av./arr. :	disque (ABS)
Antipatinage/Contrôle de stabilité :	oui/non
Direction :	à crémaillère, assistance variable
Diamètre de braquage :	11,2 m
Pneus av./arr. :	P245/45R18
Poids :	1 817 kg
Capacité de remorquage :	454 kg

AUTRE(S) COMPOSANTE(S) MÉCANIQUE(S)

Système hybride :	aucun
Moteur diesel :	aucun
Taxe énergivore :	aucune
Autre(s) moteur(s) :	V6 de 3,5 litres 303 ch/n.d. lb-pi (13,2 l/100 super) (M35, M35x)
Autre(s) rouage(s) :	intégral (M35, M35x, M45, M45x)
Autre(s) transmission(s) :	aucune

EN BREF

Échelle de prix :	56 400 $ à 73 400 $ (2008)
Catégorie :	berline de luxe
Garanties :	4 ans/100 000 km, 6 ans/110 000 km
Assemblage :	Tochigi, Japon
Cote d'assurance :	n.d.

DANS LA MÊME CATÉGORIE

Audi A6, BMW Série 5, Buick Lucerne, Cadillac STS, Jaguar X-Type, Lexus GS350/430, Mercedes-Benz Classe E, Volvo S80

NOS IMPRESSIONS

Agrément de conduite :	4 ½
Fiabilité :	4 ½
Sécurité :	4 ½
Qualités hivernales :	3 ½
Espace intérieur :	4
Confort :	4

DU NOUVEAU EN 2009

Automatique avec mode Sport sur tous les modèles, peinture « Auto Scratch Shield » standard, V6 plus puissant

Infiniti QX56

DEUX PUISSANTS VORACES

Avec la récente flambée du prix du carburant, on doit inévitablement conclure que ceux qui achèteront ce genre de véhicule auront préalablement fait plusieurs calculs quant aux frais d'utilisation de leur futur achat. C'est qu'avec une consommation moyenne supérieure à 18 litres au 100 km, l'Armada et le QX56 ne sont pas pour ceux qui comptent leurs sous. Bien qu'ils offrent des caractéristiques impressionnantes dont un habitacle des plus spacieux, de la puissance à revendre et une capacité de remorquage phénoménale, la hausse continuelle du prix du carburant les amènera à l'extinction, du moins dans leur format actuel.

EFFICACITÉ ET LUXE

Bien que l'un et l'autre partagent les mêmes organes mécaniques et bon nombre de composants esthétiques, le QX56 se distingue cependant de l'Armada par ses innombrables artifices de prestige. Outre la profusion de chrome, viennent s'ajouter les roues de 20 pouces, les sièges baquets en cuir de deuxième rangée, la caméra de recul, le système de divertissement vidéo et l'insonorisation haut de gamme. En fait, la liste des caractéristiques est tellement complète que seules trois options sont au menu : la couleur extérieure, la couleur du cuir intérieur et le nombre de places. Depuis l'an dernier, le QX56 profite d'un nouveau faciès, d'une partie arrière refaite, d'un nouveau tableau de bord ainsi que d'un volant chauffant. Les boiseries ont également été revues et présentent dorénavant une meilleure qualité. On propose toujours le cuir Sojourner et la moquette Tuscano ajoute une touche griffée au véhicule. Les plastiques sont cependant un peu trop présents dans l'habitacle et bien qu'ils soient de qualité tout de même acceptable, on aurait aimé ne pas en avoir autant lorsque l'on débourse quelque 80 000 $ pour son nouvel Infiniti.

La vie à bord du QX56 et de l'Armada ressemble étrangement au sentiment que l'on éprouve lorsqu'on voyage à bord d'un motorisé de 45 pieds. L'espace disponible est plus que généreux et jamais on ne pense s'arrêter pour s'étirer, ce que l'on peut très bien faire dans le véhicule, quel que soit l'endroit où l'on est assis. Les sièges sont extrêmement confortables (donc manquent de soutien en virage) et la position de conduite élevée permet d'obtenir une visibilité quasi parfaite. La hauteur du toit fera bien plaisir aux claustrophobes alors que l'espace de chargement permettra de trimbaler l'immense cage du chien. Les deux véhicules possèdent une troisième rangée de sièges et, contrairement à la plupart des modèles disposant d'une telle option, la troisième rangée de l'Armada et du QX56 peut accueillir facilement deux adultes « pleine grandeur », voire trois ! Infiniti propose de nombreux gadgets technologiques afin de rendre la conduite des plus faciles. Outre le régulateur de vitesse intelligent, on retrouve la caméra de recul et son système d'aide au stationnement ainsi que le système de surveillance qui nous indique si l'on traverse les lignes séparant les voies sur l'autoroute. On peut évidemment compter sur la cartographie par GPS, sur le système Bluetooth et sur les sièges médians chauffants.

UNE MOTORISATION PRESQUE PARFAITE

L'Armada et le QX56 partagent le même huit cylindres, celui-là même qui équipe la camionnette pleine grandeur Titan. Cette titanesque motorisation s'avère nécessaire afin de déplacer l'utilitaire sport, qui fait

FEU VERT
- Habitacle très spacieux
- Solidité du châssis
- Moteur exemplaire
- Puissance démentielle
- Rapport qualité/prix

FEU ROUGE
- Consommation ahurissante
- Dimensions encombrantes
- Seuil du coffre élevé
- Prix corsés

osciller la balance à plus de 2 680 kg (5 900 livres) ! Néanmoins, le moteur V8 permet des accélérations plus que vives et des reprises décadentes pour un mastodonte de la sorte. À chaque départ, on s'étonne de constater à quel point le véhicule accélère facilement sans éprouver aucun effort. Le son du moteur est aussi très agréable à entendre, et on pourrait aisément l'attribuer à un gros coupé sportif tellement il gronde de puissance. Malheureusement, exploiter pleinement ce moteur signifie également gaspiller du pétrole et, à ce chapitre, il faudra refaire ses devoirs chez Infiniti/Nissan, car certains autres constructeurs, dont General Motors, proposent maintenant des véhicules au gabarit similaire (soit l'Escalade) avec une motorisation hybride permettant des économies d'essence assez substantielles. Évidemment, le problème n'est pas tant la consommation, mais plutôt le prix du pétrole qui ne cesse de monter et de faire augmenter la facture d'exploitation de ce duo musclé. Le châssis est emprunté au Titan et affiche une rigidité exceptionnelle, surtout appréciée en terrain un peu plus cahoteux. On doit également donner une mention d'excellence à la suspension indépendante aux quatre roues qui assure une douceur de roulement impressionnante et qui absorbe à merveille les aléas de la route. De pair avec cette suspension, le duo QX56/Armada propose un système de quatre roues motrices « tout-mode » qui permet d'adapter la répartition de puissance entre les roues arrière et avant. Il suffit de régler le sélecteur en position « Auto » et le véhicule fera le reste du travail. Soyez cependant rassuré, car il est également possible de régler l'interrupteur en mode « 2WD », « 4WD High » et « 4WD Low » pour bénéficier de toute la puissance voulue au moment voulu. Et à ce chapitre, le véhicule ne nous déçoit pas, car avec une capacité de remorquage de plus de 9 000 livres, vous ne serez jamais pris au dépourvu. Malgré son poids, le QX56 et l'Armada présentent un roulis minime (ce n'est pas un coupé sportif tout de même), une puissance de freinage impressionnante et une tenue de route rassurante, grâce notamment à l'assistance au freinage, mais surtout au contrôle dynamique du véhicule qui compare les commandes du conducteur aux réactions du véhicule. Toute incohérence sera alors corrigée en dosant la vitesse et le freinage afin d'assurer une parfaite maîtrise du mastodonte.

Ce genre de véhicule a de moins en moins la cote auprès de la population. Même nos voisins du sud, les biens nantis Américains, délaissent progressivement les modèles de fort gabarit.

Guy Desjardins

Nissan Armada

Photos : Infiniti/Nissan

VÉHICULE D'ESSAI

Version :	Infiniti QX 56
Moteur :	V8 de 5,6 litres 32s atmosphérique
Puissance :	320 ch (239 kW) à 5 200 tr/min
Couple :	393 lb-pi (533 Nm) à 3 400 tr/min
Rapport poids/puissance :	8,38 kg/ch (11,22 kg/kW)
Transmission :	automatique, 5 rapports
Rouage :	intégral
0-100 km/h · 80-120 km/h :	9,1 s · 8,2 s
Freinage 100-0 km/h :	44,3 m
Vitesse maximale :	180 km/h
Consommation (100 km) :	super, 18,2 litres
Autonomie approximative :	576 km
Émissions de CO2 :	7 344 kg/an
Emp/Lon/Lar/Haut (mm) :	3 130 / 5 255 / 2 002 / 1 998
Coffre/Réservoir :	566 à 2 750 / 105 litres
Nombre de coussins de sécurité :	6
Suspension avant :	indépendante, bras inégaux
Suspension arrière :	indépendante, bras inégaux
Freins av./arr. :	disque
Antipatinage/Contrôle de stabilité :	oui/oui
Direction :	à crémaillère, assistance variable
Diamètre de braquage :	12,5 m
Pneus av./arr. :	P265/70R18
Poids :	2 682 kg
Capacité de remorquage :	4 077 kg

AUTRE(S) COMPOSANTE(S) MÉCANIQUE(S)

Système hybride :	aucun
Moteur diesel :	aucun
Taxe énergivore :	3 000 $
Autre(s) moteur(s) :	V8 de 5,6 litres, 317 chevaux / 385 lb-pi (18,0l / 100, ordinaire) (Nissan Armada)
Autre(s) rouage(s) :	aucun
Autre(s) transmission(s) :	aucune

EN BREF

Échelle de prix :	53 298 $ à 69 700 $
Catégorie :	VUS grand format
Garanties :	4 ans/100 000 km, 6 ans/110 000 km
Assemblage :	Canton, Mississipi, É-U
Cote d'assurance :	n.d.

DANS LA MÊME CATÉGORIE

Cadillac Escalade, Chrysler Aspen, Ford Expedition, Lincoln Navigator

NOS IMPRESSIONS

Agrément de conduite :	4
Fiabilité :	4
Sécurité :	4 ½
Qualités hivernales :	5
Espace intérieur :	5
Confort :	5

DU NOUVEAU EN 2009

Aucun changement majeur

ENFIN UNE BERLINE MODERNE !

Tout est finalement classé et la compagnie Jaguar est dorénavant la propriété du constructeur indien Tata. Il ne faut pas se laisser influencer par le nom du nouveau propriétaire, qui en français nous est quelque peu risible. Cette compagnie est dotée d'une excellente santé financière et saura certainement mieux investir dans la compagnie britannique que ne le faisait Ford depuis quelques années. Et ce passage n'a pas empêché les stylistes et ingénieurs de nous concocter une voiture fort intéressante.

La Jaguar XF se démarque de la Type S, de factures très rétro, qu'elle est appelée à remplacer. Il faut donc rendre hommage à ceux qui ont conçu la nouvelle berline XF. Grâce à eux, le constructeur de Coventry est entré tout de go dans le 21e siècle avec une berline sport dont la silhouette, l'habitacle et les performances sont de nature à inquiéter la concurrence, même germanique avec ses produits tant prisés.

TOUTE UNE MÉCANIQUE !

Depuis plusieurs années maintenant, les Jag sont propulsées par un magnifique moteur V8 de 4,2 litres, dont la conception mécanique n'a rien à envier à la concurrence. Celui-ci est offert en deux variantes. La version atmosphérique produit 300 chevaux tandis que la version munie d'un compresseur en affiche 120 de plus. Les deux sont couplés à une boîte automatique à six rapports qui répond à un bouton de commande fort original. Et puisque ce moteur est utilisé depuis quelques années, les problèmes de jeunesse ont été réglés ; il semble du moins avoir prouvé sa valeur au fil des années.

Il ne faut pas oublier non plus que les ingénieurs de Coventry ont consacré beaucoup d'efforts afin de réduire le poids non suspendu. Ceci explique pourquoi la plupart des éléments de la suspension sont en aluminium tandis que la plate-forme est constituée d'acier très rigide, dont l'alliage le rend également léger. En fait, les ingénieurs ont fait appel à plus de 25 alliages différents pour la plate-forme et la carrosserie. Par exemple, les piliers du toit sont en boron, un acier ultrarigideultra rigide, afin d'offrir plus de solidité et de pouvoir ainsi en réduire les dimensions pour une meilleure visibilité. Pour revenir à la suspension, le modèle Supercharged est doté de série de la suspension adaptative CATS, qui s'ajuste automatiquement, c'est-à-dire en une fraction de seconde, aux conditions de la chaussée et au type de conduite.

Bref, par rapport à ses concurrentes, la nouvelle XF ne concède aucun avantage sur les plans technique et mécanique. Certains d'entre vous auront deviné que ce groupe propulseur est similaire à celui de la XK. Rien de surprenant, puisque la XF est la version quatre portes du coupé.

REGARDS VERS LE FUTUR

Chez Jaguar, il semblait obligatoire pour tous les stylistes de s'inspirer du passé pour dessiner une nouvelle voiture, la Type S étant sans doute l'exemple le plus probant. La XF, pour sa part, n'a rien en commun avec les modèles du passé. Mieux encore, ce nouveau félin est le plus élégant de la famille. Bien malin qui peut trouver des similitudes avec la XK au chapitre du style, bien que cette berline soit dérivée du coupé. Les designers ont réussi à bien intégrer une ligne de toit arrière fuyante afin d'accentuer le caractère sportif de la XF, tandis que la grille de calandre au motif agressif vient rehausser cette impression. Détail intéressant, le jaguar bondissant, ou *leaper* dans le jargon de Jag, est passé à l'arrière où il garnit le rebord du couvercle du coffre.

Si la silhouette est très sexy, le changement le plus radical se trouve dans l'habitacle. Par le passé, les planches de bord de ce constructeur étaient inspirées des vieux clubs privés aux murs garnis de boiseries sombres et dont le mobilier privilégiait la sellerie de cuir.

Curieusement, ces mêmes éléments reviennent, mais on n'a pas l'impression qu'ils sont aussi omniprésents. Selon Ian Callum, le responsable du design chez Jaguar, cette Jag propose une plus grande surface de boiseries, mais leur répartition est nettement mieux réussie. La planche de bord en aluminium brossé et les commandes de conception moderne sont bien agencées. Le bois est présent, mais c'est plus élégant et plus discret que dans la Type S.

Une autre tradition chez Jaguar était de concevoir des commandes qui semblaient s'inspirer d'appareils ménagers britanniques anachroniques et énigmatiques. Là aussi, on a renié le passé. Mieux encore, les responsables de la chose à Coventry ont réussi à développer un écran tactile d'utilisation simple et des commandes pour la plupart assez intuitives. Toutefois, le clou de l'habitacle est cette console centrale qui abrite un bouton de démarrage multifonction qui sert également de bouton de passage des rapports. Je vous en reparle plus loin.

TOUTE UNE ROUTIÈRE !

Alors, la silhouette est racée, la mécanique prometteuse, reste à savoir si cette berline aux aspirations sportives est capable de nous combler sur la route. Inutile de tergiverser, aussi bien vous avouer la XF est une voiture aussi agréable à conduire que le coupé XK, mais avec un caractère plus pratique. La tenue en virage est neutre, le *feedback* de la route juste parfait, tandis que la suspension est bien calibrée pour une berline sport. Les imperfections de la route sont ressenties, mais elles sont quand même bien

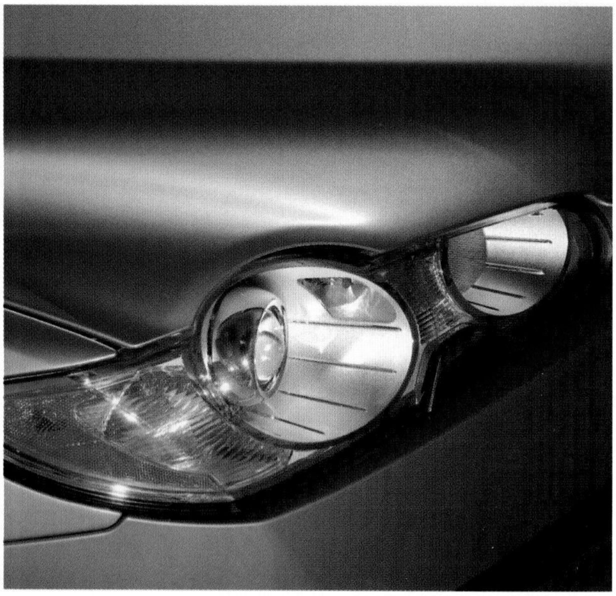

filtrées par une suspension dont la géométrie m'a semblé efficace. La différence entre la version régulière et le modèle Supercharged, en fait d'accélération, est de une seconde dans le cas du 0-100 km/h et de 1,1 seconde pour le ¼ de mille, le modèle plus puissant effectuant le trajet en 13,8 secondes.

Le comportement routier et les performances du moteur permettent à cette britannique de mériter aisément le titre de berline sport. Soulignons que la position de conduite est bonne tandis que le support latéral des sièges avant se situe dans la moyenne pour la catégorie. Par contre, il est important de mentionner que les places arrière sont un peu déficientes au chapitre du dégagement pour la tête. Mais après tout, il s'agit d'une voiture sport quatre portes.

Cette nouvelle venue mérite un verdict positif, aussi bien en raison de son agrément de conduite que pour sa silhouette et son habitacle très modernes. Et pour rendre la voiture plus concurrentielle sur le marché, le prix de détail suggéré est très alléchant.

Avant de terminer, je tiens à vous faire part de mon inquiétude quant au mécanisme de lancement du moteur et de passage des rapports, une

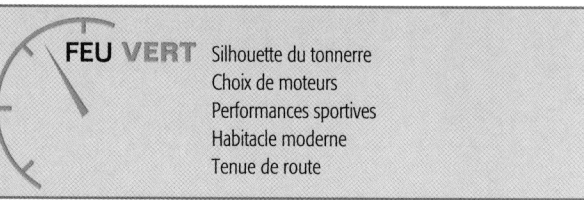

FEU VERT
- Silhouette du tonnerre
- Choix de moteurs
- Performances sportives
- Habitacle moderne
- Tenue de route

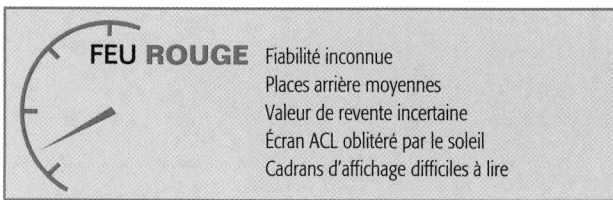

FEU ROUGE
- Fiabilité inconnue
- Places arrière moyennes
- Valeur de revente incertaine
- Écran ACL oblitéré par le soleil
- Cadrans d'affichage difficiles à lire

commande constituée d'un gros bouton situé sur la console centrale. Il suffit d'appuyer sur ce bouton pour que le moteur V8 s'anime, tandis que le bouton de sélection des rapports s'élève comme par magie et que du même coup, les buses de ventilation s'ouvrent automatiquement. Notons en passant que des palettes montées sur le volant permettent aux conducteurs qui le désirent de participer au passage des rapports. C'est un système ingénieux, astucieux et pratique d'utilisation. Par contre, sa fiabilité m'inquiète. Il faut se souvenir que ce bouton magique nous est proposé par Jaguar, un constructeur qui a connu beaucoup de difficultés à régler des problèmes électriques élémentaires. Seul le temps nous dira si Jaguar a également rompu avec le passé à ce chapitre.

Denis Duquet

Photos : Jaguar

VÉHICULE D'ESSAI

Version :	Jaguar XF Premium Luxury
Moteur :	V8 de 4,2 litres 32s atmosphérique
Puissance :	300 ch (224 kW) à 6 000 tr/min
Couple :	310 lb-pi (420 Nm) à 4 100 tr/min
Rapport poids/puissance :	6,07 kg/ch (8,31 kg/kW)
Transmission :	automatique, 6 rapports
Rouage :	propulsion
0-100 km/h · 80-120 km/h :	6,5 s · 5,9 s
Freinage 100-0 km/h :	37,0 m
Vitesse maximale :	n.d.
Consommation (100 km) :	13,0 litres (estimé)
Autonomie approximative :	n.d.
Émissions de CO2 :	n.d.
Emp/Lon/Lar/Haut (mm) :	2 909 / 4 961 / 2 052 / 1 461
Coffre/Réservoir :	500 / 70 litres
Nombre de coussins de sécurité :	6
Suspension avant :	indépendante, bras inégaux
Suspension arrière :	indépendante, multibras
Freins av./arr. :	disque (ABS)
Antipatinage/Contrôle de stabilité :	oui/oui
Direction :	à crémaillère, assistance variable
Diamètre de braquage :	n.d.
Pneus av./arr. :	P245/40R19
Poids :	1 822 kg
Capacité de remorquage :	non recommandé

AUTRE(S) COMPOSANTE(S) MÉCANIQUE(S)

Système hybride :	aucun
Moteur diesel :	aucun
Taxe énergivore :	n.d.
Autre(s) moteur(s) :	V8 de 4,2 litres 420 ch/413 lb-pi (Supercharged)
Autre(s) rouage(s) :	aucun
Autre(s) transmission(s) :	aucune

EN BREF

Échelle de prix :	58 800 $ à 77 800 $
Catégorie :	berline de luxe
Garanties :	4 ans/80 000 km, 4 ans/80 000 km
Assemblage :	n.d.
Cote d'assurance :	n.d.

DANS LA MÊME CATÉGORIE

Acura RL, Audi A6, BMW Série 5, Cadillac STS, Infiniti M45, Lexus GS, Mercedes-Benz Classe E, Volvo S80

NOS IMPRESSIONS

Agrément de conduite :	½
Fiabilité :	nouveau modèle
Sécurité :	
Qualités hivernales :	½
Espace intérieur :	
Confort :	

DU NOUVEAU EN 2009

Nouveau modèle

LA TRADITION S'ESSOUFFLE

Les berlines de série XJ ont marqué un grand pas pour Jaguar lors de leur lancement, surtout avec leur coque entièrement en aluminium. Leurs silhouettes conservatrices sont toutefois presque passées inaperçues sur le marché du luxe. Avec l'apparition de la spectaculaire nouvelle XF et le passage de Jaguar aux mains du conglomérat indien Tata, les berlines XJ vont symboliser le passé de cette prestigieuse marque britannique jusqu'au dévoilement de la nouvelle série XJ qui est en cours de développement.

Après quatre années de ventes plutôt modestes, malgré des qualités techniques et dynamiques indéniables, les berlines XJ ont eu droit l'an dernier chez Jaguar à des retouches visant à les relancer dans le segment férocement compétitif des berlines de prestige. Leur carrosserie a d'abord été légèrement redessinée pour leur donner une allure plus sportive. Les parties avant et arrière et la calandre se sont rapprochées de l'esthétique de la XJR et les sorties d'air verticales sur les ailes avant sont partagées avec les XK et la nouvelle XF. Les XJ roulent également sur de plus grandes roues dont le diamètre est de 19 pouces pour les XJ8 et XJ8L, et 20 pouces pour les XJR et Super V8 à moteur compressé.

COUPS DE PLUMEAU

Les XJ n'étaient certes pas les moins réussies de leur catégorie concernant le confort, l'habitabilité et l'ergonomie, mais Jaguar a néanmoins cru bon de les doter de nouveaux sièges censés offrir un confort et un maintien améliorés. Ils sont désormais chauffants de série sur tous les modèles et des sièges avant climatisés sont en option. On a également amélioré l'accès aux places arrière et le dégagement pour les jambes en redessinant les dossiers des baquets avant. Autres ajouts : la radio satellitaire Sirius et une connectivité Bluetooth plus élaborée permettant de brancher jusqu'à cinq téléphones cellulaires à celui de la voiture. De belles balades conviviales en perspective... Côté mécanique, par contre, on reste au beau fixe avec des versions atmosphérique et compressée du V8 de 4,2 litres, dont les cotes de puissance respectives sont de 300 et 400 chevaux.

La technique employée pour construire les XJ actuelles tout en aluminium est différente de celle qu'utilise Audi pour ses berlines A8 et S8. Les Jaguar ont une coque autoporteuse et tous les panneaux de leurs carrosseries aident donc à soutenir l'ensemble, alors que les Audi ont un châssis à caissons porteur sous la carrosserie. Dans les deux cas, l'ensemble est plus léger qu'une berline de taille comparable construite en acier. Jaguar estime que la coque de ses XJ est plus légère d'un peu plus de 80 kilogrammes. Quoi qu'il en soit, sous une silhouette qui fut immédiatement jugée trop conservatrice et trop fidèle aux lignes des berlines Jaguar d'antan, les nouvelles XJ étaient modernes et assez réussies sur le plan du comportement et des performances. La XJ8 et son pendant sportif, la XJR, furent rejoints par des variantes à empattement allongé baptisées Vanden Plas et Super V8. Jaguar avait également fait le choix de la tradition en réalisant l'habitacle. Le dessin et la présentation évoquaient certes les devancières des XJ, y compris par

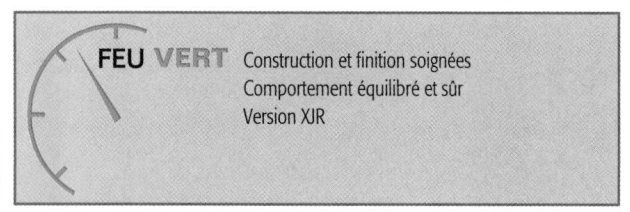

FEU VERT
Construction et finition soignées
Comportement équilibré et sûr
Version XJR

FEU ROUGE
Direction légère
Pédale de frein sensible
Dépréciation rapide

l'utilisation des boiseries vernies, longtemps indissociables de ces voitures dans la plupart des versions. Le résultat était toutefois assez convaincant pour ce qui est de l'ergonomie et de la facilité d'utilisation.

POURTANT DOUÉES

Chose certaine, c'était nettement mieux que les Jaguar d'il n'y avait pas si longtemps, et supérieur à maints égards à ce que pratiquait la concurrence avec ses commandes centralisées et autres molettes polyvalentes soi-disant futuristes et novatrices qui ont pour nom iDrive, Comand ou MMI... L'écran tactile des Jaguar est infiniment plus simple et intuitif que les dispositifs auxquels les constructeurs germaniques ne cessent d'ajouter des boutons externes, comme autant de béquilles. Il n'y a probablement que la grande Lexus LS à laquelle on puisse comparer les Jaguar XJ à propos de l'ergonomie générale et de la convivialité. Or, le vaisseau-amiral du premier constructeur mondial est encore plus conservateur, dedans comme dehors. Il faut également souligner les progrès remarquables de Jaguar en ce qui a trait à la qualité d'assemblage et de finition. Ils expliquent sans doute les excellentes cotes de fiabilité et de satisfaction que récolte cette noble marque britannique depuis quelques années. Ce n'est évidemment pas la perfection pour autant. On se passerait, par exemple, des cadrans trop petits et trop sombres, à l'éclairage vert blafard. Un héritage dont Jaguar s'est enfin débarrassé sur la nouvelle XF qui conjugue déjà l'avenir au présent. Le comportement des XJ est très équilibré en général, mais en conduite et en performance, la plus réjouissante et convaincante demeure la XJR. À la faveur d'une rigidité structurelle exemplaire, elle offre un confort de roulement impeccable sur toute surface, ce qui est d'autant plus impressionnant qu'il s'agit de la suspension sport et qu'elle roule sur des jantes de 20 pouces avec des pneus à taille très basse.

La nouvelle compagnie Jaguar devra porter un grand coup si elle veut se replacer dans la course de la catégorie des voitures de prestige. La berline XF nous donne une très bonne idée de ce que seront les prochaines XJ, et on a déjà surpris des prototypes au style et à la posture nettement plus modernes et audacieux. Une histoire à suivre.

Marc Lachapelle

Photos : Jaguar

VÉHICULE D'ESSAI

SIRIUS RADIO SATELLITE

Version :	Jaguar XJ 8
Moteur :	V8 de 4,2 litres 32s atmosphérique
Puissance :	300 ch (224 kW) à 6 000 tr/min
Couple :	310 lb-pi (420 Nm) à 4 100 tr/min
Rapport poids/puissance :	5,63 kg/ch (7,54 kg/kW)
Transmission :	automatique, 6 rapports
Rouage :	propulsion
0-100 km/h · 80-120 km/h :	6,7 s · 5,5 s
Freinage 100-0 km/h :	41,7 m
Vitesse maximale :	195 km/h
Consommation (100 km) :	super, 12,8 litres
Autonomie approximative :	664 km
Émissions de CO2 :	5 136 kg/an
Emp/Lon/Lar/Haut (mm) :	3 033 / 5 090 / 2 108 / 1 448
Coffre/Réservoir :	464 / 85 litres
Nombre de coussins de sécurité :	6
Suspension avant :	indépendante, bras inégaux
Suspension arrière :	indépendante, multibras
Freins av./arr. :	disque (ABS)
Antipatinage/Contrôle de stabilité :	oui/oui
Direction :	à crémaillère, assistance variable
Diamètre de braquage :	n.d.
Pneus av./arr. :	P235/50R18
Poids :	1 690 kg
Capacité de remorquage :	454 kg

AUTRE(S) COMPOSANTE(S) MÉCANIQUE(S)

Système hybride :	aucun
Moteur diesel :	aucun
Taxe énergivore :	aucune
Autre(s) moteur(s) :	V8 de 4,2 litres 400 ch/413 lb-pi (13,9 l/100 super) (XJ8 R, Super V8)
Autre(s) rouage(s) :	aucun
Autre(s) transmission(s) :	aucune

EN BREF

Échelle de prix :	85 000 $ à 118 000 $ (2008)
Catégorie :	berline de grand luxe
Garanties :	4 ans/80 000 km, 4 ans/80 000 km
Assemblage :	Coventry, Angleterre
Cote d'assurance :	n.d.

DANS LA MÊME CATÉGORIE

Audi A8, BMW Série 7, Lexus LS460, Mercedes-Benz Classe S

NOS IMPRESSIONS

Agrément de conduite :	[4 voitures]
Fiabilité :	[3 voitures] ½
Sécurité :	[4 voitures]
Qualités hivernales :	[3 voitures] ½
Espace intérieur :	[3 voitures] ½
Confort :	[4 voitures]

DU NOUVEAU EN 2009

Aucun changement majeur

L'EXOTISME INFIDÈLE !

L'heure est au renouveau chez Jaguar et l'annonce de son rachat par le groupe indien Tata devrait finalement mettre fin aux spéculations. Difficile de prédire ce qu'il adviendra de Jaguar dans le futur, mais il faut avouer que le groupe Ford avait déjà mis la table en amorçant la revitalisation de ses modèles. L'emblème du célèbre constructeur anglais avait perdu du lustre depuis quelque temps, et si la XF est sous les projecteurs cette année, c'est la XK qui a réellement lancé la revitalisation.

La gamme XK est à l'origine des coupés sport chez Jaguar. En fait, il faut retourner plus de 50 ans en arrière pour voir l'apparition du premier modèle, la XK120. Les coupés et cabriolets XK de nouvelle génération ont été introduits il y a deux ans, alors que leurs dérivés plus puissants, les XKR, nous ont été présentés pour 2008. Cette année, peu de changements sont au menu, si ce n'est l'apparition d'une édition plus exclusive, la XKR-S. Présentée au Salon de l'auto de Genève, la XKR-S dispose d'un peu plus de puissance, mais c'est son coloris unique, ses jantes distinctives et son fascia plus agressif qui la différencient un peu plus. Cependant, seulement 200 exemplaires seront produits et sa vente au Canada n'est pas assurée. Ici, c'est la XKR Portfolio qui joue le rôle du modèle plus exclusif.

QUELLE GUEULE !

Difficile de ne pas tomber sous le charme des lignes de la XK. Voilà une voiture qui fait assurément tourner les têtes et sa faible diffusion la rend encore plus remarquable. En fait, son style s'apparente fortement à celui des légendaires modèles de chez Aston Martin. Voilà qui n'est pas étonnant, puisque le chef designer de chez Jaguar, Ian Callum, est le même qui a travaillé sur les modèles DB7 et DB9. Si normalement on apprécie moins les styles inspirés d'autres constructeurs, il faut avouer que retrouver dans la XK certains éléments de chez Aston Martin n'est pas un déshonneur, au contraire. Être associé à rabais aux véhicules cultes de James Bond peut certes s'avérer intéressant. On risque simplement de froisser les proprios d'Aston Martin, mais ils sont si peu nombreux… Pourquoi s'en priver ? Bref, la nouvelle XK est magnifique, surtout lorsque chaussée des jantes optionnelles de 20 pouces. Elle s'impose par sa prestance et semble toujours prête à bondir. De son côté, la XKR reçoit quelques éléments distinctifs rehaussant encore plus son caractère. Dommage que l'antenne électrique, qui nous arrive tout droit des années soixante, vient gâcher un peu la sauce. À bannir. Les éléments du passé n'ont pas toujours leur place.

À l'intérieur, on retrouve le style classique de Jaguar, alors que les boiseries sont toujours à l'honneur. Voilà qui détonne en comparaison avec ce que l'on retrouve chez la majeure partie des concurrents. Si le tout demeure une question de goût, on ne peut reprocher à Jaguar de ne pas se distinguer. Le tableau de bord arbore lui aussi un style classique, tout comme l'instrumentation. Un écran tactile permet d'opérer les différents systèmes du véhicule. À l'avant, les sièges offrent un bon confort tout en vous maintenant bien en place. Les deux places arrière conviennent à peine à des enfants, en raison de leur taille

FEU VERT
- Style exotique
- Boîte ZF performante
- Confort de roulement
- Sonorité du moteur suralimenté
- Prestige de la marque

FEU ROUGE
- Fiabilité décevante
- Places arrière étriquées
- Prix élevé
- Transferts de poids importants

réduite et de l'angle pratiquement droit des dossiers, et sont surtout pratiques pour y placer des objets personnels.

UNE VOITURE DE GRAND TOURISME

Sur la route, la XK se comporte beaucoup plus comme une voiture de grand tourisme que comme un pur bolide. Le moteur V8 de 4,2 litres de la XK développe une puissance de 300 chevaux qui offre des performances louables et son couple généreux favorise les reprises. Cependant, la suspension est axée sur le confort et elle ne peut contenir les transferts de poids en virage ou au freinage.

De son côté, la XKR dispose d'une puissance accrue en raison de l'ajout d'un compresseur volumétrique, ce qui porte la puissance à 420 chevaux. Voilà qui dote la voiture de performances plus relevées, mais, surtout, d'une exquise sonorité qui demeure toujours douce à l'oreille. Grâce à cette motorisation, la XKR peut boucler le sprint du 0-100 km/h en environ 5,1 secondes.

La boîte de vitesses séquentielle ZF à double embrayage se révèle un pur plaisir et l'une des plus performantes de sa catégorie. Grâce aux palonniers situés derrière le volant, vous pourrez changer de rapport en un clin d'œil, sans que vos mains quittent le volant. Le freinage est assuré par de larges étriers qui permettent de stopper cette masse aussi rapidement qu'elle peut être lancée.

FORTE RIVALITÉ

Il faut avouer que la XK s'attaque à des rivales de renom, notamment Mercedes-Benz avec sa SL. Si elle tire bien son épingle du jeu au chapitre du style, c'est en matière de fiabilité qu'elle déçoit. Même notre véhicule d'essai a subi bon nombre de problèmes lorsqu'il était en notre possession. Dommage, car la XK bénéficie de plusieurs atouts qui, théoriquement, devraient lui permettre de rivaliser un peu mieux avec les gros canons du créneau ! De plus, il lui manque également quelques gadgets et équipements dernier cri afin de prétendre en offrir autant que ses rivales ! Bref, un bel effort, mais...

Sylvain Raymond

Photos : Jaguar

VÉHICULE D'ESSAI

Version :	Jaguar XK R
Moteur :	V8 de 4,2 litres 32s surcompressé
Puissance :	420 ch (313 kW) à 6 000 tr/min
Couple :	413 lb-pi (560 Nm) à 3 500 tr/min
Rapport poids/puissance :	3,96 kg/ch (5,31 kg/kW)
Transmission :	séquentielle
Rouage :	propulsion
0-100 km/h · 80-120 km/h :	5,1 s · 3,8 s
Freinage 100-0 km/h :	37,4 m
Vitesse maximale :	250 km/h
Consommation (100 km) :	super, 13,7 litres
Autonomie approximative :	540 km
Émissions de CO2 :	5 520 kg/an
Emp/Lon/Lar/Haut (mm) :	2 750 / 4 790 / 2 070 / 1 320
Coffre/Réservoir :	300 / 74 litres
Nombre de coussins de sécurité :	4
Suspension avant :	indépendante, multibras
Suspension arrière :	indépendante, multibras
Freins av./arr. :	disque (ABS)
Antipatinage/Contrôle de stabilité :	oui/oui
Direction :	à crémaillère, assistance variable
Diamètre de braquage :	n.d.
Pneus av./arr. :	P245/45R19 / P255/45R19
Poids :	1 665 kg
Capacité de remorquage :	non recommandé

AUTRE(S) COMPOSANTE(S) MÉCANIQUE(S)

Système hybride :	aucun
Moteur diesel :	aucun
Taxe énergivore :	aucune
Autre(s) moteur(s) :	V8 de 4,2 litres 300 ch/310 lb-pi (13,1 l/100 super)
Autre(s) rouage(s) :	aucun
Autre(s) transmission(s) :	aucune

EN BREF

Échelle de prix :	93 200 $ à 117 500 $ (2008)
Catégorie :	coupé, cabriolet
Garanties :	4 ans/80 000 km, 4 ans/80 000 km
Assemblage :	Coventry, Angleterre
Cote d'assurance :	n.d.

DANS LA MÊME CATÉGORIE

BMW Série 6, Mercedes-Benz Classe CLK/SL, Porsche 911

NOS IMPRESSIONS

Agrément de conduite :	4
Fiabilité :	2 ½
Sécurité :	4
Qualités hivernales :	3
Espace intérieur :	3
Confort :	4

DU NOUVEAU EN 2009

Aucun changement majeur

LE COUPABLE

Si vous suivez un tant soit peu l'actualité automobile vous savez déjà que la compagnie Jaguar, autrefois propriété de Ford, a été vendue à la compagnie indienne Tata. Les déboires financiers de Jaguar ont forcé le constructeur américain à jeter l'éponge et à se débarrasser de sa filiale britannique dont les bilans étaient écrits à l'encre rouge. Pourtant, à Coventry, on avait mis les bouchées doubles afin de rattraper le temps perdu en développant de nouveaux moteurs, des plates-formes sophistiquées et des voitures performantes.

Malgré tout, c'est un constat d'échec. Et s'il faut désigner un coupable, ce n'est pas un dirigeant ou un ingénieur mais bien un modèle en particulier: la X-Type. Cette voiture intermédiaire est celle qui devait permettre à la marque de devenir une compétitrice vraiment importante sur la scène des voitures de luxe. Son succès aurait haussé la production de Jaguar et aurait permis d'atteindre les chiffres de ventes nécessaires à sa rentabilité. Malheureusement, ce fut un échec et ce modèle croupit en bas du classement des ventes.

UNE AUTRE ÉPOQUE

En analysant la silhouette de cette britannique, on s'aperçoit que ce modèle a été dessiné à l'époque où tout devait ressembler aux modèles anciens chez Jaguar. Sa calandre encadrée de part et d'autre par des feux de route circulaires est un lien direct avec le passé. Néanmoins, l'ensemble est bien équilibré et d'une élégance rétro. Bien qu'elle ne soit pas vue souvent sur nos routes, la familiale est sans doute le modèle le mieux réussi de la famille X sur le plan esthétique.

Toutefois, si on ne peut que reprocher à la silhouette ses allures d'autrefois, ça se gâte sérieusement dans l'habitacle. La planche de bord tente d'imiter les modèles classiques de Coventry mais sans y parvenir. En premier lieu, il y a trop de boiseries pour la largeur et la longueur du tableau de bord, tandis que la plupart des commandes semblent empruntées à des modèles de bas de gamme. Ce qui ne convient pas avec le prix demandé. Et j'allais l'oublier, l'habitabilité est quasiment exécrable: les places avant sont étroites et inconfortables, et les occupants de la banquette arrière ne sont pas tellement gâtés eux non plus.

Il ne faut également pas perdre de vue que ce modèle est offert en deux versions. La berline est sans doute la plus populaire, mais elle est la moins pratique et celle qui présente le moins d'intérêt à mon avis. La familiale Sportwagon remporte la palme de l'élégance en plus d'ajouter à la polyvalence en raison de la configuration de sa caisse.

Et pour comble, il faut souligner que la finition est fortement perfectible. Surtout lorsqu'on la compare à ce que propose la concurrence, les marques germaniques en particulier qui sont des championnes à ce chapitre sans oublier les Asiatiques qui sont capables de faire la leçon à tous. Bref, ce n'est pas avec un tel quel bilan que l'on peut se mesurer avec ce qui se fait de mieux sur un marché on ne peut plus compétitif...

FEU VERT
- Version familiale
- Tenue de route équilibrée
- Traction intégrale
- Équipement complet
- Carrosserie élégante

FEU ROUGE
- Assemblage perfectible
- Bruits de caisse
- Dépréciation vertigineuse
- Habitabilité parcimonieuse
- Planche de bord rétro

AU MOINS L'INTÉGRALE

Ce qui fait le plus mal aux ventes de la X-Type, ce n'est pas nécessairement son habitacle biscornu ou son manque d'habitabilité, mais le fait qu'il s'agisse d'une modeste Ford Mondeo qui prête sa plate-forme à cette Jaguar. Même si ce n'est pas si terrible que ça, c'est un élément qui fait mal. Imaginez, par exemple, une BMW dont la mécanique proviendrait de chez Hyundai. Cela se produira peut-être un jour, mais en attendant, cela aurait un effet décourageant auprès des acheteurs. Bref, pour la plupart des gens, ce modèle n'est qu'une Ford déguisée en Jaguar et vendue à prix fort. On pourrait tenter de leur dire que c'est une excellente routière, mais cela ne semble pas suffire si l'on tient compte de ses faibles ventes.

On pourrait tout au moins vanter les performances du V6 3,0 litres de 227 chevaux, mais ce moteur a le défaut d'être associé à une boîte automatique à cinq rapports qui n'est pas vraiment très performante comparée à la concurrence dans la même catégorie. C'est là tout le problème de ce modèle, il n'est pas vilain en soi, mais il y a mieux ailleurs et à prix égal.

Sur une note plus positive, soulignons que la tenue de route est très bonne et rassurante d'autant plus que la transmission intégrale de série est efficace et répond rapidement lorsque les conditions d'adhérence sont radicalement modifiées. La direction est précise, ce qui ajoute à la maniabilité de la voiture. Malheureusement, la suspension est quelque peu trop souple ce qui entraîne un roulis assez désagréable dans les virages.

Cette voiture aurait eu un potentiel fort intéressant si on avait pris le temps de bien analyser le marché de la voiture de luxe d'entrée de gamme au lieu de vouloir finasser et réaliser des économies de bouts de chandelle qui ont mené à un cuisant échec.

Denis Duquet

Photos : Jaguar

VÉHICULE D'ESSAI

Version :	Jaguar X-Type berline
Moteur :	V6 de 3,0 litres 24s atmosphérique
Puissance :	227 ch (169 kW) à 6 800 tr/min
Couple :	206 lb-pi (279 Nm) à 3 000 tr/min
Rapport poids/puissance :	7,16 kg/ch (9,62 kg/kW)
Transmission :	automatique, 5 rapports
Rouage :	intégral
0-100 km/h · 80-120 km/h :	7,5 s · 6,6 s
Freinage 100-0 km/h :	37,0 m
Vitesse maximale :	230 km/h
Consommation (100 km) :	super, 13,2 litres
Autonomie approximative :	462 km
Émissions de CO2 :	5 424 kg/an
Emp/Lon/Lar/Haut (mm) :	2 710 / 4 669 / 1 788 / 1 440
Coffre/Réservoir :	453 / 61 litres
Nombre de coussins de sécurité :	6
Suspension avant :	indépendante, jambes de force
Suspension arrière :	indépendante, multibras
Freins av./arr. :	disque (ABS)
Antipatinage/Contrôle de stabilité :	oui/oui
Direction :	à crémaillère, assistance variable
Diamètre de braquage :	10,8 m
Pneus av./arr. :	P225/45R17
Poids :	1 627 kg
Capacité de remorquage :	454 kg

AUTRE(S) COMPOSANTE(S) MÉCANIQUE(S)

Système hybride :	aucun
Moteur diesel :	aucun
Taxe énergivore :	aucune
Autre(s) moteur(s) :	aucun
Autre(s) rouage(s) :	aucun
Autre(s) transmission(s) :	aucune

EN BREF

Échelle de prix :	45 000 $ à 49 000 $ (2008)
Catégorie :	berline de luxe, familiale
Garanties :	4 ans/80 000 km, 4 ans/80 000 km
Assemblage :	Halewood, Angleterre
Cote d'assurance :	passable

DANS LA MÊME CATÉGORIE

Audi A4/A4 Avant, BMW Série 3, Cadillac CTS, Chrysler 300, Infiniti G35/G35x, Lexus IS 250/250AWD, Lincoln MKZ, Mercedes-Benz Classe C, Saab 9-3/Sportcombi, Volvo S60/V70

NOS IMPRESSIONS

Agrément de conduite :	½
Fiabilité :	
Sécurité :	
Qualités hivernales :	
Espace intérieur :	
Confort :	½

DU NOUVEAU EN 2009

Aucun changement majeur

POUR UNE DERNIÈRE FOIS ?

Une des premières victimes de la hausse des coûts du carburant a été le Jeep Commander, un utilitaire sport intermédiaire de gros calibre dont on a déjà annoncé le retrait. En réalité, il n'est pas encore assuré à 100 % que le Commander sera sacrifié à la fin de l'année-modèle 2009, mais comme il n'y a pas de fumée sans feu et que le feu est pris chez Chrysler, les possibilités sont très, très grandes qu'il s'agisse de la dernière apparition du Commander en ces pages. Plusieurs personnes, surtout aux États-Unis, vont pleurer le Commander. Au Québec, on ne devrait pas en trouver beaucoup !

Si, l'an prochain, le Commander ne fait plus partie de la gamme Jeep, il ne faut pas associer cette disparition uniquement aux prix de l'essence. Tout d'abord, ce véhicule n'a jamais été, et ce n'était pas sa mission, un « gros » vendeur. Aussi, le fait qu'il soit à peu près de la même dimension que le Grand Cherokee et qu'il lui ravisse sans doute plusieurs ventes ne vient pas l'aider. Et dans le contexte actuel, chez Chrysler tout ce qui n'est pas rentable doit prendre la porte. Ce qui vient donner davantage de poids à la théorie du départ du Commander avancée plus tôt.

Quoi qu'il en soit, le Jeep Commander n'est jamais passé inaperçu. Ses dimensions sont certes impressionnantes mais ses angles vifs et son allure de congélateur sur roues le font paraître encore plus gros. Les grosses, inutiles mais jolies poignées verticales qui courent le long du hayon, les gros phares carrés et le pare-brise quasiment vertical se foutant royalement des principes de base de l'aérodynamique ajoutent à cet aspect robuste tout en donnant au Commander davantage de personnalité.

VERSION SPORT ? FAITES-MOI RIRE !

Le Commander se décline en deux versions, Sport et Limited. Le moteur de base de ces deux versions est un V6 de 3,7 litres de 210 chevaux et 235 livres-pied de couple. Ayant pour cruel mandat de déplacer une masse de près de 2 300 kilos, inutile de dire que ce moteur n'a absolument rien à avoir avec la pompeuse appellation « Sport » que portent les flancs du Commander. Et il n'a, non plus, aucune affinité avec le haut de gamme que suppose le « Limited » ! Heureusement, il y a la feuille des options qui propose un V8 de 4,7 litres de 305 chevaux et 334 livres-pied de couple ou un Hemi de 5,7 litres 357 équidés et 389 livres-pied. Ce dernier moteur donne des ailes au Commander. Comme ptérodactyle, c'est dur à battre ! Mais si l'oiseau de la préhistoire mangeait sans doute beaucoup pour pouvoir survivre, le Hemi, une autre sorte de moineau, a besoin d'une quantité incroyable d'essence pour bien faire son travail. Et croyez-le ou non, sa puissance a été augmentée cette année ! En réalité, le 4,7 litres fait parfaitement l'affaire dans la plupart des situations tout en consommant beaucoup plus raisonnablement.

Pour unir ces moteurs au rouage 4x4, Jeep a fait appel à une transmission à cinq rapports. Dans le cas des deux V8, il est possible de changer les rapports manuellement. Alors que les Américains ont droit à une version propulsion du Commander, seul le 4x4 est proposé chez nous. Pour ce qui est du V6 et du V8 de 4,7 litres, on retrouve un

FEU VERT
- Macho indestructible
- Confort relevé
- Capacités hors route étonnantes
- V8 4,7 litres bien adapté
- Rayon de braquage très court

FEU ROUGE
- Fin de carrière imminente
- Consommation outrageuse (Hemi)
- Coffre très petit (tous sièges relevés)
- Direction trop déconnectée
- Sensibilité aux vents latéraux

rouage intégral Quadra-Trac I qui ne demande aucune intervention du conducteur. Le 5,7 litres, lui, a droit au Quadra-Trac II, un autre rouage intégral mais plus sophistiqué que le premier. Son boîtier de transfert permet de remorquer le Commander derrière un VR, par exemple. En option sur ce 5,7 litres, il y a le Quadra-Drive II, un vrai système 4x4 avec une gamme basse qui permet une meilleure traction, peu importe la surface. Il y a même des plaques de protection sous le châssis. Mais n'allez surtout pas croire qu'un Commander doté du basique Quadra-Trac I soit démuni devant un trou de boue. Vous pourriez être surpris, même s'il ne porte pas l'écusson « Trail Rated » comme les autres. Et pourtant, bien peu de personnes s'aventurent hors des sentiers battus. Si le V6 ne peut remorquer plus de 1 600 kilos (3 500 livres), le 4,7 peut en tirer 3 000 (6 500 livres) et le 5,7 jusqu'à 3 300 (7 200 livres).

Pas besoin de vous faire un dessin. Le Jeep Commander n'a rien d'un sportif sur la route et la première courbe prise le moindrement rapidement fait inévitablement pencher la caisse. Les suspensions, indépendante à l'avant et à essieu rigide à l'arrière réussissent le tour de force d'offrir trop de débattement tout en étant trop fermes dans certaines conditions. La direction ne brille pas par sa précision ni par son retour d'information. Lors d'un freinage d'urgence, on se demande si le pare-chocs avant n'ira pas frotter contre la chaussée tant le transfert de poids vers l'avant est important.

SI GROS, SI PETIT

Un des objectifs des concepteurs du Commander était d'offrir à la clientèle un 4x4 à sept places. Pour y arriver, ils ont pris le châssis du Grand Cherokee qu'ils ont allongé. On se retrouve donc avec un véhicule sept places mais on semble avoir oublié qu'avec autant de personnes, ça prend de l'espace pour leurs bagages. Quand tous les sièges sont relevés, il n'y a que 170 litres disponibles. Ça, c'est même moins que le coffre d'une Volkswagen New Beetle décapotable qui, à ce niveau, est la risée de l'industrie dans le domaine...

Le Commander en est sans aucun doute à ses dernières heures. Avec tous les problèmes qui assaillent Chrysler présentement, son départ est souhaitable. Désolé pour les nombreux amateurs de Jeep mais le Commander est devenu une nuisance pour Chrysler.

Alain Morin

Photos: Alain Morin

VÉHICULE D'ESSAI

SIRIUS RADIO SATELLITE

Version :	Jeep Commander Limited
Moteur :	V8 de 5,7 litres 24s atmosphérique
Puissance :	357 ch (266 kW) à 5 200 tr/min
Couple :	389 lb-pi (528 Nm) à 4 350 tr/min
Rapport poids/puissance :	6,50 kg/ch (8,96 kg/kW)
Transmission :	automatique, 5 rapports
Rouage :	intégral
0-100 km/h · 80-120 km/h :	7,9 s · 6,0 s
Freinage 100-0 km/h :	41,8 m
Vitesse maximale :	200 km/h
Consommation (100 km) :	ordinaire, 16,3 litres
Autonomie approximative :	490 km
Émissions de CO2 :	6 720 kg/an
Emp/Lon/Lar/Haut (mm) :	2 781 / 4 787 / 1 900 / 1 826
Coffre/Réservoir :	170 à 1 951 / 80 litres
Nombre de coussins de sécurité :	6
Suspension avant :	indépendante, bras inégaux
Suspension arrière :	essieu rigide, ressorts hélicoïdaux
Freins av./arr. :	disque (ABS)
Antipatinage/Contrôle de stabilité :	oui/oui
Direction :	à crémaillère, assistée
Diamètre de braquage :	11,2 m
Pneus av./arr. :	P245/65R17
Poids :	2 322 kg
Capacité de remorquage :	3 265 kg

AUTRE(S) COMPOSANTE(S) MÉCANIQUE(S)

Système hybride :	aucun
Moteur diesel :	aucun
Taxe énergivore :	1 000 $ (V8, 4,7 et 5,7 litres)
Autre(s) moteur(s) :	V8 de 4,7 litres 305 ch/334 lb-pi (15,6 l/100 ordinaire) V6 de 3,7 litres 210 ch/235 lb-pi (14,8 l/100 ordinaire)
Autre(s) rouage(s) :	aucun
Autre(s) transmission(s) :	aucune

EN BREF

Échelle de prix :	33 645 $ à 44 745 $ (2008)
Catégorie :	VUS intermédiaire
Garanties :	3 ans/60 000 km, 5 ans/100 000 km
Assemblage :	Détroit, Michigan, É-U
Cote d'assurance :	n.d.

DANS LA MÊME CATÉGORIE

Chevrolet Trailblazer, Chrysler Aspen, Dodge Durango, Ford Explorer, GMC Envoy, Jeep Grand Cherokee, Nissan Pathfinder

NOS IMPRESSIONS

Agrément de conduite :	3 ½
Fiabilité :	3 ½
Sécurité :	4
Qualités hivernales :	5
Espace intérieur :	4 ½
Confort :	4

DU NOUVEAU EN 2009

V8 5,7 litres plus puissant, nouvelles roues

Jeep Compass

UNE RÉPUTATION EXPLOITÉE

Chez Chrysler, il y a belle lurette qu'on voulait exploiter l'image positive de la marque Jeep, reconnue pour l'excellence de ses véhicules tout-terrains. En effet, si l'on désirait conserver comme clientèle les amateurs de plein air désireux de rouler en forêt, on espérait également cibler les acheteurs urbains. Cette approche explique la présence des deux modèles dans la gamme Jeep depuis 2007. Pourquoi deux et non pas un ? Tout simplement pour convaincre les citadins, d'une part, et ceux qui veulent aller en forêt de temps à autre, d'autre part.

Le Compass est plus étroitement dérivé du Dodge Caliber, avec lequel il partage sa partie arrière. C'est la version citadine de ce duo, et elle devrait intéresser les personnes qui choisissent de rouler en Jeep sans jamais quitter le macadam. Bien entendu, la grille de calandre typique à sept ouvertures verticales vous permet de passer pour un aventurier urbain. Le Compass est le premier véhicule de la marque à ne pas être spécifiquement conçu pour des randonnées hors route. La version de base est une traction tandis qu'une transmission intégrale toutes routes est offerte en option.

Autant le Compass que le Patriot sont propulsés par le même moteur, un quatre cylindres de 2,4 litres développé conjointement avec Mitsubishi et Hyundai. Un autre moteur est offert de série, un quatre cylindres 2,0 litres. Ce dernier est associé à une transmission manuelle à cinq rapports tandis qu'une transmission CVT est offerte en option. Détail à souligner, on parle chez Chrysler de la seconde génération de cette transmission, mais personne n'a jamais vu la première !

ÉCONOMIE ! ÉCONOMIE !

Si la silhouette du Compass ne séduit pas tout le monde, il faut admettre que les stylistes ont concocté un habitacle et une planche de bord vraiment attrayants, en raison de leur caractère pratique et de leur esthétique. Et bien entendu, pour sauver les coûts de développement, cette planche de bord se retrouve dans le Patriot à peu de changements près.

S'il est bon d'apporter des solutions intéressantes et innovatrices, l'exécution se doit également d'être à la hauteur. Et c'est là où le bât blesse, puisque la qualité des matériaux est vraiment inférieure à tout ce qui se trouve sur le marché dans cette catégorie. Comme si ce n'était pas assez, la qualité de la finition laisse aussi à désirer. Il est vrai que ces modèles sont offerts à des prix très alléchants, mais il y a une limite à ne pas franchir. D'ailleurs, de nombreux lecteurs nous ont fait savoir que ces modèles les intéressaient, mais que la présentation intérieure les avait découragés. Parmi les autres bémols, l'insonorisation est nettement déficiente. Heureusement, selon les statistiques compilées jusqu'à présent, la fiabilité des Compass et Patriot a été relativement bonne depuis leur lancement.

UNE NOTE MÉRITÉE

Dans l'édition 2008 du *Guide de l'auto*, nous avons réalisé un match

FEU VERT

- Véhicules polyvalents
- Prix concurrentiels
- Habitacle pratique
- Mécanique fiable
- Patriot qualifié Trail Rated

FEU ROUGE

- Finition décevante
- Matériaux à revoir
- Transmission CVT peu agréable
- Agrément de conduite moyen
- Moteur 2,0 litres

comparatif des VUS compacts et le Patriot a terminé au onzième et dernier rang. Sa silhouette légèrement rétro inspirée de la défunte Cherokee n'a pas impressionné personne. Et si son habitacle a mérité des commentaires élogieux en raison de son habitabilité et de son caractère polyvalent, la pauvreté de la finition lui a fait perdre plusieurs points.

Dans la partie hors route de ce test, il faut concéder que ce modèle s'est fort bien débrouillé, car, contrairement au Compass, il est conçu pour les promenades hors route. Il est même qualifié de Trail Rated comme les autres véhicules 4X4 de la marque, pourvu qu'on l'ait commandé avec le rouage intégral Freedom Drive II. Ce mécanisme comprend un verrouillage central du différentiel afin de faciliter le passage de certains obstacles. Il est également doté d'une démultipliée comme les autres costauds de la marque.

Malheureusement, si ce modèle reçoit de bonnes notes hors route, c'est une tout autre chose sur la route. Son moteur 2,4 litres semble toujours peiner à la tâche, surtout avec la transmission à rapports continuellement variables. Imaginez donc le manque de pep si vous optez pour le moteur 2,0 litres, qui n'est livré qu'avec la transmission CVT ! Il concède 14 chevaux en plus d'être aussi bruyant que la plus grosse cylindrée.

Si vous êtes prêt à accepter leurs limites, ces deux modèles offrent une tenue de route sans histoire, une consommation de carburant raisonnable et une fiabilité acceptable, jusqu'à présent du moins. Les nombreuses économies réalisées par rapport aux matériaux et à la conception permettent à ce constructeur de les offrir à des prix très concurrentiels. Et comme les éléments de base sont sains, ce duo représente aux yeux de plusieurs des achats intéressants en fait de rapport prix/performance.

Denis Duquet

Jeep Patriot

Photos : Alain Morin

VÉHICULE D'ESSAI

SIRIUS RADIO SATELLITE

Version :	Jeep Patriot Sport AWD
Moteur :	4L de 2,4 litres 16s atmosphérique
Puissance :	172 ch (128 kW) à 6 000 tr/min
Couple :	165 lb-pi (224 Nm) à 4 400 tr/min
Rapport poids/puissance :	8,19 kg/ch (10,92 kg/kW)
Transmission :	CVT
Rouage :	intégral
0-100 km/h · 80-120 km/h :	10,3 s · 8,8 s
Freinage 100-0 km/h :	45,6 m
Vitesse maximale :	185 km/h
Consommation (100 km) :	ordinaire, 9,9 litres
Autonomie approximative :	515 km
Émissions de CO2 :	4 416 kg/an
Emp/Lon/Lar/Haut (mm) :	2 635 / 4 410 / 1 756 / 1 669
Coffre/Réservoir :	652 à 1 535 / 51 litres
Nombre de coussins de sécurité :	4
Suspension avant :	indépendante, jambes de force
Suspension arrière :	indépendante, multibras
Freins av./arr. :	disque (ABS)
Antipatinage/Contrôle de stabilité :	oui/oui
Direction :	à crémaillère, assistée
Diamètre de braquage :	10,8 m
Pneus av./arr. :	P205/70R16
Poids :	1 409 kg
Capacité de remorquage :	454 kg

AUTRE(S) COMPOSANTE(S) MÉCANIQUE(S)

Système hybride :	aucun
Moteur diesel :	aucun
Taxe énergivore :	aucune
Autre(s) moteur(s) :	4L de 2,0 litres 158 ch/141 lb-pi (9,0 l/100 ordinaire)
Autre(s) rouage(s) :	traction
Autre(s) transmission(s) :	manuelle, 5 rapports

EN BREF

Échelle de prix :	15 245 $ à 22 345 $ (2008)
Catégorie :	VUS compact
Garanties :	3 ans/60 000 km, 5 ans/100 000 km
Assemblage :	Belvidere, Illinois, É-U
Cote d'assurance :	n.d.

DANS LA MÊME CATÉGORIE

Ford Escape, Honda CR-V, Hyundai Tucson, Kia Sportage, Mazda Tribute, Subaru Forester, Suzuki Grand Vitara, Toyota RAV4

NOS IMPRESSIONS

Agrément de conduite :	3 ½
Fiabilité :	3 ½
Sécurité :	4
Qualités hivernales :	4
Espace intérieur :	3 ½
Confort :	3 ½

DU NOUVEAU EN 2009

Changements mineurs dans l'habitacle

UN PAS EN AVANT

« Il n'y a plus de marché pour les véhicules de ce genre », peut-on lire depuis quelque temps chaque fois qu'il est question de VUS traditionnels. On se heurte toujours aux considérations de coût de carburant et d'environnement. Pourtant, les constructeurs ne se gênent pas pour continuer d'introduire à profusion de gros véhicules qui ne sont pas de petits mangeurs. Vous pourriez cette année vous tourner vers le Chevrolet Traverse, le Ford Flex ou le Honda Pilot. Alors quoi, vous pensiez vraiment que ces nouveaux venus étaient énergiquement peu gourmands ? Bien sûr que non. Ils le sont seulement moins que les VUS à moteur V8.

En réalité, tout est une question de mode. Il y a eu les familiales, les fourgonnettes, puis les VUS et maintenant, ce sont les multisegments. On aurait beau vendre le carburant encore plus cher, les Nord-Américains ne changeraient toujours pas de façon radicale leurs habitudes. En effet, pour bien des gens, rouler dans un véhicule spacieux, polyvalent et confortable, ça n'a pas de prix (ou presque). En revanche, il est vrai que les VUS traditionnels comme le Grand Cherokee perdent en popularité, simplement parce que les fabricants n'ont pas su les adapter aux besoins des acheteurs actuels. Ne pensez pas deux minutes que les gens ne veulent plus rouler dans ces camions à tout faire, au contraire. On ne souhaite cependant plus conduire un véhicule qui consomme à ce point, pour le seul plaisir d'avoir l'illusion qu'on possède entre nos mains un outil capable de remorquer un paquebot ou de grimper l'Everest. Jusqu'ici, un seul constructeur aura compris cette réalité et mis les efforts nécessaires pour contourner le problème. Et ce constructeur, c'est Chrysler.

LE DIESEL, CE SAUVEUR !

Avant que l'alliance entre Daimler-Benz et Chrysler ne se rompe, on a donc eu l'idée chez Jeep d'intégrer au Grand Cherokee un moteur turbo diesel à rampe commune d'origine Mercedes. Résultat, Jeep a vu ses ventes de Grand Cherokee grimper en flèche au cours de la dernière année, allant ainsi à l'encontre du marché actuel. La raison ? Plus de 50 % des ventes étaient constituées de modèles à moteur diesel. Bien sûr, plusieurs acheteurs ont été attirés par ce véhicule, sachant qu'ils pouvaient grâce à lui économiser à la pompe, et ainsi continuer à jouir de l'agrément que leur apporte un tel VUS. Mais ils ont aussi découvert que ce moteur offrait des performances et un agrément insoupçonnés. L'immense couple disponible à bas régime et la souplesse étonnante du moteur 3,0 litres ont certainement été des éléments convaincants. D'ailleurs, la grande majorité de ceux qui se sont procuré le Grand Cherokee diesel vous le diront, même sans considération pour la consommation, ce moteur aurait quand même constitué le choix numéro un. En fait, il est à ce point génial qu'on se demande pourquoi Jeep persiste à offrir quatre autres moteurs à essence. On pourrait facilement éliminer de la gamme les moteurs 3,7 et 5,7 litres, pour ne laisser place qu'au V8 de 4,7 litres remanié l'an dernier, et au monstrueux HEMI de 6,1 litres de la version SRT8.

Équipé d'un système 4x4 compétent, le Grand Cherokee demeure un véhicule qui fait bande à part chez les amateurs. Ne pensez pas deux minutes qu'Explorer et Envoy peuvent se prêter au même jeu. Mais la grande beauté de tout cela, c'est que ces compétences hors route n'ont

FEU VERT
- Moteur diesel génial
- Capacités hors route honorables
- Véhicule robuste et confortable
- Capacité de remorquage
- Performances hallucinantes (SRT8)

FEU ROUGE
- Espace restreint à bord
- Finition discutable
- Consommation (sauf diesel)
- Confort de la banquette arrière

aucun effet négatif sur celles que propose le Grand Cherokee sur chemins battus. La version SRT8, forte de ses 420 chevaux, est pour sa part capable de faire mordre la poussière à la presque totalité des VUS qui nous sont offerts (sauf peut-être le dernier Porsche Cayenne Turbo S). Le SRT8 affiche un comportement très sportif et domine la route avec une présence incomparable. Ses immenses pneus de 22 pouces en couvrent d'ailleurs une grande partie. Quant à son envoûtante sonorité, elle rappellera aux gens qui vous croisent que vous êtes tout sauf un symbole de discrétion.

TROP PETIT?

Alors que la tendance du marché veut que les véhicules soient de plus en plus volumineux, le Grand Cherokee demeure l'un des plus petits. La disparition prochaine du Commander permettra sans doute aux ingénieurs de le renouveler tout en volume, mais d'ici là, les acheteurs devront accepter de conduire un VUS aux dimensions inférieures à la moyenne. D'ailleurs, le Grand Cherokee est l'un des rares véhicules de sa catégorie à ne pas offrir de troisième rangée de sièges. Les personnes de grande taille pourraient également se voir gênées par l'espace qui leur est accordé au niveau de la tête. Faisant personnellement 1,75 mètre, il m'a suffi de porter une casquette pour me voir frôler le pavillon à l'occasion.

Comme c'est le cas de plusieurs produits Chrysler, l'habitacle du Grand Cherokee fait aussi face à la critique en ce qui concerne la qualité des matériaux utilisés. Ses plastiques rugueux et ses boiseries très kitsch n'ont pas leur place dans un tel véhicule. Et il faudrait aussi penser à revoir la banquette arrière qui n'est confortable que pour de très jeunes enfants, ceux-ci ayant la chance de contourner le problème avec un siège d'appoint! Heureusement, le conducteur profite à l'avant d'un siège confortable qui lui permet de bénéficier d'une bonne position de conduite. La richesse de l'équipement et la très, voire trop grande diversité des options permettent également au plus exigeant d'y trouver son compte.

Chose certaine, l'attrait principal du Grand Cherokee constitue, au-delà de toutes ses compétences, son moteur diesel. Et il faudra que les ingénieurs s'en souviennent lors de son renouvellement prochain, puisque c'est l'élément qui lui permet de dominer cette année le marché des VUS intermédiaires.

Antoine Joubert

Photos: Alain Morin

VÉHICULE D'ESSAI

SIRIUS RADIO SATELLITE

Version:	Jeep Grand Cherokee Limited 3,0 Diesel
Moteur:	V6 de 3,0 litres 24s atmosphérique
Puissance:	215 ch (160 kW) à 3 800 tr/min
Couple:	376 lb-pi (510 Nm) à 1 600 tr/min
Rapport poids/puissance:	9,54 kg/ch (12,83 kg/kW)
Transmission:	automatique, 5 rapports
Rouage:	intégral
0-100 km/h · 80-120 km/h:	9,3 s · 8,1 s
Freinage 100-0 km/h:	45,4 m
Vitesse maximale:	n.d.
Consommation (100 km):	diesel, 12,0 litres
Autonomie approximative:	650 km
Émissions de CO2:	5 778 kg/an
Emp/Lon/Lar/Haut (mm):	2 780 / 4 740 / 1 862 / 1 720
Coffre/Réservoir:	978 à 1909 / 78 litres
Nombre de coussins de sécurité:	4
Suspension avant:	indépendante, bras inégaux
Suspension arrière:	essieu rigide, ressorts hélicoïdaux
Freins av./arr.:	disque (ABS)
Antipatinage/Contrôle de stabilité:	oui/non
Direction:	à crémaillère, assistée
Diamètre de braquage:	11,3 m
Pneus av./arr.:	P245/65R17
Poids:	2 053 kg
Capacité de remorquage:	2 948 kg

AUTRE(S) COMPOSANTE(S) MÉCANIQUE(S)

Système hybride:	aucun
Moteur diesel:	oui
Taxe énergivore:	1 000 $ (V8, 4,7 et 5,7 litres) 4 000 $ (SRT8)
Autre(s) moteur(s):	V8 de 5,7 litres 357 ch/389 lb-pi (13,5 l/100 ordinaire) V6 de 3,7 litres 210 ch/235 lb-pi (14,2 l/100 ordinaire) V8 de 4,7 litres 305 ch/334 lb-pi (15,6 l/100 ordinaire) V8 de 6,1 litres 420 ch/420 lb-pi (19,1 l/100)(SRT8)
Autre(s) rouage(s):	aucun
Autre(s) transmission(s):	aucune

EN BREF

Échelle de prix:	33 695 $ à 48 895 $ (2008)
Catégorie:	VUS intermédiaire
Garanties:	3 ans/60 000 km, 5 ans/100 000 km
Assemblage:	Détroit, Michigan, É-U
Cote d'assurance:	moyenne

DANS LA MÊME CATÉGORIE

Acura MDX, Chevrolet Trailblazer, Chrysler Aspen, Dodge Durango, Ford Explorer, GMC Envoy, Jeep Commander, Kia Sorento, Nissan Pathfinder, Saturn Outlook

NOS IMPRESSIONS

Agrément de conduite:	4
Fiabilité:	3 ½
Sécurité:	4
Qualités hivernales:	4
Espace intérieur:	4 ½
Confort:	4

DU NOUVEAU EN 2009

Moteur 5,7 litres plus puissant

ESSAYEZ AVANT D'ACHETER

Lorsque la compagnie Chrysler s'est portée acquéreuse du groupe AMC-Jeep-Renault dans les années 80, on a été stupéfait chez le constructeur américain de constater à quel point la réputation de la marque Jeep était forte. Depuis ce temps, on a procédé au développement de multiples modèles afin de profiter de cet avantage commercial. Heureusement, la direction de ce Chrysler n'a jamais abandonné le véhicule qui a bâti la réputation de Jeep : le Wrangler. Bien au contraire, il a continué de le développer.

Pour une raison bien simple : la direction sait que la réputation de la compagnie en tant que constructeur de véhicules utilitaires sport repose sur les capacités tout-terrain du Wrangler, même s'il ne se vend pas par centaines de milliers. Il est important d'insister sur le fait que la conception de base de ce modèle est élaborée en vue d'une utilisation hors route relativement fréquente. Ce qui a pour effet de limiter le niveau de confort général. Il est essentiel d'avoir ces données en mémoire lorsqu'on magasine un Wrangler. Il faut savoir que c'est plus qu'un petit véhicule *cute* qui vous donnera un air macho à son volant.

UN CERTAIN CONFORT

Il n'y a pas si longtemps encore, l'habitacle de ce modèle était on ne peut plus spartiate. Les garnitures étaient réduites à leur plus simple expression, la tôle était omniprésente et les espaces de rangement presque inexistants. Ce n'était pas par mesure d'économie, mais en raison d'une utilisation hors route fréquente qui nécessitait souvent un lavage à grande eau une fois de retour. Il est d'ailleurs encore possible de nettoyer son Jeep de cette façon puisque les matériaux qui constituent son habitacle sont plus modernes et toujours résistants à un tel traitement.

Le tableau de bord est passablement beau avec sa console verticale en relief par rapport à la planche de bord. Une bonne note également à l'élégant volant à quatre branches qui encadre bien les cadrans indicateurs. Les sièges avant, quant à eux, sont moyennement confortables. On ne peut en dire autant pour la banquette arrière de la version deux portes car elle est non seulement inconfortable mais difficile à atteindre... Heureusement, la version Unlimited à quatre portes n'a pas cet inconvénient mais le confort n'en est pas amélioré pour autant. Sans doute pour respecter la tradition, la qualité des matériaux et de la finition est fortement perfectible pour utiliser des termes polis. On a l'impression que ce modèle est assemblé dans une usine où l'éclairage est déficient.

Sur une note plus positive, il faut souligner le côté vraiment pratique du toit souple modulaire « Freedom Top » qui peut être enlevé en tout ou en partie. Pour les traditionalistes ou les personnes ayant un budget plus limité, l'habituel toit souple est toujours disponible. Vous épargnez à l'achat, mais vous allez vous esquinter les doigts à tenter d'abaisser ou de relever cette capote infernale.

UN SPÉCIALISTE

Nous sommes loin du petit Jeep de jadis propulsé par 4 cylindres

FEU VERT
- Plate-forme très rigide
- Ultra-efficace en hors route
- Version Unlimited
- Moteur bien adapté
- Multiples accessoires spécialisés

FEU ROUGE
- Finition toujours inégale
- Suspension sèche
- Ergonomie à revoir
- Faible insonorisation
- Fiabilité incertaine

anémiques, qui travaillait toujours très fort et qui consommait beaucoup. Depuis quelques années, seul un moteur V6 est au catalogue. Produisant 202 chevaux il est couplé à une boîte manuelle à six rapports. De prime abord, cette combinaison semble attrayante, car il est possible de marier la souplesse du moteur V6 à l'agrément de conduire d'une boîte manuelle. C'est la théorie, mais en pratique c'est vraiment irritant de piloter un Wrangler équipé de la boîte manuelle. En effet, la pédale d'embrayage prend la place de votre pied gauche, il faut se contorsionner pour conduire. En plus, le point de contact de l'embrayage est élevé et il faut donc lever la jambe plus que de raison pour embrayer. Même si elle ne possède que quatre rapports, la boîte automatique paraîtra beaucoup plus conviviale à plusieurs personnes. En poursuivant au sujet du pilotage, la position de conduite n'est pas toujours facile à trouver, tandis que la visibilité est relativement faible et il faut se fier presque exclusivement aux larges rétroviseurs extérieurs.

Si vous prévoyez faire de la grand-route avec votre Jeep, il est nettement préférable d'opter pour le modèle Unlimited dont l'empattement allongé assure un certain niveau de confort sur mauvaise route. Sur le modèle deux portes, la suspension ferme et l'empattement court s'associent pour vous brasser le Québécois. Je connais certaines personnes qui sont des inconditionnels de ce modèle et qui sont prêts à accepter tous les inconvénients propres à un véhicule surtout conçu pour la conduite hors route. À ce chapitre, le Wrangler est un véritable passe-partout capable d'affronter les sentiers les plus intimidants.

Mais si vous n'êtes pas un accro de la conduite hors route et que ce modèle vous intéresse uniquement pour sa silhouette virile, je vous conseille de procéder à un essai routier de quelques kilomètres avant de signer un contrat d'achat. Cette courte randonnée vous laissera savoir ce que l'avenir vous réserve au volant de ce 4X4...

Denis Duquet

Photos: Alain Morin

VÉHICULE D'ESSAI

SIRIUS RADIO SATELLITE

Version:	Jeep Wrangler Unlimited Rubicon
Moteur:	V6 de 3,8 litres 12s atmosphérique
Puissance:	202 ch (151 kW) à 5 200 tr/min
Couple:	237 lb-pi (321 Nm) à 4 000 tr/min
Rapport poids/puissance:	9,95 kg/ch (13,31 kg/kW)
Transmission:	manuelle, 6 rapports
Rouage:	4x4
0-100 km/h · 80-120 km/h:	11,9 s · 10,5 s
Freinage 100-0 km/h:	45,0 m
Vitesse maximale:	150 km/h
Consommation (100 km):	ordinaire, 14,9 litres
Autonomie approximative:	570 km
Émissions de CO2:	6 432 kg/an
Emp/Lon/Lar/Haut (mm):	2 946 / 4 684 / 1 877 / 1 836
Coffre/Réservoir:	1 600 à 1 733 / 85 litres
Nombre de coussins de sécurité:	2
Suspension avant:	essieu rigide, bras inégaux
Suspension arrière:	essieu rigide, multibras
Freins av./arr.:	disque (ABS)
Antipatinage/Contrôle de stabilité:	oui/oui
Direction:	à crémaillère, assistance variable
Diamètre de braquage:	12,6 m
Pneus av./arr.:	P255/70R17
Poids:	2 011 kg
Capacité de remorquage:	454 kg

AUTRE(S) COMPOSANTE(S) MÉCANIQUE(S)

Système hybride:	aucun
Moteur diesel:	aucun
Taxe énergivore:	aucune
Autre(s) moteur(s):	aucun
Autre(s) rouage(s):	aucun
Autre(s) transmission(s):	automatique, 4 rapports

EN BREF

Échelle de prix:	19 245 $ à 29 845 $
Catégorie:	VUS compact
Garanties:	3 ans/60 000 km, 5 ans/100 000 km
Assemblage:	Toledo, Ohio, É-U
Cote d'assurance:	passable

DANS LA MÊME CATÉGORIE

Hummer H3, Nissan Xterra, Toyota FJ Cruiser

NOS IMPRESSIONS

Agrément de conduite:	3
Fiabilité:	3
Sécurité:	4
Qualités hivernales:	4 ½
Espace intérieur:	3 ½
Confort:	3

DU NOUVEAU EN 2009

Nouvelles couleurs, moteurs avec boîte manuelle moins polluants (ULEV II)

TROP CORÉENNE POUR L'AMÉRIQUE

Il suffit de croiser une vieille Hyundai XG350 sur nos routes pour comprendre le pourquoi d'une Amanti. En effet, cette Hyundai était d'une silhouette assez tarabiscotée merci, avec également des lignes passablement rétro pour faire bonne mesure. Mais il faut savoir que ce modèle, tout comme l'Amanti, était fort apprécié dans leur pays d'origine. Si le XG est devenu l'Azera, on tarde toujours chez Kia à passer à l'ère moderne et on maintient l'Amanti dans la gamme.

Il faut aussi se souvenir que ce modèle, de plus en plus rare sur nos routes soit dit en passant, est le porte-étendard de la marque en Amérique. À cet effet, il est doté d'un équipement fort complet et de petites touches visant à accentuer l'impression de luxe qui devrait théoriquement se dégager de cette berline.

Malheureusement, malgré la meilleure volonté du monde, il est difficile de ne pas sortir la trique pour rosser le design extérieur qui est quasiment caricatural. Ceux qui ont une bonne mémoire visuelle ne pourront s'empêcher de remarquer une étroite similitude à l'arrière avec l'ancienne Lincoln Continental. À l'avant, la grille de calandre nous fait immédiatement songer à Mercedes-Benz, sans l'étoile d'argent cela va de soi. Enfin, le capot semble avoir été inspiré de celui de la Jaguar XJS.

Au risque de nous répéter une énième fois, les goûts et les couleurs ne se discutent pas. Cependant, comme sa silhouette ne cadre pas tellement avec les tendances en vigueur sur notre marché, cette berline est souvent mise de côté en raison de son apparence pour le moins unique. Malgré tout, elle en offre beaucoup par rapport au prix demandé.

MOLLESSE ET OPULENCE

Puisque ce modèle est une version pratiquement de grand luxe sur le marché coréen, elle tente de nous séduire par un habitacle cossu dont la présentation est inspirée des berlines de grand luxe tandis que le niveau d'équipement est très relevé. Par exemple, le siège du conducteur à commande par motorisation électrique propose huit types de réglages différents alors que celui du passager avant en offre quatre. C'est mieux que sur certains modèles vendus beaucoup plus cher. Par contre, si les sièges sont réglables de multiples façons, il faut admettre que la recherche du confort est associée à la mollesse des assises, sans compter le déficient support latéral.

Le tableau de bord nous fait immédiatement songer à celui de la Lexus LS 400 de la première génération. C'est rétro une fois de plus, mais c'est d'une certaine élégance tout en étant pratique et d'une ergonomie correcte. Au fil des années, les ingénieurs de ce constructeur ont trouvé le moyen de développer des méthodes de production visant à améliorer la qualité de la finition.

Bref, avec les appliques en bois chimiques, le volant gainé de cuir, la sellerie de cuir en option, les sièges chauffants, la climatisation à

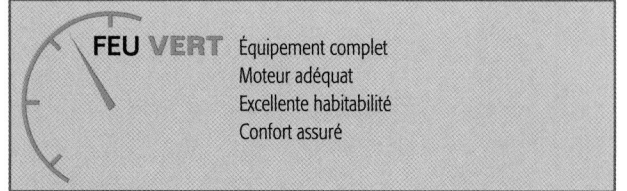

FEU VERT
- Équipement complet
- Moteur adéquat
- Excellente habitabilité
- Confort assuré

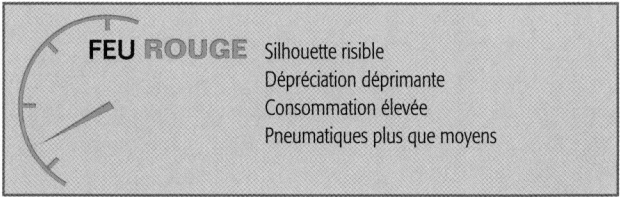

FEU ROUGE
- Silhouette risible
- Dépréciation déprimante
- Consommation élevée
- Pneumatiques plus que moyens

réglage automatique, vous en aurez pour votre argent. Et si vous aimez prendre vos aises, c'est la voiture idéale pour vous puisque l'habitabilité est plus que généreuse tout comme le coffre à bagages qui peut avaler sans broncher quatre sacs de golf.

ROUTIÈRE AMÉLIORÉE

Lors de ses débuts sur notre marché, le comportement routier était plus risible qu'autre chose avec une suspension guimauve qui était la cause de roulis et tangage excessifs dès qu'on roulait sur une route parsemée de quelques virages et d'un mauvais revêtement. Heureusement que des modifications apportées à la suspension il y a une couple d'années de même que l'arrivée du moteur V6 de 3,8 litres sous le capot a permis d'en faire une routière acceptable.

Les accélérations ne se mesurent plus avec un sablier tandis que la boîte automatique à cinq rapports ne se prête à aucune critique majeure. Il faut cependant déplorer une consommation de carburant assez forte pour un moteur de cette cylindrée. La cause: un poids élevé qui oblige le moteur à consommer plus. Il est donc sage de rouler peinard et d'admirer le paysage tout en profitant du confort de l'habitacle. Votre style de conduite sera davantage en harmonie avec le caractère de la voiture et vous économiserez du carburant. Et sans être méchant, il est certain que si ce modèle vous intéresse, vous n'êtes pas du genre à faire des folies au volant.

Cette Kia semble proposer un bon rapport luxe et prix. Mais sa dépréciation vertigineuse vient annuler cette équation. Vous la louez ou la conservez le plus longtemps possible. Il n'y a pas d'option comme un achat à court terme. D'autant plus que le manufacturier devrait théoriquement lancer une nouvelle version d'ici peu car il est certain que ce modèle a fait son temps sur notre marché.

Denis Duquet

Photos: Kia

VÉHICULE D'ESSAI

SIRIUS RADIO SATELLITE

Version:	Kia Amanti
Moteur:	V6 de 3,8 litres 24s atmosphérique
Puissance:	264 ch (197 kW) à 6000 tr/min
Couple:	260 lb-pi (353 Nm) à 4500 tr/min
Rapport poids/puissance:	6,78 kg/ch (9,08 kg/kW)
Transmission:	automatique, 5 rapports
Rouage:	traction
0-100 km/h · 80-120 km/h:	7,1 s · 5,5 s
Freinage 100-0 km/h:	41,7 m
Vitesse maximale:	220 km/h
Consommation (100 km):	ordinaire, 12,6 litres
Autonomie approximative:	555 km
Émissions de CO2:	5088 kg/an
Emp/Lon/Lar/Haut (mm):	2800 / 5000 / 1850 / 1485
Coffre/Réservoir:	450 / 70 litres
Nombre de coussins de sécurité:	8
Suspension avant:	indépendante, jambes de force
Suspension arrière:	indépendante, multibras
Freins av./arr.:	disque (ABS)
Antipatinage/Contrôle de stabilité:	oui/oui
Direction:	à crémaillère, assistance variable
Diamètre de braquage:	11,4 m
Pneus av./arr.:	P235/55R17
Poids:	1790 kg
Capacité de remorquage:	454 kg

AUTRE(S) COMPOSANTE(S) MÉCANIQUE(S)

Système hybride:	aucun
Moteur diesel:	aucun
Taxe énergivore:	aucune
Autre(s) moteur(s):	aucun
Autre(s) rouage(s):	aucun
Autre(s) transmission(s):	aucune

EN BREF

Échelle de prix:	29995 $ à 37195 $
Catégorie:	berline de luxe
Garanties:	5 ans/100000 km, 5 ans/100000 km
Assemblage:	Hwasung, Corée du Sud
Cote d'assurance:	bonne

DANS LA MÊME CATÉGORIE

Buick Allure, Chevrolet Impala, Chrysler 300, Ford Taurus, Hyundai Azera, Nissan Maxima, Pontiac Grand Prix, Toyota Avalon

NOS IMPRESSIONS

Agrément de conduite:	3½
Fiabilité:	3½
Sécurité:	4
Qualités hivernales:	3
Espace intérieur:	4½
Confort:	4

DU NOUVEAU EN 2009

Aucun changement majeur

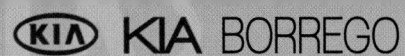

LE SOLEIL SE LÈVE EN RETARD

Durant les années 30, Chrysler lançait une série qui, selon les prévisions de l'entreprise, allait révolutionner le monde de l'automobile. Mais l'Airflow, avec ses lignes aérodynamiques, était vingt ans en avance sur son temps. Résultat : personne n'a voulu de cette voiture bizarre. C'est à l'Airflow que je pensais en faisant l'essai du Kia Borrego, un très bon véhicule. Le malheur de ce VUS intermédiaire c'est d'arriver trop tard, lui ! Alors que Chevrolet et Ford, passés maîtres dans l'art du VUS, réduisent la cadence faute d'acheteurs, on voit mal qui pourrait avoir besoin de ce Kia.

Ce VUS intermédiaire à sept places, construit sur un châssis à échelle comme les camions, arrive alors que la tendance actuelle évolue vers le marché des multisegments, des VUS moins prompts à quitter la route et offrant un confort aussi relevé que celui d'une berline de luxe. Car, on dira ce qu'on voudra, seulement une infime partie des acheteurs de VUS va jouer dans la boue ou remorque de lourdes charges. Et voilà que la crise des prix de l'essence vient perturber ce marché il n'y a pas si longtemps prometteur des multisegments…

UN DEUXIÈME VUS INTERMÉDIAIRE POUR KIA

Le Kia Borrego (*borrego* signifie, selon Kia, cornes de bélier en espagnol) est un véritable utilitaire. Ses dimensions, tout en étant plus généreuses, le rapprochent du Sorento, un autre VUS intermédiaire de Kia. Les compétiteurs directs du Borrego sont les Toyota 4Runner, Nissan Pathfinder et Jeep Grand Cherokee même si Kia le compare aussi aux Ford Expedition et Dodge Durango, plus gros et plus dispendieux.

Le Borrego propose deux moteurs. On retrouve tout d'abord un V6 de 3,8 litres de 276 chevaux et 267 livres-pied de couple, marié obligatoirement à une transmission automatique à cinq rapports. Il y a aussi un V8 de 4,6 litres développant 337 chevaux et 323 livres-pied de couple, associé à une automatique à six rapports. Alors que les Américains ont le choix entre le modèle deux roues motrices (propulsion) et 4x4, les Canadiens ne peuvent se procurer que cette dernière version. Dans la version de base (LX), le rouage intégral permet de rouler en mode deux roues motrices (2HI) et quatre roues motrices (4HI et 4LO). La version EX, plus luxueuse, reçoit un rouage qui ajoute un mode auto. Sur ce mode, le rouage se comporte comme une intégrale qui distribue le couple selon les besoins et de façon tout à fait transparente.

Lors de la présentation du Borrego, les dirigeants de Kia nous ont emmenés dans des sentiers relativement faciles pour un 4x4. Le véhicule s'y est amusé comme un enfant sautant à pieds joints dans un trou d'eau. Nous avons ainsi pu vérifier l'extrême solidité du châssis.

Pendant cette journée d'essai, nous avons aussi pu tirer un bateau d'environ 4 000 livres (1 814 kilos) avec un Borrego à moteur V6. Même si les capacités de remorquage donnent ce modèle bon pour 5 000 livres (2 268 kilos), il ne fallait pas détenir un doctorat en ingénierie pour constater que dans les côtes, le V6 peinait beaucoup. D'ailleurs, après notre randonnée d'environ 75 kilomètres,

FEU VERT
- Design agréable
- V6 bien adapté (sauf si remorquage)
- Bonnes capacités hors route
- Prix bien étudiés
- Sièges confortables

FEU ROUGE
- Véhicule peu adapté au marché
- Moteur V8 gourmand
- Plastiques désolants
- Transmissions un peu lentes
- Suspensions dures

l'ordinateur de bord affichait une moyenne de 21,9 litres aux cent kilomètres ! Heureusement, il s'agit d'essence régulière. Le V8, lui, peut remorquer jusqu'à 7 500 livres (3 400 kilos). Même si le V6 semblait dépassé par les événements avec un bateau derrière, c'est le moteur à privilégier si vous n'avez pas à transporter de lourdes charges. Ses prestations sont très correctes compte tenu de la masse à déplacer (plus de 2 000 kilos). Bien entendu, le V8 procure des accélérations et reprises plus dynamiques au détriment de la consommation.

DES PLUS ET DES MOINS

Le Kia Borrego est un véhicule sept places. D'ailleurs, l'espace habitable ne manque pas. Par contre, celui dédié aux bagages, lorsque les trois rangées de sièges sont relevées est assez modeste. À l'avant, le tableau de bord des versions LX est invariablement noir et immanquablement tristounet. Les modèles EX, eux, ont droit à un gris souris plus vivant mais la qualité des plastiques est aussi désolante, peu importe la couleur. Les espaces de rangement sont nombreux et on compte, sur la console, des prises auxiliaires et USB. On ne retrouve aucun système de navigation, même en option, ce qui se justifie par des prix qu'on a voulus le plus bas possible. Les sièges avant sont confortables mais j'ai eu un peu de difficulté à trouver une bonne position de conduite. Si le volant avait été ajustable en profondeur, aussi…

Les sièges de la deuxième rangée sont faciles d'accès et confortables. L'espace disponible ne fait pas défaut mais la place centrale, comme tant d'autres places médianes, est très dure. Quant aux sièges de la troisième rangée l'accès, le confort et l'espace sont convenables. Lorsque cette rangée est abaissée (de façon 50/50), le fond du coffre est en partie fait d'un plastique dur qui s'égratigne juste à le regarder. Il est aussi possible de baisser les dossiers des sièges de la deuxième rangée pour se retrouver avec un espace de chargement de 1 675 litres, ce qui, curieusement, n'est pas très élevé. Pourtant, de visu, on lui en aurait donné bien plus.

Comme mentionné au début de cette analyse, le Kia Borrego est loin d'être un mauvais véhicule. Sauf que le marché dans lequel il évolue fond comme neige au soleil. Dans ces conditions, il devrait être très difficile pour Kia d'écouler au Canada les 200 unités prévues mensuellement…

Alain Morin

Photos : Alain Morin

VÉHICULE D'ESSAI

SIRIUS RADIO SATELLITE

Version :	Kia Borrego 4.6 LX
Moteur :	V8 de 4,6 litres 32s atmosphérique
Puissance :	337 ch (251 kW) à 6 000 tr/min
Couple :	323 lb-pi (438 Nm) à 3 500 tr/min
Rapport poids/puissance :	6,21 kg/ch
Transmission :	automatique, 6 rapports
Rouage :	intégral
0-100 km/h · 80-120 km/h :	9,4 s · 8,2 s
Freinage 100-0 km/h :	42,0 m
Vitesse maximale :	n.d.
Consommation (100 km) :	ordinaire, 14,4 litres
Autonomie approximative :	541 km
Émissions de CO2 :	n.d.
Emp/Lon/Lar/Haut (mm) :	2 895 / 4 880 / 1 915 / 1 765
Coffre/Réservoir :	350 à 1 370 / 78 litres
Nombre de coussins de sécurité :	6
Suspension avant :	indépendante, bras inégaux
Suspension arrière :	indépendante, multibras
Freins av./arr. :	disques (ABS)
Antipatinage/Contrôle de stabilité :	oui/oui
Direction :	à crémaillère, assistée
Diamètre de braquage :	11,2 m
Pneus av./arr. :	P245/70R17
Poids :	2 096 kg
Capacité de remorquage :	3 400 kg

AUTRE(S) COMPOSANTE(S) MÉCANIQUE(S)

Système hybride :	aucun
Moteur diesel :	aucun
Taxe énergivore :	n.d.
Autre(s) moteur(s) :	V6 de 3,8 litres 276 ch/267 lb-pi
Autre(s) rouage(s) :	aucun
Autre(s) transmission(s) :	automatique, 5 rapports

EN BREF

Échelle de prix :	36 995 $ à 43 995 $
Catégorie :	VUS intermédiaire
Garanties :	5 ans/100 000 5 ans/100 000 km
Assemblage :	n.d.
Cote d'assurance :	n.d.

DANS LA MÊME CATÉGORIE

Chevrolet Trailblazer, Dodge Durango, Ford Explorer, Kia Sorento, Nissan Pathfinder

NOS IMPRESSIONS

Agrément de conduite :	🚗🚗🚗½
Fiabilité :	nouveau modèle
Sécurité :	🚗🚗🚗🚗
Qualités hivernales :	🚗🚗🚗🚗
Espace intérieur :	🚗🚗🚗🚗
Confort :	🚗🚗🚗🚗

DU NOUVEAU EN 2009

Nouveau modèle

MILIEU DE PELOTON

Il est difficile de trouver un modèle plus effacé que la Kia Magentis. Non seulement sa silhouette semble avoir été dessinée pour qu'on ne la remarque pas parmi les autres voitures, mais par surcroît, sa popularité n'est pas des plus fortes. Pourtant, cette berline aux allures sobres mérite votre attention si vous faites partie de celles et ceux qui aiment faire une bonne affaire : en raison de son équipement complet et de son prix compétitif, la Magentis est susceptible d'intéresser les gens à la recherche d'une voiture bien équilibrée et dont le prix est compétitif.

Alors que ce modèle se vend relativement bien aux États-Unis où il est commercialisé sous l'étiquette Optima, les acheteurs québécois ne se bousculent pas aux portes pour se procurer la Magentis. Il s'agit pourtant d'une version dérivée de la Hyundai Sonata, qui jouit pour sa part d'une grande popularité.

TOUTE GARNIE

À défaut de tenter de nous épater par une silhouette spectaculaire ou encore une mécanique aux prétentions sportives, les planificateurs des Kia ont opté pour une approche plus pragmatique : celle de nous en offrir beaucoup plus pour un prix très compétitif. En effet, la liste d'équipement de série est vraiment impressionnante pour un modèle de ce prix et de cette catégorie. Par exemple, la climatisation est de série sur tous les modèles tout comme les sièges chauffants, la télécommande d'ouverture des portes, les freins ABS et les glaces à commande électrique. Si vous magasinez un tant soit peu les véhicules de cette catégorie, vous allez vous rendre compte rapidement que certains de ces accessoires ne sont offerts que sur des versions coûtant plusieurs milliers de dollars de plus.

Et il faut également souligner que la finition plus ou moins sérieuse des premières voitures Kia à arriver sur notre marché n'est plus qu'un mauvais souvenir. La Magentis nous offre un habitacle sobre mais d'une finition plus qu'acceptable, tandis que le tableau de bord suit les tendances à la mode avec sa console centrale encadrée de buses de ventilation. De plus, les cadrans indicateurs sont de dimensions généreuses et faciles à consulter. Détail intéressant, on retrouve en périphérie du moyeu du volant les commandes de réglage du système audio et du régulateur de croisière. Pas mal pour une voiture de ce prix.

Il est vrai que les sièges avant offrent un support latéral moyen tout au plus, mais ils sont fortement rembourrés, ce qui devrait plaire à ceux qui confondent mollesse et confort. Quant à la banquette arrière, elle offre aux passagers un espace pour les jambes correct, sans plus, et le dégagement pour la tête est moyen. Enfin, la qualité des plastiques pourrait être meilleure ; la plupart d'entre eux sont durs, mais il fallait bien couper quelque part.

CHOIX BIAISÉ

Règle générale, les constructeurs automobiles tentent de nous inciter à commander le modèle possédant le moteur le plus puissant et affichant donc le prix de vente le plus élevé. Pourtant, c'est le cas contraire avec la Magentis. C'est du moins mon interprétation de la gamme de

FEU VERT
- Silence de roulement
- Équipement complet
- Prix compétitif
- Bonne habitabilité
- Moteur 2,4 litres

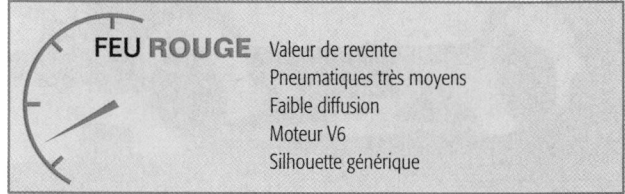

FEU ROUGE
- Valeur de revente
- Pneumatiques très moyens
- Faible diffusion
- Moteur V6
- Silhouette générique

moteurs offerte sur ce modèle. En effet, il est possible de commander en option un moteur V6 de 2,7 litres d'une puissance de 185 chevaux. Il est relié à une boîte automatique à cinq rapports. Jusque-là, tout va bien.

Mais lorsqu'on découvre que la Hyundai Sonata, qui n'est ni plus ni moins que la jumelle de la Magentis, propose un moteur V6 de 3,3 litres d'une puissance de 235 chevaux, il y a de quoi s'interroger quant à la pertinence de choisir la Magentis à moteur V6. Chez Kia, on tente de nous convaincre que la suspension avant de leur modèle est meilleure, mais cet argument ne convainc pas.

LA LOGIQUE

Le choix le plus logique réside donc dans la version de base dotée du moteur quatre cylindres de 2,4 litres produisant 161 chevaux. Couplé à une boîte manuelle à cinq rapports, ce groupe propulseur se tire fort bien d'affaire en plus d'être relativement économique en carburant. Il est également possible d'opter pour la transmission automatique à cinq rapports.

Avec ce moteur, les accélérations sont correctes et on n'a pas à trop jouer du levier de vitesses pour suivre le flot de la circulation. La tenue de route est sans surprise et passablement équilibrée, mais il ne faut pas tenter de jouer les Patrick Carpentier et rouler plus vite que les vitesses légales, car la voiture nous dévoilera rapidement ses limites en fait de tenue de route.

En résumé, cette voiture est confortable, docile et bien équipée. Elle sera appréciée par la personne qui sait en reconnaître les limites et tirer avantage de son équipement plus que complet.

Denis Duquet

Photos: Kia

VÉHICULE D'ESSAI

Version :	Kia Magentis LX
Moteur :	4L de 2,4 litres 16s atmosphérique
Puissance :	161 ch (120 kW) à 5 800 tr/min
Couple :	163 lb-pi (221 Nm) à 4 250 tr/min
Rapport poids/puissance :	8,85 kg/ch (11,87 kg/kW)
Transmission :	manuelle, 5 rapports
Rouage :	traction
0-100 km/h · 80-120 km/h :	10,9 s · 9,3 s
Freinage 100-0 km/h :	41,0 m
Vitesse maximale :	190 km/h
Consommation (100 km) :	ordinaire, 9,6 litres
Autonomie approximative :	645 km
Émissions de CO2 :	3 936 kg/an
Emp/Lon/Lar/Haut (mm) :	2 720 / 4 735 / 1 805 / 1 480
Coffre/Réservoir :	420 / 62 litres
Nombre de coussins de sécurité :	6
Suspension avant :	indépendante, jambes de force
Suspension arrière :	indépendante, multibras
Freins av./arr. :	disque (ABS)
Antipatinage/Contrôle de stabilité :	opt./opt.
Direction :	à crémaillère, assistance variable
Diamètre de braquage :	10,4 m
Pneus av./arr. :	P205/60R16
Poids :	1 425 kg
Capacité de remorquage :	454 kg

AUTRE(S) COMPOSANTE(S) MÉCANIQUE(S)

Système hybride :	aucun
Moteur diesel :	aucun
Taxe énergivore :	aucune
Autre(s) moteur(s) :	V6 de 2,7 litres 185 ch/182 lb-pi (10,6 l/100 ordinaire)
Autre(s) rouage(s) :	aucun
Autre(s) transmission(s) :	automatique, 5 rapports

EN BREF

Échelle de prix :	21 895 $ à 27 995 $
Catégorie :	berline intermédiaire
Garanties :	5 ans/100 000 km, 5 ans/100 000 km
Assemblage :	Hwasung, Corée du Sud
Cote d'assurance :	excellente

DANS LA MÊME CATÉGORIE

Chevrolet Malibu, Chrysler Sebring, Honda Accord, Hyundai Sonata, Mazda6, Mitsubishi Galant, Nissan Altima, Pontiac G6, Saturn Aura, Subaru Legacy, Toyota Camry

NOS IMPRESSIONS

Agrément de conduite :	
Fiabilité :	
Sécurité :	
Qualités hivernales :	
Espace intérieur :	
Confort :	

DU NOUVEAU EN 2009

Aucun changement majeur

SURPRENANT

Les Russes sont venus pour apprendre en 1972 et nous montrent aujourd'hui à jouer au hockey. Les Coréens ont fait la même chose en 1984 en présentant la Pony mais ont appris depuis et ne feront plus de gaffes, il en va de leur réputation. Comme pour tous les produits Kia (qui appartient à Hyundai), la qualité n'est dorénavant plus une option et la Rio n'y échappe pas, car on a maintenant droit à une voiture fiable qui rivalise habilement avec les produits japonais. L'actuelle crise pétrolière aidant, les ventes devraient progresser au cours des prochaines années pour cette sous-compacte.

IMPRESSIONNANT

Difficile de comparer une Rio à une Lexus, il ne faut pas trop en demander. La conception est bien différente et le prix de vente également. Celui qui paie plus de 50 000 $ pour sa voiture s'attend à un produit de qualité optimale. Par contre, ça ne veut pas dire que moins on débourse d'argent pour une voiture, plus sa fabrication est bâclée. Et c'est précisément ce que se sont dit les gens des chez Kia : « Malgré son prix de vente, la voiture sera de la plus grande qualité possible ». Et c'est ce qui se dégage de la Rio. Le design extérieur est fort réussi, autant pour la berline que pour la *hatchback*. L'utilisation de plastique n'est pas outrancière et la finition s'avère de haut niveau pour la catégorie. Il faut dire que depuis quelques années, les produits Kia et Hyundai ne cessent de s'améliorer. Pas étonnant que la Rio ait remporté le prix de la meilleure qualité initiale décerné par J.D. Power & Associates.

Autant vous dire tout de suite que notre essai de la Rio ne suscitait pas tellement notre intérêt. Étant habitués à piloter des bolides beaucoup plus intéressants et avec beaucoup plus de technologies embarquées, la petite Rio ne nous attirait pas tellement... Honte à nous car aussitôt assis derrière le volant, la surprise fut de taille. Les matériaux utilisés s'avèrent de qualité et sont harmonieusement présentés. La finition intérieure est presque irréprochable alors que le niveau d'équipement surprend. On semble avoir également misé sur une équipe dédiée exclusivement à l'ergonomie tellement l'instrumentation est bien disposée. L'espace intérieur est généreux autant à l'avant qu'à l'arrière. La position de conduite se trouve aisément malgré les réglages basiques du siège. L'assise autant que le support latéral se situent dans la moyenne et ne déçoivent en aucun cas. On est loin des sièges de course mais la voiture n'a évidemment pas cette vocation !

La Rio arrive en deux configurations : la berline et la 5 portes, portant respectivement les noms de Rio et Rio5. Les deux modèles offrent des versions de base et Convenience. Cette dernière ne fait qu'ajouter des options esthétiques au véhicule. Quant à la Rio5, elle peut être commandée en livrée Sport qui comprend des roues de 15 pouces, des phares auxiliaires, un toit ouvrant et des freins ABS en plus des coussins gonflables latéraux. Toutes les versions présentent cependant le même moteur, soit le quatre cylindres de 1,6 litre. Jumelée de série à cette motorisation, on retrouve une transmission à 5 rapports et, en option, une quatre vitesses automatique.

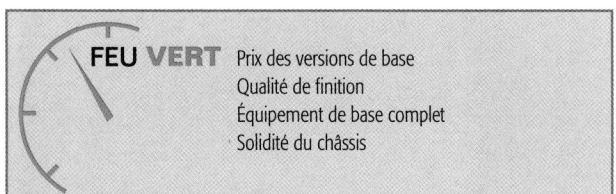

FEU VERT

- Prix des versions de base
- Qualité de finition
- Équipement de base complet
- Solidité du châssis

FEU ROUGE

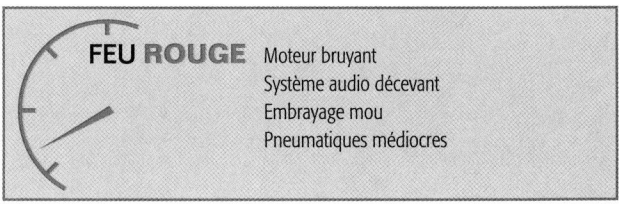

- Moteur bruyant
- Système audio décevant
- Embrayage mou
- Pneumatiques médiocres

BRUYANT

Et c'est au moment de faire l'essai de la Rio que nous sommes revenus à nos esprits car à ce prix, il fallait bien que la voiture ait quelques défauts ! Aussitôt en pleine accélération (le champignon au fond), le bruit du moteur est omniprésent dans l'habitacle qui jusqu'à dernièrement nous avait paru très bien insonorisé. Situation qui se produit également lors des reprises 80-120 km/h. Évidemment, avec un si petit moteur, les chevaux rugissent en même temps pour livrer le maximum de puissance ! Les arrêts d'urgence auront aussi été un point faible de la Rio. Et ici il ne faut pas croire que la sous-compacte n'est pas en mesure de faire un arrêt d'urgence, en fait elle le fait très correctement. Sauf qu'elle le fait de moins en moins bien après quelques d'essais. Heureusement, ces défauts ne sont pas irritants et n'affectent la voiture qu'en situations extrêmes, justement là où la majorité des gens n'amèneront pas la Rio.

Malgré ces petits écarts de conduite, cette Kia tire fort bien son épingle du jeu avec des temps d'accélération raisonnables et des reprises dans la moyenne mais qu'on aurait aimé un peu plus rapides. Les freins sont efficaces et l'ajout du système ABS sur la version Sport de la Rio5 vient procurer un élément de sécurité manquant à la version de base. Le châssis rigide de la voiture élimine totalement les bruits de caisse ce qui laisse une impression de solidité. La direction est précise mais l'assistance est mal dosée ce qui la rend lourde, surtout lors des manœuvres de stationnement. On doit également une fière chandelle aux ingénieurs qui ont réussi à régler la suspension adéquatement pour ce genre de véhicule. Elle est effectivement très confortable et absorbe très bien les imperfections de la route.

La force de la Rio reste son rapport qualité/prix qui s'avère un des meilleurs de la catégorie. Affichées sous les 14 000 $, les versions de base sont les plus intéressantes d'autant plus que l'équipement inclus est assez complet. Par contre, en choisissant certaines options, cet avantage se perd alors que bon nombre de concurrents offrent une fiabilité supérieure et une valeur de revente nettement plus avantageuse. Cependant, avec la garantie de 5 ans et les récurrents incitatifs à l'achat, opter pour une Rio représente un excellent filon.

Guy Desjardins

Photos: Kia

VÉHICULE D'ESSAI

Version :	Kia Rio/Rio5 EX Sport
Moteur :	4L de 1,6 litre 16s atmosphérique
Puissance :	110 ch (82 kW) à 6 000 tr/min
Couple :	107 lb-pi (145 Nm) à 4 500 tr/min
Rapport poids/puissance :	10,83 kg/ch (14,53 kg/kW)
Transmission :	manuelle, 5 rapports
Rouage :	traction
0-100 km/h · 80-120 km/h :	12,8 s · 11,4 s
Freinage 100-0 km/h :	45,0 m
Vitesse maximale :	180 km/h
Consommation (100 km) :	ordinaire, 8,1 litres
Autonomie approximative :	555 km
Émissions de CO2 :	3 360 kg/an
Emp/Lon/Lar/Haut (mm) :	2 500 / 3 990 / 1 695 / 1 470
Coffre/Réservoir :	448 à 1 405 / 45 litres
Nombre de coussins de sécurité :	6
Suspension avant :	indépendante, jambes de force
Suspension arrière :	demi-indépendante, poutre déformante
Freins av./arr. :	disque/tambour (ABS opt.)
Antipatinage/Contrôle de stabilité :	non/non
Direction :	à crémaillère, assistée
Diamètre de braquage :	11,8 m
Pneus av./arr. :	P195/55R15
Poids :	1 192 kg
Capacité de remorquage :	non recommandé

AUTRE(S) COMPOSANTE(S) MÉCANIQUE(S)

Système hybride :	aucun
Moteur diesel :	aucun
Taxe énergivore :	aucune
Autre(s) moteur(s) :	aucun
Autre(s) rouage(s) :	aucun
Autre(s) transmission(s) :	automatique, 4 rapports

EN BREF

Échelle de prix :	13 595 $ à 18 295 $ (2008)
Catégorie :	berline compacte, *hatchback*
Garanties :	5 ans/100 000 km, 5 ans/100 000 km
Assemblage :	Sohari, Corée du Sud
Cote d'assurance :	bonne

DANS LA MÊME CATÉGORIE

Chevrolet Aveo, Honda Fit, Hyundai Accent, Nissan Versa, Pontiac Wave, Suzuki Swift+, Toyota Yaris, Volkswagen Golf City

NOS IMPRESSIONS

Agrément de conduite :	🚗🚗🚗
Fiabilité :	🚗🚗🚗½
Sécurité :	🚗🚗🚗½
Qualités hivernales :	🚗🚗🚗
Espace intérieur :	🚗🚗🚗½
Confort :	🚗🚗🚗½

DU NOUVEAU EN 2009

Aucun changement majeur

DANS LE MILLE !

Décidément, la situation de Kia n'est pas évidente. Non seulement la clientèle potentielle des produits Kia se prête très souvent à l'exercice de comparaison avec le produit de l'autre marque coréenne (Hyundai), mais elle est en grande partie attirée par un prix plutôt que par le produit. À preuve, la Spectra, qui est une voiture plus intéressante que bien des rivales, demeure un échec commercial. On a dû en 2008 l'offrir à 11 995$ pour que la clientèle s'y intéresse un tant soit peu. Heureusement, les choses chez Kia ont commencé à changer avec l'arrivée de la Rondo.

En 2009, il faut s'interroger plus que jamais sur la pertinence des véhicules qui sont offerts chez un constructeur. Chez Kia, il est évident que les modèles Rio, Spectra et Sportage ont leur place. En contrepartie, il faudrait que mes facultés soient extrêmement affaiblies pour que je puisse croire au succès de produits comme l'Amanti ou le nouveau Borrego. Les vendeurs Kia le savent déjà, ces véhicules ne feront en 2009 qu'amasser la poussière dans les salles d'exposition. Celui qui leur permettra en revanche de mettre du pain sur leur table est très certainement la Rondo. À l'heure où l'environnement, le coût du carburant et les valeurs familiales sont au centre des préoccupations, un produit comme le Rondo, qui a peu de concurrence, ne peut que réussir.

Si vous vous intéressez à la Rondo, il y a de fortes chances que vous soyez aussi attiré par la Mazda5. Et c'est normal, il s'agit de sa plus proche rivale. Peut-être croyez-vous que la Mazda5 est trop chère, ou encore que la Kia est trop *cheap* pour répondre à vos critères ? Eh bien, sachez que dans les deux cas, vous avez tort. Réglons tout de suite quelque chose : ces deux véhicules sont offerts environ au même prix et sont équivalents à plusieurs points de vue. Votre devoir est donc de faire l'expérience des deux modèles afin de faire un choix éclairé.

GÉNÉREUX DE NATURE

On le sait, les véhicules coréens en offrent beaucoup pour l'argent dépensé. La (ou le, on ne sait pas trop…) Rondo propose un équipement qui, de série, est déjà passablement complet. Il ne manque sur la version LX que la climatisation et le régulateur de vitesse, ce qui explique pourquoi la plupart des gens se tournent vers la version EX, à peine plus chère. Cette dernière peut également bénéficier, toujours à moins de 23 000 $, d'une banquette de troisième rangée qui, avouons-le, se révèle plus accueillante que celle de la Mazda5.

La Rondo est un véhicule qui propose un habitacle où la finition est soignée et où l'ergonomie est finement étudiée. Les sièges sont confortables, l'espace est généreux et le poste de conduite est très agréable. Pour une position de conduite optimale, seul le volant télescopique manque à l'appel. Les jeunes familles ne peuvent qu'apprécier les nombreuses commodités offertes dans ce véhicule, telles que les espaces de rangement, les nombreux crochets d'ancrage et la modularité des sièges. En revanche, le traitement gris pâle des sièges et de la moquette, lorsque choisi avec certaines teintes extérieures, est rapidement salissant. Il aurait aussi été pratique de bénéficier, comme chez Mazda, de portes latérales coulissantes, mais voilà une contrainte pour laquelle vous devrez faire un choix.

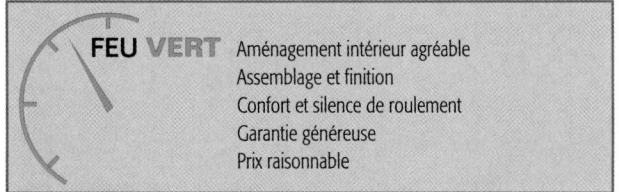

FEU VERT
- Aménagement intérieur agréable
- Assemblage et finition
- Confort et silence de roulement
- Garantie généreuse
- Prix raisonnable

FEU ROUGE
- Troisième rangée de sièges optionnelle
- Boîte manuelle non offerte
- Réputation négative de la marque (à tort)

Photo : Kia

AVANTAGE CONFORT

Contrairement à la Mazda5 qui dérive de la compacte Mazda3, la Rondo reprend la majeure partie des composantes mécaniques et structurelles de la berline intermédiaire Magentis. Ce seul élément explique pourquoi la Rondo propose sur la route une conduite peut-être un peu moins dynamique, mais nettement plus confortable. Les éléments de suspension plus souples exposent le véhicule à un roulis plus important en virage, mais on bénéficie en revanche d'une conduite plus calme et plus aseptisée. Il faut aussi savoir que la Rondo est nettement mieux insonorisée que sa rivale japonaise.

Mécaniquement, on nous propose un quatre cylindres de 2,4 litres offrant 162 chevaux, que l'on associe à une boîte automatique à quatre rapports (eh non, pas de manuelle !). Ce groupe motopropulseur est de loin le choix le plus intéressant, parce qu'il permet de bénéficier d'une puissance honnête, d'une bonne douceur de roulement et d'une économie d'essence considérable. En fait, il faut prévoir avec lui la même consommation qu'avec la Mazda5, soit environ 10 litres aux 100 km.

L'autre solution est d'opter pour le V6 de 2,7 litres, offrant 20 chevaux supplémentaires. Évidemment, ce moteur affiche une souplesse supérieure et une douceur encore plus poussée. Toutefois, et même s'il s'accompagne d'une boîte automatique à cinq rapports au lieu de quatre, sa consommation d'essence est passablement plus élevée. Prévoyez environ 12 litres aux 100 km.

Spacieuse, sécuritaire, très bien construite et nettement moins gourmande qu'un utilitaire ou qu'une fourgonnette, la Rondo constitue un choix éclairé. Sa garantie de base de 5 ans/100 000 kilomètres peut évidemment se révéler un atout considérable, tout comme son haut niveau de confort. Effectivement, sa dépréciation risque d'être un brin plus importante que celle de la Mazda5 après quelques années, mais sachez que malgré tout, la valeur ne chutera pas comme dans le cas d'une Amanti ! Une chose est sûre, ce type de véhicule connaîtra une bonne expansion au cours des prochaines années.

Antoine Joubert

Photos : Sylvain Raymond

VÉHICULE D'ESSAI

SIRIUS RADIO SATELLITE

Version :	Kia Rondo EX 4 cyl
Moteur :	4L de 2,4 litres 16s atmosphérique
Puissance :	162 ch (121 kW) à 5 800 tr/min
Couple :	163 lb-pi (221 Nm) à 4 250 tr/min
Rapport poids/puissance :	9,53 kg/ch (12,76 kg/kW)
Transmission :	automatique, 4 rapports
Rouage :	traction
0-100 km/h · 80-120 km/h :	10,2 s · 8,8 s
Freinage 100-0 km/h :	39,7 m
Vitesse maximale :	185 km/h
Consommation (100 km) :	ordinaire, 11,0 litres
Autonomie approximative :	545 km
Émissions de CO2 :	4 512 kg/an
Emp/Lon/Lar/Haut (mm) :	2 700 / 4 545 / 1 820 / 1 650
Coffre/Réservoir :	185 à 2 083 / 60 litres
Nombre de coussins de sécurité :	6
Suspension avant :	indépendante, jambes de force
Suspension arrière :	indépendante, multibras
Freins av./arr. :	disque (ABS)
Antipatinage/Contrôle de stabilité :	oui/oui
Direction :	à crémaillère, assistée
Diamètre de braquage :	10,8 m
Pneus av./arr. :	P205/60R16
Poids :	1 545 kg
Capacité de remorquage :	non recommandé

AUTRE(S) COMPOSANTE(S) MÉCANIQUE(S)

Système hybride :	aucun
Moteur diesel :	aucun
Taxe énergivore :	aucune
Autre(s) moteur(s) :	V6 de 2,7 litres 182 ch/182 lb-pi (11,8 l/100 ordinaire)
Autre(s) rouage(s) :	aucun
Autre(s) transmission(s) :	automatique, 5 rapports

EN BREF

Échelle de prix :	19 995 $ à 26 095 $ (2008)
Catégorie :	multisegment
Garanties :	5 ans/100 000 km, 5 ans/100 000 km
Assemblage :	Hwasung, Corée du Sud
Cote d'assurance :	n.d.

DANS LA MÊME CATÉGORIE

Chevrolet HHR, Chrysler PTCruiser, Dodge Caliber, Jeep Compass, Mazda5, Pontiac Vibe, Toyota Matrix

NOS IMPRESSIONS

Agrément de conduite :	3
Fiabilité :	4
Sécurité :	4
Qualités hivernales :	3 ½
Espace intérieur :	4
Confort :	4 ½

DU NOUVEAU EN 2009

Aucun changement majeur

Kia Sedona

BONNE RECETTE, MAUVAIS TIMING

Il est souvent arrivé par le passé que des produits aux performances relativement moyennes et de qualité passable ont cartonné très fort pour la simple et bonne raison qu'ils étaient là au moment propice. D'autre part, de bons produits n'ont parfois pas connu le succès anticipé parce qu'ils sont arrivés au mauvais moment. C'est justement le cas de nos deux fourgonnettes, qui ne réussissent pas à se faire justice dans un marché en pleine régression pour la catégorie. Non seulement il n'est plus de bon ton de rouler au volant d'une fourgonnette, mais la hausse du prix de l'essence en dissuade également plusieurs.

Le fait qu'ils soient arrivés sur le marché avec beaucoup d'années de retard par rapport à la concurrence est un autre facteur qui explique la situation de nos deux véhicules en question. D'autres marques et modèles ont eu le temps de se bâtir une réputation, un facteur qui influence plusieurs acheteurs lorsque vient le temps de choisir. Enfin, il faut ajouter que la silhouette de ces deux modèles jumeaux ne fait rien pour intéresser le public tant elle est générique et anonyme.

UN HABITACLE SONGÉ

Une chose est certaine, les ingénieurs chargés de l'aménagement de l'habitacle ont très bien fait leurs devoirs. Ici, tout s'agence avec harmonie, aussi bien les sièges médians que ceux de la troisième rangée qui s'escamotent assez facilement dans le plancher. Et même lorsque cette troisième rangée est déployée, l'espace disponible dans la soute à bagages est vraiment impressionnant compte tenu des dimensions extérieures. Autre détail digne de mention, les glaces des portes coulissantes s'abaissent comme sur une voiture traditionnelle. Mentionnons que ces deux fourgonnettes peuvent être équipées de façon aussi luxueuse que toutes les autres sur le marché ; il est donc possible de commander une version avec sièges en cuir, hayon motorisé, portes latérales à moteur électrique, pédalier réglable, appliques en bois et toit ouvrant.

Si la présentation générale de l'habitacle est quelque peu terne en raison de plastiques dont la texture serait à revoir, le tableau de bord est moderne et intéressant, avec le levier de passage des rapports placé sur la console centrale qui se poursuit entre les deux sièges avant. Les commandes de la climatisation sont faciles d'accès et d'opération ; la même remarque s'applique aux commandes du système audio. Par contre, le centre d'information placé sur le dessus de la planche de bord, juste au-dessus de la radio, est souvent difficile à consulter.

Sur une note plus positive, il faut mentionner les deux prises électriques situées sur la console centrale et les commandes audio, offertes sur certains modèles en périphérie du moyeu du volant. Les sièges avant sont confortables, mais leur support latéral pourrait être meilleur. Mais de toute façon, qui a l'intention de piloter une fourgonnette comme s'il s'agissait d'une voiture sport ?

Enfin, même si certains matériaux pourraient être remplacés par d'autres de meilleure qualité, la finition est impeccable.

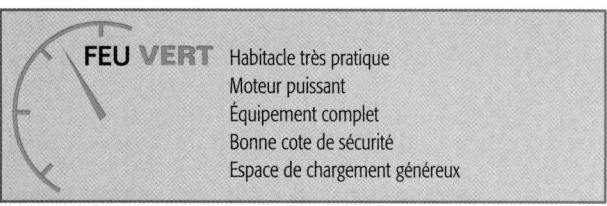

FEU VERT
- Habitacle très pratique
- Moteur puissant
- Équipement complet
- Bonne cote de sécurité
- Espace de chargement généreux

FEU ROUGE
- Direction imprécise
- Pneumatiques moyens
- Freins moyennement efficaces
- Consommation relativement élevée

DE LA PUISSANCE !

Les personnes responsables du cahier de charges de ces deux fourgonnettes n'ont pas lésiné sur les moyens pour imposer ces véhicules sur notre marché. On a vu que l'habitacle était bien agencé et pratique, et la même politique de vouloir bien faire se retrouve sous le capot avec la présence d'un moteur de 250 chevaux. Ce moteur V6 de 3,8 litres n'a aucun complexe par rapport à la concurrence, tandis que sa boîte automatique à cinq rapports assure des performances dans la bonne moyenne.

Cette mécanique permet de boucler le 0-100 km/h en un peu plus de 10 secondes, ce qui est la norme pour cette catégorie, surtout compte tenu du fait que ces fourgonnettes font osciller la balance à tout près de 2 000 kg. Ce poids explique sans doute la consommation de carburant qui dépasse les 13 litres aux 100 km.

Qu'il s'agisse de la Kia ou de la Hyundai, les deux modèles proposent un comportement routier identique, ce qui est normal, car elles sont littéralement des jumelles. C'est surtout sur la grande route que les deux brillent davantage en raison de leur grande stabilité, de leur résistance aux vents latéraux et de leur silence de roulement. Par contre, sur une route sinueuse, la suspension molle provoque un certain roulis, ce dernier étant accentué par la direction imprécise qui nous pousse à trop braquer le volant et à corriger par la suite. Et il est recommandé de ne pas rouler de façon trop audacieuse avec ce véhicule, surtout s'il est chargé, puisque les freins ne sont pas d'une efficacité extraordinaire.

Malgré ces quelques bémols, le caractère pratique, le puissant moteur et la garantie fort intéressante de ces fourgonnettes, sans compter les rabais fréquents en cours d'année, devraient inciter les gens à les considérer lors de leur prochain achat.

Denis Duquet

Hyundai Entourage

Photos : Kia / Hyundai

VÉHICULE D'ESSAI

SIRIUS RADIO SATELLITE

Version :	Kia Sedona EX
Moteur :	V6 de 3,8 litres 24s atmosphérique
Puissance :	250 ch (187 kW) à 6 000 tr/min
Couple :	253 lb-pi (343 Nm) à 3 500 tr/min
Rapport poids/puissance :	7,95 kg/ch (10,69 kg/kW)
Transmission :	automatique, 5 rapports
Rouage :	traction
0-100 km/h · 80-120 km/h :	10,5 s · 9,8 s
Freinage 100-0 km/h :	47,0 m
Vitesse maximale :	180 km/h
Consommation (100 km) :	ordinaire, 13,2 litres
Autonomie approximative :	606 km
Émissions de CO2 :	5 376 kg/an
Emp/Lon/Lar/Haut (mm) :	3 020 / 5 130 / 1 985 / 1 760
Coffre/Réservoir :	912 à 4 007 / 80 litres
Nombre de coussins de sécurité :	6
Suspension avant :	indépendante, jambes de force
Suspension arrière :	semi-indépendante, multibras
Freins av./arr. :	disque (ABS)
Antipatinage/Contrôle de stabilité :	non/non
Direction :	à crémaillère, assistance variable
Diamètre de braquage :	12,6 m
Pneus av./arr. :	P225/70R16
Poids :	1 989 kg
Capacité de remorquage :	1 588 kg

AUTRE(S) COMPOSANTE(S) MÉCANIQUE(S)

Système hybride :	aucun
Moteur diesel :	aucun
Taxe énergivore :	aucune
Autre(s) moteur(s) :	aucun
Autre(s) rouage(s) :	aucun
Autre(s) transmission(s) :	aucune

EN BREF

Échelle de prix :	29 745 $ à 39 495 $
Catégorie :	fourgonnette
Garanties :	5 ans/100 000 km, 5 ans/100 000 km
Assemblage :	Asan, Corée du Sud
Cote d'assurance :	excellente

DANS LA MÊME CATÉGORIE

Chevrolet Uplander, Dodge Grand Caravan, Honda Odyssey, Hyundai Entourage, Nissan Quest, Pontiac Montana SV6, Toyota Sienna

NOS IMPRESSIONS

Agrément de conduite :	🚗🚗🚗🚗
Fiabilité :	🚗🚗🚗🚗
Sécurité :	🚗🚗🚗🚗
Qualités hivernales :	🚗🚗🚗½
Espace intérieur :	🚗🚗🚗🚗½
Confort :	🚗🚗🚗🚗

DU NOUVEAU EN 2009

Aucun changement majeur

UNE ESPÈCE MENACÉE !

Issu de l'époque où les VUS classiques étaient à la mode, le Kia Sorento a vu ses ventes fortement diminuer ces derniers temps. Il est vrai que le monde des VUS plus traditionnels est largement ébranlé avec la flambée du prix de l'essence, mais il faut avouer que le constructeur n'a pas réussi à bien faire évoluer ce modèle. C'est surtout lors de la présentation d'une version remaniée l'an passé que Kia aurait pu relancer le Sorento, un véhicule qui pourtant a connu de bons moments à la suite de son introduction.

J'ai assisté l'an dernier au lancement de la nouvelle version du Sorento. Je me souviens qu'on nous vantait sa robustesse accrue et ses bonnes capacités hors route, un discours qui pourtant avait été abandonné par plusieurs constructeurs. Déjà à cette époque, les ventes de VUS traditionnels s'étaient déplacées vers le créneau des VUS plus urbains et, surtout, on avait cessé de s'imaginer que la population entière s'amusait à sortir des sentiers battus tous les week-ends. Dommage, car le constructeur aurait pu nous présenter un Sorento adapté aux goûts du jour et lui donner une nouvelle vocation, ce qui aurait permis de relancer ce modèle et de redorer le blason du constructeur.

DEUX MOTEURS V6

Quoi qu'il en soit, le Sorento est de retour pour 2009 avec peu de changements. On retrouve toujours deux versions, la première équipée d'un moteur V6 de 3,3 litres développant 242 chevaux pour un couple de 228 livres-pied. Introduit l'an passé, ce moteur est certes un peu moins performant, mais il livre des performances honnêtes tout en favorisant l'économie de carburant. Pour plus de puissance, vous pourrez vous tourner vers le V6 de 3,8 litres qui apporte 20 chevaux de plus, soit 262 chevaux. Le gain n'est pas très important, mais c'est au chapitre du couple que vous y gagnerez puisque ce dernier passe de 228 à 260 livres-pied. Cela dote le Sorento de reprises plus vigoureuses et surtout lui procure une bonne capacité de remorquage, soit jusqu'à 1 600 kg.

C'est sans doute ici l'avantage principal du Sorento et de son châssis à échelle. Les VUS modernes utilisant des châssis monocoques disposent d'une capacité de remorquage similaire à celle d'une voiture. Le Sorento représente donc un véhicule intéressant si vous avez besoin de tirer une petite remorque, une embarcation légère ou un VTT.

Peu importe le modèle choisi, il sera équipé d'une boîte automatique à cinq rapports, la seule offerte. Si le Sorento présente de série un modèle à propulsion, vous pourrez commander l'une ou l'autre des motorisations avec un rouage à quatre roues motrices. Ce système, le même qu'utilise le nouveau Kia Borrego, se révèle très efficace et comprend même, selon la version, un mode gamme basse.

DES LIGNES AGRÉABLES

Malgré l'âge vénérable de cette génération, le Sorento offre un style qui demeure agréable grâce à sa légère refonte de l'an passé. Ses

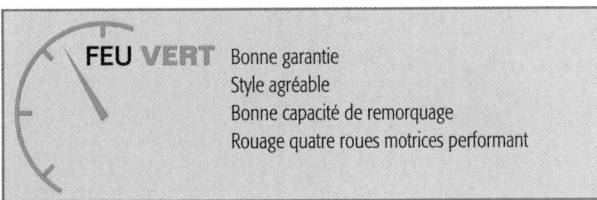

FEU VERT
- Bonne garantie
- Style agréable
- Bonne capacité de remorquage
- Rouage quatre roues motrices performant

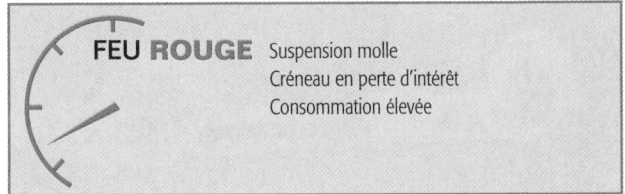

FEU ROUGE
- Suspension molle
- Créneau en perte d'intérêt
- Consommation élevée

lignes fluides le rapprochent un peu plus des VUS modernes et atténuent quelque peu son caractère macho. À l'intérieur, on apprécie l'espace accru apporté par des dimensions revues à la hausse en 2008. Cinq passagers pourront prendre place à bord avec amplement de confort et des dégagements plus qu'acceptables, surtout à la tête. Le tableau de bord n'a rien d'ultramoderne, mais il dispose d'une bonne ergonomie nous permettant d'accéder simplement aux commandes du système audio et du climatiseur.

CHOIX DE MOTEUR

Sur la route, on apprécie la souplesse du moteur de 3,3 litres. Il ne demande représente pratiquement aucun compromis par rapport au V6 de 3,6 litres, tout en favorisant une consommation réduite. Quant à ce dernier, comme mentionné précédemment, son couple supérieur le rend plus intéressant, surtout en manœuvre de dépassement. La boîte automatique se tire bien d'affaire, mais elle semble lente à réagir à certaines occasions. On note un bon confort de roulement et un habitacle bien insonorisé, mais la suspension se révèle beaucoup trop molle. Au passage de bosses, le véhicule a tendance à rebondir. On aurait intérêt à raffermir le tout, ce qui donnerait un comportement plus dynamique au véhicule.

Bref, afin d'éviter l'extinction, le Sorento devra certainement se renouveler pour mieux correspondre aux besoins des acheteurs et aux nouvelles réalités. Il n'est pas dans une position aussi précaire que les VUS de grande taille, mais sa construction plus classique le rend dépassé par rapport à ce que les autres constructeurs nous ont présenté au fil des dernières années.

Sylvain Raymond

Photos: Kia

VÉHICULE D'ESSAI

Version :	Kia Sorento LX
Moteur :	V6 de 3,8 litres 24s atmosphérique
Puissance :	262 ch (195 kW) à 6 000 tr/min
Couple :	260 lb-pi (353 Nm) à 4 500 tr/min
Rapport poids/puissance :	7,72 kg/ch (10,37 kg/kW)
Transmission :	automatique, 5 rapports
Rouage :	4x4
0-100 km/h · 80-120 km/h :	8,1 s · 6,9 s
Freinage 100-0 km/h :	42,0 m
Vitesse maximale :	190 km/h
Consommation (100 km) :	ordinaire, 14,0 litres
Autonomie approximative :	571 km
Émissions de CO2 :	5 808 kg/an
Emp/Lon/Lar/Haut (mm) :	2 710 / 4 590 / 1 884 / 1 810
Coffre/Réservoir :	898 à 1 880 / 80 litres
Nombre de coussins de sécurité :	5
Suspension avant :	indépendante, bras inégaux
Suspension arrière :	essieu rigide, ressorts hélicoïdaux
Freins av./arr. :	disque (ABS)
Antipatinage/Contrôle de stabilité :	oui/oui
Direction :	à crémaillère, assistance variable
Diamètre de braquage :	10,8 m
Pneus av./arr. :	P245/65R17
Poids :	2 024 kg
Capacité de remorquage :	2 268 kg

AUTRE(S) COMPOSANTE(S) MÉCANIQUE(S)

Système hybride :	aucun
Moteur diesel :	aucun
Taxe énergivore :	aucune
Autre(s) moteur(s) :	V6 de 3,3 litres 242 ch/228 lb-pi (13,5 l/100 ordinaire)
Autre(s) rouage(s) :	aucun
Autre(s) transmission(s) :	aucune

EN BREF

Échelle de prix :	32 495 $ à 38 995 $
Catégorie :	VUS intermédiaire
Garanties :	5 ans/100 0000 km, 5 ans/100 000 km
Assemblage :	Hwasung, Corée du Sud
Cote d'assurance :	bonne

DANS LA MÊME CATÉGORIE

Chevrolet Equinox, Hyundai Santa Fe, Jeep Liberty, Mitsubishi Endeavor, Nissan Pathfinder, Pontiac Torrent, Saturn VUE, Toyota Highlander/FJ Cruiser

NOS IMPRESSIONS

Agrément de conduite :	🚗🚗🚗½
Fiabilité :	🚗🚗🚗½
Sécurité :	🚗🚗🚗🚗
Qualités hivernales :	🚗🚗🚗🚗
Espace intérieur :	🚗🚗🚗🚗
Confort :	🚗🚗🚗🚗

DU NOUVEAU EN 2009

Aucun changement majeur

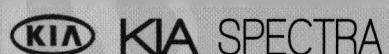

ANONYMEMENT VÔTRE !

Si les stylistes de ce constructeur coréen ont réussi de belles silhouettes sur certains modèles, ils semblent, avec la Spectra, s'être donné comme mission de réaliser la berline la plus discrète dans la catégorie des compactes. Il faut cependant préciser que c'est en effet surtout la berline qui se veut la plus discrète du lot. La *hatchback* cinq portes, la Spectra 5, se démarque nettement et on peut même parler de silhouette élégante. Mais c'est davantage un prix de vente très compétitif qui semble intéresser les acheteurs potentiels de ce modèle.

Avant de poursuivre dans l'analyse de la Spectra, il est intéressant de souligner que la Hyundai Elantra est en quelque sorte la grande sœur de ce modèle alors que les deux se partagent le même groupe propulseur et théoriquement la même plate-forme.

Cependant, contrairement à certains autres modèles produits par ces deux marques, il existe une différence quand même assez marquée entre la Spectra et l'Elantra. En effet, la Spectra est arrivée sur le marché quelques années avant l'Elantra, qui a pour sa part bénéficié d'une refonte complète il y a trois ans. Elle a alors profité d'améliorations à plusieurs points de vue, même si elle partage toujours la même mécanique que la Spectra.

SANS PRÉTENTION

Il est certain que la Spectra, qu'il s'agisse de la berline ou du modèle cinq portes, n'intéressera pas les personnes qui recherchent une voiture tape-à-l'œil. En effet, la carrosserie est d'une sobriété extrême. Comme le dirait mon petit neveu : « C'est drabe à mort ! » Il est vrai que le modèle cinq portes est plus esthétique. La bonne nouvelle concernant cette approche stylistique, c'est que la voiture ne se démodera pas rapidement. Il faut souligner que la finition extérieure est correcte et qu'il en est de même pour la peinture.

La même approche en fait de design a été adoptée pour le tableau de bord et l'habitacle en général. C'est simple, sobre et sans prétention. Bien entendu, les plastiques que l'on retrouve sur le tableau de bord sont très durs tandis que les tissus qui recouvrent les sièges sont similaires à ceux utilisés par la plupart des constructeurs asiatiques pour la catégorie.

Toujours au chapitre des sièges, leur support latéral est presque inexistant et leur confort moyen. De plus, certaines personnes auront de la difficulté à trouver une position de conduite qui leur convient. Les passagers des places arrière n'auront pas à se plaindre, ni du confort de la banquette ni du manque d'espace. Quant à l'habitabilité justement, s'il est vrai que le modèle cinq portes offre moins d'espace une fois la banquette arrière en position relevée, il devance la berline lorsque son dossier est rabattu. Signalons en terminant les nombreux espaces de rangement placés un peu partout dans l'habitacle.

IL NE FAUT RIEN BRUSQUER

Peu importe le modèle de Spectra que vous choisirez, il sera toujours

FEU VERT
- Faible consommation
- Moteur adéquat
- Comportement routier correct
- Prix de base alléchant
- Version *hatchback*

FEU ROUGE
- Insonorisation perfectible
- Certaines versions trop chères
- Pneumatiques moyens
- Valeur de revente
- Certains matériaux à remplacer

propulsé par un moteur quatre cylindres 2,0 litres d'une puissance de 138 chevaux. La boîte manuelle à cinq rapports est de série, tandis que l'automatique à quatre rapports est offerte en option et est suffisante pour boucler le 0-100 km/h en un peu moins de 11 secondes. La boîte automatique semble robuste, mais les passages des rapports sont parfois saccadés. Quant au moteur, un essai prolongé de plusieurs mois effectué l'an dernier nous a convaincu de sa robustesse et de sa fiabilité. Il est cependant très bruyant lorsque fortement sollicité, et il est recommandé d'y aller en douceur de sorte que le niveau sonore dans l'habitacle demeure acceptable.

La tenue de route peut être qualifiée de correcte pour autant qu'on ne pousse pas trop la voiture dans ses limites. Celle-ci d'ailleurs n'a jamais été conçue pour participer à des gymkhanas ou à des rallyes. Ses concepteurs prévoyaient qu'elle serait utilisée de façon familiale et non pas sportive. Il faut ajouter que les pneumatiques d'origine ne sont pas tellement performants. Sur une note plus positive, la voiture est confortable en raison de sa suspension arrière indépendante de type multibras.

Avec un prix de vente très compétitif, la Spectra intéresse les acheteurs à la recherche d'une aubaine. D'autant plus que Kia propose des conditions de financement très avantageux en plus d'une garantie généreuse. Il faut cependant faire attention au modèle choisi. Car si la version de base est une aubaine, les modèles plus luxueux sont vendus souvent plus chers que des modèles concurrents qui en offrent plus en fait de performance, de qualité et de comportement routier.

Denis Duquet

Photos : Kia

VÉHICULE D'ESSAI

Version :	Kia Spectra/Spectra5
Moteur :	4L de 2,0 litres 16s atmosphérique
Puissance :	138 ch (103 kW) à 6 000 tr/min
Couple :	136 lb-pi (184 Nm) à 4 500 tr/min
Rapport poids/puissance :	9,86 kg/ch (13,22 kg/kW)
Transmission :	manuelle, 5 rapports
Rouage :	traction
0-100 km/h · 80-120 km/h :	10,8 s · 7,7 s
Freinage 100-0 km/h :	43,0 m
Vitesse maximale :	185 km/h
Consommation (100 km) :	ordinaire, 8,7 litres
Autonomie approximative :	609 km
Émissions de CO2 :	3 648 kg/an
Emp/Lon/Lar/Haut (mm) :	2 610 / 4 350 / 1 735 / 1 470
Coffre/Réservoir :	518 à 1 494 / 53 litres
Nombre de coussins de sécurité :	2
Suspension avant :	indépendante, jambes de force
Suspension arrière :	indépendante, multibras
Freins av./arr. :	disque/tambour
Antipatinage/Contrôle de stabilité :	non/non
Direction :	à crémaillère, assistée
Diamètre de braquage :	10,9 m
Pneus av./arr. :	P195/60R15
Poids :	1 362 kg
Capacité de remorquage :	454 kg

AUTRE(S) COMPOSANTE(S) MÉCANIQUE(S)

Système hybride :	aucun
Moteur diesel :	aucun
Taxe énergivore :	aucune
Autre(s) moteur(s) :	aucun
Autre(s) rouage(s) :	aucun
Autre(s) transmission(s) :	automatique, 4 rapports

EN BREF

Échelle de prix :	15 995 $ à 22 375 $
Catégorie :	berline compacte, *hatchback*
Garanties :	5 ans/100 000 km, 5 ans/100 000 km
Assemblage :	Asan Bay, Corée du Sud
Cote d'assurance :	bonne

DANS LA MÊME CATÉGORIE

Chevrolet Optra, Honda Civic, Hyundai Elantra, Mazda3/ 3Sport, Nissan Sentra, Pontiac Vibe, Suzuki SX4, Toyota Corolla/Matrix, Volkswagen Rabbit

NOS IMPRESSIONS

Agrément de conduite :	🚗🚗🚗🚗
Fiabilité :	🚗🚗🚗🚗
Sécurité :	🚗🚗🚗🚗
Qualités hivernales :	🚗🚗🚗½
Espace intérieur :	🚗🚗🚗🚗
Confort :	🚗🚗🚗½

DU NOUVEAU EN 2009

Quelques changements cosmétiques

ÉVOLUTION CONTINUE

Il semble que chaque année qui passe signale l'arrivée d'une autre évolution de la Gallardo. Alors que la Superleggera faisait la manchette l'an dernier, voici maintenant la Gallardo LP560-4 qui se démarque avec une version plus puissante du moteur V10, un nouveau design pour la carrosserie de même qu'un habitacle redessiné. Depuis ses débuts en 2003, la Gallardo a été produite à plus de 7 100 exemplaires, devenant le modèle le plus diffusé de l'histoire de la marque.

Comme c'est le cas avec la Murciélago, la nouvelle désignation technique adoptée par la Gallardo fait référence aux éléments techniques de la voiture. Les lettres LP signifient *longitudinale posteriore*, et font référence au fait que le moteur est logé à la fois en position longitudinale et juste derrière les sièges; le nombre 560 exprime la puissance développée par cette version du moteur V10; enfin, le 4 dénote que la voiture est dotée de la traction intégrale. Voilà pour le pedigree de cette nouvelle évolution de la Gallardo, dont l'appellation évoque également la défunte LP400 Countach qui a marqué l'histoire de la célèbre marque italienne en devenant la première Lamborghini dont le moteur était logé dans ce même axe longitudinal.

UN NOUVEAU CŒUR ET UN NOUVEAU *LOOK*

Le poids de la LP560-4 a été réduit de 20 kg, la cylindrée du moteur est passée de 5,0 à 5,2 litres et l'adoption d'un système d'injection directe de carburant développé conjointement par Lamborghini et Bosch a également permis une hausse du taux de compression qui atteint maintenant 12,5 : 1, ce qui explique l'accroissement de la puissance livrée par cette version du V10 Lamborghini. Par ailleurs, la boîte robotisée *E-gear* a été revue afin de réduire le temps de passage des rapports à 120 millièmes de seconde. Côté style, la LP560-4 adopte un *look* à la fois plus élégant et plus sportif. À l'avant, le pare-choc et les prises d'air agrandies évoquent la Ferrari Enzo, les phares ont été revus et l'on retrouve également la signature visuelle développée par la marque allemande conjointe Audi, sous la forme de phares de jour réalisés en lumières DEL, tout comme sur la R8 et les récentes A4 et A3. Les feux arrière sont également composés de lumières DEL et reprennent, eux aussi, la forme en Y des phares de jour. Lamborghini a également doté le capot de la LP560-4 d'une vitrine en plexiglas qui permet d'admirer le moteur.

SUR CIRCUIT

En tant que directeur du Challenge Trioomph, j'ai l'occasion de passer une douzaine de journées par été sur circuit avec les voitures sport qui composent notre écurie et dont la Gallardo fait partie. En fait, il s'agit de notre deuxième Gallardo depuis le début du Challenge Trioomph, et si la première nous a causé beaucoup de soucis avec sa fiabilité aléatoire, on peut dire que les choses sont rentrées dans l'ordre avec l'arrivée de cette deuxième voiture. Son poids plume de 1 535 kg s'explique par sa construction tout aluminium et, comme la Gallardo est animée par un V10 de 5,0 litres

FEU VERT
- Lignes racées
- Excellent rapport poids/puissance
- Boîte *e-gear* efficace
- Habitacle confortable
- Fiabilité à la hausse

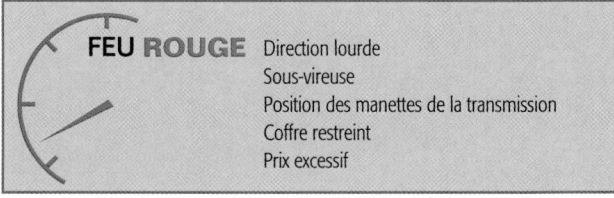

FEU ROUGE
- Direction lourde
- Sous-vireuse
- Position des manettes de la transmission
- Coffre restreint
- Prix excessif

capable de livrer 500 chevaux, son rapport poids-puissance est très favorable. Lors de la conduite sportive sur circuit, il faut composer avec un volant plutôt lourd qui demande un peu plus d'effort que celui de la Ferrari F430, ce qui s'explique par le fait que la Gallardo est une intégrale, donc qu'il y a prise constante sur les roues avant, alors que la F430 est une simple propulsion. La présence du rouage intégral signifie également que la Gallardo montre une tendance légèrement plus marquée vers le sous-virage que sa rivale italienne en provenance de Maranello. Avec la boîte robotisée *E-gear*, les changements de rapport se font sans même que le conducteur ait à lever le pied de l'accélérateur et chaque rétrogradation commande automatiquement une montée du régime moteur au neutre avant l'enclenchement du rapport inférieur, ce qui produit un son presque guttural. Le principal défaut de cette boîte robotisée est que les paliers de commande de passage des vitesses demeurent fixes et ne suivent pas le mouvement du volant, ce qui gêne un peu le passage au rapport supérieur en sortie de courbe, le conducteur devant déplacer sa main droite pour aller actionner le palier.

Pur produit italo-germanique, la Gallardo hérite de plusieurs éléments en provenance de chez Audi comme le système de chauffage et climatisation, la chaîne audio ainsi que plusieurs commutateurs et commandes. Si vous avez conduit une Audi récemment, vous ne serez pas dérouté par le poste de pilotage de la Gallardo; celui-ci convient à des gabarits moyens, les conducteurs faisant plus de six pieds ayant parfois de la difficulté à trouver une position de conduite idéale et confortable. La visibilité vers l'avant est bonne, mais elle est atroce vers l'arrière, et c'est la raison pour laquelle la Gallardo est maintenant équipée d'une caméra de recul, tout comme un VUS ou une minifourgonnette, ce qui n'est pas banal. Quant à l'espace cargo localisé à l'avant de la voiture, précisons que son volume est limité à 4 pieds cubes, donc on oublie le panier à pique-nique.

Gabriel Gélinas

Photos: Lamborghini

VÉHICULE D'ESSAI

Version:	Lamborghini Gallardo Coupé
Moteur:	V10 de 5,0 litres 40s atmosphérique
Puissance:	520 ch (388 kW) à 8 000 tr/min
Couple:	377 lb-pi (511 Nm) à 4 250 tr/min
Rapport poids/puissance:	2,95 kg/ch (3,95 kg/kW)
Transmission:	manuelle, 6 rapports
Rouage:	intégral
0-100 km/h · 80-120 km/h:	4,2 s · 4,5 s
Freinage 100-0 km/h:	33,4 m
Vitesse maximale:	309 km/h
Consommation (100 km):	super, 20,4 litres
Autonomie approximative:	441 km
Émissions de CO2:	8 016 kg/an
Emp/Lon/Lar/Haut (mm):	2 560 / 4 300 / 1 900 / 1 165
Coffre/Réservoir:	110 / 90 litres
Nombre de coussins de sécurité:	4
Suspension avant:	indépendante, bras inégaux
Suspension arrière:	indépendante, multibras
Freins av./arr.:	disque (ABS)
Antipatinage/Contrôle de stabilité:	oui/oui
Direction:	à crémaillère, assistance variable
Diamètre de braquage:	11,5 m
Pneus av./arr.:	P235/35ZR19 / P295/30ZR19
Poids:	1 535 kg
Capacité de remorquage:	non recommandé

AUTRE(S) COMPOSANTE(S) MÉCANIQUE(S)

Système hybride:	aucun
Moteur diesel:	aucun
Taxe énergivore:	4 000 $
Autre(s) moteur(s):	V10 de 5,2 litres 560 ch/398 lb-pi (LP560-4)
Autre(s) rouage(s):	aucun
Autre(s) transmission(s):	séquentielle, 6 rapports (LP560-4)

EN BREF

Échelle de prix:	263 500 $ à 327 128 $ (2008)
Catégorie:	roasdster, GT
Garanties:	2 ans/illimité km, 2 ans/illimité km
Assemblage:	Sant'Agata, Italie
Cote d'assurance:	n.d.

DANS LA MÊME CATÉGORIE

Aston Martin DB9, Chevrolet Corvette ZR1, Dodge Viper SRT10, Ferrari F430, Maserati Gran Turismo, Mercedes-Benz SL55 AMG, Porsche 911 Turbo

NOS IMPRESSIONS

Agrément de conduite:	4½
Fiabilité:	2½
Sécurité:	3½
Qualités hivernales:	2½
Espace intérieur:	2½
Confort:	3

DU NOUVEAU EN 2009

Version ultra légère Superleggera et nouveau modèle LP560-4

DE LA LP640 À LA REVENTON

Les constructeurs de sportives de haut calibre sont passés maîtres dans l'art de décliner successivement de nouvelles variantes de modèles établis, afin de toujours faire la manchette et de soutenir l'enthousiasme pour la marque auprès des clients et des amateurs. C'est tout à fait le cas avec Lamborghini, qui a récemment développé une version encore plus performante de la Murciélago LP640. Elle s'appelle Reventon et n'a été construite qu'à vingt exemplaires...

Comme le veut la tradition établie chez le constructeur italien de Sant'Agata, cette nouvelle voiture est nommée en l'honneur d'un taureau, Reventon étant le nom d'un célèbre taureau noir qui a marqué l'histoire de la corrida en Espagne au cours des années trente. À un million d'euros par voiture, le prix n'est pas banal, et malgré cela, tous les vingt exemplaires de la Reventon ont déjà trouvé preneur, onze de ces voitures ayant été livrées aux États-Unis, sept en Europe, une au Japon et une à Dubai.

UN AVION FURTIF SUR QUATRE ROUES

La Reventon a été construite sur la base de la Murciélago LP640, mais elle se distingue par un style encore plus frappant qui semble avoir été inspiré d'un avion furtif avec des lignes taillées au couteau et des angles très prononcés. Tout comme la LP640, la carrosserie de la Reventon est réalisée en CFC, un composite de carbone à la fois rigide et très léger. Mais la dernière-née de Lamborghini se démarque par l'adoption de prises d'air surdimensionnées à l'avant de même que par ses roues en alliage avec des ailettes en fibre de carbone fixées aux rayons, qui permettent de refroidir plus efficacement les freins en composite de céramique. De plus, la Reventon n'a été créée qu'en une seule couleur, un vert gris plutôt opaque. L'inspiration futuriste de la carrosserie trouve son écho dans l'habitacle, avec une planche de bord réalisée en cuir cousu à la main et dans laquelle on retrouve l'instrumentation numérique composée de trois écrans à cristaux liquides logés dans un bloc d'aluminium protégé par de la fibre de carbone. Côté motorisation, la Reventon reçoit la crème des moteurs conçus pour la LP640, les ingénieurs passant les V12 de 6,5 litres au banc d'essai pour sélectionner les plus performants d'entre eux et les réserver à la Reventon.

LE CIRCUIT MONT-TREMBLANT EN LP640

Les lettres LP signifient *longitudinale posteriore* et font référence à la disposition du moteur, alors que le nombre 640 affiche la puissance développée par cette version du V12, dont la cylindrée est de 6,5 litres, qui reçoit un dispositif de calage variable des soupapes. Dès la sortie des puits, le V12 s'exprime avec une sonorité basse et profonde et la poussée vers l'avant est phénoménale, la LP640 étant équipée de la traction intégrale tout comme la Murciélago, ce qui lui donne une motricité exceptionnelle. La boîte de vitesses est commandée par un levier dont le maniement est assez précis, mais qui demande un peu d'effort de la part du conducteur au passage des rapports.

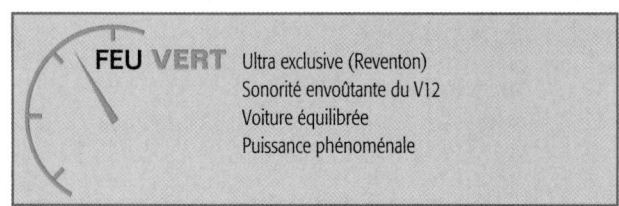

FEU VERT
- Ultra exclusive (Reventon)
- Sonorité envoûtante du V12
- Voiture équilibrée
- Puissance phénoménale

FEU ROUGE
- Toit du roadster mal adapté
- Levier de vitesses dur
- Assise très basse
- Prix stratosphérique

Au freinage pour les « esses », on sent que le poids de la LP640 est tout de même élevé (plus de 1 600 kg), et les freins mis au point par Brembo font leur travail pour ralentir efficacement la voiture. Dès que l'on réaccélère à la sortie des « esses », le V12 se remet à hurler sa joie, alors que l'on file vers l'enchaînement du virage six et du redoutable virage sept, qui est aveugle et dont le dévers devient négatif à partir du point de corde jusqu'à la sortie. C'est dans ce virage que l'on peut voir si une voiture est bien équilibrée, ce qui est le cas avec la LP640, la présence d'éléments du rouage intégral à l'avant de la voiture permettant justement d'équilibrer les masses. À la sortie du virage huit, on attaque la ligne droite arrière du circuit, qui n'en est pas vraiment une puisqu'on y retrouve un léger virage à gauche qui est cependant pris à fond.

C'est dans ce plus rapide secteur du circuit que j'ai constaté que le surcroît de puissance de la LP640, par rapport à la simple Murciélago, se trouve dans les hauts régimes. À 8 000 tours/minute, le son du moteur est extrêmement présent dans l'habitacle, ce qui donne l'impression que l'on roule encore plus vite. L'expérience est carrément envoûtante.

La LP640 se décline également en une version roadster, équipée d'un toit dont la conception est tellement simpliste que l'acheteur est prévenu de ne pas rouler à plus de 160 km/h lorsqu'il en place parce qu'il pourrait tout simplement partir au vent… Lorsque le toit est retiré et remisé dans le coffre, il est encore plus facile d'apprécier la sonorité particulière du V12 quand celui-ci dépasse la barre des 5 000 tours/minute. Véritable brute, la LP640 a de la gueule et du cœur, et elle permet à Lamborghini de prolonger la durée de vie de la Murciélago en attendant l'arrivée de sa remplaçante, qui devrait se pointer au début de la prochaine décennie.

Gabriel Gélinas

Photos: Lamborghini

VÉHICULE D'ESSAI

Version:	Lamborghini Murcielago roadster
Moteur:	V12 de 6,5 litres 48s atmosphérique
Puissance:	640 ch (477 kW) à 8 000 tr/min
Couple:	487 lb-pi (660 Nm) à 6 000 tr/min
Rapport poids/puissance:	2,57 kg/ch (3,45 kg/kW)
Transmission:	manuelle, 6 rapports
Rouage:	intégral
0-100 km/h · 80-120 km/h:	3,8 s · 4,4 s
Freinage 100-0 km/h:	30,7 m
Vitesse maximale:	330 km/h
Consommation (100 km):	super, 25,9 litres
Autonomie approximative:	386 km
Émissions de CO2:	10 224 kg/an
Emp/Lon/Lar/Haut (mm):	2 665 / 4 580 / 2 045 / 1 135
Coffre/Réservoir:	n.d. / 100 litres
Nombre de coussins de sécurité:	4
Suspension avant:	indépendante, bras inégaux
Suspension arrière:	indépendante, bras inégaux
Freins av./arr.:	disque (ABS)
Antipatinage/Contrôle de stabilité:	oui/oui
Direction:	à crémaillère, assistée
Diamètre de braquage:	12,5 m
Pneus av./arr.:	P245/35ZR18 / P335/30ZR18
Poids:	1 650 kg
Capacité de remorquage:	non recommandé

AUTRE(S) COMPOSANTE(S) MÉCANIQUE(S)

Système hybride:	aucun
Moteur diesel:	aucun
Taxe énergivore:	4 000 $
Autre(s) moteur(s):	aucun
Autre(s) rouage(s):	aucun
Autre(s) transmission(s):	séquentielle

EN BREF

Échelle de prix:	425 000 $ à 1 500 000 $ (2008)
Catégorie:	roasdster, GT
Garanties:	2 ans/illimité km, 2 ans/illimité km
Assemblage:	Sant'Agata, Italie
Cote d'assurance:	n.d.

DANS LA MÊME CATÉGORIE

Aston Martin Vanquish, Ferrari 599 Fiorano, Porsche Carrera GT

NOS IMPRESSIONS

Agrément de conduite:	
Fiabilité:	
Sécurité:	½
Qualités hivernales:	nulles
Espace intérieur:	
Confort:	

DU NOUVEAU EN 2009

Modèle Reventon produit à vingt exemplaires… déjà vendus!

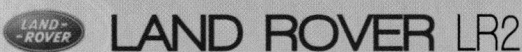

DANS CES RICHES BANLIEUES...

Mon petit doigt me dit que si vous considérez le LR2, c'est que vous n'êtes pas du type à vous vêtir chez Wal-Mart. En effet, si vous êtes attiré par ce véhicule, vous suivez sans doute la mode et adorez tout ce qui est tendance. Devant votre porte de garage se trouve un Jeep Grand Cherokee que vous avez aimé, mais qui est désormais trop énergivore à votre goût. Votre voisine de gauche s'est récemment procuré un Lexus RX350 que vous trouvez trop « pépère », alors que celui de droite se balade au volant d'un Porsche Cayenne trop cher pour vos moyens. Le LR2 serait-il le parfait véhicule pour vous?

Chose certaine, il vous ferait bien paraître dans cette riche banlieue où vous demeurez. Votre voisinage vous complimenterait sans doute à la vue de votre nouvelle acquisition, ajoutant qu'il faut être prospère pour rouler en Land Rover. Et cela flatterait votre égo! De plus, comme vous ne souhaitez plus vous pavaner dans un véhicule qui affiche votre insouciance de l'environnement, vous vous dites avec raison qu'un plus petit VUS pourrait réduire de façon considérable votre facture mensuelle de carburant.

CHEZ LE CONCESSIONNAIRE

Après quelques minutes de réflexion, vous vous rendez chez le concessionnaire Land Rover le plus près de chez vous, où l'on vous sert dans la langue du pays d'origine des produits que l'on représente. Vous avez alors l'occasion de dérouiller votre anglais, mais aussi d'admirer les diverses teintes et la très belle robe du LR2 que vous convoitez. Le vendeur vous lance alors une phrase de renforcement positif en vous mentionnant que lui aussi, il le trouve très beau! « Mais ce n'est rien, vous dira-t-il, vous n'avez pas encore jeté un œil à bord »! C'est alors qu'il vous ouvre la portière tout en vous invitant à vous asseoir sur ce somptueux siège de cuir perforé. Vous craquez immédiatement pour les agencements de couleur, les riches boiseries et pour tout ce qui fait qu'on se sent, à bord de ce véhicule, dans une classe à part.

Tout de suite, vous mentionnez au vendeur que vous opteriez pour ce toit ouvrant panoramique ainsi que pour le système de navigation. Ce dernier est alors heureux de vous annoncer que votre premier désir peut être exaucé sans frais supplémentaires et que le second ne vous coûtera que 2 300$ de plus. Voyant que vous vous pâmez devant ce véhicule, il vous invite à faire l'essai de son démonstrateur, un LR2 blanc perlé avec toutes les options qui, vous dit-il, vous fera craquer.

Il vous remet donc le module de clé en vous mentionnant que vous ne devez que l'avoir sur vous pour pénétrer dans le véhicule et le démarrer. Une fois que vous êtes bien installé dans le siège du conducteur, et qu'il vous a fait remarquer que les LR2, dans le stationnement, ont désormais une allure monochrome (poignées de porte, rétroviseurs et bas de caisse de couleur assortie), il vous demande d'appuyer sur le bouton engine start pour mettre le véhicule en marche. Vous trouvez cette caractéristique géniale! Il vous explique comment ajuster votre siège, le volant et les rétroviseurs, puis il porte votre attention sur le système d'aide en marche arrière qui vous avertit si vous reculez trop près d'un obstacle.

FEU VERT
- Allure séduisante
- Habitacle accueillant
- Finition soignée
- Comportement routier irréprochable
- Bonnes aptitudes hors route

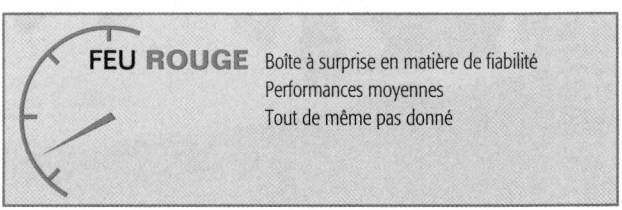

FEU ROUGE
- Boîte à surprise en matière de fiabilité
- Performances moyennes
- Tout de même pas donné

Vous prenez la route, fébrile, en remarquant d'abord que la boîte automatique fonctionne à merveille. Disons qu'en comparaison avec votre Grand Cherokee, le raffinement est à l'honneur. Le vendeur vous mentionne alors que cette boîte a six rapports et qu'elle possède aussi un mode manuel. Il vous invite ensuite à expérimenter les performances du six cylindre en ligne de 3,2 litres, que vous trouvez doux mais pas particulièrement puissant. Il ne vous dit peut-être pas qu'il s'agit d'un moteur d'origine Volvo, qui équipe plusieurs produits comme les XC70 et XC90. Toutefois, il vous vante les mérites de son économie de carburant (environ 11,5 litres aux 100 km) et de sa grande douceur.

Après que vous avez constaté que le LR2 est un véhicule qui vous plaît énormément en matière de comportement, il vous parlera brièvement de ses capacités hors route. Sachant que cela ne vous interpelle pas vraiment, il n'insistera pas, mais un vendeur Land Rover ne peut tout de même pas passer sous silence cet aspect, qui demeure une des grandes qualités du LR2.

AU VOLANT DE VOTRE LR2

Vient maintenant l'heure de regarder la facture, qui frôle les 50 000 $, et de signer le contrat sans même vous interroger sur l'existence possible de véhicules rivaux (BMW X3, Infiniti EX35, M-Benz GLK, Volvo XC60). Vous prendrez livraison de votre véhicule quelques jours plus tard, une fois les paperasseries réglées.

Heureux de votre nouvelle acquisition que vous avez depuis maintenant quelques jours, vous ne souffrez aucunement du syndrome post-achat. Soudainement, un petit problème survient. Un petit voyant s'allume au tableau de bord. Vous vous rendez au concessionnaire et on règle le problème. Une semaine plus tard, c'est la radio qui ne fonctionne pas. Vous vous dites que ça peut arriver, alors vous prenez un second rendez-vous chez le concessionnaire. On ne peut cette fois réparer votre radio sur le coup parce qu'il faut commander la pièce. Vous fixez donc un troisième rendez-vous. Entretemps, le voyant du début s'allume de nouveau et les essuie-glaces automatiques se mettent en marche par une belle journée ensoleillée. Voilà trois raisons de retourner chez le concessionnaire. « Ça commence à faire », vous vous dites ! Mais hélas, il y a de fortes chances que ce ne soit que le début de vos problèmes. Car la fiabilité chez Land Rover, ce n'est jamais garanti.

Antoine Joubert

Photos : Land Rover

VÉHICULE D'ESSAI

Version :	Land Rover LR2 HSE
Moteur :	6L de 3,2 litres 24s atmosphérique
Puissance :	230 ch (172 kW) à 6 300 tr/min
Couple :	234 lb-pi (317 Nm) à 3 200 tr/min
Rapport poids/puissance :	8,39 kg/ch (11,22 kg/kW)
Transmission :	automatique, 6 rapports
Rouage :	intégral
0-100 km/h · 80-120 km/h :	9,7 s · 8,3 s
Freinage 100-0 km/h :	41,0 m
Vitesse maximale :	39 km/h
Consommation (100 km) :	super, 13,3 litres
Autonomie approximative :	526 km
Émissions de CO2 :	5 376 kg/an
Emp/Lon/Lar/Haut (mm) :	2 660 / 4 500 / 1 910 / 1 740
Coffre/Réservoir :	755 à 1 670 / 70 litres
Nombre de coussins de sécurité :	7
Suspension avant :	indépendante, jambes de force
Suspension arrière :	indépendante, multibras
Freins av./arr. :	disque (ABS)
Antipatinage/Contrôle de stabilité :	oui/oui
Direction :	à crémaillère, assistée
Diamètre de braquage :	11,4 m
Pneus av./arr. :	P235/60R18
Poids :	1 930 kg
Capacité de remorquage :	1 650 kg

AUTRE(S) COMPOSANTE(S) MÉCANIQUE(S)

Système hybride :	aucun
Moteur diesel :	aucun
Taxe énergivore :	aucune
Autre(s) moteur(s) :	aucun
Autre(s) rouage(s) :	aucun
Autre(s) transmission(s) :	aucune

EN BREF

Échelle de prix :	44 900 $ (2008)
Catégorie :	VUS compact
Garanties :	4 ans/80 000 km, 4 ans/80 000 km
Assemblage :	Solihull, Angleterre
Cote d'assurance :	n.d.

DANS LA MÊME CATÉGORIE

Acura RDX, BMW X3, Hummer H3, Infiniti EX, Volvo XC70

NOS IMPRESSIONS

Agrément de conduite :
Fiabilité :
Sécurité :
Qualités hivernales :
Espace intérieur :
Confort :

DU NOUVEAU EN 2009

Aucun changement majeur

LAND ROVER LR3

SOPHISTIQUÉ MAIS FRAGILE !

Si vous êtes à la recherche d'un véhicule qui sort de l'ordinaire et qui transmettra à votre entourage l'image d'une personne à la fois aventurière et sophistiquée, le Land Rover LR3 est tout à fait pour vous. Il suffit d'ailleurs de visiter les quartiers huppés des grandes villes de ce continent pour associer le type de clientèle à la marque. Bien que ce véhicule possède des qualités hors route extraordinaires, c'est le *standing* qui a priorité. D'ailleurs, sa silhouette semble avoir été dessinée avec ces acheteurs potentiels en vue.

Mais les stylistes ne se sont pas contentés d'une grosse boîte carrée avec de grandes fenêtres comme c'était le cas du modèle Discovery que le LR3 remplace. Ce dernier reprend en effet la partie avant des modèles Range Rover afin de conserver un air de famille, pour ensuite se démarquer par un hayon à ouverture asymétrique, des glaces arrière débordant sur le toit et un pavillon légèrement surélevé afin d'offrir un meilleur dégagement pour la tête. Lorsqu'on rencontre un LR3, il est impossible de se tromper. C'est sans doute ce qui plaît tellement à l'élite et aux BCBG. Mais ce modèle est plus qu'une silhouette originale.

BRITANNIQUE AVANT TOUT

Même si le tableau de bord du LR3 s'est fortement amélioré par rapport à celui du défunt Discovery, il n'en demeure pas moins que ses origines britanniques sont incontournables. Il y a les sièges en cuir bien entendu, mais aussi un tableau de bord qui, sous ses allures modernes, comporte de nombreuses énigmes quant à certaines commandes. En effet, si ces dernières semblent relativement classiques, leur fonctionnement n'est pas toujours aussi simple. Il faut notamment décrypter certains pictogrammes qui sont plus énigmatiques que pratiques.

Sur une note plus positive, la position de conduite est bonne et le conducteur est assis haut afin d'avoir une bonne visibilité lors de la conduite hors route. De plus, une fenestration plus que généreuse facilite également la conduite. Et il n'y a pas que le conducteur qui soit bien installé ; les occupants des autres sièges sont assis en tout confort, y compris les passagers des deux baquets de la troisième rangée, même si à première vue celle-ci n'a pas l'air trop conviviale. Par contre, la personne qui s'installera au centre de la deuxième rangée trouvera certainement le trajet très long. Enfin, tous les sièges arrière se rabattent afin d'augmenter la capacité de charge.

Et il ne faut pas passer sous silence ce toit ouvrant, de dimensions fort généreuses, qui permettra aux occupants des places arrière d'observer les nuages et qui sera sans doute à l'origine de bruits de caisse, à la longue.

ROGER, L'ÉLECTRONIQUE !

Depuis que les voitures existent, les véhicules de fabrication britannique sont réputés pour le manque de fiabilité de leur système électrique. Il est donc sidérant de constater avec quel empressement les concepteurs de ce modèle ont consacré toutes les fonctions de gestion

FEU VERT

- Habitacle confortable
- Capacités hors route impressionnantes
- Comportement routier sécurisant
- Moteur V8 bien adapté
- Suspension pneumatique efficace

FEU ROUGE

- Prix élevé
- Options chères
- Forte consommation des moteurs
- Fiabilité peu rassurante
- Plusieurs commandes énigmatiques

de la conduite, du rouage intégral et même de l'assiette de la voiture à des systèmes d'assistance électronique. C'est probablement ce qui explique pourquoi le manque de fiabilité des Land Rover est devenu légendaire au fil des années.

En espérant que ce problème de fiabilité soit résolu, le LR3 propose une batterie d'éléments destinés à assurer une conduite hors route sans pareille. D'abord la suspension pneumatique électronique, qui permet de modifier la hauteur de la garde au sol selon qu'on roule sur la route ou dans un sentier, et le rouage intégral à commandes multiples qui permet d'ajuster la mécanique en fonction des conditions du moment. Les critiques sont unanimes: ce Land Rover est capable de passer pratiquement partout, pourvu qu'il ne tombe pas en panne!

L'acheteur a le choix entre deux moteurs. Le premier est un moteur V6 de 4,0 litres d'une puissance de 216 chevaux. Ce moteur, l'apanage de la version SE, est un peu juste compte tenu du poids du véhicule. Il est donc également possible de commander en option sur la SE et de série sur la HSE un moteur V8 de 4,4 litres produisant 300 chevaux. Puisque les deux moteurs ont une consommation presque semblable, le V8 est un choix plus logique. Dans les deux cas, la boîte automatique à six rapports est très efficace.

Il ne faut pas en conclure que ce Land Rover est uniquement un tout-terrain mal à l'aise sur la grande route. Grâce à sa suspension électronique et son système anti retournement, le comportement routier est surprenant pour un véhicule ayant un centre de gravité passablement élevé et des dimensions encombrantes.

Devant cette somme de qualités, il est dommage que son prix soit si élevé et que sa fiabilité soit pratiquement inversement proportionnelle à la facture.

Denis Duquet

Photos: Land Rover

VÉHICULE D'ESSAI

Version:	Land Rover LR3 HSE
Moteur:	V8 de 4,4 litres 32s atmosphérique
Puissance:	300 ch (224 kW) à 5 500 tr/min
Couple:	315 lb-pi (427 Nm) à 4 000 tr/min
Rapport poids/puissance:	8,20 kg/ch (10,98 kg/kW)
Transmission:	automatique, 6 rapports
Rouage:	intégral
0-100 km/h · 80-120 km/h:	9,8 s · 9,0 s
Freinage 100-0 km/h:	42,0 m
Vitesse maximale:	193 km/h
Consommation (100 km):	super, 17,2 litres
Autonomie approximative:	500 km
Émissions de CO2:	7 032 kg/an
Emp/Lon/Lar/Haut (mm):	2 885 / 4 848 / 1 915 / 1 891
Coffre/Réservoir:	280 / 2 557 / 86 litres
Nombre de coussins de sécurité:	6
Suspension avant:	indépendante, double triangles
Suspension arrière:	indépendante, double triangles
Freins av./arr.:	disque (ABS)
Antipatinage/Contrôle de stabilité:	oui/oui
Direction:	à crémaillère, assistée
Diamètre de braquage:	11,5 m
Pneus av./arr.:	P255/55R19
Poids:	2 461 kg
Capacité de remorquage:	3 500 kg

AUTRE(S) COMPOSANTE(S) MÉCANIQUE(S)

Système hybride:	aucun
Moteur diesel:	aucun
Taxe énergivore:	2 000 $
Autre(s) moteur(s):	V6 de 4,0 litres 216 ch/269 lb-pi (17,1 l/100 super) (SE)
Autre(s) rouage(s):	aucun
Autre(s) transmission(s):	aucune

EN BREF

Échelle de prix:	57 900 $ à 69 250 $ (2008)
Catégorie:	VUS intermédiaire
Garanties:	4 ans/80 000 km, 4 ans/80 000 km
Assemblage:	Solihull, Angleterre
Cote d'assurance:	n.d.

DANS LA MÊME CATÉGORIE

Acura MDX, BMW X5, Cadillac SRX, Infiniti FX35/50, Lexus RX350, Mercedes-Benz Classe M, Porsche Cayenne, Saab 9-7X, Volkswagen Touareg, Volvo XC90

NOS IMPRESSIONS

Agrément de conduite:	
Fiabilité:	
Sécurité:	½
Qualités hivernales:	½
Espace intérieur:	
Confort:	

DU NOUVEAU EN 2009

Aucun changement majeur

TATA, UNE FAMILLE D'ACCUEIL ?

Aussi curieux que cela puisse paraître, la compagnie Land Rover a changé de propriétaire à trois reprises au cours de la dernière décennie. Ce constructeur qui produit également le Range Rover a été initialement vendu à BMW qui l'a ensuite refilé à Ford qui a finalement jeté l'éponge en 2008. En effet, dans le cadre d'une vente du style deux pour un, le constructeur américain s'est départi de Jaguar et de Land Rover en les vendant à un prix de solde au géant industriel indien Tata.

C'est quand même beaucoup de changements en peu de temps pour le constructeur qui se pique de fabriquer les VUS les plus luxueux de la planète ! Reste à savoir comment réagira la clientèle huppée de cette marque qui au lieu de vanter le luxe de l'habitacle devra expliquer à son entourage qu'elle conduit un véhicule dont le financement est dorénavant indien. Je sais, je sais, vous allez me dire que cette situation est normale en raison de la mondialisation de l'économie et même que le nouveau propriétaire devrait logiquement investir davantage. Mais puisque la logique d'achat n'est pas toujours d'une grande rigueur, il se pourrait que l'effet Tata ait des retombées négatives sur l'avenir de la marque.

En attendant, aucun changement majeur n'a été apporté à ce modèle pour 2009.

LE CUIR, TOUJOURS LE CUIR

Je me suis souvent demandé si les éventuels acheteurs de ce type de véhicule n'étaient pas des fétichistes du cuir ! En effet il y a surabondance de ce produit dans tout véhicule de luxe qui se respecte et, croyez-moi, le Range Rover ne fait pas exception à cette règle, bien au contraire ! En fait, c'est ce modèle qui a réussi à associer les termes VUS et luxe lorsqu'on parlait d'un véhicule tout-terrain. Donc, comme toute voiture britannique de haut de gamme, son habitacle vous propose une profusion de peaux de bête et autant pour les sièges que pour les garnitures de portières. Il faut également ajouter que la finition est excellente, probablement un héritage de l'influence de BMW, ancien propriétaire.

Au fil des années, la présentation du tableau de bord s'est améliorée et ressemble moins à la fusion entre un buffet de cuisine antique et un appareil ménager d'origine britannique. La disposition des commandes ne respecte pas forcément la logique acceptée chez les autres constructeurs, mais après une couple d'heures au volant on s'y retrouve assez aisément. Pour ce faire, il faudra endéchiffrer le pourquoi et le comment, notamment celles visant à contrôler les fonctions de conduite hors route. Toujours au chapitre des commandes, le moyeu du volant est encadré par de petits modules en forme de demi-lune qui accueillent une profusion de commandes.

Il faut souligner le confort des sièges avant concernant le support des cuisses tandis que le support latéral est moyen tout au plus. Les places arrière sont également confortables et le dégagement pour les jambes suffisant.

FEU VERT
- Conduite hors route impressionnante
- Choix de moteurs
- Luxe assuré
- Rouage intégral sophistiqué
- Bonne tenue de route

FEU ROUGE
- Fiabilité abominable
- Prix astronomiques
- Consommation élevée
- Dépréciation vertigineuse
- Certaines commandes à revoir

PERFORMANCES ASSURÉES

On peut reprocher beaucoup de choses au Range Rover, mais le fait demeure que ce gros véhicule se débrouille fort honorablement sur la route et il est quasi impossible à suivre lorsque la route devient un sentier et que le sentier devient la brousse. Cela s'explique en bonne partie par une plate-forme très sophistiquée et très rigide, initialement développée par les ingénieurs de BMW. La suspension, très efficace et contrôlée par plusieurs modules électroniques, permet d'assurer une tenue de route rassurante en dépit d'un centre de gravité passablement élevé. Même s'il est presque indécent de faire circuler un véhicule de ce prix dans la boue et les ornières, le Range Rover laisse pratiquement toute la concurrence dans son sillage quand les conditions se détériorent. Son système de conduite tout-terrain comprend une suspension à hauteur réglable, un système de contrôle de descente de pente, tandis que le cerveau électronique de la répartition du couple aux quatre roues adapte le comportement du véhicule selon les conditions du terrain.

Avec un poids excédant deux tonnes, le moteur V8 de 4,4 litres produisant 305 chevaux n'est pas de trop. S'alimentant au super, associé à une boîte automatique à six rapports, il boucle le 0-100 km h en un peu plus de 10 secondes tout en consommant une moyenne de 17,4 litres aux 100 km. Mais comme on le dit souvent, lorsqu'on est capable débourser un tel montant pour acquérir ce véhicule, on ne s'inquiète pas trop de la consommation...

Si ce temps d'accélération ne vous convient pas, il est toujours possible de commander la version Supercharged qui, par la magie de son compresseur monté sur un moteur V8 de 4,2 litres, vous fournit quatre cents chevaux sous le pied, ce qui réduira le temps du 0-100 km h de 1,2 seconde. Réduction de temps qui vous coûtera environ 20 000 $...

Malheureusement, si le confort, le luxe et les performances sont au rendez-vous, la fiabilité respecte une bonne vieille tradition britannique : elle est parmi l'une des pires de l'industrie...

Denis Duquet

Photos : Land Rover

VÉHICULE D'ESSAI

SIRIUS RADIO SATELLITE

Version :	Land Rover Range Rover HSE
Moteur :	V8 de 4,4 litres 32s atmosphérique
Puissance :	305 ch (228 kW) à 5 750 tr/min
Couple :	325 lb-pi (441 Nm) à 4 000 tr/min
Rapport poids/puissance :	8,14 kg/ch (10,93 kg/kW)
Transmission :	automatique, 6 rapports
Rouage :	intégral
0-100 km/h · 80-120 km/h :	10,2 s · 9,1 s
Freinage 100-0 km/h :	44,0 m
Vitesse maximale :	225 km/h
Consommation (100 km) :	super, 17,4 litres
Autonomie approximative :	597 km
Émissions de CO2 :	7 008 kg/an
Emp/Lon/Lar/Haut (mm) :	2 880 / 4 972 / 1 956 / 1 905
Coffre/Réservoir :	530 à 1 760 / 104 litres
Nombre de coussins de sécurité :	7
Suspension avant :	indépendante, jambes de force
Suspension arrière :	indépendante, multibras
Freins av./arr. :	disque (ABS)
Antipatinage/Contrôle de stabilité :	oui/oui
Direction :	à crémaillère, assistance variable
Diamètre de braquage :	11,6 m
Pneus av./arr. :	P255/55R19
Poids :	2 483 kg
Capacité de remorquage :	3 500 kg

AUTRE(S) COMPOSANTE(S) MÉCANIQUE(S)

Système hybride :	aucun
Moteur diesel :	aucun
Taxe énergivore :	2 000 $
Autre(s) moteur(s) :	V8 de 4,2 litres 400 ch/420 lb-pi (17,7 l/100 super) (Supercharged)
Autre(s) rouage(s) :	aucun
Autre(s) transmission(s) :	aucune

EN BREF

Échelle de prix :	100 900 $ à 121 400 $ (2008)
Catégorie :	VUS grand format
Garanties :	4 ans/80 000 km, 4 ans/80 000 km
Assemblage :	Solihull, Angleterre
Cote d'assurance :	n.d.

DANS LA MÊME CATÉGORIE

Cadillac Escalade, Infiniti QX56, Lexus LX570, Lincoln Navigator, Mercedes-Benz Classe GL

NOS IMPRESSIONS

Agrément de conduite :	4½
Fiabilité :	2
Sécurité :	5½
Qualités hivernales :	5½
Espace intérieur :	4½
Confort :	5

DU NOUVEAU EN 2009

Climatiseur plus raffiné, appuie-bras arrière redessiné, glaces anti chaleur

LAND ROVER RANGE ROVER SPORT

À LA CROISÉE DES CHEMINS

Land Rover est l'une de ces marques dont le rayonnement dépasse de beaucoup les chiffres de vente, ses véhicules sport-utilitaire ayant acquis au fil des ans une solide réputation pour leurs réelles aptitudes en conduite hors route. Mais tout n'est pas rose pour autant, puisque les véhicules de la marque anglaise continuent d'éprouver de sérieux problèmes de fiabilité à long terme, et que Land Rover se trouve actuellement à la croisée des chemins, la marque ayant été rachetée par le constructeur automobile indien Tata Motors.

L'arrivée du Range Rover Sport au sein de la gamme a été annoncée par le dévoilement du véhicule-concept Range Stormer, et ce modèle plus sportif s'inscrit en concurrence directe avec les BMW X5 et Porsche Cayenne. Contrairement à ce que son nom laisse entendre, le Range Rover Sport n'est pas dérivé du Range Rover, mais plutôt du LR3. Plus court d'environ cinq centimètres que le LR3, le Range Rover Sport affiche également des lignes résolument plus sportives et l'allure évoque celle du Range Rover qui trône au sommet de la pyramide chez Land Rover.

DEUX MOTEURS DE JAGUAR

Les motorisations du Range Rover Sport ne proviennent pas de chez Land Rover, mais bien de chez Jaguar. La version de base hérite du V8 de 4,4 litres de 300 chevaux, tandis que le moteur du Range Rover Sport Supercharged est un V8 suralimenté par compresseur qui développe 390 chevaux, et qui est dérivé de celui qui anime les Jaguar XJR et XKR. La puissance de ce moteur est amplement suffisante pour permettre au Range Rover Sport de dépasser des véhicules plus lents sans problèmes lorsque l'on roule sur des routes secondaires alors que l'accroissement de la vitesse est accompagné de la sonorité particulière du compresseur. En conduite normale à vitesse d'autoroute, j'ai été étonné par le silence qui régnait à bord compte tenu du fait que le Range Rover Sport est loin d'être un véhicule aérodynamique. Le freinage étant assuré par des étriers Brembo à quatre pistons à l'avant, les arrêts sont toujours sûrs et bien contrôlés, les pneus de performance à profil bas aidant grandement la cause du Range Rover Sport de ce côté.

En virage, la tenue de route est carrément surprenante pour un véhicule de ce gabarit et de ce poids, les mouvements de la caisse du Range Rover Sport étant très bien contrôlés. Le secret de cette compétence sur asphalte trouve ses origines dans la conception des suspensions composées de ressorts pneumatiques et de barres antiroulis qui s'adaptent automatiquement aux conditions routières, de même que dans le choix de pneumatiques à profil bas montés sur des roues surdimensionnées de 20 pouces de diamètre. De plus, la répartition des masses du Range Rover Sport est presque idéale, ce qui rend le comportement du véhicule très prévisible. L'intervention du système de contrôle électronique de la stabilité se fait assez hâtivement en conduite sportive, mais il est possible de le désactiver pour mieux exploiter le potentiel de performance, tout en prenant soin de toujours tenir compte de la masse du Range Rover Sport avant d'attaquer

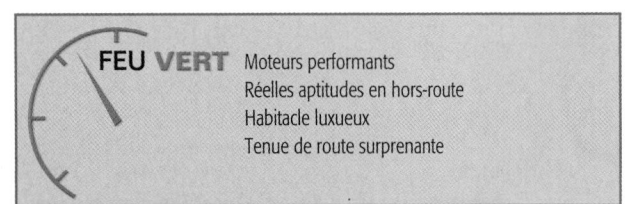

FEU VERT
- Moteurs performants
- Réelles aptitudes en hors-route
- Habitacle luxueux
- Tenue de route surprenante

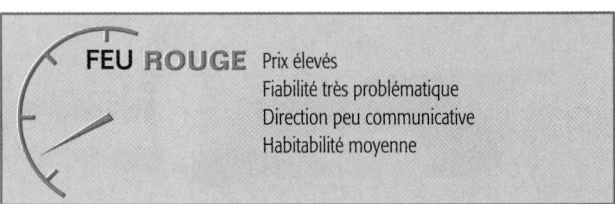

FEU ROUGE
- Prix élevés
- Fiabilité très problématique
- Direction peu communicative
- Habitabilité moyenne

les virages avec aplomb. Le seul hic de ce côté, c'est que la direction ne communique pas parfaitement les sensations de la route.

EN CONDUITE HORS ROUTE

Il est clair que le Range Rover Sport est un authentique Land Rover lorsque l'on quitte les sentiers battus pour s'aventurer en conduite hors route. Il suffit alors de choisir entre cinq niveaux de calibrations affectant plusieurs paramètres, notamment les suspensions mais également la réponse de l'accélérateur et des freins, au moyen d'un bouton de contrôle localisé sur la console centrale. L'un de ces modes est appelé « *rock crawling* » et permet le franchissement d'obstacles avec une facilité déconcertante. Malgré toutes ses aptitudes hors route, je ne suis pas sûr que je m'aventurerais sur un terrain totalement inconnu avec le Range Rover Sport, le risque de fendre ou de couper l'un des pneus à profil bas sur une roche ou un caillou étant toujours présent.

Après les fleurs, voici le pot... La fiabilité à long terme des véhicules Land Rover est plus que problématique comme en témoigne le résultat obtenu par la marque lors du dernier sondage J.D. Power mesurant la fiabilité après trois années d'usage aux États-Unis. Land Rover se retrouve au trente-septième et dernier rang avec un score de 344 problèmes rapportés par 100 véhicules, alors que la moyenne de l'industrie automobile est de 206 problèmes rapportés par 100 véhicules. C'est donc un résultat fort embarrassant pour la marque anglaise qui doit obligatoirement corriger le tir, la satisfaction de la clientèle après trois années d'usage étant un facteur crucial puisque c'est souvent à ce moment précis que le propriétaire envisage de remplacer son véhicule. Si le propriétaire en est satisfait, il est plausible qu'il accorde une fois de plus sa confiance à la marque, mais lorsque la satisfaction n'est pas au rendez-vous, il est alors très tentant d'aller voir ailleurs...

Gabriel Gélinas

Photos : Land Rover

VÉHICULE D'ESSAI

SIRIUS RADIO SATELLITE

Version :	Land Rover Range Rover Sport Supercharged
Moteur :	V8 de 4,2 litres 32s surcompressé
Puissance :	390 ch (298 kW) à 5 750 tr/min
Couple :	420 lb-pi (570 Nm) à 3 500 tr/min
Rapport poids/puissance :	6,43 kg/ch (8,63 kg/kW)
Transmission :	automatique, 6 rapports
Rouage :	intégral
0-100 km/h · 80-120 km/h :	8,9 s · 7,0 s
Freinage 100-0 km/h :	41,0 m
Vitesse maximale :	225 km/h
Consommation (100 km) :	super, 17,7 litres
Autonomie approximative :	497 km
Émissions de CO2 :	7 128 kg/an
Emp/Lon/Lar/Haut (mm) :	2 745 / 4 788 / 1 928 / 1 817
Coffre/Réservoir :	960 à 2 013 / 88 litres
Nombre de coussins de sécurité :	6
Suspension avant :	indépendante, jambes de force
Suspension arrière :	indépendante, pneumatique, multibras
Freins av./arr. :	disque (ABS)
Antipatinage/Contrôle de stabilité :	oui/oui
Direction :	à crémaillère, assistance variable
Diamètre de braquage :	11,6 m
Pneus av./arr. :	P275/40R20
Poids :	2 572 kg
Capacité de remorquage :	3 500 kg

AUTRE(S) COMPOSANTE(S) MÉCANIQUE(S)

Système hybride :	aucun
Moteur diesel :	aucun
Taxe énergivore :	2 000 $
Autre(s) moteur(s) :	V8 de 4,4 litres 300 ch/315 lb-pi (17,1 l/100 super) (HSE)
Autre(s) rouage(s) :	aucun
Autre(s) transmission(s) :	aucune

EN BREF

Échelle de prix :	78 300 $ à 94 400 $ (2008)
Catégorie :	VUS grand format
Garanties :	4 ans/80 000 km, 4 ans/80 000 km
Assemblage :	Solihull, Angleterre
Cote d'assurance :	n.d.

DANS LA MÊME CATÉGORIE

Audi Q7, BMW X5, Cadillac Escalade, Lexus LX570, Lincoln Navigator, Mercedes-Benz Classe M, Porsche Cayenne, Volkswagen Touareg, Volvo XC90

NOS IMPRESSIONS

Agrément de conduite :
Fiabilité :
Sécurité :
Qualités hivernales :
Espace intérieur : ½
Confort :

DU NOUVEAU EN 2009

Aucun changement majeur

C'EST PLUS QUE DU BONBON

Vous vous rappelez cette publicité où Albert Millaire, de sa belle voix grave, nous vendait une marque de gomme qui était plus chère, mais qui était plus que du bonbon? Je ne sais pas si cette gomme était vraiment supérieure aux autres, mais le fait qu'elle était plus chère lui permettait de se démarquer en donnant l'impression aux gens qu'elle était vraiment meilleure! Ce type de positionnement de produit est aussi très répandu dans le domaine de l'automobile. C'est ainsi que Lexus peut demander plus cher pour sa ES350 que pour la Toyota Camry dont elle est dérivée.

La filiation entre les deux modèles est évidente. Les lignes générales sont les mêmes mais, noblesse oblige, celles de la Lexus font preuve de plus de raffinement. La partie avant diffère et si vous voulez mon avis, la calandre de la Lexus semble beaucoup mieux intégrée que celle de la Camry, que j'ai toujours trouvée lourde. C'est une question de goût, remarquez. À l'arrière aussi, les feux de la Lexus font montre de plus de recherche stylistique en reprenant le design allongé de ceux de la IS.

UN BEL ENVIRONNEMENT

Mais là où il est difficile de faire le lien entre les deux voitures, c'est dans l'habitacle. Le tableau de bord est élégant, raffiné et d'un assemblage qui aurait de quoi rendre un moine jaloux. La qualité des matériaux utilisés sur la ES350 est très relevée et on n'a pas lésiné sur la quantité d'isolant. Seule une voûte de banque peut être aussi silencieuse – je dis ça sans avoir jamais conduit de voûte de banque, mais j'imagine que ça doit ressembler à ça! Le très beau volant tout de bois et de cuir se prend bien en main et la plupart des commandes tombent droit sous la main. Les espaces de rangement sont nombreux et le coffre à gants est vaste malgré l'imposant manuel du propriétaire. Les sièges sont spécialisés dans le confort et se permettent même de retenir relativement bien dans les courbes. En plus, leurs nombreux réglages facilitent la recherche d'une bonne position de conduite. D'ailleurs, le volant est réglable en hauteur et en profondeur grâce à une commande électrique.

Les sièges arrière s'avèrent, eux aussi, fort confortables, sauf la place centrale qui, de toute façon, ne devrait servir qu'à l'occasion. Si l'espace pour les jambes est correct, celui réservé à la tête est un peu juste. Pour des questions de rigidité, les dossiers du siège ne s'abaissent pas pour agrandir le coffre. On y retrouve uniquement une trappe à skis. Curieusement, la Toyota Camry offre, sur quelques versions, des dossiers rabattables. Le coffre, puisqu'on en parle, ne possède pas une ouverture très grande, mais comme cette manie semble se généraliser dans l'industrie, il faudra apprendre à faire passer un chat par un trou de souris! Car il y a passablement d'espace dans le coffre. Oui, oui, je vous le jure! Pour justifier un prix plus élevé, il va sans dire que Lexus n'a pas lésiné sur la sécurité des occupants. Pas moins de huit coussins gonflables sont là, prêts à parer à toute éventualité, en plus, bien entendu, de la panoplie des systèmes électroniques d'aide à la conduite.

C'EST QUI ÇA, AMY WINEHOUSE?

Sous le capot de la ES350, on retrouve un V6 de 3,5 litres qui officie

FEU VERT
- Fiabilité increvable
- Grande douceur de roulement
- Mécanique performante
- Habitacle silencieux
- Niveau de sécurité élevé

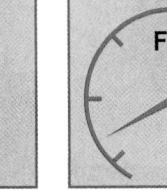

FEU ROUGE
- Groupes d'options très chers
- Sportivité molle
- Systèmes d'aide à la conduite trop intrusifs
- Effet de couple important en accélération
- Direction peu communicative

déjà dans les Camry V6, mais sa puissance a été portée à 272 chevaux et à 254 livres-pied de couple. Ce très moderne moteur en alliage d'aluminium, double arbre à cames en tête, système de distribution à calage variable des soupapes d'admission et d'échappement et j'en passe fait preuve d'un goût évident pour le travail. Il faut toutefois avouer qu'autant de puissance dirigée aux roues avant seulement (traction) entraîne un important effet de couple dans le volant en accélération brusque. La transmission automatique à six rapports fonctionne avec une incroyable douceur et permet au moteur de tourner à bas régime, ce qui engendre de substantielles économies d'essence. La ES350 consomme environ 11,0 litres aux 100 km, même si cette moyenne peut monter un peu, un essai par temps très froid (-20 degrés) l'amenant à 12,2. Cette transmission offre même un mode manuel, ce qui est surprenant compte tenu de la clientèle visée qui se fout probablement autant de la conduite sportive que des déboires d'Amy Winehouse. En fait, ce mode ne trouve vraiment son utilité que lorsqu'on doit remorquer dans des régions montagneuses. Il permet ainsi de conserver un régime moteur plus élevé, donc un frein moteur plus important, question d'économiser les freins.

Un moteur très puissant et une transmission compétente ne donnent pas nécessairement une voiture sportive. Le châssis a beau être rigide, son mandat premier est d'assurer un confort de première classe aux occupants. Les suspensions qui y sont rattachées font preuve d'un certain laxisme lorsque vient le temps de négocier une courbe à haute vitesse mais, en conduite normale, elles effectuent un excellent boulot, mariant confort et tenue de route. La direction, à la surprise générale, fait preuve d'une belle précision, mais elle ne donne que très peu d'informations au conducteur. Lorsque les limites de la voiture sont dépassées, soit en courbe ou sur une surface glacée, les systèmes de contrôle de la traction et de la stabilité latérale interviennent avec autorité en émettant un bip plus stressant qu'autre chose.

La Lexus ES350, comme nous le disions, est plus que du bonbon. Il faut cependant être prêt à débourser pas mal pour cette berline intermédiaire. Si le prix de 40 000 $ pour une version «de base» peut toujours se justifier, le fait d'ajouter plus de 10 000 $ en ensembles d'options, en plus des options individuelles, me semble nettement exagéré. À ce prix, ce n'est plus du bonbon... c'est une indigestion!

Alain Morin

Photos: Lexus

VÉHICULE D'ESSAI

Version:	Lexus ES350
Moteur:	V6 de 3,5 litres 24s atmosphérique
Puissance:	272 ch (203 kW) à 6 200 tr/min
Couple:	254 lb-pi (344 Nm) à 4 700 tr/min
Rapport poids/puissance:	5,97 kg/ch (8,00 kg/kW)
Transmission:	automatique, 6 rapports
Rouage:	traction
0-100 km/h · 80-120 km/h:	7,2 s · 4,7 s
Freinage 100-0 km/h:	41,0 m
Vitesse maximale:	220 km/h
Consommation (100 km):	ordinaire, 10,9 litres
Autonomie approximative:	642 km
Émissions de CO2:	4 464 kg/an
Emp/Lon/Lar/Haut (mm):	2 775 / 4 855 / 1 820 / 1 450
Coffre/Réservoir:	425 / 70 litres
Nombre de coussins de sécurité:	7
Suspension avant:	indépendante, jambes de force
Suspension arrière:	indépendante, multibras
Freins av./arr.:	disque (ABS)
Antipatinage/Contrôle de stabilité:	oui/oui
Direction:	à crémaillère, assistance variable
Diamètre de braquage:	11,8 m
Pneus av./arr.:	P215/55R17
Poids:	1 624 kg
Capacité de remorquage:	non recommandé

AUTRE(S) COMPOSANTE(S) MÉCANIQUE(S)

Système hybride:	aucun
Moteur diesel:	aucun
Taxe énergivore:	aucune
Autre(s) moteur(s):	aucun
Autre(s) rouage(s):	aucun
Autre(s) transmission(s):	aucune

EN BREF

Échelle de prix:	39 900 $
Catégorie:	berline intermédiaire
Garanties:	4 ans/80 000 km, 6 ans/110 000 km
Assemblage:	Kyushu, Japon
Cote d'assurance:	moyenne

DANS LA MÊME CATÉGORIE

Acura TL, Buick Lucerne, Cadillac CTS, Chrysler 300, Ford Taurus, Hyundai Azera, Kia Amanti, Lincoln MKZ, Nissan Maxima, Saab 9-5, Toyota Avalon, Volkswagen Passat

NOS IMPRESSIONS

Agrément de conduite:	3
Fiabilité:	4
Sécurité:	4
Qualités hivernales:	4
Espace intérieur:	4
Confort:	4 ½

DU NOUVEAU EN 2009

Aucun changement majeur

LEXUS GS 350/460/450h

SEULE DANS SON CRÉNEAU

Depuis le lancement de la toute première berline GS, dessinée par Giorgetto Giugiaro, cette série a toujours occupé une place spéciale au cœur de la gamme Lexus. Elle s'est constamment démarquée par son style et par son comportement plus inspiré, ce qui fut confirmé avec le lancement de la deuxième génération en 2006. Avec une motorisation variée qui comprend un groupe propulseur hybride, elle s'est également taillé un créneau unique chez les berlines de luxe.

Lorsque vint le temps de créer la deuxième génération de la berline GS, les stylistes de Lexus ont réussi à s'inspirer de la silhouette élégante de la première, tout en la modernisant. Ils en profitèrent aussi pour mettre son habitacle au goût du jour. Les ingénieurs firent de même avec la structure et les trains roulants y compris par l'ajout d'une version à rouage intégral, une première pour une berline Lexus. Sa seule lacune évidente, un moteur de base dénué de caractère, fut corrigée l'année suivante. Or, ce V6 de 3,5 litres et 303 chevaux était si performant que Lexus a sagement haussé la cylindrée de la version V8 de 4,3 à 4,6 litres l'an dernier. Le nouveau moteur de la GS 460 est essentiellement identique à celui de la grande LS 460, mais sa puissance est de 342 chevaux au lieu de 380 et son couple légèrement inférieur. Sans doute pour respecter la hiérarchie de la gamme.

ÉCOLOGIE ET PERFORMANCE

La série GS s'est également démarquée avec l'apparition de la GS 450h, dotée d'un groupe propulseur hybride essence-électricité dont la puissance combinée est évaluée à 339 chevaux. Les GS 350 AWD et GS 450h sont très performantes, faisant virtuellement jeu égal au sprint 0-100 km/h et sur le quart de mille. La cote de consommation combinée de la GS 450h est cependant de 8,3 L/100 km contre 10,0 pour la GS 350 AWD et 10,5 pour la GS 460. On y gagne donc en consommation mais la GS 450h se distingue davantage par le fait que son moteur thermique est coupé à chaque arrêt et qu'elle peut rouler uniquement à l'électricité jusqu'à environ 50 km/h vers l'avant, si on accélère doucement. La pollution est alors nulle.

Quelle que soit la version, les GS se caractérisent par une qualité de fabrication et une finition irréprochables, à la hauteur de la réputation blindée de Lexus. Elles affichent un silence remarquable sur autoroute, presque entièrement dépourvu de bruit de vent. On entend par contre très clairement les pneus tapoter sur les petites fentes et petites bosses, le signe d'une grande rigidité structurelle. La position de conduite est sans faille et combine un volant sport à trois branches avec réglage électrique sur les deux axes, un siège impeccable avec des réglages parfaitement accessibles et un repose-pied plat et solide. L'ergonomie générale des contrôles est excellente, entre autres pour les qualités tactiles des commandes, leviers, boutons, molettes et autres. Les contrôles des principaux systèmes – climatisation, sono, navigation – sont regroupés sur un écran tactile au centre du tableau de bord. Les touches sont grandes et l'écran est clair, sauf au soleil où il est complètement lavé. Il lui

FEU VERT
Finition et assemblage irréprochables
Motorisation efficace et variée
Comportement sûr

FEU ROUGE
Suspension ferme (surtout GS 450h)
Ouverture et volume du coffre (surtout GS 450h)
Éclairage habitacle faible

faudrait une visière. Les avis sont partagés concernant la petite console escamotable installée à gauche du volant qui comporte les réglages pour les rétroviseurs, l'illumination du tableau de bord, la télécommande du coffre, le bouton du volet d'essence et autres. Elle dégage le tableau de bord mais impose une manœuvre additionnelle pour des réglages auxquels on veut accéder rapidement. Sans compter qu'il faut savoir ce qui s'y trouve pour y aller directement. Quant au coffre, l'ouverture est courte mais son volume acceptable.

RAISONNABLEMENT SPORTIVES

Les GS affichent un très bel aplomb en général. La tenue de cap est très bonne, comme le centrage de la direction. Elles se révèlent agiles pour leur taille et leur poids mais également très stables. La version GS 350 AWD à rouage intégral se comporte comme une propulsion, par contre. En poussant le moindrement, on se retrouve facilement avec un survirage qui est corrigé immédiatement par l'antidérapage. Les GS disposent d'ailleurs d'une impressionnante panoplie de systèmes électroniques assez efficaces. Le freinage à commande électronique (brake-by-wire) est par exemple puissant, avec une pédale qui offre des sensations linéaires et naturelles. Quant à la GS 450h, j'ai pris grand plaisir à la piloter lors de l'éprouvant rallye Targa Terre-Neuve de 2 200 km où elle s'est révélée étonnamment rapide et solide. Avec la motricité additionnelle d'un différentiel autobloquant et un peu plus de garde au sol, elle pourrait surprendre la deuxième fois.

Somme toute, les GS sont des berlines de luxe attrayantes, offertes avec une motorisation très variée pour cette catégorie. À part certaines réserves exprimées quant à la fiabilité de la GS 350 AWD dans une étude américaine sérieuse, la fiabilité de cette série est supérieure à la moyenne. Les GS possèdent pratiquement tous les attraits des grandes LS, dans un format moins imposant, drapées d'une silhouette plus originale et à prix nettement moindre. Si vous n'avez pas besoin des places arrière ou du coffre d'une limousine, et si vous pouvez résister aux charmes d'une griffe germanique, la GS mérite un sérieux coup d'œil. Et si vous cherchez à résoudre la quadrature du cercle en combinant luxe, performance, écologie de pointe et comportement sportif, la GS 450h est le meilleur choix actuel, sinon le seul.

Marc Lachapelle

Photos: Lexus

VÉHICULE D'ESSAI

Version :	Lexus GS 450h
Moteur :	V6 de 3,5 litres 24s atmosphérique
Puissance :	339 ch (253 kW) à 6 200 tr/min
Couple :	267 lb-pi (362 Nm) à 4 800 tr/min
Rapport poids/puissance :	4,94 kg/ch (6,62 kg/kW)
Transmission :	CVT
Rouage :	propulsion
0-100 km/h · 80-120 km/h :	6,0 s · 4,6 s
Freinage 100-0 km/h :	39,1 m
Vitesse maximale :	n.d.
Consommation (100 km) :	ordinaire, 8,7 litres
Autonomie approximative :	816 km
Émissions de CO2 :	3 984 kg/an
Emp/Lon/Lar/Haut (mm) :	2 850 / 4 825 / 1 820 / 1 425
Coffre/Réservoir :	229 / 71 litres
Nombre de coussins de sécurité :	8
Suspension avant :	indépendante, bras inégaux
Suspension arrière :	indépendante, multibras
Freins av./arr. :	disque (ABS)
Antipatinage/Contrôle de stabilité :	oui/oui
Direction :	à crémaillère, assistance variable électrique
Diamètre de braquage :	11,2 m
Pneus av./arr. :	P225/40R18
Poids :	1 675 kg
Capacité de remorquage :	non recommandé

AUTRE(S) COMPOSANTE(S) MÉCANIQUE(S)

Système hybride :	Technologie HSD (Hybrid Synergy Drive). Moteur élect de 197 ch et 203 lb-pi. Puissance totale (essence + élect) de 339 ch. Batteries nickel-métal Hydrure de 288 Volts
Moteur diesel :	aucun
Taxe énergivore :	aucune
Autre(s) moteur(s) :	V8 de 4,6 litres 342 ch/339 lb-pi (12,4 l/100 ordinaire) (GS460) V6 de 3,5 litres 303 ch/274 lb-pi (11,0 l/100 ordinaire) (GS350)
Autre(s) rouage(s) :	intégral (GS350)
Autre(s) transmission(s) :	automatique, 6 rapports

EN BREF

Échelle de prix :	51 000 $ à 71 100 $ (2008)
Catégorie :	berline compacte
Garanties :	4 ans/80 000 km, 6 ans/110 000 km
Assemblage :	Tahara, Japon
Cote d'assurance :	n.d.

DANS LA MÊME CATÉGORIE

Acura RL, Audi A6/S6, BMW Série 5, Mercedes-Benz Classe E, Saab 9-5, Volvo S80

NOS IMPRESSIONS

Agrément de conduite :	
Fiabilité :	
Sécurité :	½
Qualités hivernales :	
Espace intérieur :	
Confort :	

DU NOUVEAU EN 2009

Aucun changement majeur

LEXUS GX470

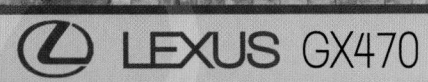

26 ACHETEURS SATISFAITS...

Chez Lexus, il existe toujours un ou deux modèles qui ne semblent être présents que pour emmerder les concessionnaires. Ils ne sont jamais mal cotés ni particulièrement talentueux (on parle des modèles !), mais ils ne se vendent pas. Depuis quelque temps, ce sont les modèles SC et GX qui trônent au sommet de la catégorie des ramasse-poussières de Lexus. Ils sont présents au catalogue, ils ont une certaine réputation auprès de ceux qui en ont jadis acheté un, mais figurent rarement dans l'inventaire de votre concessionnaire. Et si c'est le cas, le véhicule date certainement d'un an ou deux.

Bref, si votre objectif est de vous trouver un GX470 2009, je vous souhaite bonne chance. Oh, peut-être y parviendrez-vous, mais je suis convaincu que votre concessionnaire préférera vous refiler son modèle 2007 flambant neuf à gros rabais plutôt que de placer une commande. Et il en serait tout à votre avantage, car le véhicule n'a subi depuis que quelques changements très légers, donc sans importance. Mais avant de vous inquiéter de la disponibilité du GX470, je vous invite à réfléchir aux raisons qui vous amènent à vous y intéresser. Car s'il est si peu populaire, ce n'est pas pour rien. En fait, comme le titre l'indique, seulement 26 unités ont trouvé acquéreur au Québec l'an dernier. Et pour moi, ce n'est qu'une preuve qu'il existe encore en ce monde, d'excellents vendeurs !

SANS PUNCH !

Comme la grande majorité des produits Lexus, le GX470 propose une ligne à la fois élégante et discrète. C'en est à ce point frappant que ce véhicule, aussi volumineux puisse-t-il être, passe totalement inaperçu. Il a beau revêtir d'imposants élargisseurs d'ailes, un porte-bagages, des marchepieds et plusieurs accents de chrome, il se fond quand même dans le paysage. Voilà donc sans doute la première clé de son insuccès.

À bord, un curieux mélange de modernisme et de conservatisme se fait voir. Cet effet n'est pas aussi accentué que dans le cas de la Classe G de Mercedes-Benz, mais on constate malgré tout que ce véhicule n'a pas été développé à partir des plus récentes technologies. D'abord, on se glisse derrière le volant en remarquant d'entrée de jeu les deux gros leviers situés sur la console centrale. Le premier sert à sélectionner le mode de la transmission, mais le second vous ramène à cette époque où l'enclenchement du système de quatre roues motrices requérait un petit effort de la part du conducteur. Bref, ce dernier sert à la sélection des quatre roues motrices, en mode Hi ou Low.

Une planche de bord simplement dessinée prend place à l'avant-scène de l'habitacle. Elle est efficace et élégante, mais demeure esthétiquement conservatrice. On peut en revanche affirmer que l'environnement dans lequel peuvent monter jusqu'à sept occupants brille par une finition exceptionnelle. La qualité des cuirs, des boiseries et des épaisses moquettes est là pour en témoigner. Évidemment, je sympathise avec ceux qui devront s'installer à la dernière rangée, mais ce commentaire souvent répété s'applique également à de nombreux rivaux.

FEU VERT

- Qualité de construction indéniable
- Finition hors pair
- Capacités hors route remarquables
- Fiabilité rassurante

FEU ROUGE

- Comportement routier d'une autre époque
- Sièges non rabattables à plat
- Consommation très élevée
- Facture très salée

Besoin d'espace de chargement ? J'ai le regret de vous annoncer que les sièges ne sont pas rabattables à plat et qu'il faut une musculature quasi athlétique pour parvenir à les retirer. En contrepartie, ceux de la troisième rangée peuvent se rabattre sur les parois latérales de l'habitacle, ce qui augmente vos possibilités. Quant au hayon, son ouverture latérale (du sens contraire au trottoir) n'a rien de pratique.

AVANÇONS... EN ARRIÈRE !

Sur la route, le GX n'impressionne guère. D'abord, parce qu'il est plus haut que large, ce véhicule démontre une très grande sensibilité aux vents latéraux. Le roulis en virage est donc très prononcé, d'autant plus que le centre de gravité est élevé. Ajoutez ensuite une suspension arrière à essieu rigide qui provoque un train sautillant, un amortissement plutôt souple, une direction engourdie et un freinage peu endurant, et vous obtenez en gros tous les désavantages qui se retrouvaient sur les VUS du début des années quatre-vingt-dix. Même le moteur V8, qui n'est pas désagréable pour autant, n'arrive pas à suivre le rythme de ceux proposés chez la concurrence. Sa puissance inférieure à la moyenne engendre des performances moins impressionnantes et un effort accru, ce qui du même coup occasionne une consommation très élevée.

Le seul véritable talent du GX470, hormis sa qualité de construction indéniable, consiste en ses capacités hors route exceptionnelles. Malgré son poids considérable, ce dernier ne rechigne pas devant un imposant obstacle. Ses angles d'attaque sont importants, son rouage à quatre roues motrices est efficace et sa garde au sol lui permet de composer avec les surfaces les plus inégales. Évidemment, les marchepieds de polymère sont à risque, mais c'est le prix à payer pour l'élégance de la chose...

Conçu à partir des bases du Toyota 4Runner, le GX470 est un véhicule fiable et solide, mais voué à l'échec. Il ne serait d'ailleurs pas surprenant de constater sa disparition prochaine, puisque le seul fait d'imprimer des brochures pour le promouvoir coûte plus cher à Lexus Canada que le profit engendré par les quelques ventes annuelles... En terminant, si vos besoins vous guident vers ce véhicule, je vous invite à jeter votre dévolu sur une Mercedes-Benz de Classe GL. Croyez-moi, vous oublierez vite le GX...

Antoine Joubert

Photos : Lexus

VÉHICULE D'ESSAI

Version :	Lexus GX470
Moteur :	V8 de 4,7 litres 32s atmosphérique
Puissance :	263 ch (196 kW) à 5 400 tr/min
Couple :	323 lb-pi (438 Nm) à 3 400 tr/min
Rapport poids/puissance :	6,38 kg/ch (8,57 kg/kW)
Transmission :	automatique, 5 rapports
Rouage :	intégral
0-100 km/h · 80-120 km/h :	10,0 s · 9,1 s
Freinage 100-0 km/h :	42,0 m
Vitesse maximale :	186 km/h
Consommation (100 km) :	ordinaire, 15,3 litres
Autonomie approximative :	568 km
Émissions de CO2 :	6 528 kg/an
Emp/Lon/Lar/Haut (mm) :	2 790 / 4 780 / 1 880 / 1 895
Coffre/Réservoir :	1 238 à 2 513 / 87 litres
Nombre de coussins de sécurité :	6
Suspension avant :	indépendante, bras inégaux
Suspension arrière :	essieu rigide, ressorts elliptiques
Freins av./arr. :	disque (ABS)
Antipatinage/Contrôle de stabilité :	oui/oui
Direction :	à crémaillère, assistée
Diamètre de braquage :	11,7 m
Pneus av./arr. :	P265/65R17
Poids :	1 680 kg
Capacité de remorquage :	2 948 kg

AUTRE(S) COMPOSANTE(S) MÉCANIQUE(S)

Système hybride :	aucun
Moteur diesel :	aucun
Taxe énergivore :	1 000 $
Autre(s) moteur(s) :	aucun
Autre(s) rouage(s) :	aucun
Autre(s) transmission(s) :	aucune

EN BREF

Échelle de prix :	57 800 $ à 64 200 $
Catégorie :	VUS compact
Garanties :	4 ans/80 000 km, 6 ans/110 000 km
Assemblage :	Tahara, Japon
Cote d'assurance :	n.d.

DANS LA MÊME CATÉGORIE

Acura MDX, GMC Envoy, Mercedes-Benz Classe M

NOS IMPRESSIONS

Agrément de conduite :	🚗🚗🚗
Fiabilité :	🚗🚗🚗🚗🚗
Sécurité :	🚗🚗🚗🚗
Qualités hivernales :	🚗🚗🚗🚗🚗
Espace intérieur :	🚗🚗🚗🚗
Confort :	🚗🚗🚗🚗

DU NOUVEAU EN 2009

Aucun changement majeur

UN V8 À LA RESCOUSSE !

Lexus, la division haut de gamme de Toyota, est présente en Amérique du Nord depuis maintenant 20 ans. Si la majeure partie des produits sont orientés vers le luxe et le confort, c'est la gamme IS qui fait office de sportive chez le constructeur. La première génération mettait de l'avant plusieurs attraits, notamment un style sportif, une instrumentation qui ressemblait à des engrenanges d'horlogerie et un comportement agréable, même si elle n'était pas surpuissante.

La seconde génération est parmi nous depuis déjà quatre ans et force est d'admettre que la IS ne réussit pas à rivaliser avec la BMW de Série 3 ou la Audi A4. La IS a certes plusieurs éléments positifs, mais elle n'a pas la maturité de ses rivales allemandes et le constructeur ne prétend pas le contraire. Cependant, la IS fait bonne figure à plusieurs chapitres et son prix attrayant la rend également intéressante.

Tout comme l'an passé, la IS 250 propose, sous le capot, un moteur V6 de 2,5 litres développant 204 chevaux pour 185 livres-pied de couple. Ce moteur peut être combiné au choix à une boîte manuelle ou automatique, toutes deux à six rapports. La boîte automatique, qui comprend un mode sport et des leviers derrière le volant, équipe de facto la IS 250 AWD à traction intégrale. Avec son prix intéressant, la IS 250 à propulsion me semble un bon compromis, surtout lorsqu'équipée de la boîte manuelle, ce qui permet d'extirper un peu plus la puissance du moteur. En version à traction intégrale, vous gagnerez certes quelques avantages dans des conditions glissantes, mais le comportement de la voiture deviendra un peu plus anémique. Une question de choix.

Les amateurs de performances supérieures peuvent se tourner vers la IS 350, cette dernière héritant d'un moteur V6 de 3,5 litres développant 306 chevaux pour un couple de 277 livres-pied. Voilà qui donne un comportement beaucoup plus sportif à la voiture. Certes plus chère, la IS 350 se présente uniquement en modèle à propulsion, donc sans la traction intégrale, et elle hérite de série de la boîte automatique.

MOTEUR V8 DE 416 CHEVAUX

La gamme IS s'élargit cette année avec l'arrivée de la IS-F, une version à moteur V8 qui donne ses lettres de noblesse à la IS, mais qui devient également une icône de performance chez Lexus. Voilà que le constructeur se dote d'un emblème et il compte bien utiliser son rayonnement sur d'autres gammes. On retrouve au cœur de ce bolide un moteur V8 de 5,0 litres développant 416 chevaux, ce qui permet un sprint au 0-100 km/h de 4,6 secondes, soit un temps similaire à celui de la BMW M3 et de la Audi RS4, deux rivales dans la mire de la IS-F. Tout comme la IS 350, la IS-F ne peut être commandée qu'avec une boîte automatique, mais celle de la IS-F dispose de huit rapports.

Il faut avouer que la IS offre un style intéressant et résolument sportif. Les stylistes ont su donner un aspect macho et agressif au véhicule,

FEU VERT
- Style sportif
- Confort de roulement
- Fiabilité assurée
- Qualité de fabrication

FEU ROUGE
- Électronique intrusive
- Puissance un peu juste (IS 250 AWD)
- Suspension molle
- Prix des options

notamment en raison de ses ailes évasées. Le tout est encore plus poussé dans le cas de la IS 350 et de la IS-F. Cette dernière se distingue du lot par un fascia plus agressif, des ailes élargies, des jantes BBS de 19 pouces et, à l'arrière, par son becquet plus imposant et ses quatre sorties d'échappement disposées verticalement. Le capot est aussi plus bombé afin d'accommoder le moteur V8. Fait intéressant, les accessoires et équipements de la IS-F pourront être greffés à la IS 250, vous permettant de donner un tout nouveau style à la voiture.

L'intérieur est similaire d'un modèle à l'autre et, comme toute Lexus qui se respecte, la finition et le choix des matériaux sont sans reproche. La qualité d'assemblage est excellente et l'insonorisation de l'habitacle est notable. Encore une fois, la IS-F reçoit quelques exclusivités, notamment une instrumentation distincte, un pédalier au fini métallisé et des garnitures d'aluminium. L'habitacle est relativement spacieux et il vous permettra d'accueillir cinq adultes sans encombre.

HA ! L'ÉLECTRONIQUE

Au volant, on apprécie l'agilité de la IS 250, même si les performances ne sont pas à couper le souffle. L'élément le plus irritant est sans aucun doute le système de contrôle de la traction qui se veut trop intrusif et qui vous coupe la puissance au moindre patinage ou dérapage. Cet élément est un peu moins problématique dans le cas de la IS 350 et heureusement, les ingénieurs nous permettent de désactiver toute l'électronique dans le cas de la IS-F. Cependant, le mode sport de la IS-F fera tout aussi bien l'affaire tout en vous laissant un filet de sécurité en cas de problème.

Avec l'arrivée de la IS-F, la gamme IS profite d'un rayonnement qui attirera sans doute de nouveaux acheteurs dans les salles de montre. Si la IS 250 se démarque par son aspect plus abordable, la IS 350 séduit par sa puissance accrue et son caractère rehaussé. Quant à la IS-F, elle se révèle une berline pratique et performante, sans toutefois sacrifier le confort sur route, un élément qui nous fera apprécier la voiture à plus long terme. La compétition est plus que féroce dans ce créneau et Lexus gagne lentement en maturité.

Sylvain Raymond

Photos : Marc Lachapelle

VÉHICULE D'ESSAI

Version :	Lexus IS -F
Moteur :	V8 de 5,0 litres 32s atmosphérique
Puissance :	416 ch (310 kW) à 6600 tr/min
Couple :	371 lb-pi (503 Nm) à 5200 tr/min
Rapport poids/puissance :	4,12 kg/ch (5,53 kg/kW)
Transmission :	séquentielle
Rouage :	propulsion
0-100 km/h · 80-120 km/h :	4,6 s · 3,5 s
Freinage 100-0 km/h :	38,6 m
Vitesse maximale :	250 km/h
Consommation (100 km) :	super, 13,1 litres
Autonomie approximative :	496 km
Émissions de CO2 :	5280 kg/an
Emp/Lon/Lar/Haut (mm) :	2730 / 4560 / 1815 / 1415
Coffre/Réservoir :	311 / 65 litres
Nombre de coussins de sécurité :	8
Suspension avant :	indépendante, bras inégaux
Suspension arrière :	indépendante, multibras
Freins av./arr. :	disque (ABS)
Antipatinage/Contrôle de stabilité :	oui/oui
Direction :	à crémaillère, assistance variable
Diamètre de braquage :	10,2 m
Pneus av./arr. :	P225/40R19 / P255/35R19
Poids :	1715 kg
Capacité de remorquage :	non recommandé

AUTRE(S) COMPOSANTE(S) MÉCANIQUE(S)

Système hybride :	aucun
Moteur diesel :	aucun
Taxe énergivore :	aucune
Autre(s) moteur(s) :	V6 de 2,5 litres 204 ch/185 lb-pi (9,7 l/100 super) (IS250)
	V6 de 3,5 litres 306 ch/277 lb-pi (10,8 l/100 super) (IS350)
Autre(s) rouage(s) :	intégral (IS250)
Autre(s) transmission(s) :	manuelle, 6 rapports (IS250)

EN BREF

Échelle de prix :	31 900 $ à 68 500 $
Catégorie :	berline sport
Garanties :	4 ans/80 000 km, 6 ans/110 000 km
Assemblage :	Tahara, Japon
Cote d'assurance :	n.d.

DANS LA MÊME CATÉGORIE

Acura TL, Audi A4, BMW Série 3, Cadillac CTS, Infiniti G35/G35x, Jaguar X-Type, Mercedes-Benz Classe C, Saab 9-3, Volvo S60

NOS IMPRESSIONS

Agrément de conduite :	
Fiabilité :	½
Sécurité :	½
Qualités hivernales :	
Espace intérieur :	
Confort :	

DU NOUVEAU EN 2009

Ajout de la IS-F

LEXUS LS460 / LS 460 L / LS600h L

LA TECHNOLOGIE NE FAIT PAS TOUT

Lorsque la division Lexus a dévoilé sa berline haut de gamme il y a deux ans, on nous promettait une voiture encore plus luxueuse et plus puissante, mais également plus agréable à conduire. Il est vrai que le moteur était plus gros, plus puissant et couplé à une nouvelle boîte automatique à huit rapports. Aussi, la version allongée proposait des places arrière qui s'apparentaient davantage à celles d'un salon qu'à des sièges d'automobile. Puis, l'an dernier, une version encore plus luxueuse avec groupe propulseur hybride se voulait la Lexus des Lexus.

Mais il ne faut pas toujours confondre technologie, gadgets et accessoires innombrables avec agrément de conduite. Par le passé, ce modèle haut de gamme méritait toutes les accolades pour la qualité de son habitacle et de ses matériaux, pour sa finition impeccable et sa fiabilité à nulle autre pareille. Par contre, je n'ai jamais lu un commentaire positif quant à sa tenue de route et surtout son agrément de conduite.

Pourtant, chez ce constructeur, on nous assure que cette grosse berline est en mesure de combler ceux qui apprécient la conduite.

SI LE CONFORT VOUS INTÉRESSE

La majorité des acheteurs de cette voiture sont des personnes qui tournent le dos aux voitures allemandes sous prétexte que les sièges sont trop durs, que la suspension est trop ferme et même que la direction est trop lourde. Au contraire, ils se pâment devant les sièges de type fauteuil de salon de la Lexus et sont émerveillés par les places arrière de la version à empattement allongé, puisqu'elles peuvent être dotées d'un système de massage, peuvent s'allonger et sont bien entendu climatisées. Pour les amateurs de travail sur la route qui aiment s'installer à l'arrière, la version Executive propose également une table de travail.

À juste titre, les admirateurs de la marque ne tarissent pas d'éloges sur la qualité des matériaux, de la finition et de l'insonorisation de l'habitacle. Ils ont aussi de bons mots pour la simplicité des commandes qui sont nombreuses mais faciles à repérer et à utiliser. Sur la LS, on ne retrouve pas de commande universelle de type I-Drive et je ne crois pas que quelqu'un va s'en plaindre.

Puisque le siège du conducteur est ajustable de multiples façons et que le volant est réglable électriquement en hauteur et en profondeur, la position de conduite est très bonne. Malgré cela, si les manœuvres de stationnement vous intimident, il est possible de commander le système de stationnement automatique qui laisse la voiture effectuer ce travail : vous n'avez qu'à appuyer sur les freins pour compléter la manœuvre.

Même si ce mécanisme est impressionnant et permet de stationner avec une bonne précision, il est d'une lenteur incroyable. Dans une ville comme Montréal ou New York, quelqu'un va vous subtiliser votre place avant que vous ayez procédé à la manœuvre.

MÉCANIQUE RAFFINÉE, CONDUITE ENNUYANTE

Pour souligner l'arrivée de cette nouvelle mouture, les ingénieurs ont

FEU VERT
- Confort assuré
- Choix de moteurs
- Rouage hybride
- Tenue de route correcte
- Finition impeccable

FEU ROUGE
- Agrément de conduite mitigé
- Freinage moyen
- Gadgets inutiles
- Tableau de bord rétro
- Dimensions encombrantes

développé un nouveau moteur V8 de 4,6 litres d'une puissance de 380 chevaux. Ce moteur est extraordinairement doux et silencieux et monte en régime sans se faire prier. Il travaille de plus en parfaite harmonie avec la boîte automatique à huit rapports qui est d'une douceur digne de mention. Il faut souligner que la plate-forme est rigide et la suspension vraiment sophistiquée, comme il faut s'y attendre sur une voiture de cette catégorie et de ce prix.

Malheureusement, cette technologie ne nous offre pas un agrément de conduite digne de ce nom. Le conducteur est isolé de l'extérieur dans un cocon insonorisé et agrippe un volant qui filtre toute sensation de la route. La voiture tient la route, freine avec puissance tandis que le roulis en virage est restreint. Mais si vous faites partie des conducteurs qui aiment bien sentir qu'ils ont la maîtrise de leur véhicule, cette Lexus vous décevra. Par contre, les occupants apprécieront le confort et l'insonorisation.

Avec la version à moteur hybride, le but n'était pas essentiellement de réduire la consommation de carburant ou de rendre la voiture plus écologique, mais bien de démontrer que ce groupe propulseur était capable de tenir la dragée haute aux moteurs V12 des Allemands. Pour la première fois, un moteur V8 était intégré dans un rouage hybride.

Curieusement, on n'a pas utilisé le moteur de 4,6 litres, mais un V8 de 5,0 litres. Ce dernier combiné avec un moteur électrique développe une puissance de 438 chevaux. Ce moteur hybride est couplé à une transmission à rapports continuellement variables et à un rouage intégral. Toute cette technologie vous permet d'obtenir une consommation quasiment similaire à celle de la version traditionnelle tandis que l'agrément de conduite n'est pas meilleur. On est donc en droit de se demander si beaucoup d'acheteurs seront prêts à débourser une somme approchant les 150 000 $ pour un tel modèle. D'autant plus que les allemandes assurent plus de prestige et une conduite plus inspirée.

Denis Duquet

Photos : Marc Lachapelle

VÉHICULE D'ESSAI

Version :	Lexus LS 600h L
Moteur :	V8 de 5,0 litres 32s atmosphérique
Puissance :	438 ch (327 kW) à 6 400 tr/min
Couple :	385 lb-pi (522 Nm) à 4 100 tr/min
Rapport poids/puissance :	5,22 kg/ch (7,00 kg/kW)
Transmission :	CVT
Rouage :	intégral
0-100 km/h · 80-120 km/h :	6,5 s · 4,7 s
Freinage 100-0 km/h :	46,5 m
Vitesse maximale :	250 km/h
Consommation (100 km) :	super, 10,6 litres
Autonomie approximative :	792 km
Émissions de CO2 :	4 368 kg/an
Emp/Lon/Lar/Haut (mm) :	3 090 / 5 150 / 1 875 / 1 480
Coffre/Réservoir :	330 / 84 litres
Nombre de coussins de sécurité :	8
Suspension avant :	indépendante, multibras
Suspension arrière :	indépendante, multibras
Freins av./arr. :	disque (ABS)
Antipatinage/Contrôle de stabilité :	oui/oui
Direction :	à crémaillère, assistance variable
Diamètre de braquage :	12,1 m
Pneus av./arr. :	P245/45R19
Poids :	2 290 kg
Capacité de remorquage :	non recommandé

AUTRE(S) COMPOSANTE(S) MÉCANIQUE(S)

Système hybride :	Technologie HSD (Hybrid Synergy Drive). Puissance moteur élect 650 Volts, 221 ch. Puissance totale de 438 chevaux.
Moteur diesel :	aucun
Taxe énergivore :	aucune
Autre(s) moteur(s) :	V8 de 4,6 litres 380 ch/367 lb-pi (12,6 l/100 super) (LS460)
Autre(s) rouage(s) :	propulsion
Autre(s) transmission(s) :	automatique, 8 rapports

EN BREF

Échelle de prix :	80 100 $ à 146 100 $ (2008)
Catégorie :	berline de grand luxe
Garanties :	4 ans/80 000 km, 6 ans/110 000 km
Assemblage :	Tahara, Japon
Cote d'assurance :	n.d.

DANS LA MÊME CATÉGORIE

Audi A8, BMW Série 7, Jaguar XJ8, Mercedes-Benz Classe S

NOS IMPRESSIONS

Agrément de conduite :	
Fiabilité :	
Sécurité :	½
Qualités hivernales :	
Espace intérieur :	½
Confort :	

DU NOUVEAU EN 2009

Aucun changement majeur

MONUMENT À L'OPULENCE

On peut dire ce qu'on voudra, il reste un marché pour les véhicules de luxe. Pour bien des personnes, le prix de l'essence n'a aucune espèce d'influence sur leur budget. Et, en général, les récriminations des « verts » ont aussi peu d'effet sur ces gens. Pour eux, Lexus propose son immense LX570, un VUS de grand format et de grand luxe. Il est bien évident que l'entreprise japonaise ne compte pas en vendre beaucoup. Pour ça, il y a la Corolla!

Le LX570 remplace le trop peu populaire LX470 dont le maigrichon V8 de 4,7 litres ne faisait pas le poids. Quand on est prêt à débourser près de 100 000 $ (avant les taxes, bien entendu), on veut avoir quelque chose de potable sous le capot!

Ce 5,7 litres produit quelque chose comme 383 chevaux et 403 livres-pied de couple. Même si la masse à déplacer est de près de 2 660 kilos (c'est trois Smart et demie, ça), les performances du LX570 sont plus près de celles d'une berline sportive que d'un gros VUS! Outre ses capacités athlétiques, le moteur du LX570 surprend surtout par sa linéarité, sa douceur et sa souplesse. Bien entendu, il faut être prêt à en payer le prix à la pompe. Malgré toute notre bonne volonté, nous n'avons enregistré une moyenne d'un peu plus de 14 litres aux cent kilomètres et ça, c'est en conduisant avec des œufs sous l'accélérateur. Quelques arrêts obligatoires et la consommation grimpe passablement! Bien sûr, comme dans tout véhicule de prestige qui se respecte, le LX570 ne boit que du super...

Un moteur, aussi puissant et doux soit-il, ne serait rien sans une bonne transmission. Celle du LX570 est parfaite! N'allez pas croire que ce soit la plus rapide pour changer les rapports. En réalité, elle prend bien son temps mais, surtout, elle le fait doucement. Elle permet au moteur de ne « tourner » qu'à 1 550 tours/minute à 100 km/h et à 1 800 à 120! Cette transmission propose un mode sport et il est alors permis de changer les vitesses soi-même. Dès qu'on déplace le levier vers la gauche pour se retrouver en mode sport, elle passe, à 100 km/h par exemple, du sixième rapport au quatrième. À ce moment, les révolutions du moteur montent à 2 750. Même à ce moment-là, oubliez les prétentions sportives. Ce mode n'est vraiment utile que lorsqu'on a besoin d'un frein moteur plus important, comme en tirant une remorque dans une région montagneuse. Parlant de remorque, le LX570 peut en tirer une de 3 856 kilos (8 500 livres).

1 %

Ce gros Lexus ne porte pas seulement l'appellation d'utilitaire, il l'assume! L'hiver dernier, lors du lancement du LX570, les gens de Lexus nous avaient amenés sur un circuit hors route assez difficile. Notre VUS est passé dedans comme une bonne sœur au confessionnal. Le châssis s'avère d'une rigidité extraordinaire, la garde au sol est importante (225 mm) et il y a une foule d'accessoires rehaussant les capacités du véhicule.

FEU VERT
- Confort inouï
- Système audio extraordinaire
- Capacités hors route incroyables
- V8 très performant
- Finition parfaite

FEU ROUGE
- Gros bateau
- Consommation indécente
- Technologie très complexe
- Fiabilité douteuse (électronique)
- Prix déments

99 %

Sur la route, car c'est là que le LX570 se retrouvera 99 % du temps, le mot d'ordre est : confort. L'insonorisation est telle qu'on n'entend pas le moteur travailler, même en pleine accélération, ni les bruits de la route. La direction est trop assistée et affiche un important flou au centre. Une courbe prise avec le moindrement d'empressement et on note un roulis qui impressionnerait le Queen Mary II. Et si on va un peu trop loin dans notre folle aventure, une infinité de systèmes de sécurité se mettent en branle, accompagnés d'un affreux bip, plus stressant qu'informatif.

Un produit Lexus ne serait pas un produit Lexus s'il n'y avait pas une panoplie de gadgets électroniques. SRS, ELR, ALR, CRS, AHC, AFS, PCS, VGRS, AVS et j'en passe font partie de l'équipement standard. Personnellement, j'aurais moins de difficulté à épeler « hystérosalpingographie » à l'envers que d'apprendre le fonctionnement de tous ces systèmes. En fait, j'en ai retenu un, le AHC (Active Height Control) qui permet de relever ou d'abaisser la suspension, parce qu'il ne fonctionnait pas et que l'écran d'information, situé juste devant le conducteur, ne cessait d'afficher une anomalie avec ce système. Après vérification, notre contact chez Lexus nous a dit d'utiliser le véhicule ainsi car le concessionnaire n'avait pas trouvé le problème. On a beau s'appeler Lexus, l'électronique semble loin d'être une science exacte…

Le LX570 est un véhicule imposant et l'habitacle est de même nature. Les deux personnes montant à l'avant ont amplement d'espace, de même que ceux assis sur la banquette. On retrouve une troisième rangée, peu facile d'accès et inconfortable. Curieusement, elle n'est ni confortable ni très logeable, et se replie de chaque côté du véhicule (électriquement, bien sûr !) pour donner plus d'espace de chargement. Les sièges de la deuxième rangée se replient sur eux-mêmes pour agrandir l'espace disponible. Malgré tout, et à ma grande surprise, un bureau de six pieds de longueur y entre mais c'est très juste. Le hayon ouvre en deux parties, ce qui est génial.

Lors du lancement du LX570, Lexus prévoyait en vendre environ 250 unités par année. Certes, il se trouvera toujours des gens assez à l'aise financièrement pour se promener dans ce château mobile. Mais les pressions sociales et environnementales sont de plus en plus fortes et sans doute que plusieurs personnes, même très riches, choisiront un moyen de transport plus « vert ».

Alain Morin

Photos : Alain Morin

VÉHICULE D'ESSAI

Version :	Lexus LX Premium
Moteur :	V8 de 5,7 litres 32s atmosphérique
Puissance :	383 ch (286 kW) à 5 600 tr/min
Couple :	403 lb-pi (546 Nm) à 3 600 tr/min
Rapport poids/puissance :	6,94 kg/ch (9,33 kg/kW)
Transmission :	automatique, 6 rapports
Rouage :	intégral
0-100 km/h · 80-120 km/h :	8,2 s · 5,8 s
Freinage 100-0 km/h :	42,0 m
Vitesse maximale :	n.d.
Consommation (100 km) :	super, 17,1 litres
Autonomie approximative :	561 km
Émissions de CO2 :	6 960 kg/an
Emp/Lon/Lar/Haut (mm) :	2 850 / 4 990 / 1 970 / 1 920
Coffre/Réservoir :	430 à 2 560 / 96 litres
Nombre de coussins de sécurité :	8
Suspension avant :	indépendante, essieu rigide
Suspension arrière :	indépendante, bras inégaux
Freins av./arr. :	disque (ABS)
Antipatinage/Contrôle de stabilité :	oui/oui
Direction :	à crémaillère, assistance variable
Diamètre de braquage :	12,8 m
Pneus av./arr. :	P285/50R20
Poids :	2 660 kg
Capacité de remorquage :	3 856 kg

AUTRE(S) COMPOSANTE(S) MÉCANIQUE(S)

Système hybride :	aucun
Moteur diesel :	aucun
Taxe énergivore :	2 000 $
Autre(s) moteur(s) :	aucun
Autre(s) rouage(s) :	aucun
Autre(s) transmission(s) :	aucune

EN BREF

Échelle de prix :	79 800 $ à 95 950 $
Catégorie :	VUS grand format
Garanties :	4 ans/80 000 km, 6 ans/110 000 km
Assemblage :	Araco, Japon
Cote d'assurance :	n.d.

DANS LA MÊME CATÉGORIE

Cadillac Escalade, Infiniti QX56, Land Rover Range Rover, Lincoln Navigator, Mercedes-Benz Classe GL

NOS IMPRESSIONS

Agrément de conduite :	🚗🚗🚗🚗
Fiabilité :	🚗🚗🚗🚗
Sécurité :	🚗🚗🚗🚗
Qualités hivernales :	🚗🚗🚗🚗
Espace intérieur :	🚗🚗🚗½
Confort :	🚗🚗🚗🚗

DU NOUVEAU EN 2009

Nouveau modèle

UN CLASSIQUE

Année après année, le RX 350 continue de figurer sur la liste des meilleurs de sa catégorie. Bien que plusieurs autres modèles de conception plus récente et proposant une mécanique souvent plus puissante soient arrivés sur le marché récemment, le RX 350 est toujours considéré comme l'une des références. La raison en est bien simple: cette Lexus intermédiaire à tout faire a littéralement inventé cette catégorie et elle est une réussite depuis ses débuts, à la fin du siècle dernier.

Trop souvent, lorsqu'une nouvelle catégorie est créée, plusieurs constructeurs et non les moindres verront leur premier effort nécessiter par la suite plusieurs retouches et modifications. Dans le cas du modèle qui nous concerne, l'exécution a été sans faille dès le premier jour tandis que la fiabilité a toujours été au rendez-vous. Avec le RX, Lexus a également fait la preuve qu'il n'était pas nécessaire de commercialiser un gros mastodonte à moteur V8 pour impressionner les biens nantis.

SILHOUETTE DISCRÈTE, CONFORT ASSURÉ

On ne peut pas dire que la silhouette de cette Lexus soit parmi les plus élégantes de la catégorie. Par contre, elle a influencé plusieurs designers qui avaient pour tâche de dessiner un modèle qui lui ferait concurrence. Ce qui explique sans doute pourquoi la majorité des véhicules de cette catégorie propose une allure qui est presque universelle. C'est également une bonne nouvelle pour notre Lexus, car son apparence est toujours dans le coup. Ses dimensions ne sont pas très imposantes, mais cela ne nuit aucunement au confort des occupants, qui peuvent prendre leurs aises aussi bien à l'avant qu'à l'arrière. Cependant, l'espace réservé aux bagages est moindre que ce que propose la concurrence.

Bien entendu, avec une Lexus, on s'attend à avoir une finition impeccable, des cadrans indicateurs électroluminescents et des matériaux de qualité, sans oublier plusieurs accessoires songés. À cet égard, le RX satisfait nos attentes. De plus, l'équipement de série de ce modèle s'est étoffé au fur et à mesure de l'ajout de nouveautés technologiques. Par exemple, on utilise depuis un certain temps des glaces favorisant l'insonorisation de l'habitacle.

Les sièges avant sont confortables, et ce, même dans la version de base, bien qu'ils manquent de support latéral. Il est important de souligner que même si le prix du modèle de base est très compétitif, Lexus tout comme Toyota utilise un système de commercialisation par groupe d'options qui fait monter la facture de façon assez spectaculaire, tant et si bien que le prix moyen d'un RX 350 n'est pas d'environ 43 000 $ comme on serait porté à le croire en consultant la liste des prix de vente, mais davantage autour de 50 000 $.

Par surcroît, beaucoup d'accessoires sophistiqués ne peuvent être commandés que dans le cadre d'un groupe d'options, notamment le système de navigation par satellites et la caméra de recul. Cela dit, tous les modèles proposent confort et motorisation tout en douceur.

FEU VERT

- Fiabilité assurée
- Moteur silencieux
- Rouage intégral efficace
- Finition impressionnante
- Tenue de route équilibrée

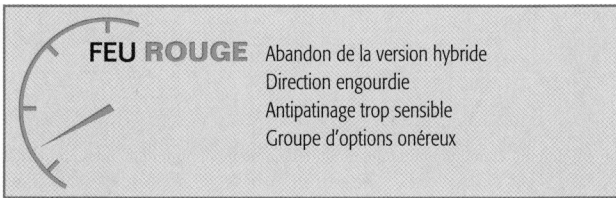

FEU ROUGE

- Abandon de la version hybride
- Direction engourdie
- Antipatinage trop sensible
- Groupe d'options onéreux

Enfin, même si dans l'ensemble le modèle est toujours au goût du jour, mentionnons qu'au chapitre de la présentation intérieure, le design du tableau de bord commence à démontrer des signes de vieillesse.

SILENCE, ON ROULE

Le RX 350 a toujours été reconnu pour son silence de roulement. D'ailleurs, toutes les Lexus sont réputées pour être silencieuses. Le moteur V6 de 3,5 litres produit 270 chevaux et il est associé à une transmission automatique à cinq rapports, dont la principale caractéristique est la douceur du passage des rapports. En revanche, la concurrence propose de plus en plus, elle aussi, des modèles avec une boîte automatique à six rapports.

Ce groupe motopropulseur a été essentiellement conçu pour assurer la plus grande douceur possible et un silence de fonctionnement sans pareil. Ajoutez à cela un habitacle insonorisé au maximum et une direction presque privée de *feedback* et il est facile de conclure que l'agrément de conduite n'est pas nécessairement ce qui prime chez ce modèle. De plus, la suspension est calibrée en fonction du confort. Pour certains acheteurs, cette souplesse peut être associée au luxe, mais elle se traduit également par un roulis assez prononcé en virage.

Le rouage intégral de type permanent est apprécié et si jamais vous devez affronter des conditions routières intimidantes, vous serez surpris de son efficacité. Par contre, les systèmes antipatinage et de stabilité intégrale sont vraiment trop intrusifs, tant et si bien que le véhicule perd trop de vitesse sur une surface enneigée ou glacée, ce qui pourrait avoir des conséquences fâcheuses.

En terminant, sachez que le modèle RX400h à moteur hybride n'est pas de retour cette année. Cela ne signifie pas que le constructeur abandonne cette technologie, mais plutôt qu'une nouvelle version hybride du RX serait mise en marché bientôt.

Denis Duquet

Photos : Lexus

VÉHICULE D'ESSAI

Version :	Lexus RX 350
Moteur :	V6 de 3,5 litres 24s atmosphérique
Puissance :	270 ch (201 kW) à 6 200 tr/min
Couple :	251 lb-pi (340 Nm) à 4 700 tr/min
Rapport poids/puissance :	6,87 kg/ch (9,22 kg/kW)
Transmission :	automatique, 5 rapports
Rouage :	intégral
0-100 km/h · 80-120 km/h :	8,2 s · 7,0 s
Freinage 100-0 km/h :	42,0 m
Vitesse maximale :	190 km/h
Consommation (100 km) :	ordinaire, 12,8 litres
Autonomie approximative :	507 km
Émissions de CO2 :	5 280 kg/an
Emp/Lon/Lar/Haut (mm) :	2 715 / 4 730 / 1 845 / 1 735
Coffre/Réservoir :	1 080 à 2 400 / 65 litres
Nombre de coussins de sécurité :	7
Suspension avant :	indépendante, jambes de force
Suspension arrière :	indépendante, multibras
Freins av./arr. :	disque (ABS)
Antipatinage/Contrôle de stabilité :	oui/oui
Direction :	à crémaillère, assistance variable
Diamètre de braquage :	11,4 m
Pneus av./arr. :	P225/65R17
Poids :	1 855 kg
Capacité de remorquage :	1 587 kg

AUTRE(S) COMPOSANTE(S) MÉCANIQUE(S)

Système hybride :	aucun
Moteur diesel :	aucun
Taxe énergivore :	aucune
Autre(s) moteur(s) :	aucun
Autre(s) rouage(s) :	aucun
Autre(s) transmission(s) :	aucune

EN BREF

Échelle de prix :	42 950 $ à 56 500 $
Catégorie :	VUS intermédiaire
Garanties :	4 ans/80 000 km, 6 ans/110 000 km
Assemblage :	kyushu, Japon
Cote d'assurance :	passable

DANS LA MÊME CATÉGORIE

Acura MDX, BMW X5, Cadillac SRX, Infiniti FX35/45, Jeep Commander, Land Rover LR3, Mercedes-Benz Classe M, Saab 9-7X, Volkswagen Touareg, Volvo XC90

NOS IMPRESSIONS

Agrément de conduite :	4
Fiabilité :	4
Sécurité :	4 ½
Qualités hivernales :	4
Espace intérieur :	4
Confort :	4

DU NOUVEAU EN 2009

Abandon de l'hybride RX400h

POURQUOI ?

En général, la division Lexus de Toyota cumule les bons coups et les succès. Pourtant, si vous voulez faire tiquer un responsable de la compagnie, vous n'avez qu'à lui parler du SC 430. Conçu à l'origine pour embêter Mercedes-Benz et sa légendaire SL, ce modèle n'a nullement atteint son objectif. Bien au contraire, il a été accueilli assez froidement par la critique tandis que les consommateurs n'ont pas été emballés outre mesure. Malgré tout, ce roadster à toit rigide articulé est toujours sur le marché.

La plupart des constructeurs automobiles japonais n'apprécient guère les échecs et ils se refusent généralement à l'admettre. Les ventes de ce modèle sont confidentielles et ne doivent pas tellement contribuer à la rentabilité de la compagnie. Mais Toyota a les coffres bien garnis et peut commercialiser cette Lexus orpheline pendant plusieurs années encore sans se faire trop de soucis, et ce, en attendant de pouvoir concocter un modèle plus attrayant et plus performant. Je suis également persuadé que les stylistes recevront des ordres et des consignes afin de nous faire oublier cette silhouette baroque.

Cela étant dit, la voiture n'est pas dépourvue de qualités, surtout au chapitre de l'assemblage et de la fabrication, en plus de nous proposer un confort à la hauteur du prix demandé.

CONSTRUCTION EXEMPLAIRE

Aussi bien commencer par les éléments positifs. Comme sur toute Lexus qui se respecte, la qualité des matériaux, de la finition et de l'assemblage sert encore de référence à toutes les autres marques, même les mieux cotées. Il faut chercher presque à la loupe pour trouver un détail à reprocher ici et là. Et encore, il s'agit d'un petit bout de tapis pas tout à fait inséré à la bonne place, d'une baguette de chrome qui dévie d'un millimètre, bref, vous comprenez ce que je veux dire.

Les faiblesses de la SC 430 ne se trouvent donc pas au chapitre de la finition et de la qualité générale, mais plutôt en fait de conception et de design. Prenez la planche de bord, par exemple. Il est difficile de croire qu'elle appartient à une voiture vendue à notre époque. Au premier coup d'œil, on dirait une voiture des années 80. Il n'y a que les trois cadrans indicateurs circulaires qui ajoutent une touche de modernité. Comme sur toute voiture de luxe qui se respecte, les appliques en bois exotiques sont nombreuses. Malheureusement, l'agencement des couleurs n'est pas toujours des plus heureux.

Un peu à l'image bourgeoise de cette voiture, les sièges sont confortables, mais leur support latéral est plus que moyen, indication sans équivoque du type de conduite anticipée avec cette voiture. Il y a bien deux places arrière, mais elles sont symboliques et peuvent tout au plus accepter une mallette ou un sac d'épicerie. Une fois le toit rigide en place, l'insonorisation est très bonne et on peut donc rouler toute l'année durant en tout confort. Par contre, comme tous les mécanismes de ce genre, il occupe une grande partie du coffre une fois replié.

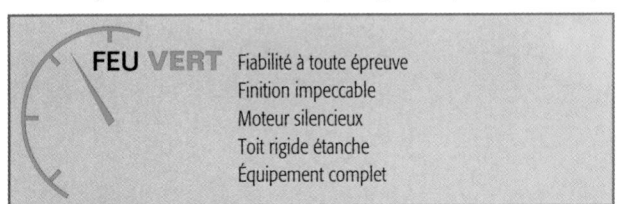

FEU VERT
- Fiabilité à toute épreuve
- Finition impeccable
- Moteur silencieux
- Toit rigide étanche
- Équipement complet

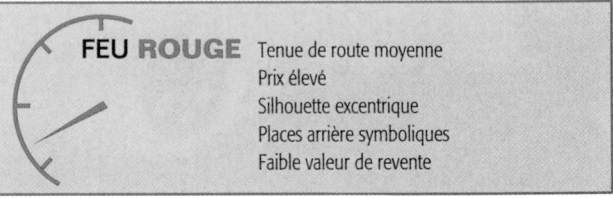

FEU ROUGE
- Tenue de route moyenne
- Prix élevé
- Silhouette excentrique
- Places arrière symboliques
- Faible valeur de revente

Revenons à la silhouette, que certains décrivent comme étant de style baroque moderne, surtout lorsque le toit est baissé. En fait, c'est la partie arrière qui est délinquante, avec ses lignes fuyantes qui se dirigent vers le bas. Une chose est certaine, ce n'est pas la sorte de voiture qui fait tourner les têtes.

GRANDE BOURGEOISE

Il existe sur le marché plusieurs voitures dont le stylisme est discutable. Par contre, elles compensent souvent cette faiblesse par des performances hors normes et un comportement routier exemplaire. Ce n'est pas le cas de notre Lexus. Il est vrai que son moteur V8 de 4,3 litres est doux, silencieux et de puissance acceptable avec ses 288 chevaux. Il est relié à une boîte automatique à six rapports dont les passages sont ultra doux.

De tels chiffres sont adéquats, peu importe les circonstances, mais malheureusement, la concurrence en offre davantage. C'est ainsi que la moins puissante des Mercedes-Benz SL, la SL 550, propose 94 chevaux de plus que la Lexus tandis que la version SL 63 AMG est propulsée par un moteur de 518 chevaux. Il y a de quoi donner des complexes à un propriétaire de SC 430. Ce dernier peut quand même se consoler en songeant à la fiabilité supérieure de sa japonaise.

L'expérience de conduite de cette Lexus nous laisse également sur notre appétit. Le roulis en virage est assez prononcé, la suspension a tendance à sautiller sur mauvaise route tandis que le *feedback* de la direction est presque inexistant. Ni sportive, ni performante, ni exclusive, cette Lexus tente de compenser son manque de caractère par la réputation de la marque, la qualité de sa finition et sa fiabilité. Assurément, il faudra faire son deuil de la valeur de revente.

Denis Duquet

Photos : Lexus

VÉHICULE D'ESSAI

Version :	Lexus SC430
Moteur :	V8 de 4,3 litres 32s atmosphérique
Puissance :	288 ch (215 kW) à 5 600 tr/min
Couple :	317 lb-pi (430 Nm) à 3 400 tr/min
Rapport poids/puissance :	6,04 kg/ch (8,10 kg/kW)
Transmission :	automatique, 6 rapports
Rouage :	propulsion
0-100 km/h · 80-120 km/h :	6,5 s · 4,9 s
Freinage 100-0 km/h :	36,6 m
Vitesse maximale :	250 km/h
Consommation (100 km) :	super, 12,8 litres
Autonomie approximative :	585 km
Émissions de CO_2 :	5 280 kg/an
Emp/Lon/Lar/Haut (mm) :	2 620 / 4 534 / 1 825 / 1 350
Coffre/Réservoir :	266 / 75 litres
Nombre de coussins de sécurité :	6
Suspension avant :	indépendante, bras inégaux
Suspension arrière :	indépendante, bras inégaux
Freins av./arr. :	disque (ABS)
Antipatinage/Contrôle de stabilité :	oui/oui
Direction :	à crémaillère, assistance variable
Diamètre de braquage :	10,8 m
Pneus av./arr. :	P245/40R18
Poids :	1 742 kg
Capacité de remorquage :	non recommandé

AUTRE(S) COMPOSANTE(S) MÉCANIQUE(S)

Système hybride :	aucun
Moteur diesel :	aucun
Taxe énergivore :	aucune
Autre(s) moteur(s) :	aucun
Autre(s) rouage(s) :	aucun
Autre(s) transmission(s) :	aucune

EN BREF

Échelle de prix :	78 300 $ à 81 400 $
Catégorie :	cabriolet
Garanties :	4 ans/80 000 km, 6 ans/110 000 km
Assemblage :	Tahara, Japon
Cote d'assurance :	n.d.

DANS LA MÊME CATÉGORIE

Jaguar XK8, Mercedes-Benz SL500

NOS IMPRESSIONS

Agrément de conduite :	
Fiabilité :	½
Sécurité :	
Qualités hivernales :	½
Espace intérieur :	½
Confort :	

DU NOUVEAU EN 2009

Aucun changement majeur

CETTE FOIS, C'EST POUR VRAI

Cela fait des années que la direction de Ford clame son intérêt envers sa division Lincoln mais sans aucun signe concret. On se contentait généralement de modifier des produits Ford en version plus luxueuse tandis que le Town Car, l'un des rares modèles offerts, est devenu au fil des années une voiture de taxi glorifiée. Mais au cours des cinq dernières années, on s'est retroussé les manches à Dearborn et on a décidé de faire de cette division une entité capable de produire des voitures de luxe digne de ce nom. La MKS est la preuve que ces promesses étaient sérieuses.

Il ne faut pas oublier de mentionner non plus que les modèles MKZ et MKX sont peut-être dérivés de modèles Ford, mais on les a suffisamment bien adaptés pour qu'ils aient une personnalité bien à eux et puissent contribuer à la remontée de la marque sur le marché nord-américain. Chez ce constructeur, on semble avoir abandonné l'idée qu'une voiture de luxe consiste à contenir des tapis plus moelleux, des accessoires dits exclusifs et des sièges douillets comme des fauteuils de salon. La sophistication mécanique, l'agrément de conduite, la tenue de route, on a laissé ça aux «importées» pendant trop longtemps. Cette myopie en fait de connaissance du marché et de développement de produits a fait que ces mêmes «importées» se sont emparées du marché des voitures de luxe en Amérique du Nord. Cadillac s'est réveillé il y a quelque temps et c'est maintenant au tour de Lincoln de se joindre à la parade.

UNE MÉCANIQUE CORRECTE

Toute voiture de luxe se doit de posséder une plate-forme ultrarigide et très sophistiquée. À une certaine époque, chez Ford, on se serait contenté d'utiliser la plate-forme de la Taurus, de la renforcer et de l'améliorer pour ensuite tenter de nous convaincre qu'il s'agissait de ce qui se faisait de mieux dans la catégorie. C'était hier. Aujourd'hui on fait les choses beaucoup plus sérieusement et la plate-forme de la MKS est dérivée de celle de la Volvo S80 qui est reconnue pour être l'une des meilleures de sa catégorie. Celle-ci est également conçue pour utiliser un rouage intégral qui est offert en option sur la Lincoln. La suspension avant est constituée de jambes de force de type MacPherson qui sont reliées dans leur partie inférieure à un bras de suspension en forme de L qui assure un grand débattement de la roue et un meilleur contrôle. À l'arrière, la suspension à bras multiples fait appel à des amortisseurs verticaux placés tout près des roues afin d'optimiser l'efficacité de la suspension avec des roues pouvant aller jusqu'à 20 pouces.

Deux moteurs sont disponibles. Celui qui est présentement monté est un V6 de 3,7 litres d'une puissance de 273 chevaux et de 270 lb-pi de couple. Il est dérivé du V6 de 3,5 litres utilisé, entre autres, sur les Lincoln MKZ et MKX. Ce moteur possède un bloc en alliage et sa culasse à quatre soupapes par cylindre est à calage variable. Ceci permet d'obtenir un couple supérieur à bas régime et de meilleures performances. Il est associé à une transmission automatique Selectshfit à 6 rapports de type manumatique. Comme sur tous les mécanismes de ce genre, le fait de pouvoir passer les rapports manuellement n'est pas un intérêt en soi.

La MKS sera la première auto chez Ford à commercialiser le moteur EcoBoost au cours de 2009. Ce V6 biturbo de 3,5 litres déploiera la puissance d'un V8 de 340 chevaux et l'économie d'un V6.

HÉRITIÈRE DE LA MKR

La silhouette de cette nouvelle Lincoln est difficile à décrire car elle n'est ni trop outrancière, ni trop discrète. Peter Horbury, le designer en chef de Ford pour les Amériques, a bien intégré certains éléments visuels empruntés à la MKR, une voiture-concept illustrant le credo visuel qui allait être adopté par les futures Lincoln. Il faut mentionner la grille de calandre en forme d'aile qui est dérivée de celle de la Lincoln 1941 et qui sera certainement adaptée sur toutes les Lincoln à l'avenir.

La ligne du toit est élégante et me rappelle quelque peu celle de la Saturn Aura, tandis que la partie arrière est rehaussée par une bande de lumière contrastante sur chaque feu et qu'une bande de chrome installée au-dessus de la plaque minéralogique tente d'amplifier l'impression de largeur. Le coffre à bagages est de bonnes dimensions mais son ouverture est relativement petite et le seuil très élevé. Pour en revenir au design de la carrosserie, les stylistes auraient pu être plus audacieux, mais ils nous proposent une ligne classique qui devrait bien vieillir.

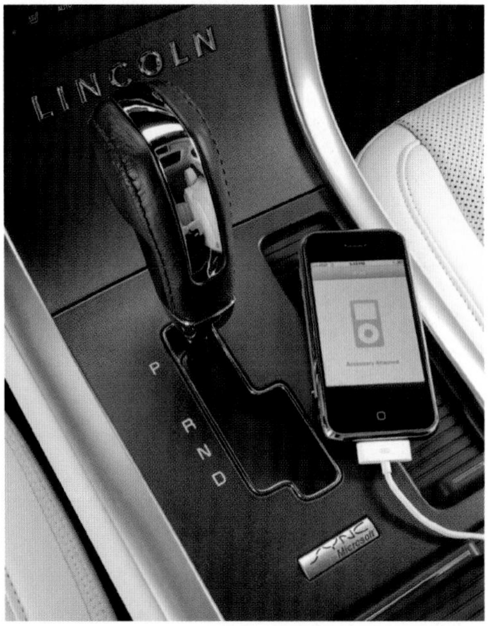

L'habitacle est constitué de matériaux de qualité, le tableau de bord est même garni d'un «tapis en cuir» et d'appliques en bois véritable. Cela afin de donner une ambiance de luxe, mais le surpiquage n'est pas complètement droit en certains endroits et c'est décevant. Par contre, la présentation d'ensemble est bonne et sobre et le volant avec boudin mi-cuir, mi-bois se prend bien en main. Celui-ci est réglable en hauteur et en profondeur grâce à un moteur électrique, comme sur les modèles de grand luxe. Toujours dans la même veine, les accoudoirs avant sont coulissants et individuels, les sièges avant sont climatisés et chauffants, rien de moins. Par contre, le plastique utilisé pour la planche de bord est d'une dureté presque sans pareille.

Les places arrière sont confortables et même les grandes personnes ne s'y sentiront pas à l'étroit. Elles auront également droit à leur part de ciel bleu, car notre modèle d'essai était doté d'un immense toit vitré coulissant en sa partie avant et fixe à l'arrière. Une

déception, néanmoins : le dossier arrière est fixe et seule une trappe à ski permet de passer des objets minces et longs dans l'habitacle.

UNE BONNE ROUTIÈRE

Pour aller jouer dans la cour des grands, Lincoln se doit d'équiper ses voitures en conséquence et raison de plus sur son porte-étendard. C'est pourquoi la MKS déborde d'accessoires sophistiqués visant à rendre la conduite plus agréable et plus sécuritaire. Sans entrer dans les détails, contentons-nous de souligner la présence d'un régulateur de vitesse adaptatif des feux de route pivotant pour mieux suivre la route et des feux de croisement à action automatique. Comme il se doit, les essuie-glace fonctionnent automatiquement lorsqu'il pleut, tandis que le bouchon du réservoir de carburant a été remplacé par le système « Easy Fuel » qui permet d'insérer le bec verseur dans le tuyau de ravitaillement en carburant sans dévisser quoi que ce soit. La MKS propose également la navigation par satellite, une caméra de recul, un détecteur de proximité et une clé intelligente permettant de lancer le moteur en appuyant sur un simple bouton.

La position de conduite est bonne en raison des multiples réglages du siège et du volant ainsi que d'un repose-pied fort confortable. Sur la

FEU VERT
- Plate-forme rigide
- Moteur bien adapté
- Habitacle confortable
- Équipement complet
- Bonne tenue de route

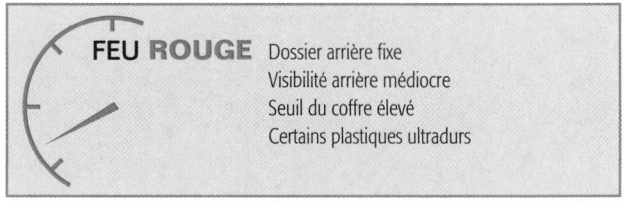

FEU ROUGE
- Dossier arrière fixe
- Visibilité arrière médiocre
- Seuil du coffre élevé
- Certains plastiques ultradurs

route, on remarque immédiatement que la direction est lourde pour une américaine et de luxe à part ça. Je suis loin de m'en plaindre. Et je ne me plaindrai pas non plus du comportement routier. La plate-forme ultrarigide fait sentir sa présence et la voiture reste imperturbable sur mauvaise route. La suspension est ferme sans être sèche. Il faut également ajouter que la voiture est stable en virage et le roulis de caisse minimal. Notre modèle d'essai était à transmission intégrale ce qui éliminait l'effet de couple dans le volant et le sous-virage dans les courbes.

Le moteur V6 de 3,7 litres n'est pas aussi peppé que celui d'une Mercedes-Benz de Classe E, mais son rendement est impeccable avec un temps d'accélération de 8,1 secondes pour boucler le 0-100 km/h. De plus, il s'abreuve d'essence ordinaire même si cela dérobe deux chevaux à la puissance du moteur et six livres-pied de couple. Sur la grand-route, la MKS est silencieuse et sera certainement appréciée lors de longs trajets.

Jadis, les Lincoln étaient devenues des parodies de voitures de luxe. Avec la MKS, on ne peut que conclure que cette division est redevenue ce qu'elle était dans les années 50 : une marque de prestige proposant des voitures sophistiquées.

Denis Duquet

Photos: Denis Duquet

VÉHICULE D'ESSAI

SIRIUS RADIO SATELLITE

Version :	Lincoln MKS (TI)
Moteur :	V6 de 3,7 litres 24s atmosphérique
Puissance :	273 ch (204 kW) à 6 250 tr/min
Couple :	270 lb-pi (366 Nm) à 4 250 tr/min
Rapport poids/puissance :	7,10 kg/ch (9,50 kg/kW)
Transmission :	automatique, 6 rapports
Rouage :	intégral
0-100 km/h · 80-120 km/h :	7,7 s · 6,8 s
Freinage 100-0 km/h :	38,9 m
Vitesse maximale :	180 km/h
Consommation (100 km) :	ordinaire, 13,0 litres
Autonomie approximative :	507 km
Émissions de CO2 :	5 760 kg/an
Emp/Lon/Lar/Haut (mm) :	2 868 / 5 184 / 1 928 / 1 565
Coffre/Réservoir :	521 / 66 litres
Nombre de coussins de sécurité :	6
Suspension avant :	indépendante, jambes de force
Suspension arrière :	indépendante, multibras
Freins av./arr. :	disque (ABS)
Antipatinage/Contrôle de stabilité :	oui/oui
Direction :	crémaillère, assistée
Diamètre de braquage :	12,1 m
Pneus av./arr. :	P255/45R19
Poids :	1 939 kg
Capacité de remorquage :	454 kg

AUTRE(S) COMPOSANTE(S) MÉCANIQUE(S)

Système hybride :	aucun
Moteur diesel :	aucun
Taxe énergivore :	n.d.
Autre(s) moteur(s) :	aucun
Autre(s) rouage(s) :	traction
Autre(s) transmission(s) :	aucune

EN BREF

Échelle de prix :	45 599 $ à 47 799 $
Catégorie :	berline de luxe
Garanties :	4 ans/80 000 km, 6 ans/110 000 km
Assemblage :	Chicago, Illinois, É-U
Cote d'assurance :	n.d.

DANS LA MÊME CATÉGORIE

Acura TL, Audi A4, BMW Séri3, Cadillac CTS, Infiniti G35, Lexus ES350, Mercedes-Benz Classe C, Saab 9-3, Volvo S60

NOS IMPRESSIONS

Agrément de conduite :	🚗🚗🚗🚗
Fiabilité :	nouveau modèle
Sécurité :	🚗🚗🚗🚗
Qualités hivernales :	🚗🚗🚗🚗 ½
Espace intérieur :	🚗🚗🚗🚗
Confort :	🚗🚗🚗🚗

DU NOUVEAU EN 2009

Nouveau modèle

BEL ÉQUILIBRE

Même si Ford s'y connaît en véhicule utilitaire sport, cela ne l'a pas empêché de se tromper, et ce, pas à peu près lorsqu'il a décidé d'offrir un VUS intermédiaire à sa division Lincoln. Appelé Aviator, ce véhicule n'était pas dépourvu de qualités, mais il ne présentait aucun signe particulier, tant et si bien que le public l'a complètement ignoré. Heureusement, la direction ne s'est pas découragée et a mandaté une nouvelle équipe pour développer un produit de remplacement qui s'est révélé pas mal plus compétitif, le MKX.

Les personnes qui suivent l'actualité automobile nous diront qu'il s'agit d'un Ford Edge déguisé en Lincoln, mais c'est une affirmation trop simpliste. Si la plate-forme est plus ou moins semblable, les deux modèles se démarquent quand même passablement, ne serait-ce qu'au chapitre de la présentation et de l'équipement de série.

UNE BELLE AMÉRICAINE

Il faut rendre hommage aux stylistes qui ont concocté la silhouette de ce modèle. En effet, ils n'ont pas tenté de dessiner une européenne ou une japonaise alambiquée. Ils ont conçu un véhicule dont les origines nord-américaines sont bien évidentes, ne serait-ce que la grille de calandre bien prononcée et assez chromée merci. À ce chapitre, parions que celle-ci sera remplacée dans un avenir rapproché par un modèle inspiré assez étroitement de celle qu'arbore la nouvelle MKS, dorénavant porte-étendard de la division Lincoln. Il faut également ajouter que la partie arrière n'est pas en reste avec ce feu qui traverse toute la largeur du véhicule et qui s'illumine brillamment le soir venu. Voilà une américaine qui n'a pas peur d'afficher ses couleurs et c'est tant mieux. Par contre, il est certain que sa silhouette n'a pas le même style sophistiqué que la Mazda CX-9, mais nous entrons alors dans le domaine des goûts et des couleurs et mieux vaut s'en éloigner.

Curieusement, la plupart des critiques des magazines américains soulignent que la qualité des matériaux de l'habitacle et de la finition constitue l'un des points faibles des produits de ce constructeur. Je partage en partie leur avis, mais je trouve que la présentation du tableau de bord est réussie, aussi bien par sa sobriété que par l'agencement de ses composantes. De plus, le volant à quatre branches, dont le boudin est partiellement en matière ligneuse, ajoute une touche de luxe à ce modèle.

En outre, il faut souligner le confort des sièges avant qui peuvent être ventilés et climatisés selon le modèle choisi, tandis que le toit ouvrant couvre presque toute la surface du pavillon. La section avant permet à l'air de pénétrer, tandis que la section arrière n'est qu'une immense fenêtre permettant aux occupants des places arrière d'observer les nuages ou le soleil. Par ailleurs, on a résisté chez Lincoln à la tentation d'insérer une troisième rangée de sièges qui aurait été aussi inutile qu'inconfortable. Par contre, la banquette arrière se replie à l'aide d'un moteur électrique. Si vous voulez mon avis, cette option est totalement

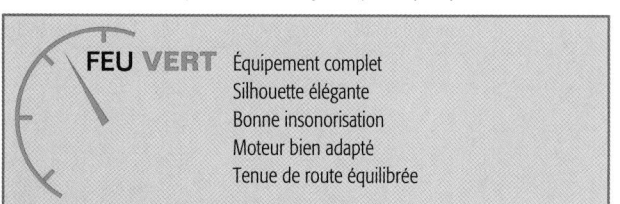

FEU VERT
- Équipement complet
- Silhouette élégante
- Bonne insonorisation
- Moteur bien adapté
- Tenue de route équilibrée

FEU ROUGE
- Direction engourdie
- Réputation à refaire
- Dépréciation appréciable
- Certaines options chères

futile, mais il y en a qui aiment épater leur entourage. Sur une note plus positive, le hayon arrière motorisé est nettement plus intéressant – même si à première vue il paraît inutile lui aussi. Vous serez fort heureux, lorsque vous arriverez devant votre véhicule les bras chargés, de voir cette porte s'ouvrir comme par enchantement.

PAS PIRE ! PAS PIRE !

Si la division Lincoln s'est bâti une réputation couci-couça au fil des années, c'est surtout en raison d'un comportement routier passablement insipide. Lors de mon premier essai avec ce modèle, j'anticipais le pire. Mais, à ma grande surprise, les performances et la tenue de route du MKX se sont révélées supérieures à mes attentes.

Il faut en tout premier lieu souligner que le moteur V6 de 3,5 litres offre des performances adéquates compte tenu de la catégorie et du poids de ce véhicule. Ses 265 chevaux sont transmis à la route par le biais d'une transmission automatique à six rapports qui accomplit de la bonne besogne bien qu'elle soit quelque peu lente à passer les vitesses. Mais elle le fait avec douceur. Curieusement, on se serait attendu à ce que ce modèle bénéficie du même nouveau moteur 3,7 litres que la MKS, mais on s'est contenté de reconduire le même groupe propulseur pour 2009. Par ailleurs, la Mazda CX-9 profite de ce moteur légèrement plus gros.

Sans être une bombe sur la route, cette Lincoln se débrouille assez bien, tant au chapitre du confort que de la tenue de route. Sa suspension indépendante aux quatre roues explique fort bien ce comportement. Par contre, comme c'est souvent le cas dans la catégorie, la direction est passablement engourdie.

En terminant, mentionnons que si l'on sait choisir les bonnes options, le rapport luxe-performances-confort est vraiment impressionnant. De plus, la finition et la fiabilité de la plupart des modèles de ce constructeur sont en net progrès depuis quelques années. Il est vrai que, compte tenu du passé, plusieurs personnes vont hésiter à considérer ce modèle, mais un essai routier et un examen attentif des caractéristiques du MKX pourraient les influencer positivement.

Denis Duquet

Photos : Lincoln

VÉHICULE D'ESSAI

Version :	Lincoln MKX TA
Moteur :	V6 de 3,5 litres 24s atmosphérique
Puissance :	265 ch (198 kW) à 6 250 tr/min
Couple :	250 lb-pi (339 Nm) à 4 500 tr/min
Rapport poids/puissance :	7,20 kg/ch (9,64 kg/kW)
Transmission :	automatique, 6 rapports
Rouage :	traction
0-100 km/h · 80-120 km/h :	8,3 s · 6,5 s
Freinage 100-0 km/h :	46,8 m
Vitesse maximale :	190 km/h
Consommation (100 km) :	ordinaire, 12,8 litres
Autonomie approximative :	593 km
Émissions de CO2 :	5 184 kg/an
Emp/Lon/Lar/Haut (mm) :	2 824 / 4 737 / 1 925 / 1 715
Coffre/Réservoir :	900 à 1 954 / 76 litres
Nombre de coussins de sécurité :	6
Suspension avant :	indépendante, jambes de force
Suspension arrière :	indépendante, multibras
Freins av./arr. :	disque (ABS)
Antipatinage/Contrôle de stabilité :	oui/oui
Direction :	à crémaillère, assistance variable
Diamètre de braquage :	11,7 m
Pneus av./arr. :	P245/60R18
Poids :	1 910 kg
Capacité de remorquage :	1 588 kg

AUTRE(S) COMPOSANTE(S) MÉCANIQUE(S)

Système hybride :	aucun
Moteur diesel :	aucun
Taxe énergivore :	n.d.
Autre(s) moteur(s) :	aucun
Autre(s) rouage(s) :	intégral
Autre(s) transmission(s) :	aucune

EN BREF

Échelle de prix :	43 299 $ à 45 299 $
Catégorie :	multisegment
Garanties :	4 ans/80 000 km, 6 ans/110 000 km
Assemblage :	Oakville, Ontario, Canada
Cote d'assurance :	n.d.

DANS LA MÊME CATÉGORIE

Acura MDX, Audi Q7, BMW X5, Cadillac SRX, Infiniti FX35, Land Rover LR3, Lexus RX350, Mercedes-Benz ML 350, Saab 9-7, Volkswagen Touareg, Volvo XC90

NOS IMPRESSIONS

Agrément de conduite :	½
Fiabilité :	
Sécurité :	½
Qualités hivernales :	
Espace intérieur :	
Confort :	½

DU NOUVEAU EN 2009

Aucun changement majeur

À FORCE D'ESSAYER

Par le passé, il était fréquent pour les constructeurs nord-américains d'abandonner un modèle après une couple d'années si les résultats initiaux avaient été décevants. Mais les temps changent. Après avoir lancé il y a maintenant trois ans la nouvelle berline Zephyr, la direction de la division Lincoln nous annonçait quelques mois plus tard que ce modèle s'appellerait dorénavant MKZ, que la cylindrée de son moteur serait portée de 3,0 litres à 3,5 litres, en plus de voir la grille de calandre être sérieusement modifiée. C'était frustrant pour ceux qui avaient joué la carte Zephyr, mais le fait demeure que la MKZ était une bien meilleure voiture.

Cette année, on conserve la même silhouette et le même moteur, ce qui ne déplaira à personne. Les décideurs ont toutefois opté pour une liste d'équipements encore plus complète, un raffinement des commandes encore plus poussé et quelques autres modifications destinées à rehausser le confort et le luxe de ce modèle.

ON REVIENT DE LOIN

Il faut féliciter la division Lincoln pour le travail accompli au cours des dernières années. En effet, au début des années 2000, cette division était moribonde et n'avait pratiquement plus rien à offrir au public si ce n'est de gros VUS qui bénéficiaient d'une certaine popularité. Quand on se remémore que la berline la plus populaire de la marque était le Town Car, on voit les progrès accomplis depuis ce temps.

La MKZ emprunte sa plate-forme et sa mécanique à la Ford Fusion et il arrive souvent que dans telles circonstances on se retrouve au volant d'une voiture qui cache mal ses origines. Ce n'est pas le cas de cette Lincoln avec sa grille de calandre typique de la marque et ses feux arrière horizontaux dont l'effet visuel favorise l'impression de largeur. Bref, le résultat final n'est pas si mauvais à défaut d'être spectaculaire.

C'est toutefois dans l'habitacle et surtout au niveau du tableau de bord que cette berline s'impose. En effet, le point d'intérêt central est la console verticale argentée qui divise la planche de bord. Non seulement les commandes du système audio et de la ventilation sont très faciles à repérer et à utiliser, mais l'écran central tactile est très simple d'utilisation. Il faut aussi souligner que le système de navigation par satellite est à commande vocale si on le désire. Mentionnons au passage que la qualité des matériaux est correcte et que la finition s'est grandement améliorée.

Toujours dans l'habitacle, les sièges avant peuvent être climatisés en plus d'être réglables de diverses façons. Comme il fallait s'y attendre, le système d'activation vocale SYNC des modules audio et de communication est disponible. Il intègre également les commandes téléphoniques avec le système Bluetooth. En passant, le système audio a été jugé le meilleur par la revue *PC Magazine*. Le coffre est quant à lui le plus important de sa catégorie, et le dossier arrière est de type 60/40.

FEU VERT

- Voiture confortable
- Finition impeccable
- Tableau de bord moderne
- Tenue de route impressionnante
- Traction intégrale optionnelle

FEU ROUGE

- Image de la marque
- Consommation à réduire
- Dépréciation assez forte

PLUS QUE DU CONFORT

Le fait que l'habitacle de cette Lincoln soit l'un des plus confortables sur le marché ne surprend pas, car cette marque nous a toujours offert des intérieurs cossus et bien insonorisés. Malheureusement, la plupart du temps, la tenue de route était déficiente, les moteurs plus gourmands que performants et l'agrément de conduite quasiment inexistant. Mais c'était hier. De nos jours, rouler en Lincoln signifie un moteur V6 performant, mais frugal, une tenue de route correcte et une direction qui ne semble pas être reliée aux roues avant par des bandes élastiques.

UNE AGRÉABLE SURPRISE

En effet, piloter cette berline de luxe est une agréable surprise. Les reprises et les accélérations du moteur V6 de 3,5 litres sont légèrement supérieures à la moyenne, mais la consommation pourrait être moins élevée. Heureusement, ce V6 s'abreuve d'essence régulière. Il est couplé à une boîte automatique à six rapports qui accomplit du bon travail bien que les passages des vitesses s'effectuent assez lentement, mais avec beaucoup de douceur. Félicitons les ingénieurs attitrés à la mise au point de ce modèle d'avoir refusé de nous offrir le mode manumatique, plus inutile qu'autre chose.

La version courante de la MKZ est une traction et se débrouille fort bien dans presque toutes les circonstances de conduite, que ce soit sur la grand-route où elle est stable et silencieuse ou encore sur une route sinueuse alors qu'elle nous surprend par son aplomb en virage. Mais il y a mieux encore puisqu'une transmission intégrale est également au catalogue. Celle-ci fonctionne non seulement avec transparence, mais elle s'est révélée fort efficace lors d'un essai hivernal.

Donc, si pour vous Lincoln est synonyme de voitures de papy, un essai de la MKZ vous surprendra fort agréablement. Il vous faudra vaincre vos préjugés, mais on ne risque rien sans rien.

Denis Duquet

Photos : Lincoln

VÉHICULE D'ESSAI

SIRIUS RADIO SATELLITE

Version :	Lincoln MKZ (TI)
Moteur :	V6 de 3,5 litres 24s atmosphérique
Puissance :	263 ch (196 kW) à 6 250 tr/min
Couple :	249 lb-pi (338 Nm) à 4 500 tr/min
Rapport poids/puissance :	6,33 kg/ch (8,49 kg/kW)
Transmission :	automatique, 6 rapports
Rouage :	intégral
0-100 km/h · 80-120 km/h :	8,0 s · 5,5 s
Freinage 100-0 km/h :	41,7 m
Vitesse maximale :	210 km/h
Consommation (100 km) :	ordinaire, 12,7 litres
Autonomie approximative :	519 km
Émissions de CO2 :	5 136 kg/an
Emp/Lon/Lar/Haut (mm) :	2 728 / 4 839 / 1 834 / 1 453
Coffre/Réservoir :	447 / 66 litres
Nombre de coussins de sécurité :	6
Suspension avant :	indépendante, bras inégaux
Suspension arrière :	indépendante, multibras
Freins av./arr. :	disque (ABS)
Antipatinage/Contrôle de stabilité :	oui/oui
Direction :	à crémaillère, assistance variable
Diamètre de braquage :	12,2 m
Pneus av./arr. :	P225/50R17
Poids :	1 665 kg
Capacité de remorquage :	454 kg

AUTRE(S) COMPOSANTE(S) MÉCANIQUE(S)

Système hybride :	aucun
Moteur diesel :	aucun
Taxe énergivore :	aucune
Autre(s) moteur(s) :	aucun
Autre(s) rouage(s) :	traction
Autre(s) transmission(s) :	aucune

EN BREF

Échelle de prix :	36 499 $ à 40 299 $
Catégorie :	berline de luxe
Garanties :	4 ans/80 000 km, 6 ans/110 000 km
Assemblage :	Hermosillo, Stamping, Mexique
Cote d'assurance :	n.d.

DANS LA MÊME CATÉGORIE

Acura TL, Buick Lucerne, Cadillac CTS, Hyundai Azera, Infiniti G35/G35X, Jaguar X-Type, Lexus ES350, Mercedes-Benz Classe C, Nissan Maxima, Saab 9-5, Toyota Avalon, Volkswagen Passat, Volvo S60

NOS IMPRESSIONS

Agrément de conduite :

Fiabilité :

Sécurité :

Qualités hivernales :

Espace intérieur :

Confort :

DU NOUVEAU EN 2009

Aucun changement majeur

LIGHT IS RIGHT

Colin Chapman, le fondateur de la marque Lotus et de l'équipe de Formule Un du même nom avait toujours un principe élémentaire en tête lorsqu'il concevait une voiture de série ou de course. « *Light is right* », disait-il souvent, en prônant la légèreté comme étant un facteur crucial de la réussite en compétition. Plusieurs grands pilotes de Formule Un, tels Jim Clark et Ayrton Senna ont mené des Lotus à la victoire au cours de leurs carrières, mais l'écurie ayant disparu en 1994, il ne reste maintenant que la marque de voitures sport.

Affichant moins de 900 kilos à la pesée, grâce notamment à un châssis en aluminium qui ne pèse que 69 kilos et à une carrosserie en composite de verre, l'Elise est en tous points conforme à la philosophie de Colin Chapman. En fait, l'Elise est à ce point spartiate et dépouillée que les Honda S2000 et Mazda MX-5 font figure de véritables voitures de luxe à ses côtés ! On peut facilement la qualifier de go-kart avec plaque d'immatriculation ou de moto à quatre roues, tellement elle ne fait aucun compromis et ne propose qu'un confort tout à fait relatif aux deux personnes qui peuvent monter à bord. Vous l'avez peut-être déjà deviné, mais à peu près tous les autres véhicules décrits dans *Le Guide de l'auto 2009* s'avèrent plus confortables que l'Elise pour un trajet Montréal-Québec.

UN « COCKPIT » COMME HABITACLE.

S'installer dans une Elise exige une certaine flexibilité et les mêmes contorsions que de se glisser dans une voiture de course de Formule 2000, en raison des très larges longerons du châssis de l'Elise. L'habitacle est à ce point exigu que plusieurs conducteurs de grande taille seront tout simplement incapables de s'y asseoir, et que les autres s'y trouveront sans doute à l'étroit, à moins d'être familiers avec l'environnement spartiate et dépouillé d'une voiture de course. Vous pouvez oublier ici toute notion de luxe ou même de confort élémentaire, mais apprécier la parfaite disposition du pédalier qui facilite la manœuvre du talon-pointe au rétrogradage ou encore le fait que le levier de vitesses tombe parfaitement sous la main.

C'est sur un circuit que l'Elise se révèle pleinement avec des réactions aussi vives et incisives que celles d'une voiture de course. La direction est ultraprécise et l'adhérence est phénoménale, l'Elise étant capable d'atteindre 1,06 G en accélération latérale en virage. Il faut cependant prendre le temps de bien apprivoiser le *feedback* que rend la voiture avant de la pousser à la limite. Comme sa répartition des masses est de 39,1 pour cent sur le train avant et de 60,9 pour cent sur le train arrière, l'Elise ne se comporte pas comme une berline ordinaire mais plutôt exactement comme une monoplace. Ainsi, il faut éviter de lever le pied en sortie de virage, car le transfert de poids vers l'avant en sortie de courbe peut provoquer un survirage résultant en tête-à-queue. Ayant eu l'occasion non seulement de piloter l'Elise mais également d'accompagner des pilotes inexpérimentés à la découverte de cette sportive anglaise lors du Challenge Trioomph, je peux vous certifier qu'il est très difficile pour un novice de bien sentir la voiture puisque le roulis en virage est presque nul, et c'est la première indication

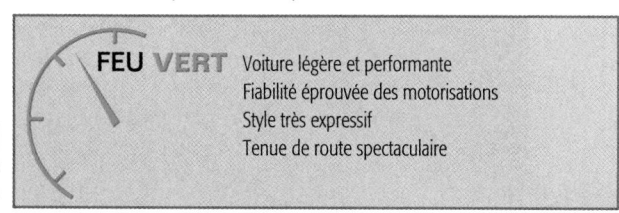

FEU VERT
- Voiture légère et performante
- Fiabilité éprouvée des motorisations
- Style très expressif
- Tenue de route spectaculaire

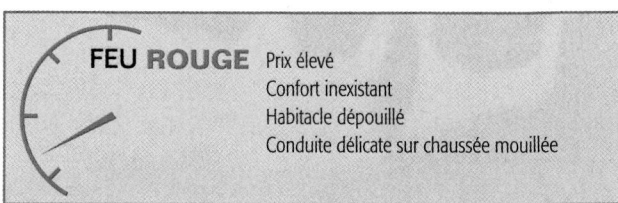

FEU ROUGE
- Prix élevé
- Confort inexistant
- Habitacle dépouillé
- Conduite délicate sur chaussée mouillée

pour un conducteur inexpérimenté qu'il s'approche de la limite. Bref, l'Elise tient et tient encore jusqu'à ce qu'elle décroche presque sans avertissement. Je peux également vous préciser que l'Elise n'aime pas vraiment la pluie, car ses pneus Yokohama Advan sont conçus afin de favoriser un maximum d'adhérence sur asphalte sèche et qu'ils ne comportent que très peu de sillons pour évacuer l'eau puisqu'ils ressemblent pratiquement à des pneus « *slicks* » de compétition.

C'est un moteur Toyota qui anime l'Elise et ce 4 cylindres de 1,8 litre développant 190 chevaux exige qu'on le cravache sérieusement pour en extraire la cavalerie. En effet, la puissance maximale est obtenue à 7 800 tours/minute et le couple maximal n'arrive qu'à 6 800 tours/minute. Heureusement, les rapports de la boîte manuelle ont été sélectionnés de façon à ce que l'on puisse facilement faire tourner le moteur à plein régime. L'insonorisation étant par ailleurs inexistante, on a droit à une voiture qui peut s'avérer invivable pour l'automobiliste non averti.

L'EXIGE

Lotus propose également l'Exige S, qui est une voiture à toit rigide plus performante que l'Elise et qui a été principalement conçue pour combler les attentes des conducteurs qui aiment boucler des tours sur circuit. Avec 220 chevaux et 165 livres-pied de couple pour seulement 944 kilos, le rapport poids-puissance est bonifié par rapport à l'Elise, et l'Exige s'avère particulièrement redoutable sur circuit, mais présente essentiellement les mêmes lacunes pour ce qui est du confort.

En plus de construire ses propres voitures, Lotus développe aussi des suspensions et même des motorisations pour d'autres constructeurs automobiles par le biais de sa filiale Lotus Engineering qui compte Toyota et General Motors parmi ses clients. C'est ainsi que Lotus a grandement contribué à la mise au point du moteur de la Corvette ZR-1. Par ailleurs, Lotus Engineering poursuit sa collaboration avec le constructeur de voitures électriques Tesla, ce roadster performant étant assemblé à l'usine de Hethel en Angleterre.

Gabriel Gélinas

Photos: Lotus

VÉHICULE D'ESSAI

Version :	Lotus Exige S
Moteur :	4L de 1,8 litre 16s atmosphérique
Puissance :	220 ch (164 kW) à 8 000 tr/min
Couple :	165 lb-pi (224 Nm) à 5 500 tr/min
Rapport poids/puissance :	4,29 kg/ch (5,75 kg/kW)
Transmission :	manuelle, 6 rapports
Rouage :	propulsion
0-100 km/h · 80-120 km/h :	4,3 s · n.d.
Freinage 100-0 km/h :	33,5 m
Vitesse maximale :	248 km/h
Consommation (100 km) :	super, 13,5 litres
Autonomie approximative :	296 km
Émissions de CO2 :	n.d.
Emp/Lon/Lar/Haut (mm) :	2 301 / 3 785 / 1 720 / 1 143
Coffre/Réservoir :	112 / 40 litres
Nombre de coussins de sécurité :	2
Suspension avant :	indépendante, bras inégaux
Suspension arrière :	indépendante, bras inégaux
Freins av./arr. :	disque (ABS)
Antipatinage/Contrôle de stabilité :	opt./non
Direction :	à crémaillère, assistance variable
Diamètre de braquage :	n.d.
Pneus av./arr. :	P195/50R16 / P225/45R17
Poids :	944 kg
Capacité de remorquage :	non recommandé

AUTRE(S) COMPOSANTE(S) MÉCANIQUE(S)

Système hybride :	aucun
Moteur diesel :	aucun
Taxe énergivore :	aucune
Autre(s) moteur(s) :	4L de 1,8 litre 190 ch/134 lb-pi (11,5 l/100 super) (Elise)
Autre(s) rouage(s) :	aucun
Autre(s) transmission(s) :	aucune

EN BREF

Échelle de prix :	59 990 $ à 75 900 $ (2008)
Catégorie :	roadster
Garanties :	3 ans/60 000 km, 3 ans/60 000 km
Assemblage :	Hethel, Norwich Norfolk, Angleterre
Cote d'assurance :	n.d.

DANS LA MÊME CATÉGORIE

Honda S2000, Porsche Boxster

NOS IMPRESSIONS

Agrément de conduite :	
Fiabilité :	
Sécurité :	
Qualités hivernales :	nulles
Espace intérieur :	½
Confort :	½

DU NOUVEAU EN 2009

Aucun changement majeur

Maserati Quattroporte

BEAUTÉ ITALIENNE

On ne peut rester insensible à la beauté du nouveau coupé à quatre places Gran Turismo de Maserati qui est venu rejoindre la berline Quattroporte dans le giron de la marque au trident en remplaçant les défuntes Coupé et Spyder à deux places proposées antérieurement. Plus typée que la Quattroporte dont elle est dérivée, la Gran Turismo affiche une allure résolument plus sportive qui est en phase avec sa vocation de routière de grand tourisme.

Quelle gueule! La Gran Turismo a beau reprendre la calandre surdimensionnée, les ouvertures pratiquées sur les ailes avant, de même que la forme triangulaire du pilier C qui sont tous des éléments retrouvés sur la Quattroporte, force est d'admettre que l'ensemble prend ici une élégance renouvelée dans une silhouette plus svelte et athlétique qui ne manque pas de faire tourner les têtes. Côté style, on peut difficilement faire mieux que cette plus récente création de Pininfarina qui a, en quelque sorte, bouclé la boucle avec ce modèle puisqu'on doit également à cette firme de design la Maserati A6GCS Berlinetta Pininfarina de 1947 qui est reconnue comme étant la première Gran Turismo, ainsi que la voiture-concept Maserati Birdcage de 2005 qui annonçait les nouveaux canons de style de la marque italienne.

Monter dans une Maserati, c'est s'installer dans un habitacle réalisé à la main où l'odeur des cuirs fins et la chaleur des appliques de bois véritable. Ces éléments contribuent à créer cette atmosphère raréfiée qui permet à la voiture de se démarquer des autres berlines de luxe dont la présentation est souvent plus austère. Ici, la passion est palpable. Toutefois, parmi les impairs, notons que le couvercle du coussin gonflable côté passager saute aux yeux, son intégration à la planche de bord n'étant pas du tout réussie et, même si la Gran Turismo est présentée comme une authentique quatre places, précisons que l'espace accordé aux passagers arrière est tout de même limité.

DES MOTEURS DE FERRARI ET D'ALFA ROMEO

Après avoir été sous le contrôle de Ferrari jusqu'en 2005, les destinées de Maserati sont désormais liées à celles d'Alfa Roméo. Et c'est la raison pour laquelle des moteurs en provenance de ces deux marques se retrouvent sous le capot de la Gran Turismo qui fait appel au V8 Ferrari de 4,2 litres qui livre 400 chevaux, alors que la Gran Turismo S hérite du V8 Alfa Roméo de 4,7 litres et 425 chevaux qui a été développé pour la sportive Alfa Roméo 8C. Dévoilée au Salon de Genève au printemps 2008, la S représente donc une évolution encore plus sportive de la Gran Turismo avec son moteur plus puissant et son échappement moins restrictif, ses roues de 20 pouces et ses suspensions recalibrées, ainsi que l'ajout d'éléments aérodynamiques étudiés en soufflerie.

DEUX MODÈLES POUR LA QUATTROPORTE

Lancée en 2004, la Quattroporte fait l'objet de subtiles retouches esthétiques pour l'année-modèle 2009. Ainsi, la partie avant a

FEU VERT
- Style très réussi (Gran Turismo)
- Habitacle luxueux
- Motorisations performantes
- Une vision différente de la voiture de luxe

FEU ROUGE
- Voiture trois saisons
- Certains détails de finition à revoir
- Diffusion limités

été redessinée, de même que les phares, et les nouveaux modèles sont maintenant équipés de feux arrière de type LED. Les rétroviseurs extérieurs sont plus aérodynamiques et les Quattroporte reçoivent également un nouveau système de divertissement et de navigation développé conjointement avec la firme spécialisée Bose. Ce sont donc des changements mineurs qui ont été apportés à la berline sport italienne qui, tout comme la Gran Turismo, se décline désormais en deux modèles: la voiture de base ainsi qu'une variante S. Les motorisations sont identiques à celles du coupé à quatre places, mais les deux variantes de la Quattroporte font maintenant appel à la boîte automatique à six rapports développée par la firme ZF, la boîte manuelle à commande électrohydraulique qui équipait le modèle GT l'an dernier ayant été délaissée pour 2009.

Le design de l'habitacle permet également à la Quattroporte de se distinguer de ses rivales. Ici, l'acheteur devra faire un choix parmi dix teintes différentes pour le cuir, mais il devra aussi apprendre à composer avec la multitude de boutons agencés sur la planche de bord. Quant aux passagers arrière, précisons qu'ils s'y trouveront plus à l'étroit qu'à bord d'une Audi A8L ou d'une BMW Série 7 à empattement allongé, et le coussin de la banquette leur semblera très ferme. Ils pourront cependant se consoler avec l'inclinaison variable du dossier.

Le prestige de la marque dépasse de loin ses chiffres de vente et Maserati se démarque des Mercedes-Benz, Audi et BMW par ce cachet d'exclusivité qui est propre aux purs-sangs italiens, même si la vocation de la marque a migré vers les berlines de luxe et les voitures de grand tourisme, laissant le champ libre à Ferrari pour exploiter pleinement le créneau des voitures sport. De plus, Maserati a beau profiter d'une diffusion élargie par rapport à Ferrari, il n'en demeure pas moins que le concessionnaire de Montréal ne reçoit qu'une poignée de ces voitures par année et qu'elles sont toutes vendues d'avance.

Gabriel Gélinas

Maserati Gran Turismo

Photos: Maserati

VÉHICULE D'ESSAI

Version:	Maserati Gran Turismo
Moteur:	V8 de 4,2 litres 32s atmosphérique
Puissance:	400 ch (298 kW) à 7 100 tr/min
Couple:	339 lb-pi (460 Nm) à 4 750 tr/min
Rapport poids/puissance:	4,7, kg/ch (6,30 kg/kW)
Transmission:	séquentielle
Rouage:	propulsion
0-100 km/h · 80-120 km/h:	5,2 s · 4,8 s
Freinage 100-0 km/h:	38,0 m
Vitesse maximale:	285 km/h
Consommation (100 km):	super, 16,7 litres
Autonomie approximative:	514 km
Émissions de CO2:	6 864 kg/an
Emp/Lon/Lar/Haut (mm):	2 940 / 4 880 / 1 850 / 1 350
Coffre/Réservoir:	260 / 86 litres
Nombre de coussins de sécurité:	6
Suspension avant:	indépendante, bras inégaux
Suspension arrière:	indépendante, double triangles
Freins av./arr.:	disque (ABS, EBD)
Antipatinage/Contrôle de stabilité:	oui/oui
Direction:	à crémaillère, assistance variable
Diamètre de braquage:	10,7 m
Pneus av./arr.:	P245/40R19 / P245/35R20
Poids:	1 880 kg
Capacité de remorquage:	non recommandé

AUTRE(S) COMPOSANTE(S) MÉCANIQUE(S)

Système hybride:	aucun
Moteur diesel:	aucun
Taxe énergivore:	1 000 $
Autre(s) moteur(s):	aucun
Autre(s) rouage(s):	aucun
Autre(s) transmission(s):	aucune

EN BREF

Échelle de prix:	139 900 $ à 165 000 $
Catégorie:	GT
Garanties:	4 ans/80 000 km, 4 ans/80 000 km
Assemblage:	Modène, Italie
Cote d'assurance:	n.d.

DANS LA MÊME CATÉGORIE

Aston Martin V8 Vantage, Mercedes-Benz SL/CL, Porsche 911

NOS IMPRESSIONS

Agrément de conduite:	4
Fiabilité:	3 ½
Sécurité:	4
Qualités hivernales:	2
Espace intérieur:	3
Confort:	3

DU NOUVEAU EN 2009

Ajout d'une version «S» vitaminée

MÉSADAPTÉE AUX TEMPS MODERNES ?

Force est d'admettre que depuis la renaissance de Maybach en 2002, les ventes n'ont pas atteint un niveau espéré et le propriétaire de la marque, Mercedes-Benz, tente toujours de percer dans le créneau sélect des véhicules de très grand luxe. Même si, dans le monde des gens riches et célèbres, on ne peut s'attendre à des chiffres de ventes similaires à ceux des voitures sous-compactes, le nombre d'unités vendues chez Maybach est de loin inférieur aux ventes de ses proches concurrents.

Il faut avouer que ce n'est pas facile, pour un nouveau constructeur, de s'imposer dans ce club très distingué. Alors que Bentley et Rolls-Royce profitent d'une renommée reconnue depuis des décennies, Mercedes-Benz a voulu tirer profit de Maybach, une marque de luxe qui a connu ses heures de gloire durant les années 20 et 30. Cependant, peu de gens connaissent le passé prestigieux de cette marque et l'effet escompté n'a pas été au rendez-vous. Il fallait donc, pour le constructeur, créer une nouvelle image de marque et de nos jours, ce n'est pas si simple.

TROP CLASSIQUE ?

Alors que Bentley profite d'un bon succès avec son coupé Continental GT, on peut se demander si le succès en ce moment ne réside pas justement dans un mélange de luxe et de sportivité. D'ailleurs, Rolls-Royce s'apprête à lancer un nouveau modèle, plus petit, qui rivalisera directement avec la Continental GT. Peut-être que les modèles de Maybach ne correspondent pas aux demandes du marché et qu'un renouveau permettrait au constructeur d'accaparer une nouvelle part de marché. De plus, le style des Maybach 57 et 62 est fortement calqué par la Classe S, ce qui dénature un peu l'exclusivité d'un tel véhicule. À l'inverse, Rolls-Royce est tout sauf une BMW de Série 7 grand luxe !

Quoi qu'il en soit, on retrouve toujours cette année les Maybach 57 et 62, deux voitures similaires se distinguant principalement par leurs dimensions. Sous le capot, elles disposent d'un moteur V12 de 6,0 litres développant 543 chevaux pour un couple de 664 livres-pied. C'est beaucoup de puissance, mais le poids de la voiture amenuise les qualités sportives de la Maybach.

Plus sportives, les versions S (pour Special) de la Maybach 57 et 62 proposent les mêmes attraits, mais disposent d'un peu plus de puissance sous leur long capot. Dans cette livrée, le V12, issu de chez AMG, une division sportive de Mercedes-Benz, développe une puissance de 604 chevaux pour un couple de 738 livres-pied. Voilà tout de même une puissance plus que raisonnable pour une telle voiture. Outre la motorisation, les versions S proposent quelques distinctions soulignant leur caractère plus sportif.

ET LA LANDAULET

La gamme s'agrandit cette année avec l'ajout de la Maybach Landaulet, une version reprenant un classique de l'époque. Utilisant la plate-forme et les composantes de la Maybach 62 S, la Landaulet se distingue par son toit rétractable à l'arrière, ce qui permet de combiner les avantages

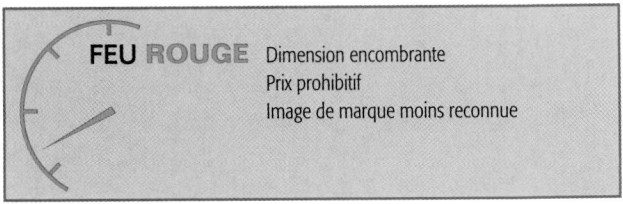

FEU VERT
- Confort absolu
- Voiture exclusive
- Insonorisation de l'habitacle
- Moteur V12 enchanteur

FEU ROUGE
- Dimension encombrante
- Prix prohibitif
- Image de marque moins reconnue

d'une voiture de grand luxe et d'un cabriolet. C'est surtout son habitacle tout en blanc qui rehausse l'effet de prestige. Fait inusité, la partie avant, soit celle du passager et du chauffeur, conserve un intérieur tout en noir. Voilà qui tranche radicalement avec la section passager. Cependant, je me demande bien qui osera se présenter quelque part dans une telle voiture. C'est un peu trop. Voilà un véhicule qui ne s'adresse pas au commun des mortels, surtout en raison de son exclusivité et de son prix. Par contre, sa Sainteté Benoit XVI pourrait être preneur.

GRAND LUXE À BORD

Peu importe le modèle choisi, on retrouve à bord de la Maybach des équipements peu communs. Véritable bureau mobile, la Maybach offre une foule de détails vous permettant de brasser vos affaires. Accès Internet, téléphone cellulaire, table de travail sont tous des éléments qui figurent sur la liste des équipements de série. Vous souhaitez célébrer ? Le mini réfrigérateur peut contenir une bouteille de champagne et des coupes assorties, pour vous permettre de relaxer tout en admirant le paysage. Vous pourrez également déposer votre verre sur l'un des deux supports à coupe, spécialement conçus pour les maintenir bien en place.

SUR LA ROUTE

La Maybach fait partie de ces voitures qui en offrent plus aux passagers des sièges arrière qu'au conducteur. Cependant, il demeure toujours intéressant de la conduire et, selon le constructeur, une bonne partie de la clientèle n'utilisera pas de chauffeur. Malgré son V12 sous le capot, la Maybach inspire une conduite très souple. Avec ses dimensions et son poids, elle n'est pas des plus agiles et, en fait, elle demande même certaines précautions en zone urbaine. De plus, qui voudrait abîmer une voiture d'un demi-million !

Les spéculations vont bon train depuis quelque temps. Certains chuchotent que les modèles actuels seraient commercialisés jusqu'en 2011 et que des variantes plus exclusives seraient proposées en édition limitée ; d'autres annoncent l'arrivée d'un VUS de grand luxe ou carrément la disparition de la marque. Une chose est certaine, la Maybach actuelle ne semble pas coller aux goûts de la richissime clientèle et il faudra sortir un lapin du chapeau pour renverser la vapeur !

Sylvain Raymond

Photos: Maybach

VÉHICULE D'ESSAI

SIRIUS RADIO SATELLITE

Version :	Maybach 57
Moteur :	V12 de 6,0 litres 36s turbocompressé
Puissance :	604 ch (451 kW) à 4 800 tr/min
Couple :	738 lb-pi (1001 Nm) à 4 000 tr/min
Rapport poids/puissance :	4,54 kg/ch (6,08 kg/kW)
Transmission :	automatique, 5 rapports
Rouage :	propulsion
0-100 km/h · 80-120 km/h :	5,0 s · 3,2 s
Freinage 100-0 km/h :	39,2 m
Vitesse maximale :	250 km/h
Consommation (100 km) :	super, 16,4 litres
Autonomie approximative :	670 km
Émissions de CO2 :	7 660 kg/an
Emp/Lon/Lar/Haut (mm) :	3 391 / 5 723 / 1 981 / 1 575
Coffre/Réservoir :	605 / 110 litres
Nombre de coussins de sécurité :	7
Suspension avant :	indépendante, bras inégaux
Suspension arrière :	indépendante, multibras
Freins av./arr. :	disque (ABS)
Antipatinage/Contrôle de stabilité :	oui/oui
Direction :	à billes, assistée
Diamètre de braquage :	13,4 m
Pneus av./arr. :	P275/45R20
Poids :	2 744 kg
Capacité de remorquage :	non recommandé

AUTRE(S) COMPOSANTE(S) MÉCANIQUE(S)

Système hybride :	aucun
Moteur diesel :	aucun
Taxe énergivore :	4 000 $
Autre(s) moteur(s) :	V12 de 5,5 litres 543 ch/664 lb-pi (16,7 l/100 super)
Autre(s) rouage(s) :	aucun
Autre(s) transmission(s) :	aucune

EN BREF

Échelle de prix :	339 500 $ à 430 000 $
Catégorie :	berline de grand luxe
Garanties :	4 ans/illimité km, 4 ans/illimité km
Assemblage :	Sindelfingen, Allemagne
Cote d'assurance :	n.d.

DANS LA MÊME CATÉGORIE

Bentley Arnage, Mercedes-Benz Classe S, Rolls-Royce Phantom

NOS IMPRESSIONS

Agrément de conduite :	■■■■
Fiabilité :	■■■■■
Sécurité :	■■■■■
Qualités hivernales :	■■■■
Espace intérieur :	■■■■■
Confort :	■■■■■

DU NOUVEAU EN 2009

Aucun changement majeur

TOUJOURS SUR LE PALMARÈS !

La Mazda3 est parmi nous depuis cinq ans et elle demeure toujours au goût du jour. L'arrivée de nouvelles rivales sérieusement intéressantes ou de concurrentes modernisées, n'en a pas moins fait un véhicule à considérer. On l'apprécie notamment pour son style réussi, mais c'est principalement sa conduite plus emballante qui lui vaut de si bons commentaires. Bref, chez les voitures compactes, elle s'avère toujours un choix judicieux. En fait, selon notre match comparatif en première partie, elle est toujours en tête de sa catégorie.

Alors qu'elle succédait à la Mazda Protegé en 2004, la Mazda3 a rapidement conquis les acheteurs, même si on avait cru initialement que son changement d'appellation aurait pu lui nuire. Ses lignes réussies, son bon choix de modèles et son prix relativement alléchant lui ont permis de frapper dans le mille et de s'attirer la faveur de plusieurs, surtout au Québec. Cette année, tant la berline que le modèle à hayon demeurent inchangés. Pas étonnant puisque la refonte complète du modèle est prévue pour l'an prochain. Voilà une tâche très délicate pour Mazda, mais on ne devrait pas être déçu du résultat.

La Mazda3 nous est proposée en plusieurs versions incluant deux motorisations. On retrouve à la base un quatre cylindres de 2,0 litres développant 148 chevaux, soit une puissance suffisante pour assurer des performances adéquates pour la catégorie. Vous pourrez aussi opter pour un autre quatre cylindres, mais cette fois de 2,3 litres. La puissance passe alors à 156 chevaux, pas beaucoup plus que le moteur de base, mais c'est son couple de 150 lb-pi qui rend ce moteur plus intéressant. Réservé aux versions plus cossues, ce moteur est certes un peu plus performant, mais il ne s'avère pas une nécessitée dans le cas de la Mazda3. Ceux qui aiment les petites bombes seront mieux servis par la Mazdaspeed3, un petit bolide muni d'un moteur de 2,3 litres suralimenté de 263 chevaux. Avec son prix relativement abordable, cette voiture offre un bon ratio prix-performance.

AGRÉABLE À L'ŒIL

À l'extérieur, les lignes sportives de la Mazda3 sont rehaussées par divers éléments, rien de trop voyant, mais juste assez pour procurer un style agréable à la voiture. Ce n'est pas parce que l'on s'achète une voiture compacte que l'on n'apprécie pas les beaux véhicules. À ce niveau, la Mazda3 ne déçoit pas, surtout dans sa livrée à cinq portes. Bref, elle reste un peu plus jolie que la majeure partie de ses rivales et les gens ont un faible pour elle, même si, à ce chapitre, la Mitsubishi Lancer et la Saturn Astra trois portes lui donnent du fil à retordre.

À l'intérieur, peu de reproches quant à la qualité d'assemblage. Mazda déçoit rarement à ce chapitre. Vous vous retrouvez dans un habitacle bien fini et diverses touches lui confèrent une allure un peu plus dynamique, notamment une instrumentation sport. Un des éléments très importants dans une voiture, c'est le confort une fois derrière le volant. Les sièges ajustables en hauteur jumelés à une colonne de direction télescopique sont des éléments qui nous font nous sentir rapidement à l'aise, ce qui

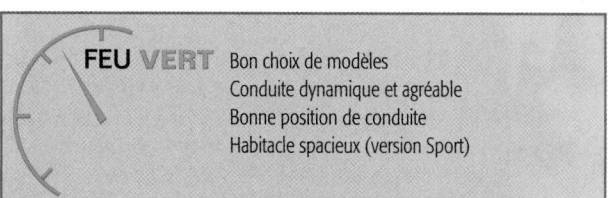

FEU VERT
- Bon choix de modèles
- Conduite dynamique et agréable
- Bonne position de conduite
- Habitacle spacieux (version Sport)

FEU ROUGE
- Modèle vieillissant
- Consommation élevée
- Tôles plus fragiles
- Essence super (Mazdaspeed3)

n'est pas le cas chez la majeure partie des rivales de la Mazda3. Le volant télescopique y est pour beaucoup et trop rares sont les véhicules qui l'offrent.

COMPORTEMENT DYNAMIQUE

Sur la route, on apprécie la puissance du moteur. Sans être le plus puissant de sa catégorie, il permet une conduite agréable et des dépassements sécuritaires. Bref, lorsque l'on en a besoin, on n'attend pas après les chevaux. La boîte automatique optionnelle n'est pas à dédaigner puisqu'elle assure des passages de rapports doux tout en exploitant bien la puissance disponible. Cependant, la boîte manuelle extirpe un peu mieux les chevaux du moteur tout en offrant une conduite plus sportive.

Comme toute voiture ne peut être parfaite, la Mazda3 s'avère un peu plus gourmande que la moyenne au chapitre de la consommation. Son moteur est certes bien adapté, mais il livre sa puissance à des régimes plus élevés, ce qui n'aide pas sa cause. Il faudra donc vous attendre à une consommation légèrement plus élevée que la moyenne et par les temps qui courent, ce n'est pas nécessairement le genre de distinction que l'on apprécie. C'est le compromis à faire dans le cas de la Mazda3.

Du reste, cette auto nous prouve qu'il n'est pas nécessaire de débourser 50 000 $ pour avoir une voiture plaisante à conduire. Sa direction précise et sa suspension un peu plus ferme lui procurent un comportement agréable, et on se surprendra soudainement à affectionner les petites routes sinueuses. Pas mal tout de même pour une voiture à vocation économique et surtout, accessible à la masse.

Alors que nous verrons arriver une nouvelle Mazda3 d'ici peu, la génération actuelle continue de bien servir les acheteurs. En dépit de quelques petits écarts de fiabilité selon certains propriétaires et des tôles fragiles, la majeure partie de ceux-ci n'hésiterait pas à répéter l'expérience.

Sylvain Raymond

Photos: Marc Lachapelle

VÉHICULE D'ESSAI

Version :	Mazda3 GT berline
Moteur :	4L de 2,3 litres 16s atmosphérique
Puissance :	156 ch (116 kW) à 6 500 tr/min
Couple :	150 lb-pi (203 Nm) à 4 000 tr/min
Rapport poids/puissance :	8,51 kg/ch (11,44 kg/kW)
Transmission :	manuelle, 5 rapports
Rouage :	traction
0-100 km/h · 80-120 km/h :	8,7 s · 7,5 s
Freinage 100-0 km/h :	40,0 m
Vitesse maximale :	190 km/h
Consommation (100 km) :	ordinaire, 9,2 litres
Autonomie approximative :	597 km
Émissions de CO2 :	3 888 kg/an
Emp/Lon/Lar/Haut (mm) :	2 640 / 4 540 / 1 755 / 1 465
Coffre/Réservoir :	325 / 55 litres
Nombre de coussins de sécurité :	6
Suspension avant :	indépendante, jambes de force
Suspension arrière :	indépendante, multibras
Freins av./arr. :	disque (ABS)
Antipatinage/Contrôle de stabilité :	non/non
Direction :	à crémaillère, assistée
Diamètre de braquage :	10,4 m
Pneus av./arr. :	P205/50R17
Poids :	1 328 kg
Capacité de remorquage :	non recommandé

AUTRE(S) COMPOSANTE(S) MÉCANIQUE(S)

Système hybride :	aucun
Moteur diesel :	aucun
Taxe énergivore :	aucune
Autre(s) moteur(s) :	4L de 2,0 litres 148 ch/135 lb-pi (9,1 l/100 ordinaire) 4L de 2,3 litres 263 ch/280 lb-pi (11,8 l/100 ordinaire) (Mazdaspeed3)
Autre(s) rouage(s) :	aucun
Autre(s) transmission(s) :	automatique, 4 rapports manuelle, 6 rapports (Mazdaspeed3) automatique, 5 rapports

EN BREF

Échelle de prix :	14 895 $ à 29 360 $
Catégorie :	berline compacte, familiale
Garanties :	3 ans/80 000 km, 5 ans/100 000 km
Assemblage :	Hiroshima, Japon
Cote d'assurance :	passable

DANS LA MÊME CATÉGORIE

Chevrolet Optra, Ford Focus, Honda Civic, Hyundai Elantra, Mitsubishi Lancer, Nissan Sentra, Pontiac Vibe, Subaru Impreza, Suzuki SX4, Toyota Corolla/Matrix, Volkswagen Jetta

NOS IMPRESSIONS

Agrément de conduite :	🚗🚗🚗🚗 ½
Fiabilité :	🚗🚗🚗🚗
Sécurité :	🚗🚗🚗 ½
Qualités hivernales :	🚗🚗🚗 ½
Espace intérieur :	🚗🚗🚗 ½
Confort :	🚗🚗🚗🚗

DU NOUVEAU EN 2009

Aucun changement majeur

CHANGEMENT DE MŒURS !

Autrefois, les jeunes parents dont les valeurs étaient d'abord axées sur la famille s'affichaient souvent au volant d'une grosse familiale américaine décorée d'appliques de similibois. Par la suite, on est passé dans les années quatre-vingt à l'ère de celle qu'on surnommait l'Autobeaucoup, la fourgonnette. Et depuis une dizaine d'années, ce sont les utilitaires sport et multisegments qui ont la cote. Mais il existe un autre type de véhicule très tendance (appelé monospace par nos cousins français) qui séduit depuis quelques années les jeunes familles. Et la Mazda 5 en fait partie !

Certes, on ne peut offrir dans un véhicule dérivant de la Mazda 3 l'habitabilité d'une Dodge Grand Caravan ou d'un GMC Acadia. Cependant, vous aurez remarqué que la plupart de ceux qui se procurent de tels véhicules n'exploitent pas tout l'espace dont ils disposent. Alors, à quoi bon dans ce cas s'encombrer d'un véhicule aussi volumineux ? D'autant plus que, vous vous en doutez, ces mastodontes consomment de façon considérable.

LA RONDE OU LA STATION-SERVICE ?

Plusieurs parents rationnels ont donc compris qu'il est préférable de se payer une belle journée familiale dans un parc d'attractions que de brûler inutilement du carburant. À titre d'exemple, en considérant que la Dodge Grand Caravan consomme 4 litres de carburant de plus que la Mazda 5 par tranche de 100 km, et que si le litre se vend à 1,25 $, l'utilisateur moyen économisera annuellement 1 000 $. Et Dieu sait qu'aujourd'hui, un petit montant supplémentaire dans nos poches n'est pas de refus !

Naturellement, papa et maman n'auraient pas été séduits par la Mazda 5 en aussi grand nombre si le véhicule avait affiché une ligne moche. Mais les stylistes de Mazda ont su, comme avec la Mazda 3, attirer les foules grâce à un joli coup de crayon. Les lignes fuyantes, sportives et fort élégantes permettent donc de faire oublier qu'il s'agit en réalité d'une fourgonnette en format de poche. En fait, le seul élément qui trahit esthétiquement le véhicule consiste en ce rail visible sur chacune des ailes arrière, servant au mécanisme des portes coulissantes. Mais il s'agit là d'un bien petit prix à payer lorsqu'on sait à quel point ces portières peuvent s'avérer pratiques. Bébé dans un bras, sac à couches dans l'autre, vous verrez qu'éviter de se battre avec l'encombrement d'une portière, c'est un charme. D'autant plus qu'avec la version GT, elles coulissent et se referment de façon automatique. Quel bonheur !

Offrant en théorie six places, il serait plus juste d'affirmer que la Mazda 5 propose quatre places très confortables et une banquette de dépannage qui, lorsqu'en position relevée, réduit l'espace cargo à un volume de chargement à peine supérieur à celui d'une smart. Heureusement, la troisième banquette qui se rabat à plat offre l'avantage d'être divisée à la façon 50/50, pour une plus grande modularité.

Derrière le volant, le conducteur retrouve une position de conduite extrêmement agréable, rendue possible par un siège à hauteur réglable et un volant inclinable et télescopique. Les sièges avant sont

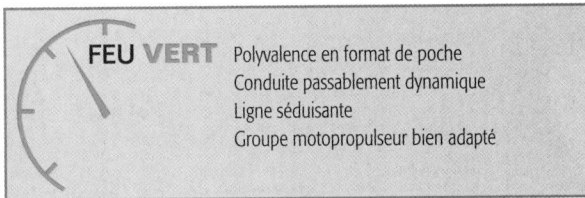

FEU VERT
- Polyvalence en format de poche
- Conduite passablement dynamique
- Ligne séduisante
- Groupe motopropulseur bien adapté

FEU ROUGE
- Climatiseur en option
- Banquette arrière pour dépanner
- Traction intégrale non offerte
- Insonorisation perfectible

confortables, la visibilité est sans faille et l'espace disponible est très généreux, quel que soit votre gabarit. Sachez également que les espaces de rangement à l'avant sont non seulement nombreux, mais aussi bien disposés. Et Dieu merci, on a remplacé l'instrumentation verdâtre par quelque chose de plus moderne, à l'image du véhicule.

DES GÈNES DE MAZDA3

La Mazda5 dérive directement de la compacte Mazda 3, qui connaît depuis son arrivée un succès fulgurant. Qu'il s'agisse donc du groupe motopropulseur, de la suspension, de la direction ou de la plate-forme, tout est repris de la Mazda 3.

Mécaniquement, on utilise ici le moteur 2,3 litres des versions haut de gamme de la Mazda 3. Ses 153 chevaux sont plus aptes à traîner le surplus de poids engendré par cette carcasse de fourgonnette. Les performances n'ont évidemment rien d'envoûtant, mais le moteur souple et bien en verve n'a aucune réticence à monter en régime. On peut donc bénéficier d'accélérations honnêtes et de bonnes reprises. Et c'est encore plus vrai depuis l'an dernier, soit depuis l'apport de la nouvelle boîte automatique à cinq rapports, drôlement mieux adaptée. À ceux qui préfèrent toutefois jouer du levier, ne vous en faites pas, la manuelle est aussi offerte.

Les gènes de Mazda 3 se font aussi sentir sur la route, où la Mazda 5 s'exprime brillamment. Bien sûr, la répartition de poids diffère, comme le centre de gravité, ce qui explique pourquoi on ne retrouve pas ici le même degré d'agilité que la petite sœur. Néanmoins, la Mazda 5 étonne par sa maniabilité et sa tenue de route. Pour cela, remercions la direction précise et la suspension bien calibrée. Sur une note moins positive, mentionnons cependant que l'insonorisation n'est pas exceptionnelle et que les bruits de route se font passablement entendre.

LA SEULE OPTION ?

Non. Sachez que Kia propose un produit de la même trempe (la Rondo), un peu moins dynamique mais tout aussi intéressant. Et il ne serait pas surprenant de voir arriver d'autres joueurs dans ce segment.

Antoine Joubert

Photos: Guy Desjardins

VÉHICULE D'ESSAI

SIRIUS RADIO SATELLITE

Version :	Mazda 5 GT
Moteur :	4L de 2,3 litres 16s atmosphérique
Puissance :	153 ch (114 kW) à 6 500 tr/min
Couple :	148 lb-pi (201 Nm) à 4 500 tr/min
Rapport poids/puissance :	10,26 kg/ch (13,78 kg/kW)
Transmission :	manuelle, 5 rapports
Rouage :	traction
0-100 km/h · 80-120 km/h :	10,2 s · 9,9 s
Freinage 100-0 km/h :	42,4 m
Vitesse maximale :	192 km/h
Consommation (100 km) :	ordinaire, 10,6 litres
Autonomie approximative :	566 km
Émissions de CO2 :	4 512 kg/an
Emp/Lon/Lar/Haut (mm) :	2 750 / 4 620 / 1 755 / 1 630
Coffre/Réservoir :	112 à 857 / 60 litres
Nombre de coussins de sécurité :	6
Suspension avant :	indépendante, jambes de force
Suspension arrière :	indépendante, multibras
Freins av./arr. :	disque (ABS)
Antipatinage/Contrôle de stabilité :	non/non
Direction :	à crémaillère, assistance variable électrique
Diamètre de braquage :	10,6 m
Pneus av./arr. :	P205/50R17
Poids :	1 571 kg
Capacité de remorquage :	non recommandé

AUTRE(S) COMPOSANTE(S) MÉCANIQUE(S)

Système hybride :	aucun
Moteur diesel :	aucun
Taxe énergivore :	aucune
Autre(s) moteur(s) :	aucun
Autre(s) rouage(s) :	aucun
Autre(s) transmission(s) :	automatique, 5 rapports

EN BREF

Échelle de prix :	20 795 $ à 27 045 $ (2008)
Catégorie :	fourgonnette
Garanties :	3 ans/80 000 km, 5 ans/100 000 km
Assemblage :	Hiroshima, Japon
Cote d'assurance :	bonne

DANS LA MÊME CATÉGORIE

Chevrolet HHR, Chrysler PTCruiser, Kia Rondo, Pontiac Vibe, Toyota Matrix

NOS IMPRESSIONS

Agrément de conduite :	4
Fiabilité :	4
Sécurité :	4 ½
Qualités hivernales :	4
Espace intérieur :	4 ½
Confort :	4

DU NOUVEAU EN 2009

Le Groupe cuir est remplacé par le Groupe de luxe

CONÇUE POUR VAINCRE

Lancée en 2003 en tant que modèle 2004, la Mazda 6 de première génération se démarquait surtout par son caractère sportif. Vendue en version berline, *hatchback* et familiale, cette intermédiaire offrait une tenue de route rassurante et un agrément de conduite assez relevé pour la catégorie. Le temps était venu de rajeunir ce modèle et, cette fois, ses concepteurs se sont fixé des objectifs bien précis. Ils ont d'abord concentré leurs efforts uniquement sur la berline, délaissant les deux autres configurations moins populaires en Amérique. En plus, ils ont concocté un modèle exclusivement destiné à notre continent.

Il s'agit d'une première chez Mazda alors que la majorité des autres modèles sont à vocation mondiale. Mais compte tenu de l'importance du marché nord-américain et de l'enjeu de cette catégorie qui représente environ 25 % des ventes du marché, il était plus sage de concevoir un produit plus spécifique. Ce faisant, Mazda s'attaque à un marché plus vaste puisque ce nouveau modèle cible également des acheteurs plus âgés, ce que la première génération ne réussissait pas à faire. Le défi est de taille, car il faut conserver les jeunes conducteurs sportifs tout en intéressant d'autres catégories d'automobilistes.

UN DESIGN SONGÉ !

Chez Mazda, le style joue une part importante dans la réussite de la plupart des modèles. Par exemple, la Mazda 3 ainsi que les MX-5 et RX-8 n'auraient pas connu le succès si leur silhouette avait été fade et trop générique. Si la première Mazda 6 était élégante, il lui manquait ce petit quelque chose qui lui aurait permis de se démarquer davantage. Cette fois-ci, on a pris les moyens pour réussir en nommant Youichi Sato au poste de designer en chef de cette voiture. La feuille de route de ce dernier est assez impressionnante, son palmarès comprend, entre autres, les deux derniers modèles RX-7 ainsi que la MX-5 de la seconde génération.

Ce dernier a décidé de concilier la vocation sportive de la voiture avec une silhouette haut de gamme. Il faut également se souvenir que les principaux concurrents de ce modèle sont les Toyota Camry, Honda Accord et Nissan Altima. Vous admettrez avec moi que ces trois modèles représentent des approches totalement différentes l'une de l'autre. Pour la Camry c'est l'opulence, pour l'Accord c'est le style urbain tandis que pour la Nissan, les stylistes ont fait appel à des lignes aguichantes.

Chez Mazda, on a préféré combiner une présentation sportive et formelle à la fois, tout en voulant donner à cette voiture une présence remarquée sur la route. Pour ce faire, les designers se sont inspirés de trois termes japonais pour s'exécuter. Il s'agit des mots *Yugen* qui signifie harmonie avec la nature, *Rin* qui incarne la dignité et *Seichi* qui exprime le savoir-faire d'un artisan créant une oeuvre de qualité.

Il faut surtout savoir que les passages de roue avant en relief servent de points de base pour donner cette image sportive. Les tôles tendues des parois confèrent une touche formelle, tandis que la ligne du toit presque similaire à celle d'un coupé a pour effet d'assurer la signature visuelle finale de cette japonaise. De prime abord, cette berline ne nous impressionne pas par sa silhouette, mais au fur et à mesure qu'on l'examine, son élégance et sa sportivité prennent le dessus. De plus, lorsqu'on la croise en mouvement, on ne peut s'empêcher de la remarquer immédiatement. Alors que les stylistes de Honda et Toyota ont voulu que les lignes des Camry et Accord fassent paraître la voiture plus grosse qu'elle ne l'est, ceux de chez Mazda ont réussi le contraire, bien que la nouvelle Mazda 6 soit plus longue de 195 mm, son empattement allongé de 115 mm et sa largeur de 60 mm. L'utilisation entre autres de porte-à-faux très courts, d'une ligne de toit fuyante et d'une fenestration relativement étroite a permis de préserver l'allure sportive de la voiture. La ceinture de caisse est également marquée par un renflement de la paroi, ce qui sert de point de fuite des lignes vers l'arrière. Ces dimensions n'ont pas uniquement pour but d'impressionner les acheteurs américains toujours férus de grosses bagnoles. Elles doivent aussi assurer une meilleure habitabilité et un meilleur confort sans pour autant affecter la tenue de route et l'agrément de conduite.

MÉCANIQUE CONNUE MAIS AMÉLIORÉE

Les éléments qui coûtent le plus cher dans le développement de nouveaux produits font partie de la motorisation, soit le moteur et les transmissions. En outre, si ces éléments ne sont pas fiables, ils peuvent compromettre à tout jamais l'avenir d'une automobile. Souvenez-vous de ces fameuses transmissions automatiques des fourgonnettes Chrysler, ça fait plus d'une décennie que le problème a été connu du public et heureusement corrigé par la suite, mais les gens en parlent encore.

Chez Mazda, le moteur quatre cylindres et le V6 n'étaient pas dépassés, mais ils avaient besoin d'être modernisés afin de les rendre plus puissants et de réduire leur consommation. Pour le V6, ce fut relativement facile puisqu'on prend le même moteur de 3,7 litres déjà monté avec succès sur la CX-9. Comme sur cette dernière, il est associé à une boîte de vitesses automatique à six rapports qui fonctionne en douceur. Celle-ci est dotée du changement de vitesse adaptatif – AAS- qui règle la transmission aux conditions du moment. Par exemple, en décélérant pendant les virages, la transmission accélère la vitesse de rétrogradation pour offrir un freinage moteur maximal. Autre exemple, lors de manœuvres de dépassement, la transmission maintient les rapports inférieurs plus longtemps pour maximiser l'accélération.

Le moteur quatre cylindres de 2,3 litres de Mazda n'est plus à présenter. Il a été utilisé à toutes les sauces par le constructeur nippon et Ford. Cette fois, sa cylindrée passe à 2,5 litres et sa puissance est maintenant de 170 chevaux par rapport à 156 précédemment. Il serait faux de croire que chez Mazda, on s'est contenté d'augmenter la cylindrée pour obtenir ce surplus de puissance et une infime réduction de la consommation de ce moteur. Ce quatre cylindres a été révisé en profondeur et plusieurs de ses éléments mécaniques, dont la culasse, sont nouveaux, tandis que le vilebrequin est plus rigide et en acier forgé. Comme pour le moteur V6, la boîte de vitesses manuelle à six rapports est de série et l'automatique est une boîte manumatique à cinq rapports.

Les ingénieurs ont fait appel à la même plate-forme que celle du modèle précédent, mais ils l'ont fortement modifiée afin d'augmenter sa rigidité tant en flexion qu'en torsion. Alors que plusieurs matériaux insonorisant ont été placés à des endroits stratégiques, la mécanique avant repose sur un berceau autonome. Quant aux éléments de suspension, le levier triangulé inférieur avant est dorénavant mono pièce et à l'arrière, on a repositionné les amortisseurs.

FEU VERT

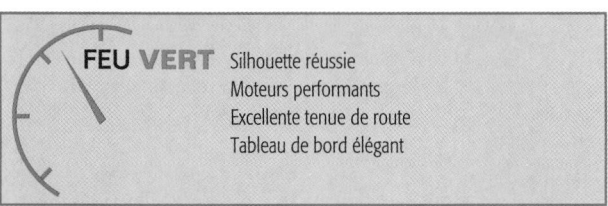

- Silhouette réussie
- Moteurs performants
- Excellente tenue de route
- Tableau de bord élégant

FEU ROUGE

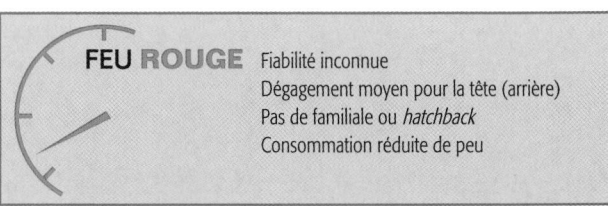

- Fiabilité inconnue
- Dégagement moyen pour la tête (arrière)
- Pas de familiale ou *hatchback*
- Consommation réduite de peu

TEL QUE PROMIS

Lors de la présentation de ce modèle, les présentateurs de Mazda ont souligné avec emphase l'équipement de base plus que complet et les prix fort compétitifs. Mais ce qui nous intéresse, c'est surtout la conduite.

J'ai été en mesure d'essayer toute la gamme des modèles Mazda 6, aussi bien avec le moteur quatre cylindres avec boîte manuelle ou automatique que le V6 avec sa boîte automatique à six rapports. Dans les deux cas, la tenue de route est excellente, la voiture demeure neutre dans les virages, la direction à assistance électrique offre un excellent *feedback* de la route, et les reprises et les accélérations, à défaut d'être spectaculaires, sont légèrement supérieures à la moyenne. Sachez que la position de conduite est parfaite et que le tableau de bord moderne est facile à consulter. Nous avons également apprécié les multiples espaces de rangement, notamment les vide-poches dans les portières avant, qui peuvent accueillir une bouteille d'eau de bonne dimension.

Somme toute, les dirigeants de Mazda au Canada ont raison d'être optimistes avec leur nouvelle berline qui a tout pour réussir.

Denis Duquet

Photos: Mazda

VÉHICULE D'ESSAI

Version:	Mazda 6 GT 4 cyl
Moteur:	4L de 2,5 litres 16s atmosphérique
Puissance:	170 ch (127 kW) à 6000 tr/min
Couple:	167 lb-pi (226 Nm) à 4000 tr/min
Rapport poids/puissance:	8,87 kg/ch (11,88 kg/kW)
Transmission:	automatique, 5 rapports
Rouage:	traction
0-100 km/h · 80-120 km/h:	8,0 s · 7,0 s
Freinage 100-0 km/h:	38,0 m
Vitesse maximale:	214 km/h
Consommation (100 km):	ordinaire, 9,7 litres
Autonomie approximative:	721 km
Émissions de CO2:	3936 kg/an
Emp/Lon/Lar/Haut (mm):	2790/4940/1840/1470
Coffre/Réservoir:	469 / 70 litres
Nombre de coussins de sécurité:	6
Suspension avant:	indépendante, bras inégaux
Suspension arrière:	indépendante, multibras
Freins av./arr.:	disque (ABS)
Antipatinage/Contrôle de stabilité:	oui/non
Direction:	à crémaillère, assistance variable
Diamètre de braquage:	n.d.
Pneus av./arr.:	235/45R18
Poids:	1509 kg
Capacité de remorquage:	454 kg

AUTRE(S) COMPOSANTE(S) MÉCANIQUE(S)

Système hybride:	aucun
Moteur diesel:	aucun
Taxe énergivore:	aucune
Autre(s) moteur(s):	V6 de 3,7 litres 272 ch/269 lb-pi (n.d. l/100 ordinaire)
Autre(s) rouage(s):	aucun
Autre(s) transmission(s):	manuelle, 6 rapports automatique, 6 rapports

EN BREF

Échelle de prix:	22495 $ à 33095 $
Catégorie:	berline intermédiaire
Garanties:	3 ans/80000 km, 5 ans/100000 km
Assemblage:	Flat Rock, Michigan, É.U.
Cote d'assurance:	passable

DANS LA MÊME CATÉGORIE

Chevrolet Malibu, Chrysler Sebring, Ford Fusion, Honda Accord, Hyundai Sonata, Kia Magentis, Mitsubishi Galant, Nissan Altima, Pontiac G6, Subaru Legacy, Toyota Camry

NOS IMPRESSIONS

Agrément de conduite:	
Fiabilité:	nouveau modèle
Sécurité:	
Qualités hivernales:	
Espace intérieur:	
Confort:	

DU NOUVEAU EN 2009

Nouveau modèle

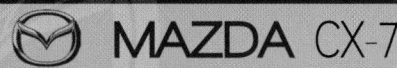

LE FUTUR APPRÊTÉ AU PRÉSENT

Il ne faut pas chercher longtemps pour dénicher de belles voitures. Les pages du présent *Guide de l'auto* en sont remplies. Trouver un beau véhicule utilitaire sport (VUS) demande un peu plus de recherche... mais on y parvient toujours. En fait, même pas besoin de tourner des pages! Celles que vous lisez présentement suffisent à arrêter notre choix. Des goûts on ne discute pas, me direz-vous, mais la plupart des gens rencontrés trouvent la Mazda CX-7 franchement jolie. Ses allures futuristes, ses puissantes ailes avant, son pare-brise très incliné et ses immenses passages de roue lui donnent une prestance rarement égalée.

Le passé, et pas un passé très lointain, nous a souvent prouvé que sous une belle robe se cachaient fréquemment de sérieux handicaps. Puisque nous sommes tous un peu pervers, allons donc y jeter un coup d'œil... Derrière sa grande bouche d'aération frontale, on retrouve un quatre cylindres turbocompressé de 2,3 litres de 244 chevaux et de 258 livres-pied de couple. Ce moteur est le même qui équipait feu la MazdaSpeed6. Étant donné que la CX-7 se montre nécessairement plus lourde que la Speed6, ses performances s'avèrent un peu moins relevées. Mais ce n'est tout de même pas le désert car le couple maximal est disponible dès 2 500 tours/minute. Il entraîne cette masse de près de 1 800 kilos d'un arrêt complet à 100 km/h en moins de 9 secondes, ce qui est fort brillant. Les reprises entre 80 et 120 km/h sont du même acabit, cependant, on remarque parfois un temps de réponse du turbo. De là à dire que la CX-7 est un véhicule sport, il n'y a qu'un pas que je m'empresse de franchir... à demi.

À ce quatre cylindres est boulonnée une transmission automatique à six rapports qui souffre à l'occasion de paresse. Cette transmission propose un mode manuel mais, à moins de vouloir conserver plus longtemps le régime du moteur dans une descente, par exemple, je ne vois pas son utilité. Et ce commentaire ne s'adresse pas uniquement à Mazda. La Mazda CX-7 se veut tout d'abord une traction (roues avant motrices). À noter que cette année, la version GT ne sera plus offerte qu'avec le rouage intégral. Ce rouage demeure optionnel pour le modèle de base (GS). L'intégrale ajoute 100 kilos au véhicule, ce qui a une incidence sur la consommation d'environ un demi-litre tous les cent kilomètres. Un demi-litre de super, faut-il préciser. À défaut d'être plus économique, l'intégrale corrige une lacune du modèle à traction, soit l'effet de couple dans le volant lors d'accélérations vives.

COMPORTEMENT À L'AVENANT

Sur la route, la CX-7 se comporte comme ses lignes le laissent penser: à la fois agile et performante, elle s'avère un véritable plaisir à piloter à des vitesses souvent illégales. Par contre, elle n'aime pas trop être poussée. On sent alors un peu de roulis, ce qui est normal compte tenu de sa garde au sol plus élevée que celle d'une berline, par exemple. Dans l'ensemble, la tenue de route est excellente. Les pneus, de gros 18 pouces, s'accrochent au bitume avec opiniâtreté et assurent, grâce à leur grande surface de contact, des arrêts courts et sécuritaires. Il faut avouer que les freins à disque sont très puissants malgré une pédale très dure et un ABS peu discret lors d'un arrêt d'urgence. La direction

FEU VERT

- Lignes très belles
- Moteur puissant
- Comportement routier sain
- Traction intégrale intéressante
- Antipatinage bien dosé pour l'hiver

FEU ROUGE

- Essence super seulement
- Consommation élevée
- Visibilité restreinte
- Certains accessoires manquants
- Tige de jauge d'huile très mal placée

pourrait cependant procurer un meilleur retour d'information que nous n'en serions pas plus malheureux ! Au moins, sa précision ne fait pas de doute.

Si jamais les choses se corsaient, le conducteur d'une CX-7 peut compter sur un système de contrôle de la traction et de la stabilité latérale aussi discret qu'efficace et qui laisse un peu de place au plaisir avant d'intervenir. Si l'improbable se produisait, notre conducteur serait protégé par six coussins gonflables. Parmi les autres éléments de sécurité, il est dommage qu'on ait sacrifié la visibilité vers les trois quarts avant et arrière pour des questions d'esthétique. En effet, le pilier A est tellement incliné qu'il bloque invariablement la vue, surtout en tournant un coin de rue. Vers l'arrière, ce n'est guère mieux, gracieuseté d'une ceinture de caisse très relevée.

Les gens ayant déjà frayé avec les produits Mazda ne seront pas dépaysés dans la CX-7. Le conducteur fait face à trois gros cadrans qui présentent les principales jauges, tout de rouge éclairés la nuit venue. Au centre de l'imposante planche de bord, on retrouve un module comprenant les commandes de la radio, de la ventilation et, le cas échéant, de l'écran du GPS. Le tout est bien disposé et facile à comprendre. Alors, pourquoi aller foutre plusieurs informations (heure, température, radio, etc.) dans un tout petit écran placé sur le dessus du tableau de bord, la plupart du temps illisible ou qui demande de quitter la route des yeux pour être consulté ?

UN VÉHICULE QUI A DU COFFRE

La position de conduite se trouve très rapidement même si la colonne de direction n'est pas ajustable en profondeur. Les places arrière ne sont pas des plus accueillantes puisque leur assise est basse. Et comme la ceinture de caisse est haute, on a l'impression d'être une nouille dans le fond d'une louche. La CX-7 étant un véhicule cinq places, on ne retrouve heureusement pas de troisième banquette. Pour ça, faut aller du côté de la CX-9. L'accès au coffre est facile mais il n'y a pas de bande de caoutchouc sur le dessus du pare-chocs, ce qui entraînera à coup sûr des égratignures dès qu'on tentera de déposer ou de retirer quelque chose de lourd dans le véhicule.

La Mazda CX-7 n'est pas seulement jolie. Elle s'avère très compétente sur la route et confortable. Malheureusement, elle engouffre passablement d'essence, ce qui risque de lui nuire, surtout depuis que les prix de l'or noir ont commencé à grimper.

Alain Morin

Photos : Mazda

VÉHICULE D'ESSAI

SIRIUS RADIO SATELLITE

Version :	Mazda CX-7 GT AWD
Moteur :	4L de 2,3 litres 16s turbocompressé
Puissance :	244 ch (182 kW) à 5 000 tr/min
Couple :	258 lb-pi (350 Nm) à 2 500 tr/min
Rapport poids/puissance :	7,30 kg/ch (9,79 kg/kW)
Transmission :	automatique, 6 rapports
Rouage :	intégral
0-100 km/h · 80-120 km/h :	7,5 s · 6,8 s
Freinage 100-0 km/h :	41,2 m
Vitesse maximale :	210 km/h
Consommation (100 km) :	super, 12,9 litres
Autonomie approximative :	534 km
Émissions de CO2 :	5 376 kg/an
Emp/Lon/Lar/Haut (mm) :	2 750 / 4 675 / 1 872 / 1 645
Coffre/Réservoir :	848 à 1 658 / 69 litres
Nombre de coussins de sécurité :	6
Suspension avant :	indépendante, jambes de force
Suspension arrière :	indépendante, multibras
Freins av./arr. :	disque (ABS)
Antipatinage/Contrôle de stabilité :	oui/oui
Direction :	à crémaillère, assistance variable
Diamètre de braquage :	11,4 m
Pneus av./arr. :	P235/60R18
Poids :	1 782 kg
Capacité de remorquage :	907 kg

AUTRE(S) COMPOSANTE(S) MÉCANIQUE(S)

Système hybride :	aucun
Moteur diesel :	aucun
Taxe énergivore :	aucune
Autre(s) moteur(s) :	aucun
Autre(s) rouage(s) :	traction
Autre(s) transmission(s) :	aucune

EN BREF

Échelle de prix :	29 995 $ à 35 695 $
Catégorie :	multisegment
Garanties :	3 ans/80 000 km, 5 ans/100 000 km
Assemblage :	Hiroshima, Japon
Cote d'assurance :	n.d.

DANS LA MÊME CATÉGORIE

Acura RDX, Ford Edge, Nissan Murano

NOS IMPRESSIONS

Agrément de conduite :	4 ½
Fiabilité :	4
Sécurité :	4
Qualités hivernales :	4 ½
Espace intérieur :	4
Confort :	4

DU NOUVEAU EN 2009

Changements mineurs, version GT (2RM) retiré

LES CHANGEMENTS QUI ONT FAIT LA DIFFÉRENCE

Non seulement la compagnie Mazda a connu une très bonne année au chapitre des ventes, mais grâce à la CX-9, elle a décroché plusieurs accessits fort prestigieux. Elle a reçu le titre de Véhicule utilitaire nord-américain de l'année et la revue *Motor Trend* lui a décerné le trophée du multisegment de l'année. Sans compter plusieurs premières places dans le cadre de nombreux matchs comparatifs.

Mais aucun de ces honneurs ne lui aurait été attribué si Mazda n'avait pas effectué des changements après quelques mois de présence sur le marché. En effet, ce modèle lancé au printemps 2007 était propulsé par un moteur V6 de 3,5 litres combiné à une boîte automatique à six rapports. Puis, en octobre de la même année, le modèle 2008 était introduit, mais avec un moteur 3,7 litres produisant 8 chevaux de plus, soit 273 chevaux. En plus de multiples améliorations, il était également possible de commander un système de surveillance des angles morts. Même si ces modifications semblent assez modestes, elles ont fait toute la différence et sérieusement amélioré la plus grosse Mazda jamais produite. Par contre, la silhouette et l'habitacle sont demeurés inchangés.

UN AIR DE FAMILLE

Il est vrai que la CX-9 et la CX-7 se ressemblent, mais pas au point de conclure que la première n'est qu'une simple version allongée de la seconde. Les deux véhicules se partagent les mêmes éléments visuels que sont la ligne du toit, la fenestration décroissante vers l'arrière en plus des feux arrière horizontaux de type cristallin. Mais il suffit de les stationner côte à côte pour réaliser qu'ils sont fort distincts l'un de l'autre. Le volume de la caisse, la partie avant et sa calandre, de même que la section arrière, diffèrent passablement de sorte que la CX9 a une silhouette particulière. Et contrairement aux stylistes de plusieurs autres constructeurs, ceux de Mazda ont résisté à la tentation de faire paraître ce multisegment plus gros qu'il ne l'est. En fait, ils lui ont conféré une silhouette relativement sportive qui lui sied bien.

Le tableau de bord est sobre, avec sa nacelle d'instruments comprenant deux cadrans circulaires et deux autres plus petits, chacun étant greffé sur l'un des cadrans principaux. Le moyeu du volant est de forme triangulaire et abrite plusieurs commandes, notamment celles du régulateur de vitesse automatique et des commandes audio. Puis, au centre de la planche de bord se trouvent la console verticale et son écran de navigation LCD qui affiche également les images vidéo de la caméra de recul. Cet accessoire est fort pratique, mais en hiver, il faut nettoyer l'objectif chaque fois que l'on prend le véhicule. Soulignons aussi que le caractère luxueux de ce modèle explique la présence d'appliques en bois sur la planche de bord et sur les garnitures de portières.

L'autre jour, pour décrire l'habitacle de la CX-9, un lecteur le comparait à un gros *Lazy Boy*. Cette remarque est passablement juste, puisque les sièges avant sont confortables en plus d'offrir un support latéral

FEU VERT
- Moteur bien adapté
- Rouage intégral efficace
- Équipement complet
- Troisième rangée invitante
- Suspension confortable

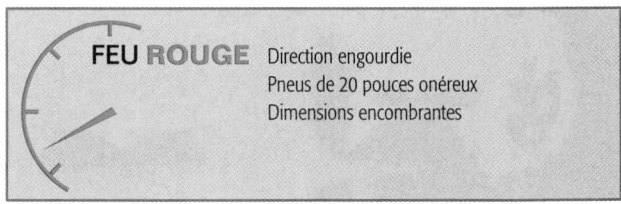

FEU ROUGE
- Direction engourdie
- Pneus de 20 pouces onéreux
- Dimensions encombrantes

adéquat. La deuxième rangée de sièges offre beaucoup d'espace pour les jambes et la tête, mais mieux vaut oublier le siège du milieu. La troisième rangée est relativement spacieuse et son niveau de confort est correct tandis que le mécanisme qui permet d'en faciliter l'accès est simple et efficace. De plus, et voilà l'élément le plus intéressant à souligner, l'espace accordé aux bagages est quand même adéquat une fois la troisième rangée déployée.

CONFORT ASSURÉ

Évidemment, la CX-7 est la plus sportive des deux. Avec son moteur quatre cylindres turbo, ses dimensions plus compactes et une suspension relativement dynamique, elle cible les conducteurs sportifs qui aiment combiner l'agrément de conduite avec le caractère pratique d'un multisegment.

La CX-9 pour sa part privilégie le confort, le silence de roulement, l'habitabilité et la polyvalence. Il faut également ajouter que les deux versions proposées sont fort bien équipées. On y trouve tout ou presque. Par contre, le modèle GT est équipé de série du rouage intégral qui est optionnel sur la GS et cette traction intégrale est aussi transparente qu'efficace. Mazda ne met pas l'accent sur son rouage intégral, mais c'est l'un des meilleurs disponibles.

Peu importe les modifications apportées à la version 2008, celle-ci est beaucoup plus équilibrée et agréable à conduire que les modèles pourvus du 3,5 litres. La suspension est calibrée pour le confort, la direction est quelque peu engourdie, mais la tenue de route est sans surprise. Quelle que soit la tâche ou la destination, la CX-9 n'est jamais prise au dépourvu. Et si vous conduisez sans secousses et accélérations intempestives, la consommation sera légèrement supérieure à 13 litres aux 100 km, ce qui est sous la moyenne de la catégorie.

Denis Duquet

Photos: Mazda

VÉHICULE D'ESSAI

SIRIUS RADIO SATELLITE

Version :	Mazda CX-9 GT AWD
Moteur :	V6 de 3,7 litres 24s atmosphérique
Puissance :	273 ch (204 kW) à 6 250 tr/min
Couple :	270 lb-pi (366 Nm) à 4 250 tr/min
Rapport poids/puissance :	7,55 kg/ch (10,10 kg/kW)
Transmission :	automatique, 6 rapports
Rouage :	intégral
0-100 km/h · 80-120 km/h :	7,9 s · 6,8 s
Freinage 100-0 km/h :	39,8 m
Vitesse maximale :	225 km/h
Consommation (100 km) :	ordinaire, 12,6 litres
Autonomie approximative :	603 km
Émissions de CO2 :	5 184 kg/an
Emp/Lon/Lar/Haut (mm) :	2 875 / 5 074 / 1 936 / 1 728
Coffre/Réservoir :	487 à 2 851 / 76 litres
Nombre de coussins de sécurité :	6
Suspension avant :	indépendante, jambes de force
Suspension arrière :	indépendante, multibras
Freins av./arr. :	disque (ABS)
Antipatinage/Contrôle de stabilité :	oui/oui
Direction :	à crémaillère, assistance variable
Diamètre de braquage :	11,4 m
Pneus av./arr. :	P245/50R20
Poids :	2 062 kg
Capacité de remorquage :	1 588 kg

AUTRE(S) COMPOSANTE(S) MÉCANIQUE(S)

Système hybride :	aucun
Moteur diesel :	aucun
Taxe énergivore :	aucune
Autre(s) moteur(s) :	aucun
Autre(s) rouage(s) :	traction
Autre(s) transmission(s) :	aucune

EN BREF

Échelle de prix :	36 795 $ à 44 395 $
Catégorie :	multisegment
Garanties :	3 ans/80 000 km, 5 ans/100 000 km
Assemblage :	Ujina, Japon
Cote d'assurance :	n.d.

DANS LA MÊME CATÉGORIE

Acura MDX, Buick Enclave, GMC Acadia, Infiniti FX35/50, Lincoln MKX, Nissan Murano, Subaru Tribeca, Volvo XC70

NOS IMPRESSIONS

Agrément de conduite :	4
Fiabilité :	4
Sécurité :	4 ½
Qualités hivernales :	4 ½
Espace intérieur :	4
Confort :	5

DU NOUVEAU EN 2009

Changements apportés aux groupes d'options

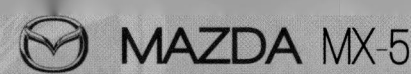

L'ÉTÉ, C'EST FAIT POUR JOUER !

Si vous êtes, comme moi, de la génération Passe-Partout, vous vous souvenez certainement de cette célèbre chanson, qui encourageait les jeunes à jouer à l'extérieur. Pour quelqu'un qui déteste l'hiver au point d'envier les *snowbirds* qui ont deux fois mon âge, je peux vous dire que cette chanson a une grande signification. Bien sûr, l'automobile faisant partie de ma vie, il va de soi que je m'efforce de conjuguer voiture et beau temps le plus souvent possible. Et franchement, il m'a été jusqu'ici impossible de trouver meilleure artillerie que la MX-5 pour profiter de la saison estivale.

Naturellement, on pourrait contester ce propos en mentionnant l'existence des Porsche Boxster et BMW Z4, mais je tiens à vous rappeler que ces voitures coûtent facilement plus du double de la petite Mazda. Et assurément, elles ne vous offrent pas le double de plaisir que peut vous procurer une MX-5.

Vous vous en doutez, on ne magasine pas une MX-5 de la même façon qu'une Hyundai Elantra. Ici, la question n'est pas de savoir quel en sera le paiement mensuel, mais bien quand on peut en prendre livraison ! Il s'agit d'un achat purement passionnel, qui ne consiste en rien d'autre qu'une belle gâterie. Heureusement, si le vendeur Mazda ne peut vous garantir un nombre précis de belles journées estivales, il peut en revanche affirmer avec certitude que durant ces journées, vous en profiterez au maximum. Voyez-vous, c'est que la MX-5 est une voiture toute simple conçue dans le seul objectif de vous faire profiter de la vie. On n'y retrouve donc pas de gadgets de luxe superflus susceptibles de requérir un entretien coûteux, ni de technologie mécanique capricieuse que seuls quelques mécaniciens chevronnés sont en mesure de réparer. Tout est simple, fiable et extrêmement efficace. Et vous vous en douterez, ce seul élément est en grande partie responsable du succès de la MX-5.

VINGT ANS D'AMÉLIORATION

Bien sûr, celle qui fête cette année son vingtième anniversaire a su évoluer au fil des ans. Par exemple, l'habitacle est aujourd'hui plus confortable et pratique. Donc, si votre gabarit ne vous permettait pas autrefois de vous glisser à bord d'une Miata, il est aujourd'hui fort probable que ce ne soit pas le cas avec la MX-5. Les sièges sont plus confortables, l'espace accordé aux jambes et aux épaules est plus généreux et les réglages désormais possibles du volant et du siège permettent de trouver une position de conduite optimale.

Côté équipement, toutes les MX-5 sont désormais dotées de l'essentiel, c'est-à-dire du groupe électrique complet, du régulateur de vitesse et d'un lecteur CD à six haut-parleurs. La climatisation est optionnelle sauf sur le modèle haut de gamme GT, le seul à également recevoir une sellerie de cuir avec sièges chauffants, une chaîne audio Bose, un système d'accès sans clé et des phares au xénon. En option, la MX-5 propose depuis 2007 un toit rigide rétractable, atténuant bien sûr les bruits ambiants, mais aussi les risques de vol. Affectant le poids de la voiture d'à peine 38 kg, ce toit ne requiert que 12 secondes pour se rétracter et se ranger. De plus, il n'handicape aucunement le volume du coffre qui, disons-le, compose mal avec

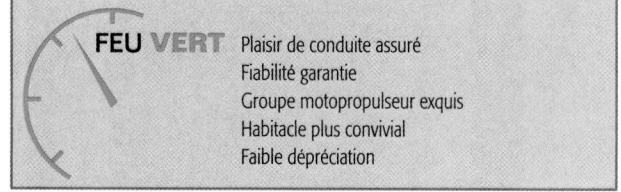

FEU VERT
- Plaisir de conduite assuré
- Fiabilité garantie
- Groupe motopropulseur exquis
- Habitacle plus convivial
- Faible dépréciation

FEU ROUGE
- Version GT chère
- Côté pratique limité
- Dame nature n'est pas toujours clémente !
- À quand la Mazdaspeed ?

les acheteurs compulsifs ! Le prix de cette option est chiffré à 2 195 $ et exige l'option du climatiseur.

J'ai le regret d'annoncer aux amateurs de performance qu'aucune version Mazdaspeed turbocompressée n'a encore été annoncée. Tout porte à croire qu'elle viendra un jour, mais Mazda attendra certainement encore quelque temps avant de redonner un nouveau souffle à la MX-5. Cela dit, le moteur de 2,0 litres, fort de ses 166 chevaux, fait tout de même du très bon boulot. Il est souple, extrêmement nerveux et très robuste. De plus, il fait équipe avec une boîte manuelle à six rapports (cinq sur la version GX), dont l'efficacité est irréprochable. En option, une boîte automatique à six rapports est également proposée. Cette dernière ne répond évidemment pas aux critères de tous, mais elle sait, par son efficacité, faire honneur aux aptitudes de la voiture.

SPORTIFS, PENSEZ GS !

Entendons-nous, toutes les MX-5 proposent une conduite affutée, extrêmement agréable et ultra sportive. D'ailleurs, ce petit roadster est à ce point agile qu'il peut, sur circuit, ridiculiser des bolides offrant le double de la puissance. Le parfait équilibre des masses, la grande rigidité structurelle, la précision de la direction et le parfait synchronisme du groupe motopropulseur font de cette voiture un athlète redoutable. Cependant, il faut savoir que la version la plus alléchante pour l'amateur de performance n'est pas la plus chère, mais bien la GS. En fait, cette version moins lourde que la GT, parce que moins équipée, est la seule à être dotée de série de jantes de 17 pouces, d'amortisseurs sport Bilstein, de tourelles d'amortisseurs et d'un différentiel à glissement limité, qui permettent une conduite encore plus agressive.

Chose certaine, qu'elle remplace votre Harley-Davidson, votre vieille MG ou votre Pontiac Solstice que vous ne pouvez déjà plus sentir, la MX-5 ne peut vous décevoir. Elle est une voiture fiable, durable et ingénieusement conçue, qui conserve une valeur de revente extrêmement élevée. Sachez seulement qu'avec une MX-5, le bonheur ne se trouve pas dans le luxe, mais bien dans la conduite. Choisissez donc vos options avec attention et... bonne promenade !

Antoine Joubert

Photos : Marc Lachapelle

VÉHICULE D'ESSAI

Version :	Mazda MX-5 GT TRCE (toit rigide)
Moteur :	4L de 2,0 litres 16s atmosphérique
Puissance :	166 ch (124 kW) à 6 700 tr/min
Couple :	140 lb-pi (190 Nm) à 5 000 tr/min
Rapport poids/puissance :	7,07 kg/ch (9,46 kg/kW)
Transmission :	manuelle, 6 rapports
Rouage :	propulsion
0-100 km/h · 80-120 km/h :	8,3 s · 7,9 s
Freinage 100-0 km/h :	37,8 m
Vitesse maximale :	206 km/h
Consommation (100 km) :	ordinaire, 9,7 litres
Autonomie approximative :	494 km
Émissions de CO2 :	4 128 kg/an
Emp/Lon/Lar/Haut (mm) :	2 330 / 3 990 / 1 720 / 1 245
Coffre/Réservoir :	150 / 48 litres
Nombre de coussins de sécurité :	4
Suspension avant :	indépendante, bras inégaux
Suspension arrière :	indépendante, multibras
Freins av./arr. :	disque (ABS)
Antipatinage/Contrôle de stabilité :	oui/non
Direction :	à crémaillère, assistance variable
Diamètre de braquage :	9,4 m
Pneus av./arr. :	P205/45R17
Poids :	1 174 kg
Capacité de remorquage :	non recommandé

AUTRE(S) COMPOSANTE(S) MÉCANIQUE(S)

Système hybride :	aucun
Moteur diesel :	aucun
Taxe énergivore :	aucune
Autre(s) moteur(s) :	4L de 2,0 litres 163 ch/140 lb-pi (10,5 l/100 ordinaire) (automatique)
Autre(s) rouage(s) :	aucun
Autre(s) transmission(s) :	manuelle, 5 rapports automatique, 6 rapports

EN BREF

Échelle de prix :	28 195 $ à 34 500 $ (2008)
Catégorie :	roasdster
Garanties :	3 ans/80 000 km, 5 ans/100 000 km
Assemblage :	Hofu, Japon
Cote d'assurance :	bonne

DANS LA MÊME CATÉGORIE

Ford Mustang, Mitsubishi Eclipse, Pontiac Solstice, Saturn Sky, Toyota Solara, Volkswagen New Beetle

NOS IMPRESSIONS

Agrément de conduite :	★★★★★
Fiabilité :	★★★★
Sécurité :	★★★½
Qualités hivernales :	★★
Espace intérieur :	★★★
Confort :	★★★

DU NOUVEAU EN 2009

Aucun changement majeur

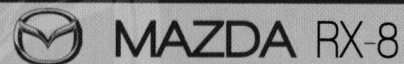

UN JEUNE CLASSIQUE RELANCÉ

Mazda nous a surpris et ravis en présentant sa nouvelle RX-8 il y a déjà six ans. En rompant avec la tradition telle que l'avait interprétée sa devancière, la RX-7, ce coupé sport à quatre places et quatre portières de conception unique, propulsé par un moteur qui l'est tout autant, s'est taillé une place spéciale au cœur du marché comme aux yeux des passionnés. Avec une série de retouches discrètes et l'ajout d'une version inédite, plus sportive encore, Mazda relance cette série exceptionnelle de belle manière.

Aucune autre voiture ne conjugue avec autant de grâce les exigences diamétralement opposées d'une tenue de route inspirée, de performances enthousiasmantes et d'une utilisation quotidienne agréable que la RX-8 de Mazda, à des prix somme toute fort raisonnables. Et certainement aucune autre sportive ne permet à quatre adultes de partager ces plaisirs en jouissant d'un confort parfaitement acceptable.

Trop spécialisée, trop pointue et visant un public trop limité, la dernière RX-7 était dans un cul-de-sac en termes d'évolution. C'est tout le contraire pour la RX-8. Bien née, conçue avec une ingéniosité, une originalité technique et un brio incontestables, elle possède tous les attraits d'un classique en devenir qui ne peut que se bonifier avec le temps, si Mazda le veut et en a les moyens. C'est heureusement ce que démontre le constructeur de Hiroshima depuis quelques années.

RETOUCHES PERTINENTES ET VERSION R3

Après un succès critique et populaire considérable à son lancement, la RX-8 a connu quelques ratés de fiabilité qui étaient surtout reliés à une consommation d'huile élevée pour le moteur rotatif, dont la soif en carburant est également assez forte pour sa cylindrée. La cote officielle combinée est de 11,2 L/100 km avec la boîte manuelle et 11,3 L/100 km avec l'automatique. Mazda a essentiellement résolu les ennuis relevés depuis, selon des sondages sérieux, et souligne sa confiance en son moteur fétiche pour 2009 en prolongeant la garantie qui le couvre à 8 ans ou 160000 km.

Toutes les RX-8 ont droit à une série de modifications et de mises à jour cette année, à l'extérieur comme dans l'habitacle. Discrètes et mineures pour la plupart, elles sont néanmoins pertinentes et efficaces. Notre attention s'est toutefois portée sur la R3, un nouveau modèle plus sportif qui vient s'intercaler entre la GS et la GT au niveau du prix. En plus des retouches apportées à la carrosserie des deux autres, la R3 a droit à un becquet avant plus prononcé, à des bas de caisse accentués et à un aileron arrière. Ses roues d'alliage à cinq rayons fourchés évoquent le rotor de son moteur de type Wankel mais elles ont un diamètre de 19 pouces au lieu des 18 pouces de ses sœurs. Elles sont également chaussées de pneus de taille 225/40 R19.

Toutes les RX-8 affichent une structure plus rigide, grâce entre autres à de nouvelles barres antirapprochement en trapèze pour leurs tourelles de suspension avant, mais la R3 reçoit en plus des traverses de

FEU VERT
- Comportement exceptionnel
- Coupé sport étonnamment pratique
- Plaisir de conduite et moteur uniques

FEU ROUGE
- Faible couple du moteur rotatif
- Consommation un peu forte
- Version automatique marginale

suspension avant gonflées d'uréthane qui réduisent le bruit et les vibrations tout en améliorant le roulement et la maîtrise. Toutes les RX-8 jouissent d'une suspension arrière à bras multiples bonifiée mais la R3 dispose de surcroît d'un jeu complet d'amortisseurs Bilstein, de systèmes antipatinage et antidérapage de série et d'authentiques sièges Recaro aux places avant en plus du nouveau volant à trois rayons qu'elle partage avec les GS et GT, gainé de cuir.

LE PLAISIR EN CONTINU

Le résultat de ce travail est un plaisir de conduite ininterrompu, rien de moins. Quel que soit le rythme, la direction vive et tactile, la boîte de vitesses manuelle précise, la position de conduite impeccable et la sonorité chantante du rotatif vous plaquent un sourire permanent au visage. En attaquant les virages, on note que les retouches à la suspension ont biffé l'excédent de souplesse et de roulis des versions antérieures. L'équilibre et l'agilité exceptionnels de la RX-8 demeurent, aiguisés par ses pneus plus mordants, à la faveur d'une répartition des masses idéale de 48 et 52 % entre l'avant et l'arrière. Nous n'avons pas constaté de gain en performance malgré une démultiplication finale un peu plus courte. La puissance du moteur est la même, ce qui nous fait souhaiter une version suralimentée du moteur rotatif, dont le couple supérieur permettrait d'explorer tout le potentiel sportif de cette voiture d'exception.

Comme Porsche avec sa précieuse 911, Mazda a la sagesse de faire évoluer la RX-8 sans compromettre ses vertus uniques et fondamentales. Grand bien nous fasse ! La nouvelle R3, surtout, est une belle réussite qui saura combler les passionnés de conduite également sensibles aux qualités pratiques de la RX-8. Et pourquoi pas ensuite une évolution de cette série qui soit parfaitement fidèle à son architecture et en pousse le raffinement et le design d'un cran ou deux ?! Plusieurs études de style et prototypes récents de Mazda laissent présager le meilleur côté style. Quant à la mécanique, le moteur rotatif se prête particulièrement bien à l'utilisation de l'hydrogène et Mazda a déjà présenté un groupe propulseur hybride construit autour du rotatif. Voilà des recettes intéressantes pour la sportive de l'avenir.

Marc Lachapelle

Photos: Marc Lachapelle

VÉHICULE D'ESSAI

SIRIUS RADIO SATELLITE

Version :	Mazda RX-8 R3
Moteur :	rotatif de 1,3 litre atmosphérique
Puissance :	232 ch (173 kW) à 8 500 tr/min
Couple :	159 lb-pi (216 Nm) à 5 500 tr/min
Rapport poids/puissance :	5,98 kg/ch (8,17 kg/kW)
Transmission :	manuelle, 6 rapports
Rouage :	propulsion
0-100 km/h · 80-120 km/h :	7,3 s · 5,7 s
Freinage 100-0 km/h :	37,9 m
Vitesse maximale :	235 km/h
Consommation (100 km) :	super, 12,8 litres
Autonomie approximative :	468 km
Émissions de CO2 :	5 280 kg/an
Emp/Lon/Lar/Haut (mm) :	2 700 / 4 424 / 1 770 / 1 340
Coffre/Réservoir :	290 / 60 litres
Nombre de coussins de sécurité :	6
Suspension avant :	indépendante, bras inégaux
Suspension arrière :	indépendante, multibras
Freins av./arr. :	disque (ABS)
Antipatinage/Contrôle de stabilité :	oui/oui
Direction :	à crémaillère, assistance variable électronique
Diamètre de braquage :	10,6 m
Pneus av./arr. :	P225/45R18
Poids :	1 389 kg
Capacité de remorquage :	non recommandé

AUTRE(S) COMPOSANTE(S) MÉCANIQUE(S)

Système hybride :	aucun
Moteur diesel :	aucun
Taxe énergivore :	aucune
Autre(s) moteur(s) :	rotatif de 1,3 litre 212 ch/159 lb-pi (12,9 l/100 super) (automatique)
Autre(s) rouage(s) :	aucun
Autre(s) transmission(s) :	automatique, 6 rapports

EN BREF

Échelle de prix :	37 295 $ à 42 395 $
Catégorie :	coupé
Garanties :	3 ans/80 000 km, 5 ans/100 000 km
Assemblage :	Hiroshima, Japon
Cote d'assurance :	pauvre

DANS LA MÊME CATÉGORIE

Audi TT, BMW Série 3 coupé, Ford Mustang, Infiniti G37, Nissan 350Z

NOS IMPRESSIONS

Agrément de conduite :	4 ½
Fiabilité :	4
Sécurité :	4
Qualités hivernales :	3 ½
Espace intérieur :	3
Confort :	3 ½

DU NOUVEAU EN 2009

Nouvelle version R3, réaménagements des groupes d'options

UNE CLASSE À PART

Nos voisins américains ont snobé cette petite Mercedes-Benz de Classe B sous prétexte qu'elle n'était pas digne de leur marché, étant jugée trop petite. J'ai des collègues journalistes américains qui ont quasiment traité les consommateurs canadiens de niais parce que cette Mercedes-Benz était commercialisée avec succès dans notre pays. Je suis certain qu'ils doivent nous trouver fort intelligents de nos jours puisque cette petite voiture propose sécurité, solidité et polyvalence en plus d'offrir le prestige incontournable de la marque et une consommation de carburant très raisonnable. Un élément qui était ignoré par les Américains il y a quelques mois encore.

Il faut d'ailleurs souligner que ce modèle est une exclusivité bien canadienne pour notre continent. Justement parce que les consommateurs canadiens sont en mesure de reconnaître la valeur des véhicules aux dimensions plus compactes mais capables de répondre aux besoins de bien des gens qui sont plus pragmatiques qu'exhibitionnistes.

DICTÉE PAR LA FONCTION

Il faut tout d'abord souligner que ce véhicule est court. Il est en effet plus court qu'une Mazda5, qu'une Kia Rondo ou encore qu'une Chevrolet HHR, pour ne citer que ces modèles. Les concepteurs ont dessiné une silhouette qui n'est pas sans ressembler à celle de la Classe R, elle aussi conçue pour optimiser l'habitabilité, mais dans une catégorie plus imposante et luxueuse. Cette approche plaît ou ne plaît pas, mais chose certaine, le véhicule a bien vieilli sur le plan visuel, ce qui n'est pas mal étant donné que la carrosserie a été mise au point en fonction d'offrir la meilleure habitabilité possible.

Il faut également préciser que ces formes ont aussi été dictées par un élément de sécurité sous-jacent à la plate-forme de cette voiture. En effet, celle-ci est de type sandwich alors qu'elle permet au moteur et à la transmission de passer sous le plancher de l'habitacle en cas d'impact. Bref, malgré sa petite taille, cette voiture propose la même sécurité que les grosses Mercedes-Benz. Cette configuration particulière a également pour effet d'offrir une assise relativement élevée pour les sièges avant et arrière et la sensation est assez singulière, la première fois qu'on monte à bord et qu'on est assis plus haut qu'à l'habitude.

Dans l'habitacle, on ne retrouve pas le même luxe que dans une voiture de classe S par exemple, mais tout est quand même à la hauteur de la réputation de la marque. Les matériaux sont de qualité, l'assemblage impeccable et le design sobre mais équilibré. Les gens peu habitués aux voitures à l'étoile d'argent sont toujours surpris de trouver que les sièges sont fermes, très fermes. Cela peut déranger au premier contact, mais on les apprécie au fil des kilomètres. La capacité de chargement de cette voiture est inférieure à plusieurs modèles de cette catégorie, mais il est possible d'agencer la soute à bagages de multiples façons. D'ailleurs, le niveau du plancher peut être abaissé ou soulevé.

LA PERFORMANCE SE PAYE

La version de base de la B200 est un moteur quatre cylindres de 2,0 litres d'une puissance de 134 chevaux. Il est couplé à une boîte manuelle

FEU VERT
Sécurité rassurante
Tenue de route sans histoire
Bonne habitabilité
Finition sérieuse
Places arrière correctes

FEU ROUGE
Certaines commandes irritantes
Moteur de base anémique
Version turbo chère
Moteur bruyant

à cinq rapports et il est possible de commander une transmission CVT en option. Et c'est là que le bât blesse : les performances de ce moteur sont correctes, tout au plus. Avec la boîte manuelle, cela peut toujours aller, mais plusieurs ont de la difficulté à accepter les performances moyennes proposées par la transmission CVT. Il est vrai qu'il faut être patient si on met le levier de vitesses en position de conduite normale. En fait, pour obtenir des performances correctes, il suffit de placer le levier en position S pour Sport, et c'est nettement mieux.

Il y a une façon bien simple de remédier au problème de manque de puissance de la B200, c'est de commander la version turbocompressée de ce même moteur 2,0 litres. La puissance est alors de 193 chevaux. La boîte de vitesses de série est une transmission manuelle à six rapports tandis que l'automatique de type CVT est également offerte. Par contre, le prix devient alors presque prohibitif pour une voiture de cette dimension. À vous de décider si vous faites partie des gens qui jugent les voitures en raison de leur gabarit.

Peu importe le moteur choisi, la B200 est une traction et la configuration de la plateforme empêche l'arrivée d'une version 4Matic. Quoi qu'il en soit, cette voiture propose une tenue de route sans surprise, stable en virage et dont le roulis est bien maîtrisé. La direction est précise bien qu'un peu paresseuse. Comme c'est souvent le cas avec une traction, la voiture devient passablement sous-vireuse lorsque poussée dans les virages. Mais comme il s'agit d'un véhicule à vocation familiale, le risque de reproduire ces conditions devrait être occasionnel.

En conclusion, malgré ses dimensions réduites et la possibilité de faire grimper la facture à un prix généralement inconnu pour sa catégorie, la B200 est une voiture solide et pratique, dont la sécurité est à prendre en considération.

Denis Duquet

Photos : Mercedes-Benz

VÉHICULE D'ESSAI

SIRIUS RADIO SATELLITE

Version :	Mercedes-Benz Classe B200 Turbo
Moteur :	4L de 2,0 litres 16s turbocompressé
Puissance :	193 ch (144 kW) à 5 000 tr/min
Couple :	206 lb-pi (279 Nm) à 4 850 tr/min
Rapport poids/puissance :	7,40 kg/ch (10,07 kg/kW)
Transmission :	CVT
Rouage :	traction
0-100 km/h · 80-120 km/h :	8,4 s · 5,8 s
Freinage 100-0 km/h :	42,0 m
Vitesse maximale :	210 km/h
Consommation (100 km) :	super, 9,5 litres
Autonomie approximative :	568 km
Émissions de CO2 :	4 128 kg/an
Emp/Lon/Lar/Haut (mm) :	2 778 / 4 273 / 2 040 / 1 604
Coffre/Réservoir :	544 à 1 530 / 54 litres
Nombre de coussins de sécurité :	6
Suspension avant :	indépendante, jambes de force
Suspension arrière :	demi-indépendante, essieu parabolique
Freins av./arr. :	disque (ABS)
Antipatinage/Contrôle de stabilité :	oui/oui
Direction :	à crémaillère, assistance variable électrique
Diamètre de braquage :	11,9 m
Pneus av./arr. :	P205/55R16
Poids :	1 430 kg
Capacité de remorquage :	1 500 kg

AUTRE(S) COMPOSANTE(S) MÉCANIQUE(S)

Système hybride :	aucun
Moteur diesel :	aucun
Taxe énergivore :	aucune
Autre(s) moteur(s) :	4L de 2,0 litres 134 ch/136 lb-pi (9,2 l/100 ordinaire) (B200)
Autre(s) rouage(s) :	aucun
Autre(s) transmission(s) :	manuelle, 6 rapports (B200 T) manuelle, 5 rapports (B200)

EN BREF

Échelle de prix :	29 900 $ à 33 900 $ (2008)
Catégorie :	multisegment
Garanties :	4 ans/80 000 km, 4 ans/80 000 km
Assemblage :	Rastatt, Allemagne
Cote d'assurance :	n.d.

DANS LA MÊME CATÉGORIE

Audi A3, Chevrolet HHR, Chrysler PTCruiser, Mazda5

NOS IMPRESSIONS

Agrément de conduite :	🚗🚗🚗½
Fiabilité :	🚗🚗🚗🚗
Sécurité :	🚗🚗🚗🚗
Qualités hivernales :	🚗🚗🚗½
Espace intérieur :	🚗🚗🚗🚗
Confort :	🚗🚗🚗🚗

DU NOUVEAU EN 2009

Parties avant et arrière redessinées, nouvelles roues, habitacle revisé, nouveaux ensembles d'options

QUIÉTUDE À L'ALLEMANDE

Bizarre, me direz-vous, mais en prenant le volant de la Mercedes de Classe C, j'ai l'impression de soudainement devenir une meilleure personne, un peu comme si cette voiture était une récompense à mes bonnes actions. On se sent certes valorisé à bord de cette voiture, mais aussi en grande paix avec soi-même. Et il est là le secret de l'amour que portent les automobilistes aux modèles de la Classe C. On aurait beau critiquer la voiture pour x ou y raisons, la C demeurerait toujours dans une classe à part.

Bien sûr, mes divagations n'ont rien de très scientifique. Si dans la génération précédente cette berline n'avait pas le même mordant, ni la même personnalité sportive que sa principale concurrente, la BMW de la Série 3, elle s'est joliment rattrapée avec cette nouvelle génération. Cependant, j'ai voulu ici évoquer un sentiment partagé par plusieurs, qui signifie qu'en prenant le volant de cette Mercedes, l'automobiliste bénéficie d'un moment de pur bonheur et de quiétude. Mais attention, cela ne veut nullement dire que la Classe C est une voiture de grand-père, confinée à demeurer dans la voie de droite. Au contraire, il s'agit d'une grande athlète, mais qui contrairement à certaines rivales sait demeurer discrète et civilisée.

ÉLÉGANCE INÉGALÉE

Je ne vous cacherai pas que dans cette catégorie, les belles voitures sont nombreuses. Que l'on parle de la Lexus IS ou de la nouvelle Audi A4, il y a toujours abondance de compliments lorsque vient le temps de s'exprimer sur les lignes de carrosserie. Toutefois, aucune rivale ne peut se vanter d'afficher une telle grâce et un tel raffinement des lignes. Et la beauté dans cette histoire, c'est que l'acheteur d'une Classe C peut, en plus, choisir sa voiture à son image. En effet, on peut opter pour une version classique avec grille de calandre traditionnelle et ornement de capot, ou encore pour une version sport avec jantes surdimensionnées, jupes aérodynamiques et calandre à trois barres horizontales. Et puis, figurant dans un monde à part, on retrouve l'ultime version de performance nouvellement arrivée, soit la C63 AMG. Dans ce cas, l'image de performance est transmise par des ailes élargies, un capot à bosselage, un diffuseur d'air arrière, des jantes de 18 pouces AMG et des pare-chocs exclusifs.

À bord, la Classe C innove en offrant un heureux mélange de sobriété et de modernisme. Vous n'y trouverez donc pas de centralisateur informatique ultra complexe ou d'innombrables boutons déroutants. Cependant, il faudra vous habituer à ce nouveau système audio dont les commandes sont simples mais plutôt inhabituelles. Très élégant, l'habitacle est naturellement tapissé de riches matériaux. Autant les plastiques que les cuirs et accents métalliques sont de grande qualité, ce qui respecte les traditions de la marque. Il faut également accorder une bonne note à l'instrumentation moderne, dont les cadrans indicateurs sont caractérisés par des aiguilles flottantes.

À l'exception de la C63 AMG qui propose des sièges ultra enveloppants, les baquets de la Classe C, même en version Sport, manquent un peu de support. Ils conservent une certaine fermeté et sont d'un excellent

FEU VERT
- Élégance remarquable
- Agrément de conduite étonnant
- Confort exceptionnel
- Qualité de finition impeccable
- Performances hallucinantes (C63 AMG)

FEU ROUGE
- Pas de moteur diesel CDI
- Version familiale non importée
- Performances un peu justes (C230)
- Consommation décevante (C230)

confort, mais n'épousent pas les formes corporelles autant que chez certaines rivales. Enfin, dans la nouvelle génération de la Classe C, lancée l'an dernier, on a amélioré de façon marquée l'espace disponible. On ne se sent donc plus à l'étroit, et ce, devant comme derrière.

LE LIÈVRE OU LA TORTUE?

La grande nouveauté de la Classe C la C230, a été lancée en début d'année 2008 et connait depuis un bon succès. Exclusive au marché canadien, la C230 reçoit un V6 de 2,5 litres souple et très doux, développant 201 chevaux. Offerte en version propulsée ou 4Matic à traction intégrale, ce modèle n'est évidemment pas très rapide. En fait, il ne faut pas considérer cette voiture si les performances figurent parmi vos priorités. Et malheureusement, l'économie de carburant n'est pas non plus la plus grande qualité de la C230, la moyenne se situant autour de 11,5 litres aux 100 km. Disons qu'elle est en réalité une façon plus abordable d'accéder à la sélecte Classe C, tout en bénéficiant de la traction intégrale. À l'opposé, Mercedes présente en 2009 la C63 AMG munie d'un monstrueux V8 de 6,2 litres. Extrêmement puissante, elle émet une sonorité des plus envoûtantes et procure aux occupants des sensations hors du commun, quasi indescriptibles. La C63 AMG est le cocktail parfait pour perdre son permis de conduite en un temps record. À titre d'exemple, on boucle avec elle le 0-100 km/h en 4,5 secondes pour atteindre une vitesse de pointe de 280 km/h.

Pour le reste, on retrouve les quatre modèles initialement introduits, soit les C300 et C350 en version propulsée ou intégrale. Plus performante que la C230, la C300 est incontestablement celle à considérer pour l'acheteur soucieux d'une faible consommation de carburant, alors que la C350 rehausse d'un cran le niveau de puissance. Chose certaine, toutes les Classe C possèdent ce rare talent qui consiste à offrir un confort princier et une conduite des plus dynamiques. En matière de sportivité, la Série 3 de BMW fait encore un peu mieux, mais la douceur et le confort de roulement de la C sont supérieurs.

Terminons en mentionnant que cette petite Mercedes s'est sensiblement améliorée, dans les dernières années, au chapitre de la fiabilité. Il est encore tôt pour crier victoire avec cette nouvelle génération, mais tout porte à croire que les histoires d'horreur trop souvent entendues par des propriétaires insatisfaits sont maintenant choses du passé.

Antoine Joubert

Photos: Denis Duquet

VÉHICULE D'ESSAI

SIRIUS RADIO SATELLITE

Version:	Mercedes-Benz Classe C230 4Matic
Moteur:	V6 de 2,5 litres 24s atmosphérique
Puissance:	201 ch (150 kW) à 6000 tr/min
Couple:	181 lb-pi (245 Nm) à 5500 tr/min
Rapport poids/puissance:	8,40 kg/ch (11,26 kg/kW)
Transmission:	manuelle, 6 rapports
Rouage:	propulsion
0-100 km/h · 80-120 km/h:	7,1 s · 9,7 s
Freinage 100-0 km/h:	39,0 m
Vitesse maximale:	210 km/h
Consommation (100 km):	super, 11,9 litres
Autonomie approximative:	880 km
Émissions de CO2:	4656 kg/an
Emp/Lon/Lar/Haut (mm):	2760 / 4625 / 1770 / 1445
Coffre/Réservoir:	354 / 66 litres
Nombre de coussins de sécurité:	6
Suspension avant:	indépendante, jambes de force
Suspension arrière:	indépendante, multibras
Freins av./arr.:	disque (ABS)
Antipatinage/Contrôle de stabilité:	oui/oui
Direction:	à crémaillère, assistance variable
Diamètre de braquage:	n.d.
Pneus av./arr.:	P205/55R16
Poids:	1690 kg
Capacité de remorquage:	non recommandé

AUTRE(S) COMPOSANTE(S) MÉCANIQUE(S)

Système hybride:	aucun
Moteur diesel:	aucun
Taxe énergivore:	aucune
Autre(s) moteur(s):	V6 de 3,0 litres 228 ch/221 lb-pi (11,7 l/100 super) (C300)
V8 de 6,2 litres 451 ch/443 lb-pi (n.d. l/100 super) (C63 AMG)	
V6 de 3,5 litres 268 ch/258 lb-pi (12,2 l/100 super) (C350)	
Autre(s) rouage(s):	intégral (C350, C300, C230)
Autre(s) transmission(s):	automatique, 7 rapports (C350, C63 AMG, C300, C230)

EN BREF

Échelle de prix:	35 800$ à 63 500$
Catégorie:	berline intermédiaire
Garanties:	4 ans/80000 km, 4 ans/80000 km
Assemblage:	Sindelfingen, Allemagne
Cote d'assurance:	moyenne

DANS LA MÊME CATÉGORIE

Acura TL, Audi A4, BMW Série 3, Cadillac CTS, Infiniti G35/G35x, Jaguar X-Type, Lexus IS, Saab 9-5, Volvo S60

NOS IMPRESSIONS

Agrément de conduite:	
Fiabilité:	½
Sécurité:	
Qualités hivernales:	½
Espace intérieur:	
Confort:	

DU NOUVEAU EN 2009

Ensemble "Dynamic Handling" disponible, ensemble "Sport" standard sur C300, appliques de bois offertes pour tous les modèles

LA GRÂCE ET LE LUXE !

Si la Classe S représente l'ultime berline de luxe chez Mercedes-Benz, il faut avouer que la Classe CL s'en approche fortement, avec deux portes en moins. Ce coupé aux lignes plus classiques que les roadsters du même constructeur allie élégance, luxe et confort dans une robe enchanteresse qui fait indubitablement tourner les têtes. Il ne faut cependant pas en conclure que la CL est dénuée de performance. Elle cache sous son capot quelques motorisations dont les chiffres pourraient faire pâlir d'envie plusieurs bolides sport.

Alors que la nouvelle génération a été introduite l'an passé, la CL demeure pratiquement inchangée, si ce n'est de la disponibilité, pour 2009, d'un rouage intégral 4Matic. Voilà qui donne un argument de plus à la voiture, puisqu'elle profitera d'un aplomb supérieur sur les routes enneigées. L'envers de la médaille, puisque rien n'est parfait en ce bas monde, c'est que le rouage intégral apporte un poids supplémentaire à la voiture, qui n'était déjà pas légère à la base.

UNE PANOPLIE DE MOTORISATIONS

Il faut avouer que pour une voiture qui ne s'adresse pas à la masse, le constructeur nous propose une panoplie de versions incluant plusieurs choix relativement similaires. En effet, la CL peut accommoder sous son capot diverses motorisations comprenant à la base un moteur V8 de 5,5 litres développant 382 chevaux dans le cas de la CL550. Pour 2009, cette dernière hérite de série d'un rouage intégral, alors que toutes les autres versions sont des propulsions. Ceux qui désirent avoir une pédale droite plus vigoureuse pourront opter pour la CL600 qui porte le nombre de cylindres du moteur à douze. Avec sa cylindrée de 6,0 litres, ce V12 biturbo dispose d'une puissance de 510 chevaux, mais c'est son couple de 612 livres-pied qui en fait une voiture capable de vous clouer littéralement au siège. Et si cela n'est pas assez, la division haute performance du constructeur, AMG, se charge de rehausser la mécanique en proposant deux versions, la CL65 AMG animée par un V12 à double turbo de 603 chevaux et la CL63 AMG qui fait appel à un huit cylindres atmosphérique de 6,2 litres développant 465 chevaux. Voilà un choix difficile dans un monde de surpuissance. Bien entendu, peu importe la cavalerie choisie, il ne faut pas que la consommation de carburant soit une priorité pour vous.

À l'extérieur, la CL dispose de lignes fluides mettant en valeur sa grâce. Son exclusivité est annoncée notamment par la présence de l'étoile argentée sur la grille de calandre, et non sur le capot comme c'est le cas pour les modèles un peu plus bourgeois. Ses porte-à-faux réduits et son habitacle reculé ajoutent à sa prestance, qui est soulignée encore plus en version AMG grâce, entre autres, à quelques éléments de style plus agressifs. Les jantes exclusives rehaussent le caractère de cette voiture, surtout lorsqu'elle est issue de la division de performance AMG.

UNE PANOPLIE DE TECHNOLOGIES

Je me considère comme un technophile averti et rares sont les voitures qui m'obligent à plonger dans le manuel du propriétaire afin de comprendre l'utilité ou le fonctionnement de certains systèmes. Mais je

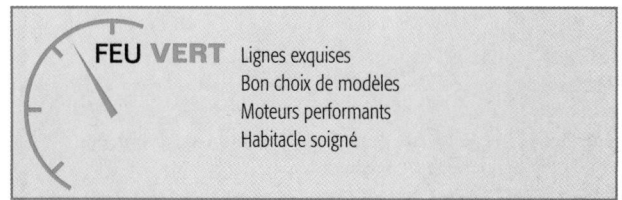

FEU VERT
- Lignes exquises
- Bon choix de modèles
- Moteurs performants
- Habitacle soigné

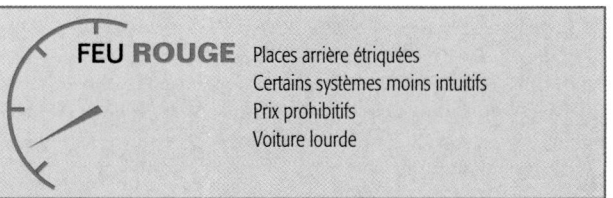

FEU ROUGE
- Places arrière étriquées
- Certains systèmes moins intuitifs
- Prix prohibitifs
- Voiture lourde

dois avouer qu'il faut un certain temps pour maîtriser tous les gadgets et technologies présents à bord de la CL. Voilà une voiture qui fera en sorte que vous épaterez plusieurs de vos amis, notamment avec le système de vision nocturne qui permet de déceler des obstacles grâce à une caméra infrarouge via un écran positionné au centre du groupe d'instrumentation.

La Mercedes-Benz CL n'échappe pas à la mode des systèmes multifonctions intégrés. Baptisé COMAND, ce système contrôle les différents réglages de la voiture comme le climatiseur ou encore le système de sonorisation et de navigation, et ce, grâce à une commande rotative. Relativement intuitif, ce type de système permet de dégarnir quelque peu le tableau de bord, mais il exige une certaine adaptation. Heureusement, on retrouve toujours les commandes les plus souvent utilisées sur le tableau bord.

SUR LA ROUTE

Au volant de la CL550, on découvre une voiture amplement puissante dont le comportement se situe entre une voiture de grand tourisme et une véritable sportive. Enfoncez la pédale et le V8 vous fera sentir sa présence à tout coup. Imaginez alors le tout en présence d'une version AMG. Pratiquement jouissif. La direction demeure assez précise alors que la suspension minimise bien les transferts de poids de la voiture qui est pourtant assez lourde. Bref, sans être une véritable bête de piste, la CL n'a rien d'une voiture ennuyante non plus.

Pour ceux qui apprécient le style coupé sport sans devoir sacrifier le luxe et le confort sur route, la Classe CL représente un véhicule de choix. Ses nombreuses variantes procurent une gamme élargie, permettant à l'acheteur de trouver un modèle correspondant à ses goûts.

Sylvain Raymond

Photos : Sylvain Raymond

VÉHICULE D'ESSAI

Version :	Mercedes-Benz Classe CL 550
Moteur :	V8 de 5,5 litres 32s atmosphérique
Puissance :	382 ch (285 kW) à 5 000 tr/min
Couple :	391 lb-pi (530 Nm) à 4 800 tr/min
Rapport poids/puissance :	5,32 kg/ch (7,14 kg/kW)
Transmission :	automatique, 7 rapports
Rouage :	propulsion
0-100 km/h · 80-120 km/h :	5,6 s · 5,0 s
Freinage 100-0 km/h :	38,1 m
Vitesse maximale :	250 km/h
Consommation (100 km) :	super, 15,4 litres
Autonomie approximative :	584 km
Émissions de CO2 :	6 144 kg/an
Emp/Lon/Lar/Haut (mm) :	2 955 / 5 065 / 2 139 / 1 419
Coffre/Réservoir :	490 / 90 litres
Nombre de coussins de sécurité :	7
Suspension avant :	indépendante, multibras
Suspension arrière :	indépendante, multibras
Freins av./arr. :	disque (ABS)
Antipatinage/Contrôle de stabilité :	oui/oui
Direction :	à crémaillère, assistance variable
Diamètre de braquage :	11,6 m
Pneus av./arr. :	P255/40R19, P275/40R19
Poids :	2 035 kg
Capacité de remorquage :	non recommandé

AUTRE(S) COMPOSANTE(S) MÉCANIQUE(S)

Système hybride :	aucun
Moteur diesel :	aucun
Taxe énergivore :	3 000 $ (CL600 - CL63AMG - CL65AMG)
Autre(s) moteur(s) :	V12 de 5,5 litres 510 ch/612 lb-pi (14,3 l/100 super) (CL600)
	V12 de 6,0 litres 603 ch/738 lb-pi (19,1 l/100 super) (CL65 AMG)
	V8 de 6,2 litres 518 ch/465 lb-pi (13,9 l/100 super) (CL63 AMG)
Autre(s) rouage(s) :	aucun
Autre(s) transmission(s) :	automatique, 5 rapports (CL65 AMG, CL600)

EN BREF

Échelle de prix :	131 900 $ à 236 500 $ (2008)
Catégorie :	coupé
Garanties :	4 ans/80 000 km, 4 ans/80 000 km
Assemblage :	Stuttgart, Allemagne
Cote d'assurance :	n.d.

DANS LA MÊME CATÉGORIE

Bentley Continental GT, BMW Série 6, Maserati Gran Turismo, Jaguar XKR

NOS IMPRESSIONS

Agrément de conduite :	
Fiabilité :	½
Sécurité :	½
Qualités hivernales :	
Espace intérieur :	½
Confort :	½

DU NOUVEAU EN 2009

CL550 offert uniquement avec 4Matic, automatique avec palettes au volant au lieu de boutons, ensemble Techno standard (CL600 et 65 AMG)

UN COMPROMIS QUI N'EN EST PAS UN

La mode, présentement, est aux coupés/cabriolets, des voitures dont le toit de métal se replie dans le coffre sur la simple pression d'un bouton. Ces coupés/cabriolets offrent le meilleur de deux mondes. En réalité, il s'agit de cabriolets qu'on peut conduire à longueur d'année. Pour sa Classe CLK, Mercedes-Benz a eu une drôle de prise de position. Elle propose un coupé et un cabriolet, pas les deux en même temps. Pas de compromis! Ou compromis extrême. C'est selon.

Tout d'abord, décortiquons un peu les modèles. Le coupé se décline en livrées CLK350 et CLK550. Le cabriolet, lui, présente les mêmes modèles et en ajoute un, très performant, le CLK63 AMG. Il y a bien un modèle encore plus exclusif, le coupé CLK63 AMG Black Series mais puisqu'il n'est malheureusement pas offert chez nous.

Chez Mercedes, les désignations alphanumériques des modèles parlent souvent d'elles-mêmes. La CLK350, autant le coupé que le cabrio, reçoit un V6 de 3,5 litres de 268 chevaux et 258 livres-pied de couple. Dans la même logique, la CLK550 a droit à un V8 de 5,5 litres, développant, lui, 382 chevaux. Le cabriolet CLK63 AMG, est mû par un V8 de... 6,2 litres! Et croyez-moi, ses 475 chevaux et 465 livres-pied de couple sont largement suffisants! Tous ces moteurs relaient la puissance aux roues arrière grâce à une transmission automatique à sept rapports.

DE PLACIDE À DÉMENTE!

La CLK350 n'est pas vraiment une voiture de haute performance. Elle se déplace certes avec vélocité, mais les 1 625 kilos (1 745 pour le cabriolet) qu'elle doit trainer nuisent considérablement à ses ambitions sportives. Mais pour rouler en toute quiétude, dans un confort de première classe, avec ou sans toit, difficile de faire mieux! Les amateurs de chevaux n'hésiteront pas à opter pour la CLK550... si leur portefeuille le leur permet, bien entendu. La tenue de route s'avère très relevée, de même que le confort. Cependant, le poids plus élevé de la 550 la rend un peu moins maniable lorsqu'elle est poussée un peu plus loin que de raison. Parions que 99 % des propriétaires n'iront jamais titiller ces limites.

Là où la CLK devient sérieuse, c'est quand on lui accole les lettres AMG. Ce qui ne veut pas dire que les autres versions soient amorphes! La AMG, c'est d'abord un moteur. Et tout un! Celui de notre voiture d'essai avait été assemblé dans les usines AMG en Allemagne par le technicien Mike Thomas. On le sait, car son nom est écrit sur une plaque sur le dessus du moteur. D'ailleurs, chaque moteur qui sort de l'usine AMG est signé par le technicien qui l'a assemblé. Ce V8 de 6,3 litres, à la sonorité profonde et immensément belle, semble posséder une inépuisable réserve de puissance. Et ce n'est rien comparé à la CLK Black Series qui fait dans les 507 chevaux!

Pour en revenir à notre AMG, son comportement routier s'avère des plus équilibrés. La puissance de son moteur est plus grande que celle

FEU VERT
- Prestige de haut calibre
- Niveau de sécurité élevé
- Moteurs bien adaptés
- AMG très sportive
- Cabriolet réussi

FEU ROUGE
- AMG non offert en coupé
- Black Series réservée aux É.-U.
- Places arrière étriquées (cabriolet)
- Prix très élevés
- Essence super uniquement

des versions 350 ou 550 et, pour faire bonne mesure, on a aussi revu, entre autres, les suspensions, la transmission, la direction et les freins. Ces derniers sont plus gros et ils permettent des distances d'arrêt ultracourtes. Et pour un cabriolet, le châssis s'est montré aussi inflexible qu'un douanier désirant une promotion. On ne retrouve pas de CLK63 AMG coupé. La raison : un pare-chocs arrière qu'il faudrait redessiner.

Comme sur toute Mercedes-Benz, il existe une panoplie d'aides à la sécurité qui veillent au grain. Les systèmes de contrôle de la traction et de la stabilité latérale laissent la voiture s'exciter un peu avant d'intervenir et ils le font avec une douce fermeté. On peut les désactiver et il est alors possible de faire de belles glissades mais ces systèmes interviendront quand même à un moment ou à un autre. De toute façon, sur la route, ils devraient toujours être en fonction. Sur une piste, c'est une autre histoire.

COUPÉ OU CABRIOLET ?

Pour une voiture affichant autant de prestige, il peut être surprenant de constater que Mercedes-Benz ait choisi un toit en toile pour sa CLK plutôt qu'un en métal rétractable. Il faut savoir qu'un tel toit prend beaucoup d'espace dans le coffre. Il faut aussi savoir que grâce à ses 874 couches de tissu (ben non, c'est pas 874. Mais il y en a beaucoup !), le toit de toile est aussi silencieux que s'il était en métal. Il s'ouvre en 22 secondes et se referme en 23, chrono en main. C'est très rapide. En plus, le mécanisme agit en silence et on sent que les nombreux morceaux mobiles qui le composent ne se bloqueront pas demain matin. Mais ce sont surtout les places arrière qui font le plus défaut. Dans le coupé, ce n'est pas si mal mais dans le cabriolet, il faut laisser ses bras à la maison et enlever deux ou trois pouces de tête. La visibilité, enfin, est vraiment bonne pour un cabriolet.

Il est difficile de prendre la CLK en défaut, que ce soit avec ou sans toit. Les prix sont certes élevés mais on parle ici de voitures de qualité supérieure. Si nous n'avions qu'une demande à adresser aux gens de Mercedes-Benz, ce serait d'importer la Black Series, pour le moment offerte uniquement aux États-Unis.

Alain Morin

Photos : Mercedes-Benz

VÉHICULE D'ESSAI

SIRIUS RADIO SATELLITE

Version :	Mercedes-Benz Classe CLK 63 AMG cabriolet
Moteur :	V8 de 6,2 litres 32s atmosphérique
Puissance :	475 ch (354 kW) à 6 800 tr/min
Couple :	465 lb-pi (631 Nm) à 5 000 tr/min
Rapport poids/puissance :	3,89 kg/ch (5,22 kg/kW)
Transmission :	automatique, 7 rapports
Rouage :	propulsion
0-100 km/h · 80-120 km/h :	5,2 s · 4,1 s
Freinage 100-0 km/h :	34,0 m
Vitesse maximale :	250 km/h
Consommation (100 km) :	super, 18,4 litres
Autonomie approximative :	336 km
Émissions de CO2 :	7 344 kg/an
Emp/Lon/Lar/Haut (mm) :	2 715 / 4 652 / 1 991 / 1 400
Coffre/Réservoir :	390 / 62 litres
Nombre de coussins de sécurité :	8
Suspension avant :	indépendante, jambes de force
Suspension arrière :	indépendante, multibras
Freins av./arr. :	disque (ABS)
Antipatinage/Contrôle de stabilité :	oui/oui
Direction :	à crémaillère, assistée
Diamètre de braquage :	10,8 m
Pneus av./arr. :	P225/40R18 / P255/35R18
Poids :	1 850 kg
Capacité de remorquage :	non recommandé

AUTRE(S) COMPOSANTE(S) MÉCANIQUE(S)

Système hybride :	aucun
Moteur diesel :	aucun
Taxe énergivore :	3 000 $ (CLK63 AMG)
Autre(s) moteur(s) :	V8 de 5,5 litres 382 ch/391 lb-pi (14,5 l/100 super) (CLK550) V6 de 3,5 litres 268 ch/258 lb-pi (12,3 l/100 super) (CLK350)
Autre(s) rouage(s) :	aucun
Autre(s) transmission(s) :	aucune

EN BREF

Échelle de prix :	68 100 $ à 117 900 $
Catégorie :	coupé, cabriolet
Garanties :	4 ans/80 000 km, 4 ans/80 000 km
Assemblage :	Stuttgart, Allemagne
Cote d'assurance :	n.d.

DANS LA MÊME CATÉGORIE

Audi A5/S5, BMW Série 3, Lexus SC430, Nissan 350Z, Porsche Cayman

NOS IMPRESSIONS

Agrément de conduite :	4 ½
Fiabilité :	3
Sécurité :	5
Qualités hivernales :	3
Espace intérieur :	3 ½
Confort :	3 ½

DU NOUVEAU EN 2009

Dernière année de production, nouvelles couleurs pour la version AMG

PLUS MODERNE, TOUJOURS ÉLÉGANTE

Cette Mercedes-Benz est l'une des plus élégantes voitures sur le marché, toutes catégories confondues. En effet, ce coupé quatre portes affiche une silhouette unique qui fait tourner les têtes à coup sûr. D'ailleurs, lorsqu'interrogés pour savoir quelle est la plus belle voiture sur le marché, la plupart des spécialistes mentionnent souvent la CLS, sans oublier que son comportement routier est également digne de mention. Malgré cela, la direction de Mercedes-Benz a décidé de lui faire subir une cure de rajeunissement.

Il est toujours difficile de tenter d'améliorer ou de modifier une voiture dont la silhouette est quasiment passée à la légende. Si on change trop de choses, il est fort possible que la majorité des mordus soient déçus. Par contre, si les modifications sont trop timides, ce sera encore pire. Parlez-en à Jaguar, qui a complètement loupé son coup avec sa berline XJ-8. Mais en ce qui concerne la CLS, il suffit d'améliorations de milieu de cycle qui sont davantage des retouches qu'une transformation en profondeur.

AU GOÛT DU JOUR

Cette année, ce constructeur s'est mis en frais de modifier l'apparence de plusieurs de ses modèles lancés il y a trois ou quatre ans afin de les harmoniser avec les nouveaux venus. C'est ainsi que les modèles SL, SLK et CL ont tous bénéficié d'une cure de jeunesse et notre modèle d'essai ne fait pas exception.

Comme tous ces modèles, la grille de calandre a été modifiée, le pare-chocs arrière abaissé tandis que les tuyaux d'échappement de forme trapézoïdale permettent de différencier notre modèle. Toujours à l'arrière, les feux sont dorénavant à double fonction et font appel à des diodes électroluminescentes. Enfin, les rétroviseurs extérieurs sont plus gros.

L'habitacle bénéficie également de plusieurs modifications esthétiques, notamment un volant sport trois branches et un nouveau réceptacle pour les cadrans indicateurs, tandis que le système audio affiche de nouvelles commandes. Soulignons aussi que les systèmes de navigation par satellites et de reconnaissance vocale sont nouveaux.

Ajoutez à cela un niveau d'équipement de série plus complet, de nouvelles options ainsi qu'une palette de couleurs renouvelée, et il est facile de conclure que cette élégante allemande n'a rien perdu de sa classe et de son attrait.

LUXE OU SPORT

Si vous préférez une voiture plus luxueuse et confortable que sportive, la CLS 550 vous comblera. Avec son moteur V8 5,5 litres de 382 chevaux, les performances sont impressionnantes puisqu'il faut 5,4 secondes pour réaliser le 0-100 km/h. Ce moteur est associé à une boîte automatique à sept rapports, dont le fonctionnement semble s'être amélioré au chapitre de la douceur. Les hésitations entre les passages des rapports sont également choses du passé. Quant à la tenue de route, elle est stable, rassurante et prévisible.

FEU VERT
- Silhouette classique
- Présentation plus moderne
- Version 6,3 AMG
- Ergonomie en progrès
- Fiabilité améliorée

FEU ROUGE
- Places arrière difficiles d'accès
- Consommation élevée
- Visibilité trois-quarts arrière
- Seuil du coffre élevé

Dans l'habitacle, les places avant sont confortables et le support latéral est bon. Et si vous optez pour le siège multi contours, c'est encore mieux. Une chose est certaine, le tableau de bord de ce modèle est nettement plus convivial que celui de la CL plus luxueuse et plus chère. Si les occupants des places avant peuvent prendre leurs aises, ceux des places arrière devront souffrir pour monter à bord. La ligne du toit très fuyante oblige à se pencher fortement, tandis que la faible ouverture de la porte ne facilite pas les choses. Heureusement, une fois assis, les passagers sont confortablement installés, mais la visibilité laisse à désirer en raison de la ceinture de caisse assez élevée.

PUIS IL Y A LA 6,3 !

Si vous faites partie de celles et ceux qui veulent une voiture plus pointue, il y a la CLS 6,3 AMG, dont le moteur V8 de 6,2 litres produit 507 chevaux. Ce modèle offre également en exclusivité une transmission automatique à sept rapports en mesure d'ajuster le régime du moteur lorsque la boîte rétrograde. C'est le fameux « blip » en jargon de connaisseur. Bien entendu, ce modèle se démarque par des artifices aérodynamiques qui lui sont propres, de même que par des roues exclusives.

Oui, ce modèle est cher, il consomme beaucoup de carburant et sa fiabilité inquiète toujours, pourtant c'est un modèle d'exception à tous les points de vue. Ses performances sont sportives, son habitacle confortable comme celui d'une limousine tandis que sa silhouette est vraiment unique. Tous ces éléments se conjuguent pour faire de cette AMG l'une des voitures les plus désirables de la catégorie.

Denis Duquet

Photos : Mercedes-Benz

VÉHICULE D'ESSAI

SIRIUS RADIO SATELLITE

Version :	Mercedes-Benz Classe CLS 550
Moteur :	V8 de 5,5 litres 32s atmosphérique
Puissance :	382 ch (285 kW) à 6 000 tr/min
Couple :	391 lb-pi (530 Nm) à 4 800 tr/min
Rapport poids/puissance :	4,77 kg/ch (6,40 kg/kW)
Transmission :	automatique, 7 rapports
Rouage :	propulsion
0-100 km/h · 80-120 km/h :	5,4 s · 5,3 s
Freinage 100-0 km/h :	39,0 m
Vitesse maximale :	250 km/h
Consommation (100 km) :	super, 15,1 litres
Autonomie approximative :	529 km
Émissions de CO2 :	6 000 kg/an
Emp/Lon/Lar/Haut (mm) :	2 854 / 4 910 / 1 873 / 1 414
Coffre/Réservoir :	495 / 80 litres
Nombre de coussins de sécurité :	6
Suspension avant :	indépendante, bras inégaux
Suspension arrière :	indépendante, multibras
Freins av./arr. :	disque (ABS)
Antipatinage/Contrôle de stabilité :	oui/oui
Direction :	à crémaillère, assistée
Diamètre de braquage :	11,2 m
Pneus av./arr. :	P245/40R18, P275/35R18
Poids :	1 825 kg
Capacité de remorquage :	non recommandé

AUTRE(S) COMPOSANTE(S) MÉCANIQUE(S)

Système hybride :	aucun
Moteur diesel :	aucun
Taxe énergivore :	2 000 $ (CLS63 AMG)
Autre(s) moteur(s) :	V8 de 6,2 litres 507 ch/465 lb-pi (17,7 l/100 super) (CLS63 AMG)
Autre(s) rouage(s) :	aucun
Autre(s) transmission(s) :	aucune

EN BREF

Échelle de prix :	93 500 $ à 128 300 $
Catégorie :	berline de grand luxe
Garanties :	4 ans/80 000 km, 4 ans/80 000 km
Assemblage :	Stuttgart, Allemagne
Cote d'assurance :	n.d.

DANS LA MÊME CATÉGORIE

Audi A8, BMW Série 7, Jaguar XJ8, Lexus LS460

NOS IMPRESSIONS

Agrément de conduite :	4
Fiabilité :	4
Sécurité :	4 ½
Qualités hivernales :	4
Espace intérieur :	3 ½
Confort :	5

DU NOUVEAU EN 2009

Retouches à la carrosserie et à l'habitacle, nouvelles roues, automatique à double embrayage

LA PLUS REPRÉSENTATIVE

Pour quiconque désire vraiment vivre l'expérience Mercedes, l'essai d'une Classe E est le choix idéal. Il est cependant vrai que les Classe B et C sont offertes à coûts moindres, mais pour ressentir pleinement l'aura de prestige de la marque, la Classe E fait meilleure impression. Il faut toutefois avouer honnêtement que les modèles de Classe C affichent désormais un comportement de plus en plus irréprochable, surtout avec la récente refonte effectuée l'an dernier. Quoi qu'il en soit, selon plusieurs, le vrai modèle d'entrée de gamme chez Mercedes est sans contredit la Classe E.

Puisqu'elle est vendue aux quatre coins de la planète, il n'est pas surprenant de constater à quel point la Classe E est polyvalente dans son offre. On la retrouve donc sous forme de berline et de familiale, lesquelles sont proposées en mode deux ou quatre roues motrices. À cela vient évidemment s'ajouter une panoplie de moteurs, dont le très économe six cylindres diesel, le puissant V8 et le très démentiel V8 issu de la division AMG. Avec un tel choix, il est facile de comprendre que les prix varient grandement et se situent entre les 65 000 $ et les 120 000 $.

DE LA CLASSE...

Avec des véhicules présentant des designs pratiquement indémodables et iconiques, Mercedes doit faire attention lorsque vient le temps de rafraîchir ses modèles. Quelques retouches annuelles suffisent pour rajeunir ses voitures vedettes et conserver les éléments qui font d'une Mercedes un objet tant convoité. La légende qu'est devenue la Classe E ne profite donc pas de changements esthétiques majeurs pour 2009, la refonte de 2007 ayant été assez réussie. Quelques détails bien souvent anodins viendront agrémenter un *look* déjà bien profilé. On est cependant loin du design de la Classe CLS, mais les acheteurs du modèle E sont souvent des gens conservateurs qui préfèrent passer inaperçus la plupart du temps.

La Classe E est offerte sous plusieurs appellations. Dépendant de la motorisation qui l'équipe, on aura affaire à une E300, une E320, une E350, une E550 et à la très célèbre E63. Chaque version propose un confort exquis, soit celui auquel on est en mesure de s'attendre d'un constructeur aussi prestigieux. Comme pour la plupart des Mercedes, l'habitacle respire le luxe et les matériaux choisis créent une ambiance cossue. Les commandes sont d'ailleurs harmonieusement disposées sur la planche de bord et confèrent une image pure et classique au cockpit. La position de conduite parfaite est facilement trouvée grâce aux nombreux ajustements placés sur la portière et au volant ajustable qui s'adapte bien au gabarit du conducteur. Quant aux places arrière, elles offrent un confort intéressant et un généreux dégagement pour les jambes.

VOTRE CHOIX EST FAIT ?

Le choix du moteur de la Classe E peut s'avérer ardu lorsque l'acheteur fait son « shopping » en Europe, mais heureusement pour nous Canadiens, Mercedes s'est limité à ne proposer que cinq motorisations ! On a donc droit au moteur diesel BlueTEC qui équipe la version E320 4Matic et qui procure des performances très honnêtes tout en offrant une consommation de carburant impressionnante compte tenu des dimensions du véhicule. À titre de comparaison, le couple du moteur

FEU VERT
- Silhouette épurée
- Bon choix de moteurs
- Moteur diesel intéressant
- Prestige assuré

FEU ROUGE
- Coûts d'entretien élevés
- Prix de certaines versions élevé
- Consommation impressionnante (E63 AMG)
- Fiabilité à prouver

diesel est le même que celui de la motorisation V8 de 5,5 litres qui équipe la E550. En version traditionnelle à essence, c'est la E300 4Matic qui fait office de modèle d'entrée de gamme. Son moteur six cylindres de 3,0 litres consomme évidemment plus que la version diesel et n'offre pas nécessairement de meilleures capacités dynamiques. C'est qu'avec les récents développements apportés à la motorisation diesel et l'arrivée de la technologie BlueTEC, les moteurs diesel de Mercedes n'ont rien à envier à leur pendant à essence. Ensuite viennent les deux versions E350 4Matic, l'une berline, l'autre familiale. De toute la gamme E, c'est sûrement cette livrée qui est la plus populaire avec son V6 de 3,5 litres qui offre un bon compromis entre puissance et consommation. Pour une augmentation notable de puissance, il faut toutefois opter pour la version E550 qui propose un puissant huit cylindres de 5,5 litres. On a alors droit à des performances relevées dignes du nom Mercedes. Et en fin de ligne vient la redoutable version E63 AMG avec son V8 de plus de 500 chevaux qui comblera assurément les fortunés amateurs de puissance.

Notre voiture d'essai, une E320 BlueTEC, nous a agréablement impressionné par sa douceur de roulement et sa tenue de route solide. La puissance et le couple du moteur jumelé à l'extraordinaire transmission à sept rapports procurent des prestations étonnantes pour une motorisation diesel. Lointaine est l'époque où les moteurs diesel boucanaient, sentaient et polluaient. Dorénavant, avec la technologie BlueTEC, seul le prix du diesel devient un irritant. La direction s'avère précise à défaut d'être directe, et le freinage est des plus puissants. Avec un châssis d'une extrême solidité et une insonorisation poussée, les bruits de la route sont presque inexistants. On entend à peine le moteur tourner au ralenti. Alors, ceux qui voudront un son envoûtant devront opter pour le V8 qui ronronne bruyamment avec ses 382 chevaux. Avec une consommation décente et un confort digne d'un salon, la E320 a tout pour plaire. En fait, il ne lui manque que le rouage intégral 4Matic pour être parfaite.

Toujours dans le coup, la Classe E de Mercedes demeure un choix équilibré dans un créneau maintenant de plus en plus compétitif. Entre les voitures allemandes et les voitures japonaises, les premières ont cet avantage d'avoir une réputation de prestige et une prestance admirée de tous depuis de nombreuses années. Toutefois, côté technologique, les japonaises sont de plus en plus avancées et proposent des mécaniques plus fiables que les allemandes. Qui s'appropriera le marché ? La guerre n'est pas terminée.

Guy Desjardins

Photos: Mercedes-Benz

VÉHICULE D'ESSAI

Version :	Mercedes-Benz Classe E E320 Bluetec
Moteur :	V6 de 3,0 litres 24s turbocompressé
Puissance :	210 ch (157 kW) à 3 800 tr/min
Couple :	388 lb-pi (526 Nm) à 2 700 tr/min
Rapport poids/puissance :	8,33 kg/ch (11,14 kg/kW)
Transmission :	automatique, 7 rapports
Rouage :	propulsion
0-100 km/h · 80-120 km/h :	8,0 s · 6,3 s
Freinage 100-0 km/h :	37,0 m
Vitesse maximale :	210 km/h
Consommation (100 km) :	diesel, 9,0 litres
Autonomie approximative :	888 km
Émissions de CO2 :	4 104 kg/an
Emp/Lon/Lar/Haut (mm) :	2 854 / 4 856 / 1 806 / 1 483
Coffre/Réservoir :	540 / 80 litres
Nombre de coussins de sécurité :	6
Suspension avant :	indépendante, bras inégaux
Suspension arrière :	indépendante, multibras
Freins av./arr. :	disque (ABS)
Antipatinage/Contrôle de stabilité :	oui/oui
Direction :	à crémaillère, assistance variable
Diamètre de braquage :	11,4 m
Pneus av./arr. :	P225/55R16
Poids :	1 750 kg
Capacité de remorquage :	non recommandé

AUTRE(S) COMPOSANTE(S) MÉCANIQUE(S)

Système hybride :	aucun
Moteur diesel :	oui
Taxe énergivore :	1 000 $ (E550 4MATIC), 2 000 $ (E63 AMG)
Autre(s) moteur(s) :	V8 de 5,5 litres 382 ch/391 lb-pi (15,6 l/100 super) (E550 4MATIC)
	V8 de 6,2 litres 507 ch/465 lb-pi (17,2 l/100 super) (E63 AMG)
	V6 de 3,5 litres 268 ch/258 lb-pi (12,9 l/100 super) (E350 4MATIC)
	V6 de 3,0 litres 228 ch/221 lb-pi (13,0 l/100 super) (E300 4MATIC)
Autre(s) rouage(s) :	intégral (E350 4MATIC, E550 4MATIC, E300 4MATIC)
Autre(s) transmission(s) :	automatique, 5 rapports (E350 4MATIC, E550 4MATIC, E300 4MATIC)

EN BREF

Échelle de prix :	65 800 $ à 121 100 $ (2008)
Catégorie :	familiale, berline de luxe
Garanties :	4 ans/80 000 km, 4 ans/80 000 km
Assemblage :	Stuttgart, Allemagne
Cote d'assurance :	n.d.

DANS LA MÊME CATÉGORIE

Acura RL, Audi A6, BMW Série 5, Infiniti M35/45, Jaguar S-Type, Lexus GS350/430, Volvo S80

NOS IMPRESSIONS

Agrément de conduite :	4
Fiabilité :	3 ½
Sécurité :	4 ½
Qualités hivernales :	4
Espace intérieur :	3 ½
Confort :	4 ½

DU NOUVEAU EN 2009

Changements mineurs aux systèmes audio et multimédias

MERCEDES-BENZ CLASSE G

VESTIGE DU PASSÉ

Un acheteur qui se procure une Mercedes-Benz de classe G à une période où le carburant atteint des prix records est une personne qui se fout de la consommation de carburant de son véhicule et qui fait un pied de nez aux écologistes. Conçu initialement comme véhicule pour les forces policières et l'armée, ce gros 4X4 a évolué progressivement au fil des années pour devenir un véhicule de luxe apprécié des gens riches et célèbres de la planète. Bien entendu, cette riche clientèle n'a jamais roulé sur un sentier défoncé ou boueux. Elle se contente de pavoiser au volant de ce mastodonte.

C'est sans doute la raison qui explique la présence de cet anachronisme dans le catalogue Mercedes-Benz. Il est certain que la tendance populaire envers les véhicules plus écologiques devrait à court ou moyen terme menacer la carrière de la classe G. En fait, le problème n'est pas le véhicule lui-même, mais bien les gens qui l'achètent sans en avoir besoin. En effet, si vous êtes le riche propriétaire d'immenses vignobles dans le sud de la Californie ou d'un ranch presque sans frontières au Wyoming ou en Alberta, ce type de véhicule peut se justifier. Par contre, si votre seul motif est de parader sur la rue Crescent, la Grande-Allée ou Rodeo Drive, c'est autre chose.

COMME À LA BELLE ÉPOQUE

Il se trouve toujours des gens pour affirmer que les produits manufacturés de nos jours ne sont pas aussi bons que ceux fabriqués il y a quelques décennies. Je suis certain que ces mêmes personnes apprécient la Classe G, car ce véhicule a très peu changé depuis son arrivée au cours des années 70. Il est vrai que les moteurs sont plus sophistiqués et que le niveau de confort s'est beaucoup accru par rapport à la version militaire, mais n'empêche que la configuration mécanique est demeurée la même.

Il s'agit donc d'un véhicule faisant appel à un châssis autonome sur lequel est boulonnée une carrosserie dont les lignes semblent avoir été taillées à la hache. Il n'y a aucune rondeur des tôles, si ce n'est les passages de roues qui sont en relief par rapport aux parois ultraplates de la caisse. Il en est de même à l'arrière, où la verticalité domine. Et il est certain que le coefficient de pénétration dans l'air doit atteindre des proportions hors normes, d'autant plus que le pare-brise est presque à la verticale. En fait, la silhouette a tous les attributs des véhicules militaires et c'est ce qui semble plaire aux acheteurs. Soulignons en passant que l'armée canadienne possède depuis quelques années des véhicules tout-terrains dérivés de la classe G.

Deux moteurs sont au catalogue. Le premier est un moteur V8 de 5,5 litres d'une puissance de 382 chevaux couplé avec une boîte automatique à sept rapports. Sa puissance accrue permet d'obtenir des accélérations correctes compte tenu d'un poids de plus de deux tonnes. Ce moteur associé à trois différentiels permet de rouler sur toutes les routes, tous les sentiers et sous toutes conditions météorologiques. Un seul problème, la consommation moyenne est d'environ 18 litres aux 100 km et, en plus, l'essence exigée est du super.

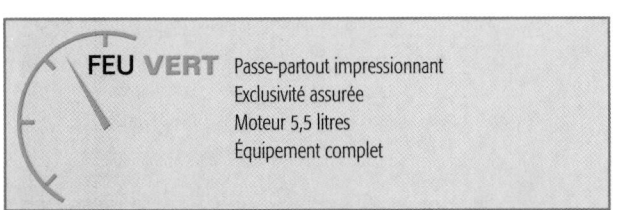

FEU VERT
- Passe-partout impressionnant
- Exclusivité assurée
- Moteur 5,5 litres
- Équipement complet

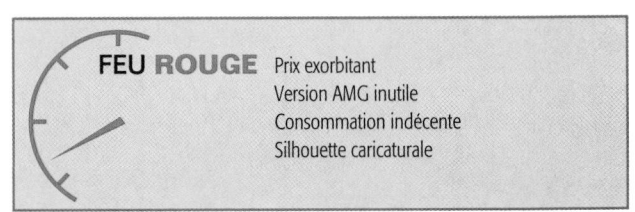

FEU ROUGE
- Prix exorbitant
- Version AMG inutile
- Consommation indécente
- Silhouette caricaturale

Ce moteur convient fort bien à la plupart des situations. Par contre, pour les acheteurs qui en veulent toujours plus, le constructeur propose une version concoctée par AMG. Celle-ci est propulsée par un moteur V8 suralimenté de 5,5 litres produisant 500 chevaux et capable de boucler le 0-100 km/h en 5,5 secondes. Mais qui a vraiment besoin d'un VUS de cet acabit ? Le prix à payer pour ces performances est une consommation fort élevée frôlant facilement les 19 litres aux 100 km.

LUXE AJOUTÉ

J'ai toujours été fasciné par le mélange de l'ancien et du moderne dans ce véhicule. En effet, au fil des ans, l'habitacle s'est fortement embourgeoisé, recevant le tableau de bord de la Classe E en plus de se voir greffer une impressionnante liste d'équipement de série. Mais comme le véhicule n'a pas été conçu à l'origine pour tous ces accessoires, il est parfois comique de constater comment les ingénieurs ont réussi cet exercice d'embourgeoisement.

Les sièges sont confortables et luxueux, le tableau de bord est recouvert d'appliques de bois exotique, mais l'espace pour les coudes est restreint compte tenu de la verticalité des parois latérales. De plus, les portières se referment avec un bruit sourd, témoignage de l'étanchéité de l'habitacle et de la lourdeur des portières.

Quant au comportement routier, il est à l'image de la silhouette. La tenue en virage est celle d'un gros VUS et il faut toujours se souvenir du centre de gravité fortement élevé. Soulignons également que la direction pourrait être plus précise tandis que la suspension à ressorts elliptiques n'a pas été conçue en fonction du confort.

Bien qu'il soit complètement à l'opposé des besoins d'aujourd'hui, cet anachronisme sur quatre roues continue son petit bonhomme de chemin, surtout en raison des caprices de certains millionnaires qui veulent rouler au volant d'un costaud d'une autre époque.

Denis Duquet

Photos : Mercedes-Benz

VÉHICULE D'ESSAI

Version :	Mercedes-Benz Classe G500
Moteur :	V8 de 5,5 litres 24s atmosphérique
Puissance :	382 ch (285 kW) à 6 000 tr/min
Couple :	391 lb-pi (530 Nm) à 4 800 tr/min
Rapport poids/puissance :	6,54 kg/ch (8,77 kg/kW)
Transmission :	automatique, 7 rapports
Rouage :	4x4
0-100 km/h · 80-120 km/h :	9,7 s · 7,7 s
Freinage 100-0 km/h :	47,1 m
Vitesse maximale :	190 km/h
Consommation (100 km) :	super, 18,4 litres
Autonomie approximative :	521 km
Émissions de CO2 :	7 776 kg/an
Emp/Lon/Lar/Haut (mm) :	2 850 / 4 662 / 1 760 / 1 931
Coffre/Réservoir :	480 à 2 250 / 96 litres
Nombre de coussins de sécurité :	2
Suspension avant :	essieu rigide, ressorts hélicoïdaux
Suspension arrière :	essieu rigide, ressorts hélicoïdaux
Freins av./arr. :	disque (ABS)
Antipatinage/Contrôle de stabilité :	oui/oui
Direction :	à billes, assistée
Diamètre de braquage :	13,3 m
Pneus av./arr. :	P265/60R18
Poids :	2 500 kg
Capacité de remorquage :	3 175 kg

AUTRE(S) COMPOSANTE(S) MÉCANIQUE(S)

Système hybride :	aucun
Moteur diesel :	aucun
Taxe énergivore :	4 000 $
Autre(s) moteur(s) :	V8 de 5,5 litres 500 ch/517 lb-pi (19,8 l/100 super) (G55 AMG)
Autre(s) rouage(s) :	aucun
Autre(s) transmission(s) :	automatique, 5 rapports (G55 AMG)

EN BREF

Échelle de prix :	111 900 $ à 152 450 $ (2008)
Catégorie :	VUS grand format
Garanties :	4 ans/80 000 km, 4 ans/80 000 km
Assemblage :	Graz, Autriche
Cote d'assurance :	n.d.

DANS LA MÊME CATÉGORIE

Hummer H2, Infiniti QX56, Land Rover Range Rover, Lexus LX570

NOS IMPRESSIONS

Agrément de conduite :	🚗🚗🚗½
Fiabilité :	🚗🚗🚗🚗
Sécurité :	🚗🚗🚗🚗
Qualités hivernales :	🚗🚗🚗🚗🚗
Espace intérieur :	🚗🚗🚗🚗
Confort :	🚗🚗🚗½

DU NOUVEAU EN 2009

Nouveau moteur 5,5 litres, calandre plus musclée, nouvelles roues, habitacle mieux éclairé, nouvelles connections multimédia

AVEC OU SANS COMPLEXES

Avec un poids de 2,4 tonnes, le GL est l'un des véhicules les plus imposants de la catégorie des utilitaires sport. Toutefois, il est possible de rouler en GL tout en faisant preuve d'un certain degré de conscience sociale en sélectionnant le moteur diesel V6 de 3,0 litres. Ce dernier, bien adapté au véhicule, est bonifié de la technologie BlueTEC en 2009, ce qui le rend plus propre et encore plus efficace en consommation de carburant.

Un mince 10,5 litres aux 100 km de moyenne sur autoroute. Voilà la consommation enregistrée avec le GL320 à moteur diesel sur un trajet de plus de trois heures avec quatre personnes à bord, ainsi que leurs bagages. Cette cote de consommation, qui s'apparente à celle d'une voiture de taille intermédiaire, est particulièrement étonnante lorsque l'on tient compte du fait que le GL pèse 2 430 kg et qu'il est équipé de la traction intégrale.

TECHNOLOGIE BLUETEC

Pour 2009, le moteur diesel qui peut équiper les modèles GL, ML et R bénéficie d'une deuxième version de la technologie BlueTEC qui ajoute l'injection d'une solution d'urée dans le flot des gaz d'échappement afin de réduire les émissions polluantes et d'assurer la conformité du moteur aux normes antipollution qui entreront en vigueur en 2015.

Appelé AdBlue par Mercedes-Benz, ce procédé d'injection crée de l'ammoniaque qui est transformée, dans une proportion de 80 %, en azote et en eau par un quatrième convertisseur catalytique. En fin de compte, le procédé BlueTEC permet de réduire les émissions d'oxyde d'azote de 80 %. La solution d'urée qui est injectée dans le système d'échappement est contenue dans un second réservoir dont la capacité est de 32 litres dans le cas du GL et de 28 litres pour les modèles ML et R, et la consommation de cette solution n'est que de 0,1 litre aux 100 km. Le réservoir sera rempli par le concessionnaire Mercedes-Benz lors des visites à l'atelier pour les inspections prévues aux 20 000 km.

Voilà pour la science et la technologie qui se cache sous le capot, ou plutôt sous le véhicule lui-même, mais en vérité, on n'est jamais conscients de ce qui se passe dans le système d'échappement d'un GL à moteur diesel lorsqu'on est au volant. On conduit tout simplement, en profitant du très bon couple à bas régime propre au moteur diesel, tout en se disant que l'on collabore à la protection de l'environnement, et ce, même au volant d'un utilitaire de grande taille.

APRÈS LES FLEURS, LE POT...

Si le GL à moteur diesel est plus respectueux de l'environnement, c'est tout le contraire avec les modèles équipés des moteurs à essence traditionnels qui offrent de meilleures performances en accélération, mais au détriment d'une consommation nettement plus élevée. Déjà, le GL450 et son moteur V8 de 4,6 litres annonçait la couleur avec sa moyenne de 16,3 litres aux 100 km, alors imaginez le GL550 avec son V8 de 5,5 litres qui a été ajouté à la gamme l'an dernier...

FEU VERT

- Version écologique (GL320 BlueTEC)
- Confort certifié
- Aptitudes hors route élevées
- Bonne capacité de chargement

FEU ROUGE

- Moteurs gourmands (sauf GL320 BlueTEC)
- Freinage difficile à doser
- Dimensions hors normes
- Prix élevés

Peu importe la motorisation choisie, le comportement routier du GL est un véritable charme. La direction est précise, les suspensions sont bien calibrées et offrent un excellent compromis entre confort et tenue de route à peu près partout sauf sur les routes très dégradées. En virages, le GL se montre performant au point où l'on a tendance à oublier qu'il s'agit d'un mastodonte de 2,4 tonnes tellement la stabilité est bonne. Même la conduite hors route est facile, grâce à la présence d'un dispositif permettant d'augmenter la garde au sol du véhicule et d'un autre qui permet de contrôler automatiquement la vitesse en descente. Outre la consommation excessive des GL à moteurs à essence, il faut composer avec certains autres défauts, dont un freinage qui est difficile à doser, un gabarit hors norme qui complique les manœuvres de stationnement, ainsi qu'un accès à la troisième banquette qui est plutôt ardu et où le dégagement n'est pas aussi bon qu'aux sièges de la deuxième rangée.

Pour 2009, le GL reçoit également quelques nouveaux éléments, notamment un volant multifonction à quatre branches et l'ajout du dispositif PRE-SAFE qui entre en action juste avant une collision imminente en resserrant les ceintures de sécurité et en déplaçant les sièges avant à la position optimale pour réduire le risque de blessures. De plus, le système de télématique a été revu avec intégration du protocole Bluetooth et de la connectivité pour lecteur iPod, qui permet d'afficher le contenu du lecteur MP3 sur l'écran central et de faire la sélection des plages musicales par le biais des boutons de commande localisés au volant. Il est également possible d'opter pour un lecteur DVD avec deux écrans de 8 pouces, casques d'écoute à infrarouge et télécommande.

La plupart des gens qui conduisent un utilitaire sport n'exploitent que très rarement sa capacité de chargement ou ses aptitudes hors route, alors pensez-y bien avant d'opter pour ce genre de véhicule et si vous devez absolument conduire un utilitaire de grande taille, le GL à motorisation diesel représente le meilleur choix de la gamme.

Gabriel Gélinas

Photos : Sylvain Raymond

VÉHICULE D'ESSAI

SIRIUS RADIO SATELLITE

Version :	Mercedes-Benz Classe GL450
Moteur :	V8 de 4,6 litres 32s atmosphérique
Puissance :	335 ch (250 kW) à 6 000 tr/min
Couple :	339 lb-pi (460 Nm) à 5 000 tr/min
Rapport poids/puissance :	7,29 kg/ch (9,78 kg/kW)
Transmission :	automatique, 7 rapports
Rouage :	intégral
0-100 km/h · 80-120 km/h :	7,4 s · 6,1 s
Freinage 100-0 km/h :	39,5 m
Vitesse maximale :	205 km/h
Consommation (100 km) :	super, 16,3 litres
Autonomie approximative :	613 km
Émissions de CO2 :	3 402 kg/an
Emp/Lon/Lar/Haut (mm) :	3 075 / 5 088 / 1 920 / 1 840
Coffre/Réservoir :	200 à 2 300 / 100 litres
Nombre de coussins de sécurité :	8
Suspension avant :	indépendante, multibras
Suspension arrière :	indépendante, multibras
Freins av./arr. :	disque (ABS)
Antipatinage/Contrôle de stabilité :	oui/oui
Direction :	à crémaillère, assistance variable
Diamètre de braquage :	12,1 m
Pneus av./arr. :	P275/50R20
Poids :	2 445 kg
Capacité de remorquage :	3 402 kg

AUTRE(S) COMPOSANTE(S) MÉCANIQUE(S)

Système hybride :	aucun
Moteur diesel :	oui
Taxe énergivore :	1 000 $ (GL450 4MATIC), 2 000 $ (GL550 4MATIC)
Autre(s) moteur(s) :	V8 de 5,5 litres 382 ch/391 lb-pi (16,6 l/100 super) (GL550) V6 de 3,0 litres 210 ch/400 lb-pi (11,6 l/100 diesel) (GL320 CDI)
Autre(s) rouage(s) :	aucun
Autre(s) transmission(s) :	aucune

EN BREF

Échelle de prix :	71 500 $ à 91 000 $ (2008)
Catégorie :	VUS grand format
Garanties :	4 ans/80 000 km, 4 ans/80 000 km
Assemblage :	Tuscaloosa, Alabama, É-U
Cote d'assurance :	n.d.

DANS LA MÊME CATÉGORIE

Audi Q7, Cadillac Escalade, Land Rover Range Rover, Lexus LX570, Lincoln Navigator

NOS IMPRESSIONS

Agrément de conduite :	4 ½
Fiabilité :	4
Sécurité :	5
Qualités hivernales :	5
Espace intérieur :	5
Confort :	4 ½

DU NOUVEAU EN 2009

Nouvelles connections multimédia, nouvelles roues pour GL320 et 450, BlueTec (AdBlue) pour GL320 CDI, rétroviseurs et volant redessinés

TROIS LETTRES POUR EXCELLER

La compagnie Mercedes-Benz n'a pas la réputation de produire des véhicules de seconde classe. La plupart du temps, ses modèles sont la référence en fait de performance, d'efficacité et de qualité. Pourtant, lorsque le constructeur de Stuttgart s'est lancé dans la catégorie des véhicules utilitaires sport, les débuts ont été assez cahoteux. Bien que la Classe M a littéralement inventé la catégorie des VUS intermédiaires de luxe ou toutes activités, la première génération n'était pas à la hauteur de la réputation de la compagnie. On s'est rapidement repris par la suite et la nouvelle GLK en est une autre preuve.

Aucun autre constructeur européen de véhicules de luxe ne propose une gamme de véhicules aussi élaborée dans cette catégorie. Mais compte tenu de la situation économique et des restrictions pétrolières, chez Mercedes-Benz on a décidé de développer un modèle de catégorie compacte afin de parachever la gamme. On ne nous a pas fourni d'explication quant à la signification de ces trois lettres, mais je me permets une interprétation toute personnelle élaborée à partir de la documentation qui nous a été remise lors du lancement. La première lettre, G, pourrait être pour le terme *gelandewagon* qui signifie véhicule tout-terrain en allemand. Toujours dans la même langue, le L serait pour *leighter* qui veut dire léger, tandis que le K identifierait le mot kompact ou, vous l'aurez deviné, compacte en français.

DESIGN CONTRADICTOIRE

Ce n'est pas que la silhouette de cette nouvelle venue ne soit pas jolie ou élégante, mais il y a quelque chose qui me dérange dans le déséquilibre des lignes de la carrosserie. En effet, avec une calandre bien en évidence on a voulu mettre de l'avant le caractère aventurier et agressif de ce modèle. Donc, la grille de calandre est constituée de trois baguettes chromées au centre desquelles trône l'étoile d'argent. C'est à partir de cet élément visuel principal que toutes les lignes de la carrosserie sont tirées vers l'arrière. Et pour éviter de donner la vision d'un véhicule court et joufflu, les stylistes ont dessiné une indentation dans les parois latérales des portières afin de galber la taille du véhicule. C'est ce qui tue et cause ce déséquilibre visuel dont je parlais précédemment... On donne des airs de costaud à la partie avant pour ensuite tenter d'amincir la taille avec un artifice visuel. Une explication de ce design nous vient à l'esprit. On a voulu créer, du moins visuellement, un descendant moderne à la Classe G, un 4X4 pur et dur.

Quoi qu'il en soit, à la regarder, cette Mercedes semble prête à affronter toutes les conditions que ce soit sur la route, sur la grand-route ou encore dans des sentiers difficiles d'accès.

Puisque ce véhicule est étroitement dérivé de la berline de Classe C, la planche de bord reprend ni plus ni moins l'architecture de base de cette dernière. Les buses de ventilation sont à la même place, les cadrans indicateurs circulaires sont toujours dans un réceptacle en forme de demi-lune. Les stylistes font appel à une applique en bois ou en aluminium brossé qui traverse celle-ci. Soulignons au passage l'excellente habitabilité de ce modèle, le confort et le support latéral de ses sièges, de même que le confort de la banquette arrière qui sera en mesure d'accommoder même un joueur de football.

Comme il se doit, cette Mercedes-Benz est dotée d'un équipement de série très complet. Au chapitre de la sécurité, la GLK cache sept coussins gonflables, dont un coussin de sécurité pour les genoux du conducteur.

CLASSE C, DEUXIÈME ACTE

La GLK est dérivée de la berline de Classe C dévoilée il y a deux ans. On reprend donc la même plate-forme qui a été renforcée pour les besoins de la cause, on a adapté la suspension « Agility Control » en conséquence et on conserve pratiquement la même gamme de moteurs selon les marchés en plus de proposer la transmission automatique à sept rapports 7G-Tronic. La suspension « Agility Control » est dotée d'amortisseurs qui se règlent automatiquement en fonction des conditions de la chaussée de la vitesse du véhicule. En passant, les versions nord-américaines ne pourront pas être commandées avec le groupe d'options « Hors Route ».

Pour l'Amérique du Nord, un seul moteur sera disponible. Il s'agit d'un moteur V6 de 3,5 litres d'une puissance de 272 chevaux. Couplé avec la boîte automatique à sept rapports, il boucle le 0-100 km h en 7,1 secondes tandis que la vitesse de pointe est de 230 km/h. Lors de notre essai, la moyenne de consommation de carburant enregistrée a oscillé entre 11,2 litres à 12,5 litres aux 100 km. Mercedes-Benz annonce une consommation moyenne de 10,4 litres aux 100 km.

Toutes les GLK importées au Canada seront équipées du rouage intégral 4Matic qui a prouvé son efficacité depuis plusieurs années. Ce constructeur utilise deux versions de ce rouage intégral, celui de la GLK est similaire à celui utilisé sur les modèles de Classe C et de Classe S. Le couple est réparti en mode 45:55 entre les roues avant et les roues arrière. De plus, les ingénieurs ont programmé ce mécanisme et la suspension pour que le véhicule affiche un comportement sous-vireur. Il faut mentionner que le rouage 4Matic a peu d'effet sur la consommation en raison de son faible taux de friction. Terminons ce tour de la mécanique en précisant que les modèles canadiens seront chaussés de roues de 19 pouces, tandis que des jantes de 20 pouces sont optionnelles.

SOLIDE ET AGILE

Il suffit de rouler moins d'un kilomètre pour constater la rigidité de la caisse et l'excellence de l'insonorisation. On note également la grande surface vitrée du toit ouvrant offert de série et le confort des sièges qui peuvent se régler à l'infini grâce à leurs commandes électriques. Le réglage en hauteur et en profondeur du volant se fait manuellement, permettant de peaufiner sa position de conduite.

Sur la route, on oublie rapidement qu'on est au volant d'un utilitaire sport ou d'un véhicule toute activité, comme on se plaît à les appeler en Allemagne. En effet, le comportement d'ensemble de la GLK est passablement semblable à celui de la berline de Classe C, ce qui n'est pas surprenant puisque la première est dérivée de la seconde. Le moteur V6 réagit rondement et les passages de rapports s'effectuent sans problème et en douceur. La direction à assistance variable en fonction de la vitesse est précise et pas trop assistée. Et contrairement à certains modèles Mercedes-Benz essayés récemment, il est facile de doser la force appliquée sur la pédale de frein. Nous avons pu rouler quelques dizaines de kilomètres à haute vitesse sur les autoroutes allemandes et le véhicule s'est révélé stable comme le roc tant sa stabilité directionnelle était remarquable. De plus, même

FEU VERT

- Plate-forme ultrarigide
- Moteur bien adapté
- Excellente habitabilité
- Tenue de route impressionnante
- Équipement de série très complet

FEU ROUGE

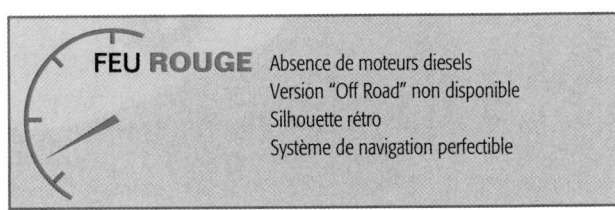

- Absence de moteurs diesels
- Version "Off Road" non disponible
- Silhouette rétro
- Système de navigation perfectible

dans les virages serrés, le centre de gravité relativement élevé n'est pas apparu comme un handicap.

En conduite urbaine, l'excellente visibilité périphérique et les larges rétroviseurs extérieurs s'associent à un rayon de braquage relativement court pour nous permettre de nous faufiler avec facilité dans la circulation, aidés en cela par la nervosité du moteur en reprise et en accélération. Nous avons également eu l'occasion d'effectuer une randonnée sur un parcours réservé aux véhicules tout-terrain et avons été impressionnés par les capacités de conduite hors route de ce véhicule. Celui utilisé lors de cet essai était doté de l'option « Hors Route », mais sur la presque totalité du parcours, je suis persuadé que le la version canadienne aurait quand même pu s'en tirer sans ennui.

La GLK possède tous les attributs et les toutes les qualités pour s'imposer dans cette catégorie. Sa seule grande faiblesse est l'absence d'un moteur diesel BlueTec. Mais comme le moteur diesel V6 3,0 litres Bluetec est déjà monté sur plusieurs autres véhicules utilitaires de la marque, on peut espérer que son arrivée sous le capot de la GLK ne saurait tarder.

Denis Duquet

Photos : Antoine Joubert

VÉHICULE D'ESSAI

Version :	Mercedes-Benz Classe GLK 350
Moteur :	V6 de 3,5 litres 24s atmosphérique
Puissance :	272 ch (200 kW) à 6 000 tr/min
Couple :	258 lb-pi (350 Nm) à 5 000 tr/min
Rapport poids/puissance :	6,72 kg/ch (9,15 kg/kW)
Transmission :	automatique, 7 rapports
Rouage :	intégral
0-100 km/h · 80-120 km/h :	7,1 s · 6,2 s
Freinage 100-0 km/h :	38,9 m
Vitesse maximale :	230 km/h
Consommation (100 km) :	super, 10,4 litres (constructeur)
Autonomie approximative :	634 km
Émissions de CO2 :	4 224 kg/an
Emp/Lon/Lar/Haut (mm) :	2 755/4 528/1 840/1 689
Coffre/Réservoir :	450 / 66 litres
Nombre de coussins de sécurité :	7
Suspension avant :	indépendante, jambes de force
Suspension arrière :	indépendante, multibras
Freins av./arr. :	disques (ABS)
Antipatinage/Contrôle de stabilité :	oui/oui
Direction :	à crémaillère, assistance variable
Diamètre de braquage :	11,5 m
Pneus av./arr. :	235/50R19 / 255/45R19
Poids :	1 830 kg
Capacité de remorquage :	750 kg

AUTRE(S) COMPOSANTE(S) MÉCANIQUE(S)

Système hybride :	aucun
Moteur diesel :	aucun
Taxe énergivore :	n.d.
Autre(s) moteur(s) :	aucun
Autre(s) rouage(s) :	aucun
Autre(s) transmission(s) :	aucune

EN BREF

Échelle de prix :	n.d.
Catégorie :	VUS compact
Garanties :	4 ans/80 000 km, 4 ans/80 000 km
Assemblage :	n.d.
Cote d'assurance :	n.d.

DANS LA MÊME CATÉGORIE

Acura RDX, Audi Q5, BMW X3, Infiniti EX35, Lexus RX350, Volvo XC90

NOS IMPRESSIONS

Agrément de conduite :	
Fiabilité :	nouveau modèle
Sécurité :	
Qualités hivernales :	
Espace intérieur :	½
Confort :	

DU NOUVEAU EN 2009

Nouveau modèle, arrivée janvier 2009

MERCEDES-BENZ CLASSE ML

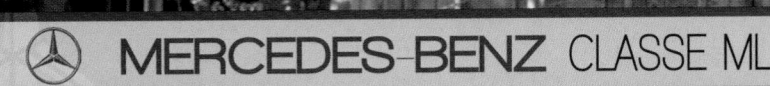

PRO OU ANTI-ENVIRONNEMENTALISTE

Il est actuellement normal que Mercedes-Benz fasse principalement la promotion de son utilitaire ML320 BlueTEC, à moteur diesel. Ce dernier consomme peu et pollue moins que tous les autres VUS de sa catégorie. Ce qu'on ne vous dit toutefois pas, c'est que le ML peut aussi être considéré comme l'un des plus grands pollueurs de tous les véhicules vendus au Canada, surtout en version ML63 AMG. En effet, ce véhicule mérite l'or au rang des plus énergivores et l'argent pour la mention du plus pollueur, derrière le Jeep Grand Cherokee SRT8. Eh oui, il devance le Hummer dans les deux disciplines !

Certes, chaque ML63 AMG attitré au marché canadien trouve preneur, mais il ne s'agit que d'une infime partie des ventes de cette gamme d'utilitaires (moins de 5 %). La majorité des ventes concernent plutôt le modèle diesel, qui représentait au moment de mettre sous presse un peu moins de 70 % des ventes totales de ML. Et il est évident qu'avec le prix du carburant en constante hausse, cette version continuera de demeurer la plus populaire.

PETITS CHANGEMENTS

Cela dit, Mercedes-Benz apporte pour 2009 quelques modifications de mi-mandat au plus populaire de ses VUS. Cette année, en plus d'une motorisation diesel plus évoluée (nous y reviendrons), on retrouve de petites modifications esthétiques au niveau des pare-chocs, de la grille de calandre et des feux. De nouvelles jantes d'alliage sont également proposées, ainsi qu'un nouveau groupe d'options esthétiques ayant pour but de rehausser l'image de coureur des bois du ML. Il en résulte donc une ligne rafraichie et toujours aussi originale.

À bord, l'initié aux produits de la marque remarquera la présence d'un nouveau volant ainsi que d'un nouveau système de navigation plus intuitif (il était temps !). Mis à part ces deux éléments, les changements intérieurs ne se résument cependant que par un équipement de série plus complet. Mais ne vous en faites pas, la liste d'options demeure tout de même étoffée, ce qui permet de faire grimper la facture de façon considérable.

À l'inverse de plusieurs rivaux, le ML ne propose que cinq places. Pour bénéficier, chez Mercedes, de la troisième banquette, il faut avoir recours au modèle GL, ou au controversé modèle de Classe R. Les occupants qui montent à bord du ML ne peuvent cependant se plaindre d'aucune façon. Devant comme derrière, les sièges sont très confortables et l'espace est généreux. Et bien sûr, tout respire la qualité et le bon goût. Un grand choix de combinaisons de teintes intérieures et d'éléments décoratifs est également proposé, ce qui vous permet de personnaliser votre environnement. Voilà un avantage que ne possèdent pas les rivaux japonais.

DIESEL À L'HONNEUR

Comme plus des deux tiers des ventes de ML concernent le moteur diesel, il est évident qu'on ne peut passer à côté. De ce fait, le ML320 CDI que l'on connaissait l'an passé est remplacé en 2009 par le ML320

FEU VERT

- Technologie BlueTEC exceptionnelle
- Superbe comportement routier
- Qualité de fabrication honorable
- Aptitudes hors route étonnantes
- Performances hallucinantes (ML63 AMG)

FEU ROUGE

- Encore beaucoup d'options
- Entretien plus coûteux (diesel)
- Pollueur démesuré (ML63 AMG)
- Prix toujours considérable

BlueTEC. Le changement de nomenclature ne concerne pas la mécanique qui demeure essentiellement la même, mais plutôt un pas en avant en matière d'émanations polluantes. En fait, BlueTEC consiste en un ensemble de quatre éléments, qui se décrit donc par une meilleure combustion interne, un convertisseur catalytique plus efficace, un filtre à particules et, finalement, par un additif liquide appelé AdBlue. Ce liquide, composé principalement d'urée, est ajouté aux gaz d'échappement et, combiné à un second convertisseur catalytique, il contribue à éliminer les oxydes d'azote. Bien sûr, il faudra que l'utilisateur prenne soin de faire le plein d'urée à un intervalle d'environ 20 000 km, mais il en coûtera moins de 30 $ chaque fois.

La beauté du moteur BlueTEC de Mercedes-Benz n'est évidemment pas exclusive à ses faibles émissions polluantes, mais aussi à son rendement. Le véhicule propose de belles performances, beaucoup de couple et sait se faire discret. Qui plus est, il faut aussi considérer que ce moteur n'exige qu'environ 9,5 litres aux 100 km. Certes, le carburant diesel coûte un peu plus cher au même titre que l'entretien, mais la différence de prix en comparaison avec le ML350 à moteur V6 se justifie néanmoins d'elle-même.

Soif de performances ? Alors Mercedes vous propose le ML550 à moteur V8 de 382 chevaux, ou l'ultime ML63 AMG. Véritable bombe, ce dernier ne vous offre rien de moins que 503 chevaux. Bien sûr, suspension sport et jantes surdimensionnées sont au rendez-vous pour vous offrir une conduite à la hauteur de la puissance, mais soyons francs, jamais vous n'exploiterez toutes les capacités de ces monstres. Il s'agit donc plutôt d'un véhicule que l'on se procure pour la « classe ». En ce qui a trait à l'équilibre, les versions BlueTEC ML350 demeurent les plus intéressantes. Leur comportement routier est exceptionnel tout comme leur confort, ce qui ne les empêche nullement de faire preuve d'un grand dynamisme. N'oublions pas non plus qu'ils sont extrêmement doués hors des sentiers battus, ce qui n'est pas le cas de plusieurs rivaux.

De façon à regagner sa position de chef de file du créneau, Mercedes lancera prochainement le ML450 BlueHybrid, animé par un combiné essence-électricité à deux modes. Chose certaine, le ML320 BlueTEC demeure actuellement le choix par excellence pour bénéficier de tous les avantages d'un VUS de luxe, sans en payer le prix à la pompe.

Antoine Joubert

Photos : Mercedes-Benz

VÉHICULE D'ESSAI

Version :	Mercedes-Benz Classe ML320 Bluetec
Moteur :	V6 de 3,0 litres 24s turbocompressé
Puissance :	210 ch (157 kW) à 3 400 tr/min
Couple :	400 lb-pi (542 Nm) à 2 400 tr/min
Rapport poids/puissance :	10,73 kg/ch (14,36 kg/kW)
Transmission :	automatique, 7 rapports
Rouage :	intégral
0-100 km/h · 80-120 km/h :	8,6 s · 7,5 s
Freinage 100-0 km/h :	36,5 m
Vitesse maximale :	210 km/h
Consommation (100 km) :	diesel, 9,5 litres (essai)
Autonomie approximative :	734 km
Émissions de CO2 :	5 400 kg/an
Emp/Lon/Lar/Haut (mm) :	2 915 / 4 781 / 1 911 / 1 815
Coffre/Réservoir :	833 à 2 050 / 83 litres
Nombre de coussins de sécurité :	6
Suspension avant :	indépendante, barres de torsion
Suspension arrière :	indépendante, multibras
Freins av./arr. :	disque (ABS)
Antipatinage/Contrôle de stabilité :	oui/oui
Direction :	à crémaillère, assistance variable
Diamètre de braquage :	11,6 m
Pneus av./arr. :	P255/50R19
Poids :	2 255 kg
Capacité de remorquage :	3 265 kg

AUTRE(S) COMPOSANTE(S) MÉCANIQUE(S)

Système hybride :	aucun
Moteur diesel :	oui
Taxe énergivore :	1 000 $ (ML550), 4 000 $ (ML63 AMG)
Autre(s) moteur(s) :	V8 de 5,5 litres 382 ch/391 lb-pi (16,0 l/100 super) (ML550)
	V8 de 6,2 litres 503 ch/465 lb-pi (20,1 l/100 super) (ML63 AMG)
	V6 de 3,5 litres 268 ch/258 lb-pi (14,2 l/100 super) (ML350)
Autre(s) rouage(s) :	aucun
Autre(s) transmission(s) :	aucune

EN BREF

Échelle de prix :	61 400 $ à 97 500 $ (2008)
Catégorie :	VUS intermédiaire
Garanties :	4 ans/80 000 km, 4 ans/80 000 km
Assemblage :	Tuscaloosa, Alabama, É-U
Cote d'assurance :	bonne

DANS LA MÊME CATÉGORIE

Acura MDX, Audi Q7, BMW X5, Cadillac SRX, Infiniti FX35, Land Rover LR3, Lexus RX350, Lincoln MKX, Porsche Cayenne, Saab 9-7, Volkswagen Touareg, Volvo XC90

NOS IMPRESSIONS

Agrément de conduite :	4
Fiabilité :	3
Sécurité :	3 ½
Qualités hivernales :	5
Espace intérieur :	4
Confort :	4

DU NOUVEAU EN 2009

Grille redessinée, nouvelles roues en alliage, ajout de connections multimédia

LE DIESEL, TOUJOURS LE DIESEL !

La compagnie Mercedes-Benz ne se contente pas d'avoir installé le premier moteur diesel dans une automobile au cours des années 30, elle a continué le développement de ces moteurs robustes et économiques au fil des ans. Ses recherches ont abouti à la technologie BlueTec, qui fait de ses moteurs les diesels les plus propres sur la planète. Lancés il y a deux ans, ces moteurs ont permis à plusieurs personnes de découvrir les avantages de cette technologie en plus de rouler au volant d'un véhicule plus propre. Cette année, l'addition de la technologie AdBlue les rend encore plus « verts ».

Pour 2009, il est possible de commander cette mécanique sur les modèles des Classes ML, GL et R. Pour souligner l'arrivée de la technologie AdBlue, ces modèles profitent de multiples modifications, surtout en ce qui concerne l'équipement de série, du moins sur la classe R.

LUXE ET CONFORT

Avant de décrire en détail la technologie de ces moteurs diesels ultra-propres, consacrons quelques lignes à l'habitacle et aux changements qui y ont été apportés pour 2009.

Avec une compagnie comme Mercedes-Benz, qui prône l'efficacité à tout crin, il ne faut pas se surprendre qu'un véhicule à vocation utilitaire bénéficie d'un habitacle fort pratique. Mais le confort n'a pas été négligé pour autant. C'est ainsi que les occupants des places avant sont assis dans des sièges d'un confort remarquable et qui possèdent un bon support latéral. La deuxième rangée est loin d'être inconfortable, et c'est à peine si on a un peu moins d'espace pour les jambes. Pour paraphraser le constructeur, les places avant équivalent à ceux de la première classe dans un avion et ceux de la seconde rangée s'apparentent à ceux de la classe affaires. Par contre, les occupants de la troisième rangée ne se feront pas prier pour vous affirmer qu'ils sont en classe économique. Bien entendu, la qualité des matériaux et de la finition est à la hauteur de la réputation de la marque. Un léger bémol toutefois en ce qui concerne la planche de bord, qui fait plus véhicule utilitaire sport que berline de luxe. Comme d'habitude, il faut un certain temps pour s'acclimater à la logique toute germanique de certaines commandes.

Dans l'édition 2009, il faut souligner les nouveautés suivantes apportées à l'habitacle de la classe R : nouveau volant multifonction avec palette de passage des rapports, sièges avant avec support lombaire réglable électriquement, système de reconnaissance vocale Linguatronic, système audio ambiophonique, écrans vidéo arrière plus larges et nouvelles télématiques. Au chapitre de la sécurité, soulignons que le système PreSafe et le support de tête NeckPro sont en équipement standard.

ENCORE PLUS PROPRE

Depuis 2006, le moteur turbodiesel V6 de 3,0 litres utilisant la technologie BlueTec a été un choix très populaire auprès des acheteurs, notamment sur les véhicules de la Classe R. En effet, avec son couple

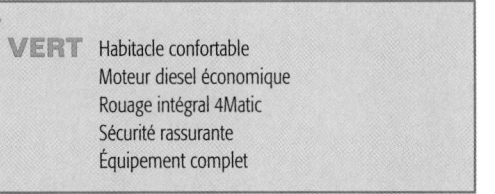

FEU VERT
- Habitacle confortable
- Moteur diesel économique
- Rouage intégral 4Matic
- Sécurité rassurante
- Équipement complet

FEU ROUGE
- Transmission parfois paresseuse
- Direction trop assistée
- Portes arrière très longues
- Moteur V8 gourmand
- Dimensions encombrantes

de 400 livres-pied, ce moteur assurait de bonnes performances tout en proposant une consommation de carburant fort raisonnable. Cette année, ce moteur propose, selon le constructeur, une consommation inférieure à 10 litres aux 100 km. Mais ce qui est encore plus intéressant est l'addition du système AdBlue qui rend ce moteur encore plus propre qu'auparavant. En effet, grâce à l'injection d'urée dans le tuyau d'échappement, les émissions nocives résiduelles sont éliminées. Ce liquide est contenu dans un réservoir de 28 litres, ce qui devrait être suffisant pour n'exiger le remplissage qu'à la prochaine inspection technique.

À l'usage, ce moteur couplé à la boîte automatique à sept rapports est vraiment le groupe propulseur idéal pour ce modèle, surtout si l'on tient compte de sa consommation. Et si vous croyez encore que les moteurs diesels émettent une fumée bleue et sont très bruyants, vous êtes fortement dans l'erreur, comme vous le prouvera un essai routier. Mais toute bonne chose a son revers et malgré la faible consommation du moteur diesel et de sa technologie BlueTec qui le rend très propre, le prix du gazole à la pompe a effectué un bond incroyable au cours des derniers mois, ce qui devrait en décourager plusieurs.

Si vous faites partie de celles et ceux qui ne veulent rien savoir de cette technologie, Mercedes-Benz vous propose un autre modèle avec moteur, à essence cette fois-ci. Il s'agit du R350 et de son moteur V6 de 3,5 litres de 268 chevaux. Peu importe le moteur sous le capot, ce véhicule présente une tenue de route rassurante, mais plusieurs trouvent que la direction est trop légère.

En conclusion, le Classe R possède une silhouette qui ne plaît pas à tous, mais qui fait l'unanimité en fonction de sa polyvalence et de son confort.

Denis Duquet

Photos: Mercedes-Benz

VÉHICULE D'ESSAI

SIRIUS RADIO SATELLITE

Version:	Mercedes-Benz Classe R320 Blue Tec
Moteur:	V6 de 3,0 litres 24s turbocompressé
Puissance:	210 ch (157 kW) à 3400 tr/min
Couple:	400 lb-pi (542 Nm) à 2400 tr/min
Rapport poids/puissance:	11,38 kg/ch (15,22 kg/kW)
Transmission:	automatique, 7 rapports
Rouage:	intégral
0-100 km/h · 80-120 km/h:	8,8 s · 7,0 s
Freinage 100-0 km/h:	41,0 m
Vitesse maximale:	210 km/h
Consommation (100 km):	diesel, 10,0 litres (essai)
Autonomie approximative:	714 km
Émissions de CO2:	5184 kg/an
Emp/Lon/Lar/Haut (mm):	3215 / 5173 / 1922 / 1663
Coffre/Réservoir:	314 à 2385 / 80 litres
Nombre de coussins de sécurité:	6
Suspension avant:	indépendante, bras inégaux
Suspension arrière:	indépendante, multibras
Freins av./arr.:	disque (ABS)
Antipatinage/Contrôle de stabilité:	oui/oui
Direction:	à crémaillère, assistance variable
Diamètre de braquage:	12,4 m
Pneus av./arr.:	P255/50R19
Poids:	2390 kg
Capacité de remorquage:	1136 kg

AUTRE(S) COMPOSANTE(S) MÉCANIQUE(S)

Système hybride:	aucun
Moteur diesel:	aucun
Taxe énergivore:	aucune
Autre(s) moteur(s):	V6 de 3,5 litres 268 ch/258 lb-pi (14,4 l/100 super) (R350)
Autre(s) rouage(s):	aucun
Autre(s) transmission(s):	aucune

EN BREF

Échelle de prix:	65000$ - 63500$
Catégorie:	multisegment
Garanties:	4 ans/80000 km, 4 ans/80000 km
Assemblage:	Tuscaloosa, Alabama, É-U
Cote d'assurance:	n.d.

DANS LA MÊME CATÉGORIE

BMW X5, Infiniti FX35/50, Lexus RX350

NOS IMPRESSIONS

Agrément de conduite:	4
Fiabilité:	4
Sécurité:	5
Qualités hivernales:	4
Espace intérieur:	4
Confort:	4 ½

DU NOUVEAU EN 2009

Retrait du modèle R500, légères modifications esthétiques, nouvelles commodités intérieures, ajout de connections multimédia

LUXE À LA PUISSANCE CINQ

La Classe S, ainsi que le coupé CL qui en est dérivé, représentent la vitrine technologique du constructeur allemand et proposent cinq motorisations, soit trois V8 et un V12 en version atmosphérique ou turbocompressée, de même que la traction intégrale ou la simple propulsion pour les variantes pourvues du V12 ou du V8 développé par AMG, la division sport de Mercedes-Benz.

Le choix du modèle sera donc dicté par les attentes de l'acheteur, le choix le plus rationnel se portant sur la S450 ou la S550, toutes deux dotées du rouage intégral 4Matic qui fait de la Classe S une voiture parfaitement adaptée à notre climat québécois. Au volant de la S550 4Matic, on perçoit facilement que la voiture pèse plus de 2 000 kg, mais les performances en accélération sont plus que convenables et comme la voiture semble taillée d'un seul bloc plutôt qu'assemblée de plusieurs pièces, le confort est souverain. Il est d'ailleurs très facile de rouler à plus de 160 km/h tout en ayant l'impression que l'on ne roule pas si vite que ça au volant de la Classe S, ce qui est le propre d'une voiture de grand luxe. Sur les routes secondaires, on s'aperçoit que la direction de la Classe S n'est pas aussi rapide et directe que celle d'une BMW Série 7 ; celle-ci met plus l'accent sur l'agrément de conduite que la berline de luxe de Stuttgart, qui privilégie davantage le confort que la sportivité. Cependant, la Classe S demeure plus agréable à conduire que la Lexus LS. Une des caractéristiques les plus appréciées de la S550 est le fait que les changements de vitesse de la transmission automatique à sept rapports sont à peine perceptibles, ce qui bonifie le confort.

L'ÉLECTRONIQUE AU SERVICE DU LUXE

Prendre livraison d'une Classe S signifie également prendre contact avec toute une série de dispositifs électroniques qui sont tous désignés par une série d'acronymes à faire pâlir d'envie les ingénieurs de la NASA. Du nombre, on note le système de télématique multifonction COMAND, dont l'apprentissage de certaines fonctions est plutôt complexe, la suspension pneumatique AIRMATIC, le freinage électro-hydraulique Brake Assist Plus, ainsi que le dispositif PRE-SAFE décelant la potentialité d'une situation d'urgence et préparant la voiture à l'impact. La Classe S reçoit également le régulateur de vitesse intelligent assisté par radar DISTRONIC Plus, ainsi que le système de contrôle actif du châssis ABC (*Active Body Control*) de même que le dispositif ESP qui intervient automatiquement sur le moteur et les freins de façon sélective en vue d'éviter les sorties de route provoquées par une maladresse du conducteur.

AMG : DE 518 À 603 CHEVAUX

Deux modèles sont développés par la division AMG, dont le S65 AMG et son moteur V12 biturbo de 6,0 litres qui développe 603 chevaux, soit seulement 14 de moins que celui de la très puissante SLR...

FEU VERT
- Confort princier
- Versions AMG exclusives
- Performances très élevées
- Fiabilité à la hausse

FEU ROUGE
- Consommation offensante
- Prix indécents (AMG)
- Direction peu sportive
- Rareté de l'intégrale

Comme toujours, on ne fait pas dans la dentelle chez AMG qui a également développé un moteur V8 atmosphérique de 6,2 litres et 518 chevaux pour animer la S63 AMG, qui dispose de la boîte automatique à sept rapports (tout comme les S450 et S550), alors que la S65 AMG (et la S600) doit composer avec la boîte automatique à cinq rapports en raison du couple énorme de 738 livres/pied produit par le V12 biturbo... La philosophie établie chez la division haute performance de Mercedes-Benz demeure encore et toujours valide, puisque chacun des moteurs produits chez AMG est assemblé par un seul technicien qui y appose ensuite une plaque sur laquelle figure sa signature. Ce qui fait le charme des versions AMG de la Classe S n'est pas nécessairement la rapidité avec laquelle ces voitures font le sprint de 0 à 100 km/h, quoique cette performance demeure impressionnante en soi. C'est plutôt la facilité avec laquelle elles passent de 100 à 160 km/h et plus, sans donner l'impression que la mécanique souffre le moindrement de cet effort qui accompagne la sensation d'accélération, à la fois linéaire et semblant vouloir se prolonger presque à l'infini. Comme toujours avec ces voitures hors norme, la puissance de freinage est à la mesure de celle qui est développée par les motorisations, et les suspensions adoptent des calibrations plus fermes qui sont en phase avec leur potentiel de performance. La seule ombre au tableau est la consommation, qui est aussi débridée que la puissance moteur, et le fait que les modèles AMG ne sont pas aussi bien adaptés à nos hivers puisque le rouage intégral n'est pas offert sur ces modèles.

Côté fiabilité, le bilan de la marque s'est grandement amélioré au cours des récentes années, après une baisse marquée ressentie dans la première moitié des années 2000, alors que Mercedes-Benz poursuivait une offensive tous azimuts en développant de nouveaux modèles à un rythme accéléré. Depuis, la marque s'est ressaisie en portant une plus grande attention au contrôle de la qualité, ce qui a porté fruit, le bilan de la fiabilité et de la satisfaction de la clientèle étant à la hausse.

Gabriel Gélinas

Photos: Mercedes-Benz

VÉHICULE D'ESSAI

Version :	Mercedes-Benz Classe S 550 4Matic
Moteur :	V8 de 5,5 litres 32s atmosphérique
Puissance :	382 ch (285 kW) à 6 000 tr/min
Couple :	391 lb-pi (530 Nm) à 4 800 tr/min
Rapport poids/puissance :	5,48 kg/ch (7,35 kg/kW)
Transmission :	automatique, 7 rapports
Rouage :	intégral
0-100 km/h · 80-120 km/h :	6,3 s · 5,0 s
Freinage 100-0 km/h :	37,0 m
Vitesse maximale :	250 km/h
Consommation (100 km) :	super, 15,4 litres
Autonomie approximative :	584 km
Émissions de CO2 :	6 144 kg/an
Emp/Lon/Lar/Haut (mm) :	3 165 / 5 210 / 1 872 / 1 473
Coffre/Réservoir :	560 / 90 litres
Nombre de coussins de sécurité :	9
Suspension avant :	indépendante, multibras
Suspension arrière :	indépendante, multibras
Freins av./arr. :	disque (ABS)
Antipatinage/Contrôle de stabilité :	oui/oui
Direction :	à crémaillère, assistance variable
Diamètre de braquage :	12,2 m
Pneus av./arr. :	P255/45R18
Poids :	2 095 kg
Capacité de remorquage :	non recommandé

AUTRE(S) COMPOSANTE(S) MÉCANIQUE(S)

Système hybride :	aucun
Moteur diesel :	aucun
Taxe énergivore :	3 000 $ (S600, S63 AMG), 4 000 $ (S65 AMG)

Autre(s) moteur(s) : V8 de 6,2 litres 518 ch/465 lb-pi (18,9 l/100 super) (S63 AMG)
V12 de 5,5 litres 510 ch/612 lb-pi (18,4 l/100 super) (S600)
V12 de 6,0 litres 603 ch/738 lb-pi (18,5 l/100) (S65 AMG)
V8 de 4,7 litres 335 ch/339 lb-pi (14,4 l/100 super) (S450)
Autre(s) rouage(s) : propulsion (S600, S63 AMG, S65 AMG)
Autre(s) transmission(s) : automatique, 5 rapports (S600, S65 AMG)

EN BREF

Échelle de prix :	108 000 $ à 229 500 $ (2008)
Catégorie :	berline de grand luxe
Garanties :	4 ans/80 000 km, 4 ans/80 000 km
Assemblage :	Stuttgart, Allemagne
Cote d'assurance :	n.d.

DANS LA MÊME CATÉGORIE

Audi A8, Bentley Flying Spur, BMW Série 7, Jaguar XJ8, Lexus LS460, Maserati Quattroporte

NOS IMPRESSIONS

Agrément de conduite :	3 ½
Fiabilité :	3 ½
Sécurité :	4 ½
Qualités hivernales :	4
Espace intérieur :	4 ½
Confort :	4 ½

DU NOUVEAU EN 2009

Ensemble technologie de série pour S600 et S65 AMG

MISE À JOUR

De toutes les voitures de luxe sur le marché, la Mercedes-Benz SL demeure sans contredit l'une des plus élégantes, l'une des plus sportives est aussi l'une des plus pratiques. Il est vrai que plusieurs autres modèles proposés par la concurrence sont soit plus luxueux, soit nettement plus sportifs, mais aucun ne peut atteindre l'équilibre d'ensemble de ce modèle. En outre, ce dernier est offert dans la version régulière et également en version revue et corrigée par les sorciers de la vitesse de chez AMG.

Malgré cela, on a jugé bon chez Mercedes-Benz d'apporter plusieurs modifications à la carrosserie et à l'habitacle, en plus d'étoffer la liste d'équipement de série. Pourtant, c'est la division AMG qui vole le spectacle avec l'introduction d'une toute nouvelle transmission ultrasportive.

NOUVELLE ALLURE

Tous les modèles bénéficient d'une partie avant entièrement redessinée comprenant une nouvelle grille de calandre, de nouveaux phares, un nouveau pare-chocs et des rétroviseurs extérieurs plus grands, tandis que la section arrière est également revue et comporte de nouveaux tuyaux d'échappement. Soulignons que le capot a été redessiné et que les ouvertures servant à la sortie d'air derrière les roues ont été modifiées. En plus, tous les modèles disposent de nouvelles roues en alliage.

Dans l'habitacle, les cadrans indicateurs ont été modifiés, le volant à trois branches est d'un nouveau design et intègre plusieurs boutons de commande. Il est également possible de commander le dispositif Airscarf qui est placé dans la partie supérieure des sièges, juste sous l'appuie-tête, et qui projette un flot d'air chaud autour du cou, cela afin de pouvoir rouler en tout confort par temps froid, le toit baissé.

Le système audio a aussi été amélioré et permet l'utilisation de lecteurs MP3 grâce à une série de câbles adaptateurs; il peut aussi recevoir une carte mémoire SD qui s'insère directement dans l'unité de commande.

La mécanique de la gamme SL est pratiquement inchangée et il est toujours possible de commander la SL 550 propulsée par un moteur V8 de 5,5 litres produisant 382 chevaux et la SL 600 dont le moteur 12 cylindres biturbo produit 510 chevaux, de quoi vous faire des amis auprès de la force policière locale.

Peu importe le modèle choisi, vous allez jouir d'une voiture offrant, en plus d'un habitacle confortable, une grande stabilité à haute vitesse et un comportement routier est exemplaire. Cependant, si vous en voulez plus, il y a la gamme AMG.

PERFORMANCES ASSURÉES

Les modèles produits par la division AMG bénéficient eux aussi des modifications apportées à la carrosserie et à l'équipement de série, mais c'est en matière de mécanique qu'ils se démarquent. La SL 63 AMG est propulsée par un moteur V8 de 6,2 litres d'une puissance de 518 chevaux, ce qui en fait le moteur atmosphérique le plus puissant du

FEU VERT
- Silhouette de rêve
- Choix de moteurs
- Boîte automatique MCT
- Toit rigide articulé
- Tenue de route exemplaire

FEU ROUGE
- Modèles V12 moins agiles
- Coffre assez petit
- Prix élevés
- Version SLR hors de portée
- Fiabilité irrégulière

marché. La conception de la culasse permet d'obtenir un moteur capable d'assumer des régimes très élevés.

Cette année, il est dorénavant couplé à une toute nouvelle transmission automatique à sept rapports appelée Speedshift MCT7 qui est exclusive à ce modèle. Les lettres MCT sont l'abréviation de Multi-Clutch Technology, une technologie qui remplace le convertisseur de couple par un embrayage direct. Il en résulte un transfert ultrarapide de la puissance du moteur aux roues arrière. Les ingénieurs ont même développé un programme complet de gestion de performance relié à cette nouvelle transmission. Et lorsqu'on rétrograde, la transmission effectue automatiquement l'ajustement du régime moteur en fonction du passage des rapports.

Sa nouvelle transmission est ce qui rend ce modèle fort désirable. Elle comporte quatre modes d'opération sélectionnés par le bouton placé à la gauche du levier de vitesse, sur la console. Le réglage le plus convivial est appelé S pour confort. L'accélération initiale se fait en douceur et l'arrivée de la puissance est linéaire. En plaçant la molette en position S, les choses se précipitent davantage alors que les passages des rapports s'effectuent 20 % plus rapidement ! Mais ce n'est pas tout ! Choisissez maintenant le mode S+ et vous allez bénéficier d'une réduction de 20 % dans le temps nécessaire pour passer d'une vitesse à l'autre. Mais le summum est la position M où l'on obtient 10 % de plus de rapidité. Bref, c'est deux fois plus vite qu'en position C. Selon Mercedes-Benz, il faut 100 millisecondes pour effectuer un changement de vitesse en mode M.

Somme toute, cette AMG SL est une voiture unique à bien des égards. Malgré tout, il se trouve des personnes qui préfèrent la douceur d'un moteur V12 et qui optent pour la SL 65 AMG, dont le moteur 6,0 litres produit 603 chevaux. Toutefois, il n'est livré qu'avec une transmission automatique à cinq rapports de type classique, son couple massif compensant largement. Ce modèle est carrément destiné aux amateurs d'autoroute, car la présence d'un moteur assez lourd à l'avant vient compromettre quelque peu l'équilibre général.

Denis Duquet

Mercedes-Benz Classe SLR

Photos : Mercedes-Benz

VÉHICULE D'ESSAI

SIRIUS RADIO SATELLITE

Version :	Mercedes-Benz Classe SL 550
Moteur :	V8 de 5,5 litres 32s atmosphérique
Puissance :	382 ch (285 kW) à 6 000 tr/min
Couple :	391 lb-pi (530 Nm) à 4 800 tr/min
Rapport poids/puissance :	5,01 kg/ch (6,71 kg/kW)
Transmission :	automatique, 7 rapports
Rouage :	propulsion
0-100 km/h · 80-120 km/h :	5,4 s · 4,1 s
Freinage 100-0 km/h :	37,0 m
Vitesse maximale :	210 km/h
Consommation (100 km) :	super, 16,5 litres
Autonomie approximative :	484 km
Émissions de CO2 :	6 432 kg/an
Emp/Lon/Lar/Haut (mm) :	2 560 / 4 562 / 2 069 / 1 295
Coffre/Réservoir :	288 / 80 litres
Nombre de coussins de sécurité :	4
Suspension avant :	indépendante, bras inégaux
Suspension arrière :	indépendante, multibras
Freins av./arr. :	disque (ABS)
Antipatinage/Contrôle de stabilité :	oui/oui
Direction :	à crémaillère, assistance variable électrique
Diamètre de braquage :	n.d.
Pneus av./arr. :	P255/40R18 / P285/35R18
Poids :	1 915 kg
Capacité de remorquage :	non recommandé

AUTRE(S) COMPOSANTE(S) MÉCANIQUE(S)

Système hybride :	aucun
Moteur diesel :	aucun
Taxe énergivore :	2 000 $ (SL55 AMG), 3 000 $ (SL600, SL65 AMG, SLR)
Autre(s) moteur(s) :	V12 de 6,0 litres 603 ch/738 lb-pi (19,0 l/100 super) (SL65 AMG) V8 de 6,2 litres 518 ch/465 lb-pi (17,9 l/100 super) (SL63 AMG) V12 de 5,5 litres 510 ch/612 lb-pi (18,5 l/100 super) (SL600)
Autre(s) rouage(s) :	aucun
Autre(s) transmission(s) :	(SL550) automatique, 5 rapports (SL65 AMG, SL600)

EN BREF

Échelle de prix :	125 000 $ à 238 500 $
Catégorie :	coupé, cabriolet
Garanties :	4 ans/80 000 km, 4 ans/80 000 km
Assemblage :	Bremen, Allemagne
Cote d'assurance :	n.d.

DANS LA MÊME CATÉGORIE

Dodge Viper, Jaguar XKR, Porsche 911 Turbo

NOS IMPRESSIONS

Agrément de conduite :	½
Fiabilité :	½
Sécurité :	
Qualités hivernales :	
Espace intérieur :	
Confort :	

DU NOUVEAU EN 2009

Parties avant et arrière redessinés, SL55 AMG remplacée par la SL63 AMG, nouvelle transmission à 7 rapports

VISITE CHEZ L'ESTHÉTICIENNE !

Alors que la dernière génération du roadster le plus abordable du constructeur a été introduite en 2004, le millésime 2009 a droit à une légère retouche, histoire de maintenir l'intérêt pour le modèle jusqu'à sa refonte complète prévue pour 2011. La SLK s'inscrit dans le créneau des cabriolets au côté de la BMW Z4, de la Porsche Boxster et de la Audi TT. On pourrait également ajouter à la liste la Honda S2000, mais cette voiture est beaucoup plus extrême.

Pour 2009, le constructeur a revu l'appellation de la version de base. La SLK 280 devient donc la SLK 300, correspondant ainsi un peu mieux à son moteur de 3,0 litres, moteur qui demeure inchangé cette année. L'Europe a droit à un modèle situé sous la SLK 300, soit la SLK 200 Kompressor, cette dernière étant animée par un quatre cylindres jumelé à un compresseur volumétrique. Malheureusement, Mercedes n'offre plus de quatre cylindres au Canada, ce qui fait de la SLK 300 le modèle le plus abordable.

LA SLK 350, PLUS DE PUISSANCE

On retrouve en milieu de gamme la SLK 350, la version qui génère pratiquement 50 % des ventes chez la SLK. Voilà la seule version qui affiche des changements plus majeurs au chapitre des composantes mécaniques, puisque son moteur V6 de 3,5 litres développe maintenant 300 chevaux au lieu des 268 de la génération précédente. Le tout a été réussi en modifiant les pistons et en augmentant le taux de compression. Ce changement permet d'atteindre un régime maximal plus élevé, soit 7 500 tours/minute, apportant ainsi un regain de puissance. Pas mal pour un V6 !

Au sommet de la gamme, on retrouve finalement la SLK 55 AMG, la seule de sa catégorie à proposer un moteur V8. Forte de ses 355 chevaux, la SLK 55 AMG transforme ce cabriolet en véritable bombe, bien appuyée par la riche sonorité du moteur de 5,5 litres. Si les versions 300 et 350 proposent de série une boîte manuelle à six rapports, l'AMG reçoit la boîte Steptronic à sept rapports, également offerte en option dans les autres livrées. Pour ce qui est du reste, les équipements demeurent relativement similaires d'une version à l'autre.

Si on note peu d'améliorations technologiques, les quelques changements cosmétiques apportés à la SLK sont légèrement plus apparents. L'avant a été retouché et présente un nouveau fascia. Celui-ci reprend le style du SLR tout en imitant le museau d'une formule un. L'arrière hérite d'un becquet distinct alors que les échappements sont maintenant ovales et intégrés au bas du pare-chocs. Bref, les changements sont assez mineurs, mais le nouveau devant distingue bien le modèle 2009 de la génération précédente, un élément qu'apprécieront les acheteurs.

À l'intérieur, on note quelques retouches subtiles et discrètes. On remarque principalement un nouveau volant intégrant les commandes de l'ordinateur de bord et du système de sonorisation. Dans l'ensemble, la SLK séduit par la richesse de son habitacle, par le souci de finition ainsi que par la qualité des matériaux utilisés.

FEU VERT
- Style exotique
- Habitacle soigné et luxueux
- Toit rigide
- Bon choix de modèles

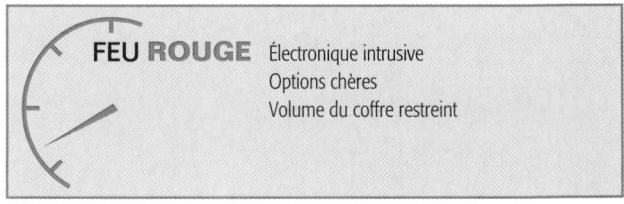

FEU ROUGE
- Électronique intrusive
- Options chères
- Volume du coffre restreint

DEUX ARGUMENTS DE TAILLE

Afin de se démarquer de la concurrence, la SLK propose deux arguments de taille. Le premier est sans contredit son toit rétractable rigide, qui appuie le style de la voiture en lui procurant l'aspect d'un coupé sport tout en assurant une parfaite insonorisation dans l'habitacle, sans oublier une rigidité accrue du châssis. Difficile de croire que l'on est au volant d'un cabriolet. Il suffit d'appuyer sur la commande et en quelque 20 secondes, on peut apprécier les plaisirs de la conduite à ciel ouvert. Et si la saison est encore un peu fraîche, vous aurez la chance de découvrir l'autre arme secrète de la SLK, soit son système Airscarf. Grâce à ce système, vous pourrez prolonger les plaisirs de ce cabriolet ou encore commencer la saison en avance. Vous n'avez qu'à activer la commande à trois niveaux pour que deux buses situées dans le bas de l'appuie-tête vous enrobent d'un vent chaud, contrant ainsi l'air froid provenant de l'arrière du véhicule.

Combiné à la boîte manuelle, le moteur de 3,0 litres de la SLK 300 livre des performances tout à fait louables. Ce moteur demeure fougueux, mais il faudra grimper les régimes afin d'en extirper toute la puissance. Mon choix se tourne vers la SLK 350 qui séduit non seulement par son couple initial plus généreux, mais également par la sonorité unique du moteur.

La nouvelle SLK profite tout de même de quelques innovations technologiques. Alors que BMW possédait son système de conduite active, Mercedes introduit sa propre technologie, distincte mais apportant le même effet. À basse vitesse, la direction bénéficie d'un démultiplié plus important, facilitant la conduite urbaine ainsi que les manœuvres de stationnement. En conduite plus rapide, la direction s'adapte automatiquement et démontre un peu plus de souplesse.

La SLK 2009 est certes un cabriolet de choix. Si vous recherchez la sportivité absolue, vous serez probablement mieux servi chez la concurrence, mais si vous priorisez avant tout le style, le raffinement et le luxe, voilà une très bonne option.

Sylvain Raymond

Photos: Sylvain Raymond

VÉHICULE D'ESSAI

Version :	Mercedes-Benz Classe SLK 350
Moteur :	V6 de 3,5 litres 24s atmosphérique
Puissance :	300 ch (224 kW) à 6 500 tr/min
Couple :	266 lb-pi (361 Nm) à 4 900 tr/min
Rapport poids/puissance :	5,03 kg/ch (7,55 kg/kW)
Transmission :	automatique, 7 rapports
Rouage :	propulsion
0-100 km/h · 80-120 km/h :	5,5 s · 5,9 s
Freinage 100-0 km/h :	45,0 m
Vitesse maximale :	250 km/h
Consommation (100 km) :	super, 12,3 litres
Autonomie approximative :	569 km
Émissions de CO2 :	5 136 kg/an
Emp/Lon/Lar/Haut (mm) :	2 430 / 4 103 / 2 012/ 1 296
Coffre/Réservoir :	300 / 70 litres
Nombre de coussins de sécurité :	4
Suspension avant :	indépendante, multibras
Suspension arrière :	indépendante, multibras
Freins av./arr. :	disque (ABS)
Antipatinage/Contrôle de stabilité :	oui/oui
Direction :	à crémaillère, assistance variable
Diamètre de braquage :	10,6 m
Pneus av./arr. :	P225/45ZR17 / P245/40ZR17
Poids :	1 510 kg
Capacité de remorquage :	non recommandé

AUTRE(S) COMPOSANTE(S) MÉCANIQUE(S)

Système hybride :	aucun
Moteur diesel :	aucun
Taxe énergivore :	aucune
Autre(s) moteur(s) :	V8 de 5,5 litres 355 ch/376 lb-pi (15,0 l/100 super) (SLK 55 AMG) V6 de 3,0 litres 228 ch/221 lb-pi (12,1 l/100 super) (SLK 300)
Autre(s) rouage(s) :	aucun
Autre(s) transmission(s) :	manuelle, 6 rapports (SLK 350, SLK 300)

EN BREF

Échelle de prix :	57 500 $ à 84 800 $
Catégorie :	roasdster
Garanties :	4 ans/80 000 km, 4 ans/80 000 km
Assemblage :	Bremen, Allemagne
Cote d'assurance :	n.d.

DANS LA MÊME CATÉGORIE

Audi TT, Honda S2000, Lotus Elise, Nissan 350Z, Porsche Boxster

NOS IMPRESSIONS

Agrément de conduite :	🚗🚗🚗🚗½
Fiabilité :	🚗🚗🚗🚗
Sécurité :	🚗🚗🚗🚗
Qualités hivernales :	🚗🚗🚗
Espace intérieur :	🚗🚗🚗½
Confort :	🚗🚗🚗🚗

DU NOUVEAU EN 2009

Partie avant et arrière révisées, SLK 280 devient SLK300, plus de puissance la SLK 350

L'ÉMOTION ET LA LOGIQUE

Il est dit que le côté droit du cerveau est celui de l'imagination, de la création, de la spontanéité et que le côté gauche est celui de la logique et du sens pratique. Si tel est le cas, la décision d'acheter une Mini Cooper ou une Cooper S proviendrait certainement du côté droit du cerveau de l'acheteur. Avec un style unique et des qualités dynamiques qui font de ces voitures de véritables go-karts, les Mini Cooper et Cooper S font preuve d'un pouvoir de séduction qui est bien réel.

Cependant, pour beaucoup d'acheteurs, ces voitures très tentantes ne passaient pas le test des caractéristiques pratiques, principalement en raison d'un volume d'espace restreint. Voilà pourquoi les Mini Clubman et Clubman S existent aujourd'hui, soit afin de proposer une voiture plus polyvalente à ceux et celles qui sont tombés sous le charme sans toutefois passer à l'acte. À partir de l'avant jusqu'au pilier B, la Clubman est identique à la Cooper. C'est donc après les portes avant que ces deux modèles se distinguent l'un de l'autre. La Clubman est plus longue de 240 mm et offre 60 mm de plus pour le dégagement des jambes des passagers assis à l'arrière. Son volume d'espace cargo passe de 160 à 260 litres, avec les sièges arrière en place, et de 680 à 930 litres avec les sièges arrière repliés. Enfin, le volume du réservoir d'essence est de 50 litres, comparativement à 40 pour la Cooper.

Voilà pour les chiffres. Passons maintenant aux commentaires subjectifs. Avec la Clubman, il est possible pour un adulte de s'asseoir à l'arrière, alors que ce n'est pas vraiment le cas avec la Cooper. À titre d'exemple, si je règle le siège du conducteur ou du passager pour ma grandeur, il m'est impossible de m'asseoir sur la banquette arrière dans la Cooper, en raison du manque d'espace pour les jambes et je mesure 5 pi 10 po ; avec la Clubman, le dégagement obtenu permet au passager de voyager avec plus de confort. Somme toute, la Cooper est pour ainsi dire une deux places, alors que la Clubman peut être considérée comme une quatre places et devient donc une candidate mieux adaptée à la vie de tous les jours.

L'accès aux places arrière est grandement facilité par la porte « Clubdoor » du côté passager et la Clubman hérite non pas d'un hayon mais bien d'une paire de portes arrière rappelant les Mini Traveller et Countryman des années soixante. Cependant, il ne faut pas oublier que la Clubman demeure une petite voiture et faire l'erreur de la considérer comme si elle appartenait à une catégorie supérieure à celle de la Cooper, ou encore comme si elle était une familiale.

Les dimensions supérieures de la Clubman se traduisent également par une augmentation du poids de la voiture, qui fait 80 kg de plus dans le cas de la Clubman et 85 kg de plus pour la Clubman S. Les motorisations sont inchangées par rapport à la Cooper.

En montant à bord, on constate que la présentation intérieure est identique à celle de la Cooper. La disposition des cadrans et des commandes est la même, avec la présence de l'indicateur de vitesse surdimensionné en plein centre de la planche de bord et la rangée d'interrupteurs à la base de la console centrale. La seule différence est que le conducteur doit maintenant composer avec une visibilité réduite vers l'arrière en raison de la présence des montants verticaux des portes arrière.

UN GAIN DE POIDS IMPORTANT

Sur la route, il devient rapidement évident que le poids supérieur de la Clubman a une incidence directe sur les performances en accélération, ce qui représente le point faible le plus évident de ce nouveau modèle. En effet, traîner 80 kg de plus avec les mêmes 118 chevaux demande beaucoup d'effort au moteur de la Clubman et l'on doit continuellement *flirter* avec les hauts régimes en jouant du levier de vitesse afin d'en extraire le maximum de performance. C'est la principale lacune de la Clubman qui, autrement, séduit autant que la Cooper par ses qualités dynamiques, exception faite de la direction assistée électriquement qui est un peu vague. Avec ses 172 chevaux et surtout une plage de couple maximal beaucoup plus large (177 livres-pied de 1600 à 5000 tours/minute), la Clubman S est davantage en mesure de composer avec son excédent de poids, sa conduite est beaucoup plus inspirée, et ce modèle représente de loin la meilleure configuration compte tenu des dimensions supérieures et du poids plus élevé de la voiture. En effet, autant la Clubman s'est montrée lente et décevante en conduite à flanc de montagne, autant la Clubman S nous a permis de retrouver le sourire et le plaisir de rouler sur ces mêmes routes.

LES COOPER

Pour ce qui est de l'agrément de conduite, la Cooper et la Cooper S présentent sensiblement le même scénario, la variante S étant beaucoup plus agréable à conduire et faisant presque figure d'un véritable *go-kart*. Dans la refonte vers le modèle actuel, les ingénieurs ont allégé et recalibré les suspensions tout en adoptant des barres antiroulis à l'avant comme à l'arrière, avec le résultat que le comportement routier de la Cooper actuelle est plus prévisible lorsque l'on enfile les virages à haute vitesse sur circuit. Bref, il s'agit toujours d'une voiture agile et incisive, mais elle est plus facile à piloter en conduite sportive, ses réactions étant toujours prévisibles. Le secret de ces performances améliorées tient non seulement au moteur turbo, mais également aux boîtes de vitesse, dont les versions manuelle ainsi qu'automatique comptent six rapports qui ont été allongés par rapport au modèle de la génération précédente.

DANS LA BOULE DE CRISTAL

L'avenir nous réserve d'autres déclinaisons de la Mini puisque, tout comme la Cooper S, la Clubman S sera également offerte en variante John Cooper Works. Lancée au Salon de l'auto de Genève, cette dernière fait appel à une motorisation plus performante, forte de 208 chevaux, soit 32 de plus que la S. Les modifications apportées au moteur quatre cylindres comprennent des pistons renforcés, de nouvelles soupapes d'admission, une culasse révisée et une augmentation de la pression du turbo qui passe de 13 à 19 psi, alors que le taux de compression a été revu à la baisse.

De plus, une éventuelle version à rouage intégral de la Mini devrait voir le jour en 2010 en tant que modèle 2011. Les premiers échos concernant ce modèle laissaient envisager que son nom serait « Crossman », mais cette appellation n'a cependant pas été retenue par les dirigeants de la marque et le nom qui lui sera attribué demeure inconnu au moment d'écrire ces lignes. Il faut s'attendre à ce que les éléments mécaniques de ce modèle à venir soient les mêmes. De plus, la Mini à rouage intégral devrait être construite sur la base de la Clubman, et il est question que cette nouvelle version soit équipée de roues surdimensionnées ainsi que d'une garde au sol surélevée afin de composer avec sa nouvelle mission.

FEU VERT

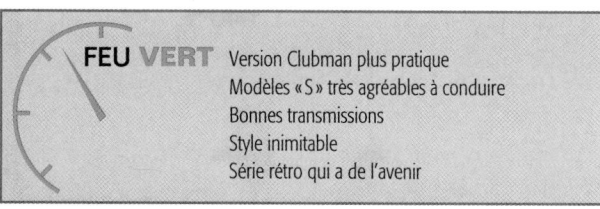

- Version Clubman plus pratique
- Modèles « S » très agréables à conduire
- Bonnes transmissions
- Style inimitable
- Série rétro qui a de l'avenir

FEU ROUGE

- Moteur de base faiblard
- Places arrière abominables (Cooper)
- Suspensions très sèches
- Prix des options élevé
- Visibilité réduite vers l'arrière (Clubman)

À l'image de la Clubman, les performances en accélération seront probablement moins relevées que celles de la Cooper, puisque le nouveau modèle sera plus lourd en raison de la présence d'un rouage intégral. Par ailleurs, cette nouvelle version de la Mini ne sera pas assemblée en Angleterre, mais bien à l'usine du sous-traitant Magna Steyr de Graz en Autriche, qui assure aujourd'hui l'assemblage du X3 dont la production sera alors déménagée à l'usine BMW de Greenville-Spartanburg en Caroline du Sud.

Avec l'arrivée de la Clubman et de sa variante S, Mini ajoute deux nouveaux modèles à sa gamme, qui devient plus étoffée en offrant à sa clientèle une option plus pratique. Le charme et la plupart des qualités du modèle original sont conservés, en même temps que certains de ses défauts sont corrigés. Toutefois, dans les deux cas (Clubman et Cooper), il faut composer avec des prix élevés à la base qui atteignent rapidement des sommets avec l'ajout d'options et de groupes d'options vendus à fort prix. Et comme le catalogue regorge d'accessoires qui permettent de personnaliser une Mini à l'extrême, il faut constamment faire attention à la tentation ou plutôt jouer d'équilibre entre l'émotion et la raison.

Gabriel Gélinas

Photos: Marc Lachapelle

VÉHICULE D'ESSAI

SIRIUS RADIO SATELLITE

Version :	MINI Cooper S
Moteur :	4L de 1,6 litre 16s turbocompressé
Puissance :	172 ch (128 kW) à 5 500 tr/min
Couple :	177 lb-pi (240 Nm) à 4 000 tr/min
Rapport poids/puissance :	7,03 kg/ch (9,45 kg/kW)
Transmission :	manuelle, 6 rapports
Rouage :	traction
0-100 km/h · 80-120 km/h :	7,1 s · 4,5 s
Freinage 100-0 km/h :	37,7 m
Vitesse maximale :	215 km/h
Consommation (100 km) :	super, 7,7 litres
Autonomie approximative :	649 km
Émissions de CO2 :	3 264 kg/an
Emp/Lon/Lar/Haut (mm) :	2 467 / 3 699 / 1 683 / 1 407
Coffre/Réservoir :	160 à 680 / 50 litres
Nombre de coussins de sécurité :	4
Suspension avant :	indépendante, jambes de force
Suspension arrière :	indépendante, multibras
Freins av./arr. :	disque (ABS)
Antipatinage/Contrôle de stabilité :	oui/opt.
Direction :	à crémaillère, assistée
Diamètre de braquage :	10,6 m
Pneus av./arr. :	P195/55R16
Poids :	1 210 kg
Capacité de remorquage :	non recommandé

AUTRE(S) COMPOSANTE(S) MÉCANIQUE(S)

Système hybride :	aucun
Moteur diesel :	aucun
Taxe énergivore :	aucune
Autre(s) moteur(s) :	4L de 1,6 litre 118 ch/114 lb-pi (7,1 l/100 super) (Cooper) 4L de 1,6 litre 208 ch/207 lb-pi (John Cooper Works)
Autre(s) rouage(s) :	aucun
Autre(s) transmission(s) :	automatique, 6 rapports (Cooper S, Cooper)

EN BREF

Échelle de prix :	22 800 $ à 39 990 $
Catégorie :	coupé, cabriolet
Garanties :	4 ans/80 000 km, 4 ans/80 000 km
Assemblage :	Oxford, Angleterre
Cote d'assurance :	moyenne

DANS LA MÊME CATÉGORIE

Ford Focus ST, Honda Civic Si, Mazda MX-5, Volkswagen GTi, Volkswagen New Beetle/Cabrio

NOS IMPRESSIONS

Agrément de conduite :	4
Fiabilité :	3½
Sécurité :	3½
Qualités hivernales :	4
Espace intérieur :	3
Confort :	3

DU NOUVEAU EN 2009

Aucun changement majeur

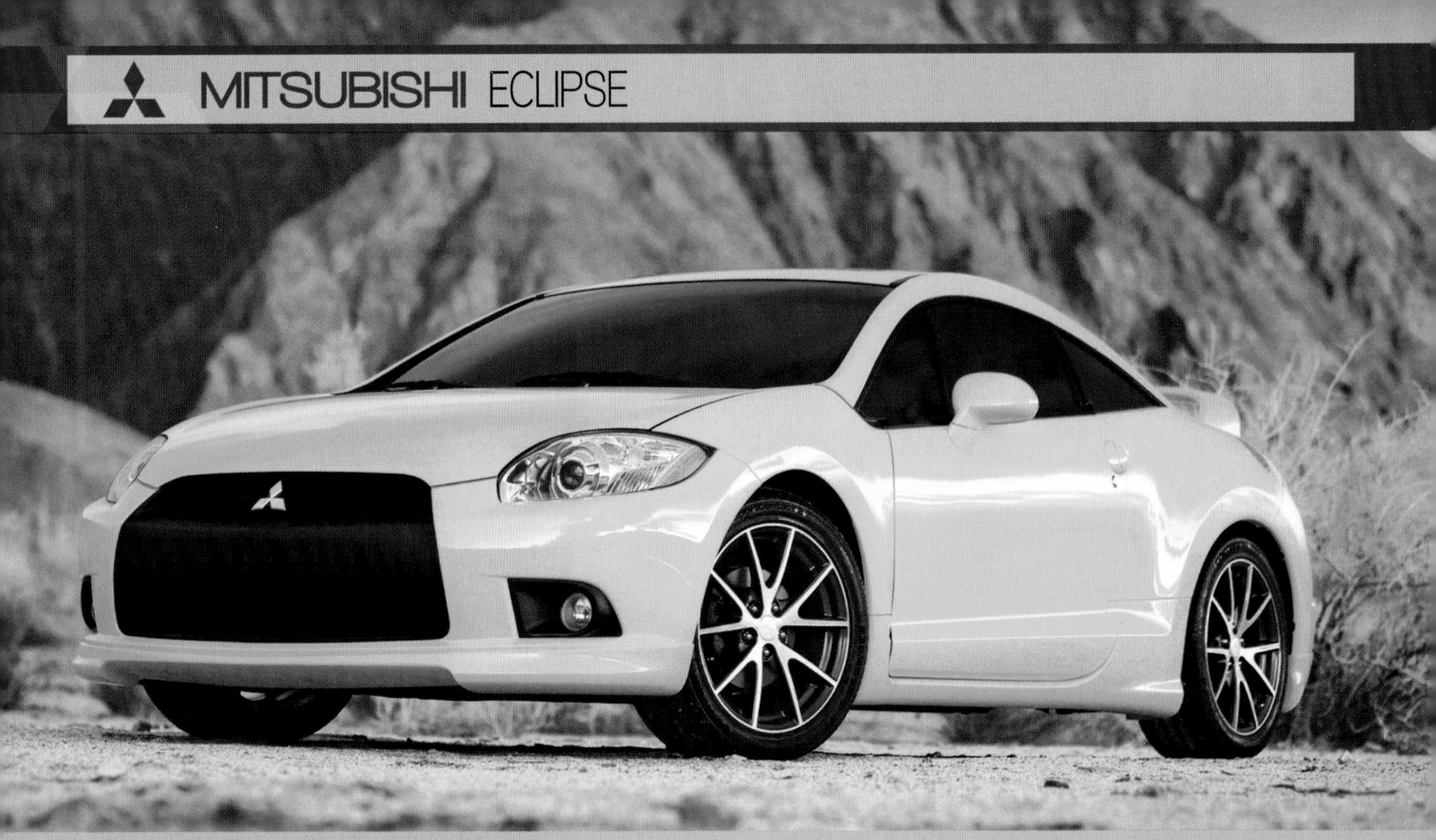

DU TONNERRE !

Avec les modifications apportées cette année à l'Eclipse, ce modèle se retrouve parmi les coupés et décapotables les plus intéressants pour 2009. Depuis son arrivée au Canada, Mitsubishi aura été discret et très conservateur dans l'offre de ses produits. Avec la refonte du Outlander, la récente disponibilité de la Lancer EVO au Canada et les retouches faites à l'Eclipse, rien n'est laissé au hasard afin de démontrer le sérieux du constructeur et la propension à la performance de ses produits. L'Eclipse est donc un modèle relativement plus populaire, notamment à cause de son allure sportive et de son prix raisonnable.

Encore cette année, ce modèle arrive en deux carrosseries, le coupé et la décapotable, cette dernière portant le nom d'Eclipse Spyder. Chacun des modèles est offert en deux versions, soit la GS de base et la GT-P beaucoup mieux équipée et plus performante. Et pour différencier les deux livrées, mentionnons simplement qu'elles sont basées sur la motorisation, celle de base étant affublée du maigrichon 4 cylindres alors que la livrée GT-P reçoit le V6 de 263 chevaux. Et devinez la version de notre essai ? La GT-P, bien sûr !

DE LA GUEULE !

Outre son moteur 6 cylindres, la version GT-P est facilement reconnaissable par ses roues de 18 pouces, son double embouts d'échappement, ses phares avant à haute décharge, ses sièges en cuir, ses appliques d'aluminium brossé et ses freins arrière ventilés de 15 pouces. Il est également possible de faire installer par le concessionnaire un ensemble de jupes qui ajoute un effet énergique à la voiture. Option qui s'avère immensément bénéfique pour rehausser l'aspect extérieur plutôt fade de la version GS. L'intérieur est d'une présentation toute simple et l'utilisation de plastique n'est pas trop abondante. Le tableau de bord mériterait des commandes et des cadrans de plus grandes dimensions mais cela ne cause pas de problème à leur utilisation. Les sièges maintiennent bien et la position de conduite n'est pas trop basse, ce qui est souvent le cas dans ce genre de véhicule. Quant aux places arrière, on n'achète pas une Eclipse pour l'espace disponible… Sur le modèle coupé, il est envisageable pour un adulte de faire quelques kilomètres alors que sur les modèles Spyder, il est impensable de trouver un semblant de confort, ne serait-ce que pour un petit kilomètre. Le dossier des sièges est pratiquement à la verticale et l'espace pour les jambes est ridiculement petit. Les amateurs de musique seront ravis d'apprendre que les versions GS et GT-P Spyder proposent de série une chaîne audio Rockford Fosgate de 650 watts comprenant 9 haut-parleurs et un haut-parleur de sous-graves de dix pouces. Chaîne fort efficace et qui s'avère une nécessité sur le modèle Spyder. Heureusement, il est également possible de l'obtenir en option sur la version coupé GS qui ne crache que 140 watts de puissance.

COMPORTEMENT SURPRENANT

Malgré des allures de sportive dans l'âme, l'Eclipse n'a pas tout a fait livré la marchandise, du moins celle que l'on aurait espérée. Le poids de la voiture handicape sérieusement son agilité alors qu'une enfilade de virages démontre nettement la tendance sous-vireuse de l'Eclipse,

FEU VERT
- Allure sportive
- Prix compétitifs
- Motorisation V6 efficace
- Chaîne audio puissante

FEU ROUGE
- Places arrière limitées
- Effet de couple
- Grand diamètre de braquage
- Châssis moins rigide sur le cabriolet

celle à moteur V6. De plus, on retrouve toujours cet effet de couple très présent lors de fortes accélérations et il faut constamment redresser le cap et doser savamment l'accélérateur pour obtenir des accélérations linéaires et constantes. Bien que le châssis de l'Eclipse soit très rigide, l'absence de toit fixe sur le modèle Spyder semble avoir considérablement affaibli le véhicule. À certains moments, on entend des bruits de caisse alors qu'en virage, le châssis présente une torsion plus grande que sur le coupé. Néanmoins, la solidité du Spyder est carrément supérieure à plusieurs de ses concurrents. Les suspensions sont assez rigides pour limiter le roulis mais à la fois souples pour procurer un confort de roulement tout à fait acceptable. Deux transmissions sont offertes pour la livrée GT-P. Bien que l'automatique cinq vitesses soit très efficace, nous avons trouvé que c'est plutôt la manuelle à six rapports qui permet d'exploiter le mieux le six cylindres.

La version GS n'est cependant pas à dédaigner car la différence de puissance du moteur est nettement compensée par la diminution de poids du véhicule. En accélération, la GS est devancée par la GT-P, mais lorsque vient le temps de négocier les virages, la GT-P perd son avance. Sur un circuit, il serait fort à parier que les deux livrées seraient pratiquement nez à nez au fil d'arrivée. Outre cette différence de puissance, la GS ne propose qu'une transmission automatique à quatre rapports ou une manuelle à 5 rapports qui est encore ici, à notre avis, le meilleur choix. La combinaison idéale aurait été en fait un moteur 4 cylindres turbocompressé jumelé à une transmission manuelle et à la traction intégrale. Ça vous ramène des souvenirs ? La récente venue de la Lancer EVO aura certainement un effet bénéfique sur l'évolution de l'Eclipse. Elle deviendrait alors démentielle !

La version la plus intéressante de cette Eclipse reste sans aucune hésitation la GT-P, en livrée coupé ou cabriolet selon votre préférence. La puissance disponible, la tenue de route sportive et la sonorité de la motorisation sont toutes des caractéristiques nécessaires à l'appréciation de conduite de ce genre de véhicule. Malheureusement, le modèle GS ne transmet pas cet enivrement tant espéré d'une voiture sport. Il a tout de même un comportement sportif agréable pour ceux qui ne désirent pas flamber argent et pétrole dans la version GT-P.

Guy Desjardins

Photos : Mitsubishi

VÉHICULE D'ESSAI

SIRIUS RADIO SATELLITE

Version :	Mitsubishi Eclipse Coupé GT-P
Moteur :	V6 de 3,8 litres 24s atmosphérique
Puissance :	263 ch (194 kW) à 5 750 tr/min
Couple :	260 lb-pi (350 Nm) à 4 500 tr/min
Rapport poids/puissance :	6,18 kg/ch (8,28 kg/kW)
Transmission :	manuelle, 6 rapports
Rouage :	traction
0-100 km/h · 80-120 km/h :	6,8 s · 4,5 s
Freinage 100-0 km/h :	42,7 m
Vitesse maximale :	215 km/h
Consommation (100 km) :	super, 13,1 litres
Autonomie approximative :	511 km
Émissions de CO2 :	5 184 kg/an
Emp/Lon/Lar/Haut (mm) :	2 575 / 4 565 / 1 835 / 1 358
Coffre/Réservoir :	445 / 67 litres
Nombre de coussins de sécurité :	4
Suspension avant :	indépendante, jambes de force
Suspension arrière :	indépendante, multibras
Freins av./arr. :	disque (ABS, EBD)
Antipatinage/Contrôle de stabilité :	oui/non
Direction :	à crémaillère, assistance variable
Diamètre de braquage :	12,2 m
Pneus av./arr. :	P235/45R18
Poids :	1 608 kg
Capacité de remorquage :	non recommandé

AUTRE(S) COMPOSANTE(S) MÉCANIQUE(S)

Système hybride :	aucun
Moteur diesel :	aucun
Taxe énergivore :	aucune
Autre(s) moteur(s) :	4L de 2,4 litres 162 ch/162 lb-pi (10,6 l/100 ordinaire) (GS) V6 de 3,8 litres 260 ch/258 lb-pi (Spyder)
Autre(s) rouage(s) :	aucun
Autre(s) transmission(s) :	automatique, 4 rapports (GS) automatique, 5 rapports (GT-P) manuelle, 5 rapports (GS)

EN BREF

Échelle de prix :	25 998 $ à 37 298 $ (2008)
Catégorie :	coupé, cabriolet
Garanties :	5 ans/100 000 km, 10 ans/160 000 km
Assemblage :	Normal, Illinois, É-U
Cote d'assurance :	n.d.

DANS LA MÊME CATÉGORIE

Ford Mustang, Pontiac Solstice, Saturn Sky, Volkswagen New Beetle

NOS IMPRESSIONS

Agrément de conduite :	🚘🚘🚘🚘
Fiabilité :	🚘🚘🚘🚘
Sécurité :	🚘🚘🚘½
Qualités hivernales :	🚘🚘🚘½
Espace intérieur :	🚘🚘🚘
Confort :	🚘🚘🚘½

DU NOUVEAU EN 2009

Changements cosmétiques

LES HONNEURS DE LA DIFFÉRENCE

La marque Mitsubishi est établie au Canada depuis seulement sept ans. Ainsi, le passé de même que les activités mondiales de ce fabricant nous sont pratiquement inconnus. Les amateurs de course connaissent, bien sûr, le nom de Ralliart et les performances exceptionnelles des véhicules 4x4 dans des courses aussi prestigieuses que le rallye Paris-Dakar. Pour la majorité des Québécois, cependant, le nom Mitsubishi demeure synonyme de véhicules bon marché. Dommage. Les consommateurs passent ainsi à côté de véhicules fort intéressants, comme l'Endeavor.

À ses débuts au Canada, Mitsubishi proposait des véhicules loin d'être des parangons de modernité, ce qui lui a causé des torts considérables. Par exemple, le Montero, un VUS de grand format, datait déjà de plusieurs années lorsqu'il est débarqué chez nous. L'Endeavor, lui, est de conception beaucoup plus récente. Même s'il a déjà la moitié d'une décennie derrière la calandre, quasiment une éternité dans le domaine automobile, l'Endeavor est encore très actuel.

Ce VUS de format intermédiaire affiche des lignes résolument jolies (c'est une question de goût, remarquez) et très modernes. Il doit son style baroudeur à ses flancs sculptés, à sa carrosserie aux angles prononcés et à sa galerie de toit. Dans l'habitacle, les designers du Endeavor ont su résister à l'envie d'offrir une troisième rangée de sièges, contrairement à la plupart des constructeurs qui ont succombé au péché. Élément de vente peut-être intéressant, cette troisième banquette se révèle toutefois généralement aussi facile à atteindre qu'un humain travaillant au service à la clientèle d'une compagnie de téléphonie cellulaire et aussi confortable qu'un poteau de téléphone. Félicitations à Mitsubishi pour son bon jugement.

LES BOUTONS DU TABLEAU DE BORD

Mais on ne peut pas avoir un bon jugement partout... Le tableau de bord, au demeurant très fonctionnel, présente en son centre une excroissance aussi visible qu'un gros bouton blanc sur le bout du nez. On aimerait bien pouvoir « péter » l'écran qui y est incorporé, mais on se priverait alors de l'écran GPS de la version LTD. Sur les autres versions, cet écran affiche diverses informations, quelquefois utiles, quelquefois moins. Pour le reste, l'Endeavor présente un habitacle fort confortable et silencieux, sauf, peut-être, en accélération. La qualité des matériaux est digne de mention, tout comme le confort des sièges. Les passagers s'assoyant à l'arrière ont droit à beaucoup d'espace. Le coffre est aussi très vaste et lorsque les dossiers du siège arrière sont baissés, ils forment un fond plat qui invite toujours une connaissance ou un voisin à déclarer de façon anodine : « Le bureau que je dois apporter à l'appartement de ma fille "fitterait" bien là-dedans... » Bonne idée, la vitre du hayon ouvre séparément, ce qui permet de transporter des objets longs (comme des 2x4) sans avoir à rouler avec le hayon ouvert.

Un seul moteur est proposé. Il s'agit d'un V6 de 3,8 litres de 225 chevaux et 255 livres-pied de couple. Même si le véhicule ne présente pas un poids particulièrement plume (près de 1 900 kg), ce moteur

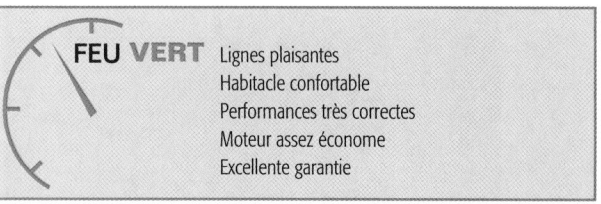

FEU VERT
- Lignes plaisantes
- Habitacle confortable
- Performances très correctes
- Moteur assez économe
- Excellente garantie

FEU ROUGE
- Transmission automatique à quatre rapports seulement
- Esthétisme du tableau de bord douteux
- Valeur de revente décourageante
- Prix assez élevés

permet des performances tout à fait respectables tout en consommant peu, compte tenu de la catégorie. Et la consommation serait encore meilleure si l'Endeavor pouvait compter sur une transmission automatique à cinq rapports plutôt que quatre comme c'est présentement le cas. À peu près tous les concurrents proposent désormais au moins cinq rapports. La boîte présente un mode manuel des moins intéressants en conduite normale, mais qui se révèle assurément très utile lorsqu'une remorque est attachée à l'arrière.

PAS UN VUS URBAIN

Le modèle SE de base se contente de la traction (roues avant motrices) tandis que les SE AWD et Limited AWD, comme leur nom l'indique, ont droit à l'intégrale. Ici, l'expérience de Mitsubishi dans différents rallyes de haut niveau est tangible. Sa garde au sol élevée (211 mm) et son couple généreux disponible à bas régime n'en font pas nécessairement un Hummer, mais lui permettent de se tirer d'embarras mieux que beaucoup de ses concurrents. Si votre chalet est situé au bout du dernier rang de St-Amédée-les-Pompons et que votre chaloupe et sa remorque ne pèsent pas plus de 1 588 kg (3 500 lb), l'Endeavor AWD pourrait bien être fait pour vous !

La conduite d'un Endeavor, sans être une expérience inoubliable, n'en demeure pas moins fort agréable. La direction est certes un peu déconnectée de la réalité, mais la tenue de cap n'en souffre pas, même à des vitesses légalement exagérées. Les suspensions, indépendantes aux quatre roues, ne s'offusquent pas des mauvaises routes bien que, à l'occasion, elles sont un peu dures.

Mitsubishi a doté tous ses Endeavor de six coussins gonflables (frontaux, latéraux et rideaux), de freins ABS et d'un système de contrôle de la traction et de la stabilité latérale. À n'en pas douter, c'est un véhicule bien meilleur que ce que l'on serait porté à croire. Ses qualités dynamiques et esthétiques et la garantie de base qui l'accompagne devraient suffire à lui assurer une meilleure diffusion. Malheureusement, la perception du public envers Mitsubishi entraîne une valeur de revente très faible.

Alain Morin

Photos : Mitsubishi

VÉHICULE D'ESSAI

Version :	Mitsubishi Endeavor LTD AWD
Moteur :	V6 de 3,8 litres 24s atmosphérique
Puissance :	225 ch (168 kW) à 5 000 tr/min
Couple :	255 lb-pi (346 Nm) à 3 750 tr/min
Rapport poids/puissance :	8,4, kg/ch (11,25 kg/kW)
Transmission :	automatique, 4 rapports
Rouage :	intégral
0-100 km/h · 80-120 km/h :	8,8 s · 7,9 s
Freinage 100-0 km/h :	43,0 m
Vitesse maximale :	195 km/h
Consommation (100 km) :	super, 14,2 litres
Autonomie approximative :	570 km
Émissions de CO2 :	5 952 kg/an
Emp/Lon/Lar/Haut (mm) :	2 750 / 4 830 / 1 870 / 1 784
Coffre/Réservoir :	1 153 à 2 163 / 81 litres
Nombre de coussins de sécurité :	6
Suspension avant :	indépendante, jambes de force
Suspension arrière :	indépendante, multibras
Freins av./arr. :	disque (ABS)
Antipatinage/Contrôle de stabilité :	oui/oui
Direction :	à crémaillère, assistée
Diamètre de braquage :	11,7 m
Pneus av./arr. :	P235/65R17
Poids :	1 890 kg
Capacité de remorquage :	1 587 kg

AUTRE(S) COMPOSANTE(S) MÉCANIQUE(S)

Système hybride :	aucun
Moteur diesel :	aucun
Taxe énergivore :	aucune
Autre(s) moteur(s) :	aucun
Autre(s) rouage(s) :	traction
Autre(s) transmission(s) :	aucune

EN BREF

Échelle de prix :	35 998 $ à 43 298 $ (2008)
Catégorie :	VUS intermédiaire
Garanties :	5 ans/100 000 km, 10 ans/160 000 km
Assemblage :	Normal, Illinois, É-U
Cote d'assurance :	n.d.

DANS LA MÊME CATÉGORIE

GMC Acadia, Honda Pilot, Hyundai Veracruz, Jeep Grand Cherokee, Kia Sorento, Mazda CX-7, Nissan Pathfinder, Saturn Outlook, Subaru Tribeca, Toyota Highlander

NOS IMPRESSIONS

Agrément de conduite :	★★★½
Fiabilité :	★★★★
Sécurité :	★★★★
Qualités hivernales :	★★★★
Espace intérieur :	★★★★
Confort :	★★★★

DU NOUVEAU EN 2009

Plusieurs changements à venir, pas encore dévoilés au moment de la parution

RAMASSE-POUSSIÈRE !

Cinq cent cinquante-trois (553), c'est le nombre de Galant qui ont trouvé preneur dans la dernière année au Canada, et ce, incluant les compagnies de location à court terme comme Enterprise. Pour vous donner une idée, Toyota a vendu en 2007 un peu plus de 28 000 unités de sa Camry, une voiture en concurrence directe avec la Galant. Même Porsche a réussi à écouler plus de 911, pourtant exclusive, que Mitsubishi, avec sa berline intermédiaire. C'est dire à quel point les Galant constituent des ramasse-poussières pour les concessionnaires qui doivent les supporter en stock...

Pourtant, la Galant est loin d'être une mauvaise voiture. Bon, il est vrai qu'elle fait un peu figure de parent pauvre à côté des Accord, Camry, Malibu, Mazda6 et Sonata, mais elle ne mérite certainement pas le sort qui lui est actuellement réservé. La question qu'il faut se poser est donc : pourquoi ? Pourquoi une voiture aussi honnête n'est-elle même pas en mesure de se faire connaître du grand public ? La réponse, c'est la concurrence. Arrivée sur le tard dans un marché surpeuplé de berlines de grande qualité, cette voiture n'a tout simplement pas réussi à trouver sa place. Qui plus est, le fait qu'elle soit distribuée par une marque également nouvelle dans le marché canadien explique aussi cette situation. Mais surtout, c'est que la Galant n'a rien de mieux à offrir que ses rivales. Et pour attirer une clientèle qui oserait aller voir ailleurs, il faut attiser le feu. Hélas, la Galant ne fait rien en ce sens.

FAUT-IL VRAIMENT L'IGNORER ?

Honnêtement, si votre budget vous permet l'acquisition d'une Accord ou d'un autre modèle de renom, mieux vaut se tourner vers une valeur sûre, ne serait-ce que pour la valeur de revente. Toutefois, vous pourriez être attiré par la Galant parce que votre voisin travaille dans un concessionnaire Mitsubishi, ou pour toute autre raison. Dans ce cas, négociez au maximum et soyez exigeant. Croyez-moi, le concessionnaire sera plus qu'heureux de vous offrir un rabais. Car souvenez-vous d'une chose, durant une année les acheteurs qui se présentent chez un concessionnaire parce qu'ils sont intéressés par la Galant se comptent presque sur les doigts d'une main. Alors, lorsqu'on a la chance d'en vendre une, on fait tout ce qui est humainement possible pour que la transaction se fasse. Sachez cependant que la Galant n'est carrément pas concurrentielle en ce qui a trait à la location, la valeur résiduelle (de rachat) étant trop basse. La seule option valable demeure donc l'achat.

Pour 2009, on a choisi chez Mitsubishi de réduire la gamme à trois modèles. On vous donne le choix entre les versions ES à moteur quatre cylindres, GT à moteur V6 et Ralliart, à saveur plus sportive. La Galant subit également un certain nombre de modifications esthétiques qui tentent de lui conférer un style plus actuel. L'œil averti remarquera donc cette nouvelle grille de calandre sans grand attrait, de nouvelles jantes en alliage ainsi qu'un traitement différent de la partie arrière.

L'habitacle de la Galant est confortable et bien aménagé. Le système de navigation offert de série sur la Ralliart est peu convivial, mais hormis cet élément, on apprécie le style et la disposition des divers éléments de

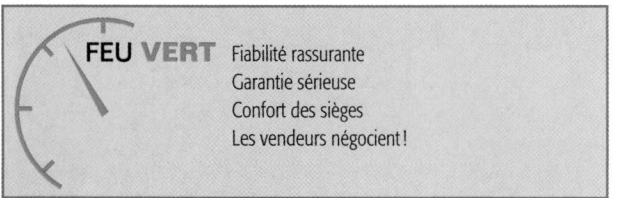

FEU VERT
- Fiabilité rassurante
- Garantie sérieuse
- Confort des sièges
- Les vendeurs négocient !

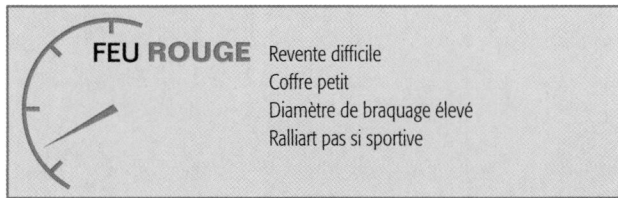

FEU ROUGE
- Revente difficile
- Coffre petit
- Diamètre de braquage élevé
- Ralliart pas si sportive

l'habitacle. Le conducteur s'installe sur un siège étonnamment confortable, auquel il ne manque qu'un peu de support latéral. Il fait face à une instrumentation claire et bien présentée, ainsi qu'à un volant offrant une bonne prise en main. Ce dernier n'est malheureusement pas télescopique, mais la position de conduite demeure agréable. Côté espace, la principale lacune de la Galant demeure son coffre, dont l'ouverture et le volume ne permettent pas une aussi bonne capacité de chargement que la concurrence. Qui plus est, il n'est pas transformable. On pourrait également se plaindre de l'absence de certaines caractéristiques comme l'ordinateur multifonction, qui se retrouvent pourtant sur les modèles Lancer et Outlander.

CLIENTÈLE SATISFAITE

Mécaniquement, le quatre cylindres fait un boulot correct. Il offre des performances honnêtes, consomme raisonnablement (environ 10 litres aux 100 km) et se jumelle à une boîte automatique au rendement irréprochable. La version GT à moteur V6 se révèle cependant plus intéressante pour sa souplesse et sa douceur de roulement. Silencieux, ce dernier s'accompagne d'une boîte automatique à cinq rapports très efficace, qui s'adapte facilement à tout type de conduite. Du côté du modèle Ralliart, ce même V6 propose 28 chevaux supplémentaires, ce qui permet des accélérations encore plus musclées. La suspension plus ferme et ce surplus de puissance résument donc les modifications mécaniques apportées à ce modèle qui, franchement, ne mérite pas de porter le logo Ralliart.

Sur route, la Galant est une voiture stable et confortable, plus qu'adéquate pour de longs trajets. L'insonorisation est cependant supérieure à l'avant qu'à l'arrière, où les bruits de route se font entendre davantage. Les deux points à améliorer sur cette voiture, en matière de conduite, sont le diamètre de braquage, résolument trop grand, ainsi que le contrôle de stabilité électronique, qui brille toujours par son absence.

Sachez en terminant que la Galant est une voiture très fiable qui connaît aux États-Unis un taux de satisfaction de la clientèle très élevé. De plus, sa garantie demeure encore aujourd'hui la meilleure de toute l'industrie, quoi qu'en disent les gens de GM. Voilà donc deux éléments qui vous convaincront peut-être si votre intention est de conserver votre voiture longtemps. De toute façon, étant donné l'importance de la dépréciation de cette voiture, c'est sans doute ce qu'il y a de mieux à faire...

Antoine Joubert

Photos : Mitsubishi

VÉHICULE D'ESSAI

Version :	Mitsubishi Galant Ralliart
Moteur :	V6 de 3,8 litres 24s atmosphérique
Puissance :	258 ch (192 kW) à 5 750 tr/min
Couple :	258 lb-pi (350 Nm) à 4 500 tr/min
Rapport poids/puissance :	6,58 kg/ch (8,85 kg/kW)
Transmission :	automatique, 5 rapports
Rouage :	traction
0-100 km/h · 80-120 km/h :	7,7 s · 5,5 s
Freinage 100-0 km/h :	42,0 m
Vitesse maximale :	185 km/h
Consommation (100 km) :	super, 12,8 litres
Autonomie approximative :	523 km
Émissions de CO2 :	5 088 kg/an
Emp/Lon/Lar/Haut (mm) :	2 750 / 4 850 / 1 840 / 1 477
Coffre/Réservoir :	377 / 67 litres
Nombre de coussins de sécurité :	6
Suspension avant :	indépendante, jambes de force
Suspension arrière :	indépendante, multibras
Freins av./arr. :	disque (ABS)
Antipatinage/Contrôle de stabilité :	oui/non
Direction :	à crémaillère, assistée
Diamètre de braquage :	12,4 m
Pneus av./arr. :	P235/45R18
Poids :	1 700 kg
Capacité de remorquage :	454 kg

AUTRE(S) COMPOSANTE(S) MÉCANIQUE(S)

Système hybride :	aucun
Moteur diesel :	aucun
Taxe énergivore :	aucune
Autre(s) moteur(s) :	V6 de 3,8 litres 230 ch/250 lb-pi (12,6 l/100 super) (GT)
4L de 2,4 litres 160 ch/157 lb-pi (10,4 l/100 ordinaire) (ES)	
Autre(s) rouage(s) :	aucun
Autre(s) transmission(s) :	(Ralliart) automatique, 4 rapports (ES)

EN BREF

Échelle de prix :	23 998 $ à 32 998 $
Catégorie :	berline intermédiaire
Garanties :	5 ans/100 000 km, 10 ans/160 000 km
Assemblage :	Normal, Illinois, É-U
Cote d'assurance :	passable

DANS LA MÊME CATÉGORIE

Chevrolet Malibu, Chrysler Sebring, Dodge Avenger, Ford Fusion, Honda Accord, Hyundai Sonata, Kia Magentis, Nissan Altima, Pontiac G6, Subaru Legacy

NOS IMPRESSIONS

Agrément de conduite :	
Fiabilité :	
Sécurité :	½
Qualités hivernales :	
Espace intérieur :	½
Confort :	½

DU NOUVEAU EN 2009

Aucun changement majeur

C'EST DU SÉRIEUX

Le moins que l'on puisse dire c'est que les débuts de la marque Mitsubishi au Canada en 2003 ont été plutôt difficiles. La compagnie connaissait alors de sérieux problèmes financiers, le recrutement des concessionnaires s'était fait à la hâte et plusieurs modèles de la marque n'étaient pas à la hauteur de ceux proposés par la concurrence. C'est encore le cas pour la plupart d'entre eux, sauf pour ce qui est de l'utilitaire sport de taille compacte Outlander et de la Lancer qui a été entièrement renouvelée l'an dernier.

Si la Lancer mérite une sérieuse considération aujourd'hui, c'est en raison de son châssis très rigide qui lui permet d'offrir un très bon comportement routier, l'agrément de conduite étant maintenant au rendez-vous. Cette rigidité du châssis s'explique par le fait que la Lancer a été élaborée à partir de la plate-forme qui sert également de base à l'Outlander de même qu'à la Dodge Caliber, deux véhicules de plus grande taille. Le châssis est donc de conception moderne, les suspensions sont bien calibrées, et la direction est précise. Pour ce qui est du comportement routier, la Lancer est une belle surprise avec sa tenue de route sportive et sa très belle maniabilité.

UNE MOTORISATION PLUS ÉVOLUÉE

Sous le capot, la Lancer fait appel à un moteur 4 cylindres de 2,0 litres développé conjointement par Chrysler, Hyundai et Mitsubishi, dont les différentes versions animent d'autres véhicules de ces marques. Pour la Lancer, Mitsubishi n'a conservé que le bloc-moteur en prenant soin de modifier la culasse ainsi que plusieurs autres composantes du moteur afin d'en rehausser légèrement le couple maximal. Le résultat, c'est que les performances sont tout à fait convenables avec 152 chevaux et surtout 146 livres-pied de couple au programme, et que même la consommation est raisonnable avec une moyenne enregistrée de 8,6 litres aux 100 kilomètres.

Deux boîtes sont au programme, soit une manuelle à cinq vitesses ou une transmission à variation continue, qui à été calibrée de façon à émuler une boîte automatique à six rapports, et qui peut être contrôlée au moyen de paliers de changement de vitesse localisés derrière le volant. Cette boîte s'est avérée plus que satisfaisante puisqu'elle crée l'impression que l'on se retrouve aux commandes d'une berline sport à boîte séquentielle, accroissant encore l'agrément de conduite.

L'insonorisation de l'habitacle est supérieure à la moyenne des véhicules de la catégorie ce qui ajoute au confort et, comme les sièges sont bien moulés, il est facile d'enfiler les kilomètres sur autoroute. Même les places arrière sont confortables et offrent un bon dégagement pour la tête et les jambes, ce qui n'est pas toujours le cas dans cette catégorie de voitures.

Le coffre propose un volume de chargement de 328 litres ce qui est plus que convenable, le seul problème ici étant un accès légèrement compromis par son ouverture un peu trop étroite. Avec sa gueule aussi

FEU VERT
- Belle gueule
- Excellente garantie
- Fiabilité garantie
- Comportement routier sain
- Sièges confortables

FEU ROUGE
- Modèles de base dénudés
- Réputation de la marque à refaire
- Valeur de revente toujours faible
- Petite ouverture du coffre

originale qu'agressive, la Lancer réussit à se démarquer du lot dans la catégorie des compactes et son style est annonciateur de son comportement routier qui est à la hauteur des attentes.

FIABILITÉ EN PROGRÈS

Vous pouvez ajouter une garantie avantageuse dans la colonne des points forts, mais dans celle des points faibles, on doit relever que le modèle de base est plutôt dépouillé d'équipements par rapport à la concurrence directe, et que la dépréciation des véhicules Mitsubishi est toujours plus rapide que celle de certaines autres marques japonaises qui sont déjà bien établies sur le marché nord-américain. Par contre, le bilan de fiabilité à long terme des véhicules Mitsubishi est plutôt bon, si on en juge d'après le rapport 2008 de J.D. Power mesurant la fiabilité après trois années d'usage aux États-Unis. En effet, Mitsubishi n'obtient pas un aussi bon score que les marques Toyota et Honda, mais se pointe devant Nissan, Mazda et Subaru ce qui devrait éventuellement avoir une incidence positive sur la valeur de revente des véhicules de la marque.

2009 marquera également le retour du modèle Sportback cinq portes sur le marché canadien. Affichant une ligne plus dynamique que celle du modèle précédent, la Sportback conserve les principales caractéristiques des versions berlines de la Lancer tout en ajoutant une polyvalence accrue ainsi qu'un volume de chargement supérieur en raison de sa configuration à cinq portes. Après des débuts difficiles sur le marché nord-américain, Mitsubishi connaît actuellement une belle relance qui est assurée par le succès obtenu par seulement deux de ses modèles, soit le VUS de taille compacte Outlander et la Lancer qui mérite maintenant de figurer sur la même liste que les championnes de la catégorie que sont les Mazda 3 et Honda Civic.

Gabriel Gélinas

Mitsubishi Lancer Sportback

Photos : Mitsubishi

VÉHICULE D'ESSAI

Version :	Mitsubishi Lancer GTS
Moteur :	4L de 2,0 litres 16s atmosphérique
Puissance :	168 ch (125 kW) à 6 000 tr/min
Couple :	167 lb-pi (226 Nm) à 4 100 tr/min
Rapport poids/puissance :	11,01 kg/ch (14,8, kg/kW)
Transmission :	manuelle, 5 rapports
Rouage :	traction
0-100 km/h · 80-120 km/h :	8,9 s · 6,8 s
Freinage 100-0 km/h :	41,5 m
Vitesse maximale :	n.d.
Consommation (100 km) :	ordinaire, 10,1 litres
Autonomie approximative :	544 km
Émissions de CO2 :	4 176 kg/an
Emp/Lon/Lar/Haut (mm) :	2 635 / 4 570 / 1 760 / 1 490
Coffre/Réservoir :	334 / 55 litres
Nombre de coussins de sécurité :	6
Suspension avant :	indépendante, jambes de force
Suspension arrière :	indépendante, multibras
Freins av./arr. :	disque (ABS)
Antipatinage/Contrôle de stabilité :	non/non
Direction :	à crémaillère, assistée
Diamètre de braquage :	10,0 m
Pneus av./arr. :	P215/45R18
Poids :	1 850 kg
Capacité de remorquage :	454 kg

AUTRE(S) COMPOSANTE(S) MÉCANIQUE(S)

Système hybride :	aucun
Moteur diesel :	aucun
Taxe énergivore :	aucune
Autre(s) moteur(s) :	4L de 2,0 litres 152 ch/146 lb-pi (9,7 l/100 ordinaire)
	4L de 2,0 litres 237 ch/253 lb-pi (Ralliart)
Autre(s) rouage(s) :	intégral (Ralliart)
Autre(s) transmission(s) :	CVT (GTS) séquentielle (Ralliart) automatique, 6 rapports

EN BREF

Échelle de prix :	15 598 $ à 22 998 $
Catégorie :	berline compacte
Garanties :	5 ans/100 000 km, 10 ans/160 000 km
Assemblage :	Mizushima, Japon
Cote d'assurance :	pauvre

DANS LA MÊME CATÉGORIE

Acura CSX, Chevrolet Cobalt, Ford Focus, Honda Civic, Hyundai Elantra, Kia Spectra, Mazda3, Nissan Sentra, Saturn Astra, Subaru Impreza, Suzuki SX4, Toyota Corolla, Volkswagen Rabbit

NOS IMPRESSIONS

Agrément de conduite :	4
Fiabilité :	4
Sécurité :	3 ½
Qualités hivernales :	3 ½
Espace intérieur :	4
Confort :	3 ½

DU NOUVEAU EN 2009

Ajout du modèle Ralliart et de la familiale

DU JEU VIDÉO À LA ROUTE

La gamme des Lancer comprend maintenant plusieurs modèles, de la voiture de base qui a été complètement redessinée l'an dernier et qui est à présent une rivale sérieuse pour les Honda Civic et Mazda 3, jusqu'à une bombe de 291 chevaux à traction intégrale, avec l'arrivée du modèle Evolution. Cette voiture est dérivée d'un modèle de compétition en rallye et se pose en rivale directe de la Subaru STi, dont les origines sont semblables. Deux versions de la sportive Evolution existent, soit la GSR à boîte manuelle à cinq vitesses et la MR avec boîte à double embrayage comptant six vitesses.

Véritable star des rallyes et des jeux vidéo, l'Evolution a finalement fait son entrée au Canada en 2008 avec le modèle de dixième génération et, malgré le fait qu'elle partage sa plate-forme avec la Lancer de base, ces deux voitures sont à des années-lumière l'une de l'autre. Premier constat, la Lancer Evolution est très à l'aise sur le circuit et c'est une voiture qui est très facile à conduire à haute vitesse grâce à son rouage intégral performant et à l'ajout du système S-AWC (*Super All Wheel Control*) qui fait appel à plusieurs capteurs ainsi qu'à un différentiel central afin de répartir la puissance du moteur en vue d'offrir une motricité optimale. De plus, le différentiel arrière est à la fine pointe sur le plan technique, ce qui permet au système S-AWC de freiner l'une des roues arrière alors que l'autre est en pleine accélération lorsque l'on négocie un virage très serré.

SUR LE CIRCUIT

Ce système avancé s'est montré d'une redoutable efficacité sur circuit où la Lancer Evolution met son conducteur en confiance. La direction est très rapide et la voiture se pointe efficacement en virage sans effort. De plus, le châssis de la Lancer Evolution est particulièrement rigide ce qui aide grandement pour la conduite sur circuit, et les sièges Recaro procurent un excellent soutien latéral en virage. La seule ombre au tableau pour la conduite sur circuit est que les freins du modèle GSR manquent d'endurance, puisque leurs disques sont réalisés en une seule pièce alors que les disques de freins des modèles MR sont en deux pièces ce qui permet une meilleure dissipation de la chaleur. Aussi, le volant est réglable en hauteur, mais n'est pas télescopique ce qui serait pourtant souhaitable afin d'optimiser la position de conduite sur circuit ainsi que sur routes balisées.

QUELQUES CONSIDÉRATIONS PRATIQUES

Sur la route, le principal point faible du modèle GSR devient rapidement évident et c'est sa boîte manuelle qui ne compte que cinq vitesses dont les rapports de boîte sont plutôt serrés afin d'optimiser la performance dans le contexte particulier des compétitions de solo ou d'autocross. Cela signifie que le moteur tourne aux environs de 3 500 tours/minute en cinquième à 120 kilomètres/heure et à près de 4 000 tours/minute à 140 kilomètres/heure, ce qui le rend assez bruyant à haute vitesse. Ce problème disparaît au volant de la MR dont la boîte compte un rapport de plus et qui reçoit plus de matériau insonorisant.

Pour ce qui est des autres considérations, précisons que les ingénieurs ont décidé de localiser la batterie dans le coffre, plus précisément juste

FEU VERT
- Performances éclatantes
- Rouage intégral sophistiqué
- Boîte séquentielle sérieuse
- Direction vive et précise

FEU ROUGE
- Modèle GSR moins intéressant
- Finition intérieure à revoir
- Essayez de mettre du lave-glace !
- Coût de remplacement des pneus

derrière le dossier des sièges arrière, afin d'obtenir une meilleure répartition des masses entre les trains avant et arrière ce qui est une bonne chose, mais qu'ils ont également commis l'erreur de loger aussi le réservoir de lave-glace à cet endroit. Pour accéder à ce réservoir, il faut donc ouvrir le coffre, retirer un panneau de plastique dans le fond du coffre pour ensuite dévisser le bouchon du réservoir et placer un entonnoir à long bec verseur avant d'y déverser le liquide de lave-glace. Voilà qui est loin d'être pratique, imaginez la scène à moins vingt degrés en pleine tempête de neige, et vous conviendrez avec moi que c'est parfaitement ridicule dans une voiture de plus de 40000 dollars... Par ailleurs, l'acheteur devra tenir compte du prix de remplacement des pneus haute performance Yokohama Advan A13C de taille 245/40R 18 dont le prix de détail suggéré par le fabricant est de 680 dollars l'unité. Yokohama fabrique également un pneu d'hiver dont les dimensions sont exactement les mêmes que celles du pneu d'origine.

NOTRE CHOIX

Évidemment, l'Evolution est une rivale directe de la Subaru STi, mais Mitsubishi prétend qu'elle affronte aussi des voitures haut de gamme comme les BMW ou les Audi. Si on s'attarde à la qualité des plastiques utilisés pour réaliser la planche de bord et l'habitacle de l'Evolution, on réalise immédiatement que les designers allemands peuvent dormir tranquilles, la présentation intérieure de l'Evolution étant plus conforme aux standards de la catégorie des compactes que celles de berlines sport de luxe. À moins de vouloir participer régulièrement à des compétitions de solo, où la GSR obtient un certain avantage en raison de l'étagement très serré des rapports de sa boîte manuelle, il est nettement préférable de choisir le modèle MR pour la conduite de tous les jours.

Gabriel Gélinas

Photos : Sylvain Raymond

VÉHICULE D'ESSAI

Version :	Mitsubishi Evolution MR
Moteur :	4L de 2,0 litres 16s turbocompressé
Puissance :	291 ch (217 kW) à 6 500 tr/min
Couple :	300 lb-pi (407 Nm) à 4 000 tr/min
Rapport poids/puissance :	5,60 kg/ch (7,27 kg/kW)
Transmission :	séquentielle
Rouage :	intégral
0-100 km/h · 80-120 km/h :	5,8 s · 4,9 s
Freinage 100-0 km/h :	38,9 m
Vitesse maximale :	n.d.
Consommation (100 km) :	super, 12,2 litres (constructeur)
Autonomie approximative :	450 kg
Émissions de CO2 :	n.d.
Emp/Lon/Lar/Haut (mm) :	2 650 / 4 545 / 1 810 / 1 480
Coffre/Réservoir :	552 / 55 litres
Nombre de coussins de sécurité :	6
Suspension avant :	indépendante, jambes de force
Suspension arrière :	indépendante, multibras
Freins av./arr. :	disque (ABS)
Antipatinage/Contrôle de stabilité :	non/non
Direction :	à crémaillère, assistée
Diamètre de braquage :	11,8 m
Pneus av./arr. :	P245/40R18
Poids :	1 630 kg
Capacité de remorquage :	454 kg

AUTRE(S) COMPOSANTE(S) MÉCANIQUE(S)

Système hybride :	aucun
Moteur diesel :	aucun
Taxe énergivore :	n.d.
Autre(s) moteur(s) :	4L de 2,0 litres 291 ch/300 lb-pi (12,9 l/100 super) (GSR)
Autre(s) rouage(s) :	aucun
Autre(s) transmission(s) :	manuelle, 5 rapports (GSR)

EN BREF

Échelle de prix :	41 498 $ à 47 498 $
Catégorie :	berline sport
Garanties :	3 ans/60 000 km, 5 ans/100 000 km
Assemblage :	Mizushima, Japon
Cote d'assurance :	n.d.

DANS LA MÊME CATÉGORIE

Dodge Caliber SRT4, Mazdaspeed3, Nissan Sentra SE-R Spec V, Subaru Impreza WRX STI, Volkswagen GTi

NOS IMPRESSIONS

Agrément de conduite :	
Fiabilité :	nouveau modèle
Sécurité :	
Qualités hivernales :	
Espace intérieur :	
Confort :	½

DU NOUVEAU EN 2009

Nouveau modèle

AVANTAGE QUATRE CYLINDRES

Arrivé en 2003, l'Outlander était à ce moment pourvu d'un moteur quatre cylindres qui lui permettait de rivaliser avec les Honda CR-V, Subaru Forester et autres petits VUS du genre. Lors de son renouvellement en 2007, on a cependant délaissé cette mécanique pour la remplacer par un V6 plus puissant et bien sûr, plus gourmand. Mais il s'agissait d'une erreur, puisque les acheteurs jettent de moins en moins leur dévolu sur ce type de motorisation, préférant désormais économiser à la pompe. Par conséquent, Mitsubishi a répliqué un an plus tard en ramenant au menu un moteur quatre cylindres, mais cette fois sous le capot d'un Outlander immensément plus talentueux.

Ainsi, on peut aujourd'hui se vanter chez Mitsubishi d'offrir une gamme beaucoup plus complète, comprenant un choix de moteurs et de rouages d'entrainement. Il n'est donc pas surprenant de constater que les ventes de ce véhicule sont en hausse considérable pour 2008, alors que celles de plusieurs rivaux fléchissent. Évidemment, il n'y a pas que l'ajout de ce moteur qui a fait en sorte que l'Outlander se vend mieux. Il faut aussi dire que la refonte majeure du véhicule lui permet de se positionner différemment sur le marché, créant un meilleur achalandage chez les concessionnaires. Puis, les gens ont maintenant davantage confiance en la marque qui était inconnue du public il y a à peine cinq ans. Avec raison, la clientèle ne considère plus Mitsubishi comme une marque de second rang, mais bien comme un solide rival aux meneurs. Quelques acheteurs interrogés m'ont d'ailleurs tous confié avoir envisagé le Rav4 et le Santa Fe lors de leur magasinage.

SEPT PLACES ET... BEAUCOUP D'ESPACE

Plus généreuses, les dimensions du Outlander rejoignent maintenant celles des VUS compacts les plus imposants. On parvient ainsi à offrir aux acheteurs plus d'espace et de capacités qu'auparavant, allant même jusqu'à fournir sur certaines versions une troisième rangée de sièges. Fait inusité, alors que le petit Outlander propose dans certains cas de l'espace pour sept occupants, l'intermédiaire Endeavor ne se contente que de cinq places!

À bord, l'espace est donc spacieux pour les deux premières rangées. Le conducteur bénéficie d'un poste de conduite vaste et bien aménagé, alors que les passagers arrière se réjouissent de l'espace et du confort qui leur est accordé. Personnellement, j'hésiterais presque à installer mon chien sur la troisième banquette, tant cette dernière est «chambranlante» et bon marché... À ce niveau, avouons que le Santa Fe de Hyundai fait mieux. En revanche, ladite banquette se rabat à plat à un niveau très bas, ce qui permet d'obtenir un seuil de charge peu élevé. Le hayon rabattable en deux sections prouve que Mitsubishi a tout mis en œuvre pour optimiser l'espace de chargement. Quant aux sièges de la rangée médiane, ils se rabattent et se replient sur eux-mêmes.

De la version ES de base jusqu'au modèle XLS, on retrouve à bord une présentation moderne et très agréable. Les lignes sobres du tableau de bord, l'éclairage rouge de l'instrumentation et le dessin des sièges prouvent que les stylistes y sont allés avec beaucoup de minutie. Malheureusement, il semble que de petites compressions budgétaires

FEU VERT

- Bon choix de modèles
- Moteur quatre cylindres nouvellement arrivé
- Comportement routier dynamique
- Habitacle spacieux et bien aménagé
- Garantie rassurante

FEU ROUGE

- Troisième banquette symbolique
- Qualité de finition décevante
- Moteur V6 grognon et gourmand
- Une seule version à moteur 4 cylindres

ont eu d'importantes répercussions sur le résultat final, puisque la qualité des matériaux ne rend pas justice à la beauté et à l'efficacité de cet habitacle. Dommage…

AVANTAGE QUATRE CYLINDRES

Côté motorisation, le quatre cylindres s'avère à mon sens le choix le plus intéressant. Non pas parce que le V6 ne fait que consommer davantage, mais bien parce que le rendement du quatre cylindres est plus impressionnant par rapport à la concurrence que celui du V6. En fait, le quatre cylindres jumelé à une boîte automatique à variation continue permet d'obtenir des performances honnêtes et un rendement honorable, pour une consommation se situant autour de 10 litres aux 100 kilomètres. En optant pour le V6 de 3,0 litres, vous composerez avec une motorisation un brin rugueuse et plutôt gourmande (environ 13 litres aux 100 km), qui se compare difficilement aux V6 de 3,3 et 3,5 litres offerts chez Hyundai et Toyota. Naturellement, la capacité de remorquage et les performances sont plus intéressantes qu'avec le quatre cylindres, mais là s'arrête la liste des avantages. Il est dommage que le petit moteur ne vous permet pas de bénéficier de la sellerie en cuir, du système de navigation ou de la troisième rangée de sièges.

Heureusement, toutes les versions se comportent avec brio sur la route, permettant même à ce petit VUS de se positionner avantageusement à ce niveau face aux rivaux précités. Conçu à partir des bases de la Lancer, l'Outlander reçoit une plate-forme très rigide, une direction rapide et précise et des éléments de suspension très bien calibrés qui lui permettent de briller au chapitre du comportement. Il faut également mentionner qu'il est doté d'un système de rouage intégral sur demande, ce qui signifie que l'on peut choisir le mode deux roues motrices, le mode automatique et le mode quatre roues motrices permanent. Seul élément décevant sur la route, la piètre insonorisation du véhicule, surtout au niveau des places arrière.

Alors, il vous inspire ? Eh bien, sachez en terminant qu'il a démontré jusqu'ici une excellente fiabilité et que sa garantie est de loin la meilleure de toute l'industrie quoi qu'en dise GM. Et comme les incitatifs financiers sont généralement plutôt avantageux du côté de chez Mitsubishi, tout est indiqué pour que vous vous rendiez chez le concessionnaire.

Antoine Joubert

Photos : Mitsubishi

VÉHICULE D'ESSAI

SIRIUS RADIO SATELLITE

Version :	Mitsubishi Outlander ES (4RM)
Moteur :	4L de 2,4 litres 16s atmosphérique
Puissance :	168 ch (125 kW) à 6 000 tr/min
Couple :	167 lb-pi (226 Nm) à 4 100 tr/min
Rapport poids/puissance :	9,55 kg/ch (12,84 kg/kW)
Transmission :	CVT
Rouage :	intégral
0-100 km/h · 80-120 km/h :	12,1 s · 10,4 s
Freinage 100-0 km/h :	43,0 m
Vitesse maximale :	185 km/h
Consommation (100 km) :	ordinaire, 10,4 litres
Autonomie approximative :	576 km
Émissions de CO2 :	4 464 kg/an
Emp/Lon/Lar/Haut (mm) :	2 670 / 4 640 / 1 800 / 1 720
Coffre/Réservoir :	422 à 2 056 / 60 litres
Nombre de coussins de sécurité :	6
Suspension avant :	indépendante, jambes de force
Suspension arrière :	indépendante, multibras
Freins av./arr. :	disque (ABS)
Antipatinage/Contrôle de stabilité :	oui/oui
Direction :	à crémaillère, assistée
Diamètre de braquage :	10,6 m
Pneus av./arr. :	P225/55R18
Poids :	1 605 kg
Capacité de remorquage :	1 587

AUTRE(S) COMPOSANTE(S) MÉCANIQUE(S)

Système hybride :	aucun
Moteur diesel :	aucun
Taxe énergivore :	aucune
Autre(s) moteur(s) :	V6 de 3,0 litres 220 ch/204 lb-pi (12,2 l/100 ordinaire)
Autre(s) rouage(s) :	traction
Autre(s) transmission(s) :	automatique, 6 rapports

EN BREF

Échelle de prix :	24 998 $ à 33 698 $
Catégorie :	VUS compact
Garanties :	5 ans/100 000 km, 10 ans/160 000 km
Assemblage :	Mizushima, Japon
Cote d'assurance :	moyenne

DANS LA MÊME CATÉGORIE

Ford Escape, Honda CR-V, Hyundai Tucson, Hyundai Santa Fe, Kia Sportage, Nissan Rogue, Subaru Forester, Suzuki Grand Vitara, Toyota RAV4

NOS IMPRESSIONS

Agrément de conduite :	4/5
Fiabilité :	4/5
Sécurité :	4/5
Qualités hivernales :	4½/5
Espace intérieur :	4/5
Confort :	4/5

DU NOUVEAU EN 2009

Ajout d'un moteur quatre clindres

NISSAN 350Z

DE L'OMBRE À LA LUMIÈRE

Le retour de la Z, emblème des premiers succès nord-américains de Nissan, a marqué le redressement spectaculaire et quasi miraculeux de ce constructeur, orchestré par le désormais légendaire Carlos Ghosn, il y a déjà sept ans. Avec la venue longuement annoncée et l'apparition de la nouvelle GT-R, la 350Z doit se contenter pour l'instant de jouer les seconds rôles, à l'ombre de celle qu'on surnomme déjà Godzilla, mais le lancement prochain d'une version redessinée et renouvelée du coupé Z devrait lui permettre de ressortir de l'ombre.

Nissan attend l'automne pour dévoiler une nouvelle édition du coupé de série Z. Selon toute vraisemblance, ce coupé se nommera 370Z pour refléter la cylindrée d'un nouveau V6 de 3,7 litres apparenté au groupe VQ37VHR de 330 chevaux qui équipe déjà le coupé Infiniti G37. On peut s'attendre également à une interprétation rafraîchie de la même silhouette et à un habitacle plus raffiné. Entre-temps, Nissan offre toujours la version décapotable de la 350Z, sans presque de changement.

VOIR ET SE FAIRE VOIR

Cette 350Z Roadster a encore beaucoup de gueule, même si sa capote plutôt trapue lui fait toujours un drôle de profil. La bonne nouvelle, c'est qu'elle s'escamote facilement, en une quinzaine de secondes. Suffit de déverrouiller au sommet du pare-brise en faisant pivoter une poignée et d'appuyer sur un bouton. Il y a peu de remous et de turbulence lorsqu'on roule à 110 ou 120 km/h. Vous serez également heureux d'apprendre que la capote est parfaitement étanche dans un lave-auto. La visibilité arrière est par contre carrément mauvaise, surtout si la capote est en place. Avec une ceinture de caisse haute, une lunette arrière de petite taille et des rétroviseurs qui ne sont vraiment pas grands non plus, les manœuvres en marche arrière n'ont rien d'évident, même lorsque la capote est abaissée.

Les sièges sont bien sculptés et on trouve facilement une bonne position de conduite, bien que les réglages du siège soient plutôt difficiles d'accès. L'essentiel repose-pied est là, mais sa hauteur est limitée et les grandes pointures s'y sentiront sans doute à l'étroit. Au tableau de bord, on fait face à un jeu de beaux cadrans avec des inscriptions ambrées dans une nacelle qui se déplace sur la hauteur avec un volant sport également doté d'un réglage télescopique. Les commandes et contrôles sont très bien taillés en général et la qualité des plastiques s'est améliorée depuis le lancement de la plus récente Z en 2003.

Les rangements sont assez rares dans l'habitacle. Il n'y a pas de coffre à gants et les vide-poches sur les portières sont microscopiques, et triangulaires... Il y a un fourre-tout sur la console centrale mais on ne réussit même pas à y poser un petit téléphone. On doit se contenter d'un coffret coiffé d'un couvercle au tableau de bord, mais seulement si on a résisté à la tentation du système de navigation optionnel. Le volume du coffre est également limité, ce qui n'a rien de très étonnant avec un roadster. On y verra cependant des instructions imagées sur la

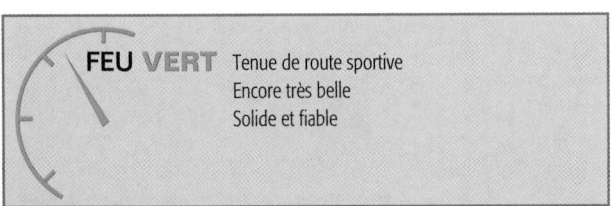

FEU VERT
Tenue de route sportive
Encore très belle
Solide et fiable

FEU ROUGE
Piètre visibilité vers l'arrière
Roadster en sursis
Suspension ferme

manière de ranger un sac de golf. Les gicleurs des essuie-glace sont intégrés aux balais, un détail qui vous épargnera une douche de liquide lave-glace sur cette décapotable. Dommage que le coupé en soit équipé lui aussi, puisque cette technique est moins souple et efficace que les gicleurs séparés.

PEUT-ÊTRE TROP MUSCLÉE

La solidité est impressionnante pour un roadster et le confort correct, malgré une suspension indéniablement ferme. Le silence de roulement est parfois étonnant pour une telle voiture sur l'autoroute, parfois moins. Les pneus sont par contre toujours bruyants en ville. La conduite est précise, marquée d'abord par une direction sans flou et sans jeu. Avec sa caisse ultrasolide et sa suspension qui ne trahit aucun excès de souplesse, la 350Z Roadster donne l'impression d'avoir fait trop de musculation. Elle attaque les virages avec netteté, sans presque de roulis et en s'accrochant fort, à la faveur d'une monte pneumatique généreuse. En poussant davantage en courbe, on est à l'occasion surpris par l'arrière qui décroche sec. C'est rattrapé aussitôt par l'antipatinage et un contrebraquage rapide, mais il faut certainement jouer de prudence sur une chaussée mouillée ou glissante. Également notés : les contrecoups secs dans le volant lorsqu'on est en appui sur virage bosselé.

La boîte manuelle à six rapports est solide et précise, comme si ses composantes avaient été sculptées dans un bloc de métal et assemblées par un horloger. Cela dit, la marche arrière est dure à enclencher. D'autre part, l'embrayage mord très sec et porte à caler facilement, sans doute à cause de la faible inertie du volant-moteur. Pas étonnant qu'il réponde aussi vivement à l'accélérateur. Il faut y mettre l'attention pour conduire la 350Z en douceur. Le moteur lui-même est très souple et assez musclé à bas régime pour repartir d'un arrêt presque complet en 3e sans rechigner. En revanche, les montées en régime sont accompagnées d'un hurlement rauque et rugueux en pleine accélération. La 350Z fait le spectacle, certes, mais apparaît vite plutôt bruyante et rude, des impressions renforcées par la fermeté de la suspension. Espérons que le nouveau coupé gagnera non seulement en finesse et en agilité mais aussi en puissance, et qu'un éventuel nouveau 370Z Roadster en fera autant.

Marc Lachapelle

Photos : Nissan

VÉHICULE D'ESSAI

Version :	Nissan 350Z Roadster
Moteur :	V6 de 3,5 litres 24s atmosphérique
Puissance :	306 ch (228 kW) à 6 800 tr/min
Couple :	268 lb-pi (363 Nm) à 4 800 tr/min
Rapport poids/puissance :	5,04 kg/ch (6,77 kg/kW)
Transmission :	manuelle, 6 rapports
Rouage :	propulsion
0-100 km/h · 80-120 km/h :	5,9 s · 6,0 s
Freinage 100-0 km/h :	34,0 m
Vitesse maximale :	250 km/h
Consommation (100 km) :	super, 12,0 litres
Autonomie approximative :	633 km
Émissions de CO2 :	4 944 kg/an
Emp/Lon/Lar/Haut (mm) :	2 649/ 4 314 / 1 815 / 1 323
Coffre/Réservoir :	193 / 76 litres
Nombre de coussins de sécurité :	6
Suspension avant :	indépendante, bras inégaux
Suspension arrière :	indépendante, multibras
Freins av./arr. :	disque (ABS)
Antipatinage/Contrôle de stabilité :	oui/oui
Direction :	à crémaillère, assistance variable
Diamètre de braquage :	10,8 m
Pneus av./arr. :	P245/45R18 / P265/35R19
Poids :	1 544 kg
Capacité de remorquage :	non recommandé

AUTRE(S) COMPOSANTE(S) MÉCANIQUE(S)

Système hybride :	aucun
Moteur diesel :	aucun
Taxe énergivore :	aucune
Autre(s) moteur(s) :	aucun
Autre(s) rouage(s) :	aucun
Autre(s) transmission(s) :	automatique, 5 rapports

EN BREF

Échelle de prix :	49 948 $ à 56 498 $
Catégorie :	coupé, roasdster
Garanties :	3 ans/60 000 km, 5 ans/100 000 km
Assemblage :	Tichigi, Japon
Cote d'assurance :	passable

DANS LA MÊME CATÉGORIE

Audi TT, BMW Z4, Honda S2000, Infiniti G37, Lotus Elise/Exige, Mazda RX-8, Mercedes-Benz SLK, Porsche Boxster/Cayman

NOS IMPRESSIONS

Agrément de conduite :	
Fiabilité :	
Sécurité :	
Qualités hivernales :	½
Espace intérieur :	
Confort :	

DU NOUVEAU EN 2009

Changements majeurs seront apportés en cours d'année

QUELLE SAVEUR ?

Si vous flânez autour d'une Altima dans une salle de démonstration, un représentant vous demandera certainement ce que vous recherchez dans une voiture comme l'Altima. Faites attention à votre réponse car vous pourriez très bien ne plus être capable de vous débarrasser du vendeur ! C'est que la voiture est offerte en versions berline et coupé, mais il est également possible de choisir entre le quatre et le six cylindres et entre la transmission manuelle ou la CVT. On peut même opter pour la version hybride si l'environnement nous tient à cœur. Alors, votre préférence ?

Bref, impossible de ne pas trouver chaussure à son pied, sauf évidemment si vous recherchiez une décapotable. Tiens, pourquoi pas une Altima décapotable ? Avouez qu'elle aurait un style d'enfer !

THE BIG STAR!

Depuis son lancement l'an dernier, la communauté journalistique ne cesse d'encenser la version coupé de l'Altima. Et pour cause. Les concepteurs n'ont pas seulement enlevé deux portes à la berline, ils ont complètement repensé le véhicule afin d'offrir un produit ayant sa propre identité. Outre la partie avant et la calandre qui proviennent de la berline, le coupé ne partage presque rien de sa carrosserie avec la version quatre portes. Du moins, quelques retouches esthétiques mineures apportées ici et là pour bien le différencier, et le coupé Altima aurait très bien pu porter un autre nom que personne n'en aurait tenu rigueur. Les lignes fluides inspirent puissance et sportivité qui ne sont pas nécessairement des caractéristiques criées par la berline. Il faut par contre savoir que le châssis du coupé est plus court que celui de la berline allégeant ainsi la voiture de quelques kilogrammes. Il n'en faut pas plus pour améliorer significativement le comportement routier et procurer des performances plus relevées. L'habitacle présente un intérieur similaire à la berline à l'exception du cockpit qui s'avère plus enveloppant, la hauteur des portes ayant gagné quelques centimètres. L'espace disponible aux places arrière a été considérablement réduit et le dégagement à la tête est beaucoup moins généreux que sur la berline. L'accès y est donc ardu et il n'est manifestement pas recommandé de passer plusieurs heures assis à cet endroit, sauf si vous n'avez pas le choix. Heureusement, l'espace de chargement n'a pas trop souffert et propose une contenance similaire à celle de la berline, d'autant plus que les sièges arrière se rabattent.

MÉCANIQUES IRRÉPROCHABLES

Que ce soit en version berline ou coupé, l'Altima propose deux choix de moteur ayant chacun leurs avantages et leurs inconvénients. Le V6 mise sur une puissance plus que suffisante et propulse l'Altima aisément avec beaucoup de souplesse et une sonorité très appréciée. Bien qu'il soit possible de le jumeler à la transmission continuellement variable, il s'avère que la transmission manuelle à six rapports permet de mieux exploiter toute la puissance du six cylindres. La CVT a par contre cet avantage de rendre le moteur un peu plus économique en carburant car les révolutions du moteur dépassent rarement les 3 500 tours/minutes. Mais pour obtenir de meilleures cotes de consommation, il faut se

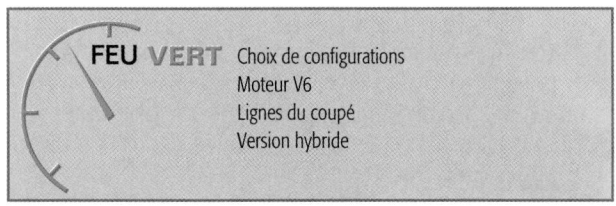

FEU VERT
- Choix de configurations
- Moteur V6
- Lignes du coupé
- Version hybride

FEU ROUGE
- Calandre anonyme
- Suspensions sèches
- Places arrière étroites (coupé)
- Tandem V6/CVT

tourner vers le quatre cylindres. Lorsque jumelé à la transmission manuelle, les temps d'accélération restent corrects mais on sent que le moteur donne tout ce qu'il a, ce qui le rend plus bruyant que le V6 et sa sonorité n'est pas aussi enivrante. Quant à la CVT, elle semble moins bien adaptée et produit de moins bons résultats que sur le V6.

ET L'AVENIR ?

En concurrence directe avec l'Accord de Honda, Nissan se devait de proposer une mécanique hybride. Toutefois, Honda ayant décidé de ne plus l'offrir, il sera intéressant de voir ce que Nissan fera de sa version écologique. « L'hybridation » étant actuellement réservée à des modèles plus compacts, Nissan choisira peut-être d'en doter plutôt la Sentra. Quoi qu'il en soit, la technologie du système hybride de l'Altima (seule la berline en hérite) provient de chez Toyota et s'avère fiable. Les départs s'effectuent en mode électrique seulement (à moins d'appuyer à fond sur l'accélérateur) et le moteur à essence n'intervient qu'à des vitesses supérieures à 30 kilomètres à l'heure, c'est du moins ce que nous avons observé. L'économie d'essence est réelle mais le prix d'achat de la voiture et le remplacement ultérieur des batteries viennent un peu compromettre ce gain. Pour l'instant, la location d'une version hybride est un bon choix.

Avec ses nombreuses configurations, vous comprendrez que le comportement routier et la tenue de route de l'Altima diffèrent largement d'un modèle à l'autre. Au volant de la berline, on constate que le véhicule est avant tout confortable, alors que sur le coupé, on mise plutôt sur une tenue de route sportive et, donc, une suspension plus rigide. Le V6 propose douceur et puissance pendant que le quatre cylindres ne vise pas les performances mais l'économie. La direction de tous les modèles est bien dosée et les pneumatiques bien adaptés.

Bien que l'Altima offre un vaste choix de possibilités, il faut toutefois se limiter aux versions de base moins dispendieuses et qui possèdent un équipement assez complet. En ajoutant des options parfois onéreuses, on gonfle inutilement le prix de la voiture. Avec la version 3.5S, on s'assure d'une mécanique sans faille tandis que la livrée 2.5S s'avère économe et suffisante pour la plupart des gens. Quant au coupé, il affiche un style d'enfer, et jumelé à la motorisation V6, il peut rivaliser avantageusement avec l'Accord Coupé.

Guy Desjardins

Photos : Nissan

VÉHICULE D'ESSAI

Version :	Nissan Altima 3.5 SE
Moteur :	V6 de 3,5 litres 24s atmosphérique
Puissance :	270 ch (201 kW) à 6 000 tr/min
Couple :	258 lb-pi (350 Nm) à 4 400 tr/min
Rapport poids/puissance :	5,66 kg/ch (7,61 kg/kW)
Transmission :	manuelle, 6 rapports
Rouage :	traction
0-100 km/h · 80-120 km/h :	7,0 s · 4,8 s
Freinage 100-0 km/h :	40,0 m
Vitesse maximale :	225 km/h
Consommation (100 km) :	ordinaire, 10,6 litres
Autonomie approximative :	716 km
Émissions de CO2 :	4 464 kg/an
Emp/Lon/Lar/Haut (mm) :	2 776 / 4 821 / 1 796 / 1 471
Coffre/Réservoir :	371 / 76 litres
Nombre de coussins de sécurité :	6
Suspension avant :	indépendante, jambes de force
Suspension arrière :	indépendante, multibras
Freins av./arr. :	disque (ABS, EBD)
Antipatinage/Contrôle de stabilité :	oui/oui
Direction :	à crémaillère, assistance variable
Diamètre de braquage :	11,8 m
Pneus av./arr. :	P215/55R17
Poids :	1 530 kg
Capacité de remorquage :	454 kg

AUTRE(S) COMPOSANTE(S) MÉCANIQUE(S)

Système hybride : Technologie de Toyota. Puissance totale essence/élect de 198 ch. Moteur élect 199 lb-pi de couple entre 0 et 1 500 tr/min, 650 Volt. Batteries nickel métal-hydrure 245 Volt.

Moteur diesel :	aucun
Taxe énergivore :	aucune
Autre(s) moteur(s) :	4L de 2,5 litres 175 ch/180 lb-pi (8,9 l/100 ordinaire) (2.5) 4L de 2,5 litres 158 ch/162 lb-pi (5,6 l/100) (Hybrid)
Autre(s) rouage(s) :	aucun
Autre(s) transmission(s) :	CVT (3.5, Hybrid, 2.5)

EN BREF

Échelle de prix :	24 498 $ à 33 998 $ (2008)
Catégorie :	coupé, berline intermédiaire
Garanties :	3 ans/60 000 km, 5 ans/100 000 km
Assemblage :	Smyrna, Tennessee, É-U
Cote d'assurance :	passable

DANS LA MÊME CATÉGORIE

Chevrolet Malibu, Chrysler Sebring, Ford Fusion, Honda Accord, Hyundai Sonata, Kia Magentis, Mazda6, Mitsubishi Galant, Subaru Legacy, Toyota Camry, Volkswagen Passat

NOS IMPRESSIONS

Agrément de conduite :	4
Fiabilité :	4
Sécurité :	4
Qualités hivernales :	3 ½
Espace intérieur :	4
Confort :	3 ½

DU NOUVEAU EN 2009

Version hybride plus disponible

DES INGÉNIEURS LÂCHÉS « LOUSSES » !

L'an dernier, la Audi R8, qui d'ailleurs ornait la page couverture du *Guide de l'auto 2008*, fut une vedette incontestée, au point de mériter le titre de voiture de l'année décerné par l'Association des journalistes automobiles du Canada. Cette année, une des voitures qui étaient attendues avec le plus d'impatience était la Nissan GT-R, une sportive adulée par toute une génération. Déjà immensément populaire au Japon grâce aux courses de dérapage (*drift*), il n'a pas été long que les jeux vidéo tels que *Need for Speed* et *Gran Turismo* ont fait de la GT-R l'une de leurs vedettes. La série des films *Fast and Furious* (*Rapides et dangereux*) en a fait une icône !

Les lettres GT-R ont d'abord été associées à une voiture de course, la R380 en 1965. Puis, en 1969, on retrouve la GT-R, mais il s'agit cette fois-ci d'une sous-série de la berline Skyline. Entre 1971 et 1973, la GT-R prend les traits d'un coupé. Ensuite, il faut attendre 1989 avant de retrouver les trois lettres mythiques, toujours au sein de la gamme Skyline. Les GT-R se sont succédé et Nissan dévoile cette année la sixième génération de sa célèbre voiture. Cette fois, il s'agit d'un modèle à part entière qui n'est plus dépendant de la Skyline.

DU STYLE, MAIS...

Du côté du style, Nissan a voulu que son coupé ne ressemble à rien d'autre sur le marché... et c'est réussi ! Est-ce que le résultat est esthétique ? Cela demeure une question de goût, mais selon les autorités de Nissan, chaque ligne et chaque détail de la carrosserie se veulent fonctionnels. L'aérodynamisme a été étudié en collaboration avec Lotus et Nissan fait état d'un coefficient de résistance de 0,27, ce qui représente une excellente cote, merci au fond plat réalisé en grande partie en fibre de carbone. Quant aux prises d'air sur le capot et aux extracteurs de chaleur placés derrière les roues avant, ils sont fonctionnels.

Dans l'habitacle, contrairement à l'habitude de Nissan, les différents matériaux affichent une bonne qualité et l'assemblage ne peut être pris en défaut. Nissan a choisi de présenter un niveau de luxe très élevé et ce choix peut être discutable pour une supersportive puisqu'il ajoute au poids. Le conducteur fait face à de beaux cadrans, le compte-tours étant surdimensionné et placé droit devant lui, à la manière des voitures de course. L'écran central, en plus de présenter le système GPS, fournit une foule d'informations par le biais de jauges joliment dessinées par Polyphony Digital, une entreprise qui a déjà conçu les différentes évolutions du jeu *Gran Turismo*. Si je n'ai eu aucune difficulté à trouver une position de conduite, certains collègues journalistes plus costauds (pour demeurer poli...) ont pesté contre la faible largeur du dossier. Parlant de sièges, je m'en voudrais de ne pas mentionner que ceux situés à l'arrière ne doivent être réservés qu'à de vieux ennemis.

TECHNOLOGIE AVANCÉE

Tout ça, c'est bien beau, mais la GT-R est avant tout la somme d'efforts technologiques impressionnants. Le châssis, appelé Premium Midship ou PM pour les intimes, est tout nouveau. Il permet à la GT-R de recevoir le moteur à l'avant, la transmission à l'arrière et un rouage intégral. Le moteur choisi pour la GT-R est un V6 de 3,8 litres VR38DETT double turbo IHI développant rien de moins que 480 chevaux et 430 livres-pied de couple. Ce moteur a droit à toutes les dernières astuces techniques et chaque unité est assemblée par un employé dans un environnement purifié à l'usine d'assemblage de moteurs de Yokohama.

La transmission mériterait deux pages à elle seule. Il s'agit d'une séquentielle à six rapports conçue en collaboration avec Borg-Warner. Un peu à la manière des transmissions Shiftronic de Audi, celle de Nissan utilise deux embrayages, un pour les rapports pairs et l'autre pour les rapports impairs. On retrouve aussi un mode lancement (*launch mode*), un peu à la manière des F1 des dernières années mais Nissan l'a débranché dans les voitures de presse. Manque de confiance envers les journalistes ou envers la voiture ? Cette transmission est située sur le train arrière pour mieux équilibrer le poids de la voiture (57 % à l'avant, 43 % à l'arrière).

La GT-R jouit du rouage intégral ATTESA E-TS que l'on retrouve déjà sur d'autres produits Nissan et Infiniti. Dans le cas de la GT-R, il a été optimisé dans le but de répondre à une utilisation beaucoup plus exigeante, tant en matière de puissance et du couple à gérer qu'au chapitre de la tenue de route. Puisque le moteur est situé à l'avant et que la transmission repose à l'arrière, les ingénieurs ont prévu un arbre de transmission en fibre de carbone pour transmettre le couple du moteur aux roues arrière. Un autre arbre, en métal celui-là, entraîne les roues avant. En situation normale, 98 % du couple est transféré aux roues arrière et le reste à l'avant, mais ce pourcentage varie jusqu'à 50/50 selon les directives de l'ordinateur de bord.

ENFIN, ON CONDUIT LA GT-R !

Une GT-R n'a de sens que lorsqu'on la pilote. Et à ce chapitre, elle ne déçoit pas. Oh, que non ! Dès qu'on appuie sur le bouton *start-stop*, on sent qu'on a affaire à une voiture très puissante. Malheureusement, la sonorité du moteur est loin d'être enivrante, que la voiture soit à l'arrêt ou à une vitesse de croisière. C'est l'échappement double qui donne un peu de saveur aux décibels et il faut être près de la voiture et non à l'intérieur pour l'entendre rugir. En fait, les pneus nous ont semblé plus bruyants que le moteur ! Au centre du tableau de bord, trois boutons permettent de régler la transmission (R, normal ou *snow*), les suspensions (R, normal ou confort) et le système de stabilité

latérale et de traction (R, normal ou *off*). Pour la route, les suspensions réglées sur le monde confort se comportaient de façon… assez confortable ! Mais un examen sérieux nous révèle des bras de suspension, surtout arrière, dont le faible diamètre laisse songeur. La GT-R est définitivement conçue pour la piste plutôt que pour nos mauvaises routes.

La direction se révèle hyper vive et très précise, un peu lourde à basse vitesse, mais ce n'est rien d'alarmant. En accélération vive ou en décélération brusque, la transmission de notre GT-R réagissait quelquefois très durement, au point de se demander si elle va tenir le coup durant quelques années.

Mais c'est sur la piste que la GT-R donne sa pleine mesure. Et c'est là que l'on constate qu'elle est grosse et lourde (plus que ses rivales que sont les Audi R8, Porsche 911 Turbo, Corvette Z06 et Dodge Viper). Le moteur n'est jamais à bout de souffle et la réserve de puissance semble toujours là quand on en a besoin. Les turbos agissent sans aucun délai et, sans leur joli sifflement, on croirait qu'il s'agit d'un moteur à aspiration atmosphérique. Ensuite, la transmission réagit de façon extrêmement rapide, surtout lorsque le mode R est sélectionné. Puis, il y a les pneus qui mordent avec un plaisir évident dans le bitume et qui

FEU VERT
- Moteur très performant
- Rouage intégral sophistiqué
- Freins époustouflants
- Prix réaliste
- Conduite quotidienne facile

FEU ROUGE
- Poids trop élevé
- Carrosserie plus ou moins charismatique
- Sonorité du moteur peu envoûtante
- Pneus bruyants
- Voiture politiquement incorrecte

semblent à l'abri de la détérioration. Et enfin, il y a les freins très performants. Et même après un usage hautement abusif, ils ne perdent rien de leur autorité. En fait, c'est sans doute la faible autonomie de la voiture à très haute vitesse qui devrait inciter à l'arrêt!

Même pour un pilote du dimanche (en l'occurrence l'auteur de ces lignes), la voiture se révèle facile à piloter et pardonne les erreurs. Lorsque le système de stabilité latérale est engagé sur le mode normal, il permet à la GT-R de glisser avant de réagir de façon très autoritaire. Poussée dans ses derniers retranchements par un pilote professionnel, la GT-R démontre sa nature très sous-vireuse, son poids excessif lui jouant ici un vilain tour. Grâce à son rouage intégral sophistiqué qui lui permet de se comporter comme une propulsion, la GT-R peut cependant se permettre de jolies dérobades du train arrière à la suite d'un coup de frein bien appliqué.

Si la Nissan GT-R est une véritable réussite technique, j'ai une réserve sur son esthétisme différent et fonctionnel, certes, mais loin d'avoir le charisme et le pedigree de certaines créations allemandes.

Alain Morin

Photos: Alain Morin

VÉHICULE D'ESSAI

Version:	Nissan GT-R
Moteur:	V6 de 3,8 litres 24s turbocompressé
Puissance:	480 ch (358 kW) à 6 400 tr/min
Couple:	430 lb-pi (583 Nm) à 5 200 tr/min
Rapport poids/puissance:	3,64 kg/ch (4,88 kg/kW)
Transmission:	automatique, 6 rapports
Rouage:	intégral
0-100 km/h · 80-120 km/h:	4,0 s · 3,4 s
Freinage 100-0 km/h:	33,5 m
Vitesse maximale:	311 km/h
Consommation (100 km):	super, 16,0 litres
Autonomie approximative:	443 km
Émissions de CO2:	n.d.
Emp/Lon/Lar/Haut (mm):	2 780 / 4 651 / 1 895 / 1 372
Coffre/Réservoir:	249 / 71 litres
Nombre de coussins de sécurité:	6
Suspension avant:	indépendante, bras inégaux
Suspension arrière:	indépendante, multibras
Freins av./arr.:	disques (ABS)
Antipatinage/Contrôle de stabilité:	oui/oui
Direction:	à crémaillère, assistée
Diamètre de braquage:	n.d.
Pneus av./arr.:	P255/40ZR20 , P285/35ZR20
Poids:	1 750 kg
Capacité de remorquage:	non recommandé

AUTRE(S) COMPOSANTE(S) MÉCANIQUE(S)

Système hybride:	aucun
Moteur diesel:	aucun
Taxe énergivore:	aucune
Autre(s) moteur(s):	aucun
Autre(s) rouage(s):	aucun
Autre(s) transmission(s):	aucune

EN BREF

Échelle de prix:	81 900 $
Catégorie:	GT
Garanties:	3 ans/60 000 5 ans/100 000 km
Assemblage:	Tochigi, Japon
Cote d'assurance:	n.d.

DANS LA MÊME CATÉGORIE

Audi R8, Porsche 911 Turbo, Chevrolet Corvette Z06, Dodge Viper

NOS IMPRESSIONS

Agrément de conduite :	
Fiabilité:	nouveau modèle
Sécurité:	
Qualités hivernales:	½
Espace intérieur:	½
Confort:	½

DU NOUVEAU EN 2009

Nouveau modèle

POURTANT UNE BONNE ROUTIÈRE !

La Nissan Maxima a connu ses heures de gloire il y a quelques années, mais il faut avouer que la dernière génération n'a pas eu autant de succès. Malgré un comportement intéressant, elle disposait de peu d'arguments convaincants par rapport à la concurrence et ses lignes, surtout l'arrière, n'avaient rien pour nous emballer. Voilà que cette année, le constructeur nous présente une nouvelle Maxima censée raviver l'intérêt des acheteurs.

Cependant, on ne peut pas que jeter le blâme que sur le constructeur afin d'expliquer les baisses de ventes de la précédente génération. Depuis quelques années, la Maxima a dans les pattes la Altima, un modèle qui peut être équipé du même moteur V6 et dont la taille s'apparente fortement à celle de la Maxima. De plus, la division de luxe Infiniti nous propose la G35, une berline drôlement intéressante également. De plus, nombre d'acheteurs se sont aussi laissé tenter par les VUS multisegments du constructeur ou par ceux de la concurrence. Voilà qui ne rend pas la vie facile à la Maxima. Quant à ses plus proches rivales, on peut mentionner l'Acura TL, la Toyota Avalon et la Lexus ES350. Dans l'automobile, il n'y a pas que la qualité d'un produit qui compte. Il y a aussi son positionnement.

MOTEUR V6 ET TRACTION

Pour ce faire, Nissan a décidé de recourir à nouveau à une configuration de traction, laissant ainsi le champ libre à Infiniti qui de son côté utilise une plate-forme à propulsion. Si la Maxima disposait dans le passée de son propre châssis, elle a recours une fois de plus cette année à la plate-forme D de Nissan, la même qui est utilisée pour la Altima et le Murano. Le constructeur a voulu utiliser l'avantage de la traction tout en favorisant au passage l'espace intérieur. Cependant, il demeure rare de nos jours de voir une berline de luxe axée sur les performances utiliser cette configuration. On opte maintenant pour la propulsion, un mode qui maximise l'efficacité et les performances.

Sous le capot de la Maxima 2009, on retrouve le même moteur V6 de 3,5 litres que pour la précédente génération, un moteur utilisé largement chez le constructeur. Les ingénieurs lui ont insufflé un peu plus de puissance, soit 35 chevaux de plus, ce qui fait passer la puissance de 255 à 290 chevaux et le couple de 252 à 261 lb-pi. Ce moteur figure toujours sur la liste des meilleurs moteurs au monde et en plus il est très fiable.

Voilà qui positionne la Maxima au dessus de plusieurs rivales avec cette puissance et donne un bon argument en sa faveur. Ce moteur est combiné à la dernière génération de boîte à variation continue du constructeur. Cette boîte se révèle fort agréable et elle recrée bien le comportement d'une boîte conventionnelle. Sans l'avouer, les constructeurs misent beaucoup sur les boîtes CVT puisqu'elles permettent d'obtenir une économie de carburant appréciable, à peu de frais. Et ajoutons que Nissan est l'un des constructeurs qui privilégie cette transmission que plusieurs considèrent comme la solution de l'avenir. Dans le contexte actuel, les chiffres de consommation sont scrutés à la loupe et la CVT est un atout non négligeable dans cette lutte à l'économie d'essence. Plusieurs constructeurs doivent avouer un constat d'échec avec ce type de boîte, mais Nissan et Audi nous démontrent leur potentiel avec brio.

À l'extérieur, la Maxima dispose d'une nouvelle identité, apportant plusieurs différentiations visuelles par rapport à la Altima. Nissan fait appel au concept « *Liquid Motion* » une idéologie de style procurant à la Maxima des lignes fluides. Au premier regard, il est difficile de tomber en amour avec la Maxima, mais on s'habitue rapidement à son nouvel habit. L'avant dispose d'une nouvelle grille, mais ce sont surtout les phares qui donnent le ton. Ils se divisent en deux pointes s'étendant dans les ailes. À l'arrière, les feux à diodes ajoutent à son prestige alors que ses larges épaulements lui donnent toute une prestance. Les versions équipées de l'ensemble sport sont encore mieux réussies, notamment en raison du béquet à l'arrière. Ce dernier change la voiture du tout au tout et correspond davantage à l'image qu'on veut dégager avec cette berline, à savoir une automobile à vocation exclusive et sportive à la fois.

HABITACLE SOIGNÉ

À l'intérieur, on découvre un habitacle profitant d'une excellente finition et dont l'ergonomie est sans reproche. Le tout est d'ailleurs très similaire à ce que l'on retrouve chez Infiniti. Il ne manque que l'horloge analogique ovale pour tromper quiconque n'aurait pas aperçu le logo Nissan sur le volant. On apprécie la disposition des commandes alors que le groupe d'instrumentation sport offre une bonne lisibilité tout en s'avérant agréable à l'œil. Un des premiers éléments qui m'a fait apprécier cette nouvelle génération est sans contredit la position de conduite. La colonne de direction télescopique nous permet de bien nous positionner, alors que le volant sport offre une bonne prise en main. Les sièges sont dotés d'un bon niveau de support et s'avèrent très confortables. Bref, on est rapidement à l'aise et on a un bon sentiment de contrôle.

À l'arrière, deux adultes pourront prendre place dans un confort similaire aux places avant. Les sièges sont enveloppant et offrent un bon maintient latéral, un élément peu fréquent pour des sièges arrière. Cependant, le siège du milieu en souffre et ce dernier conviendra difficilement à un adulte, puisque qu'il est étroit et que sa hauteur laisse peu de dégagement à la tête.

DYNAMIQUES EMBALLANTES

Nissan a réduit l'empattement, la longueur et la hauteur de la voiture. Plus compacte et plus large, la Maxima dispose ainsi de dynamiques améliorées, le tout bien appuyé par une suspension recalibrée. Les ingénieurs ont aussi logé le moteur un peu plus bas tout en équilibrant la longueur des arbres de transmission, apportant une réduction importante de l'effet de couple. Voilà un irritant de la précédente génération qui a été bien travaillé et qui rend le compromis de la traction un peu plus acceptable. Nombre de constructeurs ayant opté pour la traction dans le créneau des berlines sport n'ont pas réussi à s'imposer. On pense notamment ici à Acura et sa TL. Cette dernière est également toute nouvelle cette année et elle propose en option son rouage intégral SH-AWD qui se prête fort bien à la conduite sportive.

Puissant, le moteur V6 permet de lancer la Maxima avec vigueur tout en offrant une riche sonorité. Voilà un élément qui semble toujours réussi chez Nissan. La boîte CVT de part sa nature tire bien profit de la puissance disponible et son mode sport nous permet d'étirer quelque peu les régimes. Les palliers situés derrière le volant facilitent son contrôle tout en rehaussant quelque peu le plaisir de conduite.

FEU VERT
- Puissance et sonorité du V6
- Conduite dynamique
- Finition soignée
- Effet de couple réduit

FEU ROUGE
- Boîte manuelle non offerte
- Places arrière plus étriquées
- Dégagement à la tête réduit

La direction à crémaillère à assistance variable en fonction de la vitesse a été empruntée au coupé 350Z, ce qui procure un conducteur une bonne sensation de contrôle. La direction offre juste le bon niveau d'assistance, nous permettant de nous sentir bien connectés à la route, sans toutefois déployer trop d'effort. On apprécie également la prise en main du volant. Les freins à disque ABS aux quatre roues sont plus mordants et ils sont aussi un peu plus endurants en conduite sportive, notamment en raison de l'ajout de disques ventilés à l'arrière.

Difficile de prédire si la Maxima 2009 retrouvera ses lettres de noblesse, mais il faut avouer que la voiture dispose de plusieurs arguments en sa faveur. Son style est agréable, sa conduite emballante et son moteur puissant à souhait. Reste à voir si les acheteurs se laisseront convaincre par une voiture de luxe signée Nissan. L'autre défi du constructeur sera d'éliminer la perception de l'ancien modèle et de mettra au volant les acheteurs afin de les convaincre. Cependant, les habitudes et les perceptions sont très difficiles à changer. Parlez-en aux gens du marketing!

Sylvain Raymond

Photos: Sylvain Raymond

VÉHICULE D'ESSAI

Version:	Nissan Maxima 3,5SV
Moteur:	V6 de 3,5 litres 24s atmosphérique
Puissance:	290 ch (216 kW) à 6400 tr/min
Couple:	261 lb-pi (354 Nm) à 4400 tr/min
Rapport poids/puissance:	5,61 kg/ch (7,53 kg/kW)
Transmission:	CVT
Rouage:	traction
0-100 km/h · 80-120 km/h:	6,9 s · 5,7 s
Freinage 100-0 km/h:	41,0 m
Vitesse maximale:	250 km/h
Consommation (100 km):	super, 10,8 litres
Autonomie approximative:	703 km
Émissions de CO2:	n.d.
Emp/Lon/Lar/Haut (mm):	2776 / 4841 / 1859 / 1468
Coffre/Réservoir:	402 / 76 litres
Nombre de coussins de sécurité:	6
Suspension avant:	indépendante, jambes de force
Suspension arrière:	indépendante, multibras
Freins av./arr.:	disque (ABS)
Antipatinage/Contrôle de stabilité:	oui/oui
Direction:	à crémaillère, assistance variable
Diamètre de braquage:	n.d.
Pneus av./arr.:	P245/45R18
Poids:	1627 kg
Capacité de remorquage:	n.d.

AUTRE(S) COMPOSANTE(S) MÉCANIQUE(S)

Système hybride:	aucun
Moteur diesel:	aucun
Taxe énergivore:	aucune
Autre(s) moteur(s):	aucun
Autre(s) rouage(s):	aucun
Autre(s) transmission(s):	aucune

EN BREF

Échelle de prix:	37900$ à 43150$
Catégorie:	berline grand format
Garanties:	3 ans/60000 km, 5 ans/100000 km
Assemblage:	Smyrna, Tennessee, É-U
Cote d'assurance:	passable

DANS LA MÊME CATÉGORIE

Acura TL, Hyundai Azera, Lincoln MKZ, Toyota Avalon, Saab 9-5, Volvo S60

NOS IMPRESSIONS

Agrément de conduite:	★★★★
Fiabilité:	nouveau modèle
Sécurité:	★★★★
Qualités hivernales:	★★★½
Espace intérieur:	★★★★
Confort:	★★★★

DU NOUVEAU EN 2009

Nouveau modèle

DÉLICATE SUCCESSION

La silhouette de la Murano ne nous étonne plus de nos jours. Mais lorsqu'elle est apparue en 2003, elle faisait tourner les têtes. Non seulement elle innovait en fait de design et de conception mécanique, mais l'ensemble de ses caractéristiques lui a permis de devenir rapidement l'une des références sur le marché. À la suite de ces succès, inutile de préciser que l'équipe affectée à sa refonte avait tout un défi à relever.

Comme c'est généralement le cas pour les véhicules qui ont connu du succès, il n'était pas question de tout transformer. Bien au contraire, l'objectif était de faire évoluer ce véhicule multisegment de façon à conserver les points forts et à corriger les faiblesses.

UN MOTEUR CONNU

Parlant de points forts, il est certain que l'incontournable moteur V6 de 3,5 litres en fait partie. Non seulement est-il considéré comme l'un des meilleurs moteurs sur le marché en fait de rendement et de performance, mais il est également très fiable, ce qui explique pourquoi Nissan l'utilise sur une multitude de modèles. Sous le capot de la Murano, il produit 265 chevaux, un gain de 25 chevaux par rapport à la version précédente. La première génération de ce modèle innovait avec sa transmission automatique à rapports continuellement variables. Puisque Nissan nous a alors démontré son expertise avec cette transmission CVT, il ne faut pas se surprendre si elle est de retour. Déjà très performante dans la première génération, elle a reçu plusieurs améliorations pour 2009. L'impression de régime élevé incessant est éliminée, et la transmission réagit plus rapidement. Celle-ci a été développée conjointement par Nissan et Jedco.

Si le groupe propulseur est une évolution de ce qui était proposé, la plate-forme est toute nouvelle. Appelée plate-forme D, elle est une évolution de celle utilisée sur l'Altima. Sa rigidité est plus grande tandis que plusieurs des éléments de la suspension sont en aluminium afin de réduire le poids non suspendu. La tenue de route ainsi que le silence de roulement sont ainsi améliorés.

Initialement, le rouage intégral était adéquat, sans plus. Une version plus sophistiquée corrige plus rapidement le patinage des roues et transfère le couple en conséquence. De plus, pour une meilleure traction au départ, la répartition du couple avant/arrière est toujours de 50/50. Ensuite, cette répartition varie selon les conditions.

ALLURE FAMILIÈRE, NOUVEAU DESIGN

Cette nouvelle génération de la Murano se reconnaît au premier coup d'œil, à tel point qu'on se demande si des changements majeurs ont été réalisés. Pourtant, en y regardant de plus près, on s'aperçoit que la grille de calandre est plus complexe et confère une allure plus raffinée. Il en est de même pour la partie arrière, qui est plus stylée alors que les feux sont davantage en évidence. D'autres modifications aux panneaux de caisse ont permis d'affiner la silhouette.

FEU VERT
- Silhouette élégante
- Moteur performant
- Tenue de route améliorée
- Sièges confortables
- Équipement complet

FEU ROUGE
- Certaines commandes à revoir
- *Feedback* peu prononcé
- Roues 20 pouces chères (LE)
- Cache-bagages irritant

Si les lignes se démarquaient avantageusement, il en allait pareillement du tableau de bord qui nous en mettait plein la vue avec son design fort original et l'utilisation à satiété d'aluminium brossé. Cette fois, la présentation est plus sobre, plus équilibrée et donc moins tape-à-l'œil. Il faut également mentionner que la qualité des matériaux s'est améliorée. Le volant, autrefois le centre d'attraction visuel, est aussi plus sobre mais il est plus pratique et se prend mieux en main. Par contre, certains boutons de commandes d'appoint sont petits et peuvent porter à confusion. Parmi les autres critiques, les commandes de la climatisation sont placées trop bas tandis que le bouton de commande de l'écran d'affichage exige beaucoup de patience.

UN NET PROGRÈS

La version originale était spectaculaire, mais souffrait d'une suspension parfois sèche, de sièges avant plus ou moins confortables, d'une insonorisation perfectible et d'une direction manquant de précision. Ces faiblesses ont été corrigées, notamment au chapitre du confort et du comportement routier. Les sièges avant et arrière sont plus confortables et l'insonorisation est excellente. Grâce au catalogue des options, il est possible de commander un toit panoramique de grand format tandis que le hayon motorisé est de série.

Au volant de la Murano, on a la sensation que le véhicule est solide et stable. Comme il se doit, le moteur V6 est toujours aussi doux et son rendement est sans reproche. Cette fois, il s'abreuve à l'essence sans-plomb. Quant à la transmission CVT, elle prouve que cette technologie peut être efficace et peut presque contribuer à l'agrément de conduite.

En fait, le seul véritable défaut de cette Nissan est son manque de *feedback* et de sensation de conduite. Malgré ce bémol, la deuxième édition possède une meilleure homogénéité.

Denis Duquet

Photos: Nissan

VÉHICULE D'ESSAI

Version :	Nissan Murano SL
Moteur :	V6 de 3,5 litres 24s atmosphérique
Puissance :	265 ch (198 kW) à 6 000 tr/min
Couple :	248 lb-pi (336 Nm) à 4 000 tr/min
Rapport poids/puissance :	6,91 kg/ch (9,25 kg/kW)
Transmission :	CVT
Rouage :	intégral
0-100 km/h · 80-120 km/h :	9,8 s · 7,3 s
Freinage 100-0 km/h :	41,0 m
Vitesse maximale :	195 km/h
Consommation (100 km) :	super, 12,0 litres
Autonomie approximative :	683 km
Émissions de CO2 :	n.d.
Emp/Lon/Lar/Haut (mm) :	2 825 / 4 788/ 1 882 / 1 730
Coffre/Réservoir :	923 à 2 311 / 82 litres
Nombre de coussins de sécurité :	6
Suspension avant :	indépendante, jambes de force
Suspension arrière :	indépendante, multibras
Freins av./arr. :	disque (ABS)
Antipatinage/Contrôle de stabilité :	oui/oui
Direction :	à crémaillère, assistance variable
Diamètre de braquage :	11,4 m
Pneus av./arr. :	P235/65R18
Poids :	1 833 kg
Capacité de remorquage :	1 587 kg

AUTRE(S) COMPOSANTE(S) MÉCANIQUE(S)

Système hybride :	aucun
Moteur diesel :	aucun
Taxe énergivore :	n.d.
Autre(s) moteur(s) :	aucun
Autre(s) rouage(s) :	aucun
Autre(s) transmission(s) :	aucune

EN BREF

Échelle de prix :	37 648 $ à 47 498 $
Catégorie :	multisegment
Garanties :	3 ans/60 000 km, 5 ans/100 000 km
Assemblage :	Kyushu, Japon
Cote d'assurance :	pauvre

DANS LA MÊME CATÉGORIE

Acura RDX, Buick Enclave, Ford Edge, Mazda CX-7

NOS IMPRESSIONS

Agrément de conduite :	🚗🚗🚗🚗
Fiabilité :	🚗🚗🚗🚗
Sécurité :	🚗🚗🚗🚗
Qualités hivernales :	🚗🚗🚗🚗½
Espace intérieur :	🚗🚗🚗🚗½
Confort :	🚗🚗🚗🚗

DU NOUVEAU EN 2009

Arrivée de la deuxième génération, légères modifications esthétiques, moteur plus puissant

TOUJOURS LE PROFIL DE L'EMPLOI

Le Pathfinder fait partie des VUS qui ont marqué la mode des VUS classiques, aux côtés de modèles tels le Jeep Grand Cherokee. Avec l'apparition de VUS plus urbains et surtout du Murano dans la gamme Nissan, le constructeur a modifié en 2005 le positionnement du Pathfinder en lui donnant une vocation de VUS plus costaud. Force est d'admettre que la tendance n'est plus à ce type de véhicule, mais il reste une clientèle pour qui le Pathfinder demeure un choix intéressant.

De nos jours, il faut avoir une bonne raison pour faire l'achat d'un tel véhicule... Il existe maintenant une panoplie de vmodèles de plus petite taille et moins gourmands, afin de rassasier les amateurs de VUS qui ne quittent jamais le bitume ou qui n'utilisent pas toutes les capacités d'un VUS classique. Cependant, certains acheteurs trouvent le Pathfinder pratique, notamment les amateurs de plein air ou ceux qui ont besoin de remorquer des charges plus importantes.

REMANIÉ EN 2008

Alors que la génération courante a été introduite en 2005, le Pathfinder a eu droit à une légère refonte l'an passé, apportant non seulement des changements esthétiques, mais également une nouvelle motorisation. Initialement, le Pathfinder arrivait uniquement avec un moteur V6 de 4,0 litres développant 266 chevaux pour un couple de 288 lb-pi. Couplé à une boîte automatique à cinq rapports, la seule proposée d'ailleurs, ce moteur convient amplement à la tâche et limite le Pathfinder à une consommation de carburant plus raisonnable, mais là encore, le tout est assez élevé : c'est loin d'être le véhicule le plus aérodynamique et son poids n'améliore pas sa situation...

Histoire de mieux rivaliser avec la concurrence et d'offrir un peu plus de polyvalence, l'an passé, Nissan a doté le Pathfinder d'un nouveau moteur V8, le même qui équipe sa camionnette Titan. Déployant une puissance de 310 chevaux pour un couple de 388 lb-pi, ce V8 de 5,6 litres porte la capacité de remorquage du Pathfinder à 7 000 lb, soit 1 000 de plus que le modèle renfermant un V6. Cependant, c'est beaucoup moins élevé que les chiffres de la camionnette Titan munie du même moteur, cette dernière disposant d'une capacité de remorquage de 9 500 lb. Avis aux intéressés.

L'EFFICACITÉ DU 4X4

Véritable 4X4, le Pathfinder possède un boîtier de transfert classique qui vous permet, par le biais d'une commande rotative située sur le tableau de bord, de passer à la volée entre les modes deux roues motrices et quatre roues motrices, incluant également un mode gamme basse. Si peu de gens exploiteront réellement le potentiel du Pathfinder en hors route, ce système demeure drôlement efficace et vous permettra de circuler aisément dans les sentiers ou d'accéder à des zones où il serait impossible de se rendre avec un véhicule ordinaire. Voilà ici le véritable avantage d'un tel véhicule.

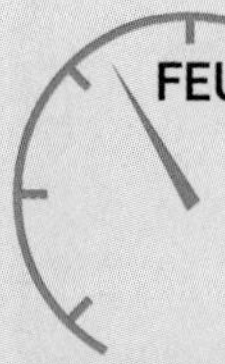

FEU VERT
- Choix des moteurs
- Bonnes capacités de remorquage
- Finition améliorée

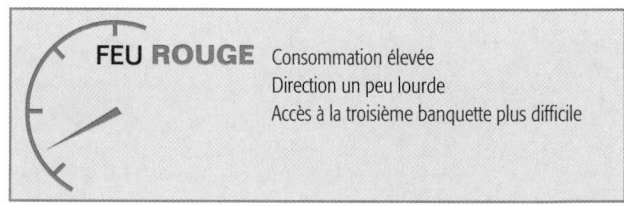

FEU ROUGE
- Consommation élevée
- Direction un peu lourde
- Accès à la troisième banquette plus difficile

STYLE ROBUSTE

Monté un châssis de type échelle, le Pathfinder n'a rien des VUS de type urbain qui sillonnent de plus en plus nos routes. Il demeure un 4X4 pur et dur, fidèle aux VUS plus traditionnels construits à partir de plates-formes de camionnette. Histoire d'appuyer clairement cet héritage, Nissan lui a octroyé un style robuste et macho, même si l'on a adouci son caractère l'an passé. Ses lignes évoquent celles de la camionnette Titan et de l'Armada, son grand-frère qui, lui, compétitionne chez les VUS pleine grandeur, probablement le segment le plus affecté par les récentes flambées du prix de l'essence.

À l'intérieur, le Pathfinder reprend encore une fois le design du Titan et de l'Armada, mais dans un format adapté ou plutôt réduit. Le tableau de bord a été entièrement revu l'année dernière, notamment la partie centrale qui regroupe un peu mieux les différentes commandes.

Avec ses généreuses dimensions, le Pathfinder transporte jusqu'à sept passagers grâce à une troisième banquette escamotable. Si cette dernière offre des dégagements somme toute raisonnables, on y note un accès plus difficile. Une fois rabattue, elle rend l'espace de chargement beaucoup plus vaste, alors qu'un revêtement en polymère facilite son entretien. Bref, que ce soit en configuration cinq ou sept passagers, il y a beaucoup d'espace pour toute la famille et vous pouvez y embarquer tout l'attirail voulu.

Fort de ses 266 chevaux, le Pathfinder à moteur V6 manifeste amplement de puissance. On note de bonnes accélérations et de vigoureuses reprises, très utiles pour doubler un autre véhicule. La boîte automatique se révèle agréable, effectuant des changements tout en douceur. Elle tire également bien avantage de la puissance disponible.

Loin d'être le plus économique, le Pathfinder vous rappelle vite pourquoi les ventes de ce type de véhicule sont en déclin. Affichant une consommation moyenne d'environ 15,5 litres/100 km, voilà qui mine rapidement un budget, surtout au prix actuel de l'essence...

Fidèle à ses prémices d'origines, le Pathfinder 2009 demeure un véhicule performant et son choix de modèles et de motorisations le rend encore plus polyvalent.

Sylvain Raymond

Photos: Antoine Joubert

VÉHICULE D'ESSAI

Version:	Nissan Pathfinder LE
Moteur:	V8 de 5,6 litres 32s atmosphérique
Puissance:	310 ch (231 kW) à 5 200 tr/min
Couple:	388 lb-pi (526 Nm) à 3 400 tr/min
Rapport poids/puissance:	7,46 kg/ch (10,01 kg/kW)
Transmission:	automatique, 5 rapports
Rouage:	4x4
0-100 km/h · 80-120 km/h:	7,2 s · 5,8 s
Freinage 100-0 km/h:	42,8 m
Vitesse maximale:	195 km/h
Consommation (100 km):	ordinaire, 17,1 litres
Autonomie approximative:	467 km
Émissions de CO2:	6 960 kg/an
Emp/Lon/Lar/Haut (mm):	2 850 / 4 884 / 1 850 / 1 846
Coffre/Réservoir:	467 à 2 243 / 80 litres
Nombre de coussins de sécurité:	6
Suspension avant:	indépendante, bras inégaux
Suspension arrière:	indépendante, multibras
Freins av./arr.:	disque (ABS)
Antipatinage/Contrôle de stabilité:	oui/oui
Direction:	à crémaillère, assistance variable
Diamètre de braquage:	11,9 m
Pneus av./arr.:	P265/60R18
Poids:	2 313 kg
Capacité de remorquage:	3 175 kg

AUTRE(S) COMPOSANTE(S) MÉCANIQUE(S)

Système hybride:	aucun
Moteur diesel:	aucun
Taxe énergivore:	2 000 $ (V8)
Autre(s) moteur(s):	V6 de 4,0 litres 266 ch/288 lb-pi (15,3 l/100 ordinaire) (S, SE)
Autre(s) rouage(s):	aucun
Autre(s) transmission(s):	aucune

EN BREF

Échelle de prix:	38 298 $ à 49 298 $
Catégorie:	VUS intermédiaire
Garanties:	3 ans/60 000 km, 5 ans/100 000 km
Assemblage:	Kyushu, Japon
Cote d'assurance:	passable

DANS LA MÊME CATÉGORIE

Chevrolet Trailblazer, Dodge Durango, Ford Explorer, GMC Envoy, Honda Pilot, Hummer H3, Jeep Commander, Kia Sorento, Toyota 4Runner

NOS IMPRESSIONS

Agrément de conduite:	½
Fiabilité:	
Sécurité:	½
Qualités hivernales:	½
Espace intérieur:	
Confort:	

DU NOUVEAU EN 2009

Aucun changement majeur

INTÉRESSANTE, MAIS...

On ne peut pas dire que la fourgonnette Quest figure parmi les grandes réalisations de Nissan. La première génération n'a connu qu'un succès mitigé, et ce, à l'époque où la fourgonnette était le véhicule du jour. Chez Nissan, on en a déduit que ce modèle était trop similaire à la concurrence. Lorsqu'est venu le temps de concevoir la seconde génération au début du 21e siècle, les ingénieurs se sont retroussé les manches pour nous offrir quelque chose d'unique en son genre. Non seulement la Quest était-elle la plus volumineuse de sa catégorie, mais aussi la plus originale.

Mais parfois, à vouloir trop bien faire, on commet des erreurs. Il est vrai que ce modèle se démarquait fortement de la concurrence par sa silhouette plus qu'originale et son habitacle inspiré par la science-fiction. Cette originalité à tout crin n'est pas ce qui a fait fuir les acheteurs. Bien au contraire. Au début, les gens ont été attirés par l'exceptionnelle habitabilité de ce modèle, son habitacle très pratique et même sans doute son tableau de bord futuriste.

En fait, c'est la plate-forme qui est la grande coupable, car elle manquait fortement de rigidité, ce qui se traduisait par d'innombrables bruits de caisse dont la sonorité était accentuée par la grandeur de l'habitacle qui faisait office de caisse de résonance. Ajoutons à cela les sièges arrière qui, une fois repliés, émettaient des grincements fort désagréables.

PROBLÈMES CORRIGÉS

Il faut rendre hommage aux ingénieurs qui se sont attaqués à ces problèmes. En effet, en 2006, une version revue et corrigée est apparue sur le marché et la plupart des problèmes rencontrés lors du lancement en 2004 ont été corrigés. En premier lieu, le tableau de bord de style quasiment cosmique a été sérieusement modifié. Il demeure cependant toujours original, avec son levier de passage des rapports monté sur la planche de bord, dont la partie centrale se prolonge en demi-lune. On a aussi repositionné les commandes de la radio et de la climatisation. Par contre, les stylistes ont conservé le volant si caractéristique du modèle précédent avec des appliques en aluminium et ses commandes sur les branches du volant. Soulignons par ailleurs la présence d'un centre d'information sur la partie centrale supérieure du tableau de bord, difficile à consulter car les lettres noires sur fond orangé n'offrent pas un contraste suffisant.

Les sièges arrière étaient une autre source d'irritation. Une fois repliés, ils émettaient de nombreux grincements et craquements. On a corrigé la situation tout en conservant la propriété repliable de ces sièges, qui permet d'obtenir une surface de chargement presque plane. Ce n'est pas l'ingénieux « Stow'N'Go » de Chrysler, mais c'est quand même intéressant en fait de concept.

Malheureusement, le manque de rembourrage de la troisième rangée de sièges les rend particulièrement inconfortables. Par contre, même lorsqu'elle est déployée, l'espace réservé aux bagages est impressionnant. Détails en passant, les portières coulissantes et le hayon sont motorisés.

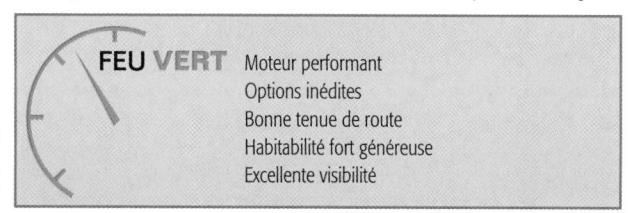

FEU VERT
- Moteur performant
- Options inédites
- Bonne tenue de route
- Habitabilité fort généreuse
- Excellente visibilité

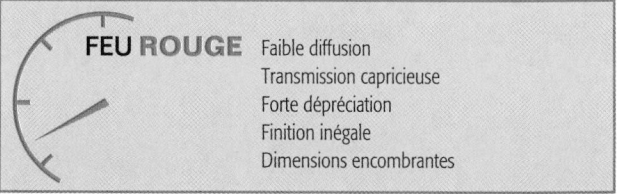

FEU ROUGE
- Faible diffusion
- Transmission capricieuse
- Forte dépréciation
- Finition inégale
- Dimensions encombrantes

Il faut souligner les nombreux espaces de rangement et les multiples porte-gobelets qui ajoutent à la polyvalence du Quest. Et si vous voulez vous offrir davantage de luxe, vous pouvez commander en option le spectaculaire toit vitré Skyview. Comme si ce n'était pas assez, la console centrale placée au centre du pavillon offre deux écrans vidéo. Bien entendu, il est possible de commander le système de navigation par satellites et une caméra de recul.

ET LA CONDUITE ?

La Quest a beau nous offrir tous les gadgets possibles et imaginables, elle doit également se démarquer sur la route. On peut dire qu'elle a aussi fortement progressé à ce chapitre. La plate-forme plus rigide contribue à éliminer les bruits de caisse, mais assure également une meilleure tenue de route.

La direction a gagné en précision même si l'assistance est toujours trop importante. Et cette fourgonnette ne lésine pas sur les performances grâce à son moteur V6 de 3,5 litres dont les 235 chevaux suffisent amplement à la tâche. Par contre, la boîte automatique à cinq rapports est parfois erratique surtout lorsque vient le temps de rétrograder. Elle est donc une bonne routière, particulièrement grâce à sa suspension indépendante aux quatre roues qui contribue également au confort dans l'habitacle.

Cet ensemble de caractéristiques et de bonnes manières sur la route en fait l'une des fourgonnettes les plus intéressantes sur le marché, si l'on est capable de s'accommoder de quelques irritants, notamment une position de conduite difficile à trouver et un régulateur de croisière parfois brutal. Malgré cela, sa diffusion et sa popularité sont très faibles. Cette situation s'explique peut-être par son départ raté ou encore son prix de vente passablement corsé par rapport à la concurrence.

Denis Duquet

Photos : Nissan

VÉHICULE D'ESSAI

Version :	Nissan Quest 3,5 S
Moteur :	V6 de 3,5 litres 24s atmosphérique
Puissance :	235 ch (175 kW) à 5 800 tr/min
Couple :	240 lb-pi (325 Nm) à 4 400 tr/min
Rapport poids/puissance :	8,31 kg/ch (11,17 kg/kW)
Transmission :	automatique, 5 rapports
Rouage :	traction
0-100 km/h · 80-120 km/h :	9,4 s · 7,2 s
Freinage 100-0 km/h :	40,0 m
Vitesse maximale :	185 km/h
Consommation (100 km) :	ordinaire, 12,9 litres
Autonomie approximative :	589 km
Émissions de CO2 :	5 232 kg/an
Emp/Lon/Lar/Haut (mm) :	3 150 / 5 185 / 1 971 / 1 826
Coffre/Réservoir :	915 à 4 126 / 76 litres
Nombre de coussins de sécurité :	6
Suspension avant :	indépendante, jambes de force
Suspension arrière :	indépendante, multibras
Freins av./arr. :	disque (ABS)
Antipatinage/Contrôle de stabilité :	oui/oui
Direction :	à crémaillère, assistance variable
Diamètre de braquage :	12,1 m
Pneus av./arr. :	P225/65R16
Poids :	1 955 kg
Capacité de remorquage :	1 587 kg

AUTRE(S) COMPOSANTE(S) MÉCANIQUE(S)

Système hybride :	aucun
Moteur diesel :	aucun
Taxe énergivore :	aucune
Autre(s) moteur(s) :	aucun
Autre(s) rouage(s) :	aucun
Autre(s) transmission(s) :	aucune

EN BREF

Échelle de prix :	32 598 $ à 46 998 $
Catégorie :	fourgonnette
Garanties :	3 ans/60 000 km, 5 ans/100 000 km
Assemblage :	Canton, Mississipi, É-U
Cote d'assurance :	passable

DANS LA MÊME CATÉGORIE

Chevrolet Uplander, Chrysler Town&Country, Dodge Grand Caravan, Honda Odyssey, Hyundai Entourage, Kia Sedona, Pontiac Montana SV6, Toyota Sienna

NOS IMPRESSIONS

Agrément de conduite :	🚗🚗🚗🚗 ½
Fiabilité :	🚗🚗🚗🚗
Sécurité :	🚗🚗🚗🚗
Qualités hivernales :	🚗🚗🚗 ½
Espace intérieur :	🚗🚗🚗🚗🚗
Confort :	🚗🚗🚗🚗

DU NOUVEAU EN 2009

Aucun changement majeur

TROP BEAU POUR ÊTRE VRAI

On peut reprocher beaucoup de choses à Nissan (son manque d'enthousiasme envers les véhicules hybrides et une qualité de fabrication trop longtemps négligée, entre autres), mais on ne peut pas accuser le constructeur japonais d'immobilisme. Depuis un an, les nouveautés se succèdent à un rythme effréné, autant chez Nissan que chez Infiniti, la marque de prestige de Nissan. Le Rogue se révèle l'une des belles surprises de 2008. Malheureusement, l'an dernier, ce modèle avait été présenté trop tard à la presse pour un essai complet dans le *Guide 2008*. Depuis octobre 2007, nous avons eu tout le loisir de conduire ce véhicule.

Il faut tout d'abord préciser que le Rogue remplace le vétuste Nissan X-Trail, un véhicule qui plaisait à coup sûr à ses propriétaires, mais qui ne pouvait plus cacher son âge. Comme pour mieux trahir son prédécesseur, le Rogue affiche des lignes tout en rondeurs, fluides et dynamiques, tout le contraire du X-Trail ! Même s'il paraît plus petit, le Rogue est plus long, plus large et plus haut que celui qu'il remplace.

P'TIT COQUIN, VA !

Le Rogue, dont le nom en français veut dire fripon ou coquin, est un multisegment, un joli terme pour éviter de dire qu'il s'agit d'un VUS, les VUS n'ayant plus la cote des écolos, de plus en plus nombreux. J'ai même entendu certaines méchantes langues affirmer qu'un multisegment est un VUS qui ne s'assume pas... Les designers du Rogue ont réussi à lui donner un air de famille tout en octroyant à sa partie arrière des lignes très agréables, visiblement tirées de l'Infiniti EX, une autre nouveauté en 2009.

Dans l'habitacle, les lignes rappellent encore une fois les plus récentes créations de Nissan, surtout au niveau du volant et des jauges, empruntés à d'autres modèles de la marque. L'ensemble se veut agréable à regarder et à utiliser. En plus, la qualité des matériaux, il n'y a pas si longtemps la bête noire de Nissan, étonne. Curieusement, pour un véhicule récent, les espaces de rangement ne sont pas nombreux, mais c'est surtout le coffre à gants assez profond pour recevoir une paire de skis qui retient l'attention. Les sièges avant sont confortables à défaut de bien retenir les corps lors de virages brusques, de même que ceux situés à l'arrière qui offrent, contre toute attente, passablement de dégagement pour la tête et les jambes... d'un gars de 5 pieds et 6 pouces (1m68). Le Rogue ne propose pas de troisième rangée de sièges. Lorsque le hayon est relevé, l'ouverture qui donne sur le coffre n'est pas très grande. Aussi, l'espace de chargement n'est pas le plus vaste de sa catégorie avec ses 1 639 litres (2 074 pour le Rav4 et 2 213 pour le Santa Fe), une fois les dossiers des sièges arrière abaissés. Au moins, le seuil de chargement est plutôt bas et au même niveau que le plancher. Le cache-bagages, si pratique, est optionnel et encore, sur les modèles SL uniquement. DÉ-PLO-RA-BLE, surtout quand on doit souvent stationner le véhicule en ville avec quelques objets dans le coffre.

Le style du Rogue lui confère un avantage indéniable sur ses principaux rivaux en le faisant paraître plus gros qu'il ne l'est réellement. Mais ces lignes modernes ont un côté moins reluisant, puisque la visibilité 3/4 arrière demeure pénible, gracieuseté de piliers D (entre les vitres arrière et le hayon) peu conviviaux. Pour agrémenter la vie à bord, Nissan a prévu un siège du conducteur réglable en hauteur, que ce soit de façon manuelle ou électrique. Un volant télescopique aurait été tout aussi apprécié... Dans l'habitacle, par contre, l'espace ne fait pas défaut et on se croirait facilement dans un véhicule plus imposant.

DE QUOI NOUS FAIRE AIMER LES TRANSMISSIONS CVT

Le Rogue est bâti sur la plate-forme C, surtout utilisée en Europe par les Renault Koleos et Nissan Qashqai (vous n'étiez pas sans savoir que Nissan et Renault ne formaient qu'une entité...). Un seul moteur est proposé et il s'agit du très moderne quatre cylindres de 2,5 litres (QR25DE) de 170 chevaux et 175 livres-pied de couple que l'on retrouve déjà, dans les Sentra SE-R et Altima. La transmission est de type

CVT, c'est-à-dire à rapports continuellement variables. Celle du Rogue est plus compacte et plus légère que celle que l'on retrouve dans d'autres produits Nissan et les ingénieurs ont réussi à réduire la friction interne de 30 %. Aussi bien le dire tout de suite, pour une des premières fois chez Nissan, cette transmission ne semble pas bouffer la moitié de la puissance du moteur et elle donne moins l'impression que les pistons vont passer à travers le capot. En option sur les versions SL, cette transmission possède un mode manuel. En mettant le levier sur le mode manuel, le conducteur bénéficie de six rapports prédéterminés qu'il peut changer grâce à des palettes derrière le volant. Ainsi, il est possible d'obtenir une certaine compression du moteur, ce qui peut aider dans certains cas, surtout lorsqu'on tire une remorque. Parlant de remorque, précisons que le Rogue peut tirer 454 kg (1 000 lb) et 680 kg (1 500 lb) lorsque l'ensemble Privilège est coché.

Deux rouages sont proposés à l'acheteur d'un Rogue. Il s'agit, à la base, d'une traction (roues avant motrices). Mais la version la plus populaire au Québec est le AWD (rouage intégral). Il est d'ailleurs possible d'opter pour ce rouage sans avoir à débourser des sommes extravagantes puisqu'il est offert autant sur la version de base (S) que sur la version la plus huppée (SL). Lors d'un départ, ce rouage envoie 50 % du couple aux roues avant et 50 % aux roues arrière. Puis, lorsque la vitesse se stabilise, le Rogue devient une traction (roues avant motrices). Dès que le besoin se fait sentir, jusqu'à 50 % du couple est transféré aux roues arrière. Au tableau de bord, on retrouve un bouton *lock* qui permet de verrouiller le boîtier de transfert.

Les suspensions se révèlent assez sophistiquées, avec des jambes de force à l'avant et des liens multiples à l'arrière. Sur la route, elles ne prêtent pas flanc à la critique puisque le roulis est très bien maîtrisé tout en préservant un bon niveau de confort. Il est même possible de conduire le Rogue de façon quasiment sportive. Cependant, les éléments suspenseurs nous ont semblé maigrichons pour un multisegment, malgré qu'il soit l'un des moins lourds de sa catégorie. Ils ressemblent d'ailleurs beaucoup à ceux de la Nissan Altima sur laquelle ils semblent mieux adaptés. On peut se questionner sur leurs capacités à long terme, surtout si le véhicule est souvent lourdement chargé. La même remarque s'applique aux freins à disque aux quatre roues qui donnent l'impression d'être plus à leur place sur une voiture même s'ils sont tous ventilés.

ESSAI HIVERNAL CONCLUANT

Sur la route, le Rogue se révèle une agréable surprise. Tout d'abord, la direction électrique procure un bon *feedback* même si sa précision n'est pas toujours parfaite. Lors du lancement du Rogue, nous avions noté un silence de roulement notable. Pourtant, un autre Rogue essayé en plein hiver s'est montré beaucoup moins bien isolé, donnant même l'impression qu'il y avait toujours une vitre entrouverte. Les pneus d'hiver Continental ContiWinter sont peut-être à blâmer. Le moteur de

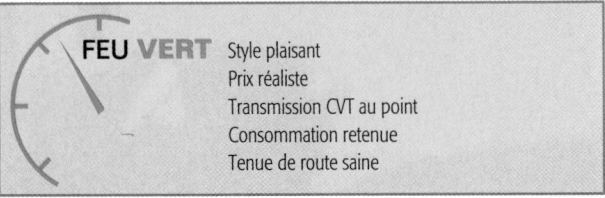

FEU VERT
- Style plaisant
- Prix réaliste
- Transmission CVT au point
- Consommation retenue
- Tenue de route saine

FEU ROUGE
- Moteur bruyant en accélération
- Espace de chargement pas très grand
- Certaines options douteuses
- Pas d'antirouille d'usine
- Visibilité 3/4 arrière pénible

170 chevaux est bien adapté au véhicule, mais en accélération franche, il manque de tonus. Le même moteur dans l'Altima fait 175 chevaux et il déplace 136 kg de moins... Notre essai hivernal confirme une consommation de 10,8 litres aux 100 km, une très bonne cote compte tenu des conditions. Comme nous l'avons vu précédemment, les suspensions effectuent un excellent boulot même si elles font preuve d'un peu plus de fermeté sur nos allées à vaches que sur les belles routes américaines. Mais ce n'est jamais déroutant.

Si la version de base n'est pas des mieux équipées, le SL à rouage intégral fait meilleure figure au chapitre de l'équipement, pour un prix, ma foi, très réaliste, souvent plus bas que les concurrents équipés de même façon.

Le Rogue est un véhicule très moderne qui mérite bien son titre d'utilitaire sport de moins de 35 000 $ de l'année selon l'AJAC, l'Association des journalistes automobiles du Canada. Et non, personne ne vous dira que pour acheter un Rogue, il faudrait avoir pris de la dRogue.

Alain Morin

Photos : Alain Morin

VÉHICULE D'ESSAI

Version :	Nissan Rogue SL AWD
Moteur :	4L de 2,5 litres 16s atmosphérique
Puissance :	170 ch (127 kW) à 6 000 tr/min
Couple :	175 lb-pi (237 Nm) à 4 400 tr/min
Rapport poids/puissance :	9,32 kg/ch (12,48 kg/kW)
Transmission :	CVT
Rouage :	intégral
0-100 km/h · 80-120 km/h :	8,9 s · 7,7 s
Freinage 100-0 km/h :	40,6 m
Vitesse maximale :	195 km/h
Consommation (100 km) :	ordinaire, 9,5 litres
Autonomie approximative :	631 km
Émissions de CO2 :	4 176 kg/an
Emp/Lon/Lar/Haut (mm) :	2 690 / 4 645 / 1 800 / 1 683
Coffre/Réservoir :	818 à 1 639 / 60 litres
Nombre de coussins de sécurité :	6
Suspension avant :	indépendante, jambes de force
Suspension arrière :	indépendante, multibras
Freins av./arr. :	disque (ABS)
Antipatinage/Contrôle de stabilité :	oui/oui
Direction :	à crémaillère, assistance variable électrique
Diamètre de braquage :	11,4 m
Pneus av./arr. :	P225/60R17
Poids :	1 585 kg
Capacité de remorquage :	680 kg

AUTRE(S) COMPOSANTE(S) MÉCANIQUE(S)

Système hybride :	aucun
Moteur diesel :	aucun
Taxe énergivore :	aucune
Autre(s) moteur(s) :	aucun
Autre(s) rouage(s) :	traction
Autre(s) transmission(s) :	aucune

EN BREF

Échelle de prix :	24 998 $ à 29 598 $ (2008)
Catégorie :	VUS compact
Garanties :	3 ans/60 000 km, 5 ans/100 000 km
Assemblage :	Kyushu, Japon
Cote d'assurance :	n.d.

DANS LA MÊME CATÉGORIE

Chevrolet Equinox, Honda CR-V, Hyundai Tucson, Jeep Liberty, Kia Sportage, Mazda Tribute, Mitsubishi Outlander, Pontiac Torrent, Saturn VUE

NOS IMPRESSIONS

Agrément de conduite :	🚗🚗🚗½
Fiabilité :	nouveau modèle
Sécurité :	🚗🚗🚗🚗
Qualités hivernales :	🚗🚗🚗🚗
Espace intérieur :	🚗🚗🚗🚗
Confort :	🚗🚗🚗🚗

DU NOUVEAU EN 2009

Nouveau modèle

DIFFÉRENTE

Lorsque Nissan a décidé, il y a quelques années, de concevoir une nouvelle Sentra, la barre n'était pas très haute. Le design de la génération de l'époque aurait difficilement pu être plus sobre, la mécanique était des plus ordinaires et le comportement routier endormait le conducteur à coup sûr. Il était donc difficile de se planter en mettant au point une nouvelle Sentra. On ne peut pas dire que Nissan se soit planté avec celle de quatrième génération, mais on ne peut pas dire non plus qu'elle transcende la concurrence.

Le marché des voitures compactes est plus populaire que jamais, surtout à cause des prix de l'essence. En première partie de ce *Guide*, nous avons même tenu un match opposant pas moins de treize voitures de cette catégorie. La Sentra a terminé en milieu de peloton, ce qui ne nous a absolument pas surpris. Lorsqu'on ne conduit que cette voiture, il est dur de lui trouver des défauts. Mais lorsqu'on a la chance de conduire ses concurrentes la même journée, ses limites apparaissent plus clairement...

La gamme Sentra est assez simple à décrire puisqu'elle ne propose qu'une berline qui se décline en trois livrées (base, S et SL). Son moteur est un quatre cylindres de 2,0 litres développant 140 chevaux et 147 livres-pied de couple. Sans être un foudre de guerre, ce moteur convient bien à la voiture. Ses prestations sont très correctes pour la catégorie et sa consommation est généralement bien maîtrisée, soit environ 9 litres aux cent kilomètres (8,2 selon Transport Canada). Mais une conduite énergique ou une région montagneuse ou cinq adultes à bord ont tôt fait de faire monter la moyenne de consommation. La transmission de prédilection est une automatique de type CVT, c'est-à-dire à rapports continuellement variables. Lors d'accélérations avec pied au plancher, la CVT amène le moteur de la Sentra à 6 500 tours/minute et l'y maintient tant que le pied n'a pas relâché l'accélérateur. À ce moment, le niveau sonore devient très élevé et il ne faut surtout pas se fier à la sonorité ordinaire du système audio pour camoufler celle du moteur. En passant, il faut souligner que l'effet de couple dans le volant (comme dans un couple, chacune des roues veut tirer la voiture de son côté !) est bien maîtrisé. Ce 2,0 litres peut aussi être marié à une manuelle à six rapports dont l'embrayage est très léger et la course du levier imprécise.

LE RESPECT A TOUJOURS SA PLACE

La Sentra propose un comportement routier très correct, pour autant qu'on respecte ses limites. Le châssis est solide et les suspensions qu'on y a accrochées font preuve d'un peu trop de souplesse pour procurer une tenue de route sportive. L'essieu arrière rigide, par exemple, constitue une solution plus pratique que sportive. Par contre, si on ne cherche pas à conduire la Sentra comme une mini Ferrari, son confort risque d'en séduire plusieurs. En virage, on dénote un léger sous-virage, facilement maîtrisé tandis que le roulis est minime. La direction, malgré sa précision, offre peu de retour d'information. Le freinage est assuré par un duo disque/tambour et un arrêt d'urgence met l'accent sur des distances trop longues.

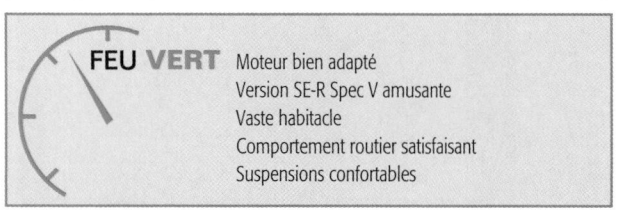

FEU VERT
- Moteur bien adapté
- Version SE-R Spec V amusante
- Vaste habitacle
- Comportement routier satisfaisant
- Suspensions confortables

FEU ROUGE
- Lignes peu sportives
- Moteur bruyant en accélération
- Suspension arrière rétive
- Places arrière peu confortables
- Freins moyens

SENTRA SE-R ET SE-R SPEC V

Mais il y a une façon de s'amuser un peu au volant d'une Sentra : en optant pour les versions sportives SE-R et SE-R Spec V ! Dans le premier cas, Nissan propose un quatre cylindres de 2,5 litres de 177 chevaux et 172 livres-pied de couple, tandis que ce même moteur est poussé à 200 chevaux et 180 livres-pied de couple dans la Spec V. Ces moteurs donnent à la Sentra des performances très enlevantes mais le fait de doter la SE-R d'une transmission CVT, fut-elle munie de palettes au volant permettant de changer les rapports soi-même, n'est peut-être pas la meilleure idée. La Spec V jouit d'une manuelle à six rapports plus agréable que dans la Sentra de base. Bien entendu, la tenue de route est plus relevée malgré la présence de l'essieu arrière rigide, abaissé et plus ferme dans le cas de la Spec V.

Un des problèmes que rencontrent les Sentra SE-R et SE-R Spec V tient à leur carrosserie. On ne peut pas dire que la Sentra de base soit particulièrement jolie (remarquez que c'est une question hautement subjective et ce n'est pas en lui apposant un aileron ou des artifices esthétiques que Nissan peut la rendre plus désirable. Les Sentra ordinaires sont évidemment les plus populaires. Le confort qu'elles procurent est très relevé et les sièges supportent correctement en virage. Alors, imaginez les versions plus sportives ! L'habitacle est vaste, le tableau de bord bien fini. Certains plastiques nous ont semblé fort pauvres comme en faisaient foi les nombreuses éraflures causées par l'utilisation des ceintures de sécurité ou de la clé de contact... et ce, dans une voiture de moins de 10 000 km ! La plupart des commandes sont bien disposées et faciles d'accès. Les sièges arrière sont durs mais l'espace ne fait pas défaut, à moins que la personne assise devant soi ne maîtrise pas l'art du compromis. Le coffre est vaste mais on ne peut y faire entrer de gros objets puisque son ouverture est toute petite. Il est possible de le doter du Divide N' Hide, une cloison amovible qui le divise en deux. Cet accessoire est pratique et ultrasimple à utiliser. Malheureusement, pour l'obtenir, il faut opter pour un groupe d'équipements assez dispendieux.

On aime ou on n'aime pas la Sentra. Cependant, Nissan propose aussi une autre voiture, la Versa, qui vient jouer gaiement dans les plates-bandes de la Sentra. La Versa aussi est une berline mais elle est aussi proposée en configuration *hatchback*, ce qui plaît à bien des gens.

Alain Morin

Photos : Nissan

VÉHICULE D'ESSAI

Version :	Nissan Sentra 2,0 SL
Moteur :	4L de 2,0 litres 16s atmosphérique
Puissance :	140 ch (104 kW) à 5 100 tr/min
Couple :	147 lb-pi (199 Nm) à 4 800 tr/min
Rapport poids/puissance :	9,35 kg/ch (12,58 kg/kW)
Transmission :	CVT
Rouage :	traction
0-100 km/h · 80-120 km/h :	10,3 s · 8,9 s
Freinage 100-0 km/h :	41,6 m
Vitesse maximale :	185 km/h
Consommation (100 km) :	ordinaire, 8,3 litres
Autonomie approximative :	662 km
Émissions de CO2 :	3 600 kg/an
Emp/Lon/Lar/Haut (mm) :	2 685 / 4 567 / 1 790 / 1 511
Coffre/Réservoir :	371 / 55 litres
Nombre de coussins de sécurité :	6
Suspension avant :	indépendante, jambes de force
Suspension arrière :	demi-ind, poutre déformante
Freins av./arr. :	disque/tambour (ABS opt.)
Antipatinage/Contrôle de stabilité :	non/non
Direction :	à crémaillère, assistance variable
Diamètre de braquage :	10,6 m
Pneus av./arr. :	P205/55R16
Poids :	1 309 kg
Capacité de remorquage :	non recommandé

AUTRE(S) COMPOSANTE(S) MÉCANIQUE(S)

Système hybride :	aucun
Moteur diesel :	aucun
Taxe énergivore :	aucune
Autre(s) moteur(s) :	4L de 2,5 litres 177 ch/172 lb-pi (9,8 l/100 ordinaire) (SE-R) 4L de 2,5 litres 200 ch/180 lb-pi (9,4 l/100 super) (SE-R Spec V)
Autre(s) rouage(s) :	aucun
Autre(s) transmission(s) :	manuelle 6 rapports

EN BREF

Échelle de prix :	16 798 $ à 24 298 $
Catégorie :	berline compacte
Garanties :	3 ans/60 000 km, 5 ans/100 000 km
Assemblage :	Aguascalientes, Mexique
Cote d'assurance :	moyenne

DANS LA MÊME CATÉGORIE

Acura CSX, Chevrolet Cobalt, Ford Focus, Honda Civic, Hyundai Elantra, Kia Spectra, Mazda3, Mitsubishi Lancer, Saturn Astra, Subaru Impreza, Suzuki SX-4, Toyota Corolla, Volkswagen Rabbit

NOS IMPRESSIONS

Agrément de conduite :	3½
Fiabilité :	4
Sécurité :	3½
Qualités hivernales :	4
Espace intérieur :	3½
Confort :	2½

DU NOUVEAU EN 2009

Aucun changement majeur

HONDA NE L'AVAIT PAS VU VENIR !

Chez Honda, on croyait dur comme fer que la petite Fit allait permettre au constructeur de retrouver sa position de tête dans la catégorie des sous-compactes. Toutefois, quelques erreurs marquantes du côté de la planification de produit auront forcé une partie de la clientèle à rebrousser chemin, pour ainsi se tourner vers une marque concurrente. On pourrait donc dire que c'est en partie grâce à Honda si la Versa a connu un début de carrière aussi exceptionnel. Car depuis son arrivée, cette petite Versa fait fureur à un point tel qu'il s'agit aujourd'hui du produit Nissan le plus vendu au Canada.

Naturellement, on ne peut expliquer le succès de la Versa qu'aux erreurs stratégiques d'Honda. Il faut admettre que cette voiture est une grande réussite et que son introduction s'est faite au bon moment. D'abord présentée sous la forme d'un modèle à hayon, la Versa s'est ensuite vue attribuer une carrosserie de type berline. Et ne serait-ce que pour cet élément, elle possède aujourd'hui un net avantage sur sa grande rivale. En revanche, il est évident que sa ligne un peu bizarre a laissé bon nombre d'acheteurs sur leur appétit. La partie arrière tronquée du modèle à hayon et le manque de fluidité des lignes de la berline ne font effectivement pas honneur au produit, dont les qualités sont nettement plus notoires.

Parmi celles-ci, la qualité de fabrication. Dans l'habitacle, on la remarque instantanément en montant à bord. Dans la version SL, on a même doté les portières d'accoudoirs rembourrés, ce qui en dit long sur le souci du détail apporté à cette voiture. Autre constatation, l'habitacle est de loin le plus spacieux de la catégorie. Devant comme derrière, l'espace alloué aux bras, aux jambes et aux épaules est très généreux, tandis que la soute à bagages s'avère elle aussi l'une des plus spacieuses. Il faut en revanche mentionner que le plancher de coffre très profond ne permet pas de profiter d'un plancher plat à la grandeur en rabattant le dossier de la banquette. Voilà un élément qui pourrait être corrigé.

Un siège confortable offrant beaucoup de réglages, ainsi qu'une bonne accessibilité aux divers éléments parfaitement disposés, permet au conducteur de se réjouir de la position de conduite. On pourrait bien sûr contester l'absence du volant télescopique, mais comme on le dit si bien, tout ne peut être parfait. Chose certaine, il y a un monde de différence entre l'inconfort que procure une Yaris et ce que l'on obtient avec une Versa.

En matière d'équipement, cette Nissan fait preuve de générosité. L'acheteur désireux de conduire une voiture compacte et économique pourra donc quand même bénéficier des gadgets qu'il aurait pu obtenir dans une voiture de catégorie supérieure. Par exemple, on peut profiter, dans la Versa, d'un système de commande vocale avec compatibilité téléphonique Bluetooth, de la radio satellite XM, du toit ouvrant et, bien sûr, de toute la panoplie des accessoires électriques. Il ne manque en fait que la disponibilité des sièges chauffants pour compléter la liste déjà très longue des caractéristiques offertes.

FEU VERT
- Habitacle très spacieux
- Confort de roulement impressionnant
- Comportement routier d'une compacte
- Construction sérieuse
- Motorisation agréable

FEU ROUGE
- Ligne qui ne fait pas l'unanimité
- Coffre mal conçu (*hatchback*)
- Absence d'un volant télescopique
- Ligne générique de la berline

AVANTAGE SL

De série, la Versa propose une boîte manuelle à six rapports (eh oui, six rapports), laquelle s'avère aussi agréable que bien étagée. Cependant, en optant pour le modèle S, on peut obtenir en option une boîte automatique à quatre rapports, alors que la version SL propose une boîte automatique à variation continue. Naturellement, cette dernière est un peu plus chère à l'achat que l'automatique régulière, mais l'économie d'essence qu'elle permet de réaliser vous rendra la différence très rapidement. C'est avec une version équipée de cette boîte que l'équipe du *Guide de l'auto* a d'ailleurs pu comptabiliser une consommation moyenne de seulement 7,4 litres aux 100 km, un chiffre tout à fait honorable compte tenu de la puissance offerte.

N'oublions pas que cette Nissan se déplace au moyen d'un quatre cylindres de 1,8 litre, dont la puissance dépasse celle de toutes ses rivales. Ses 122 chevaux permettent des accélérations et des reprises toujours à la hauteur et, par le fait même, un sentiment de sécurité supérieur. Parlant de sécurité, sachez que la Versa reçoit de série tous les éléments de sécurité nécessaires, tels que les six sacs gonflables, les ceintures à trois points à toutes les positions et les appuie-têtes actifs. L'antiblocage des freins est pour sa part offert de série sur la version SL, mais en option sur la S.

MANGEUSE DE SENTRA

Vous l'aurez remarqué, la Versa est légèrement plus volumineuse que certaines rivales. À lui seul, cet élément pourrait expliquer le chevauchement de clientèle entre ce modèle et la berline Sentra, catégorisée chez les compactes. Toutefois, l'intérêt pour la Versa, et pour son prix moins élevé, se justifie encore davantage lorsqu'on prend la route à son bord. Dès lors, le silence de roulement et le sentiment de sécurité nous amènent dans une dimension jamais atteinte dans ce segment de véhicule. Le confort étonne au même titre que la stabilité routière, supérieure à toute rivalité (sauf peut-être la Golf City). Pour cela, dites merci à la plate-forme conçue conjointement avec Renault, qui s'avère d'une grande rigidité, ainsi qu'à la suspension extrêmement bien calibrée. Il n'est donc pas surprenant de constater que les ventes de la Versa sont aussi élevées, alors que celles de la Sentra sont presque trois fois moindres.

Antoine Joubert

Photos: Antoine Joubert

VÉHICULE D'ESSAI

Version:	Nissan Versa SL
Moteur:	4L de 1,8 litre 16s atmosphérique
Puissance:	122 ch (91 kW) à 5 200 tr/min
Couple:	127 lb-pi (172 Nm) à 4 800 tr/min
Rapport poids/puissance:	10,33 kg/ch (13,85 kg/kW)
Transmission:	manuelle, 6 rapports
Rouage:	traction
0-100 km/h · 80-120 km/h:	9,5 s · 8,3 s
Freinage 100-0 km/h:	41,5 m
Vitesse maximale:	175 km/h
Consommation (100 km):	ordinaire, 7,9 litres
Autonomie approximative:	632 km
Émissions de CO2:	3 456 kg/an
Emp/Lon/Lar/Haut (mm):	2 600 / 4 295 / 1 695 / 1 535
Coffre/Réservoir:	504 à 1 427 (391 sedan) / 50 litres
Nombre de coussins de sécurité:	6
Suspension avant:	indépendante, jambes de force
Suspension arrière:	demi-indépendante, poutre déformante
Freins av./arr.:	disque/tambour (ABS)
Antipatinage/Contrôle de stabilité:	non/non
Direction:	à crémaillère, assistance variable électrique
Diamètre de braquage:	10,4 m
Pneus av./arr.:	P185/65R15
Poids:	1 261 kg
Capacité de remorquage:	non recommandé

AUTRE(S) COMPOSANTE(S) MÉCANIQUE(S)

Système hybride:	aucun
Moteur diesel:	aucun
Taxe énergivore:	aucune
Autre(s) moteur(s):	aucun
Autre(s) rouage(s):	aucun
Autre(s) transmission(s):	CVT

EN BREF

Échelle de prix:	13 598 $ à 17 798 $
Catégorie:	*hatchback*
Garanties:	3 ans/60 000 km, 5 ans/100 000 km
Assemblage:	Aguascalientes, Mexique
Cote d'assurance:	n.d.

DANS LA MÊME CATÉGORIE

Chevrolet Aveo, Honda Fit, Hyundai Accent, Kia Rio, Pontiac Wave, Suzuki Swift, Toyota Yaris

NOS IMPRESSIONS

Agrément de conduite:	3½
Fiabilité:	4½
Sécurité:	4
Qualités hivernales:	4
Espace intérieur:	3½
Confort:	3½

DU NOUVEAU EN 2009

Aucun changement majeur

SI L'ASPHALTE VOUS ENNUIE !

Il y a de ces gens pour qui l'aventure est une raison de vivre. Et je ne parle pas de ceux qui s'aventurent dans les centres commerciaux pendant le temps des fêtes, mais bien de ceux qui explorent des endroits où la majorité des humains n'ont pas l'habitude d'aller. Officiellement, c'est pour eux que sont conçus des véhicules comme le Xterra. Au grand plaisir de Nissan, plusieurs acheteurs citadins en quête d'identité s'en procurent sans penser à leurs réels besoins, mais il s'agit là d'une grossière erreur. En revanche, lorsqu'on pense roche, boue et sable, le Xterra est un compagnon de choix.

Ne m'en voulez pas cher lecteur si vous êtes un propriétaire de Nissan Xterra et que vous ne l'utilisez que pour vous rendre dans ce magasin de Laval où vous travaillez quotidiennement, mais je ne comprends pas ce qui pousse les gens à se procurer un tel véhicule pour le seul plaisir de la chose. C'est un peu comme si un entrepreneur en excavation choisissait de remplacer son F-150 par une 350Z !

Si mon opinion est à ce point tranchée sur ce genre de véhicule (qu'il s'agisse du Xterra, du FJ Cruiser ou du Jeep Wrangler), c'est que ces véhicules excellent à peu près partout, sauf sur le bitume. Naturellement, ils affichent un style qui permet de vous faire passer pour un Crocodile Dundee, mais pour composer avec le brouhaha du quotidien citadin, ce n'est pas la meilleure arme.

MOINS PIRE

Je vous accorderai en revanche que, comparativement à ses rivaux, le Xterra est sans doute le 4x4 dur à cuire le plus civilisé qui soit. Sa configuration est plus pratique que celle de plusieurs de ses concurrents et son comportement est plus équilibré. Sur la route, il est clair que l'essieu rigide arrière, la suspension multilame et les énormes pneumatiques influent sur la tenue de cap et le confort. Et lorsque l'on opte pour la version Off Road munie d'amortisseurs Bilstein, le confort se voit encore plus réduit. Toutefois, le véhicule est doté d'un excellent châssis et d'une direction rapide et communicative, ce qui contribue à son excellente maniabilité. Et malgré le fait qu'il soit plus haut que large, sa sensibilité aux vents latéraux n'est pas trop importante.

Bref, le Xterra est plus à l'aise sur route qu'un Jeep Wrangler, mais il l'est drôlement moins qu'un utilitaire comme le Nissan Murano. En revanche, le Xterra propose des performances dignes d'un athlète olympique en ce qui concerne la conduite hors route. Son système à quatre roues motrices avec boîtier de transfert à deux régimes permet d'affronter les pires conditions, surtout en combinaison avec le groupe motopropulseur dont ce Nissan est équipé. Les angles d'attaque sont importants, la suspension est efficace et la version Off Road est munie de pneumatiques et de plaques de protection autorisant les pires sévices. Sachez également que le véhicule est doté de série d'un contrôle dynamique de stabilité, de l'antipatinage et, dans le cas de la version Off Road toujours, d'un différentiel arrière à blocage et d'un contrôle électronique de descente en pente.

FEU VERT
- Aptitudes hors route exceptionnelles
- Véhicule très robuste
- Motorisation puissante
- Confort supérieur à la moyenne

FEU ROUGE
- Comportement routier d'un 4x4
- Consommation d'essence élevée
- Finition intérieure décevante
- Prix élevé

Sous le capot repose un puissant V6 de 4,0 litres dont l'architecture dérive du bien connu V6 de 3,5 litres, utilisé à outrance chez Nissan. Légèrement grognon, ce moteur démontre plus de puissance et de couple que ceux de tous ses rivaux, exception faite bien sûr du V8 offert dans le Hummer H3. Fort de ses 261 chevaux, il offre des accélérations presque exotiques et un couple largement suffisant pour se sortir des pires conditions. Il fait équipe avec une boîte manuelle à six rapports, précise et bien étagée, ou avec une automatique à cinq rapports, exempte de toute critique. Évidemment, le Xterra ne se gêne pas pour engloutir une quantité considérable d'essence, mais aucun véhicule de ce créneau ne peut se vanter d'être frugal.

LE PLUS HOMOGÈNE

Si le Xterra me semble un choix plus censé par rapport à l'ensemble de ses rivaux, c'est qu'il fait preuve d'une homogénéité que n'ont pas des véhicules comme le FJ Cruiser ou le Wrangler. Certes, il n'est pas décapotable, mais il propose un habitacle nettement plus confortable que la moyenne, un équipement relativement étoffé et une habitabilité supérieure. Les sièges procurent beaucoup de confort ainsi qu'un bon soutien latéral, la planche de bord redessinée est bien aménagée et l'espace cargo est extrêmement généreux. Toutefois, il est décevant de constater que malgré les améliorations apportées cette année à l'habitacle, ce dernier ne bénéficie pas de matériaux plus riches. Les plastiques demeurent dans certains cas bon marché et ont la fâcheuse tendance à s'égratigner très facilement.

Pour les activités en famille, le Xterra est également un véhicule nettement plus pratique que le convoité Jeep Wrangler. Il accueille sans broncher cinq occupants et leurs bagages en plus d'être doté d'un couvre-chef qui permet de trimbaler plusieurs effets supplémentaires, et propose en plus une capacité de remorquage de 5000 lb (2268 kg).

Avec la hausse du coût du carburant, il est évident que les ventes de ce type de véhicule fléchissent. Certains acheteurs aux besoins précis ne peuvent toutefois se passer de ce type de véhicule malgré cette conjoncture, et Nissan leur propose un produit qui, à mon sens, trône au sommet de cette catégorie. Il fait nettement mieux que le duo Nitro/Liberty à tous les égards, est plus pratique et plus confortable qu'un Wrangler, plus maniable qu'un FJ Cruiser et, bien sûr, moins cher qu'un Hummer H3.

Antoine Joubert

Photos: Nissan

VÉHICULE D'ESSAI

Version:	Nissan Xterra Off-Road
Moteur:	V6 de 4,0 litres 24s atmosphérique
Puissance:	261 ch (195 kW) à 5600 tr/min
Couple:	281 lb-pi (381 Nm) à 4000 tr/min
Rapport poids/puissance:	7,61 kg/ch (10,19 kg/kW)
Transmission:	manuelle, 6 rapports
Rouage:	4x4
0-100 km/h · 80-120 km/h:	7,9 s · 6,2 s
Freinage 100-0 km/h:	42,0 m
Vitesse maximale:	195 km/h
Consommation (100 km):	ordinaire, 13,5 litres
Autonomie approximative:	592 km
Émissions de CO2:	5760 kg/an
Emp/Lon/Lar/Haut (mm):	2700 / 4538 / 1849 / 1903
Coffre/Réservoir:	388 à 1869 / 80 litres
Nombre de coussins de sécurité:	6
Suspension avant:	indépendante, multibras
Suspension arrière:	essieu rigide, ressorts elliptiques
Freins av./arr.:	disque (ABS)
Antipatinage/Contrôle de stabilité:	oui/oui
Direction:	à crémaillère, assistance variable
Diamètre de braquage:	11,3 m
Pneus av./arr.:	P265/65R17
Poids:	1988 kg
Capacité de remorquage:	2268 kg

AUTRE(S) COMPOSANTE(S) MÉCANIQUE(S)

Système hybride:	aucun
Moteur diesel:	aucun
Taxe énergivore:	aucune
Autre(s) moteur(s):	aucun
Autre(s) rouage(s):	aucun
Autre(s) transmission(s):	automatique, 5 rapports

EN BREF

Échelle de prix:	34598$ à 38298$
Catégorie:	VUS compact
Garanties:	3 ans/60000 km, 5 ans/100000 km
Assemblage:	Smyrna, Tennessee, É-U
Cote d'assurance:	moyenne

DANS LA MÊME CATÉGORIE

Ford Escape, Honda CR-V, Hyundai Tucson, Hyundai Santa Fe, Kia Sportage, Nissan Rogue, Subaru Forester, Suzuki Grand Vitara, Toyota RAV4

NOS IMPRESSIONS

Agrément de conduite:	3
Fiabilité:	4
Sécurité:	4
Qualités hivernales:	4 ½
Espace intérieur:	4
Confort:	3

DU NOUVEAU EN 2009

Aucun changement majeur

ÉLÉGANTE MAIS IGNORÉE

Il est certain que Bob Lutz, le responsable du développement des nouveaux produits chez GM, a influencé les stylistes qui avaient pour mission de concevoir la Pontiac G6. La silhouette est très épurée, élégante même. Nous sommes loin du style « arbre de Noël » tant prisé par les anciens décideurs de cette division. En effet, le grand Bob aime le style classique. Cela n'empêche pas cette Pontiac d'être plus ou moins ignorée du public québécois. Pourtant, elle offre plus qu'une belle carrosserie et elle se décline en trois versions différentes.

Il est en effet possible de commander la G6 en version berline, coupé ou cabriolet. Ce dernier modèle possède un toit amovible rigide qui se replie dans le coffre à bagages, en plus d'être le plus économique à l'achat sur le marché. Autre particularité, il est le seul modèle G6 à proposer le moteur V6 de 3,9 litres d'une puissance de 222 chevaux. Comme il ne développe que quelques chevaux de plus que l'autre moteur V6 de 3,5 litres, on est en droit de s'interroger quant à sa pertinence sous le capot du cabriolet. D'autant plus que les deux moteurs partagent la même transmission automatique à quatre rapports. À mon avis, c'est se compliquer la vie inutilement.

SURPRENANTE SOBRIÉTÉ

Je vous ai mentionné l'élégance de la silhouette, mais il faut également souligner l'absence d'artifices esthétiques, qui étaient toujours l'apanage des Pontiac par le passé. Le coupé et le cabriolet en particulier possèdent un toit très fuyant qui donne un effet particulier. Mais comme ces deux modèles se ressemblent étrangement une fois le toit du cabriolet en place, on se demande pourquoi le coupé est au catalogue puisque le cabriolet peut jouer le rôle des deux. Seule explication plausible : le coupé est beaucoup moins cher et plusieurs acheteurs ne veulent pas s'embarrasser d'un toit rigide qui prend presque toute la place dans le coffre une fois replié. Il y a aussi le fait que la plate-forme du coupé est nettement plus rigide que celle du cabriolet, ce qui a une influence sur le comportement routier.

À une certaine époque, le mot Pontiac était presque synonyme de l'expression « tableau de bord tarabiscoté ». Un peu comme ils ont fait pour la carrosserie, les stylistes ont refréné leur ardeur et nous proposent une planche de bord relativement sobre.

Bien entendu, les deux buses de ventilation centrales sont de type circulaire et viennent perturber quelque peu l'harmonie des lignes de la planche de bord, mais c'est quand même fort acceptable. Ce qui l'est moins, c'est la prolifération de plastiques durs et, au risque de se répéter, l'inconsistance de la finition.

Cela dit, l'habitacle est confortable et la position de conduite se trouve rapidement en raison d'un volant inclinable et télescopique. Il faut également souligner que l'instrumentation est fort complète et de consultation facile. Et comme dans plusieurs produits de ce constructeur, la climatisation est de série.

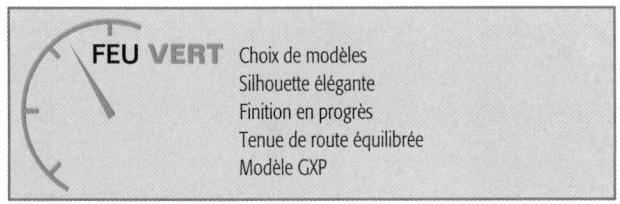

FEU VERT
Choix de modèles
Silhouette élégante
Finition en progrès
Tenue de route équilibrée
Modèle GXP

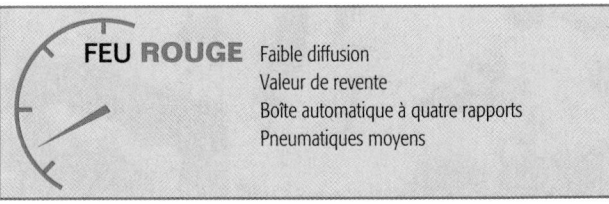

FEU ROUGE
Faible diffusion
Valeur de revente
Boîte automatique à quatre rapports
Pneumatiques moyens

DE MODESTE À SUPERLATIF

À l'exception du cabriolet qui bénéficie de son moteur exclusif, le coupé et la berline proposent comme moteur de base le quatre cylindres Ecotec de 2,2 litres produisant 164 chevaux. Il est couplé à une boîte automatique à quatre rapports, dont la fiabilité et la robustesse ont été démontrées au fil des années. Par contre, dans cette catégorie, nombreux sont les modèles concurrents qui offrent des transmissions automatiques à cinq ou six rapports. C'est également possible sur la G6, mais uniquement sur le modèle GXP qui est équipé du moteur V6 de 3,6 litres d'une puissance de 252 chevaux.

Sur les autres versions, un autre moteur V6 est offert. Il s'agit du 3,5 litres dont la puissance est de 219 chevaux. Robuste et fiable, il est nettement moins performant et silencieux que le moteur du GXP.

BONNE ROUTIÈRE

Sur la route, la plupart des modèles essayés ont démontré une tenue de route saine et sans surprise. La voiture manque sans doute d'agilité dans les virages serrés, mais elle s'accroche avec ténacité dans les courbes à long rayon. Par contre, le cabriolet est quelque peu handicapé par une plate-forme moins rigide. Et peu importe la version, il faut souligner que la visibilité arrière n'est pas très bonne.

Malgré quelques bémols, il est surprenant de constater que cette Pontiac est boudée par le public alors qu'elle est tout de même compétitive à plusieurs chapitres, en plus d'être souvent offerte à des prix réduits soutenus par des conditions d'achat plus que favorables. Si vous succombez à ces offres, vous avez de bonnes chances d'apprécier votre achat, car le taux de satisfaction des propriétaires est passablement élevé.

Denis Duquet

Photos: Pontiac

VÉHICULE D'ESSAI

Version :	Pontiac G6 GT berline
Moteur :	V6 de 3,5 litres 12s atmosphérique
Puissance :	219 ch (163 kW) à 5 800 tr/min
Couple :	221 lb-pi (300 Nm) à 5 800 tr/min
Rapport poids/puissance :	6,84 kg/ch (9,19 kg/kW)
Transmission :	automatique, 4 rapports
Rouage :	traction
0-100 km/h · 80-120 km/h :	8,4 s · 7,3 s
Freinage 100-0 km/h :	43,0 m
Vitesse maximale :	190 km/h
Consommation (100 km) :	ordinaire, 11,9 litres
Autonomie approximative :	512 km
Émissions de CO2 :	4 800 kg/an
Emp/Lon/Lar/Haut (mm) :	2 852 / 4 801 / 1 793 / 1 450
Coffre/Réservoir :	396 / 61 litres
Nombre de coussins de sécurité :	6
Suspension avant :	indépendante, jambes de force
Suspension arrière :	indépendante, multibras
Freins av./arr. :	disque (ABS)
Antipatinage/Contrôle de stabilité :	oui/oui
Direction :	à crémaillère, assistance variable
Diamètre de braquage :	11,6 m
Pneus av./arr. :	P215/55R17
Poids :	1 499 kg
Capacité de remorquage :	non recommandé

AUTRE(S) COMPOSANTE(S) MÉCANIQUE(S)

Système hybride :	aucun
Moteur diesel :	aucun
Taxe énergivore :	aucune
Autre(s) moteur(s) :	V6 de 3,6 litres 252 ch/251 lb-pi (13,0 l/100 ordinaire)
	V6 de 3,9 litres 222 ch/238 lb-pi (13,0 l/100 ordinaire)
	4L de 2,4 litres 164 ch/156 lb-pi (10,2 l/100 ordinaire)
Autre(s) rouage(s) :	aucun
Autre(s) transmission(s) :	automatique, 6 rapports

EN BREF

Échelle de prix :	23 995 $ à 35 995 $
Catégorie :	berline compacte, coupé, cabriolet
Garanties :	3 ans/60 000 km, 5 ans/160 000 km
Assemblage :	Orion, Michigan, É-U
Cote d'assurance :	moyenne

DANS LA MÊME CATÉGORIE

Acura CSX, Chrysler Sebring, Ford Focus, Honda Civic, Nissan Altima, Subaru Impreza, Volkswagen Eos

NOS IMPRESSIONS

Agrément de conduite :	🚗🚗🚗½
Fiabilité :	🚗🚗🚗🚗
Sécurité :	🚗🚗🚗½
Qualités hivernales :	🚗🚗🚗½
Espace intérieur :	🚗🚗🚗½
Confort :	🚗🚗🚗½

DU NOUVEAU EN 2009

Moteur de 2,4 litres plus économique, nouvelles couleurs

LA FILIÈRE AUSTRALIENNE

General Motors est allée chercher une championne australienne jouant avec un de ses clubs affiliés pour ajouter une nouvelle série de berlines sportives à roues arrière motrices costaudes, performantes et sans prétention à la gamme Pontiac. Pour cette marque qui cherche à retrouver son lustre d'antan aux yeux des amateurs de performance abordable, la nouvelle G8 est une solide recrue qui n'arrive toutefois peut-être pas sur le marché au meilleur moment.

La marque Pontiac ne nous a pas offert de berline ou de coupé performant à roues arrière motrices depuis la disparition de la Firebird en 2002. De 2004 à 2006, nos voisins américains ont pu se payer un coupé sport à moteur V8 sur lequel GM avait apposé le sigle légendaire du premier muscle car des années 60 : la GTO. Inspiré de la Monaro, un modèle de la marque australienne Holden, propriété General Motors, le coupé GTO n'a pas connu le succès espéré malgré son V8 de 6,0 litres et 400 chevaux emprunté à la Corvette. GM revient à la charge cette année avec une nouvelle série inspirée directement d'un modèle produit par Holden. Cette fois, il s'agit d'une berline de taille intermédiaire dérivée de la Holden Commodore, la voiture la plus populaire et la mieux vendue en Australie depuis une décennie. Et cette fois, la nouvelle Pontiac, baptisée G8, est bel et bien chez nous !

DES BASES SOLIDES

Produite depuis trente ans, la Commodore est pratiquement une voiture-culte aux antipodes. Holden ne lésine donc pas sur les moyens pour la maintenir à jour. La Commodore jouit également d'une solide réputation comme voiture de performance à la faveur de ses multiples victoires et titres de championne dans les séries australiennes pour voitures de tourisme à moteur V8 qui ont là-bas une popularité comparable à celle de la série NASCAR. Il était donc sage pour GM de se tourner vers sa filiale australienne lorsque la décision fut prise de développer une nouvelle berline à roues arrière motrices destinée au marché nord-américain. C'était aussi une approche sensée d'un point de vue financier et le constructeur a joué cette carte à fond, avec le résultat que les différents modèles de la G8 sont vendus à prix très compétitif. Assemblée en Australie, la G8 partage 98 % des composantes de la Commodore.

Officiellement, les nouvelles G8 sont construites sur l'architecture mondiale Theta, destinée aux propulsions chez GM. C'est d'ailleurs en Australie que s'est fait le gros du travail de développement de la nouvelle Camaro qui sera lancée l'an prochain. La tenue de route des versions les plus performantes de la G8 a été peaufinée sur la grande boucle du célèbre circuit de Nürburgring, le *Nordschleife*. Il faut dire que les éléments de base ont été soignés. Les masses sont par exemple réparties uniformément entre les essieux avant et arrière (50/50) grâce au moteur installé bas dans le châssis et vers l'arrière de la batterie placée dans le coffre.

DOUCE, MOYENNE, PIQUANTE

Deux versions de la G8 ont été présentées au lancement. La première est animée par un V6 de 3,6 litres à double arbre à cames en tête de 256 chevaux, tandis que la GT profite d'un V8 à culbuteurs de 6,0 litres et 361 chevaux avec mode à cylindrée variable qui coupe l'alimentation à la moitié des cylindres à vitesse constante pour réduire la consommation. Un troisième modèle plus performant, la GXP, est prévu en cours d'année. Sous son capot ; un V8 de 6,2 litres qui produira 402 chevaux, sinon plus. Ce moteur de type LS3 équipe déjà la Corvette actuelle et se retrouvera l'an prochain sous le capot de la nouvelle Camaro. Le V6 est jumelé à une boîte automatique à 5 rapports. Les GT et GXP arrivent, de série, avec une automatique à 6 rapports mais la GXP pourra être livrée avec une version de la boîte manuelle Tremec à 6 rapports qui équipe aussi les Corvette ZR1 et Z06. Pontiac promet un 0-100 km/h en 4,7 secondes et 13 secondes tout juste pour le sprint sur un quart de mille, des chronos fort respectables pour une berline de 1 837 kg. Le différentiel autobloquant boulonné de série à l'essieu arrière des GXP et GT y sera pour quelque chose.

Toutes les G8 disposent de suspensions avant et arrière à roues indépendantes avec jambes de force à l'avant, bras multiples à l'arrière et barres antiroulis aux deux essieux. La berline à moteur V6 et la GT partagent une suspension de niveau FE2 alors que la GXP reposera sur une suspension FE3, un code familier, chez GM, pour les suspensions sport aux tarages plus fermes. Portrait semblable pour le freinage. Toutes les G8 ont quatre freins à disque ventilé avec antiblocage. Le diamètre des disques est toutefois supérieur de 25 mm sur les GT. Et pour la GXP, rien de moins qu'un quatuor de freins Brembo avec disques ventilés de 355 mm à l'avant et 324 mm derrière, les disques avant pincés par des étriers en alliage à quatre pistons.

UN STYLE FRONDEUR ET FAMILIER

La posture solide des G8, avec leurs voies larges, leur faible porte-à-faux avant et les grandes roues des versions GT et GXP, est renforcée par leur silhouette. Réalisée dans le style sans complexe des Pontiac modernes, elle en reprend certains des éléments les plus familiers. Le plus frappant est certes la calandre dont les deux grandes ouvertures en trapèze sont cerclées d'une mince moulure de chrome et serties de grilles noires en alvéole. De concert avec les deux prises d'air sur le capot, l'ensemble est pur

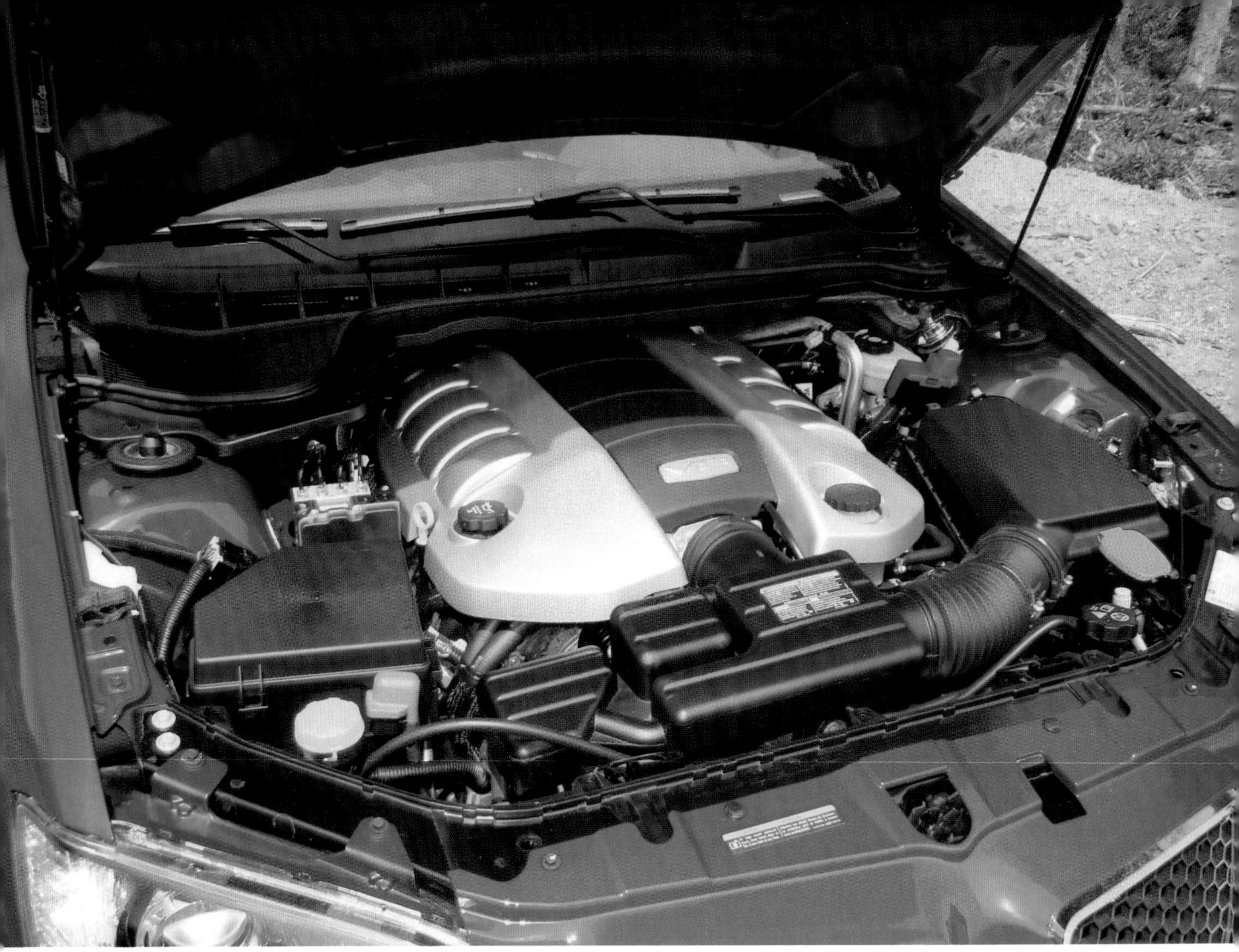

Pontiac. Il faut par contre le nom sur le couvercle du coffre pour identifier les G8 de l'arrière. Et de profil, il faut deviner ou connaître déjà.

À l'intérieur, le dessin du tableau de bord est sobre et sans fioriture, comme les aiment les Australiens, semble-t-il. Les deux grands cadrans du compte-tours et de l'indicateur de vitesse flanqués d'une paire de cadrans plus petits sont classiques et impeccablement lisibles, avec des inscriptions blanches sur fond noir. Les commandes sont à la fois simples, claires, efficaces et bien disposées. On a de toute évidence conservé les fonctions d'origine et certaines sont inhabituelles au premier abord. Il faut par exemple utiliser une molette sur la branche gauche du volant pour remettre le totalisateur kilométrique à zéro, mais on s'y fait rapidement.

Un écran de bonne taille trône au milieu de la planche de bord. On y retrouve des icônes et des données sur la climatisation et la chaîne audio mais pas de système de navigation. Les Australiens n'en seraient pas tellement friands, semble-t-il, du moins pas encore. Ce sera peut-être pour la prochaine génération de la Commodore et ses futures cousines. En fait, la G8 se démarque de certaines de ses rivales par sa simplicité et le fait qu'elle comporte très peu de gadgets.

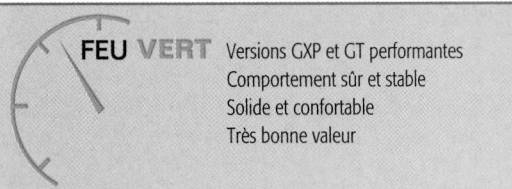

FEU VERT
- Versions GXP et GT performantes
- Comportement sûr et stable
- Solide et confortable
- Très bonne valeur

FEU ROUGE
- Versions GXP et GT peu frugales
- Certains accessoires manquants
- Pas de version à rouage intégral
- Calandre criarde

L'espace est abondant à l'intérieur. La banquette arrière laisse un dégagement exceptionnel pour les genoux, mais on est calé plutôt bas dans le coussin et il y a tout juste assez d'espace pour la pointe des pieds sous les banquettes avant. Le coffre est vaste et le passage vers la cabine exceptionnellement large. Il y a aussi tout l'espace voulu à l'avant. La position de conduite est juste et le siège du conducteur confortable et facile à régler. Chaussée des pneus «été» optionnels de taille 245/40R19, la GT affiche un bel aplomb. Sa direction est nette et le confort de roulement très honnête sur toute surface. La sonorité du V8 est agréable en accélération mais la boîte automatique se montre parfois lente à réagir. À l'occasion, le sélecteur résiste lorsqu'on veut le pousser vers la droite pour utiliser le mode manuel.

Les G8 sont de bonnes berlines au comportement sain et au raffinement correct mais elles ne déclencheront sans doute pas de grandes passions. Dans leurs versions V6 et GT, à tout le moins. La GXP viendra probablement remuer les choses, mais le marché actuel n'est guère propice pour les grandes berlines à moteur V8 de plus de 400 chevaux qui ne portent pas la griffe d'une marque de luxe.

Marc Lachapelle

Photos: Marc Lachapelle

VÉHICULE D'ESSAI

Version:	Pontiac G8 GT
Moteur:	V8 de 6,0 litres 16s atmosphérique
Puissance:	361 ch (269 kW) à 5 300 tr/min
Couple:	385 lb-pi (522 Nm) à 4 400 tr/min
Rapport poids/puissance:	5,01 kg/ch (6,76 kg/kW)
Transmission:	automatique, 6 rapports
Rouage:	propulsion
0-100 km/h · 80-120 km/h:	n.d. · n.d.
Freinage 100-0 km/h:	n.d.
Vitesse maximale:	n.d.
Consommation (100 km):	ordinaire, 14,4 litres
Autonomie approximative:	500 km
Émissions de CO2:	n.d.
Emp/Lon/Lar/Haut (mm):	2 915 / 4 982 / 1 899 / 1 465
Coffre/Réservoir:	496 / 72 litres
Nombre de coussins de sécurité:	6
Suspension avant:	indépendante, jambes de force
Suspension arrière:	indépendante, multibras
Freins av./arr.:	disque (ABS)
Antipatinage/Contrôle de stabilité:	oui/oui
Direction:	à crémaillère, assistance variable
Diamètre de braquage:	11,4 m
Pneus av./arr.:	P245/45R18
Poids:	1 812 kg
Capacité de remorquage:	454 kg

AUTRE(S) COMPOSANTE(S) MÉCANIQUE(S)

Système hybride:	aucun
Moteur diesel:	aucun
Taxe énergivore:	n.d.
Autre(s) moteur(s):	V8 de 6,2 litres 402 ch/402 lb-pi (GXP)
	V6 de 3,6 litres 256 ch/248 lb-pi (12,2 l/100 ordinaire) (G8)
Autre(s) rouage(s):	aucun
Autre(s) transmission(s):	manuelle, 6 rapports (GXP, GT)
	automatique, 5 rapports (G8)

EN BREF

Échelle de prix:	31 995 $ à 36 995 $
Catégorie:	berline grand format
Garanties:	3 ans/60 000 km, 5 ans/160 000 km
Assemblage:	Adélaïde, Australie
Cote d'assurance:	n.d.

DANS LA MÊME CATÉGORIE

Buick Allure, Chrysler 300, Dodge Charger, Nissan Maxima

NOS IMPRESSIONS

Agrément de conduite:	🚗🚗🚗🚗
Fiabilité:	nouveau modèle
Sécurité:	🚗🚗🚗🚗
Qualités hivernales:	🚗🚗🚗
Espace intérieur:	🚗🚗🚗🚗🚗½
Confort:	🚗🚗🚗🚗

DU NOUVEAU EN 2009

Nouveau modèle

Saturn Sky

PLAISIRS ET FRUSTRATIONS

La Pontiac Solstice et la Saturn Sky sont deux roadsters qui ne manquent pas de qualités, surtout dans le cas des modèles GXP et Red Line, mais qui présentent tellement de défauts que c'en est presque navrant. Compte tenu du fait que ces voitures ont été développées sur la base d'une nouvelle plate-forme créée spécialement pour elles, on se serait attendu à ce qu'elles soient plus achevées, mais on doit malheureusement constater que le travail a été bâclé à plusieurs égards.

La plate-forme Kappa, réalisée expressément pour la Solstice et la Sky, est de conception similaire à celle de la Corvette, dans la mesure où les procédés de fabrication sont semblables. Les châssis de ces deux voitures font appel à des éléments hydroformés ainsi qu'à une «colonne vertébrale» centrale, avec le résultat que les Solstice et Sky disposent d'une plate-forme très rigide, gage d'une bonne tenue de route. Le problème, et il est majeur, c'est que les ingénieurs n'ont pas réussi à loger le réservoir d'essence ailleurs que dans le coffre de la voiture!

Le plancher de l'espace cargo présente donc une bosse en plein centre, ce qui fait en sorte que le volume de chargement n'est que de 153 litres, mais surtout que l'on doit loger ses bagages autour de cette fameuse bosse dans le plancher du coffre. Vous pouvez donc oublier l'idée d'y transporter votre sac de golf. C'est encore pire si vous décidez de rouler à ciel ouvert, puisque le toit souple se replie justement dans le coffre, réduisant l'espace de chargement à 60 litres, c'est-à-dire presque rien...

CÔTÉ PRATIQUE: ZÉRO

Et puisqu'il est question du toit souple, sachez que l'action de le retirer ou de le remettre en place exige toute une série de manipulations qui peuvent être effectuées par une seule personne en environ trente secondes, mais disons qu'il est pas mal plus facile de décapoter ou de recapoter une Mazda MX-5, puisque cela peut se faire en roulant en basse vitesse alors que les Solstice et Sky doivent être à l'arrêt parce qu'il faut d'abord ouvrir leur coffre. De plus, le côté pratique de la MX-5 ne souffre pas d'avoir un toit rétractable; le coffre est toujours d'une capacité de 150 litres, son toit souple ne se repliant justement pas dans le coffre.

Ce qui est particulièrement navrant dans le cas des Solstice et Sky, c'est que les ingénieurs disposaient d'une page totalement blanche pour créer la plate-forme de ces nouveaux roadsters. Ils n'avaient donc pas à composer avec l'utilisation d'une plate-forme existante exigeant des compromis quant à la localisation d'éléments clés comme le réservoir de carburant. Comment en sont-ils quand même arrivés à un résultat aussi déficient? Mystère et boule de gomme... Vous me direz que le côté pratique ne figure pas au sommet des priorités pour la catégorie des roadsters, ce que je vous accorde volontiers. Cependant, on s'attend à ce que les plus récentes voitures d'une catégorie offrent au moins le même standard que la rivale directe, ce qui n'est pas le cas avec les Solstice et les Sky.

FEU VERT
- Style réussi
- Châssis rigide
- Puissance (modèles GXP et Red Line)
- Bonne tenue de route

FEU ROUGE
- Zéro côté pratique
- Manipulation du toit inutilement complexe
- Puissance faible (modèles de base)
- Manque de rangements

SUR LA ROUTE

Au volant des modèles de base, la tenue de route impressionne en raison des pneus surdimensionnés, mais c'est à peu près tout, car le moteur de 173 chevaux n'offre pas des performances à tout casser. Il vaut mieux choisir la version GXP chez Pontiac ou Red Line chez Saturn, dont le moteur turbocompressé développe une puissance de 260 chevaux tout en offrant une meilleure consommation de carburant que le moteur du modèle de base, du moins lorsqu'il est jumelé à la boîte manuelle. Cette boîte a été développée par Aisin, qui a également réalisé la boîte de la Honda S2000, mais celle conçue pour les Solstice et Sky demande curieusement un peu plus d'efforts de la part du conducteur.

INTÉRIEUR NAVRANT

Côté style, les Solstice et Sky sont plutôt réussies et exercent un pouvoir d'attraction qui est bien réel, mais en montant à bord, on ne peut être que déçu par la présentation intérieure et les plastiques bon marché, sans parler du fait que les sièges en cuir n'offrent à peu près pas de soutien latéral en virages, ce qui est un autre point faible dans le cas d'un roadster.

C'est donc par un constat mitigé que se solde l'essai du roadster de General Motors. D'un côté, on est séduit par le style, par les performances du moteur turbocompressé ainsi que par la tenue de route performante. Mais on ne peut que regretter que GM n'ait pas su mettre à profit ces éléments positifs en poursuivant le travail sur les éléments déficients de la voiture. Avec une page blanche comme point de départ, les Solstice et Sky auraient pu connaître un succès sur toute la ligne, mais ce n'est malheureusement pas le cas.

Gabriel Gélinas

Pontiac Solstice Coupé

Photos: Pontiac

VÉHICULE D'ESSAI

Version:	Pontiac Solstice GXP
Moteur:	4L de 2,0 litres 16s turbocompressé
Puissance:	260 ch (194 kW) à 5 300 tr/min
Couple:	260 lb-pi (353 Nm) à 5 250 tr/min
Rapport poids/puissance:	5,19 kg/ch (6,95 kg/kW)
Transmission:	manuelle, 5 rapports
Rouage:	propulsion
0-100 km/h · 80-120 km/h:	6,0 s · 5,4 s
Freinage 100-0 km/h:	40,5 m
Vitesse maximale:	230 km/h
Consommation (100 km):	super, 10,8 litres
Autonomie approximative:	481 km
Émissions de CO2:	4 368 kg/an
Emp/Lon/Lar/Haut (mm):	2 415 / 3 992 / 1 810 / 1 273
Coffre/Réservoir:	60 à 153 / 52 litres
Nombre de coussins de sécurité:	2
Suspension avant:	indépendante, bras inégaux
Suspension arrière:	indépendante, bras inégaux
Freins av./arr.:	disque (ABS opt.)
Antipatinage/Contrôle de stabilité:	oui/oui
Direction:	à crémaillère, assistée
Diamètre de braquage:	10,7 m
Pneus av./arr.:	P245/45R18
Poids:	1 350 kg
Capacité de remorquage:	non recommandé

AUTRE(S) COMPOSANTE(S) MÉCANIQUE(S)

Système hybride:	aucun
Moteur diesel:	aucun
Taxe énergivore:	aucune
Autre(s) moteur(s):	4L de 2,4 litres 173 ch/167 lb-pi (10,8 l/100 super) (Base)
Autre(s) rouage(s):	aucun
Autre(s) transmission(s):	automatique, 5 rapports (GXP, Base)

EN BREF

Échelle de prix:	28 365 $ à 39 660 $
Catégorie:	roasdster
Garanties:	3 ans/60 000 km, 5 ans/160 000 km
Assemblage:	Wilmington, Delaware, É-U
Cote d'assurance:	n.d.

DANS LA MÊME CATÉGORIE

Honda S2000, Mazda MX-5, Saturn Sky

NOS IMPRESSIONS

Agrément de conduite:	4
Fiabilité:	3 ½
Sécurité:	3
Qualités hivernales:	1
Espace intérieur:	2 ½
Confort:	3

DU NOUVEAU EN 2009

Solstice Coupe à venir, ABS et Stabilitrak standard, différentiel à glissement limité standard, OnStar avec Bluetooth

EN MUTATION CONSTANTE

Dans le cas de la mythique 911 Carrera, Porsche adopte encore et toujours une approche que l'on peut qualifier d'évolutive. C'est certainement le cas pour 2009 alors que la sportive de Stuttgart affiche un *look* ayant subi de légères retouches et que les motorisations intègrent l'injection directe de carburant afin de bonifier la puissance et de réduire la consommation. De plus, un changement important s'opère en 2009, la boîte automatique TipTronic à cinq rapports étant finalement délaissée au profit d'une nouvelle boîte à double embrayage qui en compte sept.

C'est donc avec un incroyable retard que Porsche s'est enfin décidé à rattraper le terrain perdu par rapport aux autres constructeurs qui ont déjà adopté ce type de boîte. Ce retard est assez paradoxal dans la mesure où Porsche a été le premier constructeur ayant réussi à développer une boîte à double embrayage pour ses voitures de compétition du Groupe C en 1983 ! Chez le constructeur allemand, cette nouvelle boîte s'appelle PDK pour Porsche Doppelkupplungsgetriebe. Elle permet des changements de vitesse instantanés sans perte de motricité ou de puissance, et elle pourrait devenir populaire au point de supplanter la boîte manuelle classique dans un avenir rapproché. Dans un premier temps, la boîte PDK sera réservée aux 911 Carrera et Carrera S, pour ensuite apparaître sur les Carrera 4 et Carrera 4S, mais elle devra être modifiée afin de composer avec le couple plus élevé des 911 Turbo et GT2 avant d'être offertes sur ces modèles. Redoutablement efficace, la boîte PDK présente toutefois un défaut majeur dans la mesure où Porsche a choisi de conserver les boutons de commandes au volant de l'ancienne boîte TipTronic. Ce qui signifie qu'il faut appuyer sur la partie supérieure du bouton de droite ou de gauche pour monter les rapports et appuyer sur la partie inférieure pour rétrograder. Il aurait été grandement préférable d'adopter la configuration maintenant consacrée sur toutes les autres voitures disposant de ce type de boîte, soit celle qui dispose de deux paliers localisés derrière le volant, celui de droite étant utilisé pour passer au rapport supérieur et celui de gauche pour rétrograder. Pourtant Porsche a préféré son propre système qui est moins efficace parce que moins intuitif.

DE LA CARRERA À LA GT2, UNE GAMME ÉTOFFÉE

C'est tout un éventail de modèles qui compose la gamme des 911 Carrera, et chacune de ces variations sur thème est à ce point typée que l'on a parfois l'impression d'être au volant d'une voiture qui est complètement différente des autres, tellement chacune d'entre elles possède sa personnalité propre. Coupés, cabriolets, traction intégrale, moteurs atmosphériques ou turbocompressés, toutes ces caractéristiques sont au programme et représentent autant de choix que doit faire l'acheteur. Si on a envie de rouler sur un circuit, la GT3 est la variante la mieux adaptée. Elle est plus large, plus basse et d'allure plus radicale et sportive que la simple 911 Carrera ; bref, elle est née pour la piste. Son moteur est de plus petite cylindrée, 3,6 litres par rapport à 3,8 litres pour la Carrera S, mais les ingénieurs ont réussi à l'alléger au maximum, à augmenter son taux de compression et à lui donner une limite de révolutions de 8 400 tours/minute. Le résultat, c'est que la

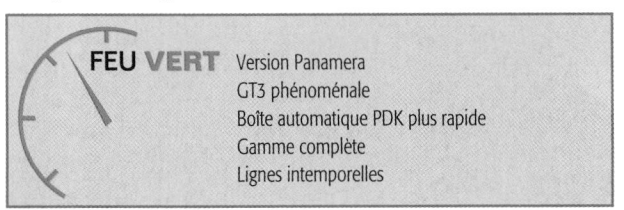

FEU VERT
- Version Panamera
- GT3 phénoménale
- Boîte automatique PDK plus rapide
- Gamme complète
- Lignes intemporelles

FEU ROUGE
- Commandes au volant de la boîte PDK
- Prix discriminatoires
- Coûts d'entretien très élevés
- Places arrière ridicules

GT3 dispose d'un moteur atmosphérique capable de livrer 415 chevaux à partir de 3,6 litres de cylindrée, ce qui est tout un exploit sur le plan technique. Sur le circuit, la GT3 permet un contact immédiat et direct entre le pilote et la piste. Elle est plus directe, plus précise et pardonne moins les erreurs de pilotage que toute autre 911. Elle est moins rapide sur le 0-100 km/h que la 911 Turbo, mais elle donne l'impression d'être plus rapide en raison du son absolument fabuleux de son moteur.

PORSCHE PANAMERA

La Panamera qui arrive en 2009 permet à Porsche d'élargir sa gamme avec l'ajout de ce tout nouveau modèle de berline sport à quatre places qui a été conçu afin de concurrencer directement les Mercedes-Benz de Classe S, Série 7 de BMW, Audi A8, Maserati Quattroporte et Aston Martin Rapide, entre autres... Côté style, la Panamera ressemble à une version allongée de la 911 Carrera, mais elle emprunte plusieurs éléments du Cayenne. Elle devrait faire cinq mètres de longueur et peser près de 1 800 kg. Un éventail de motorisations sera proposé pour la Panamera, qui pourra être animée par un V6 de 3,6 litres, un V8 de 4,8 litres, ainsi qu'une version turbocompressée de ce même V8.

Dans un premier temps, Porsche proposera les deux versions du V8 jumelées à une boîte à double embrayage à sept rapports qui livrera la motricité aux seules roues arrière, les modèles dotés de la traction intégrale arrivant en 2010, en même temps que les versions animées par le V6. Pour 2011, Porsche présentera également une version à motorisation hybride de la Panamera qui suivra l'entrée en scène du Cayenne hybride.

Le côté pratique de la nouvelle berline sport de Porsche est assuré par un volume de chargement qui est évalué à 475 litres et qui peut être augmenté en repliant les dossiers des sièges arrière. Il y a aussi fort à parier que la Panamera profitera de suspensions ajustables et de freins en composite de carbone, et que le catalogue d'options fera plusieurs dizaines de pages, comme c'est toujours le cas chez Porsche.

Gabriel Gélinas

Photos: Porsche

PORSCHE 911 CARRERA

VÉHICULE D'ESSAI

Version:	Porsche 911 Coupé
Moteur:	H6 de 3,6 litres 24s atmosphérique
Puissance:	345 ch (257 kW) à 6 800 tr/min
Couple:	288 lb-pi (391 Nm) à 4 250 tr/min
Rapport poids/puissance:	3,82 kg/ch (5,13 kg/kW)
Transmission:	manuelle, 6 rapports
Rouage:	propulsion
0-100 km/h · 80-120 km/h:	4,5 s · 4,3 s
Freinage 100-0 km/h:	38,0 m
Vitesse maximale:	290 km/h
Consommation (100 km):	super, 12,0 litres
Autonomie approximative:	533 km
Émissions de CO2:	n.d.
Emp/Lon/Lar/Haut (mm):	2 350 / 4 461 / 1 808 / 1 310
Coffre/Réservoir:	135 / 64 litres
Nombre de coussins de sécurité:	4
Suspension avant:	indépendante, jambes de force
Suspension arrière:	indépendante, multibras
Freins av./arr.:	disque (ABS)
Antipatinage/Contrôle de stabilité:	oui/oui
Direction:	à crémaillère, assistance variable
Diamètre de braquage:	n.d.
Pneus av./arr.:	P235/40R18 / P265/00R18
Poids:	1 320 kg
Capacité de remorquage:	non recommandé

AUTRE(S) COMPOSANTE(S) MÉCANIQUE(S)

Système hybride:	aucun
Moteur diesel:	aucun
Taxe énergivore:	aucune
Autre(s) moteur(s):	H6 de 3,6 litres 530 ch/505 lb-pi (13,6 l/100 super) (GT2) H6 de 3,6 litres 415 ch/300 lb-pi (14,0 l/100 super) (GT3) H6 de 3,6 litres 480 ch/460 lb-pi (13,3 l/100 super) (Turbo) H6 de 3,8 litres 385 ch/310 lb-pi (S)
Autre(s) rouage(s):	intégral (S, Turbo, Carrera)
Autre(s) transmission(s):	automatique, 7 rapports (S) automatique, 5 rapports (Turbo, Carrera)

EN BREF

Échelle de prix:	94 800 $ à 235 400 $
Catégorie:	coupé, roasdster
Garanties:	4 ans/80 000 km, 4 ans/80 000 km
Assemblage:	Stuttgart, Allemagne
Cote d'assurance:	n.d.

DANS LA MÊME CATÉGORIE

BMW Série 6, Chevrolet Corvette/Z06/ZR1, Dodge Viper, Jaguar XK8, Mercedes-Benz CLK

NOS IMPRESSIONS

Agrément de conduite:	½
Fiabilité:	
Sécurité:	
Qualités hivernales:	
Espace intérieur:	
Confort:	½

DU NOUVEAU EN 2009

Boîte séquentielle à double embrayage, moteurs plus puissants, retouches esthétiques, berline Panamera à venir

UNE VOITURE À PILOTER

Le simple travail de journaliste automobile ne permet évidemment pas de s'offrir des voitures exotiques comme les Ferrari ou les Lamborghini. Heureusement, dans un registre un peu plus accessible, nous sont confiées pour essai des voitures tout aussi performantes qui sont sûrement plus agréables à conduire dans le quotidien. La Boxster fait partie de ce groupe. Elle n'est pas le choix le plus raisonnable et n'est pas des plus polyvalentes, mais pour éveiller la passion, elle se démarque admirablement bien.

La Boxster est offerte en deux versions. Celle de base se veut la plus abordable alors que la livrée S, affichant un prix plus corsé, a évidemment un comportement beaucoup plus sportif, ceci en grande partie grâce au moteur six cylindres à plat de 3,4 litres qui propose près de 50 chevaux de plus que ce que développe la version de base. Outre ce moteur, les atouts de la S sont la transmission, qui dispose d'un sixième rapport, et les pneumatiques qui voient leur diamètre passer de 17 à 18 pouces en plus d'offrir une surface de contact avec le sol de près de 265 mm.

INDÉMODABLE

Depuis son lancement en 1997, la silhouette de la Boxster a très peu évolué. Il ne faut cependant pas se surprendre, car la compagnie Porsche a toujours été très conservatrice en matière de design. L'extérieur reste donc très agréable à l'œil et reprend de nombreux traits de la vénérable 911, dont les ailes avant galbées et les entrées d'air sur le côté permettant le refroidissement des freins. Après avoir passé plusieurs heures chez moi à nettoyer minutieusement la voiture (honte à celui qui n'en prend pas soin), je dois admettre que la finition est excellente, que la peinture est de qualité et que… les voisins sont curieux ! Puis, vient le temps de monter à bord de la voiture. On remarque immédiatement que s'introduire dans l'habitacle, surtout du côté conducteur, requiert une certaine dextérité et souplesse en raison de la faible garde au sol et de l'assise basse des sièges. Ceux-ci supportent évidemment bien le corps, mais l'assise est quelque peu ferme. On le remarquera davantage sur la version S puisque la voiture est chaussée de pneus de 18 pouces à profil bas. Le toit souple filtre bien les bruits extérieurs, qui sont de toute façon enterrés par le son du moteur. Par une simple pression du doigt, il sera possible de commander son ouverture et quelques secondes plus tard, vous serez exposé aux chauds rayons du soleil. Par la position centrale du moteur, la Boxster offre deux coffres à bagages. Celui à l'avant est très profond mais peu large, alors que celui à l'arrière est large mais peu profond.

UNE VRAIE DE VRAIE

Mais l'essence même d'une Porsche prend tout son sens lorsque la voiture est pilotée. Il aurait été également exact de dire « conduite », mais compte tenu de la réputation de la marque en matière de tenue de route, il est très approprié ici de « piloter » une Porsche, surtout notre voiture d'essai, la S. Tout d'abord, mentionnons que cette voiture n'est pas un bolide de performances brutes. La puissance disponible est intéressante, mais sans plus, car plusieurs voitures présentement sur le

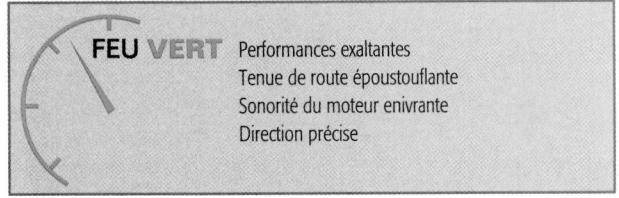

FEU VERT
- Performances exaltantes
- Tenue de route époustouflante
- Sonorité du moteur enivrante
- Direction précise

FEU ROUGE
- Niveau sonore élevé
- Consommation élevée (en conduite sportive)
- Visibilité arrière réduite

marché affichent des données similaires ou souvent supérieures. C'est pourquoi il faut plutôt s'attarder à l'ensemble du véhicule et évaluer son comportement routier en général pour comprendre vraiment ce que l'on entend par équilibre parfait.

Dès les premiers rugissements du moteur (qui est placé derrière les sièges), une sensation de bien-être s'empare du conducteur. Le son émis par le six cylindres est une douce musique à l'oreille et l'envie d'appuyer sur l'accélérateur nous hante continuellement. Ce n'est évidemment pas le moteur le plus silencieux sur le marché et l'on doit s'attendre à un niveau sonore élevé dans l'habitacle, surtout en accélération. Mais dès le premier changement de vitesse, on oublie tous les défauts de la voiture et on constate à quel point le passage des rapports est rapide et précis. Que ce soit sur la piste ou sur l'autoroute (l'autoroute n'est pas une piste), son parfait équilibre se fait sentir. La direction ultraprécise permet des changements de voie impressionnants et instantanés à la moindre manœuvre du volant. Il faut ajouter à cette sensation l'apport de la suspension adaptative qui règle automatiquement le débattement et le contrôle des amortisseurs. On obtient donc un comportement plus ferme au moment opportun. Cette gestion de la suspension permet de limiter le tangage en virages et les plongées en freinage. La tenue de route se révèle des plus impressionnantes sur piste, alors que les virages s'enfilent avec une aisance déconcertante. D'ailleurs, la position centrale du moteur permet d'obtenir une répartition de poids idéale et maximise les performances. Quant au freinage, il est puissant et mordant, mais si vous n'êtes pas satisfait, vous aurez toujours l'option de commander des freins en céramique ! La consommation d'essence se veut dans la moyenne, mais la propension à la conduite sportive et l'extase de conduire un tel bolide vous feront assurément visiter plus d'une station d'essence par jour.

Pour des sensations dignes des grandes sportives de ce monde, la Boxster est une candidate de choix. Offerte en version de base pour assouvir les désirs d'une plus grande partie de la population, la version S demeure par contre le choix le plus logique. Un moteur plus puissant, une transmission mieux étagée, des pneumatiques dignes d'une voiture sport et une suspension mieux calibrée, nul doute que les amateurs de performances seront comblés.

Guy Desjardins

Photos: Antoine Joubert

VÉHICULE D'ESSAI

Version :	Porsche Boxster S
Moteur :	H6 de 3,4 litres 24s atmosphérique
Puissance :	295 ch (220 kW) à 6 250 tr/min
Couple :	251 lb-pi (340 Nm) à 6 000 tr/min
Rapport poids/puissance :	4,59 kg/ch (6,15 kg/kW)
Transmission :	manuelle, 6 rapports
Rouage :	propulsion
0-100 km/h · 80-120 km/h :	5,5 s · 5,0 s
Freinage 100-0 km/h :	36,6 m
Vitesse maximale :	260 km/h
Consommation (100 km) :	super, 11,8 litres
Autonomie approximative :	542 km
Émissions de CO2 :	4 752 kg/an
Emp/Lon/Lar/Haut (mm) :	2 415 / 4 357 / 1 800 / 1 293
Coffre/Réservoir :	150 / 64 litres
Nombre de coussins de sécurité :	4
Suspension avant :	indépendante, jambes de force
Suspension arrière :	indépendante, jambes de force
Freins av./arr. :	disque (ABS)
Antipatinage/Contrôle de stabilité :	oui/oui
Direction :	à crémaillère, assistée
Diamètre de braquage :	n.d.
Pneus av./arr. :	P235/40ZR18 / P265/40ZR18
Poids :	1 355 kg
Capacité de remorquage :	non recommandé

AUTRE(S) COMPOSANTE(S) MÉCANIQUE(S)

Système hybride :	aucun
Moteur diesel :	aucun
Taxe énergivore :	aucune
Autre(s) moteur(s) :	H6 de 2,7 litres 245 ch/201 lb-pi (10,9 l/100 super) (Boxster)
Autre(s) rouage(s) :	aucun
Autre(s) transmission(s) :	automatique, 5 rapports manuelle, 5 rapports (Boxster)

EN BREF

Échelle de prix :	58 100 $ à 70 200 $ (2008)
Catégorie :	roadster
Garanties :	4 ans/80 000 km, 4 ans/80 000 km
Assemblage :	Stuttgart, Allemagne
Cote d'assurance :	n.d.

DANS LA MÊME CATÉGORIE

Audi TT, Chevrolet Corvette, Mercedes-Benz SLK, Nissan 350Z

NOS IMPRESSIONS

Agrément de conduite :	
Fiabilité :	½
Sécurité :	½
Qualités hivernales :	
Espace intérieur :	½
Confort :	

DU NOUVEAU EN 2009

Aucun changement majeur

LE QUATRIÈME LARRON

Le Cayenne est le véhicule de la marque qui se vend le plus, et c'est grâce à la gamme de VUS que les ventes du constructeur allemand ont littéralement doublé au cours des récentes années. Porsche est également devenu le constructeur automobile le plus rentable au monde, ce qui lui a permis d'accroître sa participation dans le groupe Volkswagen et d'en prendre le contrôle dans un scénario digne de David contre Goliath.

Le succès indéniable du Cayenne a donc amené Porsche à en développer une nouvelle variante, soit le Cayenne GTS, qui s'inscrit entre le Cayenne S et le Cayenne Turbo dans la gamme. Avec son moteur V8 de 405 chevaux, le GTS en gagne une vingtaine par rapport au Cayenne S, et l'une des particularités de ce nouveau modèle est qu'il est équipé de série d'une boîte manuelle à six vitesses, ce qui est carrément inédit dans l'univers des VUS de luxe, qui disposent tous de boîtes automatiques. Le GTS peut également être commandé avec la boîte automatique TipTronic, qui sera sans doute choisie par la majorité des acheteurs, mais comme la présence d'une boîte manuelle sur un VUS de deux tonnes et demie est unique à cette dernière variante du Cayenne, c'est avec un véhicule ainsi équipé que j'ai entrepris de l'apprivoiser.

Deux mots résument la conduite d'un Cayenne GTS à boîte manuelle : pur plaisir. On ne peut s'empêcher d'avoir un sourire aux lèvres en permanence lorsque l'on est au volant de ce véhicule dont les performances en accélération sont impressionnantes, surtout en deuxième et troisième vitesse alors que le couple du V8 s'exprime avec force. La livrée de la puissance est toujours souple et linéaire et cette sensation d'accélération continue et sans effort est accompagnée par une trame sonore rehaussée d'un cran à la pression du bouton « sport », qui fait en sorte que la sonorité du moteur devient beaucoup plus présente et que la réponse de l'accélérateur est beaucoup plus directe. En mode « sport », le son du moteur est presque aussi présent que sur une Corvette ou une Viper, et vous aurez le goût d'aller rouler dans le tunnel Ville-Marie avec les vitres baissées juste pour apprécier le son du moteur tout en changeant constamment de rapport. Pur plaisir. Bien sûr, le GTS n'est pas aussi puissant que le Cayenne Turbo qui compte sur 500 chevaux, mais sa conduite est plus inspirante et c'est cela qui fait son charme. De plus, le Cayenne GTS est très facile à conduire en ville, puisque l'action de la pédale d'embrayage est tout aussi souple que celle d'une compacte classique.

UNE TENUE DE ROUTE PHÉNOMÉNALE

Sur les routes secondaires, le GTS se révèle à la hauteur des attentes avec un comportement qui étonne compte tenu de son gabarit et de son poids, surtout lorsqu'il est équipé du système PDCC (Porsche Dynamic Chassis Control). Celui-ci consiste en toute une panoplie de capteurs et de commandes électroniques agissant sur deux moteurs hydrauliques localisés directement sur les barres antiroulis afin de réduire le roulis en virages. Ainsi, un Cayenne équipé du PDCC restera

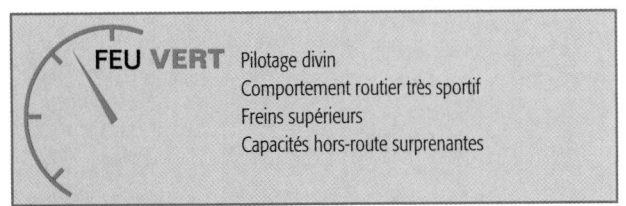

FEU VERT
- Pilotage divin
- Comportement routier très sportif
- Freins supérieurs
- Capacités hors-route surprenantes

FEU ROUGE
- Prix toujours exorbitants
- Moteur V6 peu inspiré
- Consommation d'alcoolique
- Silhouette plus ou moins esthétique

parfaitement de niveau en virages jusqu'à une accélération latérale de 0,65 G. Ce système s'avère également très efficace lors d'une manœuvre d'évitement d'obstacle, en intervenant presque instantanément sur les barres antiroulis pour permettre au Cayenne de conserver sa stabilité, même lors d'un brusque changement de direction. Tout simplement génial.

Parmi les autres modèles de la gamme, le Cayenne S est celui qui offre le meilleur rapport performance/prix, car le Cayenne de base avec son moteur V6 ne livre pas des performances à tout casser. Le choix du S ou du GTS s'impose donc pour ce qui est de l'agrément de conduite. Quant au modèle Turbo, il est souvent choisi par ceux qui veulent d'abord et avant tout s'afficher au volant du modèle le plus puissant. Comme toujours avec les véhicules de la marque, il faut composer avec des prix très élevés, surtout lorsque l'on s'abandonne à la lecture du catalogue d'options, qui sont également très chères, ce qui vient rapidement gonfler la facture. Et il ne faut pas trop se soucier du prix de l'essence de grade supérieur...

APRÈS LE AUDI Q5, LE PORSCHE ROXSTER?

De récentes photos, captées sur le vif, d'un véhicule camouflé circulant sur le circuit du Nürburgring en Allemagne alimentent les rumeurs selon lesquelles Porsche serait actuellement en train de développer un nouveau VUS de taille intermédiaire construit sur la base de la plate-forme du Audi Q5 présenté au récent Salon de l'auto de Pékin. Bien que ce nouveau véhicule partagerait plusieurs éléments communs avec le Q5, il pourrait s'en démarquer par une carrosserie plus expressive de même que par une lignée de moteurs développés par Porsche pour ce nouveau modèle. Le Cayenne aura-t-il donc bientôt un petit frère? Histoire à suivre...

Gabriel Gélinas

Photos: Porsche

PORSCHE CAYENNE

VÉHICULE D'ESSAI

Version:	Porsche Cayenne GTS
Moteur:	V8 de 4,8 litres 32s atmosphérique
Puissance:	405 ch (302 kW) à 6 500 tr/min
Couple:	369 lb-pi (500 Nm) à 3 500 tr/min
Rapport poids/puissance:	5,54 kg/ch
Transmission:	manuelle, 6 rapports
Rouage:	intégral
0-100 km/h · 80-120 km/h:	6,1 s · 6,5 s
Freinage 100-0 km/h:	38,0 m
Vitesse maximale:	157 km/h
Consommation (100 km):	super, 16,5 litres
Autonomie approximative:	606 km
Émissions de CO2:	n.d.
Emp/Lon/Lar/Haut (mm):	2 855 / 4 798 / 1 928 / 1 699
Coffre/Réservoir:	540 à 1 770 / 100 litres
Nombre de coussins de sécurité:	6
Suspension avant:	indépendante, jambes de force
Suspension arrière:	indépendante, jambes de force
Freins av./arr.:	disque (ABS)
Antipatinage/Contrôle de stabilité:	oui/oui
Direction:	à crémaillère, assistée
Diamètre de braquage:	11,9 m
Pneus av./arr.:	P235/35R21
Poids:	2 245 kg
Capacité de remorquage:	3 500 kg

AUTRE(S) COMPOSANTE(S) MÉCANIQUE(S)

Système hybride:	aucun
Moteur diesel:	aucun
Taxe énergivore: 1 000$ (Cayenne S), 2 000$ (Cayenne Turbo)	
Autre(s) moteur(s):	V8 de 4,8 litres 500 ch/516 lb-pi (18,0 l/100 super) (Turbo)
	V8 de 4,8 litres 550 ch/553 lb-pi (Turbo S)
V6 de 3,6 litres 290 ch/273 lb-pi (15,4 l/100 super) (Cayenne)	
V8 de 4,8 litres 385 ch/369 lb-pi (17,1 l/100 super) (Cayenne S)	
Autre(s) rouage(s):	aucun
Autre(s) transmission(s):	automatique, 6 rapports

EN BREF

Échelle de prix:	56 100$ à 150 400$
Catégorie:	VUS intermédiaire
Garanties:	4 ans/80 000 km, 4 ans/80 000 km
Assemblage:	Leipzig, Allemagne
Cote d'assurance:	moyenne

DANS LA MÊME CATÉGORIE

BMW X5, Cadillac SRX, Mercedes-Benz Classe M, Land Rover Range Rover/Sport, Volkswagen Touareg, Volvo XC90

NOS IMPRESSIONS

Agrément de conduite:	4 ½
Fiabilité:	3 ½
Sécurité:	4
Qualités hivernales:	4
Espace intérieur:	4
Confort:	4

DU NOUVEAU EN 2009

Nouveau modèle GTS

SPORT EXPERT !

Il y a ceux qui se procurent une Porsche pour le *standing*, ceux qui accomplissent un rêve, ceux qui ne se verraient tout simplement pas rouler en autre chose et ceux qui ont d'abord à cœur la performance et le véritable plaisir de conduire. C'est dans cette dernière optique que Porsche a lancé en 2006 le coupé Cayman, une voiture qui s'adresse aux puristes et non pas aux frimeurs. C'est du moins ce que j'ai pu constater en faisant simultanément l'essai des deux versions de ce splendide coupé.

En effectuant une visite chez le concessionnaire Porsche de ma région, un client me laissait savoir qu'il avait remplacé sa 911 pour une Cayman S, prétextant que son voisinage débordait de modèles identiques au sien. Puis, ce fin «porschiste» visiblement fier de sa monture m'a ensuite avoué qu'en dépit d'une facture inférieure de presque 40 000 $ par rapport à sa précédente 911, sa nouvelle Cayman lui procurait plus de plaisir au volant, et quasiment autant de puissance.

Entendons-nous bien, il ne faudrait pas dénigrer la 911, qui demeure l'une des sportives les plus extraordinaires de cette planète. Toutefois, la Cayman apporte sans contredit un nouveau souffle à la gamme et l'occasion pour certains adeptes de se différencier de la masse des propriétaires de Porsche.

SORTEZ JOUER !

Même si ce slogan est utilisé par Jeep pour la promotion de ses véhicules, je considère qu'il se prête à merveille à la Cayman. Stationnée chez moi, j'avais l'impression que la voiture m'envoyait constamment des signes, un peu comme un chien qui demande la porte pour aller courir ou... enfin ! De mon côté, je ne pouvais me concentrer sur autre chose que cette satanée voiture, qui m'empêchait malheureusement (!) d'accomplir mes tâches ménagères. C'est donc dire qu'avec une Cayman à la porte, les sorties sont toujours très excitantes (sauf peut-être en hiver !).

Que vous preniez le volant d'un modèle de base ou S, le plaisir est invariablement au rendez-vous. La version S s'exprime cependant avec encore plus d'ardeur grâce à une suspension raffermie, à des pneumatiques plus performants et à un moteur qui livre 17 % plus de puissance. Il faut aussi savoir que la Cayman S est la seule à bénéficier d'une boîte manuelle à six rapports, ce qui m'apparait un peu désolant. Néanmoins, ce ne l'est pas autant que le fait de savoir que Porsche propose en option une boîte automatique avec mode séquentiel Tiptronic, qui occasionne une importante diminution des performances. Si Porsche offrait une boîte automatique robotisée à double embrayage, on pourrait excuser la chose, mais avec un tel attirail, cette option de 4 500 $ me semble insultante.

La Cayman, qui dérive directement de la Boxster, jouit d'un châssis d'une extrême rigidité. C'est qu'en fait, en créant d'abord un roadster (la Boxster), il fallait au départ développer un châssis plus rigide pour combler l'absence de rigidité que donnerait normalement le toit. De ce

FEU VERT
- Tenue de route sensationnelle
- Rigidité structurelle étonnante
- Agrément de conduite relevé
- Ligne sublime
- Qualité de construction indéniable

FEU ROUGE
- Prix élevé (vs É.-U.)
- Prix des options indécent
- Transmission automatique inefficace
- Absence de certains gadgets (voir texte)

fait, lorsqu'est venu le temps de créer un coupé à partir de cette plateforme, on n'a pu faire autrement que de la rigidifier encore davantage! Alors, ai-je besoin de vous dire que le résultat est sensationnel? C'est pourquoi la voiture s'exprime sur la route avec un tel brio, et qu'elle ne rechigne aucunement contre les mauvais traitements qui pourraient lui être infligés.

Son freinage ultrapuissant, sa direction communicative, son équilibre exceptionnel et sa tenue de route qui défie toutes lois de la physique permettent donc au conducteur d'être au septième ciel et de savourer pleinement le véritable plaisir de conduire.

DU GRAND ART VISUEL

Tout est question de goût, c'est vrai. À preuve, certains se sont déjà procuré un Suzuki X-90! Mais soyons sérieux et parlons plutôt de la ligne de cette Cayman, qui mérite selon moi d'innombrables éloges. Elle évoque à la fois la pureté, la légèreté, l'équilibre et la grâce, tout en faisant preuve d'une rare originalité. C'est tout simplement, du grand art visuel. Et pour que votre contemplation soit encore plus extatique, le catalogue de Porsche regorge de modèles de jantes et d'accessoires esthétiques.

À bord, la présentation est simple et de bon goût. Les matériaux utilisés sont d'une beauté et d'une qualité extrême, mais on n'en met pas plus que le client en demande. En revanche, le catalogue d'options (plus épais que le bottin téléphonique de la ville de Montréal) existe pour assouvir vos désirs. Mais soyez prêt à y mettre du vôtre, car le prix des options est exorbitant. Vous serez peut-être également déçu de constater que Porsche n'est pas un constructeur qui aime suivre les conventions. De ce fait, plusieurs des gadgets à la mode qui se retrouvent aujourd'hui dans des voitures aussi peu coûteuses qu'une Dodge Caliber ne sont ici pas offerts, même pas en option! Je pense au lecteur CD/MP3, à la prise auxiliaire pour iPod ou à la connectivité Bluetooth.

C'est donc dire que la Cayman est une voiture coup de cœur que l'on achète pour le seul plaisir de conduire. Même si Porsche a sensiblement revu sa liste de prix afin de mieux composer avec la faiblesse du dollar américain, la facture pour une version S affiche encore un écart de 16 000 $ avec le marché américain, mais c'est tout de même mieux que c'était!

Antoine Joubert

Photos: Sylvain Raymond

VÉHICULE D'ESSAI

Version:	Porsche Cayman S
Moteur:	H6 de 3,4 litres 24s atmosphérique
Puissance:	295 ch (220 kW) à 6 250 tr/min
Couple:	252 lb-pi (342 Nm) à 6 000 tr/min
Rapport poids/puissance:	4,57 kg/ch (6,13 kg/kW)
Transmission:	manuelle, 6 rapports
Rouage:	propulsion
0-100 km/h · 80-120 km/h:	5,4 s · 5,0 s
Freinage 100-0 km/h:	36,0 m
Vitesse maximale:	260 km/h
Consommation (100 km):	super, 11,8 litres
Autonomie approximative:	542 km
Émissions de CO2:	4 752 kg/an
Emp/Lon/Lar/Haut (mm):	2 415 / 4 371 / 1 800 / 1 306
Coffre/Réservoir:	410 / 64 litres
Nombre de coussins de sécurité:	4
Suspension avant:	indépendante, jambes de force
Suspension arrière:	indépendante, jambes de force
Freins av./arr.:	disque (ABS)
Antipatinage/Contrôle de stabilité:	oui/oui
Direction:	à crémaillère, assistance variable
Diamètre de braquage:	11,1 m
Pneus av./arr.:	P235/40ZR18 / P265/40ZR18
Poids:	1 350 kg
Capacité de remorquage:	non recommandé

AUTRE(S) COMPOSANTE(S) MÉCANIQUE(S)

Système hybride:	aucun
Moteur diesel:	aucun
Taxe énergivore:	aucune
Autre(s) moteur(s):	H6 de 2,7 litres 245 ch/201 lb-pi (10,1 l/100 super) (Cayman)
Autre(s) rouage(s):	aucun
Autre(s) transmission(s):	automatique, 6 rapports (Cayman) manuelle, 5 rapports (Cayman)

EN BREF

Échelle de prix:	63 900 $ à 75 800 $
Catégorie:	coupé
Garanties:	4 ans/80 000 km, 4 ans/80 000 km
Assemblage:	Valmet, Finlande
Cote d'assurance:	n.d.

DANS LA MÊME CATÉGORIE

Audi TT, Nissan 350Z

NOS IMPRESSIONS

Agrément de conduite:	5
Fiabilité:	3
Sécurité:	4
Qualités hivernales:	2 ½
Espace intérieur:	3
Confort:	3

DU NOUVEAU EN 2009

Aucun changement majeur

VARIATIONS SUR LE MÊME THÈME

Le Salon de l'auto de Genève 2008 aura été marqué par le lancement de la dernière née des Phantom, soit le modèle coupé qui vient maintenant rejoindre la berline et le cabriolet Drophead Coupé. On pourrait donc croire que le choix de l'automobiliste fortuné doive maintenant se faire entre les trois variations sur ce thème, mais ce n'est pas tout à fait le cas, puisque la plupart des acheteurs du cabriolet Drophead Coupé possédaient déjà la Phantom berline...

La déclinaison de la Phantom aura donc été très profitable pour le groupe BMW qui s'apprête maintenant à lancer une toute nouvelle Rolls-Royce au gabarit plus restreint dès 2010. Il en sera question un peu plus loin dans le texte.

Pour l'instant, mentionnons que la gamme est donc composée de trois modèles de la Phantom, dont le plus récent est le coupé largement calqué sur le cabriolet Drophead Coupé, avec lequel il partage les mêmes portières articulées à l'arrière plutôt qu'à l'avant, ainsi que la plate-forme et la motorisation. L'arrivée de ce nouveau modèle a été en quelque sorte télégraphiée par le dévoilement de la voiture-concept 101EX, qui a également eu lieu au Salon de Genève en 2006, et dont l'actuelle Phantom Coupé est fortement inspirée.

SUR LA ROUTE

Au volant, l'aspect le plus surprenant de la Phantom est le constat qu'il s'agit d'une voiture étonnamment agile et agréable à conduire malgré son gabarit hors norme. En fait, on croirait presque que la voiture plane au-dessus de la chaussée ; la très grande précision de la direction inspire confiance.

Aux commandes de la Drophead Coupé, le seul ajustement requis de la part du conducteur est d'apprendre à regarder autour et même au travers des piliers de toit en forme de A qui supportent le pare-brise, ce qui peut parfois être problématique lorsque l'on doit négocier certains virages très serrés. De plus, la visibilité devient sérieusement limitée avec le toit souple en place, la capote créant alors deux très grands angles morts. Un autre défaut important est l'absence de sièges ventilés, que l'on retrouve maintenant sur plusieurs voitures haut de gamme.

Toutes les variantes de la Phantom font appel à la même motorisation, soit le V12 BMW de 6,75 litres développant les 453 chevaux nécessaires pour animer cette voiture de 2 620 kg, qui réussit le sprint de 0-100 km/h avec un chrono stupéfiant de 5,9 secondes. Par ailleurs, ce moteur a été conçu afin de livrer un couple énorme de 531 livres-pied à 3 000 tours/minute, et plus des trois quarts de la puissance moteur sont disponibles dès les 1 000 tours/minute, ce qui permet aux Phantom de décoller rapidement sans que le conducteur perçoive autre chose qu'une poussée constante vers l'avant, le moteur étant extrêmement silencieux. Ce n'est que lorsque le rythme s'accélère que la Phantom tend au roulis en virage, mais je doute fort que la plupart des propriétaires rouleront assez vite pour s'en rendre compte.

FEU VERT

- Prestige évident
- Nouveau Coupé bienvenu
- Performances éclatantes
- Mécanique sophistiquée
- Confort extraordinaire

FEU ROUGE

- Prix assommants
- Voiture très lourde
- Angles morts importants (Drophead Coupé)
- Consommation exagérée
- Absence de sièges ventilés

LA RR4 EN 2010

Son nom de code est RR4, et cette toute nouvelle Rolls-Royce aux dimensions moins imposantes verra le jour en 2010. Élaborée sur une plate-forme allongée et modifiée de la prochaine BMW Série 7, la RR4 fera appel à un moteur V12, jugé essentiel en raison du prestige de la marque et du poids envisagé de la voiture qui frôlera les deux tonnes et demie.

Rectitude politique oblige, il est également possible que cette nouvelle Rolls-Royce fasse appel au groupe motopropulseur hybride qui est en cours de développement chez BMW. Une berline sera le premier modèle de cette nouvelle gamme, mais Rolls-Royce compte éventuellement produire d'autres variantes, comme un coupé et une décapotable, la RR4 émulant ainsi la Phantom.

Même si les dimensions de ce nouveau modèle d'entrée de gamme sont plus restreintes, il faut s'attendre à ce que la RR4 reçoive une dotation élaborée d'équipements, les rumeurs actuelles faisant état de la présence d'un régulateur de vitesse adaptatif avec radar de même que d'un système d'ouverture automatisé des portes (comme sur les Phantom).

L'usine de Goodwood a récemment été agrandie afin d'accueillir une nouvelle chaîne de montage et la haute direction de la marque entend doubler la capacité de production pour atteindre la barre des 2 000 voitures par année. La logique de cette démarche est fort simple.

Avec la nouvelle RR4, Rolls-Royce entend combler le vide qui existe présentement entre une BMW Série 7 ou une Mercedes-Benz de Classe S et la Phantom. De plus, le succès obtenu par la marque Bentley n'est pas étranger à cette démarche. En effet, Bentley a été la première marque à s'inscrire dans le créneau précis qui est justement visé par la RR4, et la marque anglaise réussit aujourd'hui à vendre plus de 9 000 modèles de la Continental par année.

Gabriel Gélinas

Photos: Sylvain Raymond

VÉHICULE D'ESSAI

Version:	Rolls-Royce Phantom Drophead Coupé
Moteur:	V12 de 6,8 litres 48s atmosphérique
Puissance:	453 ch (338 kW) à 5 350 tr/min
Couple:	531 lb-pi (720 Nm) à 3 500 tr/min
Rapport poids/puissance:	5,78 kg/ch (7,75 kg/kW)
Transmission:	automatique, 6 rapports
Rouage:	propulsion
0-100 km/h · 80-120 km/h:	5,9 s · 5,5 s
Freinage 100-0 km/h:	40,0 m
Vitesse maximale:	240 km/h
Consommation (100 km):	super, 19,2 litres
Autonomie approximative:	520 km
Émissions de CO2:	7 248 kg/an
Emp/Lon/Lar/Haut (mm):	33 200 / 5 609 / 1 987 / 1 581
Coffre/Réservoir:	315 / 100 litres
Nombre de coussins de sécurité:	6
Suspension avant:	indépendante, bras inégaux
Suspension arrière:	indépendante, multibras
Freins av./arr.:	disque (ABS)
Antipatinage/Contrôle de stabilité:	oui/oui
Direction:	à crémaillère, assistance variable
Diamètre de braquage:	13,1 m
Pneus av./arr.:	P265/40R20
Poids:	2 620 kg
Capacité de remorquage:	non recommandé

AUTRE(S) COMPOSANTE(S) MÉCANIQUE(S)

Système hybride:	aucun
Moteur diesel:	aucun
Taxe énergivore:	3 000 $
Autre(s) moteur(s):	aucun
Autre(s) rouage(s):	aucun
Autre(s) transmission(s):	aucune

EN BREF

Échelle de prix:	432 100 $ à 512 500 $
Catégorie:	cabriolet, berline de grand luxe
Garanties:	4 ans/illimité km, 4 ans/illimité km
Assemblage:	Goodwood, Angleterre
Cote d'assurance:	n.d.

DANS LA MÊME CATÉGORIE

Bentley Arnage, Continental Flying Spur et Brooklands, Maybach 57/62

NOS IMPRESSIONS

Agrément de conduite:	3 ½
Fiabilité:	4 ½
Sécurité:	4
Qualités hivernales:	3
Espace intérieur:	4 ½
Confort:	4 ½

DU NOUVEAU EN 2009

Ajout du modèle Phantom Coupé

ACCUEILLONS LE ROUAGE INTÉGRAL

L'an dernier, ce constructeur scandinave a apporté de nombreuses modifications d'ordre esthétique à sa famille de modèles 9-3. S'inspirant de la voiture-concept Aero X, les stylistes ont rendu la partie avant plus moderne et plus aérodynamique. On nous avait également promis l'arrivée imminente d'un rouage intégral sur la plupart des modèles 9-3. C'est maintenant chose faite puisqu'il est possible de commander toutes les 9-3 avec le rouage intégral. Mieux encore, d'ici quelques années, toute la gamme ou presque offrira cette mécanique. Et puisqu'on ne fait rien comme les autres à Trollhattan, le système XWD est fort original.

Le fait d'adopter une transmission intégrale s'explique de plusieurs façons. Entre autres, les mécanismes nouvellement développés sont légers, efficaces et peuvent facilement s'intégrer dans la plate-forme sans requérir aucune transformation majeure. Ensuite, les exigences de la mise en marché ont eu leur effet sur Saab, puisque le rouage intégral est de plus en plus populaire et nombreuses sont les compagnies qui l'offrent, notamment Volvo, le grand rival suédois de Saab.

COMMENT ÇA FONCTIONNE ?

Avant d'entrer dans les détails, rappelons que les ingénieurs ont réussi à intégrer ce rouage intégral sur la 9-3 sans apporter trop de modifications à la voiture et à sa plate-forme. En fait, le seul changement qui a été rendu nécessaire est la conception d'une nouvelle suspension arrière, afin de faciliter l'intégration du répartiteur de couple et du différentiel arrière. Cette mécanique développée par Haldex apporte un surplus de poids de 100 kg.

Lorsqu'on démarre sur une chaussée sèche, la répartition de la puissance est de 40 % aux roues avant et de 60 % aux roues arrière. Par contre, sur l'autoroute, 92 % du couple est dirigé vers les roues avant et 8 % vers l'arrière, cela afin d'économiser du carburant et assurer une bonne stabilité. Sur une route sinueuse, le transfert est de 37 % à l'avant et de 63 % à l'arrière, afin de compenser le survirage. En fait, si les roues avant perdent de leur motricité en raison d'une chaussée glacée, uniquement 3 % de la puissance est dirigée à l'avant et le reste à l'arrière. Dans une courbe, selon les conditions du moment, le couple aux roues arrière est distribué de façon variable dans le but d'optimiser l'adhérence.

EFFICACE !

Le premier modèle à intégrer ce système de traction intégrale est la Turbo X. Ce modèle à diffusion limitée a pour mission de donner une image positive aux voitures Saab équipées du système XWD. La suspension a été abaissée de 10 mm tandis que les ingénieurs ont choisi des pneus Pirelli P-Zero P235/45R18.

Cette Turbo X est propulsée par un moteur V6 de 2,8 litres produisant 280 chevaux. Une transmission manuelle à six rapports est de série tandis que l'automatique à six rapports est optionnelle.

Sur la route, on retrouve la même tenue rassurante des autres versions de ce modèle. La direction semble moins engourdie cependant, et le

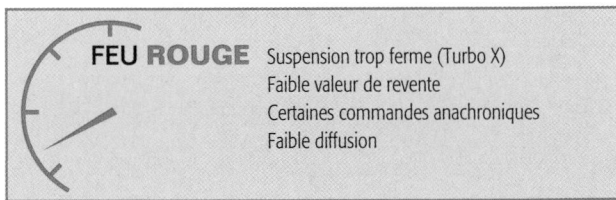

FEU VERT
- Rouage intégral efficace
- Moteur V6 performant
- Cote de sécurité élevée
- Bonne tenue de route
- Essence ordinaire

FEU ROUGE
- Suspension trop ferme (Turbo X)
- Faible valeur de revente
- Certaines commandes anachroniques
- Faible diffusion

roulis en virage est moins prononcé, sans doute en raison de la suspension abaissée et de la présence d'amortisseurs autoréglables Nivomat à l'arrière. Les performances de ce moteur sont intéressantes, les accélérations et les reprises nerveuses. Il faut un peu plus de sept secondes pour boucler le 0-100 km/h. Mais si les performances, la tenue de route et l'agrément de conduite sont au rendez-vous, je ne puis passer sous silence la suspension vraiment trop ferme. Au seuil du tolérable sur la familiale Combi, elle est beaucoup trop rigide sur la berline.

Sur un parcours comprenant des sections recouvertes de terre meuble, de boue et d'une surface à faible coefficient de friction, le système XWD est l'un des mécanismes les plus efficaces du genre que j'ai essayés. Tout s'effectue en douceur et on ne semble jamais manquer de traction, et ce, peu importe la surface.

LE RESTE DE LA FAMILLE

Le système XWD sera initialement offert sur le modèle Turbo X pour ensuite être intégré sur les berlines et familiales Aero. Au cours de l'automne 2008, il sera également possible de commander la transmission intégrale sur les modèles propulsés par le moteur quatre cylindres 2,0 litres. En fait, seul le cabriolet ne pourra en être équipé en raison d'une plate-forme différente qui nécessiterait des modifications trop importantes.

Bien entendu, la Saab 9-3 à traction est toujours sur le marché. Dans ce cas, on retrouve le moteur 2,0 litres turbo pour les versions moins luxueuses et le V6 2,8 litres pour les modèles Aero. Dans les deux cas, la transmission manuelle ou l'automatique sont à six rapports.

Bien que le design de l'habitacle ou de la carrosserie ne soit pas nécessairement au goût de tous, cette suédoise est à découvrir. Son habitacle est non seulement confortable, mais les sièges avant sont parmi les meilleurs sur le marché. Si la fiabilité de cette voiture soulève toujours des interrogations de la part des acheteurs, ceux-ci seront heureux d'apprendre que la revue américaine *Consumer Reports* vient de placer ce modèle dans la liste des voitures recommandées.

Denis Duquet

Photos: Saab

VÉHICULE D'ESSAI

Version :	Saab 9-3 Turbo X berline
Moteur :	V6 de 2,8 litres 24s turbocompressé
Puissance :	280 ch (209 kW) à 5 500 tr/min
Couple :	295 lb-pi (400 Nm) à 2 000 tr/min
Rapport poids/puissance :	6,19 kg/ch (8,30 kg/kW)
Transmission :	manuelle, 6 rapports
Rouage :	intégral
0-100 km/h · 80-120 km/h :	6,6 s · 5,8 s
Freinage 100-0 km/h :	39,0 m
Vitesse maximale :	260 km/h
Consommation (100 km) :	super, 14,1 litres
Autonomie approximative :	439 km
Émissions de CO2 :	n.d.
Emp/Lon/Lar/Haut (mm) :	2 675 / 4 636 / 1 753 / 1 433
Coffre/Réservoir :	425 / 62 litres
Nombre de coussins de sécurité :	4
Suspension avant :	indépendante, jambes de force
Suspension arrière :	indépendante, multibras
Freins av./arr. :	disque (ABS)
Antipatinage/Contrôle de stabilité :	oui/oui
Direction :	à crémaillère, assistance variable
Diamètre de braquage :	11,9 m
Pneus av./arr. :	P235/45R18
Poids :	1 735 kg
Capacité de remorquage :	454 kg

AUTRE(S) COMPOSANTE(S) MÉCANIQUE(S)

Système hybride :	aucun
Moteur diesel :	aucun
Taxe énergivore :	aucune
Autre(s) moteur(s) :	4L de 2,0 litres 210 ch/221 lb-pi (13,2 l/100 super)
Autre(s) rouage(s) :	traction
Autre(s) transmission(s) :	automatique, 5 rapports automatique, 6 rapports

EN BREF

Échelle de prix :	35 950 $ à 58 990 $
Catégorie :	berline compacte, familiale, cabriolet
Garanties :	4 ans/80 000 km, 5 ans/160 000 km
Assemblage :	Trollhättan, Grèce et Graz, Autriche
Cote d'assurance :	passable

DANS LA MÊME CATÉGORIE

Audi A4, BMW Série 3, Cadillac CTS, Jaguar X-Type, Mercedes-Benz Classe C, Volvo S60

NOS IMPRESSIONS

Agrément de conduite :	🚗🚗🚗🚗
Fiabilité :	🚗🚗🚗🚗
Sécurité :	🚗🚗🚗🚗½
Qualités hivernales :	🚗🚗🚗🚗½
Espace intérieur :	🚗🚗🚗🚗
Confort :	🚗🚗🚗🚗

DU NOUVEAU EN 2009

Modèle Turbo X offert à compter du mois d'octobre

ANONYMEMENT VÔTRE

Anonyme depuis quelques années, il est difficile de savoir où s'en va Saab. Disons-le tout de suite: les véhicules portant l'emblème Saab ne sont pas mauvais, loin de là. Mais on dirait que General Motors, propriétaire de la marque suédoise à 50 % depuis 1990 et à 100 % depuis 2000, ne sait pas trop quoi faire avec cette compagnie qui continue à n'attirer que les fidèles à la marque. Par exemple, la 9-5 est une des voitures les plus anonymes sur le marché. Tout d'abord parce que ses lignes se fondent dans la jungle automobile et, tout simplement, parce qu'on en voit très rarement sur les routes !

Il y a deux ans, la 9-5 a eu droit à des modifications plus ou moins importantes, surtout au niveau esthétique tandis que l'offre se réduisait à un moteur seulement. La 9-5 revient donc cette année sans transformations, toujours en versions berline et familiale. Il semble très difficile pour les manufacturiers de nommer un chat un chat. Alors que chez Audi, une familiale s'appelle Avant, chez BMW Touring, chez Saab on a choisi SportCombi, sorte de combo entre sportivité et utilité, sans doute. Soulignons que la dénomination Aero, abandonnée pour la 9-5 depuis quelques années, revient en 2009. Il s'agit d'une version un plus sportive qui remplace la livrée Sport. L'Aero apporte des suspensions un peu plus basses et plus fermes, des pneus de 17" et des sièges spéciaux. Les changements pour 2009 se résument à quelques modifications très mineures au niveau de la console et l'ajout de nouvelles couleurs.

QUATRE CYLINDRES TURBOCOMPRESSÉ

Le moteur qui se cache sous le capot de la 9-5 est un quatre cylindres turbocompressé de 260 chevaux et 258 livres-pied de couple. Deux transmissions à cinq rapports sont offertes, soit une automatique et une manuelle. Les roues avant sont motrices. Pour une voiture qui joue dans la cour des Acura TL, BMW série 5, Mercedes-Benz Classe E et j'en passe, il faut un certain culot pour présenter un quatre cylindres, même s'il est turbocompressé. C'est le genre de détail qui, j'en suis convaincu, rebute une certaine catégorie d'acheteurs. Les performances de ce moteur s'avèrent fort relevées mais le long temps de réponse du turbo est souvent dérangeant. Heureusement, malgré le nombre de chevaux, on note très peu d'effet de couple dans le volant lors d'accélérations vives. Soulignons cependant que, comme tous les turbos, il ne fonctionne qu'au super. Dieu merci, il consomme peu ! La transmission automatique à cinq rapports (plusieurs autres manufacturiers en offrent six) fonctionne généralement avec douceur sauf pendant le passage de certains rapports bas. Le moteur effectue de bonnes reprises mais encore faut-il que la transmission se place sur le bon rapport, ce qui est un peu long à l'occasion. La manuelle fonctionne bien… à condition d'aimer les embrayages mous et les leviers à la course trop longue.

Sur la route, la Saab 9-5 démontre de jolies aptitudes. La tenue de route s'avère neutre, le roulis est pratiquement inexistant, la tenue de cap superbe même à haute vitesse et les suspensions procurent un bon confort. Les freins sont très performants, nonobstant une pédale qui s'enfonce beaucoup trop loin lors d'un arrêt d'urgence. Quant au

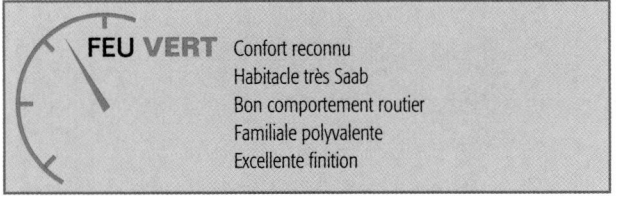

FEU VERT
- Confort reconnu
- Habitacle très Saab
- Bon comportement routier
- Familiale polyvalente
- Excellente finition

FEU ROUGE
- Anonymat certifié
- Temps de réponse du turbo
- Dépréciation verticale
- Places arrière justes
- Manuelle peu agréable

système de contrôle de la traction et de la stabilité latérale, il est bien dosé. Par contre, la direction n'affiche pas la précision à laquelle on serait en droit de s'attendre.

Dans l'habitacle, le mot d'ordre est : confort. Les sièges de Saab sont réputés pour être parmi les plus confortables de toute l'industrie et cela est encore vrai dans la 9-5. Ils supportent très bien en virage tout en se faisant oublier. Plusieurs voitures sport possèdent des sièges qui supportent très bien en virage mais aucun ne le fait avec autant de subtilité. Les plastiques font preuve de qualité mais on pourrait trouver plus d'espaces de rangement. La clé de contact se trouve sur la console, ce qui devrait plaire aux amateurs de la marque. La plupart des commandes sont facilement compréhensibles mais certaines, dont le régulateur de vitesse, demandent au minimum un doctorat en génie mécanique pour pouvoir être manipulées convenablement. Le toit ouvrant de notre voiture d'essai était désagréable puisque lorsqu'il était ouvert et que nous roulions à des vitesses légales, il était source de réverbérations importantes dans l'habitacle. Si les sièges avant sont des exemples de confort, ceux situés à l'arrière sont nettement moins doués et l'espace réservé aux jambes et à la tête est carrément insuffisant.

LA FAMILIALE

La 9-5 la plus intéressante demeure la familiale. Pardon, la SportCombi. Son espace pour les bagages est, évidemment, beaucoup plus grand. En plus, on retrouve des espaces de rangement sous le tapis. Le seuil de chargement est bas et égal au plancher. Le coffre de la berline n'est pas démuni pour autant, remarquez. Mais dans cette dernière version, bien que les dossiers des sièges arrière s'abaissent de façon 60/40, ils ne forment pas un fond plat. De plus, le cadre entourant le passage entre les deux volumes est petit, ce qui ne laisse pas beaucoup d'espace pour les gros objets.

La Saab 9-5, nous l'avons dit plus tôt, n'est pas une vilaine voiture. Ses qualités dynamiques et sa présentation extérieure nous laissent cependant sur notre appétit. Son prix, par contre, est plus bas que celui de beaucoup de ses rivales, ce qui peut lui faire pardonner ses petits défauts. Avec la 9-5, Saab propose une voiture qui rallie les amateurs de la marque mais qui, malheureusement, laisse tous les autres indifférents.

Alain Morin

Photos : Saab

VÉHICULE D'ESSAI

Version :	Saab 9-5 berline
Moteur :	4L de 2,3 litres 16s turbocompressé
Puissance :	260 ch (194 kW) à 5 300 tr/min
Couple :	258 lb-pi (350 Nm) à 4 000 tr/min
Rapport poids/puissance :	5,06 kg/ch (6,79 kg/kW)
Transmission :	manuelle, 5 rapports
Rouage :	traction
0-100 km/h · 80-120 km/h :	8,3 s · 6,3 s
Freinage 100-0 km/h :	40,0 m
Vitesse maximale :	210 km/h
Consommation (100 km) :	super, 12,3 litres
Autonomie approximative :	569 km
Émissions de CO2 :	4 848 kg/an
Emp/Lon/Lar/Haut (mm) :	2 703 / 4 836 / 1 792 / 1 454
Coffre/Réservoir :	450 / 70 litres
Nombre de coussins de sécurité :	4
Suspension avant :	indépendante, jambes de force
Suspension arrière :	indépendante, multibras
Freins av./arr. :	disque (ABS)
Antipatinage/Contrôle de stabilité :	oui/oui
Direction :	à crémaillère, assistance variable
Diamètre de braquage :	11,3 m
Pneus av./arr. :	P235/45R17
Poids :	1 318 kg
Capacité de remorquage :	1 587 kg

AUTRE(S) COMPOSANTE(S) MÉCANIQUE(S)

Système hybride :	aucun
Moteur diesel :	aucun
Taxe énergivore :	aucune
Autre(s) moteur(s) :	aucun
Autre(s) rouage(s) :	aucun
Autre(s) transmission(s) :	automatique, 5 rapports

EN BREF

Échelle de prix :	43 900 $ à 46 400 $
Catégorie :	familiale, berline de luxe
Garanties :	4 ans/80 000 km, 5 ans/160 000 km
Assemblage :	Trollhättan, Grèce et Graz, Autriche
Cote d'assurance :	n.d.

DANS LA MÊME CATÉGORIE

Acura TL, Audi A6, BMW Série 5, Mercedes-Benz Classe E, Volvo S80

NOS IMPRESSIONS

Agrément de conduite :	🚗🚗🚗½
Fiabilité :	🚗🚗🚗½
Sécurité :	🚗🚗🚗🚗½
Qualités hivernales :	🚗🚗🚗🚗
Espace intérieur :	🚗🚗🚗🚗
Confort :	🚗🚗🚗🚗

DU NOUVEAU EN 2009

Aucun changement majeur

UN VRAI BON « DEAL » ?

Lorsqu'un véhicule a peu de succès, peu importe la raison, le manufacturier se doit tout de même de liquider les exemplaires produits. À ce moment, tous les moyens sont bons. On les refile aux compagnies de locations, on les envoie à l'encan où ils sont vendus à perte ou on les écoule auprès des employés de la boîte pour une bouchée de pain. Dans le cas de la 9-7x, chez GM, on a opté pour la troisième solution. Imaginez, on propose aux employés la 9-7x en location 12 mois pour aussi peu que 85$ toutes les deux semaines ! Ça, c'est moins cher qu'une Aveo ! Vous comprendrez qu'à ce compte, il est difficile d'y résister !

Il est toutefois inutile de rêver, jamais un concessionnaire ne vous fera une telle offre. Dans le meilleur des cas, votre 9-7x en location vous coûtera au minimum 300$ taxable toutes les deux semaines, et ce, pour un terme de 48 mois. Ceux qui connaissent le marché des VUS de luxe reconnaitront qu'à ce prix, la 9-7x est néanmoins dans la course. Cependant, l'acheteur d'un véhicule de ce rang n'a généralement pas le béguin pour un utilitaire comme le GMC Envoy. Et puisque la 9-7x en dérive directement, personne ou presque ne mord à l'hameçon.

QUI SONT SES VRAIS RIVAUX ?

Ainsi, même si la 9-7x rivalise techniquement avec des véhicules comme l'Acura MDX ou le BMW X5, il ne faut pas le placer devant ceux-ci. En fait, ses réels compétiteurs sont plutôt les versions haut de gamme des Grand Cherokee, Explorer et Pathfinder, qui constituent comme lui de véritables VUS de conception traditionnelle. Comme eux, il peut remorquer de lourdes charges, affronter les pires conditions et offrir un confort de haut niveau, mais il consomme aussi irrationnellement et voit sa valeur de revente fondre comme neige au soleil.

Avouons-le, la 9-7x est un échec commercial. Ce véhicule n'a jamais réussi à convaincre la clientèle cible ni même les concessionnaires qui ont pour unique argument de vente d'offrir un VUS de luxe à prix très compétitif. Toutefois, leurs seules chances d'en écouler une poignée par année se sont presque entièrement anéanties au cours des derniers mois, étant donné la flambée du prix du pétrole. D'impopulaire, la 9-7x passe cette année à rejeton. Il n'y aura donc que quelques rares habitués de la marque, pouvant notamment profiter des rabais fidélité Saab et des autres promotions GM, qui auront un intérêt pour ce véhicule. Et pour acquiescer à la proposition du constructeur, il faudra que le vendeur soit très, très persuasif.

MAQUILLAGE TROMPE L'ŒIL

Si vous êtes un « gars de chars », vous aurez peut-être détecté facilement les origines modestes de ce VUS supposément suédois. Toutefois, il faut admettre que les modifications esthétiques sont passablement nombreuses, et que les changements mécaniques ont une incidence considérable sur le comportement de ce dernier par rapport au duo Trailblazer/Envoy.

La clé de la réussite esthétique de la 9-7 x consiste en son museau « Saabien ». Même s'il n'a rien de bien moderne, il parvient à faire de la 9-7x un véhicule aux lignes fluides et plus élégantes que celles du

FEU VERT
- Confort honorable
- Choix de moteurs
- Lignes sympathiques
- Prix compétitif
- Service après-vente réputé

FEU ROUGE
- Dépréciation importante
- Conception vieillotte
- Banquette arrière inconfortable
- Modèle en fin de carrière
- N'a rien d'un produit Saab

Trailblazer. En fait, certains sauront peut-être reconnaître plusieurs éléments esthétiques issus de l'Oldsmobile Bravada, qui n'a connu qu'une très brève carrière avant d'être mis à la retraite en 2004. Ainsi, à partir du pilier A, la majeure partie des pièces de carrosserie lui sont empruntées.

À bord, c'est du GM tout craché. On a tenté par quelques subterfuges, tels que le porte-gobelet escamotable et la clé de contact centrale, de maquiller la chose une fois de plus, mais le jeu est ici drôlement moins habile. Instrumentation, commutateurs, commandes, tout est issu des coffres de GM. Il n'y a en fait que la planche de bord qui se démarque des autres, affichant un style moins utilitaire. Les sièges avant sont donc aussi confortables que ceux de l'Envoy, alors que la banquette arrière est aussi inconfortable. Naturellement, le niveau de luxe est ici à son meilleur, mais il ne faut pas s'attendre à une technologie aussi élaborée que celle de véhicules à la conception plus récente.

Mécaniquement, trois moteurs sont proposés. La version de base vous offre le choix entre un six cylindres en ligne de 4,2 litres et un V8 de 5,3 litres à cylindrée variable. Ici, le second choix est très certainement celui à faire, puisqu'il permet un roulement plus doux et une meilleure capacité de remorquage pour une consommation similaire. La version Aero renferme pour sa part un V8 de 6,0 litres très performant, mais également très gourmand. Prévoyez avec lui une moyenne de 18 litres aux 100 kilomètres.

Un coup de volant suffit pour réaliser que les quelques modifications apportées à la direction et à la suspension permettent d'obtenir un comportement plus dynamique qu'avec les Chevrolet et GMC. Attention, on est ici bien loin de ce que propose un Audi Q7, mais l'effet « bateau » du Trailblazer n'est plus. Évidemment, la boîte à quatre rapports, le châssis vieillissant et les bruits éoliens passablement nombreux nous rappellent l'âge vénérable de ce véhicule, mais l'acheteur moyen pourrait s'en accommoder sans problème.

Je terminerai en mentionnant que la 9-7x n'en a plus pour très longtemps. Saab prévoit lancer sous peu un véhicule multisegment nettement plus en harmonie avec l'image de la marque, ce qui confinera par conséquent notre sujet à la retraite. La seule raison pour se procurer une 9-7x 2009 ? Un vrai, vrai bon *deal*.

Antoine Joubert

Photos: Antoine Joubert

VÉHICULE D'ESSAI

Version :	Saab 9-7x 4,2i
Moteur :	6L de 4,2 litres 24s atmosphérique
Puissance :	285 ch (213 kW) à 6 000 tr/min
Couple :	276 lb-pi (374 Nm) à 4 600 tr/min
Rapport poids/puissance :	7,51 kg/ch (10,05 kg/kW)
Transmission :	automatique, 4 rapports
Rouage :	intégral
0-100 km/h · 80-120 km/h :	10,2 s · 8,4 s
Freinage 100-0 km/h :	n.d.
Vitesse maximale :	190 km/h
Consommation (100 km) :	ordinaire, 15,3 litres
Autonomie approximative :	542 km
Émissions de CO2 :	6 240 kg/an
Emp/Lon/Lar/Haut (mm) :	2 870 / 4 907 / 1 915 / 1740
Coffre/Réservoir :	1 127 à 2 268 / 83 litres
Nombre de coussins de sécurité :	4
Suspension avant :	indépendante, bras inégaux
Suspension arrière :	indépendante, multibras
Freins av./arr. :	disque (ABS)
Antipatinage/Contrôle de stabilité :	oui/oui
Direction :	à crémaillère, assistée
Diamètre de braquage :	11,1 m
Pneus av./arr. :	P255/55R18
Poids :	2 141 kg
Capacité de remorquage :	2 948 kg

AUTRE(S) COMPOSANTE(S) MÉCANIQUE(S)

Système hybride :	aucun
Moteur diesel :	aucun
Taxe énergivore :	3 000 $ (6,0L)
Autre(s) moteur(s) :	V8 de 6,0 litres 390 ch/400 lb-pi (18,1 l/100 super) (Aero 6.0i)
	V8 de 5,3 litres 300 ch/321 lb-pi (14,7 l/100 ordinaire) (5,3)
Autre(s) rouage(s) :	aucun
Autre(s) transmission(s) :	aucune

EN BREF

Échelle de prix :	49 295 $ à 54 950 $
Catégorie :	VUS intermédiaire
Garanties :	4 ans/80 000 km, 5 ans/160 000 km
Assemblage :	Moraine, Ohio, É-U
Cote d'assurance :	n.d.

DANS LA MÊME CATÉGORIE

Acura MDX, Ford Explorer, Jeep Grand Cherokee, Nissan Pathfinder, Toyota 4Runner

NOS IMPRESSIONS

Agrément de conduite :	3 ½
Fiabilité :	3
Sécurité :	4
Qualités hivernales :	4 ½
Espace intérieur :	4
Confort :	4

DU NOUVEAU EN 2009

Aucun changement majeur

JE VOUDRAIS TANT L'AIMER !

Il fallait que GM fasse preuve d'audace pour abandonner sa compacte Ion à trois volumes au profit d'une voiture à hayon issue de sa filiale européenne Opel. En fait, on a osé faire chez GM l'exercice que Ford aurait eu intérêt à effectuer avec sa Focus européenne. Et ne serait-ce que pour cela, je lève mon chapeau à GM. Je vous avouerai également avoir anticipé l'arrivée de l'Astra avec beaucoup d'optimisme. Hélas, de nombreux éléments sont venus amoindrir mon enchantement, si bien qu'en fin de compte, j'ai dû m'admettre fort déçu.

L'Astra, qui nous arrive d'outre-mer pratiquement sans changement, est une authentique voiture européenne. On a remplacé les logos ici et là, on a repensé les groupes d'options pour plaire aux Nord-Américains et, bien sûr, on y a ajouté quelques porte-gobelets! Mais à part ces détails, l'Astra conserve son authenticité. Naturellement, on ne peut qu'effectuer le rapprochement entre la Saturn Astra et la Volkswagen Rabbit, la seule autre compacte à hayon d'origine européenne à être commercialisée chez nous. Comme cette dernière, la Saturn s'inscrit donc dans le créneau des compactes en tant que marginale.

Bien sûr, certains diront que s'afficher avec un logo Saturn n'est pas aussi branché que de se montrer au volant d'une Volkswagen. À ces gens, je répondrais que la marque Saturn est jeune et que son image s'est radicalement transformée au cours des 36 derniers mois. Et dans tous les cas, c'est pour le mieux. Seulement, cela ne signifie pas que la voiture répond efficacement aux attentes des acheteurs, qui voient en elle une nouvelle façon d'avoir accès aux supposés bienfaits de l'Europe.

Évidemment, j'ai été, comme vous, charmé par l'allure typiquement européenne de l'Astra, qu'importe la version. Comme la Rabbit, sa ligne n'a rien d'extraordinaire, mais elle affiche des traits homogènes et élégants. En s'en approchant, on constate également que la qualité de construction et de finition extérieure se révèle plus impressionnante que celle de la majorité des voitures asiatiques. Le seul fait de refermer la portière et de ressentir cette impression de solidité est un bon exemple. Toutefois c'est en se glissant à bord que les choses se gâtent. Et attention, on ne le remarque pas au premier contact. Il faut quelques jours, voire quelques semaines d'utilisation pour constater les vices de conception de cet habitacle.

On peut certainement applaudir la qualité de finition, la construction sérieuse et la présentation qui, somme toute, est plutôt agréable. Cependant, l'habitabilité par rapport à la majeure partie de ses rivales est réduite. On y trouve même moins de dégagement pour les épaules et la tête que dans la Nissan Versa, pourtant de catégorie inférieure. Ensuite, force est de constater que les sièges n'offrent pas le confort auquel on serait en droit de s'attendre. Et pour l'ergonomie, on repassera. Non seulement les commandes de ventilation sont mal positionnées, mais celles de la radio et de l'ordinateur de bord sont inutilement complexes. Ajoutez à cela l'absence d'accoudoir (de série dans une Hyundai Accent), d'une prise pour iPod, de la radio satellite pourtant

FEU VERT

- Ligne charmante
- Qualité de construction évidente
- Belle finition
- Châssis rigide
- Voiture très maniable

FEU ROUGE

- Boîte automatique désuète
- Habitabilité moyenne
- Lacunes ergonomiques
- Suspension arrière vieillotte
- Facture qui monte rapidement

offerte sur tous les autres produits de la marque, et même l'impossibilité de bénéficier dans la version XE d'un système audio qui reconnaît les fichiers MP3/WMA, et vous avez la preuve que quelqu'un, quelque part, n'a pas fait ses devoirs.

Côté motorisation, l'Astra n'est offerte qu'avec un petit quatre cylindres de 1,8 litre développant 138 chevaux. Le véritable problème est la boîte automatique, dont le rendement est extrêmement décevant. Non seulement cette dernière diminue grandement les performances, surtout lors des reprises, mais elle engendre une consommation d'essence difficilement justifiable compte tenu de sa faible puissance. Assurément, la boîte manuelle est une meilleure option.

Heureusement, le comportement routier de l'Astra est plus impressionnant. Son châssis rigide et sa direction précise favorisent une étonnante maniabilité. Aussi à l'aise en milieu urbain que sur l'autoroute, elle compose très facilement avec un réseau routier qui peut parfois afficher quelques inégalités ! Il n'y a, en fait, qu'en négociant un virage de façon téméraire ou en effectuant une manœuvre d'évitement rapide que l'on constate les faiblesses de la suspension arrière, dotée d'un essieu à poutre déformante. Franchement, la voiture aurait avantage à bénéficier d'une véritable suspension indépendante.

Vivre avec les quelques travers de l'Astra serait chose possible dans la mesure où l'on ne vous exigerait pas le prix des meneuses de la catégorie. Or, ce n'est malheureusement pas le cas. En la comparant par exemple avec une Mazda3 Sport ou une Volkswagen Rabbit avec équipement égal, on se rend compte que la Saturn affiche un prix du même ordre. Lors de notre essai, même la considération des taux de location et de financement n'avantageait pas l'Astra. Et sachez que les Mazda3 et Rabbit sont des produits nettement plus à jour, plus modernes et plus performants, qui s'accompagnent d'une dépréciation inférieure à la moyenne. Qu'en sera-t-il pour la Saturn ?

Saturn aurait eu tout à gagner en adaptant mieux la voiture au marché nord-américain, un peu comme dans l'exercice du Saturn VUE (Opel Antara). De cette façon, les acheteurs auraient pu bénéficier d'une motorisation plus à jour et d'un équipement répondant aux attentes, ce qui aurait permis de mieux justifier son prix.

Antoine Joubert

Photos : Sylvain Raymond

VÉHICULE D'ESSAI

Version :	Saturn Astra XE 5 portes
Moteur :	4L de 1,8 litre 16s atmosphérique
Puissance :	138 ch (103 kW) à 6 300 tr/min
Couple :	125 lb-pi (170 Nm) à 3 800 tr/min
Rapport poids/puissance :	9,42 kg/ch (12,62 kg/kW)
Transmission :	automatique, 4 rapports
Rouage :	traction
0-100 km/h · 80-120 km/h :	12,0 s · 8,2 s
Freinage 100-0 km/h :	43,5 m
Vitesse maximale :	200 km/h
Consommation (100 km) :	ordinaire, 8,4 litres
Autonomie approximative :	535 km
Émissions de CO2 :	3 648 kg/an
Emp/Lon/Lar/Haut (mm) :	2 614 / 4 331 / 1 753 / 1 458
Coffre/Réservoir :	345 à 1 070 / 45 litres
Nombre de coussins de sécurité :	6
Suspension avant :	indépendante, jambes de force
Suspension arrière :	demi-indépendante, poutre déformante
Freins av./arr. :	disque (ABS)
Antipatinage/Contrôle de stabilité :	oui/oui
Direction :	à crémaillère, assistance magnétique
Diamètre de braquage :	10,5 m
Pneus av./arr. :	P205/55R16
Poids :	1 300 kg
Capacité de remorquage :	454 kg

AUTRE(S) COMPOSANTE(S) MÉCANIQUE(S)

Système hybride :	aucun
Moteur diesel :	aucun
Taxe énergivore :	aucune
Autre(s) moteur(s) :	aucun
Autre(s) rouage(s) :	aucun
Autre(s) transmission(s) :	manuelle, 5 rapports

EN BREF

Échelle de prix :	17 900 $ à 23 130 $ (2008)
Catégorie :	*hatchback*
Garanties :	3 ans/60 000 km, 5 ans/160 000 km
Assemblage :	Anvers, Belgique
Cote d'assurance :	n.d.

DANS LA MÊME CATÉGORIE

Chevrolet Cobalt, Ford Focus, Honda Civic, Hyundai Elantra, Kia Spectra, Mazda3/Sport, Mitsubishi Lancer, Nissan Sentra, Suzuki SX4, Toyota Corolla

NOS IMPRESSIONS

Agrément de conduite :	4
Fiabilité :	3 ½
Sécurité :	4
Qualités hivernales :	4
Espace intérieur :	3 ½
Confort :	3 ½

DU NOUVEAU EN 2009

Aucun changement majeur

LE COUP DE FOUDRE AU QUOTIDIEN

Depuis que cette Saturn a remporté le titre de voiture de l'année en 2007, plusieurs autres modèles se sont ajoutés afin de constituer une gamme complète permettant de rencontrer les besoins et les budgets de tous. Par ailleurs, ce titre prestigieux a été une indication que ce constructeur, après un hiatus de plusieurs années, prenait à nouveau au sérieux le marché des automobiles.

Initialement, seuls les modèles propulsés par un moteur V6 étaient au catalogue. Puis, la version Green Line, avec son moteur hybride de première génération, est venu se joindre, suivi par le modèle XE équipé d'un moteur quatre cylindres. Il est important de savoir que la différence entre les différents groupes propulseurs sous le capot est appréciable et influe grandement sur le comportement d'ensemble.

STYLISME RÉUSSI

Pendant des années, les bureaux de design de GM semblaient se spécialiser dans la conception de voitures dont la silhouette était fortement contestée. Malgré les moyens mis à leur disposition, les designers étaient incapables de toucher la cible et de plaire au public. Toutefois, l'Aura s'est rapidement démarquée par son esthétique à la fois moderne et accrocheuse. La barre transversale chromée qui domine la grille de calandre, l'équilibre des lignes latérales ainsi que les feux arrière bien en évidence permettent à cette dernière de passer pour l'une des plus élégantes de sa catégorie.

Dans l'habitacle, l'espace pour la tête, les jambes et les coudes est généreux et la plupart des matériaux sont de bonne qualité. Par contre, comme c'est souvent le cas chez GM, la finition laisse à désirer. Des pièces de plastique qui s'emboîtent mal, un tapis mal arrimé, bref vous connaissez la chanson. Heureusement, le tableau de bord est sobre, bien agencé tandis que l'ergonomie est bonne. Il faut également souligner que la ventilation et la climatisation sont fort efficaces.

L'EMBARRAS DU CHOIX

Il est certain que le modèle qui a mérité le titre de voiture de l'année était celui propulsé par le moteur V6 de 3,6 litres couplé à une boîte automatique à six rapports. Il s'agit du modèle XR, le mieux équipé et celui doté d'une suspension plus sportive qui assure une meilleure tenue de route. Ce groupe propulseur est très efficace et très moderne.

L'autre version, équipée d'un moteur V6, est la XE, plus économique à l'achat et pourvue d'un moteur V6 de 3,5 litres à soupapes en tête et associé à une boîte automatique à quatre rapports. L'habitabilité et le confort sont identiques au modèle plus luxueux, mais les accélérations et les performances ne sont pas aussi impressionnantes, tandis que le niveau sonore de l'habitacle est plus élevé. Toutefois, vous en avez pour votre argent dans les deux cas, sans oublier la possibilité de commander une version à moteur à quatre cylindres, qui est

FEU VERT
- Silhouette élégante
- Prix compétitifs
- Choix de groupes propulseurs
- Bonne habitabilité
- Tenue de route équilibrée

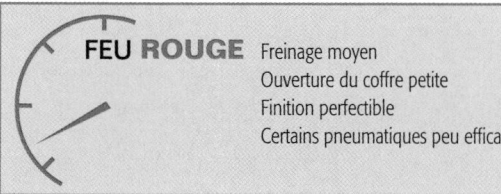

FEU ROUGE
- Freinage moyen
- Ouverture du coffre petite
- Finition perfectible
- Certains pneumatiques peu efficaces

naturellement le modèle le plus économique. Ce quatre cylindres de 2,4 litres produit 164 chevaux et travaille de concert avec une boîte automatique à quatre rapports. Cette transmission est nettement plus fiable et robuste que performante.

Naturellement, le modèle Green Line combine ce même moteur de 2,4 litres à un moteur électrique intercalé entre le moteur et la transmission afin d'assurer un surcroît de puissance au besoin. Cette technologie hybride est relativement élémentaire, mais permet tout de même d'apporter une économie d'essence tout au moins appréciable à un coût intéressant. Même si les performances du Green Line sont relativement modestes, les accélérations et les reprises se font en douceur, sans que le moteur ait à « beugler » pour montrer son efficacité.

La plate-forme est très rigide, les suspensions bien calibrées et la tenue de route supérieure à la moyenne. Par contre, les modèles plus économiques sont dotés en première monte de pneus plus ou moins performants et le comportement en virage est affecté. Soulignons au passage que le freinage se situe dans la bonne moyenne, mais que les freins ont tendance à s'échauffer rapidement.

Cette Saturn continue de demeurer l'une des plus élégantes berlines sur le marché et constitue ce que ce constructeur peut faire de mieux dans la catégorie des intermédiaires, avec les Pontiac G6 et Chevrolet Malibu puisque ces trois modèles se partagent la même plate-forme. Si le bilan est positif, il est toutefois dommage de constater que la présence d'un groupe propulseur appartenant à une autre catégorie que ceux offerts par la concurrence, du moins chez les modèles les plus économiques, vient handicaper ce modèle aux yeux de plusieurs.

Denis Duquet

Photos : Saturn

VÉHICULE D'ESSAI

Version :	Saturn Aura XR V6
Moteur :	V6 de 3,5 litres 12s atmosphérique
Puissance :	224 ch (167 kW) à 5 900 tr/min
Couple :	220 lb-pi (298 Nm) à 4 000 tr/min
Rapport poids/puissance :	7,38 kg/ch (9,90 kg/kW)
Transmission :	automatique, 6 rapports
Rouage :	traction
0-100 km/h · 80-120 km/h :	9,8 s · 7,2 s
Freinage 100-0 km/h :	42,7 m
Vitesse maximale :	209 km/h
Consommation (100 km) :	ordinaire, 11,5 litres
Autonomie approximative :	530 km
Émissions de CO2 :	4 608 kg/an
Emp/Lon/Lar/Haut (mm) :	2 852 / 4 851 / 1 786 / 1 464
Coffre/Réservoir :	421 / 61 litres
Nombre de coussins de sécurité :	6
Suspension avant :	indépendante, jambes de force
Suspension arrière :	indépendante, multibras
Freins av./arr. :	disque (ABS)
Antipatinage/Contrôle de stabilité :	oui/oui
Direction :	à crémaillère, assistée
Diamètre de braquage :	12,3 m
Pneus av./arr. :	P225/50R18
Poids :	1 654 kg
Capacité de remorquage :	453 kg

AUTRE(S) COMPOSANTE(S) MÉCANIQUE(S)

Système hybride :	Moteur/générateur élect de 36 Volt (110 lb-pi). Puissance totale 164 ch.
Moteur diesel :	aucun
Taxe énergivore :	aucune
Autre(s) moteur(s) :	V6 de 3,6 litres 252 ch/251 lb-pi (12,2 l/100 ordinaire) (XR)
	4L de 2,4 litres 164 ch/159 lb-pi (8,5 l/100 ordinaire) (Hybride)
	4L de 2,4 litres 164 ch/159 lb-pi (9,6 l/100 ordinaire)
Autre(s) rouage(s):	aucun
Autre(s) transmission(s) :	automatique, 4 rapports (Hybride)

EN BREF

Échelle de prix :	24 710 $ à 31 965 $
Catégorie :	berline intermédiaire
Garanties :	3 ans/60 000 km, 5 ans/160 000 km
Assemblage :	Kansas City, Kansas, É-U
Cote d'assurance :	n.d.

DANS LA MÊME CATÉGORIE

Chevrolet Malibu, Chrysler Sebring, Dodge Avenger, Ford Fusion, Honda Accord, Hyundai Sonata, Kia Magentis, Nissan Altima, Pontiac G6, Subaru Legacy, Toyota Camry

NOS IMPRESSIONS

Agrément de conduite :	4
Fiabilité :	4
Sécurité :	4
Qualités hivernales :	3 ½
Espace intérieur :	4
Confort :	4

DU NOUVEAU EN 2009

Tous les modèles (sauf Hybride) reçoivent automatique à six rapports, Stabilitrak standard sur tous les modèles

PASSAGE AU VERT

Depuis l'introduction de la précédente génération en 2002, je dois avouer que, chez les VUS compacts, le Saturn Vue faisait très rarement partie de mes recommandations. Pas parce qu'il était dénué d'intérêt, mais disons qu'il n'était simplement pas à la hauteur de ce que la concurrence nous proposait. Fort de l'arrivée d'une nouvelle génération l'année passée, le Vue devient cette fois beaucoup plus compétitif. En fait, il constitue maintenant un des choix les plus intéressants de son créneau.

Mais il n'y a pas que le Vue qui redonne ses lettres de noblesse à Saturn. Le constructeur a entièrement revu sa gamme en peu de temps et il nous propose plusieurs nouveaux véhicules drôlement intéressants. L'année dernière, le Vue a fait peau neuve, ne conservant que quelques éléments de la génération précédente. Même ses panneaux en polymère, élément typique des produits Saturn, sont passés au couperet. S'inscrivant donc dans la tendance des VUS plus urbains, le Vue dispose d'un châssis monocoque, ce qui lui assure un comportement plus adapté pour la route puisque de toute manière, peu de gens ont réellement besoin d'un VUS doté d'un châssis de camionnette et offrant une robustesse à toute épreuve.

NOUVEAU SYSTÈME HYBRIDE

Pour 2009, c'est principalement l'arrivée d'une nouvelle version hybride qui retient l'attention. Voilà un nouveau système qui diffère énormément de l'ancien Vue Green Line – GM laisse d'ailleurs tomber cette appellation pour 2009 – puisque ce dernier bénéficiait essentiellement d'une assistance électrique légère. Cette fois, on a droit à un rouage hybride complet et beaucoup plus technologique. Similaire à celui de Toyota, il permet au Vue de circuler uniquement en mode électrique à basse vitesse, d'où son appellation bimode. Comparable à la version XR, le Vue Hybrid dispose sous le capot d'un moteur V6 de 3,6 litres utilisant la technologie de calage variable des soupapes pour plus d'économie. Ce V6, combiné à un moteur électrique, procure ainsi une puissance totale de 255 chevaux, ce qui, selon le constructeur, devrait apporter une consommation inférieure de 50 % en ville. Faudrait voir... Peut-être 30 %, en restant optimiste.

GRAND CHOIX DE MOTEURS

Le Vue dispose probablement du plus grand choix de moteurs dans sa catégorie. Le tout débute par un quatre cylindres de 2,4 litres développant 169 chevaux, qui équipe le modèle de base XE à traction et qui sera jumelé à un moteur électrique dans le cas du Saturn Vue hybride à mode simple. Eh oui, malgré l'arrivée du Vue bimode, Saturn va continuer à nous proposer l'ancien modèle. Voilà qui risque par contre d'ajouter à la confusion, ce qui devrait toutefois être temporaire. On n'a pas vraiment intérêt à opter pour ce modèle qui est désormais beaucoup moins intéressant. Deux V6 sont ensuite au catalogue, soit un 3,5 litres de 222 chevaux pour la version XE à traction intégrale et un 3,6 litres développant 257 chevaux pour les versions plus haut de gamme XR et Red Line. Une boîte automatique à quatre rapports est

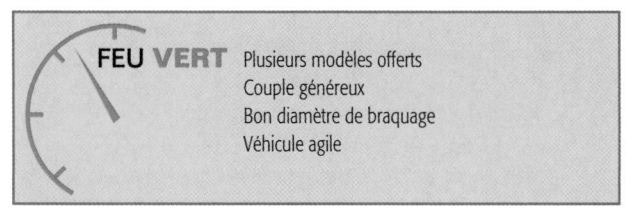

FEU VERT
Plusieurs modèles offerts
Couple généreux
Bon diamètre de braquage
Véhicule agile

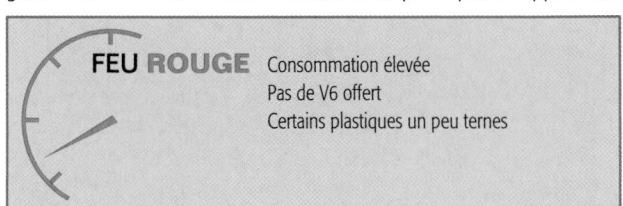

FEU ROUGE
Consommation élevée
Pas de V6 offert
Certains plastiques un peu ternes

jumelée au moteur quatre cylindres, alors qu'une autre à six rapports équipe les modèles à moteur V6.

On distingue à l'avant la grille typique aux modèles Saturn alors qu'à l'arrière, la ligne du toit plongeante lui donne un style plus sportif. Cet élément de design apporte cependant une visibilité plus réduite vers l'arrière. Il faudra donc être prudent en manœuvre de stationnement.

REVU ET AMÉLIORÉ

Lorsque l'on porte notre regard à l'intérieur du Vue, on remarque la similarité du tableau de bord avec celui des autres produits du constructeur. Bonne nouvelle, l'habitacle dispose également d'une finition nettement améliorée, même si quelques éléments ne s'emboîtent toujours pas d'une manière optimale. L'ergonomie est excellente, tout est rapidement accessible et simple à comprendre au premier coup d'œil. Les sièges sont confortables et offrent un bon support latéral. Cependant, j'aurais aimé pouvoir davantage les ajuster en hauteur, histoire d'atténuer encore plus l'effet VUS.

Le Vue offre une conduite beaucoup plus similaire à celle d'une voiture qu'auparavant. Toutefois, on a toujours le sentiment d'être au volant d'un VUS, justement en raison de la position élevée du siège qui ne s'abaisse pas suffisamment. La suspension minimise bien les transferts de poids tout en se comportant de façon souple sur route. On apprécie également la rigidité accrue du châssis, ce qui nous procure un sentiment de solidité.

La version à traction équipée du moteur quatre cylindres est intéressante en raison de son prix alléchant, et elle favorise une bonne économie d'essence. Si vous vous orientez vers un modèle à moteur V6, je vous suggère fortement le moteur 3,6 litres qui est beaucoup plus puissant et moderne que le 3,5 litres. Combiné avec la boîte à six rapports, il offre des accélérations puissantes tout en demeurant doux.

GM a certainement réussi un bon coup avec la refonte du Vue. Ce dernier est maintenant beaucoup mieux outillé pour rivaliser avec la concurrence féroce des autres véhicules de ce créneau.

Sylvain Raymond

Photos : Saturn

VÉHICULE D'ESSAI

Version :	Saturn VUE XE
Moteur :	4L de 2,4 litres 16s atmosphérique
Puissance :	169 ch (126 kW) à 6 200 tr/min
Couple :	161 lb-pi (218 Nm) à 5 100 tr/min
Rapport poids/puissance :	10,26 kg/ch (13,76 kg/kW)
Transmission :	automatique, 4 rapports
Rouage :	traction
0-100 km/h · 80-120 km/h :	12,5 s · 10,1 s
Freinage 100-0 km/h :	44,0 m
Vitesse maximale :	185 km/h
Consommation (100 km) :	ordinaire, 11,0 litres
Autonomie approximative :	672 km
Émissions de CO2 :	4 512 kg/an
Emp/Lon/Lar/Haut (mm) :	2 707 / 4 576 / 1 850 / 1 681
Coffre/Réservoir :	752 à 1 540 / 74 litres
Nombre de coussins de sécurité :	6
Suspension avant :	indépendante, jambes de force
Suspension arrière :	indépendante, multibras
Freins av./arr. :	disque (ABS)
Antipatinage/Contrôle de stabilité :	oui/non
Direction :	à crémaillère, assistance variable électrique
Diamètre de braquage :	12,2 m
Pneus av./arr. :	P225/65R17
Poids :	1 735 kg
Capacité de remorquage :	680 kg

AUTRE(S) COMPOSANTE(S) MÉCANIQUE(S)

Système hybride :	Système bi-mode offert plus tard en 2008. Peut fonctionner en mode élect uniquement.
Moteur diesel :	aucun
Taxe énergivore :	n.d.
Autre(s) moteur(s) :	V6 de 3,5 litres 222 ch/219 lb-pi (13,3 l/100 ordinaire) V6 de 3,6 litres 257 ch/248 lb-pi (11,9 l/100 ordinaire) V6 de 3,6 litres 255 ch/252 lb-pi
Autre(s) rouage(s) :	intégral
Autre(s) transmission(s) :	CVT (Hybride bi-mode) automatique, 6 rapports

EN BREF

Échelle de prix :	26 910 $ à 38 670 $
Catégorie :	VUS compact
Garanties :	3 ans/60 000 km, 5 ans/160 000 km
Assemblage :	Ramos Arizpe, Mexique
Cote d'assurance :	n.d.

DANS LA MÊME CATÉGORIE

Equinox, Escape, CR-V, Tucson, Compass, Tribute, Outlander, Rogue, Torrent, Forester, RAV4

NOS IMPRESSIONS

Agrément de conduite :	½
Fiabilité :	
Sécurité :	
Qualités hivernales :	
Espace intérieur :	½
Confort :	

DU NOUVEAU EN 2009

Version hybride bi-mode à venir fin 2008, version Green Line abandonnée

TEL UN JEEP WRANGLER !

Sur nos terres depuis 2005, la citadine smart – vous saviez sûrement que smart s'écrit sans lettre majuscule – ne fait plus tourner les têtes comme avant. Mais on ne peut pas dire, non plus, qu'elle passe inaperçue! L'automne dernier, Mercedes-Benz, à qui appartient smart, lançait la deuxième génération de sa microvoiture. Plus grosse et plus puissante, la nouvelle smart ne fait toujours pas jeu égal avec les sous-compactes (Toyota Yaris, Hyundai Accent, etc.). Pourtant, dans le cœur de bien des gens, la smart est tout simplement imbattable!

Depuis l'automne dernier, les Américains découvrent la smart. La génération précédente n'était pas offerte chez eux et ils sont tout simplement entichés de cette mignonne voiture, à tel point que l'offre ne peut répondre à la demande. Au Canada, au Québec surtout, la folie des débuts s'est quelque peu résorbée. En fait, la smart est une voiture coup de foudre, au même titre qu'un Jeep Wrangler. Ce n'est pas nécessairement la voiture qu'on aime, mais plutôt le style de vie qui vient avec.

La nouvelle Fortwo, autant en version coupé que cabriolet, a gagné 195 mm (plus de 7,5 pouces) en longueur tandis que son empattement est passé de 1 810 mm à 1 867 mm. Ces améliorations ne sautent pas aux yeux, mais elles n'en sont pas moins appréciées des utilisateurs! L'esthétisme aussi a progressé. Les designers ont réussi à conserver à la smart son allure jouet tout en lui donnant une carrosserie plus crédible.

HABITACLE PLUS FONCTIONNEL

C'est dans l'habitacle que les changements sont toutefois les plus appréciés. Le tableau de bord fait plus sérieux qu'avant et, surtout, plus fonctionnel. Les commandes sont beaucoup plus intuitives et la visibilité, peu importe la direction, est excellente. La position de conduite, par contre, n'est pas toujours facile à trouver puisque le volant n'est ni ajustable en hauteur ni télescopique. Malgré les dimensions réduites de la carrosserie, l'espace intérieur est franchement impressionnant, mais je serais curieux de voir un joueur de basketball tenter de s'insérer dans la smart! Dans une si petite voiture, il est rassurant de pouvoir compter sur quatre coussins gonflables. L'instrumentation est minimaliste et on regrette, dans un véhicule aussi économique, de ne pas retrouver d'ordinateur de bord calculant la consommation moyenne. Le coffre, comme précisé plus haut, se montre plus généreux qu'auparavant. Dans la partie inférieure du hayon, on retrouve un bac de rangement qui permet de loger quelques objets ou les barres latérales du toit du cabriolet lorsque le toit est baissé.

PAS UN *MUSCLE CAR*...

Du côté de la mécanique, le moteur diesel a fait place à un trois cylindres à essence de 1,0 litre de 70 chevaux et 68 livres-pied de couple. Certes économique (5,9 litres aux 100 km selon Transport Canada et 6,2 à la suite de notre essai où nous n'avons pas ménagé la petite citadine), ce moteur consomme un tantinet plus qu'avant. Toutefois, le fait qu'il ne prenne que de l'essence super lui enlève un peu de son avantage. Ce moteur est toujours situé entre les roues arrière. À l'avant, on

FEU VERT
- Le comble du charme
- Moteur plus puissant
- Peu gourmande en essence
- Habitacle bien pensé
- Niveau de sécurité élevé

FEU ROUGE
- Requiert de l'essence super seulement
- Confort relatif sur mauvaises routes
- Sensible aux vents latéraux
- Dispendieuse en entretien
- Craquements du hayon (coupé)

retrouve un petit capot qui cache les réservoirs de lave-glace, du servofrein et du liquide de refroidissement.

Le moteur 1,0 litre est tributaire d'une transmission automatique à cinq rapports. Elle a perdu un rapport dans l'opération, mais elle conserve toujours, quoique de façon moins marquée, son comportement bizarre lors des changements de rapport. Chaque fois, on ressent une baisse de puissance. Cela est dû au fait qu'il s'agit d'une boîte manuelle dont l'embrayage se fait de façon électrique. On ne parle donc pas d'une véritable automatique. Les changements se font lentement, ce qui donne le temps au petit moteur de perdre beaucoup de son régime. Il est toutefois possible d'éviter un peu cet effet en changeant les vitesses manuellement lorsque le régime est plus élevé. On est en droit de se demander pourquoi la smart n'offre pas de boîte manuelle traditionnelle moins compliquée, moins chère et assurément plus agréable à vivre... D'ailleurs, il faut mentionner que l'entretien de la mignonne smart risque de coûter assez cher puisqu'il ne peut se faire que chez un concessionnaire Mercedes-Benz.

Dans un centre-ville congestionné, la smart demeure la voiture la plus agréable à conduire. Elle se faufile partout et s'accommode d'une grosse berline mal stationnée pour siphonner une place autrement inutilisable. Par contre, son empattement très court nuit à son confort et un nid-de-poule aura tôt fait de vous secouer sérieusement la boîte à squelette. Quand on s'éloigne de la ville, le charme de la petite aguichante se perd dans la nature... Certes, les accélérations sont maintenant très correctes et il est possible de suivre le flux de la circulation, mais la sensibilité de la smart aux vents latéraux est toujours très présente. Dans la neige, la smart se comporte bien lorsque chaussée de bons pneus d'hiver. Cependant, son système de contrôle de la traction est tellement intrusif que lorsqu'il y a quelques centimètres de neige, vous n'avez plus l'impression d'avoir la maîtrise de la voiture. C'est le système qui décide!

Au-delà du coup de foudre, il faut vivre avec une voiture pour en découvrir les petits et grands travers. Même si les prix de la smart ont passablement chuté, elle n'est pas toujours l'aubaine qu'elle paraît être de prime abord. Une Hyundai Accent ou une Toyota Yaris sont infiniment moins attirantes, mais elles offrent beaucoup plus pour beaucoup moins de sous. Mais si vous vous êtes rendu jusqu'à la fin de cet essai... allez donc la chercher votre smart et profitez de la vie!

Alain Morin

Photos: Alain Morin

VÉHICULE D'ESSAI

Version:	smart Fortwo Coupé Passion
Moteur:	3L de 1,0 litre 12s atmosphérique
Puissance:	70 ch (52 kW) à 5 800 tr/min
Couple:	68 lb-pi (92 Nm) à 4 500 tr/min
Rapport poids/puissance:	10,71 kg/ch (14,42 kg/kW)
Transmission:	séquentielle
Rouage:	propulsion
0-100 km/h · 80-120 km/h:	15,2 s · 13,4 s
Freinage 100-0 km/h:	42,0 m
Vitesse maximale:	145 km/h
Consommation (100 km):	super, 5,9 litres
Autonomie approximative:	559 km
Émissions de CO2:	2 592 kg/an
Emp/Lon/Lar/Haut (mm):	1 867 / 2 695 / 1 559 / 1 542
Coffre/Réservoir:	340 / 33 litres
Nombre de coussins de sécurité:	4
Suspension avant:	indépendante, jambes de force
Suspension arrière:	indépendante, multibras
Freins av./arr.:	disque/tambour (ABS)
Antipatinage/Contrôle de stabilité:	oui/oui
Direction:	à crémaillère, assistance variable
Diamètre de braquage:	8,7 m
Pneus av./arr.:	P155/60R15 / P175/55R15
Poids:	750 kg
Capacité de remorquage:	non recommandé

AUTRE(S) COMPOSANTE(S) MÉCANIQUE(S)

Système hybride:	aucun
Moteur diesel:	aucun
Taxe énergivore:	aucune
Autre(s) moteur(s):	aucun
Autre(s) rouage(s):	aucun
Autre(s) transmission(s):	aucune

EN BREF

Échelle de prix:	14 990 $ à 23 900 $
Catégorie:	coupé, roadsdter
Garanties:	4 ans/80 000 km, 5 ans/120 000 km
Assemblage:	Hambach, France
Cote d'assurance:	excellente

DANS LA MÊME CATÉGORIE

Aucune concurrence

NOS IMPRESSIONS

Agrément de conduite:	
Fiabilité:	
Sécurité:	
Qualités hivernales:	½
Espace intérieur:	
Confort:	½

DU NOUVEAU EN 2009

Aucun changement majeur

DES CHANGEMENTS SONGÉS

Avec la mise à jour du Forester, Subaru vient de compléter la transformation de toute sa gamme. Ce modèle est certainement celui qui en avait le plus besoin. Non seulement sa silhouette avait vieilli, mais la plate-forme était, elle aussi, devenue incapable de soutenir la concurrence des nouveaux modèles. Il ne faut pas oublier que le Forester a dominé sa catégorie pendant longtemps avant de céder son titre l'an dernier dans le cadre d'un match comparatif paru dans l'édition 2008 du *Guide*.

S'il est un élément mécanique qui ne change jamais chez Subaru, c'est bien le moteur. Qu'il soit atmosphérique ou turbocompressé, on a toujours affaire à un moteur quatre cylindres à plat de 2,5 litres couplé à une boîte manuelle à cinq rapports ou à une automatique à quatre rapports offerte en option. Et si vous optez pour le modèle turbo, uniquement offert sur la XT Limited, vous ne pourrez profiter que de l'automatique. Il serait donc facile de conclure qu'avec la reconduction de ce groupe propulseur, on s'est contenté de la même mécanique. Par contre, lors du lancement de ce modèle, les ingénieurs ont insisté pour souligner que plusieurs modifications internes avaient été apportées, notamment la répartition du couple qui se manifeste à un régime moins élevé. La courbe de puissance a elle aussi été améliorée. Un détail digne de mention, le moteur est abaissé de 22 mm afin de réduire le centre de gravité compte tenu du fait que le pavillon est un peu plus haut que précédemment.

Si la motorisation est inchangée, la plate-forme est nouvelle. Elle est naturellement plus rigide, tandis que son empattement a été allongé de 90 mm. Il en résulte un meilleur confort et plus de dégagement pour les jambes aux places arrière. La suspension arrière est dorénavant à bras triangulés afin d'éliminer la présence des tours de suspension dans le coffre, une caractéristique de la suspension à jambes de force utilisée précédemment. Comme sur tous les autres modèles Subaru, le rouage intégral est de série. Par contre, il est important de préciser que le mécanisme pour la version dotée de la boîte manuelle diffère de celui livré avec l'automatique.

DISCRÈTEMENT VÔTRE

La journée où les véhicules Subaru nous proposeront des silhouettes excentriques, ce constructeur aura été acheté par une autre compagnie. En fait, pendant longtemps, la rumeur voulait que le bureau de design de Subaru consiste en une boîte à suggestions placée à la sortie de la cafétéria de l'usine.

Trêve de balivernes, il faut reconnaître que les choses se sont beaucoup améliorées au fil des ans en fait de design. Malheureusement, le Forester a toujours été mal servi par les stylistes. La première génération apparue en 1996 avait une silhouette déséquilibrée. La seconde, arrivée en 2005, se voulait un net progrès, mais on pouvait faire mieux.

Quant à la troisième génération, elle est améliorée, mais c'est quand même une approche évolutive. La plupart des modifications apportées

FEU VERT
- Transmission intégrale de série
- Silhouette plus moderne
- Prix réduit
- Mécanique fiable
- Habitacle spacieux

FEU ROUGE
- Moteur atmosphérique un peu juste
- Boîte automatique à quatre rapports
- Suspension parfois sèche
- Siège du passager trop bas
- Centre d'information difficile à consulter

se situent à la partie avant. La grille de calandre, encadrée par les phares de forme plus ou moins rectangulaire, est surplombée par une barre transversale chromée débordant le long des ailes avant. Ces ailes sont proéminentes en raison des passages de roues surdimensionnés. Le pare-chocs avant est plus saillant et surplombe une prise d'air plus imposante délimitée par les phares antibrouillard. À ce chapitre, Subaru est demeuré fidèle à sa politique de design classique.

En fait, c'est dans l'habitacle que les changements les plus importants sont à noter. Et encore, il faut nuancer, puisque le tableau de bord est directement inspiré de celui de l'Impreza. Comme sur ce dernier, la disposition est bonne, avec ses volutes se rejoignant de part et d'autre de la console centrale. À ce point de rencontre se trouvent les commandes de climatisation constituées de trois gros boutons faciles à opérer. Les modèles canadiens n'offrent pas le système de navigation par satellites, mais incluent des sièges chauffants et des supports à bagages en équipement de série. Il faut toutefois souligner que le totaliseur journalier est difficile à lire et que le centre d'information placé sur la partie centrale supérieure est souvent oblitéré par les rayons du soleil.

Comme dans tous les véhicules de ce constructeur, la qualité des matériaux, ainsi que l'assemblage, est excellente. Il y a un bémol cependant quant à la dureté de certains plastiques, notamment ceux du tableau de bord. D'autre part, les sièges sont confortables, le volant est inclinable et télescopique et le dégagement pour les jambes est généreux aux places arrière. Certains déploreront le fait que le siège du passager ne peut être réglé en hauteur et que son assise est très basse.

PASSE-PARTOUT

Sur la route, la conduite est plus agréable et la tenue de route rassurante. La rigidité accrue de la plate-forme, une direction ancrée plus solidement et un diamètre de braquage relativement court figurent sur la liste des améliorations les plus marquantes. En dépit d'une garde au sol de 220 mm, le Forester affiche un roulis fort bien contenu dans les courbes.

En conclusion, Subaru a atteint ses objectifs en mettant la Forester au goût du jour en plus de conserver les qualités initiales qui la font apprécier de beaucoup de propriétaires.

Denis Duquet

Photos: Guy Desjardins

VÉHICULE D'ESSAI

SIRIUS RADIO SATELLITE

Version :	Subaru Forester Limited
Moteur :	H4 de 2,5 litres 16s surcompressé
Puissance :	224 ch (167 kW) à 5 200 tr/min
Couple :	226 lb-pi (306 Nm) à 2 800 tr/min
Rapport poids/puissance :	7,00 kg/ch (9,40 kg/kW)
Transmission :	automatique, 4 rapports
Rouage :	intégral
0-100 km/h · 80-120 km/h :	8,9 s · 8,4 s
Freinage 100-0 km/h :	37,7 m
Vitesse maximale :	n.d.
Consommation (100 km) :	super, 11,0 litres
Autonomie approximative :	581 km
Émissions de CO2 :	n.d.
Emp/Lon/Lar/Haut (mm) :	2 615 / 4 560 / 1 780 / 1 700
Coffre/Réservoir :	872 à 1 784 / 64 litres
Nombre de coussins de sécurité :	6
Suspension avant :	indépendante, jambes de force
Suspension arrière :	indépendante, double triangulation
Freins av./arr. :	disque (ABS)
Antipatinage/Contrôle de stabilité :	oui
Direction :	à crémaillère, assistance variable
Diamètre de braquage :	n.d.
Pneus av./arr. :	225/55R17
Poids :	1 570 kg
Capacité de remorquage :	1 087

AUTRE(S) COMPOSANTE(S) MÉCANIQUE(S)

Système hybride :	aucun
Moteur diesel :	aucun
Taxe énergivore :	aucune
Autre(s) moteur(s) :	H4 de 2,5 litres 170 ch/170 lb-pi
Autre(s) rouage(s) :	aucun
Autre(s) transmission(s) :	manuelle, 5 rapports

EN BREF

Échelle de prix :	25 795 $ à 34 895 $
Catégorie :	VUS compact
Garanties :	3 ans/60 000 km, 5 ans/100 000 km
Assemblage :	Gunma, Japon
Cote d'assurance :	moyenne

DANS LA MÊME CATÉGORIE

Chevrolet Equinox, Dodge Nitro, Ford Escape, Honda CR-V, Hyundai Tucson et Santa Fe, Jeep Liberty et Patriot, Kia Sportage, Mitsubishi Outlander, Pontiac Torrent, Suzuki XL-7, Toyota RAV4

NOS IMPRESSIONS

Agrément de conduite :	4/5
Fiabilité :	4/5
Sécurité :	4 ½/5
Qualités hivernales :	5/5
Espace intérieur :	4/5
Confort :	4/5

DU NOUVEAU EN 2009

Nouveau modèle

TOUJOURS MÉCONNUE !

Alors que les WRX et WRX STi occupent le haut du pavé dans la gamme Impreza, ce sont toutefois les modèles plus accessibles de l'Impreza qui génèrent la majeure partie des ventes. Malgré tout, on doit avouer que l'Impreza reste quelque peu dans l'ombre par rapport à ses rivales, mais ce n'est pas parce que le modèle est dénué d'attraits. En fait, dans le créneau des voitures compactes, les gens sont bien souvent à la recherche d'un véhicule abordable et disposant de bons incitatifs financiers, ce qui n'est pas nécessairement le lot de l'Impreza.

Destinée à rivaliser des modèles tels la Ford Focus, la Mazda3, la Volkswagen Rabbit et la Toyota Corolla, l'Impreza mise sur son groupe motopropulseur performant et sur son rouage intégral offert de série. L'année dernière, elle s'est payé une cure de jeunesse digne des plus grands chirurgiens plastiques.

BERLINE OU FAMILIALE ?

Comme plusieurs lui reprochaient ses lignes peu emballantes, Subaru a ajusté le tir l'an passé en nous proposant une nouvelle Impreza entièrement remaniée. On a donc droit à une berline modernisée et rajeunie par des lignes plus fluides. L'élément le plus accrocheur, c'est que concernant le style, ce modèle s'apparente un peu plus à la sportive WRX, alors qu'avant, l'Impreza était beaucoup plus terne et moins attrayante que ses émules plus sportives.

Pour ceux qui aiment les modèles à hayon, il y la *hatchback* cinq portes qui ajoute à l'aspect pratique de la voiture. C'est certainement le modèle qui a fait le plus jaser l'an passé alors que plusieurs décriaient ses nouvelles lignes. Comme c'est le cas avec la récente WRX STi, qui est basée sur ce modèle, on doit admettre que le temps arrange les choses puisqu'on s'habitue à son genre et, en fait, on la trouve maintenant jolie, surtout avec son choix de coloris intéressant.

BONNE MÉCANIQUE

Certes plus abordable que ses consoeurs WRX, l'Impreza continue de séduire par sa robe moderne et ses composantes mécaniques efficaces. Les modèles 2,5i et 2,5i Sport cachent sous le capot un moteur de 2,5 litres développant 170 chevaux pour un couple équivalent, soit une puissance qui peut sembler un peu juste. Cependant, le couple généreux de ce moteur permet au véhicule de bien se tirer d'affaire en conduite ordinaire et d'avoir un bon rendement.

Ce moteur est couplé de série à une boîte manuelle à cinq rapports ou automatique à quatre rapports offerte en option. Voilà une motorisation compétitive par rapport à ses rivales, mais certaines possèdent une boîte automatique à cinq ou six rapports, améliorant leur consommation. C'est probablement le seul talon d'Achille de cette mécanique.

L'impreza est aussi l'une des seules de sa catégorie à avoir un rouage intégral de série, ce qui la rend drôlement agréable sur pavé moins favorable. Deux systèmes de traction intégrale distincts sont proposés

FEU VERT
- Rouage intégral performant
- Lignes séduisantes (berline)
- Familiale polyvalente
- Habitacle confortable

FEU ROUGE
- *Hatchback* au *look* bizarre
- Automatique à quatre rapports seulement
- Consommation un tantinet élevée
- Moteur manque un peu de pep

selon le type de boîte choisie. L'Impreza à boîte manuelle hérite d'une traction intégrale symétrique à prise constante utilisant un différentiel autobloquant à viscocoupleur qui distribue la puissance 50/50 aux roues avant et arrière, tandis que le modèle à boîte automatique est doté d'un système faisant appel à un embrayage électronique multidisque continuellement variable qui répartit la puissance sous un ratio de 55/45. Ces deux systèmes feront varier le couple envoyé à chaque roue en fonction de l'adhérence disponible, ce qui dote l'Impreza d'un net avantage et qui en fin de compte, explique un peu sa facture un peu plus élevée.

Dans l'habitacle, le silence de roulement est de mise. Le confort aussi mais le passager doit accepter d'être assis trop bas pour être vraiment à l'aise. Mais on s'y fait. Le conducteur fait face à une instrumentation facile à consulter, mais il peut déplorer le fait qu'il n'y ait pas de jauge de température du moteur. Les places arrière sont plutôt confortables même si elles ne sont pas trop insonorisées. Si l'ouverture du coffre de la berline est trop petite pour être réellement utile, malgré un coffre de bonnes dimensions, la familiale, évidemment, ne présente pas ce défaut. En fait, à cause de l'angle donné à la lunette arrière, on parle plutôt d'un *hatchback*.

À AJOUTER À VOTRE LISTE D'ÉPICERIE

Peu de gens ont ce modèle en tête lorsque vient le temps de magasiner pour une voiture compacte. En fait, on voit peu de publicité sur ce modèle et le constructeur ne l'annonce pas à grands coups d'incitatifs financiers et à pleine page dans les journaux. Pourtant, une fois assis au volant, vous serez certainement séduit. Cette Subaru a d'ailleurs terminé en quatrième position de notre match comparatif mettant en scène treize voitures compactes.

Sylvain Raymond

Photos: Alain Morin

VÉHICULE D'ESSAI

SIRIUS RADIO SATELLITE

Version :	Subaru Impreza 2,5i Sport *hatchback*
Moteur :	H4 de 2,5 litres 16s atmosphérique
Puissance :	170 ch (127 kW) à 6 000 tr/min
Couple :	170 lb-pi (231 Nm) à 4 400 tr/min
Rapport poids/puissance :	8,32 kg/ch (11,14 kg/kW)
Transmission :	manuelle, 5 rapports
Rouage :	intégral
0-100 km/h · 80-120 km/h :	9,8 s · 9,3 s
Freinage 100-0 km/h :	41,0 m
Vitesse maximale :	190 km/h
Consommation (100 km) :	ordinaire, 10,7 litres
Autonomie approximative :	598 km
Émissions de CO2 :	4 464 kg/an
Emp/Lon/Lar/Haut (mm) :	2 620 / 4 415 / 1 740 / 1 475
Coffre/Réservoir :	538 à 1 257 / 64 litres
Nombre de coussins de sécurité :	6
Suspension avant :	indépendante, jambes de force
Suspension arrière :	indépendante, leviers triangulés
Freins av./arr. :	disque (ABS)
Antipatinage/Contrôle de stabilité :	non/non
Direction :	à crémaillère, assistance variable
Diamètre de braquage :	10,6 m
Pneus av./arr. :	P205/55R16
Poids :	1 415 kg
Capacité de remorquage :	906 kg

AUTRE(S) COMPOSANTE(S) MÉCANIQUE(S)

Système hybride :	aucun
Moteur diesel :	aucun
Taxe énergivore :	aucune
Autre(s) moteur(s) :	aucun
Autre(s) rouage(s) :	aucun
Autre(s) transmission(s) :	automatique, 4 rapports

EN BREF

Échelle de prix :	20 695 $ à 24 895 $
Catégorie :	berline compacte, *hatchback*
Garanties :	3 ans/60 000 km, 5 ans/100 000 km
Assemblage :	Gunma et Yajiima, Japon
Cote d'assurance :	passable

DANS LA MÊME CATÉGORIE

Acura CSX, Chevrolet Cobalt, Ford Focus, Honda Civic, Hyundai Elantra, Kia Spectra, Mazda3/Sport, Toyota Corolla, Volkswagen Rabbit

NOS IMPRESSIONS

Agrément de conduite :	
Fiabilité :	
Sécurité :	
Qualités hivernales :	½
Espace intérieur :	
Confort :	½

DU NOUVEAU EN 2009

Aucun changement majeur

SUBARU IMPREZA WRX / WRX STi

Subaru Impreza WRX

SPORTIVITÉ SIGNÉE SUBARU

Chez Subaru, c'est la gamme Impreza, surtout les modèles WRX, qui donne au constructeur nippon ses lettres de noblesse au chapitre de la sportivité. Il est étrange de voir comment Subaru vit dans la dualité. D'une part, la majeure partie des modèles offerts s'adresse à une clientèle de professionnels plus âgés, notamment l'Outback et la Legacy, et de l'autre, il y a les modèles issus d'un riche passé de sport motorisé et destiné à une clientèle plus jeune, ce sont l'Impreza et l'Impreza WRX.

Fort d'une refonte complète l'an passé, la nouvelle Impreza WRX en avait fait jaser plusieurs en raison de ses nouvelles lignes, particulièrement dans le cas de la familiale. Force est d'admettre que l'on s'est habitué à ce nouveau style et je crois qu'il en est de même les nombreux «Subaristes». Bref après avoir décanté le tout, on les trouve pratiquement mieux réussis que les modèles de la génération précédente et surtout moins anonymes, un reproche souvent fait dans le passé.

LE RETOUR DE LA STI

Si la nouvelle Impreza WRX est apparue l'an passé, il aura fallu attendre un peu avant de voir arriver l'icône de la gamme, soit la STi. Premier constat, la STi n'est plus basée sur la berline, mais bien sur la familiale. Voilà un autre drame pour les puristes de la marque puisque traditionnellement, les voitures de rallye sont construites à partir de berline. Mais une fois encore, on comprendra vite la décision du constructeur. Avec sa nouvelle configuration, la STi jouit d'un empattement supérieur, améliorant par le fait même son comportement, tout en la rendant plus spacieuse et surtout, plus pratique. Il sera intéressant de voir l'intérêt que les acheteurs porteront à sa grande rivale, la Mitsubishi Lancer Evolution, qui reste de son côté basée sur une berline quatre portes.

Quoi qu'il en soit, l'Impreza WRX STi est une véritable bombe en raison de son moteur quatre cylindres à plat de 2,5 litres développant 305 chevaux à 6000 tr/min pour un couple de 290 lb-pi à 4000 tr/min, soit 12 chevaux de plus que l'ancienne génération. La puissance est transmise aux roues par le biais d'une boîte manuelle à six rapports, la seule offerte. Bien entendu, comme toute Subaru qui se respecte, la traction intégrale est au rendez-vous et une commande permet de modifier les réglages du différentiel. Plus civilisée que l'ancienne, la nouvelle WRX STi est performante tout en s'avérant plus pratique, un élément apporté par sa nouvelle configuration à cinq portes. Bref, elle est un peu plus vivable au quotidien.

DES MÉCANIQUES ÉPROUVÉES

La WRX voit la gamme élargie pour 2009 avec l'ajout de la WRX 265. Voilà qui portera à trois le nombre de variantes dans la gamme et qui permettra de rivaliser un peu plus avec la concurrence, notamment Mitsubishi avec ses nouvelles Lancer Ralliart et sa Evolution. La WRX 265 se veut un modèle plus performant, dont la puissance passe à 265 chevaux et le couple à 244 lb-pi, grâce à l'ajout d'un turbo un peu plus puissant. Ce modèle hérite aussi de quelques autres artifices intérieurs et extérieurs soulignant son exclusivité.

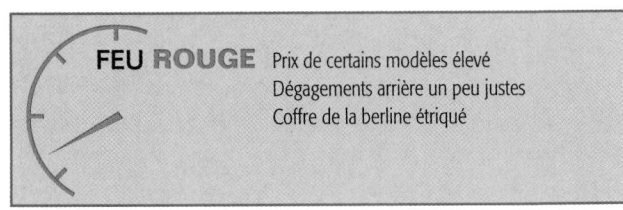

FEU VERT
- Mécanique éprouvée
- Bon choix de modèles
- Rouage intégral performant
- Modèle STi plus civilisé

FEU ROUGE
- Prix de certains modèles élevé
- Dégagements arrière un peu justes
- Coffre de la berline étriqué

Du reste, l'Impreza WRX dotée du moteur de 224 chevaux demeure au catalogue pour 2009 et tout comme la WRX 265, elle et offerte en versions quatre ou cinq portes. Elle sera cependant la seule à proposer une boîte automatique à quatre rapports, la boîte manuelle à cinq rapports étant offerte de série.

HABITACLE SOIGNÉ

Comme c'est la tradition chez Subaru, on a peu de reproches à faire quand la qualité de l'habitacle. Les matériaux sont de bonne qualité et l'assemblage sans véritable défaut. L'ergonomie a grandement été améliorée, même s'il reste encore quelques éléments qui pourraient être peaufinés. Sur la liste, la localisation de la commande des sièges chauffants, cette dernière étant située trop en arrière de l'accoudoir. Quant aux équipements, on retrouve une bonne base, mais vous ne baignerez pas dans les gadgets et le grand luxe, Subaru a toujours favorisé les composantes mécaniques.

À bord de la familiale, les passagers arrière obtiennent un dégagement supérieur aux jambes et à la tête alors que ceux d'en avant jouissent d'un peu plus de confort. Le large hayon permet de loger des objets de plus grande dimension et l'espace de chargement pourra être bonifiée une fois les sièges arrière rabattus.

Bref, la gamme Impreza WRX continue de séduire par la qualité de son assemblage et de ses composantes mécaniques. Profitant d'un nouveau style, elle est maintenant un peu plus au goût du jour, tout en affichant un dynamisme supérieur. Quant à la STi, elle reprend l'ADN du modèle de génération précédente, mais elle demande un peu moins de compromis, un élément qui allongera sans doute la lune de miel des futurs propriétaires.

Sylvain Raymond

Subaru Impreza WRX STi

Photos : Sylvain Raymond

VÉHICULE D'ESSAI

SIRIUS RADIO SATELLITE

Version :	Subaru Impreza WRX berline
Moteur :	H4 de 2,5 litres 16s turbocompressé
Puissance :	224 ch (167 kW) à 5 200 tr/min
Couple :	226 lb-pi (306 Nm) à 2 800 tr/min
Rapport poids/puissance :	6,36 kg/ch (8,53 kg/kW)
Transmission :	manuelle, 5 rapports
Rouage :	intégral
0-100 km/h · 80-120 km/h :	6,1 s · 5,0 s
Freinage 100-0 km/h :	39,8 m
Vitesse maximale :	240 km/h
Consommation (100 km) :	super, 11,2 litres
Autonomie approximative :	571 km
Émissions de CO2 :	4 656 kg/an
Emp/Lon/Lar/Haut (mm) :	2 620 / 4 580/ 1 976/ 1 475
Coffre/Réservoir :	320 / 64 litres
Nombre de coussins de sécurité :	6
Suspension avant :	indépendante, jambes de force
Suspension arrière :	indépendante, multibras
Freins av./arr. :	disques (ABS)
Antipatinage/Contrôle de stabilité :	oui/oui
Direction :	à crémaillère, assistance variable
Diamètre de braquage :	10,6 m
Pneus av./arr. :	P205/50R17
Poids :	1 425 kg
Capacité de remorquage :	906 kg

AUTRE(S) COMPOSANTE(S) MÉCANIQUE(S)

Système hybride :	aucun
Moteur diesel :	aucun
Taxe énergivore :	n.d.
Autre(s) moteur(s) :	H4 de 2,5 litres 265 ch/244 lb-pi (WRX 265)
	H4 de 2,5 litres 305 ch/290 lb-pi (12,2 l/100 super) (WRX STi)
Autre(s) rouage(s) :	aucun
Autre(s) transmission(s) :	automatique, 4 rapports (WRX) manuelle, 6 rapports (WRX STi)

EN BREF

Échelle de prix :	32 995 $ à 44 995 $
Catégorie :	familiale, berline sport
Garanties :	3 ans ans/60 000 km, 5 ans ans/100 000 km
Assemblage :	Gunma et Yajima, Japon
Cote d'assurance :	n.d.

DANS LA MÊME CATÉGORIE

Acura CSX Type S, Audi A3, Chevrolet Cobalt SS, Dodge Caliber SRT4, Honda Civic Si, MazdaSpeed3, Mitsubishi Lancer Evolution, Volkswagen GTi

NOS IMPRESSIONS

Agrément de conduite :	½
Fiabilité :	
Sécurité :	
Qualités hivernales :	½
Espace intérieur :	½
Confort :	½

DU NOUVEAU EN 2009

Nouvelle version WRX 265

NOM DE CODE : PEER

La renommée des produits Subaru s'étend à travers le monde. Le concept de véhicule familial est associé depuis longtemps à Subaru (tout comme Volvo d'ailleurs) et la sécurité a toujours été une priorité. Le produit s'est évidemment amélioré au fil des ans et aujourd'hui bon nombre de qualificatifs sont naturellement attribués aux modèles Legacy et Outback. Le choix des versions a été bonifié et la qualité de fabrication augmentée. On a maintenant affaire à un produit polyvalent, efficace, économe et robuste, d'où notre appellation de PEER.

En combinant les modèles Legacy et Outback, pas moins de 11 versions sont offertes aux consommateurs pour l'année-modèle 2009. Outre les nouvelles livrées PZEV, deux nouveautés sont ajoutées au catalogue, soit les Legacy 3.0R Limited et Legacy 3.0R avec groupe Premium. Les Legacy sont toujours présentées en version berline ou familiale alors que l'Outback n'existe qu'en configuration familiale.

DESIGN MODERNE

Inutile de mentionner que les voitures Subaru sont très bien adaptées aux conditions climatiques du Québec et donc très prisées. Cette popularité est sans aucun doute reliée au fait que les Subaru possèdent la traction intégrale symétrique à prise constante, l'une des meilleures sur le marché. Et bien que la Legacy en bénéficie, l'Outback est celle qui travaille le mieux dans nos conditions hivernales, surtout grâce à sa garde au sol plus élevée. Notre voiture d'essai, la 2.5GT spec.B s'est très bien débrouillée l'hiver dernier en démontrant une prise optimale sur les chaussées enneigées de Québec. La voiture colle littéralement à la route et il est pratiquement impossible de la prendre en défaut lors des départs ou des accélérations. Si vous empruntez plus souvent qu'à l'ordinaire des sentiers rarement déneigés, l'Outback sera tout indiquée pour vous rendre à destination.

Deux versions du moteur BOXER sont montées sur les Legacy et Outback, soit un quatre cylindres de 2,5 litres et un six cylindres de 3,0 litres. Tous deux présentent des avantages et des inconvénients qui leur sont propres. Évidemment, la version à six cylindres s'avère plus puissante, plus énergivore et plus chère à l'achat, mais propose une conduite fluide, stable et solide, alors que la livrée à quatre cylindres s'acquitte bien de sa tâche mais accuse une certaine faiblesse lorsque le véhicule est chargé ou fortement sollicité. Heureusement, il est possible de remédier à ce problème en optant pour la version turbocompressée de la Legacy qui dispose d'une cavalerie similaire à celle du six cylindres mais qui permet des performances plus sportives et dynamiques. La tenue de route des deux modèles est solide et le châssis rigide, ce qui ajoute aux qualités de la voiture. Le système SI-Drive de Subaru est efficace et amusant à régler. Les commandes se retrouvent désormais sur le volant pour une plus grande sécurité.

PZEV

Mais ce qui retient l'attention cette année, c'est l'arrivée des versions

FEU VERT
- Traction intégrale efficace
- Livrée PZEV innovatrice
- Châssis rigide
- Tenue de route solide

FEU ROUGE
- Prix grimpent rapidement
- Design trop discret
- Système SI-Drive inutile

PZEV pour « *Partial Zero Emission Vehicle* », ce qui se traduit par « véhicule à émissions quasi nulles ». Le principal intérêt de ce moteur réside dans ses émissions qui s'avèrent ultrafaibles et qui répondent aux normes SULEV. Ces normes, établies par l'État de la Californie, sont les plus rigoureuses en Amérique du Nord. Les émissions sont à 90 % plus propres que la moyenne des véhicules neufs en plus de ne produire aucune émission de vapeurs de carburant. Selon Subaru, les mesures antipollution sont si rigoureuses et le processus de combustion de carburant est si complet que les émissions produites peuvent être plus propres que l'air extérieur. Parions cependant que ces résultats ont été obtenus en Chine où la qualité de l'air est très mauvaise...

Les Legacy PZEV et Outback PZEV utilisent toutes deux le moteur à plat de 170 chevaux. D'une cylindrée de 2,5 litres, il ne présente aucune modification spéciale permettant une meilleure combustion. En fait, ce sont plutôt les accessoires satellites de la motorisation qui font tout le travail. On a tout d'abord ajouté un filtre au charbon à l'admission d'air pour empêcher les gaz nocifs de s'échapper dès que le moteur est éteint. Subaru s'est également attardé à rendre les injecteurs de carburant plus hermétiques dans le but de prévenir les émissions de vapeur. On a aussi amélioré la programmation du module de commande du moteur afin de rendre les gaz d'échappement plus chauds et ainsi favoriser un réchauffement rapide du convertisseur catalytique, le rendant plus rapidement utile. Quant à ce convertisseur catalytique, on lui a greffé un grand tamis alvéolé enduit d'une fine couche de métaux catalyseurs qui offre une plus grande surface de contact.

Pour ajouter à la vocation écologique des modèles PZEV, Subaru s'est assuré que son usine de fabrication en Indiana obtienne la désignation de « *Habitat wildlife* ». En termes plus explicites, l'usine ne déverse plus aucun déchet industriel dans les sites d'enfouissement sanitaire car tout est réutilisé et recyclé. On s'est donc engagé à réduire l'impact environnemental des véhicules en plus d'adopter de saines pratiques environnementales dans la gestion quotidienne.

Les Legacy et Outback sont de plus en plus raffinées et présentent un design beaucoup plus moderne que ce à quoi nous avait habitués le constructeur japonais. Les moteurs s'avèrent de plus en plus fiables et la nouvelle technologie PZEV prouve bien l'engagement environnemental adopté par le fabricant.

Guy Desjardins

Photos : Subaru

VÉHICULE D'ESSAI

SIRIUS RADIO SATELLITE

Version :	Subaru Legacy, Outback 2,5 GT spec B
Moteur :	H4 de 2,5 litres 16s turbocompressé
Puissance :	243 ch (181 kW) à 6 000 tr/min
Couple :	241 lb-pi (327 Nm) à 3 600 tr/min
Rapport poids/puissance :	6,06 kg/ch (8,13 kg/kW)
Transmission :	manuelle, 5 rapports
Rouage :	intégral
0-100 km/h · 80-120 km/h :	6,4 s · 4,5 s
Freinage 100-0 km/h :	40,1 m
Vitesse maximale :	240 km/h
Consommation (100 km) :	super, 12,3 litres
Autonomie approximative :	520 km
Émissions de CO2 :	5 040 kg/an
Emp/Lon/Lar/Haut (mm) :	2 670 / 4 700 / 1 730 / 1 435
Coffre/Réservoir :	323 / 64 litres
Nombre de coussins de sécurité :	6
Suspension avant :	indépendante, jambes de force
Suspension arrière :	indépendante, multibras
Freins av./arr. :	disque (ABS)
Antipatinage/Contrôle de stabilité :	oui/oui
Direction :	à crémaillère, assistance variable
Diamètre de braquage :	10,8 m
Pneus av./arr. :	P215/45R18
Poids :	1 473 kg
Capacité de remorquage :	1 224 kg

AUTRE(S) COMPOSANTE(S) MÉCANIQUE(S)

Système hybride :	aucun
Moteur diesel :	aucun
Taxe énergivore :	n.d.
Autre(s) moteur(s) :	H4 de 2,5 litres 170 ch/170 lb-pi (10,7 l/100 super) H6 de 3,0 litres 245 ch/215 lb-pi (12,1 l/100 super) (H6, 3.0)
Autre(s) rouage(s) :	aucun
Autre(s) transmission(s) :	automatique, 4 rapports automatique, 5 rapports (H6, 3.0) / manuelle, 6 rapports

EN BREF

Échelle de prix :	26 995 $ à 43 595 $
Catégorie :	familiale, berline intermédiaire
Garanties :	3 ans/60 000 km, 5 ans/100 000 km
Assemblage :	Lafayette, Indiana, É-U
Cote d'assurance :	n.d.

DANS LA MÊME CATÉGORIE

Audi A4/Avant, BMW 325/Touring, Mazda6, Saab 9-5, Volkswagen Passat, Volvo V70/XC70

NOS IMPRESSIONS

Agrément de conduite :	
Fiabilité :	½
Sécurité :	½
Qualités hivernales :	
Espace intérieur :	
Confort :	

DU NOUVEAU EN 2009

Nouveaux modèles PZEV à émissions quasi nulles

SUBARU TRIBECA

LA CONCURRENCE EST FÉROCE

Il faut toujours se souvenir que Subaru n'est pas un constructeur majeur, comme le sont les géants nippons Toyota, Honda et Nissan. Cela signifie que chaque nouveau modèle représente un défi de taille au chapitre des ressources techniques et financières. Jusqu'à présent, Subaru s'est taillé une niche bien à part dans le marché global de l'automobile en concevant des véhicules dotés d'une certaine exclusivité en raison de leur transmission intégrale et de leur moteur horizontal à plat. Mais lorsque est venu le temps de concocter un nouveau véhicule multisegment de catégorie intermédiaire, la concurrence était incontestablement très forte.

En effet, à ce moment, à l'exclusion de son moteur de type boxer, le Tribeca était ni plus ni moins qu'un autre modèle passablement similaire à ceux de la concurrence. Il y a bien eu cette touche d'originalité venant de la grille de calandre du premier modèle, mais cela n'a pas semblé plaire puisqu'on l'a éliminée l'an dernier. Cette fois, on a été moins original mais on a misé sur des performances supérieures. En plus, ce modèle offre d'indéniables qualités, ne serait-ce qu'une fiabilité de bon aloi et une finition impeccable.

DE L'ESPACE !

Lorsque l'on considère l'achat d'un tel véhicule et qu'on tient mordicus à rouler en Subaru, la première question qu'on se pose inévitablement est de savoir si le Forester ne serait pas un choix plus approprié. En effet, ce modèle a été entièrement remanié cette année, de sorte que sa plate-forme plus rigide, une tenue de route améliorée et une habitabilité quand même adéquate pourraient convenir à plusieurs personnes. Mais il faut savoir que le Tribeca est un véhicule non seulement plus spacieux mais aussi plus luxueux et plus puissant. Il est également le seul modèle de cette marque capable d'accommoder sept occupants en raison d'une troisième rangée de sièges.

Il faut souligner que la silhouette du Tribeca est sans doute la mieux réussie chez ce constructeur, tout comme le tableau de bord qui est fort élégant. Par contre, ce design futuriste semble vieillir rapidement et n'a pas le même impact que lors de son lancement.

Les sièges avant sont confortables bien que l'espace pour les jambes soit quelque peu limité par cette large console centrale qui prend beaucoup de place entre les deux sièges. Quant aux places arrière, elles sont surtout très confortables pour des personnes de taille moyenne, les grands six pieds s'y trouveront à l'étroit. Et pas besoin d'être un expert en la matière pour savoir que la troisième rangée de sièges, heureusement optionnelle, est encore plus exiguë. Comme sur la majorité des modèles proposant une troisième banquette, celle-ci sert davantage au marketing qu'à autre chose. Tel que précisé précédemment, la qualité de la finition et des matériaux est bonne même si certains plastiques de la planche de bord sont mal harmonisés.

UNE HISTOIRE DE COUPLE

Si les ventes du Tribeca ont été initialement timides, ce n'est certainement pas à cause de la silhouette ou du design de l'habitacle, bien au contraire. Le grand coupable de cette situation est une motorisation

FEU VERT
- Rouage intégral efficace
- Finition impeccable
- Habitacle confortable
- Motorisation adéquate
- Mécanique fiable

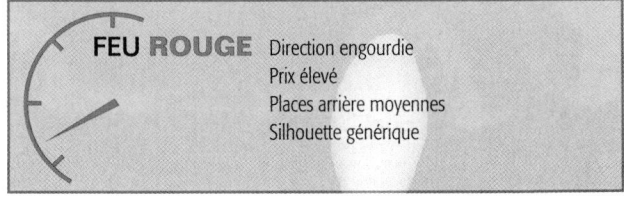

FEU ROUGE
- Direction engourdie
- Prix élevé
- Places arrière moyennes
- Silhouette générique

quelque peu déficiente. En effet, le moteur manquait de *punch* en accélération et la boîte de vitesses était hésitante à passer les rapports. L'an dernier, on a remédié à la situation en augmentant la puissance du moteur qui a été portée à 256 chevaux tandis que le couple progressait de 31 lb-pi, 247 lb-pi, ce qui a été fort bénéfique. En plus, la puissance et le couple sont optimisés à un régime moteur inférieur.

Ce moteur vitaminé est venu corriger la principale déficience de ce modèle en nous proposant des accélérations inférieures à neuf secondes pour réaliser le 0-100 km/h. La boîte de vitesses a été programmée différemment et les hésitations du passé sont disparues. Par contre, en mode normal, la boîte semble accrocher très longtemps au premier rapport, ce qui est la cause d'un niveau sonore plus élevé. Cependant, c'est beaucoup mieux lorsque le levier de vitesses est placé en mode manumatique puisqu'on passe automatiquement en mode sport.

Cet irritant majeur réglé, nous sommes davantage en mesure d'apprécier le comportement routier de cette Subaru dont la traction intégrale est invariablement l'une des références de l'industrie. Ce système est transparent, léger et ne semble jamais nuire à la dynamique du véhicule. Le Tribeca a de bonnes manières sur la route et le roulis en virage est bien contrôlé. Et même si ce constructeur n'en fait pas toujours mention, il est important de préciser que les résultats des tests d'impacts de sécurité font de ce modèle l'un des plus sécuritaires sur le marché.

En dépit de ses nombreuses qualités, le Tribeca à quand même de la difficulté à se démarquer face à une concurrence considérable et très affûtée. À Subaru de mieux mettre ce véhicule en évidence.

Denis Duquet

Photos: Subaru

VÉHICULE D'ESSAI

Version :	Subaru Tribeca Limited 7 places
Moteur :	H6 de 3,6 litres 24s atmosphérique
Puissance :	256 ch (191 kW) à 6 000 tr/min
Couple :	247 lb-pi (335 Nm) à 4 400 tr/min
Rapport poids/puissance :	7,41 kg/ch (9,93 kg/kW)
Transmission :	automatique, 5 rapports
Rouage :	intégral
0-100 km/h · 80-120 km/h :	8,5 s · 7,2 s
Freinage 100-0 km/h :	42,0 m
Vitesse maximale :	225 km/h
Consommation (100 km) :	ordinaire, 13,3 litres
Autonomie approximative :	481 km
Émissions de CO2 :	5 520 kg/an
Emp/Lon/Lar/Haut (mm) :	2 749 / 4 865 / 1 878 / 1 720
Coffre/Réservoir :	235 à 2 106 / 64 litres
Nombre de coussins de sécurité :	6
Suspension avant :	indépendante, jambes de force
Suspension arrière :	indépendante, leviers triangulés
Freins av./arr. :	disque (ABS)
Antipatinage/Contrôle de stabilité :	oui/oui
Direction :	à crémaillère, assistance variable
Diamètre de braquage :	10,8 m
Pneus av./arr. :	P255/55R18
Poids :	1 898 kg
Capacité de remorquage :	906 kg

AUTRE(S) COMPOSANTE(S) MÉCANIQUE(S)

Système hybride :	aucun
Moteur diesel :	aucun
Taxe énergivore :	aucune
Autre(s) moteur(s) :	aucun
Autre(s) rouage(s) :	aucun
Autre(s) transmission(s) :	aucune

EN BREF

Échelle de prix :	39 995 $ à 48 195 $
Catégorie :	multisegment
Garanties :	3 ans/60 000 km, 5 ans/100 000 km
Assemblage :	Lafayette, Indiana, É-U
Cote d'assurance :	n.d.

DANS LA MÊME CATÉGORIE

Buick Enclave, Cadillac SRX, Ford Taurus X, Infiniti FX35/50, Lexus RX350

NOS IMPRESSIONS

Agrément de conduite :	4
Fiabilité :	4
Sécurité :	4 ½
Qualités hivernales :	5
Espace intérieur :	4 ½
Confort :	4

DU NOUVEAU EN 2009

Aucun changement majeur

PLUS HOMOGÈNE

De tous les modèles proposés par ce constructeur, le Grand Vitara est l'un des rares offerts sur notre marché qui n'est pas dérivé d'un produit conçu par un concurrent. Par exemple, le XL-7 est une version Suzuki du Chevrolet Equinox tandis que le SX-4 a été développé en collaboration avec Fiat. Bref, ce VUS compact est un Suzuki pur et dur, nous permettant de mieux apprécier le potentiel de ce constructeur. Complètement renouvelé il y a maintenant trois ans, cette année, ce modèle se soumet à de légères modifications quant à sa présentation, mais en subit de plus importantes côté motorisation. Ce qui permet de corriger certaines lacunes à ce chapitre.

Si de nombreux chroniqueurs automobiles ont été enthousiasmés par le Grand Vitara lors de son lancement en 2006, plusieurs lui ont reproché des emprunts à des modèles concurrents au sujet de l'apparence, notamment la partie arrière qui pourrait être confondue avec le RAV4 de Toyota. Malheureusement, les dates de tombée nous empêchent de faire un essai complet de ce véhicule, mais on nous a informés que l'avant serait modifié, alors que la grille de calandre et le pare-chocs seront nouveaux. C'est l'arrière qui a été le plus critiqué, mais curieusement, il semble nous revenir intact...

LES RETOUCHES QUI FONT LA DIFFÉRENCE

Lorsqu'un modèle subit une révision intermédiaire après trois ans sur le marché, il est de bonne guerre dans l'industrie d'y apporter quelques améliorations afin de rendre le véhicule plus compétitif et plus confortable. Selon les informations reçues au moment d'écrire ces lignes, l'affichage du centre d'information sera modifié, les commandes montées sur le volant seront illuminées le soir, les poignées d'ouverture des portes intérieures seront chromées, tandis que les pare-soleil couvriront une plus grande superficie. Enfin, soulignons que l'accoudoir central sera dorénavant coulissant. Bref, une foule de petites retouches apportées afin d'améliorer la présentation et le confort.

Il faut ajouter que cette Suzuki est l'une des mieux nanties en fait de présentation avec l'utilisation de bandes chromées contrastant avec le plastique noir de la planche de bord. De plus, la console centrale possède des commandes de climatisation facile à utiliser. Il faut cependant espérer que certains matériaux seront remplacés et que la finition sera meilleure. Un détail en passant, la version la plus cossue est équipée d'une clé intelligente, une touche de luxe qui n'est pas courante dans cette catégorie.

DIX CYLINDRES !

Je suis certain d'avoir retenu votre attention avec ce titre de paragraphe ! Mais non, le Grand Vitara n'est pas propulsé par un moteur dix cylindres ! C'est tout simplement pour faire remarquer que, cette année, l'acheteur peut choisir entre un quatre cylindres ou encore un V6, le seul disponible précédemment et dont la cylindrée a été augmentée à 3,2 litres. Désormais, ce dernier moteur produit 230 chevaux soit 45 de plus que le V6 de 2,7 litres qu'il remplace.

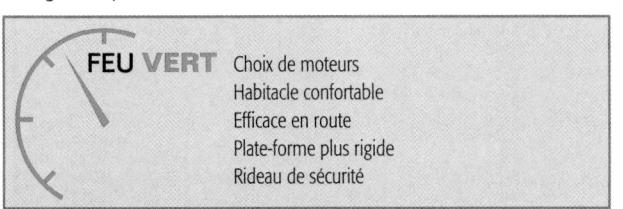

FEU VERT
- Choix de moteurs
- Habitacle confortable
- Efficace en route
- Plate-forme plus rigide
- Rideau de sécurité

FEU ROUGE
- Hayon arrière à ancrage latéral
- Finition perfectible
- Faible valeur de revente
- Fiabilité inférieure à la moyenne

Cette motorisation devrait corriger l'une des principales lacunes de ce modèle, à savoir un V6 qui ne livrait pas la marchandise. La fiche technique vous indiquait 185 chevaux mais on avait l'impression qu'il y en avait une trentaine qui ne répondait pas à l'appel. Ce nouveau moteur sera couplé à une boîte automatique à cinq rapports et Suzuki nous promet une consommation de carburant réduite par rapport à l'ancienne version. Autre bonne nouvelle, la plate-forme a été renforcée et cette rigidité accrue permettra de tirer un meilleur parti de ce nouveau groupe propulseur.

UN PETIT QUATRE!

On a bien sûr pensé aux acheteurs à la recherche de moteurs économiques et de moindre cylindrée. Cette année, le Grand Vitara pourra également être commandé avec un moteur quatre cylindres de 2,4 litres produisant 166 chevaux. La transmission de série sera une boîte manuelle à cinq rapports tandis que l'automatique à quatre vitesses est offerte en option. Toujours au chapitre de la mécanique, les freins arrière seront à disques, et le modèle V6 sera doté du système de contrôle de descente en pente et d'assistance de démarrage en pente.

Ce sont autant de changements qui devraient rehausser le comportement routier, l'agrément de conduite et la polyvalence de ce modèle qui jouit d'une bonne réputation depuis sa révision en profondeur en 2006.

Jean Léon

Photos: Suzuki

VÉHICULE D'ESSAI

Version:	Suzuki Grand Vitara JLX Cuir
Moteur:	V6 de 3,2 litres 24s atmosphérique
Puissance:	230 ch (138 kW) à 6 000 tr/min
Couple:	n.d.
Rapport poids/puissance:	8,78 kg/ch (11,77 kg/kW)
Transmission:	manuelle, 5 rapports
Rouage:	4x4
0-100 km/h · 80-120 km/h:	11,5 s · 12,0 s
Freinage 100-0 km/h:	41,0 m
Vitesse maximale:	182 km/h
Consommation (100 km):	ordinaire, 13,0 litres
Autonomie approximative:	507 km
Émissions de CO2:	5 472 kg/an
Emp/Lon/Lar/Haut (mm):	2 640 / 4 470 / 1 810 / 1 695
Coffre/Réservoir:	691 à 1 951 / 66 litres
Nombre de coussins de sécurité:	6
Suspension avant:	indépendante, jambes de force
Suspension arrière:	indépendante, multibras
Freins av./arr.:	disque, tambour (ABS)
Antipatinage/Contrôle de stabilité:	oui/oui
Direction:	à crémaillère, assistée
Diamètre de braquage:	11,2 m
Pneus av./arr.:	P225/70R16
Poids:	1 625 kg
Capacité de remorquage:	1 361 kg

AUTRE(S) COMPOSANTE(S) MÉCANIQUE(S)

Système hybride:	aucun
Moteur diesel:	aucun
Taxe énergivore:	aucune
Autre(s) moteur(s):	4L 2,4 litres 166 ch
Autre(s) rouage(s):	intégral
Autre(s) transmission(s):	automatique, 5 rapports

EN BREF

Échelle de prix:	25 595 $ à 30 745 $ (2008)
Catégorie:	VUS compact
Garanties:	3 ans/60 000 km, 5 ans/100 000 km
Assemblage:	Iwata, Japon
Cote d'assurance:	passable

DANS LA MÊME CATÉGORIE

Ford Escape, Honda CR-V, Hyundai Tucson, Jeep Patriot, Kia Sportage, Mazda Tribute, Mitsubishi Outlander, Subaru Forester, Saturn VUE, Toyota RAV4

NOS IMPRESSIONS

Agrément de conduite:	4
Fiabilité:	3 ½
Sécurité:	3 ½
Qualités hivernales:	4 ½
Espace intérieur:	3 ½
Confort:	4

DU NOUVEAU EN 2009

Nouveaux moteurs 4 cyl 2,4 litres et V6 3,2 litres, changements esthétiques à l'extérieur et à l'intérieur

LE PAIN ET LE BEURRE

Chez Suzuki, on ne peut pas dire que les véhicules à succès pleuvent en 2009. Il y a bien le Grand Vitara qui parvient à séduire avec ses nouvelles motorisations, mais pour le reste, c'est peu inspirant. En fait, c'est qu'on tente, avec des produits empruntés à d'autres constructeurs, de se donner une image à laquelle la clientèle n'adhère malheureusement pas (et ça se comprend). Seuls les vrais produits Suzuki, qui partagent eux aussi des éléments avec d'autres constructeurs, connaissent du succès. Et la plus populaire par les temps qui courent, c'est la SX4.

D'abord lancée en 2007 en version à hayon, la SX4 a vu sa famille s'agrandir en 2008 à la suite de l'arrivée d'une berline. Il aura donc fallu deux ans pour que Suzuki parvienne à remplacer la gamme de l'Aerio, qui sombrait dans l'oubli depuis plusieurs années. Et il est clair que cette nouvelle génération de compactes est nettement plus à la hauteur. L'équipe du *Guide de l'auto* a d'ailleurs eu l'occasion de faire un essai prolongé de chacune des versions, ce qui nous permet aujourd'hui de vous livrer des impressions basées sur 20 000 km de conduite.

Chez Suzuki, la grande majorité des versions vendues sont des modèles à hayon. Au Québec, on craque souvent pour ce type de configuration qui se révèle très pratique. Il faut cependant mentionner que la SX4 à hayon est offerte en plusieurs versions, et que son petit côté utilitaire sait séduire. Quant à la berline, elle peut convaincre certains acheteurs par son coffre immense (malheureusement non transformable), mais sa ligne est nettement charmante. En s'y attardant, on lui reconnaît d'ailleurs plusieurs traits de l'ancienne Toyota Echo.

SUR UN SIÈGE PERCHÉ !

L'assise surélevée de la SX4 plaît énormément. De nombreux commentaires nous ont permis de constater qu'elle avait été l'un des éléments convaincants pour plusieurs acheteurs. Cependant, il faut savoir que l'absence d'accoudoir et de volant télescopique déçoit, au même titre qu'un mécanisme d'ajustement de l'assise du siège. Quant à la visibilité, elle est rendue imparfaite en raison de cette petite fenêtre triangulaire, en grande partie responsable de la ligne originale de la voiture.

Pour le reste, la SX4 propose tout l'espace nécessaire pour accueillir quatre adultes. Les sièges sont confortables, le dégagement est généreux et les espaces de rangement sont suffisants. L'équipement varie évidemment d'une version à l'autre, mais du côté du modèle à hayon, la version JX semble être celle qui en offre le plus pour notre argent. Pour ce qui est du coffre, il faut savoir que la SX4 n'est pas aussi généreuse qu'une rivale comme la Toyota Matrix. On peut rabattre les sièges, mais encore là, on perd au change. N'optez donc pas pour le modèle à hayon si votre priorité concerne l'espace cargo.

LENTE OU BRUYANTE

La Suzuki SX4 est munie d'un moteur quatre cylindres de 2,0 litres qui a fait ses preuves sous le capot de l'Aerio. Il est fiable et durable, mais manque quelquefois de discrétion. En fait, il se montre davantage

FEU VERT

- Construction solide
- Belle agilité routière
- Traction intégrale efficace
- Habitacle spacieux
- Ligne sympathique

FEU ROUGE

- Pas de traction intégrale (berline)
- Consommation élevée
- Mauvais étagement de la boîte manuelle
- Dossiers arrière non rabattables (berline)

bruyant lorsqu'on opte pour la boîte manuelle à cinq rapports, puisque l'étagement de cette dernière nuit grandement au régime moteur, plus élevé sur l'autoroute. Grâce à cette boîte, vous bénéficiez cependant de meilleures accélérations et reprises. Sinon, en choisissant l'automatique, il vous faudra apprendre à bien calculer vos dépassements, les performances étant passablement diminuées.

Que vous optiez pour la boîte manuelle ou automatique, vous constaterez que la consommation d'essence n'est pas très impressionnante. En moyenne, il vous faudra prévoir environ 9,5 litres aux 100 km, ce qui est fort décevant. Et ce l'est d'autant plus lorsqu'on sait que l'autonomie de cette voiture est diminuée par le piètre volume du réservoir. En revanche, la SX4 propose un comportement routier honorable. La voiture est extrêmement maniable et démontre une étonnante agilité. On remarque également que la rigidité structurelle est très bonne, la voiture ne laissant entendre aucun bruit de caisse. Selon la version, le diamètre des jantes varie de 15 à 17 pouces. Seule la berline Sport se voit dotée des plus grandes, ce qui améliore la tenue de route au détriment du confort. Les 16 pouces constituent donc le meilleur compromis.

Bien évidemment, la SX4 se démarque des autres par sa traction intégrale. Si, avec cet élément, Suzuki se distingue, il est de plus le seul à offrir au conducteur un choix entre le mode intégral constant ou partiel, ainsi que la sélection du mode deux roues motrices. Ce système, efficace et performant, fait de la SX4 une véritable petite bête en conduite hivernale. Malheureusement, les dirigeants de Suzuki n'ont pas cru bon l'offrir sur la berline. Voilà sans doute l'élément qui aurait justement permis à cette dernière de se démarquer, mais son absence la confine à grandir dans l'ombre. Il faut l'admettre, rivaliser avec les quelques voitures à hayon de ce segment, c'est une chose possible pour Suzuki, mais s'attaquer aux méchantes Civic, Corolla, Mazda3 et Cobalt, c'en est une autre. Et actuellement, la SX4 berline ne possède pas les atouts pour réussir cet exploit. La version à hayon est donc celle qui offre le plus d'arguments pour se démarquer sur notre marché. Et si l'on se fie aux chiffres de ventes, la clientèle semble être du même avis...

Antoine Joubert

Photos: Suzuki

VÉHICULE D'ESSAI

Version:	Suzuki SX-4 berline Sport
Moteur:	4L de 2,0 litres 16s atmosphérique
Puissance:	143 ch (107 kW) à 5 800 tr/min
Couple:	136 lb-pi (184 Nm) à 3 500 tr/min
Rapport poids/puissance:	8,46 kg/ch (11,30 kg/kW)
Transmission:	manuelle, 5 rapports
Rouage:	intégral
0-100 km/h · 80-120 km/h:	9,3 s · 7,2 s
Freinage 100-0 km/h:	41,9 m
Vitesse maximale:	180 km/h
Consommation (100 km):	ordinaire, 9,5 litres
Autonomie approximative:	526 km
Émissions de CO2:	3 984 kg/an
Emp/Lon/Lar/Haut (mm):	2 500 / 4 490 / 1 730 / 1 545
Coffre/Réservoir:	439 / 50 litres
Nombre de coussins de sécurité:	6
Suspension avant:	indépendante, jambes de force
Suspension arrière:	demi-ind., poutre déformante
Freins av./arr.:	disque, tambour (ABS)
Antipatinage/Contrôle de stabilité:	non/opt.
Direction:	à crémaillère, assistée
Diamètre de braquage:	10,6 m
Pneus av./arr.:	P205/50R17
Poids:	1 210 kg
Capacité de remorquage:	non recommandé

AUTRE(S) COMPOSANTE(S) MÉCANIQUE(S)

Système hybride:	aucun
Moteur diesel:	aucun
Taxe énergivore:	aucune
Autre(s) moteur(s):	aucun
Autre(s) rouage(s):	traction
Autre(s) transmission(s):	automatique, 4 rapports

EN BREF

Échelle de prix:	17 195 $ à 23 795 $
Catégorie:	berline compacte, *hatchback*
Garanties:	3 ans/60 000 km, 5 ans/100 000 km
Assemblage:	Magyar, Esztergom, Hongrie
Cote d'assurance:	n.d.

DANS LA MÊME CATÉGORIE

Chevrolet Cobalt/Optra/HHR, Dodge Caliber, Ford Focus, Honda Civic, Hyundai Elantra, Kia Spectra, Mazda3, Mitsubishi Lancer, Nissan Versa/Sentra, Pontiac G5/Vibe, Subaru Impreza, Toyota Corolla/Matrix

NOS IMPRESSIONS

Agrément de conduite:	
Fiabilité:	½
Sécurité:	
Qualités hivernales:	
Espace intérieur:	
Confort:	½

DU NOUVEAU EN 2009

Modèle JX manuel traction (hayon) abandonné, accoudoirs pour sièges avant, ajout de sièges avant chauffants sur certains modèles.

SUZUKI XL7

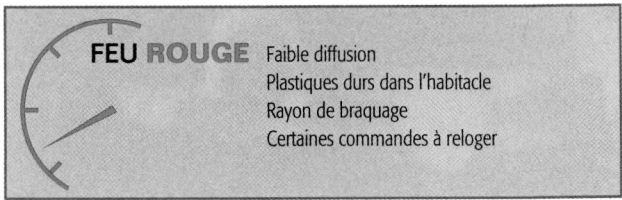

GROSSE PETITE OU PETITE GROSSE !

La compagnie Suzuki catalogue la XL7 parmi les véhicules utilitaires de catégorie intermédiaire. Ce modèle est en effet le plus gros véhicule du constructeur et il est normal de le placer dans une catégorie supérieure à celle du Grand Vitara, classé comme un VUS compact. Mais comme le premier emprunte sa plate-forme et sa mécanique aux Chevrolet Equinox et Pontiac Torrent, considérés par GM comme des compactes, vous comprenez le titre de cet article.

En effet, la XL7 se situe à la frontière des compactes et des intermédiaires. Elle tente donc d'attirer des acheteurs qui veulent un VUS compact plus grand que la moyenne de la catégorie ou encore le plus petit des intermédiaires.

FACILE À IDENTIFIER

Il est vrai que les XL7 ne figurent pas en grand nombre sur nos routes, mais chaque fois qu'on n'en croise une, il est impossible de ne pas la reconnaître. Contrairement au modèle qu'elle remplace depuis deux ans, la nouvelle génération n'a pas cette allure étriquée et bizarre en raison d'un rapport disproportionné entre la longueur et la largeur. Cette fois, les proportions sont plus justes et les stylistes ont même utilisé des astuces visuelles. En effet, l'utilisation de feux de route plongeant vers l'avant et débordant sur les côtés fait paraître cette nouvelle Suzuki plus large qu'elle ne l'est en réalité. Impression mise en valeur par une grille de calandre dotée de trois barres transversales.

Ajoutons que les glaces latérales aux lignes fuyantes équilibrent fort bien la présentation extérieure. À l'arrière, tout est en rondeurs tandis que de larges feux accentuent la perception de largeur du véhicule. Il faut également mentionner l'échappement double et un bouclier protecteur à l'arrière. Ce dernier élément ayant pour objet de souligner le caractère aventurier de ce modèle.

Les designers de Suzuki ont donc accompli un travail digne de mention en adaptant de belle façon des véhicules dont la carrosserie a été initialement dessinée dans les studios de GM. Par contre, ç'a été plus difficile dans l'habitacle et notamment au chapitre du tableau de bord puisque les stylistes n'ont pas changé l'emplacement des buses de ventilation et des commandes.

On reconnaît de nombreuses commandes directement empruntées aux produits de GM. Un indice qui ne ment pas est la disposition des boutons de contrôle des vitres à commande électrique qui sont placés autour du levier de vitesse, comme sur le Chevrolet Equinox.

Mais il ne faut pas oublier la principale caractéristique de ce modèle, qui est de pouvoir offrir sept places grâce à l'utilisation d'une troisième rangée de sièges. Deux adultes peuvent s'y asseoir sans trop d'inconfort, à condition que la randonnée ne soit pas trop longue. Et même s'il faut se faufiler avec agilité pour les atteindre,

FEU VERT
- Moteur performant
- Boite automatique 6 rapports
- Équipement complet
- Sept places

FEU ROUGE
- Faible diffusion
- Plastiques durs dans l'habitacle
- Rayon de braquage
- Certaines commandes à reloger

on a déjà vu pire. Malheureusement, une fois la troisième rangée déployée, l'espace réservé pour les bagages à l'arrière est très faible.

MOTEUR NIPPON

Même si cela fait tiquer les dirigeants de Suzuki lorsqu'on mentionne les origines de ce modèle, on ne peut pas y échapper et de toute façon, ce n'est pas dramatique, loin de là. Toutefois, la version nipponne de ces américaines offre une plate-forme allongée afin d'y intégrer une troisième rangée de sièges.

La XL7 ne fait pas bande à part au chapitre des suspensions puisque celle d'en avant est à jambes de force et leviers triangulés, alors que la suspension arrière est de type à bras multiples avec leviers longitudinaux et transversaux, comme sur les modèles proposés par GM. On retrouve des freins à disque aux quatre roues et un système de stabilité latérale de série.

Pendant presque une année, Suzuki avait l'exclusivité d'utilisation sur son modèle du moteur V6 de 3,6 litres de conception General Motors et d'une puissance de 250 chevaux. Mais depuis l'an dernier, il est possible de le commander sur la Chevrolet Equinox et Pontiac Torrent. Dans le cas de Suzuki, il est fabriqué sous licence dans une usine de cette compagnie au Japon, ce qui devrait plaire à certaines personnes qui ne jurent que par la production nipponne. Ce moteur ne craint pas les régimes élevés et la bande de puissance est passablement linéaire. Cette année, il est couplé à une boîte automatique à six rapports, un de plus qu'en 2008.

Une fois derrière le volant, il est facile de trouver une bonne position de conduite et le repose-pied est confortable. Les performances sont légèrement supérieures à la moyenne tandis que la tenue en virage est relativement neutre et que les freins sont à la hauteur de la tâche. Bref, si la marque Suzuki vous intéresse plus que les produits de Chevrolet et Pontiac, vous ne perdrez pas au change avec le XL7.

Denis Duquet

Photos: Suzuki

VÉHICULE D'ESSAI

Version:	Suzuki XL-7 JLX (4RM)
Moteur:	V6 de 3,6 litres 24s atmosphérique
Puissance:	250 ch (188 kW) à 6 400 tr/min
Couple:	243 lb-pi (330 Nm) à 2 300 tr/min
Rapport poids/puissance:	7,28 kg/ch (9,77 kg/kW)
Transmission:	automatique, 6 rapports
Rouage:	intégral
0-100 km/h · 80-120 km/h:	9,6 s · 8,8 s
Freinage 100-0 km/h:	41,0 m
Vitesse maximale:	185 km/h
Consommation (100 km):	ordinaire, 13,5 litres
Autonomie approximative:	518 km
Émissions de CO2:	5 616 kg/an
Emp/Lon/Lar/Haut (mm):	2 857 / 5 008 / 1 836 / 1 726
Coffre/Réservoir:	396 à 2 930 / 70 litres
Nombre de coussins de sécurité:	6
Suspension avant:	indépendante, jambes de force
Suspension arrière:	indépendante, multibras
Freins av./arr.:	disque (ABS)
Antipatinage/Contrôle de stabilité:	oui/oui
Direction:	à crémaillère, assistée
Diamètre de braquage:	11,2 m
Pneus av./arr.:	P235/65R16
Poids:	1 837 kg
Capacité de remorquage:	1 587 kg

AUTRE(S) COMPOSANTE(S) MÉCANIQUE(S)

Système hybride:	aucun
Moteur diesel:	aucun
Taxe énergivore:	aucune
Autre(s) moteur(s):	aucun
Autre(s) rouage(s):	traction
Autre(s) transmission(s):	aucune

EN BREF

Échelle de prix:	30 995 $ à 37 995 $ (2008)
Catégorie:	VUS intermédiaire
Garanties:	3 ans/60 000 km, 5 ans/100 000 km
Assemblage:	Ingersoll, Ontario, Canada
Cote d'assurance:	passable

DANS LA MÊME CATÉGORIE

Chevrolet Equinox, Ford Escape, Honda CR-V, Jeep Liberty, Mazda Tribute, Nissan Rogue, Subaru Forester, Toyota RAV4

NOS IMPRESSIONS

Agrément de conduite:	3 ½
Fiabilité:	3
Sécurité:	4
Qualités hivernales:	4
Espace intérieur:	4
Confort:	4

DU NOUVEAU EN 2009

Transmission à six rapports, JX et JLX à traction intégrale

TOUJOURS MIEUX

Le 4Runner a séduit la clientèle par sa polyvalence, son gabarit et son prix accessible. Au fil des années, le 4Runner n'a cessé de prendre du volume au point où, maintenant, il figure parmi les plus gros VUS sur le marché. Son prix a également connu une hausse remarquée alors qu'il se vend au-dessus des 40 000 $, pouvant même atteindre plus de 55 000 $ pleinement équipé. Autrefois seul dans sa catégorie, il fait à présent partie d'un groupe d'utilitaires sport où la concurrence est féroce tandis que les ventes sont à la baisse.

Si vous visitez prochainement une concession Toyota, vous constaterez à quel point le 4Runner présente un gabarit imposant. Ce n'est pas le plus volumineux des utilitaires sport, mais jadis il ressemblait plutôt au Highlander d'aujourd'hui. Ce n'est pas mauvais en soi, mais ce qui lui avait permis de connaître le succès a désormais disparu. En fait, on a voulu en mettre trop sur le véhicule, et conséquemment, le prix a augmenté. Le 4Runner est maintenant plus bourgeois et plus cher, ce qui le handicape fortement face à la concurrence.

ROBUSTE

Outre ces constatations, il présente une allure robuste avec ses passages de roue énormes, ses extensions d'ailes et sa calandre proéminente. Le modèle reste toutefois conservateur et son design rappelle l'ancien 4Runner. Quelques éléments esthétiques gardent le style à jour, mais le 4Runner dans sa version actuelle date de plus de 7 ans. Une refonte est imminente pour le hisser de nouveau au sommet de sa catégorie. L'intérieur ne manque pas non plus de susciter de nombreux commentaires. Le design semble provenir directement des années 90 quand la mode était aux allures disparates et à l'affichage de Noël. Il manque nettement de convivialité et d'ergonomie dans la présentation. Ajoutez à cela des plastiques ternes et des couleurs trop sobres et vous aurez une bonne idée de l'impression qui se dégage du 4Runner lorsque vous y montez. En un mot, on pourrait dire que c'est désuet.

Cette déception passée (on s'attendait à mieux, c'est tout), on constate à quel point l'habitacle est généreux. Les places avant sont confortables et l'espace pour les occupants ne manque pas. L'aire de chargement est volumineuse et dans le cas de la version Limited V8, on dispose d'une surface à deux niveaux, très pratique pour les objets fragiles. Comme par le passé, la vitre de la lunette arrière s'abaisse pour permettre au chien de prendre l'air ou à vos passagers de voir le paysage derrière eux, mais est également utile pour déposer ou récupérer des objets sans avoir à ouvrir le hayon.

EFFICACE

Bien confortablement campé sur des pneus de 18 pouces, le 4Runner s'avère très à l'aise sur la route. Son poids de près de 2 000 kg aide certes à le maintenir solidement sur les rails mais les suspensions amortissent efficacement les incongruités de la route, surtout en ville. Pour ceux qui optent pour la version Limited V8, ils seront ravis d'apprendre que la suspension pneumatique se veut des plus efficaces. En conduite

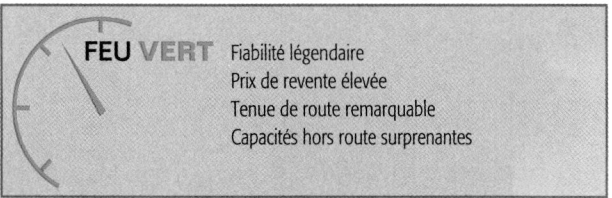

FEU VERT
- Fiabilité légendaire
- Prix de revente élevée
- Tenue de route remarquable
- Capacités hors route surprenantes

FEU ROUGE
- Prix légèrement corsé
- Design vieillot
- Consommation élevée
- Sensation de lourdeur

urbaine, la direction présente une assistance correcte même si elle ne transmet aucunement la route au conducteur. Les freins sont d'une puissance remarquable malgré l'impression de faiblesse ressentie sur la pédale. Le roulis est somme toute très négligeable compte tenu de la garde au sol élevée du véhicule. Le comportement général du 4Runner s'apparente surtout à celui du Tundra avec lequel il partage bon nombre de composants. Avec son châssis de type échelle et sa suspension arrière à essieu rigide, on a nettement affaire à l'ADN d'un vrai camion. Ceux recherchant une sensation plus civilisée devront choisir un véhicule comme le Highlander qui donne plutôt l'impression de conduire une automobile.

PASSE-PARTOUT

Ce qu'il aurait été comblé ce Passe-Montagne d'avoir un 4Runner pour se rendre chez lui... dans les montagnes ! Et il aurait eu tout avantage à se procurer la version à moteur 6 cylindres qui est la seule à proposer un rouage 4X4 avec une gamme basse. Au choix, le conducteur peut passer d'une simple rotation d'un bouton en mode 4Hi, 4Low et 2Hi. La livrée V8 n'offre que le rouage intégral électronique. Le 4Runner peut pratiquement passer n' importe où avec sa garde au sol imposante et ses plaques de protection boulonnées sous le véhicule, protégeant ainsi les éléments mécaniques vulnérables. Le puissant couple du V6 est fort utile pour se dégager des bourbiers inévitables et les nombreuses aides à la conduite viennent pallier l'inexpérience des conducteurs citadins venus «jouer dans la bouette». Presque impossible de s'enliser avec la garde au sol variable et le système de gestion du tangage. Même le dispositif de retenue en descente freine les ardeurs les plus téméraires !

Autrefois apprécié pour sa robustesse, sa polyvalence et son prix, il l'est aujourd'hui pour les mêmes raisons. En dépit d'un coût d'achat un peu élevé, sa valeur de revente viendra compenser les dépenses car il jouit d'une grande réputation. Voilà moins de trois ans, on vous aurait recommandé la version Limited V8, mais avec la récente flambée des prix du pétrole, la version SR5 V6 sera le choix le plus logique, d'autant plus que son moteur V6 s'acquitte très bien des tâches demandées par la majorité des gens et qu'il possède un vrai rouage 4X4.

Guy Desjardins

Photos : Toyota

VÉHICULE D'ESSAI

Version :	Toyota 4Runner Limited V6
Moteur :	V6 de 4,0 litres 24s atmosphérique
Puissance :	236 ch (176 kW) à 5 200 tr/min
Couple :	266 lb-pi (361 Nm) à 4 000 tr/min
Rapport poids/puissance :	8,36 kg/ch (11,22 kg/kW)
Transmission :	automatique, 5 rapports
Rouage :	4x4
0-100 km/h · 80-120 km/h :	9,6 s · 7,9 s
Freinage 100-0 km/h :	42,0 m
Vitesse maximale :	190 km/h
Consommation (100 km) :	ordinaire, 13,5 litres
Autonomie approximative :	644 km
Émissions de CO2 :	5 760 kg/an
Emp/Lon/Lar/Haut (mm) :	2 790 / 4 805 / 1 910 / 1 800
Coffre/Réservoir :	1 195 à 2 100 / 87 litres
Nombre de coussins de sécurité :	6
Suspension avant :	indépendante, leviers triangulés
Suspension arrière :	essieu rigide, ressorts elliptiques
Freins av./arr. :	disque (ABS)
Antipatinage/Contrôle de stabilité :	oui / oui
Direction :	à crémaillère, assistance variable
Diamètre de braquage :	11,7 m
Pneus av./arr. :	P265/60R18
Poids :	1 975 kg
Capacité de remorquage :	2 268 kg

AUTRE(S) COMPOSANTE(S) MÉCANIQUE(S)

Système hybride :	aucun
Moteur diesel :	aucun
Taxe énergivore :	1 000 $ (V8)
Autre(s) moteur(s) :	V8 de 4,7 litres 260 ch/306 lb-pi (14,6 l/100 ordinaire)
Autre(s) rouage(s) :	aucun
Autre(s) transmission(s) :	aucune

EN BREF

Échelle de prix :	38 560 $ à 50 565 $ (2008)
Catégorie :	VUS compact
Garanties :	3 ans/60 000 km, 5 ans/100 000 km
Assemblage :	Toyota City, Japon
Cote d'assurance :	passable

DANS LA MÊME CATÉGORIE

Chevrolet Trailblazer, Ford Explorer, Honda Pilot, Hummer H3, Jeep Grand Cherokee, Mitsubishi Endeavor, Nissan Pathfinder, Saab 9-7x

NOS IMPRESSIONS

Agrément de conduite :	4
Fiabilité :	4 ½
Sécurité :	4 ½
Qualités hivernales :	5
Espace intérieur :	4 ½
Confort :	4

DU NOUVEAU EN 2009

Aucun changement majeur

TEL RODNEY DANGERFIELD

Si vous ne connaissez pas Rodney Dangerfield, il s'agit d'un comique américain, décédé aujourd'hui, dont les monologues portaient sur le manque de respect des gens envers lui. Eh bien, on peut qualifier la Toyota Avalon de Rodney Dangerfield de l'automobile, car elle n'a pas le respect des acheteurs québécois. En fait, sa présence sur nos routes est rarissime et si vous en voyez une, il s'agit la plupart du temps d'un véhicule immatriculé aux États-Unis.

En effet, si ce modèle est pratiquement inconnu chez nous, il bénéficie d'une certaine popularité chez nos voisins du sud où il s'attaque aux grosses berlines américaines. D'ailleurs, certains d'entre vous doivent s'en souvenir, la première version de la plus grosse Toyota sur le marché offrait une banquette avant comme le proposaient les Ford Crown Victoria et Chevrolet Impala.

En passant, il est faux de conclure que l'Avalon n'est qu'une version plus luxueuse et mieux équipée de la Camry. En effet, son empattement et sa longueur hors tout sont plus importants que ceux de la Camry et elle partage la même silhouette ou presque que cette dernière, mais elle se démarque cependant par une grille de calandre différente, une baguette de bas de caisse, un déflecteur sur le coffre et des feux arrière exclusifs. En outre, elle surpasse également la Camry en fait d'équipement et de présentation. À ce chapitre, elle rejoint davantage la Lexus ES 350 que sa cadette chez Toyota.

PASSER AU SALON

À force de répéter on vient parfois à oublier, mais il faut une fois de plus souligner la qualité des matériaux, la finition très sérieuse et bien entendu la fiabilité mécanique. Si vous aimez les voitures au gabarit imposant, sachez que l'Avalon est presque aussi longue que la Lexus LS.

L'habitacle de l'Avalon est nettement plus cossu que celui de la Camry et sa planche de bord lui est exclusive. Mais exclusivité ne signifie pas nécessairement élégance, car la partie centrale en plastique de couleur aluminium est vraiment trop proéminente. Par contre, le volant avec son boudin partiellement en bois est très élégant. Pour continuer sur une note positive, les cadrans indicateurs de type électroluminescent sont très faciles de consultation.

FAUSSE GÉNÉROSITÉ

Toujours par rapport à la Camry, l'Avalon arbore un équipement fort complet comprenant des accessoires généralement offerts en option. C'est ainsi qu'elle propose de série des sièges avant chauffants et réglables électriquement en huit positions, un toit ouvrant à commande électrique, une climatisation à réglage électronique et j'en passe. Donc, de prime abord, Toyota passe pour un constructeur très généreux.

Par contre, comme c'est souvent le cas avec ce constructeur, la liste des options ou du moins des groupes d'options est sournoise. En effet,

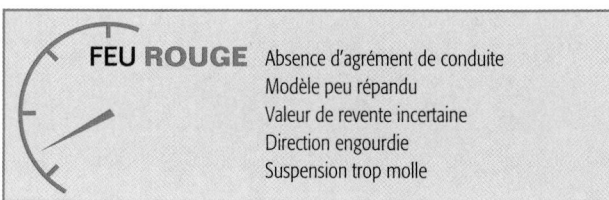

FEU VERT
- Équipement de série complet
- Moteur performant
- Finition impeccable
- Fiabilité assurée
- Habitacle confortable

FEU ROUGE
- Absence d'agrément de conduite
- Modèle peu répandu
- Valeur de revente incertaine
- Direction engourdie
- Suspension trop molle

cochez un groupe d'options ou un autre et la facture grimpe de façon spectaculaire. Le rapport qualité/confort/prix est alors oblitéré et mieux vaut se tourner vers la Lexus ES 350.

L'ENNEMI : L'ENDORMISSEMENT

Confortablement assis dans votre cocon d'acier, d'aluminium et de plastique qui vous isole fort efficacement des bruits ambiants, vous vous retrouvez au volant d'une voiture dont les concepteurs ont fait l'impossible pour filtrer toute sensation de la route et pratiquement toute impression de conduite.

Il est vrai que le moteur V6 de 3,5 litres n'est pas à dédaigner avec ses 268 chevaux, ce qui permet de boucler le 0-100 km/h en 7,4 secondes, un temps quand même digne de mention compte tenu des dimensions de cette voiture et de son poids de 1 618 kg. La transmission automatique à cinq rapports est généralement d'une grande douceur mais, comme elle est de type adaptatif, elle se fait parfois prendre au dépourvu lorsqu'on lève le pied de l'accélérateur pour l'enfoncer soudainement. Il s'ensuit un temps d'hésitation pendant lequel l'ordinateur qui contrôle la transmission prend une décision en fonction d'un geste qui n'est pas caractéristique d'une conduite normale. Cette transmission automatique propose un rapport de moins que plusieurs concurrentes de la catégorie, dont beaucoup sont nord-américaines.

Malgré toutes ses qualités, la Toyota Avalon ne semble intéresser que les personnes qui n'aiment pas conduire, puisqu'on est privé de tout *feedback*. Compte tenu de ce facteur et du confort de l'habitacle, les risques d'endormissement au volant sont très importants. Ce qui explique sans doute le fait que cette grosse berline est dotée de sept coussins gonflables en équipement de série. Vous avez un petit roupillon sur la route ? Le fossé ou un garde-fou est prêt à vous accueillir sans ménagement.

Denis Duquet

Photos: Toyota

VÉHICULE D'ESSAI

Version :	Toyota Avalon XLS
Moteur :	V6 de 3,5 litres 24s atmosphérique
Puissance :	268 ch (200 kW) à 6 200 tr/min
Couple :	248 lb-pi (336 Nm) à 4 700 tr/min
Rapport poids/puissance :	6,03 kg/ch (8,09 kg/kW)
Transmission :	automatique, 5 rapports
Rouage :	traction
0-100 km/h · 80-120 km/h :	7,4 s · 5,3 s
Freinage 100-0 km/h :	40,0 m
Vitesse maximale :	220 km/h
Consommation (100 km) :	ordinaire, 10,6 litres
Autonomie approximative :	660 km
Émissions de CO2 :	4 320 kg/an
Emp/Lon/Lar/Haut (mm) :	2 820 / 5 020 / 1 850 / 1 470
Coffre/Réservoir :	408 / 70 litres
Nombre de coussins de sécurité :	7
Suspension avant :	indépendante, jambes de force
Suspension arrière :	indépendante, jambes de force
Freins av./arr. :	disque (ABS)
Antipatinage/Contrôle de stabilité :	oui / oui
Direction :	à crémaillère, assistance variable
Diamètre de braquage :	11,5 m
Pneus av./arr. :	P215/55R17
Poids :	1 618 kg
Capacité de remorquage :	454 kg

AUTRE(S) COMPOSANTE(S) MÉCANIQUE(S)

Système hybride :	aucun
Moteur diesel :	aucun
Taxe énergivore :	aucune
Autre(s) moteur(s) :	aucun
Autre(s) rouage(s) :	aucun
Autre(s) transmission(s) :	aucune

EN BREF

Échelle de prix :	39 840 $ à 46 635 $ (2008)
Catégorie :	berline grand format
Garanties :	3 ans/60 000 km, 5 ans/100 000 km
Assemblage :	Georgetown, Kentucky, É-U
Cote d'assurance :	bonne

DANS LA MÊME CATÉGORIE

Buick Allure et Lucerne, Chrysler 300, Ford Taurus, Hyundai Azera, Kia Amanti, Lexus ES350, Nissan Maxima

NOS IMPRESSIONS

Agrément de conduite :	3
Fiabilité :	5
Sécurité :	4
Qualités hivernales :	3
Espace intérieur :	4 ½
Confort :	4 ½

DU NOUVEAU EN 2009

Aucun changement majeur

LA RÉFÉRENCE

Au fil des années, la Camry, bonne et surtout fiable petite berline, est devenue la référence dans la catégorie des intermédiaires. En effet, elle incarne ce qu'était la Chevrolet Impala dans les années 60, à savoir la berline qui sert d'étalon pour la catégorie. D'ailleurs, ce n'est pas le fruit du hasard si Honda a gonflé les dimensions de son modèle Accord, mais bien pour contrer le succès de la Camry, qui a dépassé l'Accord au chapitre des ventes. Cette dernière a donc pris du coffre afin d'émuler les dimensions de la Toyota.

La Camry répond à merveille aux attentes des consommateurs américains qui aiment bien les grosses berlines et surtout le confort. Et pas besoin de se préoccuper de la tenue de route et de l'agrément de conduite, nos voisins du sud ont d'autres préférences. Ajoutez à cela une fiabilité à toute épreuve, du moins c'est la réputation de la marque à ce jour, et vous avez la recette du succès. Pour faire bonne mesure, Toyota a aussi eu l'idée de concocter une version à moteur hybride.

UN « GROS CHAR »

Il faut préciser que depuis sa refonte il y a maintenant trois ans, la Camry est devenue une voiture dont les dimensions sont imposantes. Les stylistes ont même conçu une carrosserie dont la silhouette nous fait percevoir cette voiture comme étant plus grosse qu'elle ne l'est en réalité, une recette qui fait fureur auprès des Américains. Il suffit de croiser une Camry noire pour constater l'impact visuel de ce design. Donc, à défaut d'innover au chapitre du style, elle nous en met plein la vue.

Comme toute Toyota qui se respecte, la finition de l'habitacle est sans faille tandis que la qualité des matériaux est supérieure à la moyenne. Les occupants ne souffriront pas de claustrophobie puisque l'habitabilité est excellente ; les sièges sont confortables et l'espace pour les jambes est fort généreux, aussi bien à l'avant qu'à l'arrière. Par contre, les sièges avant n'offrent pas beaucoup de support latéral. Quant au tableau de bord, sa présentation est correcte, mais elle ne remportera pas beaucoup de prix de design. La seule excentricité visuelle se situe au chapitre des cadrans indicateurs constitués de deux bandes blanches en forme de demi-lune avec chiffres noirs. Soulignons également la simplicité des commandes, contrairement à la nouvelle Honda Accord par exemple.

Le coffre à bagages est d'assez bonne capacité, du moins pour les modèles ordinaires. Dans le cas du modèle hybride, la présence des batteries ampute la capacité de la soute à bagages d'environ 30 %.

UN TRIO DE MOTEURS

Lorsque vient le temps de choisir le groupe propulseur, vous avez pratiquement l'embarras du choix. Les versions les plus économiques sont équipées d'un moteur quatre cylindres de 2,4 litres produisant 158 chevaux, couplé à une boîte manuelle à cinq rapports. Il est relativement curieux de retrouver une boîte manuelle sur une voiture de

FEU VERT
- Finition impeccable
- Habitacle confortable
- Modèle hybride
- Multiples options
- Sécurité passive rassurante

FEU ROUGE
- Fiabilité en retrait
- Direction engourdie
- Agrément de conduite mitigé
- Certaines options chères
- Coffre relativement petit (hybride)

cette catégorie et cette version ne devrait intéresser que les personnes voulant économiser le plus possible ou qui ne peuvent se passer de cette transmission.

Mais si vous voulez vraiment épargner du carburant, la solution la plus attrayante est celle proposée par la version hybride. Celle-ci comprend un moteur quatre cylindres de 2,4 litres associé en parallèle à un moteur électrique, ce qui porte la puissance totale à 187 chevaux. Cette combinaison permet d'obtenir une consommation moyenne d'environ 6 litres aux 100 km.

Par contre, plusieurs utilisateurs de ce modèle nous ont confié que la conduite hivernale de la voiture était marquée par une hausse de la consommation et que les pneus à faible résistance au roulement n'assurent pas une bonne adhérence, et ce, peu importe la saison. Et si vous n'aimez pas les transmissions à rapports continuellement variables, vous devrez opter pour une autre version.

Le troisième moteur au catalogue est un moteur V6 de 3,5 litres produisant 268 chevaux et associé à une boîte automatique à six rapports. Cette combinaison permet d'obtenir une consommation de carburant presque similaire à celle du moteur quatre cylindres et sa boîte automatique à cinq rapports. À vous de choisir la combinaison qui convient à vos besoins et à vos attentes.

Peu importe le moteur ronronnant sous le capot, l'agrément de conduite d'une Camry est moyen tout au plus, et il en est de même de sa tenue de route qui est correcte, sans plus. Ajoutez à cela une direction trop assistée ainsi qu'une plate-forme qui pourrait être plus rigide et vous allez comprendre pourquoi cette voiture brille davantage sur la grand route que sur un parcours sinueux. Bref, c'est la voiture des gens qui aiment le confort et la tranquillité d'esprit.

Denis Duquet

Photos: Toyota

VÉHICULE D'ESSAI

Version :	Toyota Camry Hybride
Moteur :	4L de 2,4 litres 16s atmosphérique
Puissance :	187 ch (140 kW) à 6 200 tr/min
Couple :	138 lb-pi (187 Nm) à 4 700 tr/min
Rapport poids/puissance :	8,92 kg/ch (12,00 kg/kW)
Transmission :	CVT
Rouage :	traction
0-100 km/h · 80-120 km/h :	8,6 s · 7,9 s
Freinage 100-0 km/h :	42,1 m
Vitesse maximale :	220 km/h
Consommation (100 km) :	ordinaire, 5,7 litres
Autonomie approximative :	1 140 km
Émissions de CO2 :	2 736 kg/an
Emp/Lon/Lar/Haut (mm) :	2 775 / 4 805 / 1 820 / 1 460
Coffre/Réservoir :	300 / 65 litres
Nombre de coussins de sécurité :	7
Suspension avant :	indépendante, jambes de force
Suspension arrière :	indépendante, multibras
Freins av./arr. :	disque (ABS)
Antipatinage/Contrôle de stabilité :	oui / oui
Direction :	à crémaillère, assistance variable
Diamètre de braquage :	11,5 m
Pneus av./arr. :	P215/60R16
Poids :	1 669 kg
Capacité de remorquage :	non recommandé

AUTRE(S) COMPOSANTE(S) MÉCANIQUE(S)

Système hybride : Technologie HSD (Hybrid Synergy Drive). Moteur élect de 141 ch, 199 lb/pi entre 0 et 1 500 tr/min. Puissance totale 187 ch. Batterie Nickel-métal hydrure.

Moteur diesel :	aucun
Taxe énergivore :	aucune
Autre(s) moteur(s) :	4L de 2,4 litres 158 ch/161 lb-pi (9,6 l/100 ordinaire) V6 de 3,5 litres 268 ch/248 lb-pi (10,7 l/100 ordinaire)
Autre(s) rouage(s) :	aucun
Autre(s) transmission(s) :	automatique, 5 rapports automatique, 6 rapports / manuelle, 5 rapports

EN BREF

Échelle de prix :	23 400 $ à 36 620 $
Catégorie :	berline compacte
Garanties :	3 ans/60 000 km, 5 ans/100 000 km
Assemblage :	Georgetown, Kentucky, É-U
Cote d'assurance :	passable

DANS LA MÊME CATÉGORIE

Buick Allure, Chevrolet Malibu, Chrysler Sebring, Ford Fusion, Honda Accord, Hyundai Sonata, Mazda6, Pontiac G6, Volkswagen Passat

NOS IMPRESSIONS

Agrément de conduite :	🚗🚗🚗 ½
Fiabilité :	🚗🚗🚗🚗
Sécurité :	🚗🚗🚗🚗
Qualités hivernales :	🚗🚗🚗🚗
Espace intérieur :	🚗🚗🚗🚗
Confort :	🚗🚗🚗🚗

DU NOUVEAU EN 2009

Régulateur de traction et de stabilité latérale de série

RISQUES CALCULÉS

Quand Lamborghini conçoit une nouvelle voiture, les répercussions pour l'entreprise sont très importantes. La nouvelle venue se doit d'être encore plus spectaculaire et plus puissante que le modèle qu'elle remplace. Mais il ne faut pas, non plus, que la clientèle cible soit déstabilisée. Sinon, elle ira voir ailleurs. Curieusement, lorsqu'une marque populaire doit renouveler sa berline la plus populaire, le processus est le même. Si les changements sont le moindrement trop prononcés, les ventes du modèle s'en ressentiront et les conséquences seront dramatiques. Les designers de Toyota marchaient donc sur des œufs lorsqu'est venu le temps de renouveler la très populaire et aimée Corolla.

Au premier coup d'œil, le résultat peut paraître décevant. Les changements les plus notables se remarquent à l'avant, où le sigle de Toyota est intégré dans la grille à la façon des récentes Yaris et, surtout, Camry. Les phares aussi ont eu droit à un joli rafraîchissement et l'ensemble est bien intégré. À l'arrière, il faut avoir l'œil exercé pour remarquer les nouveaux feux. Autre point qu'on ne voit pratiquement pas mais qui est bien là : les interstices entre les panneaux de carrosserie ont été encore réduits. On a profité de l'occasion pour enlever les baguettes de protection qui couraient le long des portières de la version précédente. Certes, les flancs sont désormais libres de toute contrainte visuelle, mais puisqu'ils sont passablement plats, il y a fort à parier que la moindre « poque de porte » subie dans un stationnement paraîtra autant qu'un igloo dans un champ de fraises. Tous ces nouveaux détails apportés à la Corolla ne détonnent pas, mais ensemble, ils donnent à la voiture une allure plus affirmée quoique toujours sobre.

DES RESTES BIEN APPRÊTÉS

Le châssis de l'ancienne génération a été conservé, mais les ingénieurs de Toyota ont vu à le rigidifier et à lui apporter les modifications souhaitées. L'empattement demeure donc à 2 600 mm, mais la longueur et la largeur ont augmenté (de 10 mm et 60 mm respectivement). Par contre, la hauteur a diminué de 20 mm. Ces millimètres ajoutés à la largeur et enlevés en hauteur contribuent à donner à la Corolla une allure plus trapue.

Dans l'opération, le tableau de bord est passé de « platte à mort » à « platte tout court », ce qui représente une amélioration considérable ! Le conducteur fait face à deux gros cadrans tandis que les commandes principales se retrouvent dans un module au centre du tableau de bord. Malheureusement, si les cadrans des versions plus huppées sont joliment rétroéclairés la nuit venue, ceux du modèle de base LE se parent d'un orange particulièrement inintéressant. Les commandes du chauffage et de la climatisation sont faciles d'accès, comme toutes les autres d'ailleurs, mais il faut être patient pour que l'habitacle trouve une température confortable. Comme dans plusieurs nouveaux véhicules Toyota, les espaces de rangement sont légion et le grand coffre à gants s'ouvre en deux parties. On a souvent reproché à Toyota une certaine baisse dans la qualité de la fabrication et de la finition de plusieurs de ses modèles. Dans la Corolla 2009, rien ne nous permet de critiquer Toyota au chapitre de la finition, autant intérieure qu'extérieure. Par contre, certains plastiques, surtout ceux qui sont noir mat, n'affichent pas la même qualité que les autres. Et tant qu'à parler des plastiques, disons qu'une Corolla de base, avec son habitacle tout de gris et noir mat vêtu, n'a rien pour égayer les cœurs éplorés.

Tous les modèles de Corolla offrent de série une colonne de direction télescopique et six coussins gonflables. Félicitations, Toyota ! De plus, l'habitacle se veut un peu plus grand qu'auparavant. Les sièges avant sont confortables malgré leur apparence qui donne dans le très ordinaire, de même que la banquette arrière. L'espace réservé aux occupants de cette banquette est un tantinet meilleur qu'auparavant, même si ce n'est toujours pas le vide intersidéral entre les sièges avant et arrière. Les dossiers s'abaissent de façon 60/40 et agrandissent ainsi un coffre déjà de bonnes dimensions mais ils ne forment pas un fond plat. De plus, puisqu'il n'y a pas de poignée ou d'insertion permettant de glisser les doigts pour refermer le coffre, on est obligé de le rabattre en mettant la main sur la partie extérieure, immanquablement sale en hiver. Parmi les autres drames, mentionnons le fait de ne pouvoir commander de toit ouvrant sur la version de base. Et ne cherchez pas les sièges avant chauffants. Il n'y en a pas, peu importe le modèle.

DEUX MOTEURS, TROIS TRANSMISSIONS

Sous leur capot, très lourd, les trois premiers modèles présentent le même moteur, soit un quatre cylindres de 1,8 litre développant 132 chevaux. C'est six chevaux de plus que l'année dernière. En regardant la fiche technique des voitures qui forment la catégorie des compactes (voir notre match comparatif dans la première partie du présent *Guide de l'auto*), on remarque que la Corolla possède le moteur le moins puissant. Même si les accélérations et les reprises n'ont pas assez de punch pour provoquer des lésions à la moelle épinière, elles demeurent très convenables dans la plupart des situations. À vrai dire, elles sont meilleures que celles qu'affichent plusieurs autres voitures plus puissantes. Cela prouve que les fiches techniques ne disent pas tout! De plus, ce quatre cylindres est le plus économique de la catégorie avec ses 7,8 litres aux 100 km proclamés par Transport Canada..., soit exactement notre consommation. Ce moteur est lié à une transmission automatique à quatre rapports dont les rapports s'effectuent en douceur et assez rapidement, la plupart du temps. Une boîte manuelle est aussi au menu pour la version CE, mais elle ne devrait pas intéresser plus de 15 % des acheteurs, selon Toyota.

L'autre moteur est un quatre cylindres de 2,4 litres, réservé à la plus délurée XRS. Bon pour 158 chevaux, il ne transforme pas la Corolla en catapulte, mais ses performances se montrent quand même fort relevées et suffisamment bruyantes pour qu'on les remarque. Une transmission manuelle à cinq rapports se charge de transférer la puissance aux roues avant. Son embrayage est mou et sa course est trop longue, mais elle permet de bien exploiter les possibilités du moteur. On retrouve aussi une boîte automatique, à cinq rapports aussi, au fonctionnement sans reproches.

Les Corolla CE, LE et S possèdent des suspensions à jambes de force (MacPherson) à l'avant et à poutre de torsion à l'arrière. Cette architecture n'encourage pas la sportivité, mais elle a l'avantage d'offrir un coffre arrière plus grand et un confort, ma foi, très relevé. Dans toutes les versions, la direction a été sérieusement revue. Désormais à assistance électrique plutôt qu'hydraulique, elle est nettement plus précise qu'avant. Elle réussit même à donner un soupçon de retour d'information, une grande nouveauté pour une Corolla ! Et le rayon de braquage est court, ce qui est très apprécié dans les manœuvres de stationnement. Là où cette canado-japonaise (la Corolla vendue en Amérique du Nord est fabriquée à Cambridge en Ontario) pèche, c'est au niveau des freins à

FEU VERT

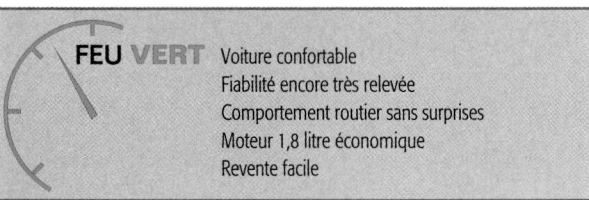

- Voiture confortable
- Fiabilité encore très relevée
- Comportement routier sans surprises
- Moteur 1,8 litre économique
- Revente facile

FEU ROUGE

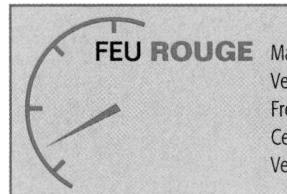

- Manque de personnalité flagrant
- Version XRS tape dur
- Freins un peu mous
- Certains éléments de sécurité réservés à la XRS
- Version de base (CE) tristounette

disques à l'avant et à tambours à l'arrière. La pédale est molle et après un seul arrêt d'urgence, ils sentent déjà le chauffé.

XRS

Les quelques personnes qui voudraient une Corolla plus dynamique (c'est un peu comme vouloir un frigo avec une option four micro-ondes) se rabattent sur la XRS qui présente des suspensions plus rigides. À l'avant, on note l'ajout d'une barre antirapprochement qui relie les deux tours de suspension. Sans donner l'impression qu'on est assis sur un 2x4, la XRS se montre nettement moins indulgente pour l'humain au passage des trous et bosses. Cette version a droit à des freins à disques à l'arrière beaucoup plus sérieux que ceux des autres livrées, à des pneus de 17 pouces et aux systèmes de contrôle de la traction et de la stabilité latérale. Ces systèmes ne sont même pas offerts en option pour les modèles moins huppés. Désolant.

Avec cette nouvelle génération, la Corolla se veut beaucoup plus une évolution qu'une révolution. Et c'est tant mieux puisque les qualités intrinsèques de la voiture ont été conservées et, mieux, améliorées.

Alain Morin

Photos: Alain Morin

VÉHICULE D'ESSAI

SIRIUS RADIO SATELLITE

Version:	Toyota Corolla CE
Moteur:	4L de 1,8 litre 16s atmosphérique
Puissance:	132 ch (98 kW) à 6 000 tr/min
Couple:	128 lb-pi (174 Nm) à 4 4000 tr/min
Rapport poids/puissance:	9,43 kg/ch (12,70 kg/kW)
Transmission:	automatique, 4 rapports
Rouage:	traction
0-100 km/h · 80-120 km/h:	10,8 s · 8,4 s
Freinage 100-0 km/h:	42,0 m
Vitesse maximale:	190 km/h
Consommation (100 km):	ordinaire, 7,8 litres
Autonomie approximative:	641 km
Émissions de CO2:	3 264 kg/an
Emp/Lon/Lar/Haut (mm):	2 600 / 4 540 / 1 760 / 1 465
Coffre/Réservoir:	348 / 50 litres
Nombre de coussins de sécurité:	6
Suspension avant:	indépendante, jambes de force
Suspension arrière:	semie-ind., poutre de torsion
Freins av./arr.:	disque, tambour (ABS)
Antipatinage/Contrôle de stabilité:	opt / opt
Direction:	à crémaillère, assistance variable
Diamètre de braquage:	11,3 m
Pneus av./arr.:	195/65R15
Poids:	1 245 kg
Capacité de remorquage:	680 kg

AUTRE(S) COMPOSANTE(S) MÉCANIQUE(S)

Système hybride:	aucun
Moteur diesel:	aucun
Taxe énergivore:	aucune
Autre(s) moteur(s):	4L de 2,4 litres 158 ch/162 lb-pi (8,1 l/100 ordinaire) (XRS)
Autre(s) rouage(s):	aucun
Autre(s) transmission(s):	automatique, 5 rapports (XRS) manuelle, 5 rapports (XRS, CE, LE, Sport)

EN BREF

Échelle de prix:	14 565 $ à 23 210 $
Catégorie:	berline compacte
Garanties:	3 ans/60 000 km, 5 ans/100 000 km
Assemblage:	Cambridge, Ontario, Canada
Cote d'assurance:	passable

DANS LA MÊME CATÉGORIE

Chevrolet Cobalt, Ford Focus, Honda Civic, Hyundai Elantra, Kia Spectra, Mazda3, Mitsubishi Lancer, Nissan Sentra, Pontiac G5, Saturn Astra, Suzuki SX4, Volkswagen Rabbit

NOS IMPRESSIONS

Agrément de conduite:	
Fiabilité:	½
Sécurité:	½
Qualités hivernales:	
Espace intérieur:	
Confort:	

DU NOUVEAU EN 2009

Nouveau modèle

TOYOTA FJ CRUISER

HANDICAPÉ PAR SON DESIGN

Il n'est pas toujours sage d'adopter un véhicule initialement conçu comme voiture concept et de le commercialiser presque tel quel. Si les ingénieurs réussissent la plupart du temps à lui greffer des organes mécaniques décents, il en est tout autre du reste du véhicule, qui doit continuer sa carrière avec plusieurs apparats mis en place pour épater la galerie. C'est justement le cas de ce gros 4X4, dont la silhouette était initialement jugée trop audacieuse pour qu'il soit mis en marché. Mais Toyota a osé, et ce sont les propriétaires qui doivent vivre avec.

À voir le nombre de FJ Cruiser qui circulent sur nos routes, force est d'admettre que ce constructeur a joué la carte gagnante, du moins à court terme. En effet, comme vous allez le constater à la lecture de cet essai, il faut plus qu'une allure macho pour être un véhicule agréable au jour le jour.

MAUDIT DESIGN !

Comme tout véhicule concept qui se respecte, celui-ci possède une silhouette pour le moins spectaculaire qui se veut la version moderne des légendaires Land Cruiser, qui se sont bâti une réputation fort enviable dans les années 60. Si cet aspect est réussi, c'est autre chose lorsqu'on considère le véhicule sous l'angle de l'utilisation quotidienne. En effet, les larges piliers A et C rendent la visibilité atroce. Comme si cela n'était pas suffisant, la lunette arrière est obstruée par la présence de la roue de secours. En plus, cette porte arrière est très lourde et assez difficile à ouvrir.

Il n'y a pas de portière arrière à proprement parler, mais plutôt un panneau d'accès aux places arrière, comme c'est encore le cas sur certaines camionnettes compactes. Il est donc non seulement difficile d'accéder à l'arrière, mais il faut également faire attention pour ne pas se heurter de front à l'un des crochets de rétention placés sur le montant supérieur de la porte. La vocation première du FJ Cruiser est d'être un authentique véhicule tout-terrain. Il en a d'ailleurs la garde au sol, la robustesse et le rouage intégral sophistiqué. Par contre, la carrosserie est affublée de petits godets en plastique montés sur les pare-chocs avant et arrière, qui ne demandent pas mieux de prendre le bord au moindre contact.

Une fois à bord, le conducteur est confronté à un tableau de bord qui tente de marier le design à la vocation purement utilitaire du véhicule. Si cette présentation peut plaire au premier coup d'œil, on déchante rapidement à l'usage. Plusieurs commandes sont mal placées et leur fonctionnement n'est pas toujours évident. On peut également ajouter en option un module abritant trois cadrans indicateurs, à savoir une boussole, un ordinateur de trajet et un inclinomètre. Ce dernier accessoire est peu pratique et, placé sur le dessus de la planche de bord, il vient obstruer la vue trois quarts avant du conducteur.

Bref, même s'il s'agit d'un véhicule à vocation utilitaire, le design semble avoir pris le dessus sur le caractère pratique de ce Toyota.

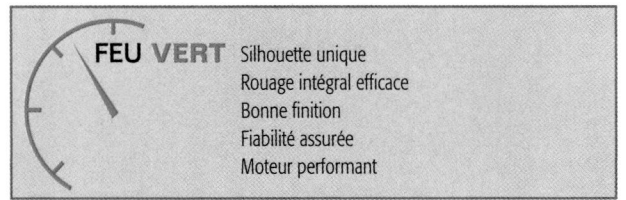

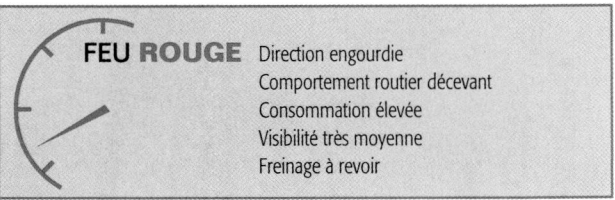

FEU VERT
- Silhouette unique
- Rouage intégral efficace
- Bonne finition
- Fiabilité assurée
- Moteur performant

FEU ROUGE
- Direction engourdie
- Comportement routier décevant
- Consommation élevée
- Visibilité très moyenne
- Freinage à revoir

DU SOLIDE !

Les ingénieurs affectés au développement de ce modèle avaient pour mission de produire un véhicule tout-terrain solide et efficace. Croyez-moi, ils n'ont pas manqué leur coup ! Ils ont utilisé la plate-forme de la camionnette Tacoma afin d'avoir toute la rigidité voulue. Et puisqu'il faut de la puissance pour déplacer un véhicule aussi lourd hors des sentiers battus, ils ont jeté leur dévolu sur un moteur V6 de 4,0 litres d'une puissance de 239 chevaux et de 278 livres-pied de couple. Une boîte manuelle à six rapports est offerte, tout comme une transmission automatique à cinq rapports.

Le modèle de base est une propulsion. Si vous avez opté pour le modèle quatre roues motrices et la transmission manuelle, vous allez bénéficier d'un rouage intégral permanent doté de deux plages d'utilisation. Avec l'automatique, l'embrayage intégral est à temps partiel. En plus, tous les modèles peuvent être équipés de dispositifs électroniques visant à favoriser l'efficacité en conduite hors route.

Lorsque vous quittez la route pour la forêt, vous ne pouvez qu'être impressionné par l'efficacité de ce Toyota. Malheureusement, on passe plus de temps sur la route que dans les champs, et les choses sont beaucoup moins reluisantes. La suspension est ferme, la direction engourdie et le comportement routier juste à la limite. Et comme la suspension est raide, on se fait brasser le Québécois sur les routes de la Belle Province. Enfin, si le moteur est capable de tenir son bout dans presque toutes les situations, sa consommation de carburant super risque de venir dégarnir votre portefeuille.

Somme toute, il ne faut pas juger un livre par sa couverture. C'est justement ce qu'ont fait trop d'automobilistes qui ont été attirés par le plumage agréable de cet utilitaire sport, sans penser que son comportement sur la route pouvait être décevant. Ils peuvent toujours se consoler en songeant à la fiabilité et à la durée de vie de tous les produits Toyota.

Denis Duquet

Photos : Toyota

VÉHICULE D'ESSAI

Version :	Toyota FJ Cruiser
Moteur :	V6 de 4,0 litres 24s atmosphérique
Puissance :	239 ch (178 kW) à 5 200 tr/min
Couple :	278 lb-pi (377 Nm) à 3 800 tr/min
Rapport poids/puissance :	8,14 kg/ch (10,93 kg/kW)
Transmission :	manuelle, 6 rapports
Rouage :	4x4
0-100 km/h · 80-120 km/h :	10,1 s · 8,6 s
Freinage 100-0 km/h :	44,0 m
Vitesse maximale :	175 km/h
Consommation (100 km) :	super, 13,5 litres
Autonomie approximative :	533 km
Émissions de CO2 :	5 760 kg/an
Emp/Lon/Lar/Haut (mm) :	2 690 / 4 670 / 1 905 / 1 830
Coffre/Réservoir :	790 à 1 892 / 72 litres
Nombre de coussins de sécurité :	2
Suspension avant :	indépendante, bras inégaux
Suspension arrière :	essieu rigide, ressorts hélicoïdaux
Freins av./arr. :	disque (ABS)
Antipatinage/Contrôle de stabilité :	oui / oui
Direction :	à crémaillère, assistance variable
Diamètre de braquage :	12,7 m
Pneus av./arr. :	P265/70R17
Poids :	1 946 kg
Capacité de remorquage :	2 268 kg

AUTRE(S) COMPOSANTE(S) MÉCANIQUE(S)

Système hybride :	aucun
Moteur diesel :	aucun
Taxe énergivore :	aucune
Autre(s) moteur(s) :	aucun
Autre(s) rouage(s) :	intégral
Autre(s) transmission(s) :	automatique, 5 rapports

EN BREF

Échelle de prix :	29 725 $ à 38 900 $ (2008)
Catégorie :	VUS intermédiaire
Garanties :	3 ans/60 000 km, 5 ans/100 000 km
Assemblage :	Hamura, Japon
Cote d'assurance :	n.d.

DANS LA MÊME CATÉGORIE

Hummer H3, Jeep Wrangler, Land Rover LR2

NOS IMPRESSIONS

Agrément de conduite :	3 ½
Fiabilité :	4
Sécurité :	4
Qualités hivernales :	5
Espace intérieur :	4
Confort :	3

DU NOUVEAU EN 2009

Aucun changement majeur

L'EFFICACITÉ ET L'ENNUI

Lorsque le premier modèle Highlander a été lancé il y a huit ans déjà, il était considéré par la majorité comme une simple version multisegment de la berline Camry. Il en possédait d'ailleurs le même confort, le même silence de roulement et le même agrément de conduite mitigé. Sa remplaçante lancée l'an dernier était plus puissante, plus grosse et également plus luxueuse. Sans oublier le fait qu'une version à moteur hybride s'est jointe à la famille.

Ce faisant, les concepteurs ont écouté les avis et suggestions des propriétaires des modèles antérieurs qui désiraient un véhicule offrant plus d'espace, un moteur plus puissant et de meilleures capacités hors route. À ce dernier chapitre, le Highlander a été équipé de multiples accessoires d'aide à la conduite hors des sentiers battus. Soulignons le dispositif d'assistance au démarrage en pente qui génère une pression hydraulique de freinage aux quatre roues, ce qui évite le recul du véhicule lorsqu'on doit démarrer dans une pente. Il y a également le dispositif d'assistance en descente qui règle automatiquement la vitesse du véhicule. Et toujours dans la même idée, il est intéressant de souligner que le moteur est protégé par une plaque de métal placée sous le véhicule.

HABITABILITÉ MOYENNE, ESPACES DE RANGEMENT

Curieusement, même si ce modèle a progressé de 96 mm en longueur lors de sa refonte de l'an dernier, la plupart des critiques formulées à propos de l'habitacle concernent l'habitabilité moyenne de ce Toyota, correcte tout de même, mais inférieure à celle que plusieurs modèles concurrents proposent. Sans doute pour compenser, les concepteurs de l'habitacle ont multiplié les porte-gobelets et les espaces de rangement. Par ailleurs, comme toute Toyota qui se respecte, la finition est impeccable, mais il faut noter que certains matériaux pourraient être de meilleure qualité.

Le tableau de bord impressionne avec son écran à affichage par cristaux liquides placé au centre de la planche de bord et encadré des boutons de commande du système audio. Sur les versions plus huppées, la console est garnie d'appliques en bois. Par contre, le support latéral des sièges avant est faible et la banquette centrale est inconfortable au centre. D'ailleurs, on semble partager notre opinion chez Toyota puisque les ingénieurs ont concocté un accoudoir central amovible pour cette banquette. Celui-ci se remise dans un compartiment spécial placé sous la console avant. Enfin, la troisième rangée est surtout destinée à des enfants. Avant de passer à la mécanique, soulignons que le hayon arrière est motorisé et que la lunette arrière peut s'ouvrir indépendamment du hayon.

ORDINAIRE...

L'acheteur peut décider de se procurer la version traditionnelle, propulsée par un moteur V6 de 3,5 litres d'une puissance de 270 chevaux et associé à une boîte automatique à cinq rapports. Ce moteur est souple et performant en plus d'être très silencieux. La transmission intégrale

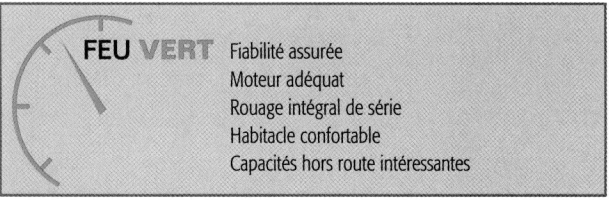

FEU VERT
- Fiabilité assurée
- Moteur adéquat
- Rouage intégral de série
- Habitacle confortable
- Capacités hors route intéressantes

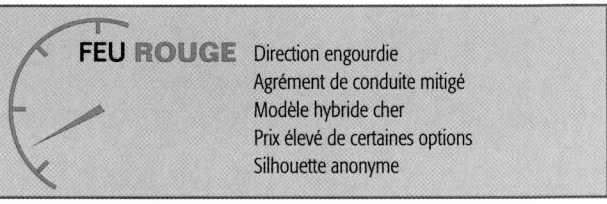

FEU ROUGE
- Direction engourdie
- Agrément de conduite mitigé
- Modèle hybride cher
- Prix élevé de certaines options
- Silhouette anonyme

est également de série. Bien entendu, comme tous les produits de la marque, ce véhicule propose une grande douceur de roulement, une bonne insonorisation et une suspension confortable. Malheureusement, on ne peut être aussi élogieux en fait d'agrément de conduite. La direction est nettement trop assistée et la sensation de la route presque inexistante. Si vous faites partie des personnes qui aiment conduire un véhicule, vous devrez vous contenter de l'insonorisation de la cabine et de la fiabilité de la mécanique. Quant à la tenue de route elle-même, elle est correcte sans plus.

ET IL Y A L'HYBRIDE !

Une version hybride s'est ajoutée à la famille Highlander à la fin de l'automne 2007. Comme tous les groupes propulseurs de ce genre proposés par Toyota, le moteur à combustion interne travaille en parallèle avec un moteur électrique. Cette fois-ci, il faut mentionner l'ajout d'un autre moteur électrique qui a pour mission d'actionner les roues arrière pour augmenter l'adhérence au besoin. En plus, cette nouvelle génération de moteur hybride peut rouler en mode électrique exclusivement, ce qui permet de ménager beaucoup de carburant dans la circulation urbaine. Détail à noter, en marche arrière, seul le moteur électrique est sollicité. Et il faut ajouter que la transmission à rapports continuellement variables de ce groupe propulseur est efficace et transparente. De plus, les accélérations et les reprises sont nerveuses.

Le seul inconvénient de ce modèle hybride est son prix de vente qui est nettement prohibitif si vous en faites l'acquisition pour compenser la hausse du prix de l'essence. Si un modèle de base classique se vend 36 900 $ au moment d'écrire ces lignes, vous devrez débourser 4 000 $ de plus pour vous procurer son équivalent dans la catégorie hybride. À vous de faire le choix.

Denis Duquet

Photos: Denis Duquet

VÉHICULE D'ESSAI

Version :	Toyota Highlander Sport 4RM
Moteur :	V6 de 3,5 litres 24s atmosphérique
Puissance :	270 ch (201 kW) à 6 200 tr/min
Couple :	248 lb-pi (336 Nm) à 4 700 tr/min
Rapport poids/puissance :	7,14 kg/ch (9,60 kg/kW)
Transmission :	automatique, 5 rapports
Rouage :	intégral
0-100 km/h · 80-120 km/h :	7,9 s · 7,1 s
Freinage 100-0 km/h :	41,0 m
Vitesse maximale :	180 km/h
Consommation (100 km) :	ordinaire, 12,3 litres
Autonomie approximative :	585 km
Émissions de CO2 :	5 184 kg/an
Emp/Lon/Lar/Haut (mm) :	2 790 / 4 785 / 1 910 / 1 760
Coffre/Réservoir :	290 à 2 700 / 72 litres
Nombre de coussins de sécurité :	7
Suspension avant :	indépendante, jambes de force
Suspension arrière :	indépendante, jambes de force
Freins av./arr. :	disque (ABS)
Antipatinage/Contrôle de stabilité :	oui / oui
Direction :	à crémaillère, assistance magnétique
Diamètre de braquage :	11,8 m
Pneus av./arr. :	P255/55R19
Poids :	1 930 kg
Capacité de remorquage :	2 268 kg

AUTRE(S) COMPOSANTE(S) MÉCANIQUE(S)

Système hybride :	Technologie HSD (Hybrid Synergy Drive). Moteur essence 208 ch. Moteur élect sur roues avant 165 ch, 247 lb-pi. Moteur élect sur roues arr 67 ch, 96 lb-pi. Batteries Nickel métal hydrure 288 Volt
Moteur diesel :	aucun
Taxe énergivore :	aucune
Autre(s) moteur(s) :	V6 de 3,3 litres 270 ch/212 lb-pi (7,4 l/100 ordinaire) (Hybride)
Autre(s) rouage(s) :	aucun
Autre(s) transmission(s) :	CVT (Hybride)

EN BREF

Échelle de prix :	34 900 $ à 54 220 $ (2008)
Catégorie :	multisegment
Garanties :	3 ans/60 000 km, 5 ans/100 000 km
Assemblage :	Kyushu, Japon
Cote d'assurance :	moyenne

DANS LA MÊME CATÉGORIE

Buick Enclave, GMC Acadia, Ford Edge, Mazda CX-9, Saturn Outlook, Mitsubishi Endeavor

NOS IMPRESSIONS

Agrément de conduite :	3 ½
Fiabilité :	4 ½
Sécurité :	4
Qualités hivernales :	4
Espace intérieur :	4 ½
Confort :	4 ½

DU NOUVEAU EN 2009

Aucun changement

Toyota Matrix

DU PAREIL AU MÊME?

Les pages de ce *Guide de l'auto* en parlent abondamment, les communiqués financiers renchérissent et les bulletins de nouvelles traitent l'affaire avec un constant souci du sensationnalisme. Les prix de l'essence sont en train de considérablement modifier non seulement le paysage automobile mais aussi la société. Après avoir modifié leurs habitudes de conduite, les gens doivent passer à une autre étape: changer leur véhicule pour un autre, plus petit. C'est ainsi que plusieurs personnes possédant un VUS compact se tournent vers autre chose. Cette autre chose pourrait bien être une Toyota Matrix ou une Pontiac Vibe!

Les Matrix/Vibe sont apparues sur le marché en 2003. Leur format, entre familiale et VUS, n'a, à ce moment, pas connu le succès prévu. Il n'a pas été long, cependant, que les consommateurs ont compris les avantages de cette configuration, d'autant plus qu'il était possible d'opter pour un rouage intégral, drôlement apprécié lors de nos hivers québécois. Ce duo de familiales est donc devenu fort populaire et cette année, il fait l'objet d'une refonte complète. La Matrix est toujours basée sur le châssis de la Toyota Corolla et comme cette dernière est toute nouvelle cette année, les dirigeants de l'entreprise ont, tout naturellement, décidé de transformer la Matrix. Et la Pontiac Vibe, son éternelle complice, a vécu les mêmes changements.

CHANGEMENTS MODESTES MAIS APPRÉCIÉS

Les tableaux de bord n'ont pas vraiment changé et c'est tant mieux puisqu'on ne pouvait pas reprocher grand-chose aux anciens. On retrouve donc le module central qui regroupe les commandes de la chaîne audio et du chauffage. Ce module incorpore aussi le levier de vitesses qui tombe ainsi très facilement sous la main droite. Au sujet des versions, la Matrix fait preuve d'un peu plus de générosité que la Vibe en proposant une déclinaison supplémentaire. En effet, la Toyota offre les modèles de base, XR, XRS et AWD (rouage intégral), tandis que la Pontiac se décline en livrées de base, GT et AWD.

La principale différence entre tous ces modèles se situe au niveau de la mécanique. Les versions de base se déplacent grâce à un quatre cylindres de 1,8 litre de 132 chevaux et 128 livres-pied de couple. Les modèles XR, XRS (ou GT) et AWD ont droit à un autre quatre cylindres mais de 2,4 litres développant 158 chevaux et 162 livres-pied de couple. Soulignons que ces moteurs fonctionnent avec de l'essence régulière. Les versions à moteur 1,8 litre reçoivent une transmission manuelle à cinq rapports en équipement standard ou une automatique à quatre rapports optionnelle. Les moteurs 2,4 litres, eux, sont mariés à la boîte manuelle à cinq rapports ou, en option à une automatique à cinq rapports. À noter que les versions AWD ne peuvent être accouplées qu'à la transmission automatique à quatre rapports. Il s'agit, à peu de choses près, des mécaniques que l'on retrouve dans la Corolla même si cette dernière n'a pas droit au rouage intégral.

ON S'EXCITE CHEZ LES INGÉNIEURS!

Là où il y a aussi des différences notables, c'est au chapitre des suspensions. Les modèles de base sont suspendus par des jambes de force (MacPherson) à l'avant et à poutre déformante à l'arrière. Les versions XRS et GT, plus sportives, et AWD, ont droit aux mêmes organes à l'avant sauf que les tourelles de suspensions sont reliées entre elles, question d'ajouter à la rigidité (sur XRS et GT uniquement). À l'arrière, cependant, la suspension est indépendante et à bras multiples. Quant aux freins, ils sont à disque aux quatre roues, quelle que soit la version.

Toutes ces différences mécaniques se traduisent par des comportements routiers bien départagés. Tout d'abord, une version de base, peu importe qu'il s'agisse d'une Toyota ou d'une Pontiac, se montre beaucoup plus placide que sportive. Les performances du moteur 1,8 litre n'impressionnent personne mais il faut avouer que pour une utilisation urbaine, elles suffisent amplement. La transmission automatique à quatre rapports fonctionne avec douceur mais elle ne semble pas envahie par l'urgence de vivre si on n'enfonce pas l'accélérateur au fond... Il y a aussi une manuelle à cinq rapports, dont l'embrayage et le maniement du levier sont si mous qu'ils nous font apprécier la boîte automatique. Les suspensions s'avèrent un peu trop souples et, en virages rapides, la caisse penche un peu.

Les XR, XRS et GT jouent la carte de la sportivité à bas prix tandis que les AWD abattent celle de la sécurité. Le moteur 2,4 litres est, bien entendu, plus en verve que son homologue 1,8 mais, en revanche, il consomme un peu plus (environ 1,5 litre aux 100 km de plus). La transmission, une automatique à cinq rapports avec mode manuel, change les rapports rapidement, généralement sans brusqueries. En accélération vive, l'effet de couple est beaucoup plus senti que dans le 1,8 litre. Quant à la version intégrale, son comportement routier s'apparente aux XR, XRS et GT. Les quelque soixante kilos qu'elle accuse par rapport à ces modèles n'ont pas vraiment d'effet sur la tenue de route. La consommation d'essence augmente d'à peu près un demi-litre aux cent kilomètres.

Côté sécurité, la Vibe compte sur le système Stabilitrak, et ce, sur toutes les versions. Chez Toyota, on est un peu plus chiche et les systèmes de contrôle de la traction et de la stabilité latérale (l'équivalent du Stabilitrak de GM) ne sont pas offerts sur la version de base mais sont inclus dans les autres modèles. Partout, on retrouve des freins ABS et six coussins gonflables.

Pontiac Vibe

ÉGRATIGNONS LES MATRIX ET VIBE

Un des reproches les plus souvent adressés à la génération précédente avait trait à la mauvaise qualité des plastiques de l'habitacle. Les designers ont donc profité de la nouvelle génération pour... ne pas remédier au problème ! Même si une de nos voitures d'essai n'avait même pas 2 000 kilomètres au compteur, on retrouvait nombre d'égratignures ici et là à l'intérieur. Le plancher du coffre, en plastique dur, est resté marqué pour le reste de ses jours par un escabeau... en plastique ! Outre cet accroc à la rectitude, tous les modèles essayés, autant lors du lancement en janvier dernier que durant nos tests hebdomadaires menés au Québec, présentaient une belle qualité d'assemblage. Le seuil de chargement est bas mais il n'est pas au même niveau que le pare-chocs. Ce dernier est recouvert d'une bande de caoutchouc, ce qui évite de l'égratigner si on y dépose des objets lourds. Par rapport aux dimensions de la voiture, l'espace disponible est surprenant. Avec ses 1 399 litres une fois les dossiers de la banquette arrière baissés, leur coffre n'est pas loin de celui d'un Chevrolet HHR, d'une Kia Rondo ou d'une Mazda 5, des concurrentes directes quoiqu'un peu plus grosses.

Même si les suspensions des XRS et GT sont un peu plus fermes, on ne peut pas dire que le confort en souffre vraiment, sauf lorsque la route

FEU VERT
- Dimensions étudiées
- Prix compétitifs
- Moteur 1,8 litre économique
- Comportement routier serein
- Espaces de rangement nombreux

FEU ROUGE
- Suspensions un peu dures (XRS et GT)
- Sièges non chauffants
- Certains plastiques pauvres
- Embout réservoir lave-glace pas facile à repérer
- Sièges arrière plus ou moins confortables

est mauvaise. Les sièges supportent bien, même en virage. Il faut noter qu'on ne retrouve aucune option « cuir », tout comme il n'y a aucune possibilité que les sièges soient chauffants. Le volant est invariablement ajustable en hauteur et en profondeur et la position de conduite, du moins dans mon cas, se trouve en moins de deux secondes. Les diverses commandes tombent bien sous la main et les jauges rétro éclairées sont du plus bel effet, surtout la nuit. Les espaces de rangement sont nombreux et le coffre à gants semble pouvoir contenir deux bateaux de 35 pieds tant il est grand. Toutes les Vibe offrent, de série, une prise 115 volts tandis qu'on ne la retrouve que dans certaines versions, quelquefois en option, dans les Matrix.

Les occupants des places arrière sont assis sur une banquette dont l'assise est basse. Puisque la ceinture de caisse est élevée, il faut mesurer au moins sept pieds pour ne pas se sentir à l'étroit. L'espace pour la tête et les jambes est suffisant mais la dureté du dossier de la banquette donne une nouvelle dimension au terme « confort ».

Avec des prix de base vraiment alléchants et des modèles généralement bien équipés ce duo a de quoi se faire apprécier.

Alain Morin

Photos : Alain Morin

VÉHICULE D'ESSAI

SIRIUS RADIO SATELLITE

Version :	Toyota Matrix XR
Moteur :	4L de 2,4 litres 16s atmosphérique
Puissance :	158 ch (118 kW) à 6 000 tr/min
Couple :	162 lb-pi (220 Nm) à 4 000 tr/min
Rapport poids/puissance :	8,76 kg/ch (11,73 kg/kW)
Transmission :	automatique, 5 rapports
Rouage :	traction
0-100 km/h · 80-120 km/h :	7,8 s · 9,6 s
Freinage 100-0 km/h :	41,0 m
Vitesse maximale :	190 km/h
Consommation (100 km) :	ordinaire, 9,7 litres
Autonomie approximative :	515 km
Émissions de CO_2 :	3 984 kg/an
Emp/Lon/Lar/Haut (mm) :	2 600 / 4 365/ 1 765 / 1 550
Coffre/Réservoir :	561 à 1 399 / 50 litres
Nombre de coussins de sécurité :	6
Suspension avant :	indépendante, jambes de force
Suspension arrière :	semie-ind., poutre de torsion
Freins av./arr. :	disque (ABS)
Antipatinage/Contrôle de stabilité :	opt/opt
Direction :	à crémaillère, assistée
Diamètre de braquage :	11,6 m
Pneus av./arr. :	P215/45R17
Poids :	1 385 kg
Capacité de remorquage :	680 kg

AUTRE(S) COMPOSANTE(S) MÉCANIQUE(S)

Système hybride :	aucun
Moteur diesel :	aucun
Taxe énergivore :	aucune
Autre(s) moteur(s) :	4L de 1,8 litre 132 ch/128 lb-pi (7,8 l/100 ordinaire) (base) 4L de 2,4 litres 158 ch/ 162 lb-pi (10,2 l/100 ordinaire) (AWD)
Autre(s) rouage(s) :	intégral (AWD)
Autre(s) transmission(s) :	automatique, 4 rapports (base, AWD) manuelle, 5 rapports (base)

EN BREF

Échelle de prix :	15 705 $ à 26 775 $
Catégorie :	familiale
Garanties :	3 ans/60 000 km, 5 ans/160 000 km
Assemblage :	Cambridge, Ontario, Canada
Cote d'assurance :	moyenne

DANS LA MÊME CATÉGORIE

Chevrolet HHR, Chrysler PT Cruiser, Dodge Caliber, Kia Rondo, Mazda5

NOS IMPRESSIONS

Agrément de conduite :	
Fiabilité :	
Sécurité :	
Qualités hivernales :	½
Espace intérieur :	½
Confort :	½

DU NOUVEAU EN 2009

Nouveau modèle

AMIE DE LA PLANÈTE

Voici la voiture par excellence pour ceux qui veulent jumeler économie d'essence et respect de l'environnement. Elle est originale, avant-gardiste et possède tous les attributs des voitures habituelles. Elle fournit des performances adéquates et ne fait aucun compromis sur le confort et la sécurité de ses occupants. L'espace dans l'habitacle est généreux et le volume de chargement au-delà des apparences. Sa fiabilité n'est plus à faire car elle est construite par le plus important constructeur automobile. Alors pourquoi n'est-elle pas devant la porte de toutes les maisons du quartier?

Tout simplement parce que la peur nous habite. La peur de conduire un «véhicule à batteries» mais aussi la crainte de l'inconnu, de ce qui arrivera lorsque ces mêmes batteries ne seront plus efficaces et devrons être changées. Et où sont les propriétaires de Prius qui en ont fait l'achat à son lancement en 2001? Qu'ont-ils de bons à nous raconter de leur expérience avec ce bolide? Évidemment, outre le volet électrique de la voiture, il y a aussi le prix qui freine l'ardeur de nombreux acheteurs car affichée à un prix avoisinant les 30 000 $, la Prius ne s'avère plus tellement un modèle d'économie.

HYBRID SYNERGY DRIVE

Bien que le système soit très simple dans son fonctionnement, le but ici n'est pas d'en faire la description exhaustive. D'ailleurs, sur le site de Toyota, un document très intéressant est disponible et porte le nom de « Manuel de démontage ». Il explique dans les moindres détails le fonctionnement du système ainsi que son démontage! Cachés sous la carrosserie de la voiture se trouvent les composants du système hybride. On retrouve donc la batterie scellée NiMH montée sur la traverse derrière la banquette arrière. L'inverseur, quant à lui, convertit le courant continu de 200 V de la batterie en courant continu de 500 V pour alimenter le moteur électrique. Il convertit aussi le courant alternatif du générateur et du moteur électrique qui sert à recharger la batterie NiMH. Cet inverseur est logé dans le compartiment moteur. Et pour recharger la batterie, un générateur triphasé contenu dans la boîte-pont prend également place au même endroit.

Dans les faits, le fonctionnement du système hybride est transparent à l'utilisateur. Hormis une légère secousse quand le moteur à essence démarre, les transitions moteur électrique et moteur à essence n'occasionnent aucun désagrément. Donc, lors d'une légère accélération à basse vitesse, la Prius est propulsée par le moteur électrique. Le moteur à essence est arrêté. Puis, pendant la conduite normale, le véhicule est propulsé principalement par le moteur à essence, qui est utilisé pour recharger la batterie. Mais pendant une accélération à fond, les deux moteurs (à essence et électrique) propulsent le véhicule. Pendant la décélération et en freinage, le véhicule récupère l'énergie cinétique des roues avant pour produire de l'électricité qui recharge la batterie. Lorsque le véhicule est arrêté, les moteurs à essence et électrique le sont aussi. Cependant, le véhicule demeure sous tension et peut fonctionner.

COMME LES AUTRES

Malgré son statut de véhicule hybride, la Prius présente toutes les

FEU VERT
Économe en essence
Transmission CVT efficace
Habitabilité généreuse
Performances étonnantes

FEU ROUGE
Prix d'achat
Coûts d'entretien inconnus
Système hybride inefficace en hiver

caractéristiques des voitures traditionnelles. Plusieurs sont d'ailleurs surpris d'apprendre que la Prius est équipée de la climatisation et d'un excellent système audio avec lecteur de disques compacts. D'autres sont étonnés du fait que la batterie est savamment dissimulée dans la voiture sans pour autant en compromettre l'habitabilité. En fait, seuls son tableau de bord dénudé et son petit levier de vitesses révèlent la motorisation de la Prius. Les sièges sont très confortables en dépit d'une assise un peu élevée. Le volant, de petite dimension et peu ajustable, se manipule aisément et l'assistance électrique est bien dosée. L'instrumentation du tableau de bord est très simpliste et la majorité des commandes est accessible par l'écran tactile en haut de la console centrale. Certaines commandes sont disposées au volant pour plus de convivialité. Toutes les places s'avèrent très généreuses et trahissent les dimensions extérieures de la Prius. Le coffre, malgré la présence des batteries, est spacieux et la hauteur du hayon en augmente le volume. Il faut féliciter les concepteurs qui ont réussi à aménager l'espace arrière en tenant compte de la longue batterie NiMH du système hybride. On apprécie la facilité d'accès aux places arrière et on remarque également que les dossiers de ces sièges sont rabattables tout en étant confortables. La visibilité est excellente et, grâce à la vitre verticale du hayon, les manœuvres de recul sont aisées.

Les comparaisons avec la traditionnelle voiture à essence ne s'arrêtent pas là car le comportement routier de la Prius est digne des voitures vedettes de cette catégorie. Les temps d'accélération et de reprises sont dans la moyenne et très constants puisque la transmission CVT travaille admirablement bien. Le freinage est très puissant, gracieuseté du système hybride qui en profite pour recharger la batterie. Malgré une carrosserie aérodynamique, on s'aperçoit que la voiture est très sensible aux vents frontaux et latéraux et il est parfois ardu de garder le cap.

Le plaisir de rouler sous les 4 litres aux 100 kilomètres s'avère une agréable sensation. Cependant, avec un prix d'achat aussi élevé, il est facile de calculer qu'une Yaris permettrait de meilleures économies en fin de compte. Les coûts reliés au système hybride sont également à prendre en considération alors qu'il réside encore trop d'inconnues. On fait alors l'achat d'une Prius pour satisfaire sa conscience environnementale... Au fait, opter pour la location semble pour l'instant la meilleure alternative.

Guy Desjardins

Photos : Toyota

VÉHICULE D'ESSAI

SIRIUS RADIO SATELLITE

Version :	Toyota Prius Edition Spéciale
Moteur :	4L de 1,5 litre 16s atmosphérique
Puissance :	110 ch (82 kW) à 5 000 tr/min
Couple :	82 lb-pi (111 Nm) à 4 200 tr/min
Rapport poids/puissance :	12,13 kg/ch (16,28 kg/kW)
Transmission :	CVT
Rouage :	traction
0-100 km/h · 80-120 km/h :	10,9 s · 8,1 s
Freinage 100-0 km/h :	44,4 m
Vitesse maximale :	170 km/h
Consommation (100 km) :	ordinaire, 4,0 litres
Autonomie approximative :	1 125 km
Émissions de CO2 :	1 968 kg/an
Emp/Lon/Lar/Haut (mm) :	2 700 / 4 445 / 1 725 / 1 475
Coffre/Réservoir :	456 / 45 litres
Nombre de coussins de sécurité :	6
Suspension avant :	indépendante, jambes de force
Suspension arrière :	demi-ind, poutre déformante
Freins av./arr. :	disque (ABS)
Antipatinage/Contrôle de stabilité :	oui / opt.
Direction :	à crémaillère, assistance variable
Diamètre de braquage :	10,4 m
Pneus av./arr. :	P185/65R15
Poids :	1 335 kg
Capacité de remorquage :	non recommandé

AUTRE(S) COMPOSANTE(S) MÉCANIQUE(S)

Système hybride :	Technologie HSD (Hybrid Synergy Drive). Moteur essence 76 ch. Moteur élect. 67 ch, 295 lb-pi entre 0 et 1200 tr/min. Puissance totale nette 110 ch. Batteries Métal-nickel hydrure, 201,6 Volt
Moteur diesel :	aucun
Taxe énergivore :	aucune
Autre(s) moteur(s) :	aucun
Autre(s) rouage(s) :	aucun
Autre(s) transmission(s) :	aucune

EN BREF

Échelle de prix :	27 600 $ à 33 380 $
Catégorie :	*hatchback*
Garanties :	3 ans/60 000 km, 5 ans/100 000 km
Assemblage :	Toyota City, Japon
Cote d'assurance :	moyenne

DANS LA MÊME CATÉGORIE

Honda Civic Hybride

NOS IMPRESSIONS

Agrément de conduite :	3 ½
Fiabilité :	4 ½
Sécurité :	4
Qualités hivernales :	3
Espace intérieur :	4
Confort :	4

DU NOUVEAU EN 2009

Modifications de détails

SANS COMPLEXE

Certains d'entre vous se souviennent sans doute de la première génération de ce modèle, un véhicule qui ressemblait davantage à un jouet qu'à un VUS. D'ailleurs, son groupe propulseur avait de la difficulté à grimper la moindre petite côte. Mais comme c'est souvent le cas chez les constructeurs nippons, on continue d'améliorer le produit jusqu'à trouver la bonne recette. Cela me semble le cas avec la présente génération du Rav4 qui propose un bel équilibre tant du point de vue de ses dimensions que de ses capacités sur route et hors route.

En fait, il s'agit de l'éternel problème du verre à moitié plein ou à moitié vide. Plusieurs se plaignent que ce modèle est devenu trop corpulent pour cette catégorie tandis que d'autres le voient comme un succédané intéressant à un modèle plus gros et plus énergivore, le 4Runner par exemple. Il est vrai que, contrairement à notre modèle d'essai, ce dernier est un authentique 4X4 capable d'affronter les pires conditions dans la forêt, mais pour la plupart des gens, un véhicule compact comme le Rav4 devrait suffire amplement.

UN AIR DE FAMILLE

Même si j'ai comparé le Rav4 au 4Runner, le premier s'apparente beaucoup plus au Highlander et possède comme celui-ci une caisse monocoque. Si vous vous amusez à placer les photos de ces deux modèles côte à côte, vous allez trouver que les stylistes se sont fortement inspirés du RAV4 pour dessiner le Highlander. Et même si les designers de Toyota n'ont pas toujours eu le coup de crayon heureux, cette fois-ci, ils ont réalisé un bel équilibre. Il faut croire que les dimensions songées de ce modèle leur ont permis d'offrir une certaine élégance.

On peut dire la même chose de l'habitacle. Alors que généralement les tableaux de bord de Toyota sont souvent trop dépouillés, cette fois-ci la console centrale abritant toutes les commandes se démarque de façon avantageuse. De plus, ces commandes sont faciles d'accès et d'utilisation. Les cadrans indicateurs cerclés d'argent s'agencent fort bien à la présentation générale et leur consultation est facile. Toutefois, on aurait pu se forcer un peu plus pour trouver un volant qui s'apparente mieux à sa présentation. Heureusement, la position de conduite est correcte.

IMPECCABLE

Comme c'est toujours le cas chez Toyota, la qualité de la finition et de l'assemblage est impeccable. Par contre, les tissus choisis pour habiller les sièges pourraient être de meilleure qualité. L'habitabilité est bonne, ce qui permet aux occupants des places avant et arrière de prendre leurs aises. Il faut également souligner que la banquette arrière est réglable, tandis que le dossier est inclinable. En plus, comme avec le Mitsubishi Outlander, il est possible de commander une troisième rangée de sièges. Celle-ci, vous vous en doutez bien, n'est pas d'un grand confort mais elle est acceptable.

À l'instar de plusieurs autres utilitaires asiatiques, l'accès à la soute à bagages se fait par l'intermédiaire d'une porte dont les pentures

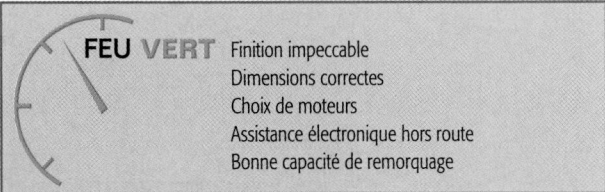

FEU VERT
- Finition impeccable
- Dimensions correctes
- Choix de moteurs
- Assistance électronique hors route
- Bonne capacité de remorquage

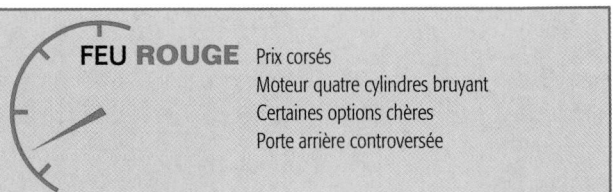

FEU ROUGE
- Prix corsés
- Moteur quatre cylindres bruyant
- Certaines options chères
- Porte arrière controversée

sont ancrées du côté droit. Cette configuration n'est pas toujours commode, par exemple lorsqu'un véhicule est stationné tout près du vôtre. Et pour compléter le tout, le pneu de rechange est boulonné à cette porte, ce qui la rend plus difficile à ouvrir et à refermer.

LA PLUS GROSSE CYLINDRÉE L'EMPORTE

Deux moteurs sont au catalogue. En version de base, ce modèle est équipé d'un moteur quatre cylindres de 2,4 litres d'une puissance de 166 chevaux et d'une boîte automatique à quatre rapports. En théorie, avec le prix du pétrole, cela devrait être la motorisation idéale. Malheureusement pour les écologistes, cette combinaison n'est pas vraiment économique par rapport au moteur V6 offert en option et dont la consommation est pratiquement semblable. Ce moteur est de plus couplé à une boîte automatique à cinq rapports, ce qui assure de meilleures performances et un niveau sonore inférieur.

Mais comme toute bonne chose a un revers, la version équipée du moteur six cylindres se vend vraiment beaucoup plus cher. De plus, certains affirment que la version à moteur quatre cylindres est plus agile et que son comportement routier est supérieur. Si vous prévoyez par contre utiliser ce véhicule pour rouler souvent hors route, votre choix se portera sans doute sur le moteur V6, la seule version à proposer la commande d'assistance de démarrage en pente et d'assistance en descente.

Il est vrai que ce modèle équipé de tous ces accessoires se vend presque au prix d'une version de base d'un modèle plus gros. À vous de décider si vous avez besoin de plus d'espace ou encore de plus de puissance par rapport à un modèle plus agile, moins lourd et consommant moins tout en offrant pratiquement le même confort.

Denis Duquet

Photos: Toyota

VÉHICULE D'ESSAI

SIRIUS RADIO SATELLITE

Version :	Toyota RAV4 Sport
Moteur :	V6 de 3,5 litres 24s atmosphérique
Puissance :	269 ch (201 kW) à 6 200 tr/min
Couple :	246 lb-pi (334 Nm) à 4 700 tr/min
Rapport poids/puissance :	5,92 kg/ch (7,92 kg/kW)
Transmission :	automatique, 5 rapports
Rouage :	intégral
0-100 km/h · 80-120 km/h :	8,0 s · 6,3 s
Freinage 100-0 km/h :	41,0 m
Vitesse maximale :	185 km/h
Consommation (100 km) :	ordinaire, 11,4 litres
Autonomie approximative :	526 km
Émissions de CO2 :	4 608 kg/an
Emp/Lon/Lar/Haut (mm) :	2 660 / 4 600 / 1 815 / 1 745
Coffre/Réservoir :	678 à 2 073 / 60 litres
Nombre de coussins de sécurité :	6
Suspension avant :	indépendante, jambes de force
Suspension arrière :	indépendante, multibras
Freins av./arr. :	disque (ABS)
Antipatinage/Contrôle de stabilité :	oui / oui
Direction :	à crémaillère, assistance variable électrique
Diamètre de braquage :	11,4 m
Pneus av./arr. :	P235/55R18
Poids :	1 593 kg
Capacité de remorquage :	1 587 kg

AUTRE(S) COMPOSANTE(S) MÉCANIQUE(S)

Système hybride :	aucun
Moteur diesel :	aucun
Taxe énergivore :	aucune
Autre(s) moteur(s) :	4L de 2,4 litres 166 ch/165 lb-pi (10,1 l/100 ordinaire)
Autre(s) rouage(s) :	aucun
Autre(s) transmission(s) :	automatique, 4 rapports

EN BREF

Échelle de prix :	26 050 $ à 34 890 $ (2008)
Catégorie :	VUS compact
Garanties :	3 ans/60 000 km, 5 ans/100 000 km
Assemblage :	Toyota City, Japon
Cote d'assurance :	pauvre

DANS LA MÊME CATÉGORIE

Chevrolet Equinox, Ford Escape, Honda CR-V, Hyundai Santa Fe, Kia Sorento, Land Rover LR2, Mazda Tribute, Mitsubishi Outlander, Pontiac Torrent, Saturn VUE, Suzuki Grand Vitara

NOS IMPRESSIONS

Agrément de conduite :	3 ½
Fiabilité :	4 ½
Sécurité :	4
Qualités hivernales :	4
Espace intérieur :	4
Confort :	4

DU NOUVEAU EN 2009

Aucun changement majeur

LE *BAD BOY* JAPONAIS

Les brutes ont beau avoir mauvaise presse, il se trouve toujours plusieurs personnes pour les admirer. On aime ce je-m'en-foutisme qui va totalement à l'encontre du politiquement correct. Souvent parce que soi-même, on n'a pas le courage de nos convictions. Pourquoi pensez-vous que les rockers attirent autant les regards envieux? Transposés dans le domaine de l'automobile, ces rockers s'appellent Mustang ou Viper. Ou Sequoia, cet immense véhicule qui, vu le prix de l'essence, s'en va droit en enfer à force de trop pécher. Mais il s'en fout, il a du fun!

Plus gros qu'un Cadillac Escalade ou qu'un Hummer H2 (en fait, seul un Ford Expedition MAX peut lui tenir tête au niveau des dimensions), le Toyota Sequoia ne fait pas dans la dentelle. Renouvelé cette année, question de relever des ventes qui baissaient à vue d'œil, Toyota a donné à son plus gros véhicule les moyens de ses ambitions. Tant qu'à refaire le véhicule, se sont dit les gens de chez Toyota, on va le refaire pas à peu près! Enfin, c'est ce que j'ai cru comprendre, mon japonais étant plutôt restreint...

DU TUNDRA DANS LE NEZ

Comme pour la génération précédente, on a pigé dans le stock de pièces du Toyota Tundra, une des plus imposantes camionnettes sur le marché. Le Tundra ayant été entièrement renouvelé l'année dernière, on pouvait donc compter sur une base moderne. Le châssis ne change donc pas, même si l'empattement a été réduit par rapport au Tundra à cabine ordinaire. On lui a aussi emprunté sa mécanique, ses mécaniques plutôt. Pour la version SR5, on retrouve un V8 de 4,7 litres mais, si vous voulez mon avis, c'est uniquement pour pouvoir offrir le Sequoia à un prix moindre. De l'avis même de Toyota, à peine 15 % des Sequoia vendus auront le «petit» 4,7 litres qui peut tout de même remorquer jusqu'à 3 400 kilos (7 500 livres).

L'autre moteur est un V8 de 5,7 litres de 381 chevaux et 401 livres-pied de couple qui prend place dans les modèles Limited et Platinum. On est en droit de sourire quand on constate que le même moteur officie aussi dans le Lexus LX570 et qu'il y développe sept chevaux de plus et deux livres-pied de couple de plus. Question de prestige! Pour en revenir au Sequoia, qui a beau peser trois tonnes, ses performances sont tout simplement éblouissantes. Le V8 réussit à arracher le Sequoia de sa position stationnaire jusqu'à 100 km/h en 8,2 secondes à peine! Les reprises sont du même acabit, le tout accompagné de la belle sonorité que seul un V8 peut produire. Ce 5,7 litres a droit au calage variable des soupapes d'admission et d'échappement et, combiné à une transmission automatique à six rapports au lieu de cinq seulement pour le 4,7 litres, offre une meilleure consommation d'essence que ce dernier moteur.

À DÉFAUT D'UN BULLDOZER, UN SEQUOIA!

Les Américains ont droit à une version propulsion (roues arrière motrices) du Sequoia mais les Canadiens, qui s'y connaissent en matière de mauvaises routes, n'ont d'autre choix que le rouage 4x4. Ce système, sans être aussi sophistiqué que celui du cousin de chez Lexus, le LX570, se montre pourtant intraitable lorsque vient le temps de franchir un sentier en bien piètre état. Un essai, lors du lancement du Sequoia en

FEU VERT
- Excellente fiabilité
- Capacités hors route impressionnantes
- Moteur 5,7 litres performant
- Prix à la baisse
- Habitacle confortable

FEU ROUGE
- Consommation démesurée
- Dimensions gênantes
- Moteur 4,7 litres mal adapté
- Direction floue

janvier dernier, est venu à bout de nos dernières réticences. On peut même désactiver les coussins gonflables pour être sûr qu'ils n'éclateront pas à la moindre manœuvre très brusque. Il faut savoir que ce VUS s'adresse avant tout à des entrepreneurs en construction qui doivent souvent se rendre sur des chantiers boueux. Pas question pour eux de perdre du temps à courir les remorqueuses pour sortir un véhicule d'une impasse. Et surtout pas question d'entendre rire les gars... Si un Sequoia s'enlise, nul doute que la remorqueuse en fera autant. Aussi bien demander tout de suite l'aide d'un bulldozer.

Puisque son châssis et les principales composantes proviennent de la camionnette Tundra, le Sequoia se comporte sur la route un peu comme un Tundra avec une boîte fermée. Dans les deux cas, les suspensions s'avèrent confortables à condition d'aimer la mollesse. Par contre, une série de trous a tôt fait de les déstabiliser. Ce n'est jamais dangereux et le lever du pied droit se fait comme par magie. Quant au volant, il affiche un certain flou au centre, ce qui est le propre d'un VUS de grand format équipé d'un rouage 4x4. Soulignons un rayon de braquage très court.

Le Sequoia a été conçu pour le travail dur et cela paraît dans l'habitacle. Tout y est surdimensionné : les poignées de maintien placées sur les piliers A, les boutons du module de chauffage/climatisation si gros qu'ils peuvent être manipulés avec des gants, les espaces de rangement nombreux, la console centrale où l'on peut mettre des dossiers et un ordinateur portable, les sièges pouvant accueillir la plupart des physiques américains, le système audio de très bonne qualité, l'instrumentation très complète, tout quoi ! Les sièges avant sont confortables, tout comme ceux de la deuxième rangée. Ces sièges coulissent sur environ un pied, ce qui permet d'accommoder toutes les grandeurs. L'espace n'y est donc jamais compté. Ceux de la troisième rangée font, eux aussi, preuve de confort mais dans une moindre mesure, ces places ne servant de dépanneur qu'à l'occasion.

Il est assez ironique de penser que Toyota propose un véhicule aussi indécent que le Sequoia sur les terres américaines. Cependant, le numéro un japonais n'aura pas réussi mieux que les manufacturiers américains, les maîtres du gros *truck*, sur leur marché. Au moins, Toyota peut compter sur ses petites voitures pour continuer à prospérer.

Alain Morin

Photos : Toyota

VÉHICULE D'ESSAI

Version :	Toyota Sequoia Limited
Moteur :	V8 de 5,7 litres 32s atmosphérique
Puissance :	381 ch (284 kW) à 5 600 tr/min
Couple :	401 lb-pi (544 Nm) à 3 600 tr/min
Rapport poids/puissance :	7,12 kg/ch (9,55 kg/kW)
Transmission :	automatique, 6 rapports
Rouage :	4x4
0-100 km/h · 80-120 km/h :	8,2 s · 6,0 s
Freinage 100-0 km/h :	43,0 m
Vitesse maximale :	195 km/h
Consommation (100 km) :	ordinaire, 16,3 litres
Autonomie approximative :	613 km
Émissions de CO2 :	6 720 kg/an
Emp/Lon/Lar/Haut (mm) :	3 100 / 5 210 / 2 030 / 1 920
Coffre/Réservoir :	800 à 3 420 / 100 litres
Nombre de coussins de sécurité :	6
Suspension avant :	indépendante, bras inégaux
Suspension arrière :	indépendante, multibras
Freins av./arr. :	disque (ABS)
Antipatinage/Contrôle de stabilité :	oui / oui
Direction :	à crémaillère, assistance variable
Diamètre de braquage :	12,9 m
Pneus av./arr. :	P375/55R20
Poids :	2 714 kg
Capacité de remorquage :	3 400 kg

AUTRE(S) COMPOSANTE(S) MÉCANIQUE(S)

Système hybride :	aucun
Moteur diesel :	aucun
Taxe énergivore :	2 000 $
Autre(s) moteur(s) :	V8 de 4,7 litres 276 ch/313 lb-pi (16,1 l/100 ordinaire) (SR5)
Autre(s) rouage(s) :	aucun
Autre(s) transmission(s) :	automatique, 5 rapports (SR5)

EN BREF

Échelle de prix :	44 675 $ à 59 900 $
Catégorie :	VUS grand format
Garanties :	3 ans/60 000 km, 5 ans/100 000 km
Assemblage :	Princeton, Indiana, É-U
Cote d'assurance :	n.d.

DANS LA MÊME CATÉGORIE

Chevrolet Tahoe, Chrysler Aspen, Dodge Durango, Ford Expedition, GMC Yukon, Hummer H2, Nissan Armada

NOS IMPRESSIONS

Agrément de conduite :	3 ½
Fiabilité :	4
Sécurité :	5
Qualités hivernales :	5
Espace intérieur :	5
Confort :	4 ½

DU NOUVEAU EN 2009

Nouveau modèle

MATURITÉ

Selon le grand public, l'offre, dans le créneau des fourgonnettes, est beaucoup moins importante qu'il y a quelques années. FAUX. Malgré Ford qui a laissé tomber ce marché, il reste tout de même un choix de neuf véhicules et un dixième s'ajoutera bientôt (Volkswagen Touran, basé sur la Chrysler Town & Country). Quoi qu'on en pense, l'acheteur a plus de choix lorsque vient le temps de magasiner une fourgonnette qu'une sous-compacte ! Ce qui est vrai, c'est que les ventes dans cette catégorie ont passablement diminué ces dernières années.

Toyota, le plus important manufacturier automobile au monde, se doit de figurer dans tous les créneaux du marché pour consolider son enviable position. Abandonner le marché malgré tout lucratif des fourgonnettes est donc exclu pour Toyota. La Sienna en est probablement rendue aux dernières années de sa deuxième génération. Elle est désormais mature et sûre d'elle, si l'on peut dire ça d'une voiture !

Pour 2009, on ne retrouve aucun changement majeur et c'est tant mieux. La Sienna affiche toujours sa sobre mais jolie gueule et une qualité de fabrication indéniable. Dans ce créneau, les constructeurs sont tous plus conservateurs les uns que les autres. La comparaison des fiches techniques nous apprend que toutes les fourgonnettes ont à peu près les mêmes dimensions, des moteurs de même cylindrée (à trois ou quatre dixièmes près), etc. La principale concurrente de la Sienna demeure la Honda Odyssey et on pourrait quasiment échanger leurs fiches techniques que ça ne paraîtrait pas ! Ce que l'une concède à l'autre sur un point, elle le reprend ailleurs.

HEY, IL Y A UN MOTEUR DANS LA SIENNA !

Les deux fourgonnettes, par exemple, ont droit à un V6 de 3,5 litres, développant 266 chevaux et 245 livres-pied de couple pour la Sienna. Ce moteur, aussi souple que discret, sauf en accélération, sied parfaitement au caractère placide de la Sienna tout en étant un des plus économiques de la catégorie. On lui a boulonné une transmission automatique à cinq rapports au fonctionnement exemplaire. Là où la fiche technique de la Sienna marque un net avantage sur l'Odyssey, c'est au chapitre des rouages. Alors que la Honda n'arrive qu'en version traction (roues avant motrices), la Toyota peut recevoir, moyennant un supplément d'environ 5 000 $, un rouage intégral. Fait à noter, il n'est pas besoin de devoir commander une version ultra équipée pour avoir droit à l'intégrale. Une version de base LE peut en être munie. Cette intégrale n'autorise pas une conduite sur circuit ou sur des sentiers défoncés mais rehausse le niveau de sécurité sur chaussée à faible coefficient de friction. Quand on sait qu'une fourgonnette sert souvent au transport d'enfants, voilà une option qui n'est pas à dédaigner, en dépit de sa consommation un peu plus élevée. Il faut toutefois savoir que cette version en est une à sept places alors qu'il est possible de commander une version à roues avant motrices à sept ou huit places. Au chapitre de la sécurité, la Sienna propose six coussins gonflables dont des rideaux qui font toute la longueur de l'habitacle.

FEU VERT
- Style extérieur réussi
- Fiabilité heureuse
- Habitacle très spacieux
- Mécanique adéquate
- Version intégrale

FEU ROUGE
- Prix très élevé
- Conduite assez ordinaire, merci
- Poids élevé
- Intégrale oblige des pneus run flat
- Sièges chauffants sur une seule version

Dans tous les cas, cependant, la conduite n'a rien de sportif. La direction est passablement déconnectée de la réalité et elle pourrait s'avérer un peu plus directe que personne ne s'en plaindrait. Les suspensions sont indéniablement axées sur le confort. Malgré tout, lorsque conduite comme se doit de l'être une fourgonnette, pas un conducteur n'aura de frayeurs à son volant.

CONVIVIALITÉ À L'HONNEUR

Comme toute bonne fourgonnette qui se respecte, la Sienna propose un habitacle fourmillant de porte-gobelets, d'espaces de rangement, de sièges et de buses de ventilation. Le tableau de bord est joli et généralement bien agencé mais il n'est pas aussi bien réussi que celui de l'Odyssey. Encore une fois, c'est le côté pratique qui domine. Les plastiques, souvent d'apparence modeste, dominent aussi... Si les sièges avant sont des plus confortables, ceux de la deuxième rangée font preuve d'un peu plus de dureté. Dans la version huit places, on retrouve ce que Toyota appelle une banquette à trois places. Personnellement, j'y vois deux places confortables et une troisième, aussi impressionnante qu'un 2x4 pas sablé. Quant à la troisième rangée de sièges, deux adultes pourront s'y sentir à l'aise à condition d'avoir la collaboration des personnes assises devant. On souhaiterait cependant que les portes latérales coulissantes ouvrent un peu plus grand pour améliorer l'accès aux places arrière. Les sièges de la troisième rangée se glissent dans le plancher pour offrir un meilleur espace de chargement et ceux de la deuxième rangée se replient sur eux-mêmes, ce qui est loin d'être aussi efficace que le système Stow N' Go de Dodge. Il y a toujours possibilité de les enlever pour obtenir un maximum d'espace mais leur poids et le fait qu'on finit invariablement par se blesser en les manipulant rendent cette option moins intéressante. En passant, toutes les Sienna essayées présentaient un hayon dur à refermer.

Il y aurait encore beaucoup de choses à dire mais, en fin de compte, pas grand-chose à dire... Nous pourrions parler longuement sur les différents accessoires et équipements de chacune des huit (oui 8!) versions mais on peut faire le tour rapidement en disant simplement que sans égard pour son prix très élevé, la Sienna demeure la meilleure fourgonnette sur le marché, sur un pied d'égalité avec la Honda Odyssey.

Alain Morin

Photos : Toyota

VÉHICULE D'ESSAI

SIRIUS RADIO SATELLITE

Version :	Toyota Sienna CE 8 places
Moteur :	V6 de 3,5 litres 24s atmosphérique
Puissance :	266 ch (198 kW) à 6 200 tr/min
Couple :	245 lb-pi (332 Nm) à 4 700 tr/min
Rapport poids/puissance :	7,19 kg/ch (9,67 kg/kW)
Transmission :	automatique, 5 rapports
Rouage :	traction
0-100 km/h · 80-120 km/h :	9,8 s · 8,1 s
Freinage 100-0 km/h :	45,0 m
Vitesse maximale :	200 km/h
Consommation (100 km) :	ordinaire, 11,7 litres
Autonomie approximative :	675 km
Émissions de CO2 :	4 848 kg/an
Emp/Lon/Lar/Haut (mm) :	3 030 / 5 105 / 1 965 / 1 750
Coffre/Réservoir :	1 240 à 4 219 / 79 litres
Nombre de coussins de sécurité :	6
Suspension avant :	indépendante, bras inégaux
Suspension arrière :	essieu rigide, ressorts hélicoïdaux
Freins av./arr. :	disque, tambour (ABS)
Antipatinage/Contrôle de stabilité :	oui / oui
Direction :	à crémaillère, assistée
Diamètre de braquage :	11,2 m
Pneus av./arr. :	P215/65R16
Poids :	1 915 kg
Capacité de remorquage :	1 587 kg

AUTRE(S) COMPOSANTE(S) MÉCANIQUE(S)

Système hybride :	aucun
Moteur diesel :	aucun
Taxe énergivore :	aucune
Autre(s) moteur(s) :	aucun
Autre(s) rouage(s) :	intégral
Autre(s) transmission(s) :	aucune

EN BREF

Échelle de prix :	28 990 $ à 50 370 $
Catégorie :	fourgonnette
Garanties :	3 ans/60 000 km, 5 ans/100 000 km
Assemblage :	Georgetown, Kentucky, É-U
Cote d'assurance :	passable

DANS LA MÊME CATÉGORIE

Chevrolet Uplander, Chrysler Town&Country, Dodge Grand Caravan, Honda Odyssey, Hyundai Entourage, Kia Sedona, Nissan Quest, Pontiac Montana SV6

NOS IMPRESSIONS

Agrément de conduite :	3 ½
Fiabilité :	4 ½
Sécurité :	4
Qualités hivernales :	4
Espace intérieur :	4
Confort :	4

DU NOUVEAU EN 2009

Aucun changement majeur

ÉCONOME ET MONOTONE...

Par les temps qui courent, les voitures sous-compactes ont la cote et, malgré une solide rivalité dans ce créneau, il faut avouer que Toyota y occupe une place de choix avec sa Yaris, feu la Echo. Le constructeur a su proposer une voiture dotée d'une fiabilité pratiquement à toute épreuve et affichant l'une des meilleures cotes de consommation dans sa catégorie. Cependant, la Yaris n'est pas offerte au rabais, si on la compare à d'autres concurrentes, et son comportement n'a rien pour vous donner des frissons.

Outre la Yaris, on retrouve parmi les sous-compactes quelques choix intéressants, dont la Honda Fit, qui se distingue notamment par un plaisir de conduite un peu plus relevé; Hyundai avec sa Accent et Kia avec la Rio y font bonne figure également. Cependant, les constructeurs américains mettent du temps à nous proposer des modèles réellement compétitifs. Avec la popularité sans cesse grandissante des sous-compactes, cela ne saurait tarder. Le véhicule de l'heure pour le moment est sans contredit la Nissan Versa, qui se révèle une bonne rivale de la Yaris tout en étant un peu plus abordable.

BERLINE ET FAMILIALE

Afin de combler divers besoins, la Yaris est proposée en versions à quatre portes ou familiale à trois et cinq portes. Voilà une tendance à la mode puisque Nissan et Suzuki ont opté pour ces deux configurations dans le cas de la Versa et de la SX4. Au chapitre de la motorisation, tous les modèles reçoivent un moteur quatre cylindres VVT-I de 1,5 litre qui développe 106 chevaux à 6 000 tours/minute pour un couple de 103 livres-pied à 4 200 tours/minute, le tout combiné à une boîte manuelle à cinq rapports offerte de série. Voilà qui n'est pas surpuissant, mais si on considère que la Yaris est une citadine avant tout, cette puissance suffit. Vous pourrez également opter pour une boîte automatique à quatre rapports moyennant un léger supplément, mais il est fortement conseillé de rester avec la boîte manuelle puisqu'elle permet de tirer un peu mieux profit de la puissance disponible. Au chapitre des équipements de base, on retrouve notamment une colonne de direction réglable en hauteur, un lecteur CD, des essuie-glace intermittents ainsi que quelques espaces de rangement incluant deux coffres à gants. Par contre, on aurait bien aimé pouvoir ajuster le siège en hauteur.

Si la Yaris propose un prix de base plus qu'attrayant, sachez qu'un bon nombre d'équipements intéressants ou améliorant la sécurité du véhicule sont relégués au catalogue des options ou offerts de série dans les modèles mieux nantis. On se retrouve alors avec un prix plus élevé pour une voiture correspondant à la majeure partie de nos besoins. Voilà un des principaux éléments où la concurrence fait mal à la Yaris

STYLISÉE, LA YARIS

À l'extérieur, la Yaris *hatchback* affiche un style moderne et attrayant. Pour 2009, on note quelques modifications esthétiques, notamment la grille avant et le pare-choc. En fait, elle est très jolie, chose assez rare chez une sous-compacte. Tous les modèles sont dotés de pare-chocs

FEU VERT
- Fiabilité reconnue
- Moteur frugal
- Qualité d'assemblage
- Modèle à hayon stylisé

FEU ROUGE
- Tableau de bord de la berline moins attrayant
- Plusieurs équipements optionnels
- Boîte automatique moins efficace
- Direction un peu floue

de couleur assortie, un autre bon point. Créée dans les studios européens de Toyota, la Yaris se remarque par ses porte-à-faux très courts à l'avant et sa posture bien campée. Ce design en fait une véritable voiture passe-partout, très pratique en zone urbaine. De son côté, la berline offre un style beaucoup plus classique et somme toute moins attrayant. Cependant, on peut adresser le même reproche à la concurrence puisqu'il semble que ce soit bien souvent le lot des berlines sous-compactes.

Le tableau de bord offre une finition soignée et l'assemblage demeure sans faille. Les commandes sont bien positionnées et le tout est ergonomique. Seul petit aspect négatif à ce chapitre, on cherche constamment où placer le pied gauche en raison d'un espace plus restreint et d'une bosse sous le tapis. On aurait apprécié un repose-pied. L'aménagement du tableau de bord favorise également l'espace intérieur, mais j'ai toujours de la difficulté à m'habituer avec la localisation de l'instrumentation au centre. Toutefois, cette disposition améliore la visibilité à l'avant.

ÉCONOME...

Sur la route, la Yaris présente un comportement agréable et surprenant pour une voiture sous-compacte. La boîte manuelle favorise l'économie d'essence tout en maximisant les performances du moteur. Par contre, l'embrayage est très haut et mord rapidement; il faudra s'adapter afin d'éviter le calage. Les 106 chevaux du moteur suffisent bien à la tâche. L'ajout du système de calage variable des soupapes favorise le couple à bas régime, ce qui permet de lancer la voiture plus rapidement lors de manœuvres de dépassement. Malgré tout, la Yaris n'offre pas une conduite enlevante, surtout en présence de la boîte automatique. On n'a pas le sentiment qu'elle transmet bien les sensations de la route.

Cependant, on oublie vite les quelques petits désagréments de la Yaris lorsque l'on visite la station-service. Cette voiture est vraiment frugale. J'ai obtenu une consommation d'environ 6,5 litres aux 100 km en conduite combinée, et ce, sans adopter une conduite des plus efficaces. La Yaris représente donc un bon moyen de contrer les hausses fulgurantes du prix de l'essence, sans trop de concessions.

Sylvain Raymond

Photos: Toyota

VÉHICULE D'ESSAI

Version:	Toyota Yaris hatchback 5 portes
Moteur:	4L de 1,5 litre 16s atmosphérique
Puissance:	106 ch (79 kW) à 6000 tr/min
Couple:	103 lb-pi (140 Nm) à 4200 tr/min
Rapport poids/puissance:	9,92 kg/ch (13,31 kg/kW)
Transmission:	manuelle, 5 rapports
Rouage:	traction
0-100 km/h · 80-120 km/h:	11,5 s · 11,7 s
Freinage 100-0 km/h:	41,0 m
Vitesse maximale:	180 km/h
Consommation (100 km):	ordinaire, 6,9 litres
Autonomie approximative:	608 km
Émissions de CO2:	3024 kg/an
Emp/Lon/Lar/Haut (mm):	2460 / 3825 / 1695 / 1525
Coffre/Réservoir:	228 à 950 / 42 litres
Nombre de coussins de sécurité:	2
Suspension avant:	indépendante, jambes de force
Suspension arrière:	demi-ind, poutre déformante
Freins av./arr.:	disque, tambour (ABS, opt.)
Antipatinage/Contrôle de stabilité:	non/non
Direction:	à crémaillère, assistée
Diamètre de braquage:	9,4 m
Pneus av./arr.:	P175/65R14
Poids:	1052 kg
Capacité de remorquage:	non recommandé

AUTRE(S) COMPOSANTE(S) MÉCANIQUE(S)

Système hybride:	aucun
Moteur diesel:	aucun
Taxe énergivore:	aucune
Autre(s) moteur(s):	aucun
Autre(s) rouage(s):	aucun
Autre(s) transmission(s):	automatique, 4 rapports

EN BREF

Échelle de prix:	13165$ à 19335$ (2008)
Catégorie:	berline compacte, *hatchback*
Garanties:	3 ans/60000 km, 5 ans/100000 km
Assemblage:	Nagakusa, Japon
Cote d'assurance:	passable

DANS LA MÊME CATÉGORIE

Chevrolet Aveo, Honda Fit, Hyundai Accent, Kia Rio, Nissan Versa, Pontiac Wave, Suzuki Swift+

NOS IMPRESSIONS

Agrément de conduite:	3½
Fiabilité:	4½
Sécurité:	3½
Qualités hivernales:	3½
Espace intérieur:	3½
Confort:	3

DU NOUVEAU EN 2009

Aucun changement majeur

VOLKSWAGEN GOLF/JETTA CITY

POURVU QUE ÇA DURE !

L'idée était audacieuse: maintenir sur le marché les deux modèles compacts de la compagnie et les vendre à un prix de sous-compacte pendant que leur modèle de remplacement venait s'installer dans les salles de démonstration. Règle générale, lorsqu'on adopte une telle politique, les modèles plus anciens sont dépassés tant sur le plan de l'esthétique, de la mécanique que du comportement routier. Pourtant, les Golf et Jetta City permettent aux personnes qui ont un petit budget de profiter de voitures fort agréables à conduire et qui de plus, sont des exclusivités canadiennes.

Mieux encore, au lieu de nous proposer des versions qui se déglinguent au fil des années, la direction de Volkswagen Canada a même apporté plusieurs améliorations à ces deux modèles l'an dernier. Assemblés au Mexique, ces derniers ont bénéficié de plusieurs changements au chapitre des feux avant, des ailes, du capot, de la calandre et des pare-chocs. En plus, les cadrans indicateurs ont été modifiés et il en a été de même du tissu des sièges et du pavillon. Le moteur 2,0 litres a été reconduit, et il peut être couplé en option à une boîte automatique à six rapports de type Tiptronic. Elle remplace la boîte à quatre rapports qui était vraiment dépassée.

SOBRE ET EFFICACE

Les véhicules fabriqués par ce constructeur ont tous la même caractéristique, à savoir un habitacle fort bien agencé qui est à la fois confortable et pratique, sans décorations excessives. Même sur une voiture à vocation économique, la qualité des matériaux et de l'assemblage surprend. En outre, les cadrans indicateurs sont faciles à consulter et leur éclairage bleuté est vraiment une caractéristique qui se fait apprécier. Les sièges avant sont fermes, c'est une tradition chez Volkswagen, mais en plus d'offrir un excellent support latéral, ils sont très confortables même après plusieurs heures de route. Peu importe qu'il s'agisse du *hatchback* cinq portes, la Golf, ou de la berline, la Jetta, les places arrière sont assez accueillantes et laissent un bon dégagement pour la tête. Toutefois, c'est un peu juste pour les jambes.

Comme le prix de vente initial a été établi afin de défier toute concurrence à ce chapitre, l'équipement de série est correct, mais on ne nage pas dans le luxe. Si vous souhaitez équiper votre City en petite-bourgeoise, la liste des options est passablement étoffée.

Elle comprend, entre autres, les glaces à commande électrique, la climatisation, le toit ouvrant électrique, les roues en alliage, un programme de stabilisation électronique, des coussins gonflables latéraux avant et des écrans gonflables latéraux. La liste est presque interminable. Mais si l'on tombe dans l'excès d'options, le prix rejoindra probablement celui des Rabbit et Jetta de la nouvelle génération.

C'EST LE PILOTE QUI... PILOTE !

Le quatre cylindres 2,0 litres est associé de série à une transmission manuelle à cinq rapports. Ce moteur est utilisé depuis des temps presque immémoriaux par VW, mais il a prouvé sa valeur même si sa

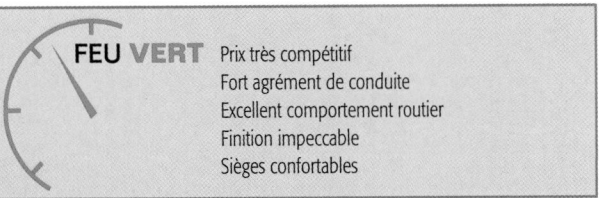

FEU VERT
- Prix très compétitif
- Fort agrément de conduite
- Excellent comportement routier
- Finition impeccable
- Sièges confortables

FEU ROUGE
- Moteur bruyant
- Consommation relativement élevée
- Valeur de revente inconnue
- Certaines options onéreuses
- Habitacle austère

consommation est relativement élevée pour la cylindrée. Heureusement, il s'abreuve d'essence ordinaire. Sa puissance de 115 équidés peut sembler modeste, mais c'est au moins l'égal de ce que l'on peut obtenir dans cette catégorie de prix. Associé à la boîte manuelle, qui est un délice à utiliser, ce petit moteur grogne en accélération, mais son rendement est intéressant surtout en raison de son couple qui se manifeste à bas régime.

Mais ce qui nous fait craquer pour ce duo, ce ne sont pas les performances elles-mêmes ou encore le rendement du moteur comme tel, mais bien un enchaînement de facteurs qui rendent la conduite fort agréable. Bénéficiant d'une position de conduite que l'on pourrait juger d'excellente, d'une direction précise et à l'assistance juste ce qu'il faut, le pilote de la voiture a la sensation d'être vraiment celui qui mène.

Ici, pas de suspension guimauve, pas de direction reliée à du caoutchouc, pas de levier de vitesses imprécis ou de pédalier mal agencé, en fait, c'est exactement le contraire. Tout cela s'harmonise pour nous offrir un agrément de conduite et une tenue de route qu'aucune autre voiture de cette catégorie ne peut surpasser.

Et cette description vaut aussi bien pour la Golf que pour la Jetta. Curieusement, ces deux voitures se démarquent l'une de l'autre par des commandes placées à des endroits différents, mais pour le reste c'est du pareil au même. À vous de savoir si vous avez besoin d'une voiture à hayon ou d'une berline traditionnelle.

Espérons que Volkswagen continuera de nous offrir ce duo pendant plusieurs années encore.

Denis Duquet

Photos: Volkswagen

VÉHICULE D'ESSAI

Version:	Volkswagen Golf City
Moteur:	4L de 2,0 litres 16s atmosphérique
Puissance:	115 ch (86 kW) à 5 200 tr/min
Couple:	122 lb-pi (165 Nm) à 2 600 tr/min
Rapport poids/puissance:	10,83 kg/ch (14,48 kg/kW)
Transmission:	manuelle, 5 rapports
Rouage:	traction
0-100 km/h · 80-120 km/h:	10,4 s · 7,7 s
Freinage 100-0 km/h:	39,2 m
Vitesse maximale:	190 km/h
Consommation (100 km):	ordinaire, 9,8 litres
Autonomie approximative:	561 km
Émissions de CO2:	4 128 kg/an
Emp/Lon/Lar/Haut (mm):	2 511 / 4 189 / 1 735 / 1 444
Coffre/Réservoir:	400 / 55 litres
Nombre de coussins de sécurité:	4
Suspension avant:	indépendante, jambes de force
Suspension arrière:	demi-indépendante, poutre déformante
Freins av./arr.:	disque (ABS)
Antipatinage/Contrôle de stabilité:	opt./opt.
Direction:	à crémaillère, assistée
Diamètre de braquage:	10,9 m
Pneus av./arr.:	P195/65R15
Poids:	1 246 kg
Capacité de remorquage:	454 kg

AUTRE(S) COMPOSANTE(S) MÉCANIQUE(S)

Système hybride:	aucun
Moteur diesel:	aucun
Taxe énergivore:	aucune
Autre(s) moteur(s):	aucun
Autre(s) rouage(s):	aucun
Autre(s) transmission(s):	automatique, 6 rapports

EN BREF

Échelle de prix:	15 300 $ à 16 900 $ (2008)
Catégorie:	*hatchback*/ berline compacte
Garanties:	4 ans/80 000 km, 5 ans/100 000 km
Assemblage:	Curitiba, Brésil
Cote d'assurance:	moyenne

DANS LA MÊME CATÉGORIE

Honda Fit, Mazda 3 Sport, Nissan Versa, Toyota Yaris

NOS IMPRESSIONS

Agrément de conduite:	4
Fiabilité:	3 ½
Sécurité:	4
Qualités hivernales:	3 ½
Espace intérieur:	4
Confort:	4

DU NOUVEAU EN 2009

Retouches esthétiques à la carrosserie, détails d'aménagement intérieur, nouvelle boîte automatique

À UN TOIT DE LA PERFECTION

Il y a une trentaine d'années, pour des raisons de sécurité, l'industrie américaine avait décidé de ne plus produire de cabriolets. Mais ce type de configuration, aussi vieille que l'automobile (et même plus si on considère que les carrioles à chevaux étaient à ciel ouvert) est vite revenu à la mode. Avec les années, technologie aidant, les manufacturiers ont trouvé le moyen de créer des toits rigides qui pouvaient se replier dans le coffre. Selon leurs documents de presse, il s'agit d'une importante révolution. Wow! Oh, en passant, Ford avait trouvé le truc en 1957 avec sa Fairlaine Skyliner...

L'idée de Volkswagen de présenter un coupé/cabriolet basé sur l'ancienne génération de la Rabbit (Golf) est fort logique. En prenant le châssis et la mécanique d'une voiture existante, les coûts de production diminuent considérablement. Et comme la Golf d'il y a quelques années s'avérait un plaisir à conduire, les consommateurs n'y perdent pas au change. Les Allemands font rarement les choses à moitié. Tant qu'à créer un toit rigide rétractable, ils en ont profité pour donner une leçon d'ingénierie aux autres manufacturiers. Ce qui explique sans doute que le toit rétractable de l'Eos intègre un toit ouvrant! Et pas un petit. Il fait toute la largeur et ouvre grand. On peut donc profiter d'une dose d'air frais même quand l'Eos est en configuration coupé. Une fois ouvert, cependant, il amène un niveau sonore passablement plus élevé dans l'habitacle.

HIVER COMME ÉTÉ

Quand le toit rétractable est relevé, les bruits de vent sont à peine audibles mais un essai par temps très froid a laissé entendre des craquements au niveau des montants du toit. Il lui faut 33 secondes pour se cacher dans le coffre et 36 pour se replacer. Comme de raison, lorsqu'il est remisé dans le coffre l'espace y est plus compté, passant de 300 litres (déjà pas beaucoup!) à 190. En passant, le seuil de ce coffre est élevé et son couvercle est dur à lever. Si le toit en métal est baissé, le bruit dans l'habitacle est bien contenu et il est possible d'y tenir une conversation sans trop élever la voix... pour autant que le pare-vent soit installé, condamnant ainsi les deux places arrière. Et pour y avoir fait un petit trajet, je peux confirmer qu'on ne perd pas grand-chose! Au fait, notre Eos d'essai comprenait une bâche servant à protéger l'habitacle, sans doute au cas où le mécanisme du toit refuserait de fonctionner. Très rassurant... L'habitacle respire la qualité et la fonctionnalité. Comme dans tout produit Volkswagen, les sièges sont confortables et la position de conduite se trouve rapidement, gracieuseté d'un volant réglable en hauteur et en profondeur. L'espace disponible est passablement vaste et, quand le toit est fermé, on ne s'y sent pas comme dans une jarre à biscuits. Le conducteur fait face à une instrumentation complète et bien disposée, joliment illuminée de bleu durant la nuit, comme c'est la coutume chez Volkswagen. Pareillement à la Rabbit dont l'Eos a repris le tableau de bord, tous les boutons et commandes tombent sous la main et la qualité des plastiques ne peut être prise en défaut. Détail agaçant; dans notre voiture d'essai les petites ganses servant à tenir les ceintures de sécurité proches des occupants des places avant étaient toujours décrochées, ce qui fait que lesdites ceintures étaient difficiles à atteindre.

FEU VERT
- Lignes attrayantes
- 2,0T bien adapté
- Utilisation quatre saisons
- Bel agrément de conduite
- Toit ouvrant dans le toit rétractable!

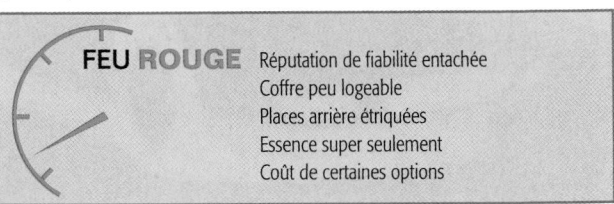

FEU ROUGE
- Réputation de fiabilité entachée
- Coffre peu logeable
- Places arrière étriquées
- Essence super seulement
- Coût de certaines options

BONHEUR MÉCANIQUE

Côté mécanique, un seul moteur est offert. Il s'agit d'un quatre cylindres 2,0 litres turbocompressé d'une puissance de 200 chevaux et 207 livres-pied de couple. Une transmission manuelle à six rapports ou une automatique à six rapports aussi s'occupe de transférer la cavalerie aux roues avant. Peu importe dans quel véhicule Volkswagen l'insère, ce moteur est l'un des plus agréables à exploiter, le temps de réponse du turbo étant pratiquement inexistant. De plus, la puissance est livrée de façon très linéaire. Cependant, comme pour tout moteur turbocompressé, il exige de l'essence super uniquement. Même si la manuelle est un charme à utiliser, l'automatique DSG se veut mieux adaptée au caractère placide de ce modèle. Cette boîte permet des changements de rapport très rapides, autant sur le mode manuel que sur l'automatique. Bien que l'automatique demande un déboursé supplémentaire assez important, il y a fort à parier que cet argent sera récupéré lors de la revente, les voitures à transmission automatique sont, dans notre partie du globe, toujours plus recherchées.

Le moteur est performant, l'habitacle invitant, le toit génial. Par contre, on sent quelques flexions du châssis, surtout lorsque le toit est baissé et qu'on roule sur des routes en mauvais état, ce qui ne manque pas chez nous. Les ingénieurs ont pourtant vu à rigidifier le châssis de l'ancienne Golf Cabrio qu'on retrouve aussi dans l'actuelle New Beetle Cabrio. Ayant conduit une Rabbit immédiatement après l'Eos, j'ai pu constater à quel point la plate-forme de la Rabbit était rigide. Mais comme l'Eos n'est pas une voiture sport qui demande à être pilotée à l'extrême limite, ce ne devrait pas être un problème majeur. Comme la plupart des produits Volkswagen, la Eos est toujours très agréable à conduire et le *feedback* de la direction est juste ce qu'il faut. Les accélérations et reprises sont vives et, même si on est en présence d'une puissante traction, l'effet de couple dans la direction est très bien maîtrisé. Par contre, la sonorité du moteur n'est jamais très enivrante. De tous les coupés/cabriolets présentement sur le marché, cette VW se veut l'une des plus intéressantes. Moins dispendieuse que les Volvo C70, Mercedes-Benz SLK et BMW Série 3 mais plus prestigieuxse que les Pontiac G6 et Chrysler Sebring, la Volkswagen Eos a tout pour plaire, en souhaitant que sa fiabilité ne laisse pas tomber ses propriétaires.

Alain Morin

Photos: Volkswagen

VÉHICULE D'ESSAI

Version :	Volkswagen Eos Comfortline
Moteur :	4L de 2,0 litres 16s turbocompressé
Puissance :	200 ch (149 kW) à 5 100 tr/min
Couple :	207 lb-pi (281 Nm) à 5 000 tr/min
Rapport poids/puissance :	8,36 kg/ch (11,37 kg/kW)
Transmission :	manuelle, 6 rapports
Rouage :	traction
0-100 km/h · 80-120 km/h :	7,5 s · 5,6 s
Freinage 100-0 km/h :	36,0 m
Vitesse maximale :	232 km/h
Consommation (100 km) :	super, 10,3 litres
Autonomie approximative :	533 km
Émissions de CO2 :	4 224 kg/an
Emp/Lon/Lar/Haut (mm) :	2 578 / 4 410 / 1 791 / 1 443
Coffre/Réservoir :	190 à 300 / 55 litres
Nombre de coussins de sécurité :	4
Suspension avant :	indépendante, jambes de force
Suspension arrière :	indépendante, multibras
Freins av./arr. :	disque (ABS)
Antipatinage/Contrôle de stabilité :	oui / oui
Direction :	à crémaillère, assistance variable
Diamètre de braquage :	10,9 m
Pneus av./arr. :	P235/45R17
Poids :	1 672 kg
Capacité de remorquage :	non recommandé

AUTRE(S) COMPOSANTE(S) MÉCANIQUE(S)

Système hybride :	aucun
Moteur diesel :	aucun
Taxe énergivore :	aucune
Autre(s) moteur(s) :	aucun
Autre(s) rouage(s) :	aucun
Autre(s) transmission(s) :	automatique, 6 rapports

EN BREF

Échelle de prix :	35 975 $ à 40 375 $ (2008)
Catégorie :	cabriolet
Garanties :	4 ans/80 000 km, 5 ans/100 000 km
Assemblage :	Setubal, Portugal
Cote d'assurance :	n.d.

DANS LA MÊME CATÉGORIE

Chrysler Sebring, Ford Mustang, Mini Cooper, Mitsubishi Eclipse/Spyder, Pontiac G6, Volvo C70

NOS IMPRESSIONS

Agrément de conduite :	3
Fiabilité :	3
Sécurité :	4
Qualités hivernales :	3 ½
Espace intérieur :	3 ½
Confort :	3 ½

DU NOUVEAU EN 2009

Phares Xénon bi-directionnels optionnels, système Dynaudio de 600 watts, aide au stationnement de série sur Comfortline

COMME ELLE A GRANDI !

La Jetta est une des voitures chouchou des acheteurs québécois depuis plus de deux décennies. Au gré des générations, sa cote et ses chiffres de ventes grimpent et redescendent. Une berline entièrement remodelée s'est pointée il y a trois ans déjà, mais c'est la toute nouvelle familiale et un moteur diesel turbocompressé à injection directe ultramoderne qui ont les meilleures chances de la faire grimper à nouveau rapidement au palmarès.

La nouvelle Jetta familiale est arrivée chez nous la première, au printemps dernier, et c'est vraisemblablement la série sur laquelle l'importateur Volkswagen fonde le plus d'espoir. Et parmi les différents modèles, ceux qui seront équipés dès l'automne de la plus récente version du quatre cylindres diesel turbocompressé à injection directe (TDI) de Volkswagen risquent d'être les plus populaires, dans le contexte actuel de hausses effrénées du prix des carburants.

UN DIESEL À LA FINE POINTE

Le nouveau moteur diesel produit 140 chevaux à 4000 tr/min et 235 lb-pi de couple à 1750 tr/min. Alimenté par rampe commune et injecteurs à haute pression, il a été développé pour satisfaire la norme antipollution BIN5/LEV2, la plus exigeante à l'heure actuelle. Au lieu d'avoir recours à l'injection d'urée comme certains concurrents, les ingénieurs de Wolfsburg y sont arrivés au moyen de nombreuses retouches aux composantes internes mais surtout grâce à un filtre sans entretien, fixé à la sortie du catalyseur et du filtre à particules, qui permet au moteur d'éliminer l'oxyde d'azote à environ 90 %. En plus d'être plus doux et raffiné, ce nouveau moteur réduirait la consommation de 30 %, selon ses créateurs. Les cotes officielles de la familiale Jetta TDI équipée de la boîte manuelle à 6 rapports sont de 6,8 L/100 km en ville et 4,8 L/100 km sur la route, avec une cote combinée de 5,9 L/100 km. Les cotes sont pratiquement identiques pour la boîte séquentielle DSG à 6 rapports et double embrayage automatisé. Pas mal, quand même, pour une familiale considérée comme une compacte, dont toutes les dimensions - sauf la longueur totale - sont supérieures à celles de la familiale Subaru Legacy, classée parmi les intermédiaires.

FAMILLE RECONSTITUÉE

La série Jetta grossit d'ailleurs presque du double avec le retour de la familiale. Berline et familiale partagent le même moteur de base ; le cinq cylindres en ligne de 2,5 litres, dont la puissance est passée à 170 chevaux l'an dernier. Il est livré de série avec une boîte manuelle à 5 rapports et une automatique à 6 rapports, le mode manuel Tiptronic est en option. La berline est également offerte, sur les modèles 2.0T et GLi, avec une version remaniée du quatre cylindres à essence turbocompressé de 2,0 litres TSi à injection d'essence « stratifiée », dont les données de puissance et de couple sont cependant inchangées, soit 200 chevaux à 5 100 tr/min et un solide 207 lb-pi à seulement 1 800 tr/min. Parmi les autres changements cette année, on peut souligner l'ajout d'un dispositif antirecul (*hill-start assist*) sur les modèles

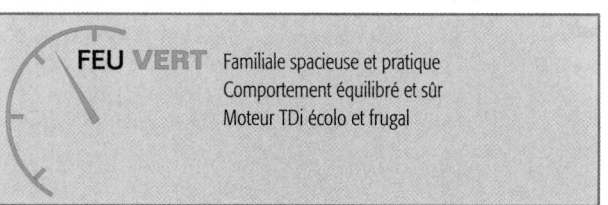

FEU VERT
- Familiale spacieuse et pratique
- Comportement équilibré et sûr
- Moteur TDi écolo et frugal

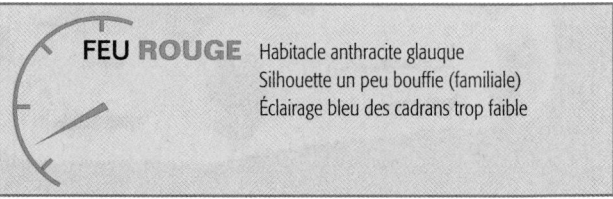

FEU ROUGE
- Habitacle anthracite glauque
- Silhouette un peu bouffie (familiale)
- Éclairage bleu des cadrans trop faible

équipés à la fois de la boîte DSG et de l'antidérapage (ESP). La berline a également droit à des rideaux latéraux gonflables en configuration de série. Les mêmes seront installés plus tard cette année dans la familiale. On peut aussi s'offrir un groupe sport qui comprend des phares au xénon, des phares d'appoint, des jantes d'alliage de 17 pouces et une suspension sport.

DESSINÉE DANS L'AIR DU TEMPS

Les rondeurs de la nouvelle familiale sont atypiques pour une Volkswagen. Au premier coup d'œil sur l'arrière, on croirait qu'il s'agit de la version familiale d'une berline japonaise. De l'avant, par contre, aucun doute possible avec cette grille de calandre verticale décorée d'un gros écusson VW. On met ensuite quelques secondes à réaliser qu'il s'agit d'une familiale Jetta et non une Passat, tellement elle est costaude à première vue. Cette impression se confirme en se glissant dans un habitacle très aéré et spacieux. Un grand hayon s'ouvre facilement, sur un espace de chargement d'assez bon volume, avec un grand rangement plat additionnel sous le plancher. On peut équiper la familiale d'un toit ouvrant vitré gigantesque qui fait presque toute la longueur et dont la partie avant s'ouvre entièrement. Un store blanc ajouré et rétractable vous protège acceptablement du soleil.

Aux commandes, pas de fantaisie inutile. L'ergonomie de conduite – volant, siège, repose-pied – est impeccable. Seule réserve : le réglage en hauteur du siège qui se fait en diagonale et demeure toujours un compromis. Les contrôles sont par ailleurs simples, de bonne taille et bien placés. Le moteur de base se débrouille déjà très bien. On aime ou pas la sonorité d'un cinq cylindres mais celui-ci affiche une belle santé. Son rendement est meilleur que ne le laisse supposer un 0-100 km/h de 9,8 secondes, grâce aux réactions vives de la boîte automatique à 6 rapports. Le comportement est toujours sûr et stable, le confort de roulement juste assez ferme sur toute surface. On ne sent de réactions sèches que sur les chaussées défoncées.

Cette nouvelle familiale réussie vient rejoindre une berline bien tournée. Avec l'arrivée à point nommé d'un nouveau moteur diesel unique dans cette catégorie, les beaux jours sont revenus pour la série Jetta.

Marc Lachapelle

Photos : Volkswagen

VÉHICULE D'ESSAI

Version :	Volkswagen Jetta familiale Comfortline
Moteur :	5L de 2,5 litres 20s atmosphérique
Puissance :	170 ch (127 kW) à 5 700 tr/min
Couple :	177 lb-pi (240 Nm) à 4 250 tr/min
Rapport poids/puissance :	8,76 kg/ch (11,73 kg/kW)
Transmission :	manuelle, 5 rapports
Rouage :	traction
0-100 km/h · 80-120 km/h :	9,8 s · 8,3 s
Freinage 100-0 km/h :	43,6 m
Vitesse maximale :	n.d.
Consommation (100 km) :	ordinaire, 10,6 litres
Autonomie approximative :	518 km
Émissions de CO2 :	4 320 kg/an
Emp/Lon/Lar/Haut (mm) :	2 578 / 4 556 / 1 781 / 1 504
Coffre/Réservoir :	930 à 1 890 / 55 litres
Nombre de coussins de sécurité :	6
Suspension avant :	indépendante, jambes de force
Suspension arrière :	indépendante, multibras
Freins av./arr. :	disque (ABS)
Antipatinage/Contrôle de stabilité :	opt./opt.
Direction :	à crémaillère, assistance variable électrique
Diamètre de braquage :	10,9 m
Pneus av./arr. :	P205/55R16
Poids :	1 490 kg
Capacité de remorquage :	454 kg

AUTRE(S) COMPOSANTE(S) MÉCANIQUE(S)

Système hybride :	aucun
Moteur diesel :	oui
Taxe énergivore :	aucune
Autre(s) moteur(s) :	4L de 2,0 litres 200 ch/207 lb-pi (10,1 l/100 super) (2.0T) 4L de 2,0 litres 140 ch/236 lb-pi (2.0 TDI)
Autre(s) rouage(s) :	aucun
Autre(s) transmission(s) :	manuelle, 6 rapports automatique, 6 rapports

EN BREF

Échelle de prix :	21 975 $ à 29 375 $
Catégorie :	berline compacte, familiale
Garanties :	4 ans/80 000 km, 5 ans/100 000 km
Assemblage :	Puebla, Mexique
Cote d'assurance :	passable

DANS LA MÊME CATÉGORIE

Acura CSX, Ford Focus, Honda Civic, Mazda3/Sport, Mitsubishi Lancer, Nissan Sentra, Pontiac G6, Subaru Impreza, Toyota Corolla

NOS IMPRESSIONS

Agrément de conduite :	
Fiabilité :	½
Sécurité :	
Qualités hivernales :	
Espace intérieur :	
Confort :	

DU NOUVEAU EN 2009

Retour du diesel (TDI)

COMBIEN DE TEMPS ?

C'est effectivement ce que l'on pourrait demander aux dirigeants de la marque allemande. Combien de temps reste-t-il à l'existence de la New Beetle? Et cette question pourrait très bien être posée prochainement par la junte journalistique, car il faut admettre que présentement dans la gamme de véhicules de Volkswagen certains viennent systématiquement empiéter sur la clientèle de la petite « choupette ». En version coupé, la New Beetle est plus chère que la Rabbit alors qu'en livrée cabriolet, elle est moins excitante que l'Eos. Et les nostalgiques ne sont plus tellement nombreux.

La clientèle de la New Beetle aura toujours été bien ciblée. Que ce soit ceux qui ont déjà possédé une « coccinelle » ou la majorité féminine qui reluque cette coquine voiture, on constate tout de même que la magie s'effrite d'année en année. Et il serait presque impensable de pratiquer une chirurgie esthétique sur le modèle pour le rendre plus moderne, c'est l'âme même de la voiture qui en souffrirait. Non, la New Beetle dans sa forme actuelle est là pour rester et ceux qui en font l'achat le font pour assouvir leur passion et non pour la raison. L'attrait de la nouveauté semble s'estomper.

UNE VRAIE COCCINELLE

La forme de la carrosserie est d'ailleurs l'élément accrocheur de la voiture, impossible de ne pas la reconnaître. La partie arrondie du toit se poursuit autant à l'avant qu'à l'arrière, la lunette arrière et le pare-brise ayant presque le même degré d'inclinaison. Les nombreuses courbes de la carrosserie donnent à la voiture une impression de robustesse et de stabilité. Il faut se rappeler qu'au début des années 90, la conception de la New Beetle était basée sur la carrosserie et qu'elle devait respecter scrupuleusement le design du modèle original. Il n'y avait donc pas énormément de marge de manœuvre et on constate aujourd'hui à quel point l'aspect extérieur du véhicule est intemporel.

Si l'extérieur bénéficie de l'absolution totale quant à son design, il n'en est pas de même pour l'intérieur. La carrosserie faisant office de moule, il fallait présenter un habitacle épousant ses formes. Et c'est précisément ce qui a été fait. Ainsi, on a droit à un tableau de bord bas et profond, une console centrale proéminente et une position de conduite étrangement éloignée du tableau de bord. En fait, le conducteur se retrouve au centre du véhicule, ce qui est inhabituel et très déstabilisant lorsque l'on monte pour la première fois dans la New Beetle. Les places avant offrent par conséquent un espace plus que généreux pour les jambes et le dégagement aux épaules et à la tête est abondant, voire inutilement vaste. Vous comprendrez alors que l'espace arrière est très limité et que deux adultes s'y sentiront bien à l'étroit d'autant plus que la lunette arrière courbe très vite et laisse peu de dégagement pour la tête. Et c'est pire sur la version cabriolet : la visibilité y est également un problème car le toit replié obstrue grandement le champ de vision. C'est évidemment mieux sur le coupé mais l'emplacement des appuie-têtes occupe la moitié de la lunette. Pour ce qui est du coffre à bagages, il présente un volume de chargement très limité sur le coupé et pratiquement ridicule sur la version cabriolet.

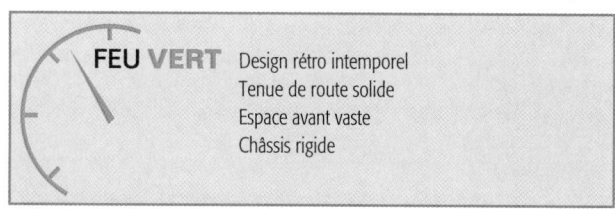

FEU VERT
- Design rétro intemporel
- Tenue de route solide
- Espace avant vaste
- Châssis rigide

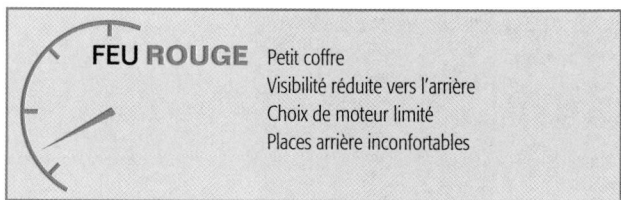

FEU ROUGE
- Petit coffre
- Visibilité réduite vers l'arrière
- Choix de moteur limité
- Places arrière inconfortables

UN SEUL REGRET

La seule version de la New Beetle renferme une motorisation de 5 cylindres de 2,5 litres, celle-là même qui équipe la Rabbit et la Jetta. Le moteur est techniquement moderne et offre un bon compromis entre une puissance convenable et une consommation d'essence raisonnable, néanmoins, il s'avère ennuyeux car il est trop neutre. On regrette la disparition du moteur turbocompressé qui apportait une facette ludique à la conduite de ce véhicule. On peut espérer le retour prochain de la motorisation diesel même si la plupart des propriétaires de New Beetle n'en font pas l'achat pour son économie d'essence.

Conduire une New Beetle a quelque chose de rafraichissant et d'original. Malgré certains irritants, la position de conduite se trouve aisément grâce aux nombreux ajustements possibles. Les sièges soutiennent bien mais manquent de support latéral en virages serrés. La sonorité du moteur est presque désagréable tellement elle est ordinaire mais la bonne insonorisation de l'habitacle y est sûrement pour beaucoup. Le châssis est d'une solidité exemplaire et les bruits de caisse sont pratiquement inexistants. La suspension est solide en étant à la fois souple, ce qui confère à l'auto des qualités de routière exceptionnelle. Entre les deux transmissions proposées, on recommande fortement la version manuelle qui est beaucoup plus souple et qui permet de mieux exploiter le cinq cylindres. La direction est très bien dosée et laisse admirablement bien sentir la route. Évidemment, les accélérations et les reprises ne sont pas la force de la voiture qui se débrouille tout de même bien. Son agilité et sa taille en font également un atout dans les rues étroites de la ville où les places de stationnement ne sont pas toujours généreuses.

La New Beetle restera une légende dans le monde de l'automobile. En conduire une nous rappelle indéniablement son histoire. D'ailleurs, aujourd'hui, il est étonnant de voir le nombre de Beetle restaurées en circulation. Toutefois, avec la concurrence qui présente de plus en plus de voitures ludiques et modernes, Volkswagen se doit de miser sur le design rétro de la New Beetle et de le conserver intact, c'est le seul espoir de garder cette légende en vie.

Guy Desjardins

Photos : Volkswagen

VÉHICULE D'ESSAI

Version :	Volkswagen New Beetle cabriolet Trendline
Moteur :	5L de 2,5 litres 20s atmosphérique
Puissance :	150 ch (112 kW) à 5 000 tr/min
Couple :	170 lb-pi (231 Nm) à 3 750 tr/min
Rapport poids/puissance :	9,56 kg/ch (12,81 kg/kW)
Transmission :	manuelle, 5 rapports
Rouage :	traction
0-100 km/h · 80-120 km/h :	9,2 s · 7,2 s
Freinage 100-0 km/h :	39,0 m
Vitesse maximale :	190 km/h
Consommation (100 km) :	ordinaire, 10,2 litres
Autonomie approximative :	539 km
Émissions de CO2 :	4 224 kg/an
Emp/Lon/Lar/Haut (mm) :	2 509 / 4 091 / 1 724 / 1 502
Coffre/Réservoir :	100 / 55 litres
Nombre de coussins de sécurité :	4
Suspension avant :	indépendante, jambes de force
Suspension arrière :	demi-indépendante, poutre déformante
Freins av./arr. :	disque (ABS)
Antipatinage/Contrôle de stabilité :	oui/opt.
Direction :	à crémaillère, assistée
Diamètre de braquage :	10,9 m
Pneus av./arr. :	P205/55R16
Poids :	1 435 kg
Capacité de remorquage :	350 kg

AUTRE(S) COMPOSANTE(S) MÉCANIQUE(S)

Système hybride :	aucun
Moteur diesel :	aucun
Taxe énergivore :	aucune
Autre(s) moteur(s) :	aucun
Autre(s) rouage(s) :	aucun
Autre(s) transmission(s) :	automatique, 6 rapports

EN BREF

Échelle de prix :	21 975 $ à 29 970 $
Catégorie :	coupé, cabriolet
Garanties :	4 ans/80 000 km, 5 ans/100 000 km
Assemblage :	Puebla, Mexique
Cote d'assurance :	moyenne

DANS LA MÊME CATÉGORIE

Chrysler PTCruiser, Mini Cooper, Mitsubishi Eclipse/Spyder

NOS IMPRESSIONS

Agrément de conduite :	3 ½
Fiabilité :	3
Sécurité :	4
Qualités hivernales :	3 ½
Espace intérieur :	3 ½
Confort :	3 ½

DU NOUVEAU EN 2009

Aucun changement majeur

ET DE TROIS

Lancée au Salon de l'auto de Detroit en janvier 2008, le modèle CC (*Comfort Coupe*) représente une troisième variante de la Passat qui n'était précédemment proposée qu'en berline et en familiale, Volkswagen ayant tout simplement repris le concept avancé par Mercedes-Benz avec la CLS en concevant une berline aux allures de coupé.

Force est d'admettre que la Passat CC a de la gueule. Comme elle partage sa plate-forme avec les autres variantes, l'empattement est identique, mais la CC est légèrement plus longue, plus large ainsi que plus basse. Avec sa ligne de toit tendue comme un arc, son aspect est beaucoup plus svelte que celle de la berline, et la CC s'en démarque également par le fait qu'elle ne partage aucun panneau de carrosserie avec la Passat habituelle.

QUATRE PLACES PLUTÔT QUE CINQ

La transformation s'est également opérée du côté de l'habitacle, la CC ne proposant que deux places arrière plutôt que trois, celle du centre étant désormais une console de rangement. Sous le capot, la CC fait appel aux mêmes motorisations que les modèles berline et familiale. Le choix se fait donc entre un quatre cylindres de 2,0 litres turbocompressé développant 200 chevaux ou encore un V6 de 3,6 litres fort de 280 chevaux, et ces deux moteurs peuvent être jumelés à une boîte manuelle à six vitesses ou à une automatique à six rapports.

Aucune indication n'a été donnée quant au prix au moment d'écrire ces lignes, mais vous pouvez parier que la CC coûtera quelques milliers de dollars de plus que la simple berline, ce qui est souvent le cas des modèles coupés auxquels on confère un certain cachet d'exclusivité. Pour Volkswagen, le jeu en vaut certainement la chandelle puisque la CC leur permettra de facturer plus cher pour une voiture dont le développement n'aura pas coûté grand-chose, cette nouvelle variante étant en tous points conforme à la berline sur le plan mécanique.

Conduire une Passat, c'est prendre le volant d'une voiture spacieuse et confortable qui donne une bonne impression de rigidité et de solidité et dont la direction ne demande que très peu d'efforts, peu importe la vitesse à laquelle on roule. Les suspensions retiennent des calibrations qui permettent de bien sentir la route, peut-être même un peu trop lorsque celle-ci est dégradée, et le comportement routier de la Passat demeure sain même lorsqu'on la conduit rapidement dans une enfilade de virages. Les seuls facteurs limitant sa performance sont sa monte pneumatique d'origine et une tendance marquée pour le sous-virage, ce qui est le propre d'à peu près toutes les berlines à traction avant de grande taille.

Pour ce qui est du confort et de la vie à bord, on apprécie au plus haut point l'espace accordé aux passagers, de même que les espaces de rangement et le volume du coffre, tout en déplorant le fait que l'habitacle

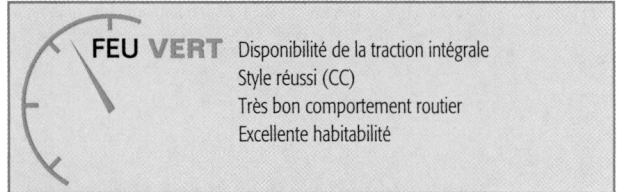

FEU VERT
- Disponibilité de la traction intégrale
- Style réussi (CC)
- Très bon comportement routier
- Excellente habitabilité

FEU ROUGE
- Prix des modèles haut de gamme
- Fiabilité problématique de la marque
- Insonorisation perfectible

laisse filtrer un peu trop de bruits de roulement, nuisant alors au confort. Quant à la familiale, précisons que le volume de chargement atteint les 1 010 litres, ce qui est énorme, mais qu'il faut obligatoirement retirer les appuie-têtes du dossier arrière avant de la replier pour obtenir un fond plat.

Côté prix, les modèles équipés du quatre cylindres turbo et de la traction avant sont dans les normes de la catégorie, mais ce n'est pas le cas du modèle à moteur V6 et traction intégrale qui est beaucoup plus cher et qui se retrouve en concurrence directe avec des modèles en provenance de marques de luxe bien établies. Il faut également faire preuve d'une certaine retenue pour ce qui est du choix des options dont le prix est souvent élevé...

FIABILITÉ À LONG TERME PROBLÉMATIQUE

La Passat fait preuve de bonnes qualités routières et offre une habitabilité surprenante, peu importe le modèle choisi. C'est le genre de voiture que l'on veut aimer en raison de sa rigidité et de sa sobriété toute germanique, et pourtant c'est une voiture que l'on a beaucoup de mal à recommander à cause de la fiabilité à long terme des véhicules de la marque Volkswagen.

En effet, si l'on se fie à la plus récente étude J.D. Power mesurant la fiabilité des véhicules après trois années d'usage aux États-Unis, la performance de Volkswagen laisse une fois de plus à désirer. La marque allemande se retrouve au 31ᵉ rang sur 37, avec 253 problèmes rapportés par 100 véhicules, la moyenne de l'industrie automobile étant de 206. Il s'agit là d'un score qui est égal à celui de Jeep et qui place Volkswagen devant Saab, Isuzu, Kia, Suzuki et Land Rover, mais également derrière toutes les autres marques. Bref, ce n'est toujours pas reluisant pour ce qui est de la fiabilité à long terme qui demeure un enjeu de taille pour cette marque.

Gabriel Gélinas

Photos: Volkswagen

VÉHICULE D'ESSAI

Version:	Volkswagen Passat Familiale 2,0T
Moteur:	4L de 2,0 litres 16s turbocompressé
Puissance:	200 ch (149 kW) à 5 100 tr/min
Couple:	207 lb-pi (281 Nm) à 5 000 tr/min
Rapport poids/puissance:	7,86 kg/ch (10,55 kg/kW)
Transmission:	manuelle, 6 rapports
Rouage:	traction
0-100 km/h · 80-120 km/h:	8,4 s · 5,5 s
Freinage 100-0 km/h:	41,0 m
Vitesse maximale:	208 km/h
Consommation (100 km):	super, 10,1 litres
Autonomie approximative:	693 km
Émissions de CO2:	4 128 kg/an
Emp/Lon/Lar/Haut (mm):	2 709 / 4 780 / 1 820 / 1 472
Coffre/Réservoir:	400 à 1 010 / 70 litres
Nombre de coussins de sécurité:	6
Suspension avant:	indépendante, jambes de force
Suspension arrière:	indépendante, multibras
Freins av./arr.:	disque (ABS)
Antipatinage/Contrôle de stabilité:	oui/opt.
Direction:	à crémaillère, assistance variable
Diamètre de braquage:	10,9 m
Pneus av./arr.:	P215/55R16
Poids:	1 573 kg
Capacité de remorquage:	454 kg

AUTRE(S) COMPOSANTE(S) MÉCANIQUE(S)

Système hybride:	aucun
Moteur diesel:	aucun
Taxe énergivore:	aucune
Autre(s) moteur(s):	V6 de 3,6 litres 280 ch/265 lb-pi (12,8 l/100 super)
Autre(s) rouage(s):	intégral
Autre(s) transmission(s):	automatique, 6 rapports (2.0T)

EN BREF

Échelle de prix:	27 475 $ à 36 475 $
Catégorie:	familiale, berline intermédiaire
Garanties:	4 ans/80 000 km, 5 ans/100 000 km
Assemblage:	Emden, Allemagne
Cote d'assurance:	moyenne

DANS LA MÊME CATÉGORIE

Audi A4, BMW Série 3, Chevrolet Malibu, Ford Fusion, Chrysler Sebring, Honda Accord, Hyundai Sonata, Jaguar X-Type, Mazda6, Volvo V70/XC70

NOS IMPRESSIONS

Agrément de conduite:	🚗🚗🚗🚗
Fiabilité:	🚗🚗🚗½
Sécurité:	🚗🚗🚗🚗
Qualités hivernales:	🚗🚗🚗🚗½
Espace intérieur:	🚗🚗🚗🚗½
Confort:	🚗🚗🚗🚗

DU NOUVEAU EN 2009

Moteur 2,0 litres TSI, ensemble Technologique en option, nouvelles couleurs

PAS DE SCIROCCO, MAIS...

Au dernier Salon de Genève, Volkswagen dévoilait le tout nouveau coupé sport Scirocco, conçu à partir des bases de la Golf (notre Rabbit). Cependant, ce coupé, dont le nom n'est pas inconnu de plusieurs en raison de sa commercialisation nord-américaine de 1976 à 1989, ne sera malheureusement pas offert chez nous. Volkswagen stipule que la GTi est en mesure de répondre à la demande des acheteurs de sportives, et qu'une seconde voiture dans un même créneau ne ferait ici que diviser la clientèle. On-t-ils raison?

Qu'à cela ne tienne, la clientèle nord-américaine n'est pas mise en reste. La GTi demeure une authentique sportive qui n'a absolument rien à envier à quiconque. Les chiffres de vente sont là pour le prouver, la GTi ayant connu depuis son renouvellement un grand succès. Et c'est assurément grâce à son équilibre d'ensemble si elle attire à ce point la clientèle. En effet, aucune autre rivale ne peut se vanter d'offrir autant de confort et de commodités, tout en permettant du même coup un tel niveau de performance et de plaisir au volant.

L'agrément de conduite inégalé de cette voiture est transmis grâce à une excellente solidité de caisse, mais aussi par une direction rapide et précise et une suspension bien calibrée. Cette dernière laisse d'ailleurs plus de latitude au conducteur pour jouer avec sa voiture, ce qui n'est pas nécessairement le cas avec la Civic Si. Et si jamais une dérobade de la caisse survenait, le contrôle électronique de stabilité ESP se chargerait de remettre la voiture dans le droit chemin. Évidemment, le magnifique moteur turbocompressé de 2,0 litres y est également pour beaucoup, ce dernier ayant une grande souplesse et une puissance honorable. Certes, il nécessite du super, mais sa consommation demeure raisonnable, se chiffrant autour de 10,5 litres aux 100 kilomètres. Il s'accompagne d'une boîte manuelle à six rapports exempte de toute critique, mais il peut aussi œuvrer de pair avec une boîte séquentielle appelée DSG (*Direct Shift Gearbox*), qui améliore très légèrement les performances. Mais entre vous et moi, vous ne retrouverez pas avec cette boîte le même plaisir qu'avec la manuelle, et ce, même si l'on bénéficie de palettes de changement de vitesse au volant.

ET LA RABBIT?

Chez les compactes, la Rabbit se positionne honorablement. L'acheteur ultra rationnel (aussi appelé acheteur de Corolla) qui ne songe qu'à la fiabilité et qu'à une faible consommation d'essence se doit de ne pas la considérer, mais si pour vous l'automobile signifie plus qu'un simple moyen de transport ou qu'une dépense fâcheuse, l'expérience en vaut la chandelle. En fait, pour l'agrément de conduite, une seule compacte s'en approche, et c'est la Mazda3. Avec cette japonaise, vous n'obtiendrez pas une solidité de conduite à l'allemande, une qualité de construction aussi poussée ni un habitacle aussi accueillant, mais vos aurez au moins droit à des prestations routières aussi honorables.

Arrivant comme la GTi en modèle à trois ou cinq portes, la Rabbit est une compacte spacieuse qui procure un confort exceptionnel. L'habitacle est

FEU VERT

- Agrément de conduite assuré
- Rigidité structurelle étonnante
- Qualité de construction honorable
- Performances relevées (GTi)
- Équipement complet

FEU ROUGE

- Prix élevé et coût des assurances (GTi)
- Consommation décevante (Rabbit)
- Quelques caractéristiques non offertes
- Moteur rugueux (5 cylindres)
- Fiabilité à prouver

extrêmement bien ficelé, la présentation est soignée, l'espace est généreux et les sièges surpassent ceux de toute concurrence. De série, la version de base est livrée avec un équipement des plus complets, ce qui explique la facture de départ oscillant autour de 20 000 $. Le niveau de luxe à bord varie évidemment selon la version choisie, mais on peut néanmoins y retrouver certaines touches que seuls les Européens ont l'habitude d'offrir dans ce créneau de voiture. Malheureusement, quelques éléments comme l'ordinateur multifonction ou la téléphonie Bluetooth sont absents.

SYNDROME DE GTi

Vous affectionnez la GTi mais ne pouvez vous permettre ce luxe ? Volkswagen vous a concocté pour 2009 un nouvel ensemble sport disponible sur la Rabbit qui vous permettra de vous rapprocher de votre rêve, sans que vous ayez à vous serrer la ceinture. Cet ensemble comprend notamment une suspension sport, des phares au xénon, des jantes de 17 pouces à rayons entrelacés, des feux antibrouillard et un volant gainé de cuir. Bon, il vous manquera toujours le moteur 2.0T et cette superbe calandre noire ceinturée d'une fine ligne rouge, mais le niveau de plaisir sera néanmoins rehaussé d'un cran.

Mécaniquement, le moteur cinq cylindres propose un rendement particulier. Certains aiment, d'autres pas, mais cette mécanique possède un couple généreux. Offrant suffisamment de puissance, ce moteur consomme cependant autant que celui de la GTi. Il ne nécessite pas un carburant supérieur, mais son appétit est néanmoins supérieur à celui de ses rivales. Quant à la fiabilité, qui n'a pas toujours été reluisante chez ce constructeur, elle semble s'être améliorée, mais il faut attendre avant de donner un verdict plus éclairé. Et si vous êtes toujours perplexe, sachez que depuis quelques années, il y a une garantie de base de 4 ans/80 000 kilomètres chez ce constructeur.

Je terminerai en mentionnant aux amateurs de performance que l'unification des normes de collision avec les États-Unis permet désormais à Volkswagen d'offrir aux acheteurs canadiens la fameuse GTi R32 à traction intégrale. On ne sait pas si le constructeur a l'intention de l'importer, mais certains concessionnaires ont choisi de devancer la décision du constructeur en se procurant quelques exemplaires chez les Américains, pour la revente. Est-ce que les WRX et Lancer Ralliart auront une nouvelle rivale en 2010 ? À suivre…

Antoine Joubert

Photos : Volkswagen

VÉHICULE D'ESSAI

SIRIUS RADIO SATELLITE

Version :	Volkswagen Rabbit 5 portes Comfortline
Moteur :	5L de 2,5 litres 20s atmosphérique
Puissance :	170 ch (127 kW) à 5 000 tr/min
Couple :	177 lb-pi (240 Nm) à 3 750 tr/min
Rapport poids/puissance :	8,19 kg/ch (10,96 kg/kW)
Transmission :	manuelle, 5 rapports
Rouage :	traction
0-100 km/h · 80-120 km/h :	8,6 s · 8,5 s
Freinage 100-0 km/h :	38,0 m
Vitesse maximale :	190 km/h
Consommation (100 km) :	ordinaire, 10,8 litres
Autonomie approximative :	509 km
Émissions de CO2 :	4 320 kg/an
Emp/Lon/Lar/Haut (mm) :	2 578 / 4 210 / 1 759 / 1 479
Coffre/Réservoir :	400 / 55 litres
Nombre de coussins de sécurité :	4
Suspension avant :	indépendante, jambes de force
Suspension arrière :	indépendante, multibras
Freins av./arr. :	disque (ABS)
Antipatinage/Contrôle de stabilité :	opt./opt.
Direction :	à crémaillère, assistance variable
Diamètre de braquage :	10,9 m
Pneus av./arr. :	P195/65R15
Poids :	1 393 kg
Capacité de remorquage :	454 kg

AUTRE(S) COMPOSANTE(S) MÉCANIQUE(S)

Système hybride :	aucun
Moteur diesel :	aucun
Taxe énergivore :	aucune
Autre(s) moteur(s) :	4L de 2,0 litres 200 ch/207 lb-pi (9,3 l/100 super) (GTi, GLi)
Autre(s) rouage(s) :	aucun
Autre(s) transmission(s) :	manuelle, 6 rapports automatique, 6 rapports

EN BREF

Échelle de prix :	19 975 $ à 29 975 $
Catégorie :	*hatchback*
Garanties :	4 ans/80 000 km, 5 ans/100 000 km
Assemblage :	Wolfsburg, Allemagne
Cote d'assurance :	n.d.

DANS LA MÊME CATÉGORIE

Chevrolet Cobalt , Dodge Caliber, Ford Focus, Honda Civic, Hyundai Elantra, Kia Spectra, Mazda3/Sport, Mitsubishi Lancer, Nissan Sentra, Pontiac G5/Vibe, Saturn Astra, Subaru Impreza, Suzuki SX4, Toyota Corolla/Matrix

NOS IMPRESSIONS

Agrément de conduite :	4 ½
Fiabilité :	3 ½
Sécurité :	4
Qualités hivernales :	4
Espace intérieur :	4
Confort :	4

DU NOUVEAU EN 2009

Aucun changement majeur

TYPIQUE DE LA MARQUE

La compagnie Volkswagen ne se laisse pas influencer par les autres constructeurs. Elle fait les choses comme elle l'entend ! Nous en avons de nouveau la preuve avec le Tiguan, un VUS compact qui, loin de s'inspirer des autres modèles de la catégorie, pourrait servir de référence. Car si ce constructeur est arrivé le dernier à la fête avec son modèle, cela lui a permis d'en concocter un possédant les qualités nécessaires pour plaire à une clientèle difficile.

Comme c'est souvent le cas dans le département de stylisme de Volkswagen, un produit en inspire un autre. En effet, on retrouve plusieurs éléments visuels de la Golf sur les modèles Polo et Lupo. Cette fois, le Tiguan n'est pas sans ressembler à son grand frère le Touareg.

SILHOUETTE FAMILIÈRE

Il suffit de l'examiner quelques secondes pour se rendre compte de la similitude. En fait, il se situe — visuellement et en dimensions — entre le Touran, non vendu en Amérique, et le Touareg. Il est intéressant de noter qu'en Europe, le Tiguan sera offert en deux versions. La première sera dotée d'une partie avant dont l'angle d'attaque sera de 28 degrés en plus d'être équipée du système *all road* qui modifie plusieurs paramètres au niveau de la suspension, en plus de comprendre un mécanisme de contrôle de descente de pente et un système de freinage antirecul sur les plans inclinés. On retrouve également un bouclier protecteur à l'avant du véhicule. Ce modèle ne sera malheureusement pas distribué en Amérique du Nord. Nous n'aurons droit qu'à la version de 18 degrés qui est essentiellement destinée à la conduite sur la route, et il ne sera pas possible de commander le système *all road* qui est remplacé par le rouage intégral 4Motion. Celui-ci est efficace sur la route lorsque les conditions d'adhérence sont mauvaises. Il peut aussi tirer son épingle du jeu sur des sentiers à peine praticables, mais ce n'est pas le *all road*.

Dommage que la direction de Volkswagen ait décidé de limiter son offre sur notre continent à un seul modèle. La version 28 degrés avec son rouage intégral sophistiqué aurait pu se tailler une place enviable en tant que passe-partout de luxe de format compact. Mais compte tenu du prix de vente hypothétique de ce modèle on a sagement décidé de laisser passer.

L'HABITACLE MARCEL ! L'HABITACLE !

La silhouette est élégante et sobre mais il se peut que certains trouvent que ses lignes manquent de panache. En revanche, l'unanimité se fait à propos de l'habitacle. Premièrement, la qualité des matériaux est sans reproche avec des plastiques souples pour le tableau de bord, un assemblage impeccable et des sièges confortables mais fermes offrant en plus un bon support latéral. Le plus important à signaler est une habitabilité exceptionnelle tant pour les places avant qu'arrière. Le dégagement pour les jambes est excellent, la capacité de chargement est très importante et la visibilité fort bonne. Parlant de visibilité, un toit ouvrant surdimensionné peut être commandé par l'intermédiaire du catalogue des options. Si je ne suis pas un fanatique de ces grandes surfaces vitrées installées au pavillon, plusieurs semblent les aimer. Cependant, avec un tel accessoire, la chaleur dans l'habitacle augmente fortement par temps de canicule, car il n'y a pas de cache opaque pour bloquer les rayons du soleil, mais un simple rideau translucide qui n'est pas trop efficace.

Il faut également souligner les nombreux espaces de rangement de ce véhicule, son impressionnant coffre à bagages de même qu'une bonne habitabilité pour les occupants. Comme sur tous les modèles de la marque, les sièges sont fermes mais confortables et le demeurent même lors de très longues randonnées.

UN SEUL MOTEUR !

Ceux qui rêvaient de se procurer ce modèle équipé d'un moteur diesel devront prendre leur mal en patience, car un seul moteur est au catalogue : un quatre cylindres à essence. Même si sa cylindrée est similaire au 2,0 litres utilisé sur plusieurs autres modèles Audi et Volkswagen, il s'agit d'une toute nouvelle mouture dotée entre autres de l'injection directe. Grâce à ce système et à la magie de la turbocompression, ce moteur est nerveux et assure de bonnes performances. On a pratiquement l'impression d'avoir un petit six cylindres tournant sous le capot ! Ce quatre cylindres est couplé à une boîte automatique à six rapports qui est bien étagée et qui permet de passer les rapports manuellement. Malheureusement, l'absence de palettes de passage des rapports derrière le volant rend la chose beaucoup moins attrayante. Pour ce qui est du diesel, motus et bouche cousue !

Sur le continent européen, ce modèle est proposé avec un choix de plusieurs groupes propulseurs. Parmi ceux-ci, j'ai eu l'occasion de conduire un modèle équipé du moteur 1,4 litre Twincharger dont la puissance était de 150 chevaux et marié à une boîte à six rapports. J'ai été surpris de la performance de ce moteur qui, malgré sa petite cylindrée, boucle le 0-100 km en moins de 10 secondes. En outre, sa consommation est de moins de 9,0 litres aux 100 km. Qui sait, si jamais le prix du carburant continue à augmenter, ce moteur et le diesel pourraient se retrouver sur nos routes ! Mais c'est sans doute rêver en couleurs, car la faible diffusion de tels modèles exclut la possibilité d'une offre de multiples groupes propulseurs en raison de contrôle des coûts.

Le Tiguan utilise une plate-forme hybride dérivée en grande partie de la Passat tout en faisant appel à des éléments de la Golf/Jetta. Ce qui signifie que le comportement routier ne devrait pas être piqué des vers puisqu'on fait appel à des éléments qui ont mérité de fort bonnes notes à ce sujet.

Certains de mes collègues avaient des doutes quant aux capacités potentielles du Tiguan au chapitre de la conduite. Ce n'était pas mon cas parce que je me disais qu'on avait dû s'inspirer du Touareg qui est l'une des références en fait de conduite avec une transmission intégrale. Après quelques kilomètres au volant d'une version à rouage intégral et à boîte automatique, je ne pouvais que noter les qualités de tenue de route, de freinage et de stabilité dans les virages. En effet, même si la direction à assistance électrique filtre trop le *feedback* de la route, le Tiguan sera apprécié des personnes aimant le plaisir de la conduite. De plus, sa plate-forme très rigide permet d'enchaîner les virages avec aplomb. Soulignons que la capacité de remorquage annoncée est de 2 500 kg, ce qui est assez exceptionnel pour la catégorie. Cependant, il a fallu m'adapter à la sensibilité de la transmission qui était portée à rétrograder trop facilement lorsque j'enfonçais rapidement la pédale d'accélération, et il fallait également doser l'accélérateur faute de quoi, il y avait un soubresaut vers l'avant.

FEU VERT
- Plate-forme très rigide
- Excellente habitabilité
- Finition impeccable
- Moteur nerveux
- Rouage intégral à action rapide

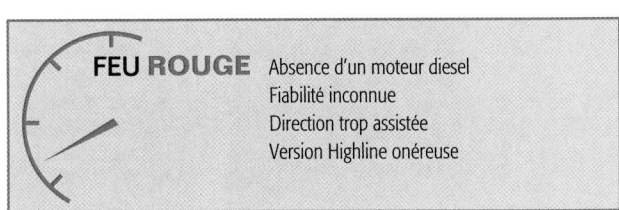

FEU ROUGE
- Absence d'un moteur diesel
- Fiabilité inconnue
- Direction trop assistée
- Version Highline onéreuse

Bref, cette Volkswagen tout usage semble posséder toutes les qualités voulues pour réussir. Et les progrès réalisés en fait de fiabilité laissent croire que ce modèle sera un sérieux concurrent aux autres de la catégorie. En plus, on a pris sa leçon en fait de prix de détail suggéré. En général, les produits de ce constructeur sont environ 25 % plus chers que ceux des autres et on avait même tendance à proposer de nouveaux modèles en version équipée au maximum, ce qui effrayait bien des gens.

Oh surprise ! Cette fois, ça semble plus raisonnable, du moins par rapport à ce que la marque nous offrait par le passé. Par exemple, le modèle de base, le Trendline, se vend 27 575 $ au moment d'écrire ces lignes. La version intermédiaire, la Confortline, exige 33 975 $. Enfin, le Highline, la version la plus huppée et la plus luxueuse, vous obligera à débourser un minimum de 38 375 $. Il est vrai que les versions les plus équipées du Tiguan affichent des prix que certains jugeront corsés, mais on peut au moins quand même se procurer une version de base fort intéressante à un prix très compétitif.

En conclusion, le Tiguan est à considérer sérieusement et possède d'indéniables qualités qui devraient en convaincre plusieurs.

Denis Duquet

Photos : Denis Duquet

VÉHICULE D'ESSAI

SIRIUS RADIO SATELLITE

Version :	Volkswagen Tiguan Comfortline
Moteur :	4L de 2,0 litres 16s turbocompressé
Puissance :	200 ch (149 kW) à 5 100 tr/min
Couple :	207 lb-pi (281 Nm) à 5 000 tr/min
Rapport poids/puissance :	7,70 kg/ch (10,48 kg/kW)
Transmission :	automatique, 6 rapports
Rouage :	intégral
0-100 km/h · 80-120 km/h :	9,1 s · 8,6 s
Freinage 100-0 km/h :	38,6 m
Vitesse maximale :	n.d.
Consommation (100 km) :	super, 11,2 litres
Autonomie approximative :	571 km
Émissions de CO2 :	n.d.
Emp/Lon/Lar/Haut (mm) :	2 604 / 4 427 / 1 809 / 1 683
Coffre/Réservoir :	505 à 1 510 / 64 litres
Nombre de coussins de sécurité :	6
Suspension avant :	indépendante, jambes de force
Suspension arrière :	indépendante, multibras
Freins av./arr. :	disque (ABS)
Antipatinage/Contrôle de stabilité :	oui/oui
Direction :	à crémaillère, assistée
Diamètre de braquage :	n.d.
Pneus av./arr. :	215/65R16
Poids :	1 541 kg
Capacité de remorquage :	998 kg

AUTRE(S) COMPOSANTE(S) MÉCANIQUE(S)

Système hybride :	aucun
Moteur diesel :	aucun
Taxe énergivore :	aucune
Autre(s) moteur(s) :	aucun
Autre(s) rouage(s) :	traction
Autre(s) transmission(s) :	manuelle, 6 rapports

EN BREF

Échelle de prix :	27 575 $ à 38 375 $
Catégorie :	VUS compact
Garanties :	4 ans/80 000 km, 5 ans/100 000 km
Assemblage :	n.d.
Cote d'assurance :	n.d.

DANS LA MÊME CATÉGORIE

Chevrolet Equinox, Dodge Nitro, Ford Escape, Honda CR-V, Jeep Patriot, Mazda Tribute, Mitsubishi Outlander, Nissan Rogue, Pontiac Torrent, Saturn VUE, Subaru Forester, Suzuki Grand Vitara, Toyota RAV4

NOS IMPRESSIONS

Agrément de conduite :	■■■■
Fiabilité :	nouveau modèle
Sécurité :	■■■■
Qualités hivernales :	■■■■ ½
Espace intérieur :	■■■■
Confort :	■■■■

DU NOUVEAU EN 2009

Nouveau modèle

LES TEMPS SONT DURS

Il n'y a à peu près pas une page de ce guide qui ne parle pas des prix de l'essence à la hausse. Normal, quand on sait à quel point notre économie est basée sur ce précieux liquide... Et plus son prix augmente, plus on se rend compte que notre budget familial est en grande partie, lui aussi, tributaire de l'essence. Un premier réflexe a été de modifier notre façon de conduire. L'autre moyen d'économiser est de changer de véhicule pour un plus petit. Le problème, c'est qu'en étant le plus gros véhicule d'un manufacturier, il y a un fort risque d'être délaissé.

Le Touareg est le plus gros véhicule, en terres nord-américaines, de Volkswagen. Et il n'a plus la cote. D'autant plus que cette année, le Tiguan, un VUS compact, se montre fort réussi et peut être une belle solution de rechange. Pire. À moins d'avoir à franchir des obstacles vraiment imposants ou d'avoir à remorquer des charges très importantes, la Passat familiale 4Motion peut très bien faire l'affaire dans la majorité des cas.

V6 TDI À LA RESCOUSSE

On comprend donc que le Touareg ne fait plus le poids, malgré ses 2 350 kilos bien pesés. Cette année, pour pallier très rapidement à la situation, Volkswagen a pris la sage décision de ne plus offrir le modèle à moteur V8 qui, de toute façon, n'était pas vraiment intéressant par rapport au V6 et qui commandait autant de liquide que les chutes Niagara. D'un autre côté, et il semblerait que ce soit bien vrai cette fois-ci, le Touareg renfermera un V6 TDI dès le printemps prochain. Ce moteur est un 3,0 litres déjà existant en Europe. Il n'est pas des plus puissants avec ses 225 chevaux mais, comme tout diesel, il propose un couple très élevé de 369 livres-pied dès 1 750 tours/minute. Associé d'office à une boîte automatique à six rapports et à un rouage intégral efficace, ses capacités de remorquage et en hors route doivent s'élever à des niveaux de compétence très élevés. Nous parlons au conditionnel, n'ayant pas encore en main, au moment d'écrire ces lignes, les dernières données techniques.

Pour l'instant, le V6 de 3,6 litres continue sa route avec nous. Sa puissance et son couple lui permettent de fournir des performances très, très correctes pour la catégorie car cette grosse machine effectue le 0-100 en moins de neuf secondes ! Souple et silencieux, ce V6, bien que moins soiffard que feu le V8, n'en est pas moins très doué pour le lever du coude. En conduite normale, il engloutit volontiers son quinze litres d'essence super tous les cent kilomètres. Quelques essais d'accélérations et de reprises ont tôt fait de lui stimuler davantage le gosier ! Ce V6 est couplé à une transmission automatique à six rapports au fonctionnement sans reproches sauf, peut-être, une certaine brusquerie lorsqu'elle rétrograde en montant une côte. Elle est munie d'un mode manuel qui autorise des montées en régime pour assurer plus de compression et ainsi économiser les freins quand une remorque est tirée. D'ailleurs, le Touareg peut tracter jusqu'à 3 500 kilos (7 716 livres).

À l'usine, il reçoit un rouage intégral des plus compétents. Bien qu'il ne puisse se mesurer aux Land Rover, Hummer et Jeep de ce monde sur

FEU VERT
- V6 bien adapté
- V6 TDI à venir
- Capacités hors route relevées
- Habitacle confortable
- Bien adapté à nos hivers

FEU ROUGE
- V6 très gourmand
- Prix des ensembles très élevé
- Obèse (et aucun régime en vue)
- Fiabilité améliorée mais toujours incertaine

les sentiers parsemés de gros cailloux, il peut tenir son bout de chemin bien plus longtemps que plusieurs autres VUS de la même catégorie. Par ailleurs, dans le sable, il est sans égal. Et il s'avère encore plus redoutable s'il est équipé de la suspension pneumatique... qui vient avec un groupe d'options de plus de 8 000 $! Pour obtenir le différentiel arrière bloquant, ajoutez un autre petit mille dollars. Tant qu'à aborder ce sujet, crevons l'abcès tout de suite. Si on se laisse tenter par toutes les options qui sont proposées, on risque fort de se retrouver avec un véhicule de plus de 65 000 $, qui ne devrait pas trouver preneur facilement dans quatre ou cinq ans... La location, pendant qu'elle est encore offerte chez Volks à un taux abordable, pourrait être une solution.

PLAISIRS INTERDITS

Sur la route, le Touareg est l'un des véhicules les plus plaisants à conduire, toute catégorie de VUS confondus. La puissance est toujours là, sous le pied droit. Dans les courbes, cette grosse masse affiche une prestance étonnante. Même en mode confort, la suspension ne s'écrase pas à la vue de la première courbe. Alors, imaginez en mode Sport ! Même à ce moment, le confort est préservé. Il ne faut toutefois pas croire que la différence entre les deux modes soit très marquée. La direction, digne de Volkswagen — précise et correctement dosée — permet un rayon de braquage très court. Les freins, de leur côté, sont solides et n'ont pas peur du travail. Seul l'accélérateur demande un certain temps d'accoutumance.

L'habitacle est silencieux, confortable, spacieux et très bien fini. Dans l'un de nos Touareg d'essai, l'intérieur se parait de cuirs et plastiques de couleur crème du plus bel effet. Mais ils se salissaient juste à les regarder ! L'instrumentation qui fait face au conducteur est complète et très lisible tandis que la visibilité ne cause aucun problème majeur, si ce n'est des grands rétroviseurs latéraux, parfaits lorsqu'on tire une remorque mais qui peuvent bloquer la vue, en tournant un coin de rue, par exemple. Les sièges avant font preuve de confort mais le douillet auteur de ces lignes a trouvé ceux d'en arrière un tantinet trop durs. Aussi, leur accès est plus ou moins facile, gracieuseté de puits de roue proéminents. Quant au coffre, il offre beaucoup d'espace et la qualité des matériaux qui le recouvrent est excellente.

Alain Morin

Photos : Alain Morin

VÉHICULE D'ESSAI

Version :	Volkswagen Touareg Comfortline
Moteur :	V6 de 3,6 litres 24s atmosphérique
Puissance :	280 ch (209 kW) à 6 200 tr/min
Couple :	265 lb-pi (359 Nm) à 5 000 tr/min
Rapport poids/puissance :	8,32 kg/ch (11,15 kg/kW)
Transmission :	automatique, 6 rapports
Rouage :	intégral
0-100 km/h · 80-120 km/h :	8,5 s · 6,8 s
Freinage 100-0 km/h :	40,0 m
Vitesse maximale :	210 km/h
Consommation (100 km) :	super, 15,1 litres
Autonomie approximative :	662 km
Émissions de CO2 :	7 104 kg/an
Emp/Lon/Lar/Haut (mm) :	2 855 / 4 754 / 1 928 / 1 726
Coffre/Réservoir :	900 à 2 000 / 100 litres
Nombre de coussins de sécurité :	8
Suspension avant :	indépendante, leviers triangulés
Suspension arrière :	indépendante, multibras
Freins av./arr. :	disque (ABS)
Antipatinage/Contrôle de stabilité :	oui / oui
Direction :	à crémaillère, assistée
Diamètre de braquage :	11,6 m
Pneus av./arr. :	P255/60R17
Poids :	2 332 kg
Capacité de remorquage :	3 500 kg

AUTRE(S) COMPOSANTE(S) MÉCANIQUE(S)

Système hybride :	aucun
Moteur diesel :	aucun
Taxe énergivore :	aucune
Autre(s) moteur(s) :	aucun
Autre(s) rouage(s) :	aucun
Autre(s) transmission(s) :	aucun

EN BREF

Échelle de prix :	44 975 $ à 53 975 $
Catégorie :	VUS intermédiaire
Garanties :	4 ans/80 000 km, 5 ans/100 000 km
Assemblage :	Bratislava, Slovaquie
Cote d'assurance :	passable

DANS LA MÊME CATÉGORIE

Acura MDX, Audi Q7, BMW X5, Cadillac SRX, Infiniti FX35, Land Rover LR3, Lexus RX350, Lincoln MKX, Porsche Cayenne, Saab 9-7, Volvo XC90

NOS IMPRESSIONS

Agrément de conduite :	🚗🚗🚗🚗
Fiabilité :	🚗🚗🚗
Sécurité :	🚗🚗🚗🚗
Qualités hivernales :	🚗🚗🚗🚗½
Espace intérieur :	🚗🚗🚗🚗½
Confort :	🚗🚗🚗

DU NOUVEAU EN 2009

V8 abandonné, V6 3,0 litre TDI sera offert en cours d'année

VOLVO P1800 ES?

Oui, les designers de la C30 auraient très bien pu garder le nom de ce coupé des années 70 pour la nouvelle venue de la famille. La mode est effectivement au « redesign » de modèles passés qui ont connu du succès. La P1800 ES 1971 de Volvo étant de ceux-là, et en l'absence d'un petit coupé à hayon dans la gamme des produits actuels, il était logique de reprendre le design ludique de la 1800 et de le remettre au goût du jour. Le résultat est surprenant, surtout en version T5. D'ailleurs, le *look* de cette C30 fait tourner les têtes sur son passage, 40 ans après sa devancière.

On ne peut évidemment passer sous silence le design extérieur de la voiture qui a été conçu par un Québécois (on en a tellement parlé dans les médias), Simon Lamarre. L'originalité des lignes ne laisse personne indifférent et la partie arrière est celle qui anime le plus de discussions. Offerte en version de base, c'est plutôt la version T5 qui affiche un caractère résolument sportif avec ses roues surdimensionnées, son *body kit* et sa couleur monochrome. C'est du moins cette version qui a charmé le public lors de sa présentation en avant-première au Salon de l'auto de Détroit en 2006, puis à celui de Genève et au Mondial de l'automobile à Paris.

VERSION DE BASE : PATIENCE !

C'est toutefois du point de vue de la mécanique et de la tenue de route que la C30 déçoit quelque peu. Ce constat est encore plus vrai lorsque l'on prend le volant de la version de base. Évidemment, avec un *look* aussi aguicheur, on se serait attendu à un comportement beaucoup plus sportif, et ce, même sur la version de base. En fait, la conduite est plutôt bourgeoise et un peu trop civilisée. On a l'impression d'avoir affaire à une voiture plus lourde qu'elle ne l'est en réalité. Le moteur d'entrée de gamme s'avère trop peu puissant et empêche le conducteur de bien exploiter la voiture. Les accélérations ne sont pas des plus spectaculaires, mais encore une fois, on s'attendait à un peu mieux pour ce genre de voiture. Plus les kilomètres passent et plus on s'acclimate à la conduite douce de la C30. C'est alors que l'on comprend que le petit coupé n'a pas été conçu pour concurrencer les Mini ou GTi de ce monde, mais plutôt pour offrir un modèle compact manquant à une clientèle fidèle qui le demandait depuis longtemps. La voiture se révèle évidemment très sécuritaire, mais il manque un certain dynamisme qui devrait faire partie de l'équipement de base.

Heureusement, une version plus ludique est offerte pour ceux qui désirent assortir le comportement au design. On est toutefois à des années-lumière de ressentir un quelconque frisson en pilotant la voiture, mais pour les amateurs de conduite sportive, le moteur turbocompressé est une option à privilégier. Bien que la configuration de la suspension soit la même sur les deux modèles, celle de la T5 nous a paru plus ferme. Parions cependant que les roues de 17 pouces optionnelles y sont pour beaucoup dans l'amélioration de la tenue de route. Disposant de tout près de 227 chevaux (soixante de plus que le moteur de base !), la T5 permet des accélérations et des reprises qui s'inscrivent dans la bonne moyenne, une amélioration notable par rapport à la version de base. Le

FEU VERT
- Design provocateur
- Dimensions intéressantes
- Sécurité des passagers assurée
- Châssis solide

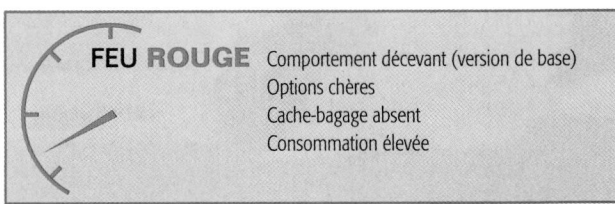

FEU ROUGE
- Comportement décevant (version de base)
- Options chères
- Cache-bagage absent
- Consommation élevée

couple est également plus généreux, ce qui permet une meilleure distribution de la puissance. La boîte manuelle à cinq rapports est un charme à utiliser alors que le levier se manie avec précision et souplesse. Les freins sont d'une puissance rassurante et même en freinage d'urgence, la C30 garde le cap. On peut aussi équiper la T5 d'une suspension plus sportive, de roues de 18 pouces, de phares bi-xénon de même que d'une boîte manuelle à six rapports.

PHILOSOPHIE RESPECTÉE

Autant en version de base qu'en livrée T5, l'habitacle de cette petite Volvo est bien fidèle à la marque. On retrouve un intérieur similaire aux S40 et V50 qui se distingue par son modernisme et une présentation avant-gardiste. La console flottante suscite l'intérêt de tous, alors que le rangement disponible derrière provoque la colère lorsque vient le temps de récupérer les menus objets. Les sièges avant, qui font la réputation de Volvo, sont à la hauteur de nos attentes. Seule la version T5 hérite du cuir en option. Quant aux sièges arrière, ils sont bizarrement rabattables en configuration 45/45. Si on compte bien, ça fait 90. Où est le 10 % manquant ? On conclut alors que les sièges arrière n'occupent pas toute la largeur de la voiture contrairement à la majorité des modèles sur le marché. On aura donc droit à deux places à l'arrière, conférant au véhicule une configuration s'apparentant plutôt à un 2+2. Pour ce qui est de la sécurité, Volvo est passé maître dans l'art de protéger les passagers de ses voitures. Vous serez donc ravi de savoir qu'une panoplie de systèmes veille sur vous, notamment les DSTC, IDIS, SIPS, WHIPS et BLIS, le dernier vous avertissant de la présence de voitures dans l'angle mort.

La C30 est tout de même une belle réussite dans son ensemble. Il est vrai que la voiture n'a pas été développée dans le but d'en faire un coupé sportif et à cet égard, il faut avouer que le pari est gagné. On a affaire à une voiture honnête qui se devait de faire partie de la famille. Avec un prix de départ avoisinant les 30 000 $, cette Volvo n'est cependant pas pour ceux qui recherchent le meilleur rapport plaisir/prix. On est d'ailleurs étonné de constater que pleinement équipée, la voiture atteint un prix qui oscille autour des 48 000 $. Des voitures comme la Mini ou la GTi en ont beaucoup plus à offrir à un meilleur prix.

Guy Desjardins

Photos : Sylvain Raymond

VOLVO C30

VÉHICULE D'ESSAI

SIRIUS RADIO SATELLITE

Version :	Volvo C30 2,4i
Moteur :	5L de 2,4 litres 20s atmosphérique
Puissance :	168 ch (125 kW) à 6 000 tr/min
Couple :	170 lb-pi (231 Nm) à 4 400 tr/min
Rapport poids/puissance :	8,48 kg/ch (11,4, kg/kW)
Transmission :	manuelle, 5 rapports
Rouage :	traction
0-100 km/h · 80-120 km/h :	8,8 s · 7,9 s
Freinage 100-0 km/h :	38,9 m
Vitesse maximale :	195 km/h
Consommation (100 km) :	super, 10,5 litres
Autonomie approximative :	571 km
Émissions de CO2 :	4 272 kg/an
Emp/Lon/Lar/Haut (mm) :	2 640 / 4 252 / 1 782 / 1 447
Coffre/Réservoir :	364 / 60 litres
Nombre de coussins de sécurité :	6
Suspension avant :	indépendante, jambes de force
Suspension arrière :	indépendante, multibras
Freins av./arr. :	disque (ABS)
Antipatinage/Contrôle de stabilité :	oui / oui
Direction :	à crémaillère, assistance variable
Diamètre de braquage :	10,6 m
Pneus av./arr. :	P205/55R16
Poids :	1 425 kg
Capacité de remorquage :	non recommandé

AUTRE(S) COMPOSANTE(S) MÉCANIQUE(S)

Système hybride :	aucun
Moteur diesel :	aucun
Taxe énergivore :	aucune
Autre(s) moteur(s) :	5L de 2,5 litres 227 ch/236 lb-pi (11,1 l/100 super) (T5)
Autre(s) rouage(s) :	aucun
Autre(s) transmission(s) :	manuelle, 6 rapports (T5) automatique, 5 rapports (2.4i, T5)

EN BREF

Échelle de prix :	27 695 $ à 32 195 $
Catégorie :	coupé
Garanties :	4 ans/80 000 km, 4 ans/80 000 km
Assemblage :	Gand, Suède
Cote d'assurance :	n.d.

DANS LA MÊME CATÉGORIE

Audi A3, Mini Cooper, Volkswagen GTi

NOS IMPRESSIONS

Agrément de conduite :	🚗🚗🚗🚗
Fiabilité :	🚗🚗🚗 ½
Sécurité :	🚗🚗🚗🚗🚗
Qualités hivernales :	🚗🚗🚗 ½
Espace intérieur :	🚗🚗🚗🚗
Confort :	🚗🚗🚗🚗

DU NOUVEAU EN 2009

Nouvelles connections multimédia, option "R Design"

ÉLÉGANCE SCANDINAVE

Depuis plusieurs années, la compagnie Volvo tente de se faire une place au soleil dans la catégorie des cabriolets. Malheureusement pour elle, les premiers efforts ont été des échecs, et la version dévoilée au cours des années 90 aura été abandonnée faute d'intérêt de la part des consommateurs. À Göteborg, on s'est retroussé les manches et on a développé, de concert avec le carrossier italien Pininfarina, une nouvelle version de la C70, qui est arrivée sur notre marché il y a trois ans maintenant.

Curieusement, c'est le carrossier qui a développé une partie de la mécanique, à savoir le toit rigide articulé, tandis que ce sont les stylistes du constructeur suédois qui ont réalisé la silhouette de la voiture. Vous avouerez avec moi que c'est le monde à l'envers.

UNE BELLE VOITURE

Il faut reconnaître que les designers affectés à ce coupé cabriolet ont fait du bon boulot. Ils ont su conserver les caractéristiques visuelles des automobiles Volvo tout en donnant une élégance raffinée à la silhouette. Et précisons que la C70 est tout aussi élégante le toit en place ou remisé dans le coffre. Parlant de ce toit, sa mécanique de fermeture et d'ouverture me semble fort complexe avec plusieurs commutateurs déclenchés par des ressorts ou des câbles. Cela explique sans doute la présence, en équipement de série d'une bâche de recouvrement du véhicule placée derrière l'accoudoir central arrière, au cas où une défaillance du mécanisme de fermeture se produirait.

L'habitacle est similaire à celui de la berline S40 avec sa console centrale dégagée de la planche de bord, une astuce dont les stylistes de Volvo sont très fiers. Par contre, comme la plupart de mes collègues, je ne suis pas tellement enthousiasmé par l'utilisation généralisée des grands espaces de plastique gris de la planche de bord, qui sont plutôt tristounets. Avant de l'oublier, je dois souligner que les places arrière sont spacieuses pour la catégorie et deux adultes de taille moyenne pourront s'y asseoir. À l'avant, les sièges sont confortables et offrent un excellent support lombaire et latéral. La position de conduite est également très bonne.

Il est possible de commander, en option, un système de navigation par satellite ; l'écran d'affichage se déploie sur la partie supérieure de la planche de bord, quand même assez impressionnant comme gadget. Malheureusement, il est souvent arrivé lors de notre essai que le soleil vienne oblitérer l'écran de notre navigateur miracle. Nous avons apprécié le système audio optionnel concocté par la marque danoise Dynaudio. Finalement, la qualité des matériaux et de la finition est supérieure à la moyenne.

MOYENNE SANS PLUS

Avant de continuer notre analyse, il est important de souligner que ce coupé cabriolet est dérivé de la berline S40. La plate-forme a été modifiée et renforcée, mais il n'en demeure pas moins qu'il s'agit d'une

FEU VERT
- Finition impeccable
- Silhouette élégante
- Sièges avant confortables
- Toit rigide étanche
- Tableau de bord pratique

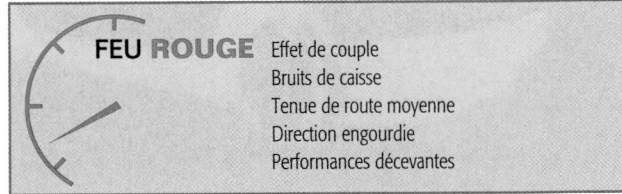

FEU ROUGE
- Effet de couple
- Bruits de caisse
- Tenue de route moyenne
- Direction engourdie
- Performances décevantes

version cabriolet de cette berline. Cela signifie que le groupe propulseur de série est un moteur cinq cylindres turbocompressé de 2,5 litres d'une puissance de 227 chevaux. Étant donné que le véhicule pèse 1 731 kg à sec, c'est un peu juste. La plupart du temps, ce moteur doit travailler très fort pour donner du pep à cette suédoise décoiffée. La présence de 50 chevaux supplémentaires ferait toute la différence, sans accroître la consommation de carburant, bien au contraire. La boîte manuelle à six rapports équipe le modèle de base, tandis qu'une boîte automatique à cinq rapports est offerte en option.

12 MOIS PAR ANNÉE

Compte tenu de son faible empattement, la C70 est une voiture agile capable de négocier assez facilement une route sinueuse. Par contre, la direction manque carrément de précision et, en plus, le diamètre de braquage est très important. Il me semble que cette voiture est destinée davantage à des randonnées boulevardières par de belles soirées d'été. Il est vrai que son toit rigide étanche nous permet de rouler en tout confort à longueur d'année, mais je ne croirais pas que sa conduite sera appréciée 12 mois par année.

La C70 est élégante et confortable, en plus de proposer une cote de sécurité supérieure à la moyenne. Ajoutez à cela la réputation de la marque Volvo et vous avez de bonnes raisons d'être attiré par cette voiture. Malheureusement, dans cette équation, les qualités routières et de performance de la C70 ne sont pas à la hauteur et risquent de décevoir certaines personnes. Finalement, sachez que quelques lecteurs se sont plaints du fait que leur Volvo décapotable laissait entendre de nombreux craquements et bruits de caisse.

Denis Duquet

Photos : Volvo

VÉHICULE D'ESSAI

Version :	Volvo C70 T5
Moteur :	5L de 2,5 litres 20s turbocompressé
Puissance :	227 ch (169 kW) à 5 000 tr/min
Couple :	236 lb-pi (320 Nm) à 5 000 tr/min
Rapport poids/puissance :	7,64 kg/ch (10,27 kg/kW)
Transmission :	manuelle, 6 rapports
Rouage :	traction
0-100 km/h · 80-120 km/h :	8,0 s · 7,2 s
Freinage 100-0 km/h :	40,0 m
Vitesse maximale :	195 km/h
Consommation (100 km) :	super, 11,3 litres
Autonomie approximative :	530 km
Émissions de CO2 :	4 560 kg/an
Emp/Lon/Lar/Haut (mm) :	2 640 / 4 582 / 1 920 / 1 400
Coffre/Réservoir :	170 à 362 / 60 litres
Nombre de coussins de sécurité :	7
Suspension avant :	indépendante, jambes de force
Suspension arrière :	indépendante, multibras
Freins av./arr. :	disque (ABS)
Antipatinage/Contrôle de stabilité :	oui / oui
Direction :	à crémaillère, assistée
Diamètre de braquage :	12,7 m
Pneus av./arr. :	P235/45R17
Poids :	1 736 kg
Capacité de remorquage :	900 kg

AUTRE(S) COMPOSANTE(S) MÉCANIQUE(S)

Système hybride :	aucun
Moteur diesel :	aucun
Taxe énergivore :	aucune
Autre(s) moteur(s) :	aucun
Autre(s) rouage(s) :	aucun
Autre(s) transmission(s) :	automatique, 5 rapports

EN BREF

Échelle de prix :	52 095 $
Catégorie :	cabriolet
Garanties :	4 ans/80 000 km, 4 ans/80 000 km
Assemblage :	Gothenburg, Suède
Cote d'assurance :	n.d.

DANS LA MÊME CATÉGORIE

Audi A4 caliber, BMW Série 3, Mercedes-Benz CLK, Saab 9-3 cabriolet, Volkswagen Eos

NOS IMPRESSIONS

Agrément de conduite :	●●● ½
Fiabilité :	●●●
Sécurité :	●●●● ½
Qualités hivernales :	●●●●
Espace intérieur :	●●●●
Confort :	●●● ½

DU NOUVEAU EN 2009

Aucun changement majeur

Volvo S40

PAS DÉNUÉE D'INTÉRÊT !

Rares sont les gens qui ont en tête la S40 et la V50 lorsque vient le temps de magasiner pour un modèle de luxe d'entrée de gamme. Pourtant, ces deux véhicules ne sont pas dépourvus d'attraits. Il semble que les acheteurs reconnaissent toujours à Volvo l'aspect sécurité de ses véhicules, un credo qui a démarqué longtemps ce constructeur. Cependant, plusieurs croient encore que Volvo ne mise que sur la sécurité en nous présentant toujours des véhicules moins dynamiques et, surtout, peu abordables. Problème de marketing ?

Certes, à Göteborg on mise toujours sur la sécurité, mais les produits sont maintenant plus inspirants. C'est d'ailleurs le cas des dernières générations de la S40 et de la V50, deux modèles qui ont subi une légère cure de jeunesse l'année passée afin qu'ils s'apparentent un peu plus aux autres modèles du constructeur, mais qui demeurent pratiquement inchangés pour 2009.

ATMOSPHÉRIQUE OU SURALIMENTÉ

Afin d'orienter votre choix, vous devrez tout d'abord opter pour la berline, baptisée S40, ou la familiale V50. Voilà ici une question de goût puisque chaque modèle a ses avantages et ses inconvénients. J'ai cependant un faible pour la familiale, qui offre peu de compromis au chapitre du style et qui adopte un comportement tout aussi intéressant que la berline. Vient ensuite le choix du modèle. Plus abordable, la version 2.4i est équipée d'un moteur cinq cylindres atmosphérique développant 168 chevaux pour un couple de 170 livres-pied, le tout combiné à une boîte manuelle à cinq rapports de série, ou automatique également à cinq rapports proposée en option. Sans être surpuissant, ce moteur se marie mieux à la boîte manuelle qui exploite davantage la puissance disponible.

Disposant d'une cavalerie plus importante, la version T5 livre des performances plus enivrantes grâce à son moteur suralimenté de 2,5 litres qui développe 227 chevaux pour un couple de 236 livres-pied. Grâce à l'ajout d'une boîte manuelle à six rapports, on obtient une voiture agile et drôlement performante. De plus, vous pourrez ajouter un rouage intégral, ce qui rend la T5 encore plus intéressante sur chaussée moins favorable. D'ailleurs, Volvo dispose d'un excellent rouage intégral. Seul petit inconvénient du moteur turbo : il vous faudra utiliser de l'essence super à indice d'octane plus élevé, ce qui représente un déboursé supplémentaire à la pompe à chaque plein.

Bref, sans être les plus abordables, et même si on ajoute quelques équipements intéressants, la S40 et la V50 sont proposées à des prix assez compétitifs si on les compare aux modèles de Série3 offerts chez BMW ou aux modèles A4 chez Audi.

R-DESIGN POUR UNE SPORTIVITÉ ACCRUE

Alors que le constructeur n'a jamais réussi à s'imposer au royaume des berlines sport, et que les versions R de la S60 et de la V70 n'ont jamais eu le succès escompté, Volvo insuffle un peu plus de sportivité à ses modèles en nous présentant pour 2009 un ensemble d'équipements

FEU VERT
- Bon groupe motopropulseur
- Style agréable
- Conduite dynamique (T5)
- Véhicule sécuritaire

FEU ROUGE
- Coffre étriqué
- Faible diffusion
- Valeur de revente

rehaussant leur aspect visuel. Baptisé R-Design, cet ensemble donne un peu plus de caractère à la voiture, sans toutefois hausser considérablement le prix. On retrouve des jantes de 17 pouces distinctives, des phares au xénon et un ensemble aérodynamique incluant des jupes latérales et un béquet arrière. L'intérieur reçoit aussi quelques touches distinctives et il faut avouer que le tout est très réussi. J'ai pu admirer quelques modèles R-Design au Salon de l'auto de Détroit et j'admets avoir été conquis. Voilà qui donne un peu plus de personnalité, un élément que nombre d'acheteurs recherchent de nos jours.

SOUCI DU DÉTAIL

À l'intérieur, plusieurs pourraient croire que les S40 et V50 offrent des dimensions inférieures à celles de la concurrence, mais vérification faite, elles présentent des chiffres similaires à une BMW de Série 3 ou à une Audi A4, sauf peut-être au chapitre de la longueur où elles concèdent quelques centimètres. L'habitacle affiche un souci du détail marqué, tout comme l'assemblage, dont la qualité est à souligner. On apprécie les quelques touches de style, notamment la console flottante qui intègre la majeure partie des commandes. Volvo saura aussi satisfaire les audiophiles grâce à l'ajout de la compatibilité avec la radio satellite et avec les fichiers de type MP3. Et que dire du système de sonorisation avec enceintes DynAudio, l'un des meilleurs dans ce créneau ?

Difficile d'adresser des reproches majeurs à ce duo. Voilà deux modèles intéressants, bien ficelés et, bien entendu, disposant des dernières avancées de Volvo en matière de sécurité. Les propriétaires de ces véhicules sont rarement mécontents de leur choix – Volvo jouit d'ailleurs d'une clientèle assez fidèle –, mais plusieurs n'ont pas été enchantés par l'expérience et le service des concessionnaires. Voilà un élément qui ne nuit en rien à la qualité du produit, mais qui mine drôlement l'expérience des acheteurs de produits Volvo.

Sylvain Raymond

Volvo S50

Photos : Volvo

VÉHICULE D'ESSAI

SIRIUS RADIO SATELLITE

Version :	Volvo S40 T5
Moteur :	5L de 2,5 litres 20s turbocompressé
Puissance :	227 ch (169 kW) à 5 000 tr/min
Couple :	236 lb-pi (320 Nm) à 4 800 tr/min
Rapport poids/puissance :	6,62 kg/ch (8,89 kg/kW)
Transmission :	manuelle, 6 rapports
Rouage :	intégral
0-100 km/h · 80-120 km/h :	7,1 s · 5,4 s
Freinage 100-0 km/h :	38,0 m
Vitesse maximale :	210 km/h
Consommation (100 km) :	super, 12,2 litres
Autonomie approximative :	508 km
Émissions de CO2 :	4 992 kg/an
Emp/Lon/Lar/Haut (mm) :	2 640 / 4 476 / 1 806 / 1 454
Coffre/Réservoir :	357 / 62 litres
Nombre de coussins de sécurité :	6
Suspension avant :	indépendante, jambes de force
Suspension arrière :	indépendante, multibras
Freins av./arr. :	disque (ABS)
Antipatinage/Contrôle de stabilité :	opt. / opt.
Direction :	à crémaillère, assistance variable
Diamètre de braquage :	10,6 m
Pneus av./arr. :	P205/55R16
Poids :	1 504 kg
Capacité de remorquage :	900 kg

AUTRE(S) COMPOSANTE(S) MÉCANIQUE(S)

Système hybride :	aucun
Moteur diesel :	aucun
Taxe énergivore :	aucune
Autre(s) moteur(s) :	5L de 2,4 litres 168 ch/170 lb-pi (10,5 l/100 super) (2.4i)
Autre(s) rouage(s) :	traction (2.4i, T5)
Autre(s) transmission(s) :	automatique, 5 rapports (2.4i, T5) manuelle, 5 rapports (2.4i)

EN BREF

Échelle de prix :	31 695 $ à 46 045 $
Catégorie :	familiale, berline sport
Garanties :	4 ans/80 000 km, 4 ans/80 000 km
Assemblage :	Gand, Suède
Cote d'assurance :	moyenne

DANS LA MÊME CATÉGORIE

Acura TL, Audi A4, BMW Série 3, Mercedes-Benz Classe C, Saab 9-3/Sportcombi

NOS IMPRESSIONS

Agrément de conduite :	
Fiabilité :	½
Sécurité :	½
Qualités hivernales :	
Espace intérieur :	½
Confort :	

DU NOUVEAU EN 2009

Nouveaux équipements, ensemble R-Design

CUL-DE-SAC

Il y a des signes qui ne trompent pas. Par exemple, la S60 affiche cette année tous les signes d'une fin de carrière ou tout au moins de l'arrivée d'une transformation en profondeur d'ici quelques mois. En effet, le prix de détail suggéré a été abaissé de plusieurs milliers de dollars tandis que la liste d'équipement de base a été bonifiée. Autant de gestes destinés à intéresser les acheteurs qui auraient autrement ignoré cette berline tentant de jouer les coupés.

Il faut souligner que Volvo croyait avoir fait une bonne affaire en transformant sa berline intermédiaire en voiture à vocation sportive. On voulait tellement nous faire oublier les Volvo aux allures carrées d'autrefois qu'on a même poussé le design un peu trop pour les inconditionnels de la marque. Il est vrai que le concept du coupé quatre portes a été repris avec succès par d'autres compagnies, notamment Mercedes-Benz avec la CLS, mais celle-ci avait d'autres berlines à vocation plus pratique dans ses catalogues. Après un certain engouement à la suite du lancement en 2000, le public s'est rapidement lassé de cette voiture à la silhouette quelque peu déséquilibrée et ne correspondant pas tellement aux attentes des acheteurs traditionnels de la marque. Et dans le monde de l'automobile, c'est de commettre une grave erreur que délaisser sa base de clients.

POUR SE FAIRE PARDONNER

Quand vous avez commis une erreur et que vous désirez vous faire pardonner, vous achetez des fleurs à votre conjointe ou vous donnez un cadeau à vos enfants. Cette année, Volvo agit pareillement en baissant ses prix. C'est ainsi que le prix de vente de cette voiture a été abaissé de 4 600 $, en plus d'ajouter en équipement de série des sièges recouverts de cuir et des phares antibrouillard, une valeur de 2 300 $. Bref, on tartine épais afin de rendre l'offre la plus alléchante possible.

Autre signe de disparition ou de remplacement évident, les groupes d'options ont été éliminés du catalogue pour être remplacés par le groupe d'options luxe. Celui-ci comprend des roues en alliage de 17 pouces, des phares de route au xénon, des garnitures de cuir pour le volant, le frein à main et le levier de vitesses ainsi qu'une sellerie de cuir de meilleure qualité. À cela s'ajoutent un siège du passager à réglage électrique, des cadrans indicateurs à affichage exclusif, une direction à assistance variable en fonction de la vitesse et plusieurs autres gadgets du genre.

Enfin, les automobilistes habitant les villes de Toronto, Montréal, Vancouver et Ottawa qui optent pour le système de navigation par satellites vont bénéficier d'une aide automatique à la navigation qui les préviendra des bouchons de circulation et des obstacles dans leur ville respective. Ces informations sont transmises automatiquement au système.

Quant à la voiture elle-même, elle n'est l'objet d'aucune modification esthétique ou mécanique. Il est toujours aussi difficile d'accéder à l'arrière

FEU VERT
- Finition sérieuse
- Motorisation adéquate
- Prix alléchant
- Sécurité efficace
- Habitacle confortable

FEU ROUGE
- Silhouette dépassée
- Places arrière difficiles d'accès
- Direction imprécise au centre
- Velléités sportives abandonnées
- Modèle en fin de carrière

tandis que les sièges avant sont d'un confort exemplaire. Il faut également accorder de bonnes notes au tableau de bord qui est d'une ergonomie de bon aloi. Soulignons en terminant que la qualité des matériaux est hors pair, tout comme la finition.

RETOUR AU CALME

Les planificateurs de nouveaux produits chez Volvo avaient de grandes ambitions sportives pour ce coupé quatre portes. Il y avait en effet la version S60R et son moteur de trois cents chevaux qui a été abandonné l'an dernier. Cette année, c'est au tour de la version T5 à disparaître du catalogue. Avec ses 247 chevaux, ce moteur offrait un bon compromis entre la puissance et la consommation.

Donc, un seul choix est possible pour 2009, il s'agit du moteur cinq cylindres en ligne de 2,5 litres produisant 208 chevaux et associé à une boîte manumatique à cinq rapports. Voilà autant de chiffres qui nous indiquent à coup sûr que la S60 a perdu toute prétention sportive. Mais il ne faut pas l'ignorer pour autant, puisque ce moteur surprend par son rendement et ses performances. Les courbes de couple et de puissance travaillent en harmonie pour assurer des accélérations correctes et de bonnes reprises. Et il est important de souligner que ce modèle peut être commandé avec la traction intégrale, un système efficace qui a fait ses preuves. Par contre, reste à savoir si la différence de 5 000 $ est justifiée.

Le comportement routier est rassurant et les freins puissants et progressifs. Certains vont trouver que la suspension est ferme, mais elle est dans la bonne moyenne pour une voiture européenne. Bref, une voiture sans surprise, mais dont le comportement et les performances ne sont pas à la hauteur de sa silhouette, qui est plutôt une relique des ambitions de Volvo d'en faire une voiture sportive.

Denis Duquet

Photos : Volvo

VÉHICULE D'ESSAI

Version :	Volvo S60 2,5T
Moteur :	5L de 2,5 litres 20s turbocompressé
Puissance :	208 ch (155 kW) à 5 000 tr/min
Couple :	236 lb-pi (320 Nm) à 4 500 tr/min
Rapport poids/puissance :	7,53 kg/ch (10,10 kg/kW)
Transmission :	automatique, 5 rapports
Rouage :	traction
0-100 km/h · 80-120 km/h :	7,2 s · 7,6 s
Freinage 100-0 km/h :	40,5 m
Vitesse maximale :	250 km/h
Consommation (100 km) :	super, 11,7 litres
Autonomie approximative :	581 km
Émissions de CO2 :	4 752 kg/an
Emp/Lon/Lar/Haut (mm) :	2 715 / 4 603 / 1 813 / 1 428
Coffre/Réservoir :	394 / 68 litres
Nombre de coussins de sécurité :	8
Suspension avant :	indépendante, jambes de force
Suspension arrière :	indépendante, multibras
Freins av./arr. :	disque (ABS)
Antipatinage/Contrôle de stabilité :	oui / oui
Direction :	à crémaillère, assistance variable
Diamètre de braquage :	11,8 m
Pneus av./arr. :	P205/55R16
Poids :	1 567 kg
Capacité de remorquage :	1 500 kg

AUTRE(S) COMPOSANTE(S) MÉCANIQUE(S)

Système hybride :	aucun
Moteur diesel :	aucun
Taxe énergivore :	aucune
Autre(s) moteur(s) :	aucun
Autre(s) rouage(s) :	intégral
Autre(s) transmission(s) :	aucune

EN BREF

Échelle de prix :	36 395 $ à 41 395 $
Catégorie :	berline de luxe
Garanties :	4 ans/80 000 km, 4 ans/80 000 km
Assemblage :	Gand, Suède
Cote d'assurance :	moyenne

DANS LA MÊME CATÉGORIE

Acura TL, Audi A4, BMW Série 3, Buick Lucerne, Infiniti M35/45, Jaguar X-Type, Lexus IS, Mercedes-Benz Classe C, Saab 9-5, Volkswagen Passat

NOS IMPRESSIONS

Agrément de conduite :	
Fiabilité :	
Sécurité :	½
Qualités hivernales :	
Espace intérieur :	½
Confort :	

DU NOUVEAU EN 2009

Groupes d'options différents, moteur 2,4 abandonné, système de navigation avec "Real Time Trafic" (disponible fin 2008 au Canada)

PERDUE DANS LA BRUME

Jamais une voiture entièrement remaniée en 2007 n'aura vieilli aussi rapidement et aussi mal. Dans le créneau des berlines de luxe, la S80 est complètement déclassée par la concurrence et elle appartient à cette sous-catégorie de voitures qui n'apportent rien de nouveau, hormis quelques détails, et qui demeurent totalement anonymes et sans aucune saveur. C'est dommage, car la première génération de cette voiture possédait son identité propre, alors que le modèle actuel veut tellement plaire à tout le monde qu'il ne séduit maintenant presque personne.

Dans la refonte vers le modèle actuel, les designers ont réussi à dénaturer le style propre à la marque en adoucissant les lignes qui donnaient sa personnalité à la S80, notamment du côté de l'épaulement de la partie arrière, qui était autrefois plus marqué et qui représentait l'une des caractéristiques les plus typiques des voitures de la marque. On peut certainement parler d'une « américanisation » de la S80, dans la mesure où la voiture semble avoir été dessinée afin de ne pas déplaire ou de ne pas choquer les sensibilités, plutôt que de proposer une vision authentiquement Volvo de la berline de luxe.

SÉCURITÉ AVANT TOUT

C'est le même constat du côté de l'habitacle, où la Volvo S80 propose en option des appliqués d'aluminium brossé qui font carrément fausse note et qui semblent avoir été choisis afin que la S80 soit confondue avec une Lincoln. Par contre, la S80 a su conserver des sièges ergonomiques d'un grand confort et un certain souci de l'ergonomie, puisque les commandes sont facilement repérables. De plus, le niveau sonore perçu dans l'habitacle est très bas, ce qui contribue grandement au confort à vitesse d'autoroute. Par ailleurs, le souci de la sécurité demeure très présent chez Volvo, qui a développé plusieurs dispositifs inédits pour la S80, notamment le système BLIS (*Blind Spot Information System*) qui est offert dans le groupe d'options « Sécurité », et qui prévient le conducteur de la présence d'un véhicule dans l'angle mort des rétroviseurs latéraux au moyen de témoins lumineux localisés à leur base. Ce système est assez efficace et convient donc parfaitement aux conducteurs qui n'ont pas encore compris qu'il est possible d'éliminer les angles morts par un ajustement plus « ouvert » de l'angle des rétroviseurs latéraux.

Ce groupe d'options comprend également un régulateur de vitesse adaptatif avec système d'anticipation de collision et assistance au freinage, ainsi qu'un système interactif de sécurité personnelle qui permet même au conducteur qui s'approche de la voiture de détecter la présence d'un individu caché à son bord au moyen d'un capteur de rythme cardiaque qui active un signal lumineux affiché à la télécommande de déverrouillage. Les paranoïaques vont adorer...

CONDUITE ASEPTISÉE

Cette obsession de la sécurité tous azimuts se traduit également par l'intervention très autoritaire du système antidérapage qui entre en action dès que le conducteur se met en tête d'exploiter un tant soit

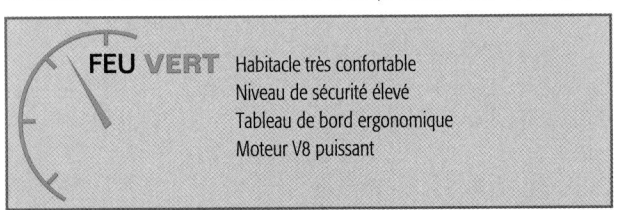

FEU VERT
- Habitacle très confortable
- Niveau de sécurité élevé
- Tableau de bord ergonomique
- Moteur V8 puissant

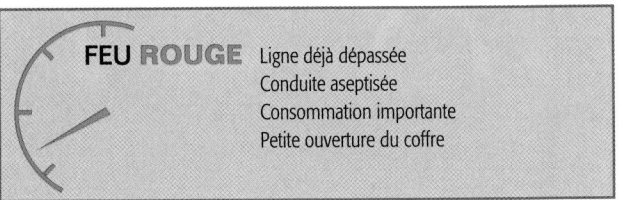

FEU ROUGE
- Ligne déjà dépassée
- Conduite aseptisée
- Consommation importante
- Petite ouverture du coffre

peu le potentiel de performance de la voiture. De plus, le rouage intégral de la S80 priorise la répartition de la motricité vers le train avant en conduite normale dans une proportion de 95 %, tout en permettant de varier cette répartition jusqu'à livrer une motricité égale aux trains avant et arrière en cas de besoin. Le résultat, c'est que la plupart du temps, on se retrouve par la force des choses au volant d'une simple traction, avec tout ce que cela entraîne pour ce qui est du comportement routier, notamment une tendance marquée pour le sous-virage en conduite sportive, tendance fortement accentuée par la répartition des masses de la voiture dont plus de 61 % du poids repose sur le train avant. Ajoutez à cela une direction qui offre une bonne tenue de cap en ligne droite, mais qui manque de sensibilité en virages, et vous avez le portrait d'une voiture de luxe dont la conduite est plutôt engourdie, voire aseptisée, plutôt que ludique.

À la lecture de ce qui précède, vous avez peut-être l'impression que la S80 doit se racheter par une consommation frugale pour pallier son relatif manque d'entrain. Détrompez-vous, puisque toutes les variantes de la S80 présentent des cotes de consommation peu reluisantes, comme en témoignent notre moyenne de 13,3 litres aux 100 km réalisée avec le modèle à moteur six cylindres en ligne et la moyenne de 15,3 litres aux 100 km obtenue par notre collègue Alain Morin au volant de la S80 à moteur V8 en provenance de Yamaha.

Alors que la plupart des voitures de luxe concurrentes n'hésitent pas à se démarquer en affichant clairement leur identité propre, l'absence de personnalité de la S80 nous porte presque à croire que cette voiture est aux prises avec les questionnements et problèmes existentiels des personnages d'un film du cinéaste suédois Ingmar Bergman.

Gabriel Gélinas

Photos : Volvo

VÉHICULE D'ESSAI

SIRIUS RADIO SATELLITE

Version :	Volvo S80 V8 AWD
Moteur :	V8 de 4,4 litres 32s atmosphérique
Puissance :	311 ch (232 kW) à 5 950 tr/min
Couple :	325 lb-pi (441 Nm) à 3 950 tr/min
Rapport poids/puissance :	5,60 kg/ch (7,50 kg/kW)
Transmission :	automatique, 6 rapports
Rouage :	intégral
0-100 km/h · 80-120 km/h :	7,3 s · 5,6 s
Freinage 100-0 km/h :	40,0 m
Vitesse maximale :	209 km/h
Consommation (100 km) :	super, 13,8 litres
Autonomie approximative :	507 km
Émissions de CO2 :	5 520 kg/an
Emp/Lon/Lar/Haut (mm) :	2 835 / 4 851 / 1 861 / 1 493
Coffre/Réservoir :	422 / 70 litres
Nombre de coussins de sécurité :	8
Suspension avant :	indépendante, jambes de force
Suspension arrière :	indépendante, ressorts hélicoïdaux
Freins av./arr. :	disque (ABS)
Antipatinage/Contrôle de stabilité :	oui / oui
Direction :	à crémaillère, assistée
Diamètre de braquage :	11,2 m
Pneus av./arr. :	P245/40R18
Poids :	1 742 kg
Capacité de remorquage :	1 500 kg

AUTRE(S) COMPOSANTE(S) MÉCANIQUE(S)

Système hybride :	aucun
Moteur diesel :	aucun
Taxe énergivore :	aucune
Autre(s) moteur(s) :	6L de 3,0 litres 281 ch/295 lb-pi (13,7 l/100 super) (T6)
	6L de 3,2 litres 235 ch/236 lb-pi (13,3 l/100 super) (3.2)
Autre(s) rouage(s) :	traction (3.2)
Autre(s) transmission(s) :	aucune

EN BREF

Échelle de prix :	49 995 $ à 64 995 $
Catégorie :	berline de luxe
Garanties :	4 ans/80 000 km, 4 ans/80 000 km
Assemblage :	Torslanda, Suède
Cote d'assurance :	n.d.

DANS LA MÊME CATÉGORIE

Audi A6, BMW Série 5, Buick Lucerne, Cadillac STS, Infiniti M45, Jaguar S-Type, Lexus GS, Lincoln MKZ, Mercedes-Benz Classe E, Saab 9-5

NOS IMPRESSIONS

Agrément de conduite :	
Fiabilité :	½
Sécurité :	½
Qualités hivernales :	
Espace intérieur :	
Confort :	½

DU NOUVEAU EN 2009

Nouveau moteur 6L 3,0 Turbo

VOLVO S80

LE MAINTIEN DE LA TRADITION

Les termes Volvo et familiale s'apparentent automatiquement dans l'esprit des automobilistes. Il est vrai que les berlines produites par ce constructeur suédois sont de qualité, mais les ingénieurs de Göteborg semblent avoir encore plus de facilité pour concevoir les familiales. D'ailleurs, la marque domine cette catégorie en Europe. Lancée l'an dernier, la nouvelle génération des V70 et XC70 poursuit cette tradition d'excellence et a pour mission de maintenir la dominance de Volvo dans ce segment.

Malheureusement pour Volvo, cette catégorie de véhicules n'a plus la cote auprès des acheteurs nord-américains et les ventes de familiales, toutes marques confondues, ont périclité au cours des dernières années. Reste à voir si la hausse du prix de l'essence va inciter les acheteurs à délaisser les VUS au profit des familiales, presque aussi pratiques mais moins énergivores. Il est certain que la direction de Volvo apprécierait ce renversement de situation puisque ses ventes souffrent depuis des mois.

V70 : TRACTION SEULEMENT

Comme c'était le cas avec le modèle précédent, la gamme V70 utilise la plate-forme de la S80 qui a été lancée en 2007. Plus moderne et aussi plus rigide, elle permet d'améliorer l'habitabilité, car l'empattement a été allongé de 50 mm, la longueur hors tout de 83 mm et la hauteur intérieure a gagné 25 mm. La silhouette est également transformée, même si au premier coup d'œil elle ressemble à sa devancière. Le capot est plus plongeant tandis que les feux arrière verticaux, signature visuelle de la voiture, ont été redessinés.

Comme ce sur toute Volvo qui se respecte, l'habitacle est confortable, avec des sièges avant qui sont toujours la référence en la matière. Et comme le veut le design scandinave, le tableau de bord est sobre et ultra pratique, alors que les stylistes ont aménagé la console verticale flottante que l'on retrouve maintenant sur presque tous les modèles.

La V70 n'est offerte qu'en version traction et le seul moteur proposé est un six cylindres de 3,2 litres de 235 chevaux couplé à une boîte manumatique à six rapports. Cette combinaison permet de boucler le 0-100 km/h en 9 secondes. Ce moteur monté transversalement est d'une grande douceur, tout comme la boîte de vitesses.

Sur la route, cette familiale est confortable et d'un comportement routier prévisible. Elle est également très pratique. La soute à bagages comporte un espace de rangement sous le plancher. On y accède par une trappe maintenue en place par des cartouches hydrauliques.

XC70 : LA PLUS INTÉRESSANTE

En attendant l'arrivée d'une V70 dotée d'une transmission intégrale, c'est la XC70 qu'il vous faut si vous recherchez une Volvo intégrale. Mais il y a plus que cela ; sa silhouette est mieux réussie à mon avis. Les découpes cerclées de métal dans les pare-chocs avant et arrière permettent de l'identifier à coup sûr. Et il est intéressant de souligner

FEU VERT
- Sécurité garantie
- Habitacle confortable
- Rouage intégral efficace
- Finition soignée
- Tenue de route

FEU ROUGE
- Performances moyennes
- Fiabilité à démontrer
- Catégorie moins populaire
- Consommation élevée

que les angles d'attaque et de départ ont été révisés afin de faciliter les randonnées sur des terrains accidentés.

La XC70 est dotée du même moteur six cylindres 3,2 litres de 235 chevaux que la V70. La direction de Volvo a longtemps jonglé avec l'idée du moteur T6, un six cylindres 3,0 litres turbo de 282 chevaux, dont le niveau de performance est nettement plus relevé. Heureusement pour vous, on s'est décidé de vous l'offrir sur le modèle T6.

Plus haute et lourde que la V70, la XC70 y perd quelque peu en agilité, mais demeure quand même un choix plus intéressant à mon avis, car son rouage intégral Haldex répond très rapidement tout en se montrant efficace. Et on vous offre également en équipement de série sur ce modèle un système de contrôle de descente de pente qui ajoute à sa polyvalence.

SOLIDE ET RIGIDE

Sur le bitume, cette Volvo est neutre en virage, dotée de freins puissants et d'une grande stabilité en plus d'être confortable. Elle brille aussi lorsqu'on roule sur un terrain accidenté ou sur une route en gravier mal entretenue, alors que la nouvelle plate-forme plus rigide fait sentir sa présence. La direction demeure trop engourdie à mon goût, mais c'est tout de même acceptable.

Une fois encore, Volvo nous démontre son expertise dans la catégorie des familiales, souvent boudée par la concurrence. Après tout, le constructeur suédois s'y intéresse depuis 1953.

Denis Duquet

Photos: Volvo

VÉHICULE D'ESSAI

Version:	Volvo XC70 3,2 AWD
Moteur:	6L de 3,2 litres 24s atmosphérique
Puissance:	235 ch (175 kW) à 6 200 tr/min
Couple:	236 lb-pi (320 Nm) à 3 200 tr/min
Rapport poids/puissance:	8,04 kg/ch (10,80 kg/kW)
Transmission:	automatique, 6 rapports
Rouage:	intégral
0-100 km/h · 80-120 km/h:	9,2 s · 8,5 s
Freinage 100-0 km/h:	39,7 m
Vitesse maximale:	200 km/h
Consommation (100 km):	super, 14,4 litres
Autonomie approximative:	486 km
Émissions de CO2:	5 760 kg/an
Emp/Lon/Lar/Haut (mm):	2 815 / 4 838 / 2 119 / 1 604
Coffre/Réservoir:	944 à 2 042 / 70 litres
Nombre de coussins de sécurité:	6
Suspension avant:	indépendante, jambes de force
Suspension arrière:	indépendante, multibras
Freins av./arr.:	disque (ABS)
Antipatinage/Contrôle de stabilité:	oui / oui
Direction:	à crémaillère, assistance variable
Diamètre de braquage:	10,6 m
Pneus av./arr.:	P215/65R16
Poids:	1 891 kg
Capacité de remorquage:	1 587 kg

AUTRE(S) COMPOSANTE(S) MÉCANIQUE(S)

Système hybride:	aucun
Moteur diesel:	aucun
Taxe énergivore:	aucune
Autre(s) moteur(s):	6L de 3,0 litres 281 ch/295 lb-pi (XC70 T6)
Autre(s) rouage(s):	aucun
Autre(s) transmission(s):	aucune

EN BREF

Échelle de prix:	44 095 $ à 51 295 $
Catégorie:	familiale, multisegment
Garanties:	4 ans/80 000 km, 4 ans/80 000 km
Assemblage:	n.d.
Cote d'assurance:	n.d.

DANS LA MÊME CATÉGORIE

Audi A4 Avant, BMW 325 Touring, Jaguar X-Type, Saab 9-5, Subaru Outback, Volkswagen Passat

NOS IMPRESSIONS

Agrément de conduite:	🚗🚗🚗🚗
Fiabilité:	🚗🚗🚗🚗
Sécurité:	🚗🚗🚗🚗 ½
Qualités hivernales:	🚗🚗🚗🚗 ½
Espace intérieur:	🚗🚗🚗🚗
Confort:	🚗🚗🚗🚗

DU NOUVEAU EN 2009

Ajout du moteur 6L, 3,2 litres turbo de 281 chevaux (XC70)

TOUJOURS INTÉRESSANT

Depuis son introduction en 2002, le Volvo X90 s'est attiré la faveur de plusieurs adeptes dans le créneau des VUS de luxe, notamment par ses nombreux équipements de sécurité, mais également par son style et son comportement. Sa capacité à transporter sept passagers lui a aussi valu des points positifs, mais son prix assez corsé en a refroidi plusieurs. On reconnaît certes la qualité des produits Volvo, mais tous ne sont pas prêts à payer la surprime qui est normalement associée aux produits renommés. Il semble, aux yeux de plusieurs, que le logo Volvo n'a pas la même valeur que celui de Mercedes-Benz, de Audi ou de BMW.

Alors que la concurrence se modernise et que de nouveaux modèles arrivent, Volvo se doit de rafraîchir également son XC90 puisqu'il commence à se faire vieux. Pour 2009, on note peu de modifications. Le constructeur a revu à la baisse le prix de ses deux modèles, tout en ajoutant un peu plus d'équipement. Voilà qui aidera à en atténuer un peu la facture assez corsée, mais certains rivaux ont réduit leur prix davantage, surtout dans le contexte actuel.

Alors qu'il proposait initialement un moteur cinq cylindres suralimenté et un six cylindres en ligne, le XC90 a eu droit à l'ajout d'un moteur V8 il y a trois ans, et ce, non parce que Volvo désirait faire partie de la course à la puissance, mais simplement parce que les Américains raffolaient des VUS de luxe équipés d'un V8. Voilà la preuve que les constructeurs offrent ce qui se vend, même si c'est parfois contraire à leur philosophie. De nouveau au catalogue pour 2009, ce moteur V8 atmosphérique de 4,4 litres développe une puissance de 311 chevaux pour un couple de 325 livres-pied. Cela confère au XC90 un comportement amplement puissant ainsi qu'une bonne capacité de chargement et de remorquage. Plusieurs éléments technologiques greffés à ce moteur assurent sa taille compacte et son économie d'essence, toutes choses étant relatives.

HEUREUSEMENT LE V6

Malgré l'intérêt que l'on peut porter au modèle à moteur V8, le contexte actuel du marché le rend moins intéressant et heureusement, Volvo pourra se rabattre sur son XC90 à moteur six cylindres afin de soutenir les ventes. Ce moteur ligne développe une puissance de 235 chevaux à 6 200 tours/minute pour un couple de 236 livres-pied à 3 200 tours/minute. Voilà tout de même une puissance intéressante, et ce, malgré les dimensions et le poids du véhicule. Vous n'obtiendrez pas l'efficacité et la puissance du V8, mais en contrepartie, vous bénéficierez d'une économie de carburant accrue. Ces deux motorisations sont jumelées à une transmission automatique à six rapports de type Geartronic, la seule proposée, et reçoivent de série un rouage intégral.

À l'extérieur, le XC90 a bénéficié d'un léger remodelage l'an passé, histoire de lui donner encore quelques années de vigueur. On notait une nouvelle calandre incorporant plus de chrome, des poignées et des moulures latérales de couleur agencée ainsi que des feux arrière retravaillés. Cette année, on constate la présence de l'ensemble R-Design, qui procure au XC90 un style un peu plus sportif, notamment en raison de l'ajout de jantes de 18 ou 20 pouces selon le modèle, d'une suspension sport abaissée et de quelques artifices à l'intérieur et à l'extérieur

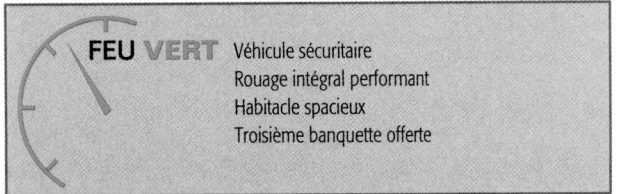

FEU VERT
- Véhicule sécuritaire
- Rouage intégral performant
- Habitacle spacieux
- Troisième banquette offerte

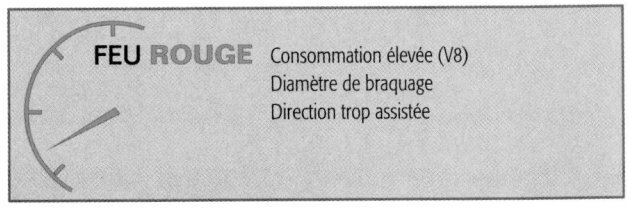

FEU ROUGE
- Consommation élevée (V8)
- Diamètre de braquage
- Direction trop assistée

qui contribuent aussi à l'allure plus sportive de ce modèle. En plus d'apporter un peu de nouveauté à la gamme, cet ensemble devrait attirer les amateurs de sportivité, sans nécessairement faire trop grimper la facture puisque les composantes mécaniques sont les mêmes que dans les versions régulières.

UN COMPORTEMENT SAIN

Sur la route, le modèle équipé du moteur six cylindres est plus souple, surtout par rapport à l'ancien six cylindres proposée initialement. Son couple intéressant lui donne de bonnes accélérations alors que les manœuvres de dépassement ne se révèlent pas trop périlleuses. J'ai obtenu une consommation moyenne d'environ 12,5 litres aux 100 km, ce qui est très raisonnable pour ce type de véhicule compte tenu de son poids et de sa taille. Conscience verte oblige, la consommation est l'un des principaux chevaux de bataille de Volvo, qui ne veut pas être associé au gros VUS énergivore.

Confortable sur l'autoroute, le XC90 demeure agréable en ville. Ses larges zones vitrées assurent une bonne visibilité, alors que sa direction à assistance électrique permet des manœuvres simplifiées en ville. Cette direction est cependant quelque peu surassistée en conduite normale et inhibe les sensations de la route. De plus, le diamètre de braquage se révèle un peu trop important.

Malgré son âge, le XC90 continue de combler les attentes. S'il n'est pas aussi axé sur la sportivité qu'un Audi Q7 ou un BMW X5, il se révèle plus confortable sur la route et ses nombreux équipements de sécurité le rendent rassurant. Mon choix se porte aussi sur le moteur six cyclindres, ce dernier demandant peu de compromis tout en étant intéressant et plus économe.

Sylvain Raymond

Photos: Volvo

VÉHICULE D'ESSAI

Version:	Volvo XC90 V8
Moteur:	V8 de 4,4 litres 32s atmosphérique
Puissance:	311 ch (232 kW) à 5 850 tr/min
Couple:	325 lb-pi (441 Nm) à 3 900 tr/min
Rapport poids/puissance:	6,54 kg/ch (8,77 kg/kW)
Transmission:	automatique, 6 rapports
Rouage:	intégral
0-100 km/h · 80-120 km/h:	8,7 s · 7,2 s
Freinage 100-0 km/h:	42,9 m
Vitesse maximale:	200 km/h
Consommation (100 km):	super, 16,2 litres
Autonomie approximative:	493 km
Émissions de CO2:	6 480 kg/an
Emp/Lon/Lar/Haut (mm):	2 857 / 4 807 / 1 898 / 1 784
Coffre/Réservoir:	249 à 2 639 / 80 litres
Nombre de coussins de sécurité:	8
Suspension avant:	indépendante, jambes de force
Suspension arrière:	indépendante, multibras
Freins av./arr.:	disque (ABS)
Antipatinage/Contrôle de stabilité:	oui / oui
Direction:	à crémaillère, assistance variable
Diamètre de braquage:	12,5 m
Pneus av./arr.:	P235/65R18
Poids:	2 036 kg
Capacité de remorquage:	2 250 kg

AUTRE(S) COMPOSANTE(S) MÉCANIQUE(S)

Système hybride:	aucun
Moteur diesel:	aucun
Taxe énergivore:	1 000 $ (V8)
Autre(s) moteur(s):	6L de 3,2 litres 235 ch/236 lb-pi (13,9 l/100 super)
Autre(s) rouage(s):	aucun
Autre(s) transmission(s):	aucune

EN BREF

Échelle de prix:	54 495 $ à 63 595 $
Catégorie:	multisegment
Garanties:	4 ans/80 000 km, 4 ans/80 000 km
Assemblage:	Torslanda, Suède
Cote d'assurance:	bonne

DANS LA MÊME CATÉGORIE

Cadillac SRX, Infiniti FX35/50, Mercedes-Benz Classe M, Subaru Tribeca

NOS IMPRESSIONS

Agrément de conduite:	4
Fiabilité:	3 ½
Sécurité:	5
Qualités hivernales:	4
Espace intérieur:	4
Confort:	4 ½

DU NOUVEAU EN 2009

Système BLIS optionnel, ensemble R-Design

LES CAMIONNETTES

CADILLAC • CHEVROLET • DODGE • FORD • GMC
HONDA • MAZDA • NISSAN • TOYOTA

Chevrolet Avalanche

LA POLYVALENCE SE RAFFINE

Lorsque les ingénieurs de Chevrolet ont eu le feu vert pour développer cette camionnette pour le moins spéciale, ils ont décidé de mettre l'accent sur la qualité. Cette fois-ci, pas de raccourcis, puisque les fausses économies se traduisent par la suite par un véhicule qui n'est pas capable d'affronter la concurrence. Le résultat a été concluant : on a réussi à produire quelque chose de qualité et d'unique en son genre, ce qui explique pourquoi ce véhicule continue d'étonner, plusieurs années après son lancement.

Cela ne signifie pas qu'il faille se contenter du statu quo, bien au contraire. On semble décidé, chez ce constructeur, à continuellement améliorer le produit afin de demeurer compétitif. Et malgré des pertes financières énormes de GM, Chevrolet a apporté de nombreuses améliorations à l'Avalanche en 2009.

PLACE AUX NOUVEAUTÉS

Sans vous donner une liste exhaustive, voici quelques-unes des nouveautés proposées par l'Avalanche en 2009. La plus importante est la transmission automatique à six vitesses sur tous les modèles. Viennent ensuite l'écran de la caméra arrière intégré dans le rétroviseur intérieur, un ensemble de remorquage ultra robuste, un contrôleur de freins intégrés pour faciliter le remorquage et, dans le modèle LTZ, des sièges chauffants et climatisés, un système ambiophonique Bose de même que plusieurs éléments visant à souligner le caractère exclusif de ce modèle. Enfin, la connectivité Bluetooth est dorénavant avec commandes au volant.

L'Avalanche est offert en versions LS, LT et LTZ, avec deux ou quatre roues motrices. Le groupe motopropulseur avec moteur V8 de 5,3 litres de série est doté de la technologie de gestion active du carburant, qui permet de passer directement du fonctionnement en mode huit cylindres à quatre cylindres pour une meilleure économie. Un moteur V8 de 6,0 litres, également avec gestion active du carburant et calage variable des soupapes, est offert en option. Ces moteurs sont de type FlexFuel, c'est-à-dire qu'ils peuvent rouler avec de l'éthanol E85.

Mais l'élément le plus distinctif de ce véhicule est sa cloison intermédiaire Midgate qui lui permet de fonctionner tantôt comme un utilitaire sport, tantôt comme un camion ou même les deux. La cloison Midgate s'abaisse pour prolonger la caisse de 1,6 m (63 po) à 2,5 m (98 po). Le siège arrière doit être rabattu pour assurer une capacité de rangement maximale ; avec le siège arrière relevé et la cloison Midgate fermée, l'Avalanche offre de l'espace pour six passagers.

Lorsque la cloison Midgate est ouverte et que la banquette arrière est baissée, l'Avalanche peut transporter des feuilles de matériaux de construction de 1,2 m par 2,4 m avec le hayon fermé. Les compartiments de rangement verrouillables sont intégrés dans les parois de la caisse et renferment également des orifices d'évacuation ; ils peuvent donc être remplis de glace et servir de glacières. Un couvercle rigide pour espace de rangement en trois morceaux avec panneaux à verrouillage est aussi offert.

FEU VERT
Système Midgate ingénieux
Suspension confortable
Comportement routier équilibré
Boîte automatique à six rapports
Moteurs puissants

FEU ROUGE
Dimensions encombrantes
Consommation élevée
Certains plastiques à revoir
Insonorisation perfectible (Chevrolet)

Sur la route, cette camionnette fort originale se démarque par son confort, sa suspension à ressorts hélicoïdaux et une consommation de carburant raisonnable, du moins pour une camionnette. Toutefois, ses dimensions imposantes deviennent un handicap majeur dans la circulation urbaine. Il faut vraiment avoir besoin de ce type de véhicule pour se le procurer, surtout avec le prix du litre d'essence qui semble toujours progresser à la hausse.

CADILLAC EXT : LE COUSIN RICHE

Puisqu'il n'y a pas si longtemps les véhicules utilitaires de tout acabit avaient la cote chez nos voisins du sud, toutes les grandes marques américaines se devaient de proposer divers produits. Compte tenu de la grande popularité du Chevrolet Avalanche et de sa conception originale, on ne s'est pas gêné chez Cadillac pour demander à la division populiste de lui refiler son Avalanche que l'on a immédiatement baptisé Escalade EXT.

Vous savez comme moi que, malgré l'écusson de prestige qui trône au centre de la grille de calandre, ce modèle partage la plupart de ses organes mécaniques et de sa configuration Midgate avec le Chevrolet. Par contre, la Caddy a des atouts au chapitre de la mécanique : une transmission automatique à six rapports et un gros moteur V8 de 6,2 litres de 403 chevaux. Si la Chevrolet bénéficie cette année de la boîte à six rapports, l'Escalade EXT conserve en exclusivité son gros moteur V8 en aluminium qui a été le premier dans sa catégorie à être doté du calage variable des soupapes.

Pour le reste, l'Escalade est sensiblement le même que l'Avalanche, à par le fait que l'habitacle est nettement mieux insonorisé et plus luxueux. La qualité des matériaux et de la finition ainsi que l'attention aux détails sont autant d'éléments qui sont appréciés par le propriétaire type d'une Cadillac. En plus, grâce à sa suspension Magnaride à amortisseurs magnétiques, non seulement le confort est-il supérieur, mais la tenue de route est améliorée puisqu'ils varient leur fermeté en un rien de temps.

Malgré tout, qu'il s'agisse de l'Avalanche ou de l'Escalade, rappelons qu'il faut avoir réellement besoin d'un véhicule de ce genre pour investir dans un mastodonte dont la consommation de carburant sera en moyenne supérieure à 15 litres aux 100 km, et ce, avec un seul occupant à bord et aucune remorque attachée au véhicule.

Denis Duquet

Cadillac Escalade EXT

Photos : Chevrolet / Cadillac

VÉHICULE D'ESSAI

Version :	Chevrolet Avalanche LT
Moteur :	V8 de 5,3 litres 16s atmosphérique
Puissance :	310 ch (231 kW) à 5 200 tr/min
Couple :	335 lb-pi (454 Nm) à 4 400 tr/min
Rapport poids/puissance :	10,24 kg/ch (13,74 kg/kW)
Transmission :	automatique, 6 rapports
Rouage :	4x4
0-100 km/h · 80-120 km/h :	11,3 s · 7,8 s
Freinage 100-0 km/h :	45,1 m
Vitesse maximale :	180 km/h
Consommation (100 km) :	14,7 litres
Autonomie approximative :	795 km
Émissions de CO2 :	6 000 kg/an
Emp/Lon/Lar/Haut (mm) :	3 302 / 5 620 / 2 010 / 1 945
Longueur boîte/Réservoir :	1 609 mm / 117 litres
Nombre de coussins de sécurité :	6
Suspension avant :	indépendante, ressorts hélicoïdaux
Suspension arrière :	essieu rigide, ressorts hélicoïdaux
Freins av./arr. :	disque (ABS)
Antipatinage/Contrôle de stabilité :	oui/oui
Direction :	à crémaillère, assistée
Diamètre de braquage :	13,1 m
Pneus av./arr. :	P265/70R17
Poids :	3 175 kg
Capacité de remorquage :	3 629 kg

AUTRE(S) COMPOSANTE(S) MÉCANIQUE(S)

Système hybride :	aucun
Moteur diesel :	aucun
Taxe énergivore :	aucune
Autre(s) moteur(s) :	V8 de 6,2 litres 403 ch/417 lb-pi (17,5 l/100 ordinaire) (Escalade EXT) V8 de 6,0 litres 366 ch/380 lb-pi (17,0 l/100 ordinaire)
Autre(s) rouage(s) :	propulsion (Avalanche) intégral (Escalade EXT)
Autre(s) transmission(s) :	aucune

EN BREF

Échelle de prix :	40 470 $ à 55 285 $
Catégorie :	camionnette grand format
Garanties :	3 ans/60 000 km, 5 ans/160 000 km
Assemblage :	Silao, Mexique
Cote d'assurance :	passable

DANS LA MÊME CATÉGORIE

Dodge RAM, Ford F-150, Nissan Titan, Toyota Tundra

NOS IMPRESSIONS

Agrément de conduite :	3 ½
Fiabilité :	4
Sécurité :	4
Qualités hivernales :	4
Espace intérieur :	4
Confort :	4

DU NOUVEAU EN 2009

Boîte automatique à six rapports pour tous les modèles

CHEVROLET COLORADO / GMC CANYON

GMC Canyon

UNE CLASSE À PART

Lorsque GM a décidé de modifier ses camionnettes compactes Chevrolet S10 et GMC Sonoma, les dirigeants ont opté pour un autre modèle de dimensions compactes, et ce, malgré la tendance du marché qui privilégiait des camionnettes au moins intermédiaires. Était-ce pour concurrencer le Ford Ranger ou pour continuer de proposer un modèle plus économique en carburant? Quoi qu'il en soit, les Colorado et Canyon demeurent des véhicules presque à part.

Il ne faut pas pour autant les balayer du revers de la main. En effet, leurs dimensions raisonnables, leur châssis nettement plus moderne que la concurrence et leur comportement routier correct sont à prendre en considération.

DISCRÉTION ASSURÉE

Si vous aimez que les gens se retournent au passage de votre véhicule, ces camionnettes ne seront pas votre choix. En effet, leur silhouette est moderne certes, mais très discrète. Les stylistes ont tenté de relever la présentation visuelle par des passages de roue plus larges réalisés avec un matériau contrastant. Mais il faut plus que cela pour concurrencer des modèles aussi dynamiques que le Nissan Frontier ou encore le Dodge Dakota.

En fait, les seuls concurrents directs des Colorado et Canyon sont le Ford Ranger ainsi que la Mazda Série B. Vous conviendrez avec moi que cette concurrence n'est pas trop intimidante. D'ailleurs, malgré plusieurs retouches au fil des ans, ce duo Ford-Mazda n'est plus tellement à la hauteur en fait d'esthétique.

Sans être ultramoderne, l'habitacle du Colorado-Canyon est de présentation équilibrée et correcte. Toutes les commandes de la climatisation et du système audio sont disposées dans une console verticale. Celle-ci est surplombée par deux buses de ventilation séparées entre elles par le bouton d'activation des clignotants. Toutes les commandes sont faciles d'accès et leur manipulation est très simple, notamment les commandes de climatisation placées sur la console. Soulignons au passage que les plastiques sont d'assez bonne qualité, mais très durs.

Le volant à quatre branches est assez esthétique. La position de conduite est adéquate, tandis que le support latéral des sièges pourrait être considéré comme bon, du moins pour une camionnette. Les espaces de rangement sont assez nombreux et la version quatre portes propose des bacs de remisage sous le siège arrière. Avec le temps, la finition s'est améliorée, mais on pourrait encore faire beaucoup mieux.

UN MOTEUR CINQ CYLINDRES!

Ces camionnettes sont les deux seules à ne pas proposer un moteur V6, peu importe le modèle choisi. Le moteur le plus puissant est un cinq cylindres en ligne d'une cylindrée de 3,7 litres produisant 242 chevaux. Il est intéressant de souligner que ce moteur est de type modulaire et qu'il est dérivé du six cylindres de 4,2 litres utilisé sur le Chevrolet Trailblazer. L'autre moteur offert, un quatre cylindres de 2,9 litres, est

FEU VERT
- Conception moderne
- Version quatre portes
- Tenue de route correcte
- Finition en progrès

FEU ROUGE
- Moteurs bruyants
- Capacité de remorquage limitée
- Certaines versions chères
- Faible diffusion

également dérivé de ce même moteur six cylindres. Cette fois, la puissance est de 185 chevaux. La transmission manuelle offerte est une boîte à cinq rapports tandis que l'automatique possède une vitesse de moins ; c'est assez modeste.

Seules des raisons d'économie peuvent expliquer l'utilisation d'un moteur cinq cylindres en ligne. En effet, sur la même chaîne de production, il est possible de produire trois moteurs de cylindrée différente. Malgré sa puissance, qui équivaut à celle d'un moteur V6, ce moteur cinq cylindres n'apporte rien de nouveau. Au contraire, la capacité de remorquage est assez limitée, avec un poids maximal de 1 814 kg. Ajoutez à cela la consommation de carburant passablement élevée et il est difficile de comprendre les décisions de certains dirigeants.

DE SON ÉPOQUE

Malgré tout, cette camionnette a un comportement nettement plus actuel que sa grande rivale, le Ford Ranger (dont, par ailleurs, le prix vraiment plus compétitif nous fait passer l'éponge sur beaucoup de défauts). La plate-forme est rigide tandis que la suspension est plus moderne. Malgré certaines limites, les moteurs du Colorado sont quand même relativement performants.

Le Colorado, tout comme le Canyon, demeure un choix intéressant pour autant que l'on réussisse à trouver un modèle exempt d'options chères et inutiles. Par exemple, avec la version quatre portes, il est facile de franchir le cap des 45 000 $. À ce prix, mieux vaut se procurer une camionnette pleine grandeur !

Denis Duquet

Chevrolet Colorado

Photos : Chevrolet / GMC

VÉHICULE D'ESSAI

Version :	Chevrolet Colorado LT 4x4 cabine double
Moteur :	5L de 3,7 litres 16s atmosphérique
Puissance :	242 ch (181 kW) à 5 600 tr/min
Couple :	242 lb-pi (328 Nm) à 2 800 tr/min
Rapport poids/puissance :	7,44 kg/ch (10,01 kg/kW)
Transmission :	automatique, 4 rapports
Rouage :	4x4
0-100 km/h · 80-120 km/h :	8,7 s · 7,7 s
Freinage 100-0 km/h :	41,0 m
Vitesse maximale :	185 km/h
Consommation (100 km) :	ordinaire, 15,2 litres
Autonomie approximative :	486 km
Émissions de CO2 :	6 384 kg/an
Emp/Lon/Lar/Haut (mm) :	3 200 / 5 260 / 1 742 / 1 718
Longueur boîte/Réservoir :	1 848 mm / 74 litres
Nombre de coussins de sécurité :	2
Suspension avant :	indépendante, barres de torsion
Suspension arrière :	essieu rigide, ressorts elliptiques
Freins av./arr. :	disque/tambour (ABS)
Antipatinage/Contrôle de stabilité :	non/non
Direction :	à crémaillère, assistée
Diamètre de braquage :	n.d.
Pneus av./arr. :	P235/75R16
Poids :	1 802 kg
Capacité de remorquage :	1 814 kg

AUTRE(S) COMPOSANTE(S) MÉCANIQUE(S)

Système hybride :	aucun
Moteur diesel :	aucun
Taxe énergivore :	aucune
Autre(s) moteur(s) :	4L de 2,9 litres 185 ch/190 lb-pi (11,5 l/100 ordinaire) V8 de 5,3 litres 320 ch/320 lb-pi
Autre(s) rouage(s) :	propulsion
Autre(s) transmission(s) :	manuelle, 5 rapports

EN BREF

Échelle de prix :	22 665 $ à 35 035 $
Catégorie :	camionnette grand format
Garanties :	3 ans/60 000 km, 5 ans/160 000 km
Assemblage :	Shreveport, Louisiane, É-U
Cote d'assurance :	passable

DANS LA MÊME CATÉGORIE

Dodge Dakota, Ford Ranger, Mazda Série B, Nissan Frontier, Toyota Tacoma

NOS IMPRESSIONS

Agrément de conduite :	
Fiabilité :	½
Sécurité :	½
Qualités hivernales :	½
Espace intérieur :	
Confort :	½

DU NOUVEAU EN 2009

V8 5,3 litres disponible pour versions à cabine allongée et multiplace, freinage amélioré, Stabilitrak standard sur tous les modèles

Chevrolet Silverado

UN BON PAS VERS L'ÉCONOMIE !

On le sait, depuis quelque temps, le marché des camionnettes est malmené principalement en raison du prix du carburant. Par contre, ce n'est pas parce que le marché a changé que les camionnettes vont disparaître du paysage. Si plusieurs en ont acheté dans le passé par plaisir, il n'en demeure pas moins qu'une bonne partie des acheteurs ont réellement besoin de ce type de véhicule. Le travail pour les constructeurs est donc de rendre les camionnettes plus efficaces et c'est ce que GM tente de faire.

Profitant d'une refonte complète l'an passé, la gamme GMC Sierra, Silverado du côté de Chevrolet, propose une fois de plus une quantité incroyable de variantes. Il serait beaucoup trop long d'en faire la nomenclature. Sachez cependant que c'est avant tout vos besoins qui détermineront quel type de configuration vous devriez choisir. Si vous devez transporter des charges importantes, soit des matériaux ou un VTT par exemple, il vous faudra être attentif à la capacité de charge utile et choisir une caisse de plus grande taille. À l'opposé, si vous avez besoin d'une camionnette pour remorquer, c'est la capacité de remorquage qu'il vous faudra scruter à la loupe. Cette dernière variera en fonction du moteur choisi, du type de cabine et de caisse, mais aussi d'après le rouage, soit 4X4 et 4X2.

UNE CAMIONNETTE HYBRIDE ?

Pour 2009, on note peu de changements à la gamme. On retrouve de nouveau le moteur V8 de 6,2 litres, mais il n'est plus uniquement réservé au modèle ultra luxueux Denali. Il devient maintenant disponible dans les versions SLT, conférant ainsi le titre de camionnette la plus puissante de sa catégorie aux modèles qui en sont équipés. Avec sa puissance intéressante de 403 chevaux et ses 417 lb-pi de couple, ce moteur, tout comme le V8 de 6,0 litres, dote le Sierra et le Silverado d'une capacité de remorquage de 10700 lb, soit pratiquement la plus importante dans sa catégorie. Seul le nouveau Ford F-150 peut se vanter d'afficher un chiffre supérieur, soit 11 300 lb. Du reste, vous pourrez opter pour divers autres moteurs selon vos besoins, incluant même un V6 de 4,3 litres pour les travaux plus légers. Malheureusement, aucun constructeur n'a de moteur diesel chez les camionnettes d'une demi-tonne.

Une nouvelle boîte automatique à six rapports fait son entrée cette année, cette dernière est installée initialement dans les versions SLT. Elle devrait tirer un peu mieux profit de la puissance disponible, tout en améliorant la consommation.

La grande nouveauté est sans contredit l'ajout d'un modèle hybride, doté d'une technologie qui n'a rien à voir avec les premiers modèles présentés il y a quelques années. On retrouve sous le capot un moteur V8 Vortec de 6,0 litres, combiné à un moteur électrique.de 300 volts. Ce système, bimode, vous permet donc de circuler uniquement avec le moteur électrique jusqu'à une vitesse d'un peu plus de 45 km/h et assistera le moteur à essence pour un peu plus de puissance. Voilà un système similaire à celui de Toyota, qui donne au Sierra une véritable

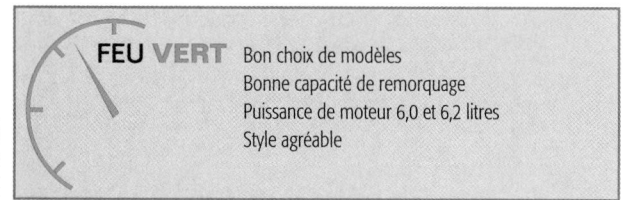

FEU VERT
- Bon choix de modèles
- Bonne capacité de remorquage
- Puissance de moteur 6,0 et 6,2 litres
- Style agréable

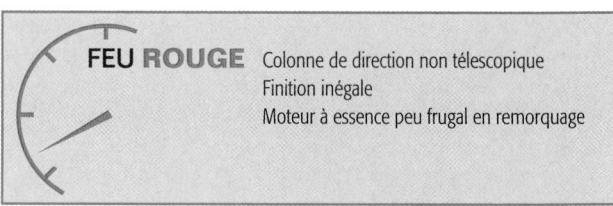

FEU ROUGE
- Colonne de direction non télescopique
- Finition inégale
- Moteur à essence peu frugal en remorquage

motorisation hybride, et non pas une simple assistance électrique. Autre fait intéressant, le moteur à essence dispose également s'un système de désactivation de cylindres et s'éteint automatiquement lorsque le véhicule est à l'arrêt, ce qui maximise l'économie de carburant. Grâce à cette motorisation, le constructeur nous mentionne une économie de carburant de l'ordre de 35 % en ville et 25 % sur l'autoroute. Toutefois, ce modèle ne s'adresse pas à ceux qui en font un usage intensif, puisque les capacités en sont réduites. Par exemple, la capacité de remorquage passe à 6 100 lb, ce qui est tout de même intéressant pour un modèle hybride, mais de loin inférieur aux capacités des modèles à essence.

AVEC STYLE...

Bon nombre d'acheteurs utilisent leur camionnette pour remorquer bateau, VTT ou roulotte, et ils ne sont pas insensibles au style. En fait, ils apprécient un véhicule qui est stylisé et chez GM, il faut avouer que le Sierra et le Silverado ne sont pas piqués des vers. Si la concurrence semble s'orienter vers des lignes plus trapues ou robustes, GM fait un peu plus dans la finesse, dans un style plus sophistiqué. On remarque une utilisation massive du chrome et c'est surtout le choix des jantes, dont les dimensions peuvent aller jusqu'à 22 pouces, qui met bien en valeur les différents modèles. Bien entendu, une panoplie d'accessoires est aussi proposée afin de rehausser le style ou fournir quelques fonctionnalités de plus.

À l'intérieur, vous aurez un habitacle sobre en choisissant une version de base, mais sachez que les camionnettes modernes peuvent se révéler toute aussi luxueuses que de grandes berlines. Du lot, on note des sièges en cuir, un climatiseur automatique, un système de navigation et même des systèmes de divertissement incluant un lecteur DVD. Bref, voilà qui vous permettra de vaquer à vos occupations sans faire de compromis au chapitre du confort et du style.

Avec le contexte actuel, les constructeurs mettent énormément d'efforts afin de réduire la consommation en carburant des camionnettes, et ce, sans diminuer leurs capacités. On assiste à d'importants progrès depuis quelques années et la venue de modèles hybrides devrait donner un argument supplémentaire. Faudra voir comment ce type de véhicule se fera accepter!

Sylvain Raymond

GMC Sierra

Photos: Chevrolet / GMC

VÉHICULE D'ESSAI

Version:	GMC Sierra LT 4X4
Moteur:	V8 de 6,0 litres 16s atmosphérique
Puissance:	367 ch (274 kW) à 5 500 tr/min
Couple:	375 lb-pi (509 Nm) à 4 300 tr/min
Rapport poids/puissance:	5,49 kg/ch (7,35 kg/kW)
Transmission:	automatique, 6 rapports
Rouage:	propulsion
0-100 km/h · 80-120 km/h:	n.d. · n.d.
Freinage 100-0 km/h:	39,3 m
Vitesse maximale:	175 km/h
Consommation (100 km):	ordinaire, 15,9 litres
Autonomie approximative:	616 km
Émissions de CO2:	6 192 kg/an
Emp/Lon/Lar/Haut (mm):	3 023 / 5 222 / 2 031 / 1 869
Coffre/Réservoir:	1760 / 98 litres
Nombre de coussins de sécurité:	4
Suspension avant:	indépendante, ressorts sur amortisseurs
Suspension arrière:	essieu rigide, ressorts elliptiques
Freins av./arr.:	disque/tambour (ABS)
Antipatinage/Contrôle de stabilité:	oui/oui
Direction:	à crémaillère, assistée
Diamètre de braquage:	12,1 m
Pneus av./arr.:	P245/70R17
Poids:	2 016 kg
Capacité de remorquage:	4 173 kg

AUTRE(S) COMPOSANTE(S) MÉCANIQUE(S)

Système hybride:	Système bi-mode. Peut fonctionner en mode élect uniquement jusqu'à 48 km/h. Transmission CVT comprend deux moteurs électriques. Batterie Métal-nickel hydrure
Moteur diesel:	aucun
Taxe énergivore:	aucune
Autre(s) moteur(s):	V8 de 6,2 litres 403 ch/417 lb-pi (17,7 l/100 ordinaire) V6 de 4,3 litres 195 ch/260 lb-pi (14,1 l/100 ordinaire) V8 de 5,3 litres 315 ch/338 lb-pi V8 de 5,3 litres 315 ch/338 lb-pi V8 de 4,8 litres 295 ch/305 lb-pi (15,0 l/100 ordinaire
Autre(s) rouage(s):	4x4
Autre(s) transmission(s):	automatique, 4 rapports

EN BREF

Échelle de prix:	22 940 $ à 53 190 $
Catégorie:	camionnette grand format
Garanties:	3 ans/60 000 km, 5 ans/160 000 km
Assemblage:	Pontiac, Michigan et Fort Wayne, Indiana, É-U
Cote d'assurance:	passable

DANS LA MÊME CATÉGORIE

Dodge RAM, Ford F-150, Nissan Titan, Toyota Tundra

NOS IMPRESSIONS

Agrément de conduite:	
Fiabilité:	
Sécurité:	½
Qualités hivernales:	
Espace intérieur:	
Confort:	½

DU NOUVEAU EN 2009

Automatique à six rapports pour V8 de 5.3, 6.0 et 6.2 litres

JUSTE ASSEZ GROS

Mine de rien, le Dakota est avec nous depuis maintenant plus de 20 ans. Lors de son lancement en 1987, la communauté journalistique automobile n'avait que d'éloges pour cette camionnette moyen format qui avait pour mandat d'occuper un créneau encore inexploité jusqu'à ce moment. À cette époque, le prix de l'essence avait connu une augmentation marquée (ça vous dit quelque chose?) et les gens de chez Chrysler étaient arrivés à la conclusion que la camionnette devait subir une cure de rajeunissement afin de perdre un peu de poids.

Chrysler a donc fait le pari de créer le créneau des camionnettes de moyen format en misant sur le fait que le Dakota serait plus imposant qu'une camionnette compacte, mais plus petit que le véhicule grand format. On peut aujourd'hui constater, avec un certain recul, que Chrysler avait vu juste. D'autant plus qu'avec une nouvelle flambée des prix du pétrole, les camionnettes de moyen format ont certainement leur raison d'être et se révèlent un choix très sensé. Et avec le Dakota de dernière génération, Chrysler se vante de proposer la plus grande des camionnettes moyen format!

SERVEZ-VOUS!

Offert en plusieurs configurations, le Dakota a de bonnes chances de répondre aux besoins des acheteurs et de leur cargaison. Il est donc possible de choisir entre une cabine Club ou une cabine Quad (disposant de quatre vraies portes). La longueur de la caisse sera alors en conséquence, soit six pieds et six pouces pour la version à cabine Club et cinq pieds et quatre pouces pour la version à quatre portes. Ensuite viendra le choix du moteur, un V6 ou un V8, le Dakota étant la seule camionnette à l'offrir dans cette catégorie. Puis la transmission: manuelle ou automatique. Bref, plusieurs agencements afin de combler tous les acheteurs. On notera également trois niveaux d'équipement, dont le ST, le SXT et le SLT, qui offrent tous la possibilité d'ajouter la transmission 4x4 en option. Remodelé l'an dernier, le Dakota propose maintenant des lignes simples et sobres faisant contraste avec celles des années antérieures, où le design semblait plus agressif et costaud. Néanmoins, le résultat est efficace, et ce, autant à l'intérieur où le confort des places avant est digne des berlines de moyen format, d'autant plus que notre version d'essai, la SXT, était munie de sièges chauffants. L'espace avant est immense et le tableau de bord bien présenté. La console centrale entre les sièges se révèle très utile et la visibilité est excellente. La direction offre une assistance adéquate et très appréciée durant les manœuvres de stationnement. Quant aux places arrière, elles sont très généreuses, mais manquent un peu de confort, surtout en ce qui a trait au dossier. Mentionnons également que l'assise des sièges arrière se relève pour procurer un espace de rangement. Le seul reproche notable est la quantité incroyable de plastique dans l'habitacle. Chez Chrysler, on semble avoir pris cette tangente afin de couper dans les dépenses. Il serait toutefois sage de revoir l'utilisation à outrance de ce matériau qui ne procure pas la sensation de solidité et de robustesse si propre aux camionnettes.

UN EXCELLENT ATOUT

Le Dakota se démarque de la concurrence entre autres par ses dimensions

FEU VERT

- Moteur V8 en option
- Bonne habitabilité (cabine Quad)
- Confort
- Bon choix de configurations

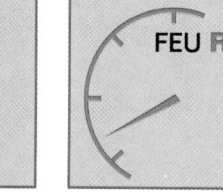

FEU ROUGE

- Freinage manque de mordant
- Consommation élevée
- Suspension molle

plus imposantes, mais également par la possibilité de lui greffer un moteur V8. C'est en fait sa plus grande qualité, car bon nombre d'acheteurs (aux États-Unis principalement) renient les camionnettes à moteur V6. Et depuis l'an dernier, cette motorisation V8 propose une évolution en développant dorénavant tout près de 300 chevaux et en étant compatible avec le carburant E85. Il faut toutefois prévoir beaucoup de sous si l'on décide d'opter pour le V8, car lors de notre essai, nous avons obtenu une consommation de plus de 16 litres aux 100 km. Imaginez maintenant lorsque le véhicule tracte une remorque ou est chargé à sa capacité maximale. Il faut cependant affirmer que ce genre de véhicule, qu'il soit de moyen ou de grand format, consomme énormément de pétrole et que ce facteur est souvent secondaire pour bien des entrepreneurs. Parions cependant qu'il le sera de moins en moins dans les années à venir.

En conduite urbaine, le confort du Dakota étonne et la suspension souple n'y est pas étrangère. La direction est bien assistée mais un peu lourde. Les manœuvres de stationnement sont donc aisées malgré la longueur du véhicule. Sur les routes dégradées (difficile de les manquer au Québec), les bruits de caisse sont pratiquement inexistants et la suspension travaille admirablement bien. Difficile par contre de comparer son comportement routier à celui d'une berline, car le Dakota est muni d'un châssis autonome et d'un pont arrière rigide suspendu par des lames. C'est d'ailleurs ce qui lui confère la robustesse nécessaire pour accomplir de gros travaux. Le Dakota propose un différentiel autobloquant et une boîte de transfert à sélection électronique. On peut donc enclencher le système 4x4 sur demande. Le système est efficace, mais il ne faut pas s'aviser de s'amuser avec le sélecteur qui semble quelquefois lent à réagir. Durant notre essai hivernal, le réglage manuel du système s'est avéré compliqué à utiliser lorsque nous voulions une efficacité optimale, autant pour la traction que pour la consommation d'essence.

Le choix d'une camionnette dépend évidemment du travail à accomplir. Ici au Québec, on possède, la plupart du temps, une camionnette pleine grandeur pour usage commercial et une voiture pour les déplacements, alors qu'aux États-Unis, les gens utilisent plus souvent des camionnettes pour leurs déplacements. Voilà pourquoi le format moyen est si populaire. Par contre, si vous désirez absolument une caisse pleine grandeur de huit pieds, oubliez les formats intermédiaires, car seules les camionnettes grand format l'offrent.

Guy Desjardins

Photos: Alain Morin

VÉHICULE D'ESSAI

Version :	Dodge Dakota SLT 4x4 cabine double
Moteur :	V8 de 4,7 litres 16s atmosphérique
Puissance :	302 ch (225 kW) à 4 600 tr/min
Couple :	329 lb-pi (446 Nm) à 3 600 tr/min
Rapport poids/puissance :	6,85 kg/ch (9,19 kg/kW)
Transmission :	automatique, 5 rapports
Rouage :	4x4
0-100 km/h · 80-120 km/h :	8,5 s · 7,0 s
Freinage 100-0 km/h :	54,2 m
Vitesse maximale :	190 km/h
Consommation (100 km) :	ordinaire, 15,6 litres
Autonomie approximative :	532 km
Émissions de CO2 :	6 480 kg/an
Emp/Lon/Lar/Haut (mm) :	3 335 / 5 550 / 1 822 / 1 745
Longueur boîte/Réservoir :	1 600 mm / 83 litres
Nombre de coussins de sécurité :	6
Suspension avant :	indépendante, bras inégaux
Suspension arrière :	demi-ind, poutre déformante
Freins av./arr. :	disque, tambour (ABS)
Antipatinage/Contrôle de stabilité :	non/non
Direction :	à crémaillère, assistée
Diamètre de braquage :	13,4 m
Pneus av./arr. :	P265/70R17
Poids :	2 069 kg
Capacité de remorquage :	3 175 kg

AUTRE(S) COMPOSANTE(S) MÉCANIQUE(S)

Système hybride :	aucun
Moteur diesel :	aucun
Taxe énergivore :	aucune
Autre(s) moteur(s) :	V6 de 3,7 litres 210 ch/235 lb-pi (15,6 l/100 ordinaire)
Autre(s) rouage(s) :	propulsion
Autre(s) transmission(s) :	automatique, 4 rapports manuelle, 6 rapports

EN BREF

Échelle de prix :	24 945 $ à 32 545 $ (2008)
Catégorie :	camionnette intermédiaire
Garanties :	3 ans/60 000 km, 5 ans/100 000 km
Assemblage :	Warren, Michigan, É-U
Cote d'assurance :	moyenne

DANS LA MÊME CATÉGORIE

Chevrolet Colorado, Ford Explorer Sport Trac, Nissan Frontier, Toyota Tacoma

NOS IMPRESSIONS

Agrément de conduite :	3½
Fiabilité :	4
Sécurité :	4
Qualités hivernales :	4
Espace intérieur :	4
Confort :	4

DU NOUVEAU EN 2009

Gamme simplifiée, volant ajustable standard (ST à cabine allongée), quelques ajouts d'équipement standard

RETOUR À LA RAISON

Chez Dodge, on avait tenté il y a quelques années de révolutionner le monde de la camionnette pleine grandeur en lançant une version MegaCab du Ram. Cette version proposait une cabine démesurément grande, ce qui avait pour conséquence d'augmenter de façon importante le volume total du camion. Il aura fallu que cette version apparaisse sur le marché pour qu'on réalise où se situe la limite du « là, c'est vraiment trop gros ! ». De ce fait, Dodge a choisi en renouvelant le Ram de revenir à des dimensions plus normales en offrant les trois choix traditionnels de cabine.

Même si la génération précédente en version MegaCab n'a pas connu le succès escompté, cela n'a pas empêché Dodge de tirer profit, mieux que jamais, de cette camionnette pleine grandeur. Les ventes ont toujours été constantes, à un point tel que Dodge affichait en mi-année 2008 des records de vente pour ce camion alors âgé de six ans. Voilà donc la preuve que le Dodge Ram n'est plus un camion de second rang, comme plusieurs semblent toujours le croire.

Aujourd'hui, Dodge doit comme les autres constructeurs faire face à une nouvelle crise pétrolière. Les camionnettes, surtout chez nos voisins du sud, se vendent beaucoup moins qu'il y a un an ou deux, ce qui a occasionné de lourdes pertes chez les constructeurs. Malgré cela, les investissements nécessaires au développement de ce camion sont demeurés gigantesques.Il en résulte donc aujourd'hui un camion nettement plus compétitif, encore plus sérieusement construit, et qui innove avec l'apport de certaines caractéristiques fort intéressantes.

Extérieurement, on remarque que le nouveau Ram présente une robe tout aussi costaude qu'auparavant, mais plus civilisée. Si autrefois rouler en Ram vous donnait des airs de marginal, il en va donc autrement aujourd'hui. Naturellement, une version CrewCab Laramie équipée de jantes de 20 pouces impose davantage le respect qu'un modèle commercial à cabine régulière, mais c'est aussi le cas de tous les autres joueurs du segment. Il est toutefois curieux que Dodge n'ait pas cru bon d'offrir différentes grandeurs de caisse pour la version QuadCab, comme c'est le cas chez l'ensemble des concurrents.

À L'ASSAUT DU KING RANCH

En observant l'habitacle du nouveau Ram, on constate que les ingénieurs ont mis le paquet. La finition plastique bon marché n'a plus sa place et le souci du détail impressionne. On ne peut qu'apprécier le dessin de la planche de bord, du volant et de la console centrale, ou encore l'éclairage moderne de l'instrumentation. Et pour suivre la tendance, Dodge propose pour la première fois un levier de vitesses au plancher. Installé derrière le volant d'une version Laramie, je n'ai pu m'empêcher de faire un parallèle avec les versions King Ranch et Platinum offertes chez Ford. Les cuirs souples, l'aluminium, les boiseries et les magnifiques contrastes de couleurs contribuent à former un environnement carrément superbe. Si seulement Dodge pouvait appliquer cette règle à ses autres modèles (comme le Journey), cette impression qu'on a coupé dans le budget ne serait plus présente.

FEU VERT
- Design réussi
- Habitacle élégant et bien assemblé
- Camion plus robuste
- Moteur HEMI amélioré
- Système RamBox intéressant

FEU ROUGE
- Consommation toujours élevée
- Moteur V6 dépassé
- Une seule grandeur de caisse avec QuadCab
- Capacité de remorquage inférieure à la moyenne

La version CrewCab qui sera de loin la plus vendue propose énormément d'espace, tant à l'avant qu'à l'arrière. Et le confort n'a pas été mis en reste, puisque les sièges sont mieux dessinés que jamais. La banquette arrière, repliable vers le haut et rabattable en plusieurs sections, permet pour sa part d'utiliser selon nos besoins l'espace disponible dans la cabine. Côté rangement, Dodge innove également en introduisant le RamBox, un concept tout simple qui propose des coffrets intégrés à la caisse et situés au-dessus des ailes. Ces espaces de rangement diminuent légèrement l'espace cargo, mais n'empêchent tout de même pas de pouvoir glisser cette fameuse planche de 4 x 8 !

PLUS DE PUISSANCE POUR MOINS D'ESSENCE

Le moteur « vedette » du Ram demeure cette année le V8 HEMI de 5,7 litres, qui a droit à des changements tels que le calage variable des soupapes et la désactivation des cylindres. Résultat, on obtient plus de puissance (380 chevaux) et une économie de carburant d'environ 8 %. Le V8 de 4,7 litres se raffine lui aussi en offrant plus de puissance et de couple, et se jumelle comme l'autre moteur à une boîte automatique à cinq rapports d'une grande efficacité. Fait inusité, Dodge est le seul constructeur qui persiste à offrir un moteur V6 dans ce créneau. Et entre vous et moi, ce n'est pas ce vieillissant et gourmand V6 de 3,7 litres qui attira beaucoup de clients.

Le comportement routier du Ram est amélioré cette année en raison bien sûr de son châssis nettement plus rigide, mais aussi par l'apport de cette nouvelle suspension arrière qui utilise des ressorts hélicoïdaux plutôt que des lames. Ainsi, le véhicule est plus confortable, plus maniable et élimine en grande partie cet effet de sautillement normalement ressenti avec ce genre de véhicule. On nous assure également que le Ram possède une robustesse supérieure à celle de son prédécesseur et une meilleure capacité de charge. La capacité de remorquage a aussi été accrue, cette dernière demeurant toutefois la moins élevée de toutes les camionnettes du segment. Mais sincèrement, si vous avez une telle charge à remorquer, vaut mieux vous tourner vers les modèles HD.

Avec un camion mieux construit, plus achevé et répondant plus que jamais aux attentes de la clientèle, Dodge s'assure d'augmenter ses parts de marché. Les chiffres de ventes risquent néanmoins de baisser, car la demande n'est plus ce qu'elle était.

Antoine Joubert

Photos : Dodge

VÉHICULE D'ESSAI

SIRIUS RADIO SATELLITE

Version :	Dodge RAM SLT Crew Cab 4x4 boite courte
Moteur :	V8 de 5,7 litres 16s atmosphérique
Puissance :	390 ch (291 kW) à 5 600 tr/min
Couple :	407 lb-pi (552 Nm) à 4 000 tr/min
Rapport poids/puissance :	n.d.
Transmission :	automatique, 5 rapports
Rouage :	propulsion
0-100 km/h · 80-120 km/h :	6,5 s · 5,5 s
Freinage 100-0 km/h :	43,0 m
Vitesse maximale :	n.d.
Consommation (100 km) :	ordinaire, 16,1 litres
Autonomie approximative :	608 km
Émissions de CO2 :	6 624 kg/an
Emp/Lon/Lar/Haut (mm) :	3 556 / 5 779 / 2 017 / 1 900
Longueur boîte/Réservoir :	1 687 mm / 98 litres
Nombre de coussins de sécurité :	4
Suspension avant :	indépendante, bras inégaux
Suspension arrière :	essieu rigide à multibras
Freins av./arr. :	disque (ABS)
Antipatinage/Contrôle de stabilité :	oui/oui
Direction :	à crémaillère, assistée
Diamètre de braquage :	13,7 m
Pneus av./arr. :	P245/70R17
Poids :	n.d.
Capacité de remorquage :	4 036 kg

AUTRE(S) COMPOSANTE(S) MÉCANIQUE(S)

Système hybride :	aucun
Moteur diesel :	aucun
Taxe énergivore :	aucune
Autre(s) moteur(s) :	V8 de 4,7 litres 310 ch/330 lb-pi (17,0 l/100 ordinaire)
	V6 de 3,7 litres 215 ch/235 lb-pi (13,5 l/100 ordinaire)
Autre(s) rouage(s) :	4x4
Autre(s) transmission(s) :	automatique, 4 rapports manuelle, 6 rapports

EN BREF

Échelle de prix :	n.d.
Catégorie :	camionnette grand format
Garanties :	3 ans/60 000 km, 5 ans/100 000 km
Assemblage :	St-Louis MO et Dodge City, Warren MI, É-U
Cote d'assurance :	passable

DANS LA MÊME CATÉGORIE

Chevrolet Silverado, Ford F-150, GMC Sierra, Nissan Titan, Toyota Tundra

NOS IMPRESSIONS

Agrément de conduite :	
Fiabilité :	nouveau modèle
Sécurité :	½
Qualités hivernales :	
Espace intérieur :	½
Confort :	

DU NOUVEAU EN 2009

Nouveau modèle

PLAISIRS D'ANTAN

L'idée derrière le Ford Explorer Sport Trac était toute simple et d'une logique implacable. Il s'agissait pour Ford d'offrir une camionnette très jolie à un public plus en quête d'esthétisme que d'utilité. De plus, le nom Ford était, et il l'est toujours, suffisant pour donner beaucoup de crédibilité à une camionnette. Issu du VUS Explorer, donc peu coûteux à produire, le Sport Trac répondait, il y a à peine deux ou trois ans, à un besoin du marché. Sauf que...

Sauf que les prix de l'essence sont venus bousiller le marché. Ford se retrouve donc avec un véhicule aussi beau et confortable que compétent sur la route, mais qui n'a plus d'acheteurs, ou si peu. Et il n'y a pas grand-chose que la marque à l'ovale bleu peut faire. Évidemment, pas question de mettre un quatre cylindres dans un véhicule si gros. On retrouve donc un V6 et un V8 et le réflexe premier serait, en cette période de questionnement, de choisir le V6 les yeux fermés.

V8 OU V6?

Le V8 de 4,6 litres développe 292 chevaux et un couple de 300 livres-pied. Associé à une transmission automatique à six rapports, sa consommation se situe à 16,4 litres aux 100 km selon Transport Canada. Cette consommation est un peu surprenante quand on constate que le V8 ne «tourne» qu'à 1700 tours/minute à 100 km/h. Il faut dire que la résistance au vent d'un véhicule aussi lourd requiert beaucoup d'énergie. Ce moteur est discret et comme les designers de Ford ont mis beaucoup d'efforts ces dernières années sur le silence de roulement, il faut quelquefois tendre l'oreille pour l'entendre fonctionner.

Le six cylindres de 4,0 litres, lui, est animé par une écurie de 210 chevaux et 254 livres-pied de couple. Mais comme ce moteur reçoit une transmission automatique à cinq rapports seulement, la consommation se situe à 15,7 litres aux 100 km, toujours selon les données de Transport Canada. La différence entre les deux moteurs n'est pas tellement élevée et tant qu'à adopter un ivrogne, aussi bien en choisir un qui s'assume, doivent se dire les quelques acheteurs potentiels! Dans les deux cas, il s'agit, à la base, d'une propulsion (roues arrière motrices), mais il est possible d'opter pour le rouage intégral.

Quoi qu'il en soit, lorsque vient le temps de remorquer, le Sport Trac fait sa large part. Avec le V6, il peut tirer de 1588 kg (3500 livres) à 2381 kg (5250 livres), selon l'équipement. Avec le V8, ces chiffres montent à 3248 kg, soit 7160 livres. Les acheteurs de Sport Trac sont plus des gens actifs privilégiant le camping ou la pêche que des entrepreneurs en construction qui ont besoin d'une boîte de chargement digne de ce nom. Le Sport Trac est doté d'un couvercle de boîte en plastique résistant. En plus de se verrouiller, il est possible de replier la partie arrière pour accéder plus facilement au contenu de la boîte. Il est aussi possible d'enlever ce couvercle, mais il faut alors compter sur l'aide d'une âme charitable car les deux panneaux qui le forment sont

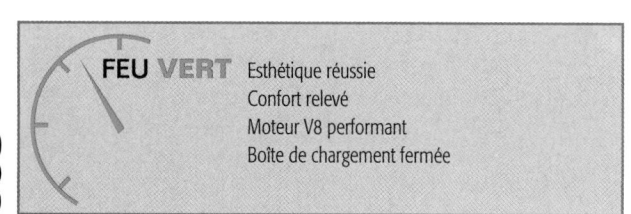

FEU VERT
- Esthétique réussie
- Confort relevé
- Moteur V8 performant
- Boîte de chargement fermée

FEU ROUGE
- Consommation d'antan
- Comportement peu sportif
- Direction imprécise
- Boîte de chargement très courte
- Certaines commandes difficiles à atteindre

assez lourds. Sur un véhicule misant autant sur le confort, il est surprenant de noter qu'aucun amortisseur ne vient ralentir la chute du panneau arrière (*tailgate*). Au moins, la boîte est recouverte de PVC. On retrouve trois bacs de rangement dans le plancher de la boîte mais, dommage, ils ne sont pas hermétiques.

LE CONFORT EN PREMIER

Dans l'habitacle, on se retrouve en terrain connu, le Sport Trac reprenant à peu de choses près celui de l'Explorer. C'est donc dire que l'instrumentation est facilement lisible, que la plupart des commandes tombent sous la main et qu'elles sont faciles à utiliser. Les sièges avant font preuve de confort même si, pour y accéder, on doit lever la patte assez haut. Les sièges situés à l'arrière sont moins conviviaux puisque leur assise est trop molle. Et aussi surprenant que cela puisse paraître dans un véhicule de cette grosseur, l'espace vivable n'est pas des plus grands. Heureusement, le plafond est suffisamment haut pour qu'on ne s'y frotte pas le coco à la moindre bosse.

Au chapitre de la conduite, inutile de préciser que le Sport Trac est loin de montrer des aptitudes sportives. Son seuil de gravité élevé, sa direction plus ou moins précise et ses sièges qui ne retiennent que bien peu en virage sont autant d'éléments décourageant la conduite sportive. Malgré tout, les suspensions ne sautillent pas trop sur une route à la chaussée dégradée et les pneus Pirelli Scorpion STR de notre véhicule effectuaient un excellent boulot. En hiver, lorsque la chaussée devient plus glissante, on fait vite connaissance avec le système de contrôle de la traction et de l'antipatinage qui sont plutôt autoritaires. Il est heureusement possible de les débrancher. La visibilité ne cause pas de problèmes particuliers sauf en hiver, alors que l'essuie-glace gauche, devant le conducteur bien entendu, laisse une large bande verticale non déblayée, le long du pilier A. La sonorité des moteurs, le V8 surtout, et la puissance de ce dernier encouragent les accélérations à l'emporte-pièce... et à l'emporte-pièce de monnaie! La transmission agit avec douceur et précision et il serait bien difficile de lui reprocher quoi que ce soit.

Alain Morin

Photos: Antoine Joubert

VÉHICULE D'ESSAI

SIRIUS RADIO SATELLITE

Version:	Ford Explorer Sport Trac V8 4x4
Moteur:	V8 de 4,6 litres 24s atmosphérique
Puissance:	292 ch (218 kW) à 5750 tr/min
Couple:	300 lb-pi (407 Nm) à 3950 tr/min
Rapport poids/puissance:	7,44 kg/ch (9,97 kg/kW)
Transmission:	automatique, 6 rapports
Rouage:	4x4
0-100 km/h · 80-120 km/h:	7,8 s · 6,6 s
Freinage 100-0 km/h:	40,2 m
Vitesse maximale:	190 km/h
Consommation (100 km):	ordinaire, 16,6 litres
Autonomie approximative:	512 km
Émissions de CO2:	6672 kg/an
Emp/Lon/Lar/Haut (mm):	3315 / 5339 / 1872 / 1826
Longueur boîte/Réservoir:	1260 mm / 85 litres
Nombre de coussins de sécurité:	6
Suspension avant:	indépendante, bras inégaux
Suspension arrière:	essieu rigide, ressorts elliptiques
Freins av./arr.:	disque (ABS)
Antipatinage/Contrôle de stabilité:	oui/oui
Direction:	à crémaillère, assistée
Diamètre de braquage:	12,5 m
Pneus av./arr.:	P235/65R18
Poids:	2174 kg
Capacité de remorquage:	3248 kg

AUTRE(S) COMPOSANTE(S) MÉCANIQUE(S)

Système hybride:	aucun
Moteur diesel:	aucun
Taxe énergivore:	aucune
Autre(s) moteur(s):	V6 de 4,0 litres 210 ch/254 lb-pi (15,7 l/100 ordinaire)
Autre(s) rouage(s):	propulsion
Autre(s) transmission(s):	automatique, 5 rapports

EN BREF

Échelle de prix:	32099$ à 42699$
Catégorie:	camionnette intermédiaire
Garanties:	3 ans/60000 km, 5 ans/100000 km
Assemblage:	Louisville, KY et St-Louis, MO, É-U
Cote d'assurance:	n.d.

DANS LA MÊME CATÉGORIE

Chevrolet Colorado, Dodge Dakota, GMC Canyon, Honda Ridgeline, Nissan Frontier, Toyota Tacoma

NOS IMPRESSIONS

Agrément de conduite:	3½
Fiabilité:	4
Sécurité:	4
Qualités hivernales:	4½
Espace intérieur:	4
Confort:	3½

DU NOUVEAU EN 2009

Aucun changement majeur

MOINS DE CLIENTS, PLUS DE QUALITÉ

On le sait, le F-150 constitue le pain et le beurre de Ford depuis des décennies. Et c'est en ne cessant d'innover et d'améliorer la qualité de son produit que le constructeur parvient à conserver sa position de tête. Toutefois, avec un gallon d'essence à plus de 4$, nos voisins du sud commencent à réaliser qu'il n'est pas nécessaire de rouler en camionnette pleine grandeur pour conduire les enfants à la garderie. De ce fait, un grand nombre de ceux qui se procuraient de tels véhicules pour le pur plaisir se tournent aujourd'hui vers des options moins coûteuses à nourrir.

Malheureusement pour Ford, le règne de celui qui fut le véhicule le plus vendu en Amérique du Nord pendant plus de 30 ans est maintenant achevé. Il se trouve toujours dans le *top 10*, mais derrière des voitures comme la Toyota Camry et la Honda Civic. Par conséquent, on a diminué la production dans les usines de Dearborn et de Kansas City pour ensuite retarder l'introduction de ce nouveau F-150 à la mi-octobre.

En présentant son nouveau camion à la presse spécialisée, Ford a avoué avoir investi un montant jamais égalé pour la refonte du F-150. Quoi qu'on en dise, cet investissement en vaut le coup. Car non seulement le marché du camion demeure encore très lucratif, mais en étudiant le nouveau F-150 sous toutes ses coutures, on peut affirmer sans crainte qu'il est le meilleur camion pleine grandeur sur le marché.

VRAIMENT RENOUVELÉ ?

Comme moi, vous doutez peut-être qu'il s'agisse d'un camion entièrement renouvelé. En effet, le style très évolutif de la carrosserie laisse croire qu'on a affaire à une évolution. Pourtant, plus de 90 % des pièces sont nouvelles, incluant l'ensemble des panneaux de carrosserie. Ici, on tente avec succès d'offrir un *look* plus costaud, qui s'apparente avec celui des camions de série Super Duty. On nous propose trois choix de cabine, trois longueurs de caisse et pas moins de sept versions, dont le nouveau Platinum ultra luxueux. Ford a même poussé l'audace jusqu'à présenter, en fonction des versions, un choix de six grilles de calandre et onze ensembles de roues ! Voilà ce qu'on appelle avoir l'embarras du choix !

Vous aurez peut-être remarqué que la version à cabine double (SuperCrew) voit son pilier B reculé de plusieurs centimètres. C'est vrai, ce changement apporte un style plus équilibré au camion, mais la grande amélioration qui en découle concerne plutôt l'espace additionnel dont bénéficient les occupants des places arrière. Sérieusement, on se demande où sont les repose-pieds tant le dégagement est immense. À l'intérieur, on remarque aussi que le dessin de la planche de bord est extrêmement réussi, que l'ergonomie est sans faille et que les sièges proposent un confort franchement exceptionnel, malgré des appuie-têtes parfois un peu gênants. Il faut également mentionner le souci du détail en matière de qualité d'assemblage et de finition. Sincèrement, Ford mérite des applaudissements pour ce travail magnifique, que personne et surtout pas Toyota (avec son Tundra) ne peut se vanter d'égaler.

FEU VERT
- Qualité de construction impressionnante
- Capacité de charge et de remorquage
- Groupes motopropulseurs maintenant à jour
- Cabine ultra confortable
- Comportement routier exceptionnel

FEU ROUGE
- Consommation très élevée (mais moins qu'avant)
- Appuie-têtes agaçants à l'avant
- Pas de moteur diesel
- Dépréciation importante

DU NERF, ENFIN!

Vous n'étiez pas un admirateur des précédents groupes motopropulseurs de ce camion? Moi non plus. Heureusement, Ford a su apporter des changements qui permettent de satisfaire les plus exigeants. Non, vous ne trouverez pas d'équivalent au moteur 6,0 litres de GM, mais il faut admettre que les nouveaux moteurs V8 de 4,6 litres (292 chevaux) et 5,4 litres (320 chevaux) à trois soupapes par cylindre font un boulot fantastique. Il faut toutefois mentionner que les nouveaux rapports de pont et la nouvelle boîte automatique à six rapports sont en grande partie responsables de ces résultats franchement étonnants.

Le nouveau F-150, c'est un châssis plus rigide de 10%, une capacité de charge utile de 1360 kg, une capacité de remorquage maximale de plus de 5000 kg (11000 livres) et un nouveau différentiel à verrouillage électronique entraînant (avec la version FX4) des aptitudes hors routes inégalées. C'est aussi un confort encore plus optimisé (vraiment exceptionnel), une maniabilité et une tenue de route impressionnantes et un sentiment de solidité carrément supérieur. Ajoutez à cela tous les éléments de sécurité de série, incluant même le contrôle de stabilité anti retournement, en plus d'une carrosserie des plus aérodynamiques (CX = 0,40), et vous avez la preuve qu'il s'agit du camion le plus innovateur et le mieux conçu du marché.

Côté consommation (aujourd'hui, on ne peut pas passer à côté de ce sujet), le F-150 serait selon Ford 8% moins gourmand que son devancier. Curieusement, il s'agit du seul camion nord-américain à ne pas offrir un moteur à cylindrée variable, mais Ford réplique en mentionnant que son V8 de 5,4 litres est doté d'un système d'arrêt d'alimentation momentané, entrant en fonction lors de la décélération. De plus, ce moteur tourne au ralenti à seulement 525 tours/minute, ce qui permet également d'économiser à la pompe.

De toute évidence, il faut conclure que le F-150 est «l'homme à battre» cette année. Cependant, il ne faut pas négliger pour autant les camions GM qui, depuis deux ans, ont démontré leur robustesse et leur qualité. Dodge offre aussi cette année un produit nettement plus convaincant, qu'il ne faut pas dénigrer. Mais de grâce, oubliez les joueurs japonais, car en dépit de leurs moteurs très puissants (et très gourmands), ils n'arrivent pas à la cheville des trois grands en matière, justement, de qualité et de robustesse.

Antoine Joubert

Photos : Ford

VÉHICULE D'ESSAI

SIRIUS RADIO SATELLITE

Version:	Ford F-150 cabine double 4x4
Moteur:	V8 de 4,6 litres 24s atmosphérique
Puissance:	292 ch (218 kW) à 5700 tr/min
Couple:	320 lb-pi (434 Nm) à 4000 tr/min
Rapport poids/puissance:	n.d.
Transmission:	automatique, 6 rapports
Rouage:	4 X 4
0-100 km/h · 80-120 km/h:	n.d. · n.d.
Freinage 100-0 km/h:	n.d.
Vitesse maximale:	n.d.
Consommation (100 km):	ordinaire, n.d. litres
Autonomie approximative:	n.d.
Émissions de CO2:	n.d.
Emp/Lon/Lar/Haut (mm):	3683 / 5837 / 2004 / 1920
Longueur boîte/Réservoir:	1956 / 102 litres
Nombre de coussins de sécurité:	4
Suspension avant:	indépendante, bras inégaux
Suspension arrière:	essieu rigide, ressorts elliptiques
Freins av./arr.:	disque (ABS)
Antipatinage/Contrôle de stabilité:	oui/non
Direction:	à crémaillère, assistée
Diamètre de braquage:	n.d.
Pneus av./arr.:	P265/60R18
Poids:	n.d.
Capacité de remorquage:	n.d.

AUTRE(S) COMPOSANTE(S) MÉCANIQUE(S)

Système hybride:	aucun
Moteur diesel:	aucun
Taxe énergivore:	aucune
Autre(s) moteur(s):	V8 de 5,4 litres 310 ch/370 lb-pi V8 de 5,4 litres 320 ch/390 lb-pi V8 de 4,6 litres 248 ch/294 lb-pi (15,8 l/100 ordinaire)
Autre(s) rouage(s):	propulsion
Autre(s) transmission(s):	automatique, 4 rapports

EN BREF

Échelle de prix:	18261 $ à 41381 $ (2008)
Catégorie:	camionnette grand format
Garanties:	3 ans/60000 km, 5 ans/100000 km
Assemblage:	Oakville, Ontario, Canada
Cote d'assurance:	moyenne

DANS LA MÊME CATÉGORIE

Chevrolet Silverado, Dodge RAM, GMC Sierra, Nissan Titan, Toyota Tundra

NOS IMPRESSIONS

Agrément de conduite:	🚗🚗🚗🚗
Fiabilité:	nouveau modèle
Sécurité:	🚗🚗🚗🚗
Qualités hivernales:	🚗🚗🚗½
Espace intérieur:	🚗🚗🚗🚗
Confort:	🚗🚗🚗🚗

DU NOUVEAU EN 2009

Nouveau modèle

Ford Ranger

LES CAMIONNETTES DE DARWIN

La camionnette Ranger a fêté l'an dernier son vingt-cinquième anniversaire et a très peu changé durant ce quart de siècle. Ford l'a retouchée et redessinée à l'occasion, en ne faisant évoluer que légèrement sa motorisation. Or, dans cette catégorie comme dans la nature, la constance a parfois ses avantages puisque les camionnettes Ranger et leurs cousines quasi identiques, les Série B de Mazda, sont possiblement les mieux adaptées à la panique actuelle du prix de l'essence grâce à leur modèle le moins cher et le plus frugal.

Ford a fait du bon boulot en développant sa première camionnette compacte, lancée comme modèle 1983. D'abord apparu sur une version de la grande camionnette de série F durant les années soixante, le nom Ranger se retrouvait cette fois sur un *pick-up* entièrement nouveau à la fois plus compact et moderne. Il s'est immédiatement démarqué par sa solidité et la qualité de sa fabrication, des vertus qu'il a conservés jusqu'à ce jour.

Quant à la Série B de Mazda, cette version maquillée du Ranger fut lancée en 1994. Ironiquement, Ford a vendu durant plus d'une décennie la Courier, une camionnette conçue et fabriquée par Mazda, pour tenter de contrer les premières camionnettes compactes de Nissan et Toyota. Il faut d'ailleurs souligner que le moteur de base des deux séries actuelles, un quatre cylindres de 2,3 litres à double arbre à cames en tête, est signé Mazda.

L'APPROCHE MINIMALISTE

Principalement occupée à profiter de la manne extraordinaire de ses utilitaires Explorer durant les années 90 et de la popularité constante de ses grandes camionnettes, Ford a fait le strict minimum pour faire évoluer la série Ranger au fil des années. Pendant ce temps, la concurrence n'a cessé de lancer des versions plus costaudes, performantes et cossues. Par leur taille autant que par leur équipement modeste et leur aspect un peu vieillot, les Ford Ranger et Mazda Série B n'étaient donc vraiment plus à l'avant-scène dans ce créneau.

Mais c'était sans compter la hausse récente et inexorable du prix des carburants qui les fait paraître de mieux en mieux, malgré leur âge respectable, surtout grâce à la consommation raisonnable du moteur des versions de base XL. Ce quatre cylindres de 2,3 litres leur procure des cotes officielles de 9,9 L/100 km en ville et 7,5 L/100 sur la grand-route, ce qui leur a valu le titre de camionnettes les plus « écoénergétiques » au pays pour les sept dernières années alors qu'il était jumelé à la boîte manuelle de série à cinq rapports.

Cette frugalité assez exceptionnelle pour une camionnette grimpe toutefois d'un cran (à 10,2 et 8,3 L/100) avec la boîte automatique optionnelle, également à 5 rapports. Et la consommation fait encore un bond lorsqu'on passe au V6 de 4,0 litres désormais livré de série sur les modèles Sport, XLT et FX4. Si on y gagne en capacité de remorquage, c'est au prix d'une autonomie assez médiocre. D'autre

FEU VERT
Solides et fiables
Comportement sain
Version XL assez frugale

FEU ROUGE
Essieu arrière sautillant
Diamètre de braquage (empattements longs)
Silhouettes anciennes

part, Ford et Mazda ont enfin largué le V6 à culbuteurs de 3,0 litres, un moteur devenu archaïque et redondant.

SANS COMPLICATION NI PRÉTENTION

Au fil des années et au gré de la demande, Ford a créé des versions de sa camionnette compacte avec cabine ou plate-forme allongée, posées sur des empattements plus longs. Si les changements aux trains roulants des Ranger et de leurs cousines ont été rares, ils se sont par contre révélés pertinents pour la plupart. Surtout le passage à une suspension avant à roues indépendantes par triangles superposés et à une direction à crémaillère. Ces mises à jour ont permis de bonifier et ensuite de préserver le comportement routier très sain de ce duo. Ranger et Série B n'ont rien de voitures sport, mais leur tenue de route est très correcte. Le sous-virage se manifeste assez vite pour tempérer les ardeurs en virage et les réactions sont toujours prévisibles. Leur seul défaut est familier : un essieu arrière rigide monté sur ressorts à lames qui tressaute à la moindre bosse et cherche à décrocher si c'est en virage. Il faut également considérer la motricité limitée des versions à deux roues motrices pour l'hiver. Le freinage, par contre, est à la fois assez puissant et très facile à moduler en conduite normale.

La force de ces camionnettes, c'est leur habitacle bien conçu, bien fini, confortable et pratique. On n'y trouve rien d'audacieux, de clinquant ou de spectaculaire. Seulement des sièges bien taillés et juste assez fermes, dans des tissus qui vont durer. Un autre trait familier des Ranger, depuis la toute première génération : les commandes et contrôles sont clairs, simples, ergonomiques et robustes. On profite également d'un coffre à gants de bonne taille et d'un coffret d'accoudoir véritablement utile. En bref, ce sont des camionnettes sans prétention, bien conçues et bien construites, qui font leur boulot sans jamais rechigner. Elles alignent d'ailleurs les bonnes cotes de fiabilité pour appuyer leur réputation. La rumeur veut que Ford planche actuellement sur une remplaçante pour la vénérable série Ranger. Espérons que cette héritière éventuelle se révèlera plus moderne mais qu'elle sera tout aussi réussie que son aïeule dès son apparition. Entre-temps, Ford a confirmé la production de la série actuelle jusqu'en 2011.

Marc Lachapelle

Mazda Série B

Photos : Ford / Mazda

VÉHICULE D'ESSAI

SIRIUS RADIO SATELLITE

Version :	Ford Ranger XLT cab. double 4x4
Moteur :	V6 de 4,0 litres 12s atmosphérique
Puissance :	207 ch (154 kW) à 5 250 tr/min
Couple :	238 lb-pi (323 Nm) à 3 000 tr/min
Rapport poids/puissance :	7,88 kg/ch (10,60 kg/kW)
Transmission :	manuelle, 5 rapports
Rouage :	propulsion
0-100 km/h · 80-120 km/h :	9,2 s · 8,4 s
Freinage 100-0 km/h :	44,0 m
Vitesse maximale :	175 km/h
Consommation (100 km) :	ordinaire, 15,7 litres
Autonomie approximative :	471 km
Émissions de CO2 :	6 672 kg/an
Emp/Lon/Lar/Haut (mm) :	3 198 / 5 171 / 1 763 / 1 694
Longueur boîte/Réservoir :	1 846 mm / 74 litres
Nombre de coussins de sécurité :	2
Suspension avant :	indépendante, barres de torsion
Suspension arrière :	essieu rigide, ressorts elliptiques
Freins av./arr. :	disque/tambour (ABS)
Antipatinage/Contrôle de stabilité :	non/non
Direction :	à crémaillère, assistée
Diamètre de braquage :	13,2 m
Pneus av./arr. :	P235/75R15
Poids :	1 633 kg
Capacité de remorquage :	1 406 kg

AUTRE(S) COMPOSANTE(S) MÉCANIQUE(S)

Système hybride :	aucun
Moteur diesel :	aucun
Taxe énergivore :	aucune
Autre(s) moteur(s) :	V6 de 3,0 litres 148 ch/180 lb-pi (13,3 l/100 ordinaire) (Mazda B3000) 4L de 2,3 litres 143 ch/154 lb-pi (11,2 l/100 ordinaire)
Autre(s) rouage(s) :	4x4
Autre(s) transmission(s) :	automatique, 5 rapports (Mazda B3000)

EN BREF

Échelle de prix :	15 646 $ à 16 304 $ (2008)
Catégorie :	camionnette intermédiaire
Garanties :	3 ans/60 000 km, 5 ans/100 000 km
Assemblage :	Louisville, Kentucky, É-U
Cote d'assurance :	moyenne

DANS LA MÊME CATÉGORIE

Chevrolet Colorado, Dodge Dakota, GMC Canyon, Nissan Frontier, Toyota Tacoma

NOS IMPRESSIONS

Agrément de conduite :	3
Fiabilité :	4
Sécurité :	3
Qualités hivernales :	3 ½
Espace intérieur :	3
Confort :	3

DU NOUVEAU EN 2009

Aucun changement majeur

MARGINAL MAIS EFFICACE

En concevant sa camionnette, Honda en a profité pour présenter un produit original. Sans cet atout, inutile de se battre contre les légendes que sont le Silverado de GM, le Ram de Dodge ou le F150 chez Ford. Il fallait trouver des idées innovatrices pour parvenir à gruger des parts de marché aux trois grands constructeurs de camionnettes nord-américains. Pour certains, Honda a gagné son pari alors que pour d'autres, le constructeur s'est tiré dans le pied avec un produit mal adapté aux besoins des consommateurs. Il n'en reste pas moins qu'Honda a réussi à percer brillamment dans une catégorie dominée par les Américains.

CARROSSERIE ATYPIQUE

L'extérieur du Ridgeline ne laisse personne indifférent. À commencer par l'avant qui donne l'impression d'être massif mais qui pourrait avoir un impact visuel plus important. Puis impossible de ne pas remarquer la caisse qui fait partie intégrante de la carrosserie, d'autant plus que les parois élevées lui confèrent une silhouette à mi-chemin entre l'utilitaire sport et la camionnette traditionnelle. Plus discrètes cependant, d'autres innovations s'avèrent fort pratiques, dont la porte de la boîte qui s'ouvre de côté pour accéder plus facilement au coffre verrouillable au fond de la caisse. Ce dernier n'a pas la contenance des coffres de chantier mais offre un bon compromis si vous ne voulez pas investir dans ce genre de matériel. Un seul Ridgeline est présenté, mais selon Honda, il conviendra parfaitement à la clientèle ciblée. On propose donc une seule longueur de caisse, un seul moteur, un système d'entraînement à 4 roues motrices en permanence et une cabine à 4 portes. Toutefois, pour afficher une gamme de prix complète, on aura le choix entre les versions DX, VP, EX-L et EX-L Navi.

L'intérieur, quant à lui, se veut beaucoup plus traditionnel avec un tableau de bord épuré et quatre vraies places. L'utilisation abondante de plastiques aux couleurs ternes rend la présentation un peu triste. Tous les sièges sont très confortables et offrent une assise adéquate pour une camionnette. Le tableau de bord reprend des éléments du Pilot et de l'Element, et l'espace disponible est plus que généreux. Les commandes semblent avoir été disposées sur la planche de bord en ne respectant aucune logique, mais sont toutes facilement accessibles à l'exception de la radio qui se retrouve loin à droite et au haut de la console centrale.

LA ROUTE EN TOUT CONFORT

Le châssis du Ridgeline est monocoque, ce qui lui procure une rigidité exceptionnelle. Grâce à ses suspensions indépendantes, le confort de cette camionnette est impressionnant. Et c'est surtout sur l'autoroute que l'on apprécie le travail des suspensions. En fait, le comportement routier s'apparente plus à celui d'un utilitaire sport, ce qui n'est pas étranger à la conception du véhicule. Les imperfections de la route sont très bien filtrées et le débattement généreux des suspensions permet d'obtenir un confort appréciable sur des routes cahoteuses. Le roulis est correctement contrôlé malgré le centre de gravité élevé. La direction bien assistée est solide et précise, ce qui laisse sentir la route. Un seul moteur est au catalogue, celui qui équipe le Pilot et l'Odyssey, soit le V6 de 3,5 litres. Il est doux et déploie une puissance adéquate en

FEU VERT
- Suspensions efficaces
- Coffre avec verrouillage dans la caisse
- Modularité des sièges arrière
- Espace généreux dans l'habitacle
- Moteur V6 adéquat

FEU ROUGE
- Silhouette quelconque
- Absence de démultipliée
- Parois de la caisse élevées
- Intérieur terne

plus de procurer une capacité de remorquage intéressante. En dépit du gabarit de la camionnette, les accélérations et les reprises sont très acceptables et jamais on ne manque de puissance. Bien chargé cependant, le Ridgeline éprouve certaines faiblesses, assez évidentes lorsque le véhicule doit franchir les routes vallonnées de Charlevoix. On note aussi l'échauffement des freins après de nombreux arrêts.

HORS ROUTE LÉGER

De toutes les camionnettes sur le marché, seul le Ridgeline n'offre pas démultipliée. Il est donc impossible de compter sur le sécuritaire 4Low lorsque l'on s'engage dans les pires sentiers. Inutile également de passer en mode 2Hi pour économiser du carburant car le Ridgeline est en mode intégral tout temps. Il faut par contre avouer que ce mode est exceptionnellement efficace en hiver et que rarement il est pris en défaut. Toutefois, si l'envie vous prend de vous évader dans la nature et d'essayer de vous faufiler entre deux souches d'arbres, sachez qu'il est possible de barrer le différentiel pour obtenir une meilleure prise. Cette option ne rendra pas le Ridgeline *trail rated* mais lui permettra de s'extirper facilement de fâcheuses positions. Par ailleurs, il n'est pas le plus méritant pour ce qui est de la garde au sol. Le dégagement disponible sous le véhicule n'est pas optimisé, d'autant plus que l'empattement long handicape sérieusement ses capacités de franchissement. Étrangement, et jusqu'à tout dernièrement, l'attelage pour tirer une remorque était optionnel mais il est désormais installé en usine et donc de série sur la camionnette. Avec une capacité de remorquage de près de 2 268 kg, le « pickup » de Honda est tout indiqué pour remorquer une roulotte de villégiature.

Le Ridgeline est idéal pour ceux qui recherchent une camionnette originale, efficace, confortable et polyvalente. La capacité de remorquage est excellente et la caisse est pratique, mais l'absence d'un rouage 4X4 avec sélecteur de gamme l'empêche de prétendre au titre de « vraie » camionnette. Et c'est en grande partie le seul reproche que l'on peut lui faire. Vous n'aurez certes pas le prestigieux bagage historique du Ford F150 ou du GMC Sierra mais vous pourrez au moins être assuré que votre Ridgeline accomplira la presque totalité des travaux que vous lui demanderez.

Guy Desjardins

Photos: Honda

VÉHICULE D'ESSAI

Version :	Honda Ridgeline EX-L
Moteur :	V6 de 3,5 litres 24s atmosphérique
Puissance :	250 ch (187 kW) à 5 700 tr/min
Couple :	247 lb-pi (335 Nm) à 4 300 tr/min
Rapport poids/puissance :	8,23 kg/ch (11,06 kg/kW)
Transmission :	automatique, 5 rapports
Rouage :	intégral
0-100 km/h · 80-120 km/h :	9,4 s · 8,4 s
Freinage 100-0 km/h :	42,0 m
Vitesse maximale :	193 km/h
Consommation (100 km) :	ordinaire, 14,4 litres
Autonomie approximative :	576 km
Émissions de CO2 :	6 000 kg/an
Emp/Lon/Lar/Haut (mm) :	3 100 / 5 255 / 1 976 / 1 808
Longueur boîte/Réservoir :	1 524 mm / 83 litres
Nombre de coussins de sécurité :	6
Suspension avant :	indépendante, jambes de force
Suspension arrière :	indépendante, multibras
Freins av./arr. :	disque (ABS)
Antipatinage/Contrôle de stabilité :	oui/oui
Direction :	à crémaillère, assistance variable
Diamètre de braquage :	12,9 m
Pneus av./arr. :	P245/65R17
Poids :	2 059 kg
Capacité de remorquage :	2 268 kg

AUTRE(S) COMPOSANTE(S) MÉCANIQUE(S)

Système hybride :	aucun
Moteur diesel :	aucun
Taxe énergivore :	aucune
Autre(s) moteur(s) :	aucun
Autre(s) rouage(s) :	aucun
Autre(s) transmission(s) :	aucune

EN BREF

Échelle de prix :	35 820 $ à 45 220 $ (2008)
Catégorie :	camionnette intermédiaire
Garanties :	3 ans/60 000 km, 5 ans/100 000 km
Assemblage :	Alliston, Ontario, Canada
Cote d'assurance :	n.d.

DANS LA MÊME CATÉGORIE

Chevrolet Colorado, Dodge Dakota, Ford F-150, Nissan Frontier, Toyota Tacoma

NOS IMPRESSIONS

Agrément de conduite :	🚗🚗🚗½
Fiabilité :	🚗🚗🚗🚗½
Sécurité :	🚗🚗🚗🚗½
Qualités hivernales :	🚗🚗🚗🚗½
Espace intérieur :	🚗🚗🚗🚗½
Confort :	🚗🚗🚗🚗

DU NOUVEAU EN 2009

Ajouts d'équipements offerts de série, nouvelles couleurs, radio satellite XM sur certains modèles

UN EXCELLENT COMPROMIS

Si vous jetez un coup d'œil à la circulation, vous avez sans doute remarqué que les camionnettes Frontier de Nissan ne sont pas très nombreuses. En fait, la plupart des acheteurs préfèrent des camionnettes pleine grandeur aux modèles intermédiaires. Pourtant, compte tenu des fluctuations du prix du pétrole et la préoccupation des gens pour un air moins pollué, il serait logique pour plusieurs de se tourner vers ces camionnettes de compromis que sont les intermédiaires. Et force est d'avouer que le Frontier est passablement bien équipé pour affronter la concurrence.

Ce n'est pas le fruit du hasard si la compagnie Suzuki a conclu une entente avec Nissan pour fabriquer sous licence sa camionnette intermédiaire. Appelé Equator par Suzuki, ce modèle devait arriver à l'automne, mais son lancement a été retardé. Pour ce qui est du Frontier, son manque de popularité a de quoi étonner étant donné sa construction solide et de ses multiples caractéristiques. D'ailleurs, ce constructeur semble avoir de la difficulté à convaincre les acheteurs québécois des vertus de ses camionnettes puisque le Titan, le modèle pleine grandeur de la famille, se vend encore moins.

DU SOLIDE

Chez Nissan, on n'a pas lésiné sur les moyens lorsqu'est venu le temps de choisir un châssis autonome pour ce modèle. En effet, tout comme pour le X-Terra, un utilitaire sport 4X4 pur et dur, les ingénieurs ont fait appel au châssis du Titan. Ils ont réduit les dimensions et adapté les éléments, mais on est assuré d'avoir un produit plus que solide. En fait de suspension, comme sur toutes les camionnettes, l'approche est relativement simple. À l'avant, on retrouve des leviers triangulés tandis que la suspension arrière est constituée d'un essieu rigide et de ressorts elliptiques. Bref, du solide capable de subir les contrecoups de la conduite hors route ou des travaux industriels.

La version deux roues motrices est propulsée par un moteur quatre cylindres de 2,5 litres produisant 152 chevaux et associé à une boîte manuelle à six rapports. C'est le moteur à choisir si vous n'avez pas besoin de tracter une remorque ou de charger la boîte arrière plus que de raison. C'est sans doute le meilleur choix pour le modèle King Cab à cabine allongée.

Toutefois, pour toute autre utilisation et avec la version à cabine double, le moteur V6 4,0 litres de 261 chevaux s'impose. Il est dérivé du légendaire moteur V6 VQ de Nissan et sa fiabilité et son rendement ne peuvent être mis en doute. C'est le seul moteur disponible lorsque vous choisissez le modèle 4X4. À ce sujet, le rouage quatre roues motrices est de type temporaire, c'est-à-dire qu'il ne doit être enclenché que si la chaussée est glissante ou boueuse.

Toujours au chapitre de la mécanique, cette camionnette peut être équipée — selon le modèle choisi — du contrôle de l'adhérence en descente, de l'assistance au démarrage en côte et d'un différentiel arrière à blocage électronique sur les modèles 4X2. La servodirection à crémaillère est à assistance variable en fonction de la vitesse tandis que ce camion est freiné par des freins à disque aux quatre roues.

FEU VERT
- Choix de moteurs
- Plate-forme très robuste
- Habitacle confortable
- Construction solide
- Tenue de route correcte

FEU ROUGE
- Consommation élevée
- Finition perfectible
- Plastique dur au tableau de bord
- Faible diffusion

HABITACLE CONFORTABLE

Aussi bien pour ses camionnettes que pour ses VUS, Nissan s'efforce de proposer la cabine la plus confortable possible. Le Frontier ne fait pas exception à cette règle puisque son tableau de bord pourrait provenir d'une berline. En outre, son volant sport avec commandes en périphérie du moyeu est vraiment esthétique. Il faut également souligner la simplicité des commandes de ventilation et la facilité de consultation des cadrans indicateurs, même si certaines commandes audio ne sont pas tellement intuitives, ce qui peut devenir agaçant à la longue. Les sièges avant sont assez confortables et peuvent être réglés de multiples façons, et le dossier du siège du passager peut se rabattre vers l'avant pour l'insertion d'un objet plus long que la moyenne. Par contre, le support pour les cuisses est plutôt court.

On note la présence de multiples espaces de rangement, de bacs de remisage sous les sièges arrière et d'une caisse de chargement pouvant être dotée du système Ulti-Track qui facilite l'ancrage d'objets de toutes sortes et qui permet de diviser cette caisse en compartiments de rangement. S'il est vrai que la suspension est relativement ferme, elle l'est encore davantage sur le modèle NISMO nanti d'une suspension sport. Le comportement routier de cette camionnette est très équilibré et les prestations du moteur V6 sont légèrement supérieures à la moyenne. Cependant, sa consommation pourrait être moins importante.

Somme toute, cette camionnette n'est pas dépourvue de qualité et elle mérite un meilleur sort sur notre marché. Elle pourrait devenir une solution intéressante pour les acheteurs qui refusent d'acheter une grosse camionnette à moteur V8. Quant à la Suzuki il sera intéressant de voir à quel point elle sera différente du Frontier

Denis Duquet

Photos : Nissan

VÉHICULE D'ESSAI

Version :	Nissan Frontier SE cabine double 4x4
Moteur :	V6 de 4,0 litres 24s atmosphérique
Puissance :	261 ch (195 kW) à 5 600 tr/min
Couple :	281 lb-pi (381 Nm) à 4 000 tr/min
Rapport poids/puissance :	7,88 kg/ch (10,54 kg/kW)
Transmission :	manuelle, 6 rapports
Rouage :	4x4
0-100 km/h · 80-120 km/h :	9,0 s · 7,4 s
Freinage 100-0 km/h :	41,0 m
Vitesse maximale :	195 km/h
Consommation (100 km) :	ordinaire, 14,9 litres
Autonomie approximative :	536 km
Émissions de CO2 :	6 240 kg/an
Emp/Lon/Lar/Haut (mm) :	3 554 / 5 574 / 1 850 / 1 780
Longueur boîte/Réservoir :	1 861 mm / 80 litres
Nombre de coussins de sécurité :	2
Suspension avant :	indépendante, multibras
Suspension arrière :	essieu rigide, ressorts elliptiques
Freins av./arr. :	disque (ABS)
Antipatinage/Contrôle de stabilité :	oui/non
Direction :	à crémaillère, assistance variable
Diamètre de braquage :	12,4 m
Pneus av./arr. :	P265/70R16
Poids :	2 057 kg
Capacité de remorquage :	2 858 kg

AUTRE(S) COMPOSANTE(S) MÉCANIQUE(S)

Système hybride :	aucun
Moteur diesel :	aucun
Taxe énergivore :	aucune
Autre(s) moteur(s) :	4L de 2,5 litres 152 ch/171 lb-pi (12,6 l/100 ordinaire)
Autre(s) rouage(s) :	propulsion
Autre(s) transmission(s) :	automatique, 5 rapports manuelle, 5 rapports

EN BREF

Échelle de prix :	22 598 $ à 39 198 $
Catégorie :	camionnette intermédiaire
Garanties :	3 ans/60 000 km, 5 ans/100 000 km
Assemblage :	Smyrna, Tennessee, É-U
Cote d'assurance :	bonne

DANS LA MÊME CATÉGORIE

Chevrolet Colorado, Dodge Dakota, Ford Ranger, GMC Canyon, Mazda Série B, Toyota Tacoma

NOS IMPRESSIONS

Agrément de conduite :	4
Fiabilité :	4
Sécurité :	4
Qualités hivernales :	4 ½
Espace intérieur :	4
Confort :	4 ½

DU NOUVEAU EN 2009

Aucun changement majeur, arrivée de la Suzuki Equator durant l'année

PAS FACILE DE SE TAILLER UNE PLACE!

Depuis plusieurs années, les constructeurs américains subissent les assauts de leurs rivaux japonais et européens, et ce, dans plusieurs créneaux. Il n'aura pas fallu très longtemps avant que ces derniers s'attaquent à la dernière chasse gardée des Américains, soit les camionnettes pleine grandeur. Cependant, la partie n'est pas facile, car les constructeurs américains bénéficient d'une longue expertise en la matière et, surtout, ils ne se laissent pas faire aussi facilement. Le Nissan Titan prétend donc rivaliser dans cette catégorie, mais il faut avouer qu'il n'est pas facile de s'y tailler une place.

Afin de séduire les acheteurs, Nissan a donc introduit le Titan, en misant sur la puissance et le style. Dans ce créneau, il semble que les acheteurs apprécient les lignes robustes et le Titan en a fait son credo. Voilà un véhicule massif et imposant, presque titanesque! Sa ceinture de caisse élevée, ses jantes de 18 pouces ou de 20 pouces selon la version sélectionnée, ainsi que l'utilisation massive du chrome contribuent à donner à ce véhicule une stature imposante qui, au premier regard, nous semble capable de déplacer les montagnes.

UN SEUL MOTEUR V8

Alors que la majeure partie des constructeurs nous offre un choix varié de moteurs, Nissan ne propose dans le Titan qu'une seule motorisation, soit un V8 de 5,6 litres développant 317 chevaux pour un couple important de 385 livres-pied. Il s'agit du même moteur qui équipe le VUS Armada et son cousin l'Infiniti QX56. Dans le cas du Titan, ce moteur est combiné à une boîte automatique à cinq rapports, la seule proposée. Voilà tout de même une puissance inférieure à la majeure partie des V8 offerts par la concurrence, conférant au Titan une capacité de remorquage de 4300 kg, soit un chiffre inférieur à ce qu'affichent tous les concurrents, mis à part le Dodge Ram. Mais cette capacité convient à la majeure partie des besoins de remorquage et, de toute manière, ceux qui doivent tirer des charges supérieures à 4500 kg auront fortement intérêt à se tourner vers un modèle « Heavy Duty » équipé d'un moteur diesel. Pourquoi diesel? Simplement parce que ces moteurs sont plus efficaces en raison de leur couple généreux et de leur consommation plus faible de carburant.

Parlant de consommation, celle du Titan est tout aussi titanesque, avec une moyenne se situant dans les 20 litres aux 100 km. Il faut réellement avoir besoin de ce genre de véhicule pour endurer un tel traitement à la pompe. Nissan aurait peut-être intérêt à proposer un modèle à moteur V6 pour ceux qui n'ont pas nécessairement besoin de toutes les capacités du Titan V8, surtout dans le contexte actuel.

PLUSIEURS CONFIGURATIONS

Outre la motorisation, l'autre élément important en ce qui a trait aux camionnettes concerne les différentes configurations offertes. Chez Nissan, quatre longueurs de caisse sont proposées (5 pi 5 po, 6 pi 5 po, 7 pi et 8 pi), ce qui vous offre plusieurs choix intéressants selon vos besoins. Au chapitre des cabines, vous pourrez opter pour la cabine double ou la King cab, cette dernière se distinguant par l'espace accru

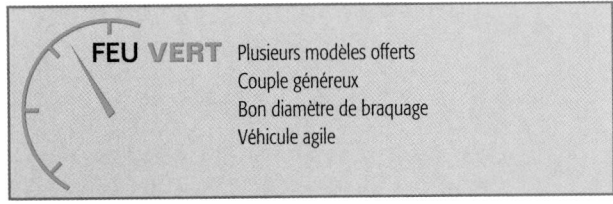

FEU VERT
- Plusieurs modèles offerts
- Couple généreux
- Bon diamètre de braquage
- Véhicule agile

FEU ROUGE
- Consommation élevée
- Pas de V6 offert
- Certains plastiques un peu ternes

à l'arrière et ses larges portières. Bref, le Titan offre peut-être peu de choix quant aux motorisations, mais il propose plusieurs options intéressantes quant à ses configurations, ce qui vous permettra certainement de trouver chaussure à votre pied.

À l'intérieur, le Titan profite du même traitement qu'à l'extérieur, alors que plusieurs éléments mettent bien en valeur sa robustesse. Que ce soit les larges appuie-bras, le tableau de bord ou la console centrale, tout y est pour donner un sentiment de puissance. Par contre, on retrouve encore plusieurs panneaux de plastique un peu ternes et on aurait apprécié une attention un peu plus marquée aux détails. Bien entendu, plusieurs gadgets sont proposés, notamment un puissant système de sonorisation Rockford Fosgate ainsi qu'un système de divertissement avec lecteur DVD.

SUR LA ROUTE

Le Titan offre une conduite rassurante, en raison de sa direction précise et de sa suspension bien adaptée. On n'a pas l'impression d'être au volant d'un véhicule lourdaud. Son moteur permet de bonnes performances et même s'il n'est pas aussi puissant que les V8 de ses rivaux, son couple généreux à bas régime l'avantage, surtout lorsque le véhicule est chargé. À cet égard, un autre facteur fort apprécié du Titan est sa bonne capacité de freinage. Ses larges disques à l'avant lui procurent une bonne force de freinage. Bref, si le Titan n'a pas encore réussi à conquérir une grande part de marché dans le créneau de camionnettes pleine grandeur, ce n'est pas parce qu'il est dénué d'intérêt ou qu'il n'est pas compétitif. Il faudra encore du temps à Nissan afin de se bâtir une réputation dans ce créneau, et avec le marché actuel qui malmène durement ce secteur, ce ne sera pas évident, surtout avec l'unique V8 gourmand proposé.

Sylvain Raymond

Photos : Nissan

VÉHICULE D'ESSAI

Version :	Nissan Titan SE King Cab 4x4
Moteur :	V8 de 5,6 litres 32s atmosphérique
Puissance :	317 ch (236 kW) à 5 200 tr/min
Couple :	385 lb-pi (522 Nm) à 3 400 tr/min
Rapport poids/puissance :	7,54 kg/ch (10,13 kg/kW)
Transmission :	automatique, 5 rapports
Rouage :	4x4
0-100 km/h · 80-120 km/h :	7,8 s · 6,2 s
Freinage 100-0 km/h :	44,2 m
Vitesse maximale :	185 km/h
Consommation (100 km) :	ordinaire, 17,7 litres
Autonomie approximative :	598 km
Émissions de CO2 :	7 296 kg/an
Emp/Lon/Lar/Haut (mm) :	3 550 / 5 704 / 2 019 / 1 945
Longueur boîte/Réservoir :	2 010 mm / 106 litres
Nombre de coussins de sécurité :	2
Suspension avant :	indépendante, bras inégaux
Suspension arrière :	essieu rigide, ressorts elliptiques
Freins av./arr. :	disque (ABS)
Antipatinage/Contrôle de stabilité :	oui/opt.
Direction :	à crémaillère, assistance variable
Diamètre de braquage :	n.d.
Pneus av./arr. :	P265/70R18
Poids :	2 391 kg
Capacité de remorquage :	4 264 kg

AUTRE(S) COMPOSANTE(S) MÉCANIQUE(S)

Système hybride :	aucun
Moteur diesel :	aucun
Taxe énergivore :	aucune
Autre(s) moteur(s) :	aucun
Autre(s) rouage(s) :	propulsion
Autre(s) transmission(s) :	aucune

EN BREF

Échelle de prix :	31 498 $ à 48 998 $
Catégorie :	camionnette grand format
Garanties :	3 ans/60 000 km, 5 ans/100 000 km
Assemblage :	Canton, Mississipi, É-U
Cote d'assurance :	passable

DANS LA MÊME CATÉGORIE

Chevrolet Silverado, Dodge Ram, Ford F150, Toyota Tundra

NOS IMPRESSIONS

Agrément de conduite :	🚗🚗🚗🚗
Fiabilité :	🚗🚗🚗½
Sécurité :	🚗🚗🚗🚗
Qualités hivernales :	🚗🚗🚗½
Espace intérieur :	🚗🚗🚗🚗½
Confort :	🚗🚗🚗🚗

DU NOUVEAU EN 2009

Aucun changement majeur

COSTAUD ET RATIONNEL

Toyota nous offre des camionnettes depuis déjà près de quatre décennies. Première à connaître une certaine réussite avec des camionnettes véritablement compactes vers la fin des années 70, elle dut composer avec la concurrence féroce des Américains durant les décennies suivantes. L'apparition en 2005 d'un Tacoma à la fois plus imposant, musclé et convaincant l'a relancé. Et cette année, le premier constructeur mondial ajoute de l'équipement et abaisse les prix pour faire encore mieux.

Au premier coup d'œil, on est tout à fait pardonné de confondre une camionnette Tacoma avec une des versions de sa grande sœur, le Tundra. La masse n'est évidemment pas la même, mais la gueule est semblable. Elles en imposent toutes deux, avec ces grandes calandres en trapèze aux coins arrondis flanquées de gros blocs de phares. L'intention est toujours, sinon plus que jamais, de régner sur un marché nord-américain des camionnettes où la subtilité ne fait jamais le poids devant l'audace, sinon la bravade, surtout depuis l'arrivée en 1994 d'un nouveau Dodge Ram affichant une calandre spectaculaire digne d'un Freightliner ou d'un Peterbilt.

C'est pour cette même raison que le Tacoma a grandi et pris du muscle lors de sa refonte complète en 2005. Il était alors offert en trois modèles : avec une cabine normale, une cabine allongée baptisée Accès et une cabine à quatre portières, la Double Cab. La première version est disparue depuis. Pour illustrer son gain en taille, il suffit de mentionner que le modèle Double Cab est plus long de 48,6 centimètres que celui de la génération précédente. C'est même 7,1 cm de plus qu'un Dodge Dakota, la pionnière des camionnettes intermédiaires, dont la calandre de la version actuelle évoque d'ailleurs nettement celle de du Ram. Malgré qu'il soit également plus large, plus haut et doté d'un V6 plus gros et puissant que celui de l'américain, le Tacoma Double Cab est plus léger de 194 kilos, une marge substantielle qui se traduit aussi par une consommation moindre.

SUR TOUS LES TABLEAUX

Les Tacoma se comparent en fait avantageusement à leurs rivales chez les camionnettes de conception traditionnelle – donc avec un châssis séparé – à pratiquement tous les égards. Pour jouer au maximum la carte de la frugalité et de la simplicité, on peut par exemple se tourner vers la version de base à cabine normale, dotée du quatre cylindres de 2,7 litres et d'une boîte manuelle à 5 rapports. Ses cotes officielles sont de 10,1 L/100 km en ville et 7,7 L/100 km sur la grand-route, ce qui s'approche beaucoup des 9,9 et 7,7 L/100 km du Ford Ranger de base, une camionnette plus courte de près d'un demi-mètre (49,8 cm), plus légère de 202 kilos et propulsée par un moteur plus petit (2,3 litres vs 2,7 litres) et moins puissant de 11 chevaux. Leurs cotes combinées respectives étant de 10,8 et 10,4 L/100 km, le Tacoma offrira une autonomie largement supérieure, puisque son réservoir peut contenir 80 litres contre les 64 litres du Ranger. Une autonomie de 740 km pour une camionnette, ce n'est pas banal.

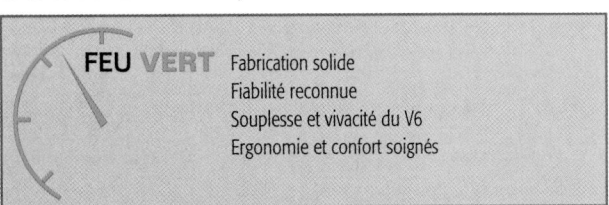

FEU VERT
- Fabrication solide
- Fiabilité reconnue
- Souplesse et vivacité du V6
- Ergonomie et confort soignés

FEU ROUGE
- Roulement ferme
- Essieu arrière dansant
- Carrosserie fardée (X-Runner)
- Échappement bruyant (X-Runner)

De façon réaliste, la grande majorité des Tacoma est toutefois vendue avec le V6 de 4,0 litres et 236 chevaux. C'est un moteur très souple, qu'on peut aisément conduire en passant les six rapports de la boîte manuelle à bas régime pour profiter du couple. Ce V6 est évidemment bien adapté à la boîte automatique qui cherchera invariablement à passer le rapport le moins démultiplié au plus bas régime possible.

Cela dit, les plus grands atouts des Tacoma ne se mesurent pas en chiffres. Ces camionnettes sont effectivement superbement construites et finies, impeccablement solides et d'une grande fiabilité, selon les sondages les plus crédibles. La peinture est lisse et brillante, le chrome éclatant et riche, les plastiques d'un fini mat ou satiné, toujours bien choisi pour l'aspect et la fonction. En fait, le tableau de bord semble emprunté à une berline cossue plutôt qu'au traditionnel outil de ferme ou de chantier que furent longtemps et exclusivement les camionnettes. De quoi déplaire aux amateurs de camions purs et durs, mais aussi de quoi attirer une clientèle plus variée, la règle d'or dans ce segment.

OFFRIR PLUS POUR MOINS

Cette année, le mot d'ordre pour le Tacoma est d'offrir plus d'équipement à prix moindre et pas seulement pour s'ajuster à la quasi-parité actuelle des dollars. Toyota y est allée hardiment en ajoutant des coussins gonflables latéraux montés sur les sièges avant, des rideaux gonflables latéraux avec détecteurs de roulis (pour prévenir les capotages), des appuie-têtes avant actifs et un système antidérapage (VSC) sur tous les modèles. On a également doté les modèles à roues arrière motrices de l'antipatinage et les quatre roues motrices d'un antipatinage « actif » baptisé A-TRAC. De plus, les feux arrière sont maintenant à diodes et on profite désormais d'une sono améliorée compatible avec les formats MP3/WMA et dotée d'une prise auxiliaire et d'une antenne pour radio par satellite. On a aussi ajouté un huitième modèle : un Tacoma à quatre roues motrices avec cabine allongée (Accès) et boîte manuelle à 5 rapports. Une version mieux adaptée aux besoins de la majorité des acheteurs potentiels de chez nous que la bizarre X-Runner avec ses bas de caisse gonflés au collagène et ses deux roues motrices.

Marc Lachapelle

Photos : Toyota

VÉHICULE D'ESSAI

Version :	Toyota Tacoma X-Runner
Moteur :	V6 de 4,0 litres 24s atmosphérique
Puissance :	236 ch (176 kW) à 5 200 tr/min
Couple :	266 lb-pi (361 Nm) à 4 000 tr/min
Rapport poids/puissance :	7,17 kg/ch (9,62 kg/kW)
Transmission :	manuelle, 6 rapports
Rouage :	propulsion
0-100 km/h · 80-120 km/h :	7,3 s · 6,2 s
Freinage 100-0 km/h :	40,3 m
Vitesse maximale :	175 km/h
Consommation (100 km) :	ordinaire, 13,5 litres
Autonomie approximative :	592 km
Émissions de CO2 :	5 760 kg/an
Emp/Lon/Lar/Haut (mm) :	3 246 / 5 286 / 1 835 / 1 670
Longueur boîte/Réservoir :	1 866 mm / 80 litres
Nombre de coussins de sécurité :	6
Suspension avant :	essieu rigide, multibras
Suspension arrière :	essieu rigide, ressorts elliptiques
Freins av./arr. :	disque, tambour (ABS)
Antipatinage/Contrôle de stabilité :	non/non
Direction :	à crémaillère, assistée
Diamètre de braquage :	14,2 m
Pneus av./arr. :	P255/45R18
Poids :	1 694 kg
Capacité de remorquage :	1 587 kg

AUTRE(S) COMPOSANTE(S) MÉCANIQUE(S)

Système hybride :	aucun
Moteur diesel :	aucun
Taxe énergivore :	aucune
Autre(s) moteur(s) :	4L de 2,7 litres 159 ch/180 lb-pi (10,1 l/100 ordinaire)
Autre(s) rouage(s) :	4x4
Autre(s) transmission(s) :	automatique, 4 rapports automatique, 5 rapports / manuelle, 5 rapports

EN BREF

Échelle de prix :	20 215 $ à 37 665 $
Catégorie :	camionnette intermédiaire
Garanties :	3 ans/60 000 km, 5 ans/100 000 km
Assemblage :	Georgetown Ky., Fremont CA., É-U
Cote d'assurance :	passable

DANS LA MÊME CATÉGORIE

Chevrolet Colorado, Dodge Dakota, Honda Ridgeline, Nissan Frontier

NOS IMPRESSIONS

Agrément de conduite :	3½
Fiabilité :	4½
Sécurité :	4
Qualités hivernales :	3
Espace intérieur :	3½
Confort :	3½

DU NOUVEAU EN 2009

Aucun changement majeur

SI GROS, SI VULNÉRABLE

Sous des airs angéliques et verts, Toyota est un constructeur automobile qui fait des affaires non pas pour régler le sort du monde mais bien pour faire des profits. Et faire des profits implique que les produits doivent répondre aux besoins de tous les créneaux du marché. En Amérique, au moment où la camionnette Tundra a été conçue, répondre aux besoins des utilisateurs de ce type de véhicule se résumait à deux qualificatifs: gros et immense.

Toyota a donc produit la camionnette une demi-tonne plus grosse que tous ses rivaux de l'industrie, plus imposante même que le bien nommé Titan de Nissan. En passant, soulignons qu'il est assez ironique que les plus grosses camionnettes offertes en Amérique soient des produits japonais, les Japonais étant autrefois reconnus pour leurs petites voitures! Quoi qu'il en soit, le Toyota Tundra gagne le match en ce qui concerne les dimensions... au moment où les prix de l'essence atteignent des sommets indécents. Manque de timing. De plus, il est extrêmement difficile pour les manufacturiers japonais de s'imposer dans ce créneau où la cote de fidélité atteint des sommets inégalés. Demandez à un «gars» de Ford d'opter pour un Chevrolet et vous comprendrez! Alors, s'attendre à ce que cette clientèle s'abaisse à un produit japonais relève quasiment de la science-fiction.

SURDIMENSIONNÉ

Si certains véhicules semblent plus imposants qu'ils ne le sont, le Tundra a l'air gros et il l'est! Malgré tout, les lignes sont tout de même élégantes et inspirent la confiance. Trois cabines sont proposées, soit régulière (deux portes), double (deux portes régulières et deux petites portes pour les passagers arrière) et, enfin, Crewmax avec ses quatre portes pleine largeur. Cette dernière version possède la boîte la plus courte avec ses 1 695 mm (66,7 po), contrairement aux 2 000 mm (78,7 po) et 2 480 mm (97,6 po) des autres modèles. L'accès à bord n'est pas une sinécure, surtout que le véhicule n'est pas muni de marchepieds. Dans l'habitacle, l'espace ne manque pas (le contraire aurait été surprenant!) et le confort fait partie de l'équipement de base. Certains plastiques du tableau de bord, par contre, pourraient facilement se qualifier pour figurer dans un quelconque musée de la quétainerie. Le conducteur fait face à une instrumentation complète et la plupart des commandes se manipulent aisément. Par exemple, il est possible de tourner les gros boutons du système de chauffage avec des gants d'hiver sans invoquer des objets saints chaque fois. Le Tundra ne faisant pas dans la dentelle, les piliers A, B et C sont très larges et diminuent la visibilité.

PUISSANCE AU CUBE

Deux moteurs sont proposés aux acheteurs d'un Tundra. On retrouve tout d'abord un V8 de 4,7 litres de 276 chevaux, marié à une transmission à cinq rapports. Ce moteur peut sembler faiblard comparativement au 5,7 litres, mais il se révèle suffisamment puissant pour une utilisation quotidienne même s'il ne peut remorquer autant que

FEU VERT
- Capacités de remorquage élevées
- Puissance plus qu'adéquate (5,7 litres)
- Panneau basculant (tailgate) «léger»
- Habitacle confortable
- Entretien facile

FEU ROUGE
- Consommation exagérée (5,7 litres)
- Aucun antirouille d'usine
- Suspension arrière déficiente
- Direction peu précise
- Crédibilité à acquérir

son grand frère. Le hic, c'est que lorsqu'on se procure un véhicule aussi gros,on veut faire plus que du magasinage le samedi après-midi. À ce propos, donc, le V8 de 5,7 litres développe 381 chevaux et il est associé à une transmission automatique à six rapports. L'union entre les deux organes mécaniques est réussie et parvient, ne serait-ce qu'un tantinet, à contribuer à réduire la consommation d'essence. Parlons-en de la consommation... A-hu-ris-san-te, rien de moins. En conduite normale, c'est-à-dire en respectant scrupuleusement les limites de vitesse et avec une boîte vide, il est possible, avec un vent de dos, d'obtenir une moyenne de 15,0 litres aux 100 km, ce qui est fort convenable. Mais dès qu'un des éléments mentionnés ci-dessus est rayé de l'équation, la consommation s'en ressent douloureusement. Selon des rumeurs de plus en plus persistantes, une version diesel serait bientôt offerte, mais selon Toyota, ce ne sera pas cette année. L'an dernier, une version gonflée à 300 chevaux et quelque 600 livres-pied de couple de ce diesel avait été présentée lors du SEMA Show de Las Vegas.

Par définition, une camionnette est conçue pour le travail. Et plus cette camionnette est imposante, plus elle doit pouvoir effectuer un boulot colossal ou, à tout le moins, montrer qu'elle peut le faire. À ce titre, la Tundra déçoit. Si les suspensions avant demeurent solides, les petits ressorts à lames de la partie arrière laissent songeur. Les amortisseurs ont beau être de bonnes dimensions, ils ne peuvent faire tout le travail à eux seuls. Cela explique peut-être la faible capacité de charge utile (*payload*), comparativement aux Ford F-150 et Chevrolet Silverado, par exemple. De plus, les freins arrière nous ont semblé petits pour la tâche à accomplir. Et prévoyez quelques dollars supplémentaires pour l'achat d'un bon antirouille puisque cet élément ne se retrouve pas sous le Tundra. Du moins, pas sur notre véhicule d'essai.

La nouvelle génération du Tundra, arrivée en 2007, a connu sa part de problèmes, souvent mécaniques. D'ailleurs, la populaire revue américaine Consumer Reports lui a récemment enlevé la mention «recommandé» en raison du nombre élevé de plaintes. À ce chapitre, le Tundra semble à l'image des autres produits Toyota, alors que la qualité générale, au demeurant toujours très élevée, est un peu moins reluisante que ce à quoi Toyota nous avait habitués par le passé. Le Tundra demeure une bonne camionnette, mais une juste évaluation du travail que vous lui ferez accomplir est primordiale.

Alain Morin

Photos: Sylvain Raymond

VÉHICULE D'ESSAI

Version:	Toyota Tundra Crewmax 4RM SR5
Moteur:	V8 de 5,7 litres 32s atmosphérique
Puissance:	381 ch (284 kW) à 5 600 tr/min
Couple:	401 lb-pi (544 Nm) à 3 600 tr/min
Rapport poids/puissance:	6,23 kg/ch (8,36 kg/kW)
Transmission:	automatique, 6 rapports
Rouage:	4x4
0-100 km/h · 80-120 km/h:	6,9 s · 5,2 s
Freinage 100-0 km/h:	45,9 m
Vitesse maximale:	190 km/h
Consommation (100 km):	ordinaire, 16,9 litres
Autonomie approximative:	591 km
Émissions de CO2:	7 008 kg/an
Emp/Lon/Lar/Haut (mm):	3 700 / 5 810 / 2 030 / 1 930
Longueur boîte/Réservoir:	1 695 mm / 100 litres
Nombre de coussins de sécurité:	6
Suspension avant:	indépendante, bras inégaux
Suspension arrière:	essieu rigide, ressorts elliptiques
Freins av./arr.:	disque (ABS)
Antipatinage/Contrôle de stabilité:	non/non
Direction:	à crémaillère, assistée
Diamètre de braquage:	13,4 m
Pneus av./arr.:	P255/70R18
Poids:	2 375 kg
Capacité de remorquage:	4 580 kg

AUTRE(S) COMPOSANTE(S) MÉCANIQUE(S)

Système hybride:	aucun
Moteur diesel:	aucun
Taxe énergivore:	aucune
Autre(s) moteur(s):	V8 de 4,7 litres 276 ch/313 lb-pi (15,5 l/100 ordinaire)
Autre(s) rouage(s):	propulsion
Autre(s) transmission(s):	automatique, 5 rapports

EN BREF

Échelle de prix:	23 825 $ à 53 395 $
Catégorie:	camionnette grand format
Garanties:	3 ans/60 000 km, 5 ans/100 000 km
Assemblage:	Princeton IN, San Antonio TX, É-U
Cote d'assurance:	passable

DANS LA MÊME CATÉGORIE

Chevrolet Silverado, Dodge RAM, Ford F150, GMC Sierra, Nissan Titan

NOS IMPRESSIONS

Agrément de conduite:	3 ½
Fiabilité:	3
Sécurité:	4
Qualités hivernales:	4
Espace intérieur:	5
Confort:	5

DU NOUVEAU EN 2009

Aucun changement majeur

Afin de mieux comprendre les informations chiffrées qui accompagnent chaque essai, voici quelques explications supplémentaires.

MODÈLE À L'ESSAI
Il s'agit du véhicule testé pour le compte-rendu routier. La fiche présente les données de ce véhicule.

MOTEUR
Il s'agit du moteur qui équipait notre voiture d'essai. Les autres moteurs sont aussi mentionnés plus bas. Sont inscrits, pour le moteur principal : la disposition physique des cylindres et leur nombre, le type d'alimentation, la cylindrée, la course et l'alésage ainsi que le nombre de soupapes.

PUISSANCE
La puissance est exprimée en chevaux (ch) suivie, entre parenthèses, de son équivalence internationale en kilowatts (kW). Le régime auquel cette puissance est développée est aussi mentionné.

COUPLE
Le couple est toujours exprimé en livres-pied (lb-pi) suivi, entre parenthèses, de son équivalence internationale en newton-mètre (Nm). Le régime auquel ce couple maximal est généré est aussi mentionné.

TRANSMISSION
De quel type de boîte de vitesses était munie notre voiture d'essai ? Il s'agissait d'une automatique, d'une manuelle, d'une CVT (Continuously Variable Transmission ou, en français, transmission à rapports continuellement variables) ou, pour les sportives, d'une séquentielle. Les autres transmissions offertes pour ce modèle sont aussi mentionnées plus bas.

ROUAGE
Vous saurez si ce véhicule est une traction (roues motrices à l'avant), une propulsion (roues motrices à l'arrière), une transmission intégrale (passe de deux à quatre roues motrices sans l'intervention du conducteur) ou un 4x4 (quatre roues motrices en permanence)

DONNÉES DE PERFORMANCE
Ces deux lignes permettent de comparer, avec d'autres voitures, les temps d'accélération entre 0 et 100 km/h et entre 80 et 120 km/h ainsi que la distance pour passer de 100 km/h à l'arrêt complet. Ces deux dernières données, surtout, sont très importantes dans un contexte de sécurité.

CONSOMMATION (LITRES AU 100 KM)
Pour plus de cohésion, nous utilisons uniquement les données de Transport Canada. À noter que pour une consommation moyenne, nous prenons la consommation « ville » de Transport Canada, ce qui correspond à une utilisation normale « ville/route ».

AUTONOMIE
Selon nos calculs (consommation par rapport à la contenance du réservoir), la distance approximative que l'on peut parcourir avec un plein. Il s'agit d'une donnée théorique et tenter de parcourir le nombre de kilomètres indiqué pourrait mener à la panne sèche !

ÉMISSIONS DE CO_2
La société étant de plus en plus sensibilisée aux problèmes dus à la pollution et à l'effet de serre, nous avons décidé d'inclure cette donnée dans nos fiches techniques. Elles proviennent du guide de consommation de carburant (Energuide) publié par Ressources naturelles Canada, un « must » par les temps qui courent.

COUSSINS DE SÉCURITÉ
Indique la quantité de coussins dont était équipée notre voiture d'essai. En général, lorsqu'il y en a deux, ils sont frontaux. S'il est écrit 4, c'est que le véhicule possède deux coussins frontaux et deux latéraux. 6 veut généralement dire que le véhicule recèle de deux coussins frontaux, deux latéraux et de rideaux qui, souvent, couvrent autant les occupants avant qu'arrière. Les voitures haut de gamme ont quelquefois davantage de coussins gonflables.

POIDS
Le poids, en kilos, du modèle essayé. Il s'agit du poids brut du véhicule (curb weight), ce qui correspond au poids du véhicule en ordre de marche (incluant un plein d'essence, l'huile à moteur, le lave-glace, l'antigel, etc)

CAPACITÉ DE REMORQUAGE
Cette donnée est fort importante pour quiconque désire accrocher une remorque à son véhicule. Cependant, cette donnée varie passablement selon le moteur, la transmission et le nombre de roues motrices. Il faut aussi prendre en considération le fait que la remorque soit équipée ou non de freins. On ne doit jamais se fier uniquement à la donnée inscrite dans la fiche technique et il faut IMPÉRATIVEMENT vérifier avec son concessionnaire avant de faire installer un mécanisme de remorquage.

LA PARTIE VERTE
Ce carré nous indique si ce modèle de voiture ou une de ses versions est muni d'un moteur hybride et, si tel est le cas, explique, en gros, ses aspects techniques. Dans ce carré, on apprend aussi s'il y a un moteur diesel et, enfin, si une version fait l'objet d'une taxe spéciale en raison d'une consommation déraisonnable.

DANS LA MÊME CATÉGORIE
Dans cette rubrique, nous répertorions les modèles qui se situent dans la même catégorie que le véhicule essayé. Sont pris en considération différents paramètres tels que le prix, les dimensions et la puissance du moteur. Le bon sens nous aide aussi à l'occasion.

GARANTIES
Nous indiquons les deux principales garanties. La première représente la garantie de base, dite « pare-chocs à pare-chocs » pour un maximum d'années et un maximum de kilométrage. Elle se termine à la

LE MONDE DE
L'AUTO
MC
Le magazine N° 1 au Québec depuis 25 ans!
3 ANS
(18 PARUTIONS)
SEULEMENT
25,99$
NOUVELLE
OFFRE
PAYEZ MAINTENANT POUR 3 ANS
ET OBTENEZ 2 PARUTIONS GRATUITES*
(VOIR DÉTAILS CI-DESSOUS)

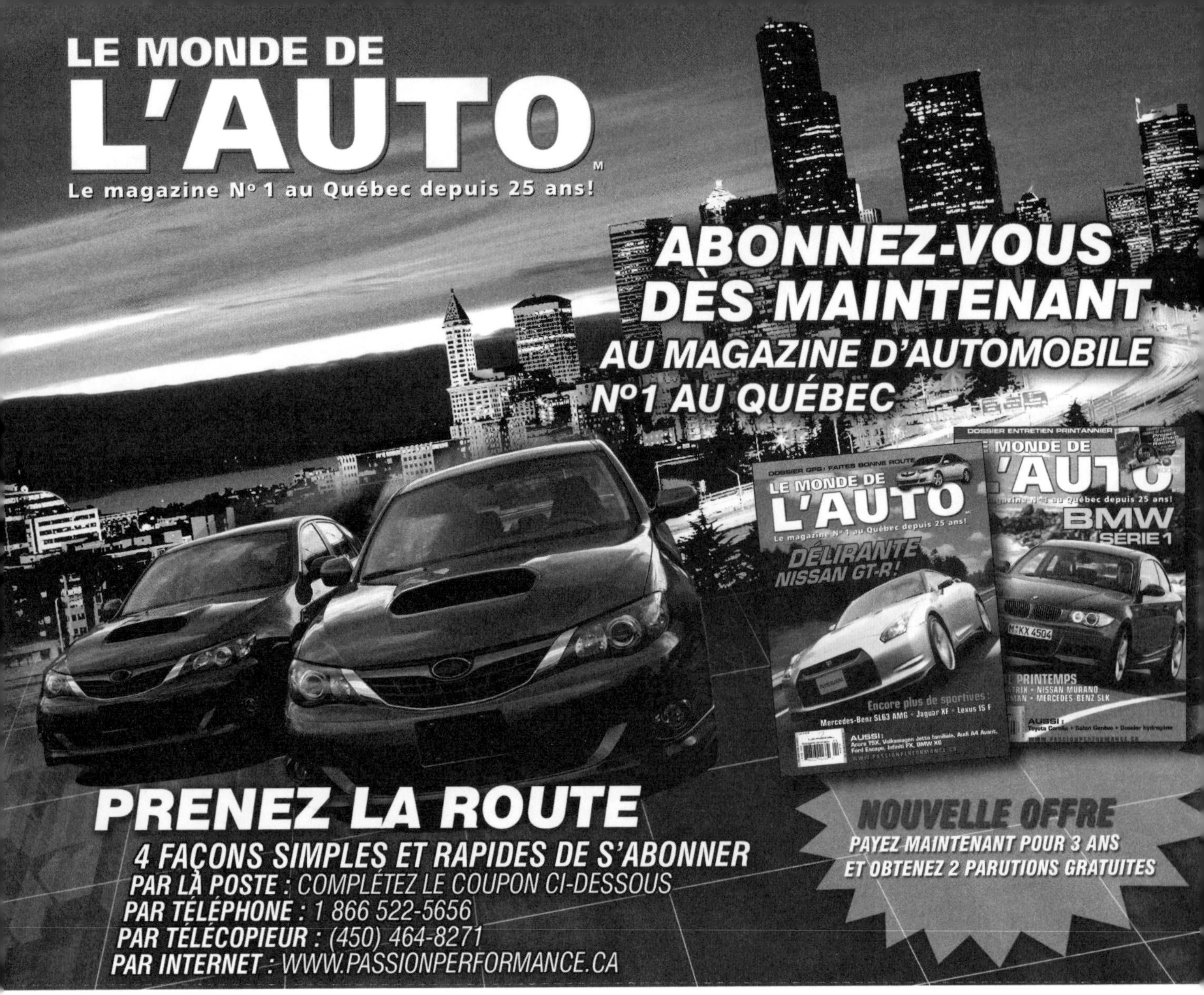

1000069868-J3G4S5-CR01

LC MEDIA INC.
200-1895 RUE DE L'INDUSTRIE RR1
SAINT-MATHIEU DE BELOEIL QC J3G 4S5

première des deux limites atteintes. La seconde couvre le groupe motopropulseur : le moteur et les autres éléments des rouages d'entraînement. Cette garantie est souvent plus généreuse que celle de base. Là encore, elle se termine à la première des deux limites atteinte.

COTE D'ASSURANCE

Cette année, nous ajoutons une nouvelle donnée, soit la cote d'assurance. Puisque rien n'est plus aléatoire que le calcul d'une prime, nous avons préféré nous en tenir à une cote générale qui reflète le bilan du véhicule analysé et non celui d'un conducteur fictif. Cette cote est "pauvre", "passable", "moyenne", "bonne" ou "excellente". En fait, nous avons utilisé les données du BAC (Bureau d'Assurances du Canada) et établi une moyenne pour les trois dernières années disponibles (2004-2005-2006). Donc, meilleure est la cote, moins la voiture devrait coûter cher à assurer. Il faut cependant noter que ce n'est pas parce qu'une voiture s'est méritée une note "excellente" qu'elle efface un mauvais dossier de conduite tout comme une note "pauvre" ne reflète pas nécessairement une prime très élevée mais les chances sont plus grandes ! Car en plus de la cote de la voiture, il y a celle de la région et, surtout, celle du conducteur... et ça, nous n'y pouvons rien !

Pour plus d'informations, allez sur ***www.ibc.ca*** cliquez sur ***assurance autos*** ensuite sur ***vous songez à acheter une voiture*** et enfin sur ***différence entre les voitures***

VERDICT (SUR 5)

Agrément de conduite

Départage les véhicules ennuyeux de ceux qui nous ont passionnés.

Fiabilité

Indications fournies à la suite de l'évaluation de plusieurs données.

Sécurité

Cette cote est établie en fonction des qualités de la voiture en matière de sécurité active et passive. La sécurité active est la capacité du véhicule à éviter un accident. La sécurité passive respecte les prescriptions des autorités gouvernementales nord-américaines.

Qualités hivernales

Cote la plus simple à établir et aussi la plus cruciale pour les automobilistes du Québec. Les véhicules à traction intégrale et la plupart des 4x4 sont mieux adaptés, tandis que les grandes sportives doivent patienter pendant cette saison. Cette évaluation tient également compte du dégivreur et du chauffage.

Espace intérieur

Note l'espace disponible dans l'habitacle et son utilisation prévue par les concepteurs.

Confort

L'insonorisation, la suspension, les sièges, l'efficacité de la climatisation, voilà autant d'éléments évalués dans cette catégorie.

Dans le but d'alléger les différents textes du *Guide de l'auto*, seul le masculin est utilisé et englobe le féminin.

VÉHICULE D'ESSAI

Version :	Mercedes-Benz Classe CL 550
Moteur :	V8 de 5,5 litres 32s atmosphérique
Puissance :	382 ch (285 kW) à 5 000 tr/min
Couple :	391 lb-pi (530 Nm) à 4 800 tr/min
Rapport poids/puissance :	5,32 kg/ch (7,14 kg/kW)
Transmission :	automatique, 7 rapports
Rouage :	propulsion
0-100 km/h · 80-120 km/h :	5,6 s · 5,0 s
Freinage 100-0 km/h :	38,1 m
Vitesse maximale :	250 km/h
Consommation (100 km) :	super, 15,4 litres
Autonomie approximative :	584 km
Émissions de CO2 :	6 144 kg/an
Emp/Lon/Lar/Haut (mm) :	2 955 / 5 065 / 2 139 / 1 419
Coffre/Réservoir :	490 / 90 litres
Nombre de coussins de sécurité :	7
Suspension avant :	indépendante, multibras
Suspension arrière :	indépendante, multibras
Freins av./arr. :	disque (ABS)
Antipatinage/Contrôle de stabilité :	oui/oui
Direction :	à crémaillère, assistance variable
Diamètre de braquage :	11,6 m
Pneus av./arr. :	P255/40R19, P275/40R19
Poids :	2 035 kg
Capacité de remorquage :	non recommandé

AUTRE(S) COMPOSANTE(S) MÉCANIQUE(S)

Système hybride :	aucun
Moteur diesel :	aucun
Taxe énergivore :	3 000 $ (CL600 - CL63AMG - CL65AMG)
Autre(s) moteur(s) :	V12 de 5,5 litres 510 ch/612 lb-pi (14,3 l/100 super) (CL600)
	V12 de 6,0 litres 603 ch/738 lb-pi (19,1 l/100 super) (CL65 AMG)
	V8 de 6,2 litres 518 ch/465 lb-pi (13,9 l/100 super) (CL63 AMG)
Autre(s) rouage(s) :	aucun
Autre(s) transmission(s) :	automatique, 5 rapports (CL65 AMG, CL600)

EN BREF

Échelle de prix :	131 900 $ à 236 500 $ (2008)
Catégorie :	coupé
Garanties :	4 ans/80 000 km, 4 ans/80 000 km
Assemblage :	Stuttgart, Allemagne
Cote d'assurance :	n.d.

DANS LA MÊME CATÉGORIE

Bentley Continental GT, BMW Série 6, Maserati Gran Turismo, Jaguar XKR

NOS IMPRESSIONS

Agrément de conduite :	4
Fiabilité :	3 ½
Sécurité :	4 ½
Qualités hivernales :	3
Espace intérieur :	3 ½
Confort :	4 ½

DU NOUVEAU EN 2009

CL550 offert uniquement avec 4Matic, automatique avec palettes au volant au lieu de boutons, ensemble Techno standard (CL600 et 65 AMG)

ACURA

CSX man	26 990 $*
CSX Technologie man	29 990 $*
CSX Type S	33 400 $*
MDX	52 500 $*
MDX Tech	57 200 $*
MDX Elite	62 200 $*
RL	63 900 $*
RL Elite	69 500 $*
RDX	41 400 $*
RDX Tech	45 100 $*
TL	n.d.
TL Technologie	n.d.
TL SH-AWD	n.d.
TL SH-AWD Technologie	n.d.
TSX man	32 900 $
TSX Premium man	36 200 $
TSX Tech man	39 000 $

ASTON MARTIN

DB9 Coupe	198 800 $*
DB9 Volante	206 500 $*
DBS	292 000 $
Rapide	n.d.
V8 Vantage	139 700 $
V8 Vantage Roadster	160 200 $

AUDI

A3 2.0T man	31 800 $
A3 2.0T Premium man	35 000 $
A3 2.0T quattro DSG	36 900 $
A3 3.2 quattro DSG	45 000 $
A4 Berline 2.0T FWD man	35 350 $*
A4 Berline 2.0T quattro man	42 150 $*
A4 Berline 3.2 quattro man	49 500 $*
A4 Avant 2.0T quattro	43 600 $*
A4 Avant 3.2 quattro man	50 950 $*
A4 Cabriolet 2.0T FWD CVT	52 900 $
A4 Cabriolet 2.0T quattro auto	55 800 $
A4 Cabriolet 3.2 quattro auto	64 900 $
A5 3.2 quattro man	51 850 $
A6 Berline 3.2	59 900 $*
A6 Berline 4.2	71 900 $*
A6 Avant 3.2	62 800 $*
A8 4.2	95 000 $
A8 L 4.2	100 000 $
A8 L W12	166 400 $
Q5 3.2	n.d.
Q7 3.6 quattro	54 200 $
Q7 3.6 quattro Premium	59 300 $
Q7 4.2	75 100 $
R8 4.2 man	141 000 $
R8 4.2 DSG	152 500 $
RS4 quattro man	94 200 $*
S3	n.d.
S4 Berline quattro man	70 400 $*
S4 Avant quattro man	71 850 $*
S4 Cabriolet man	75 500 $
S5 man	65 900 $
S6	96 900 $*
S8	127 000 $
TT Coupé 2.0T FWD auto	46 900 $
TT Coupé 2.0T quattro auto	49 350 $
TT Coupé 3.2 quattro man	55 500 $
TT Roadster 2.0T FWD auto	49 900 $
TT Roadster 2.0T quattro auto	52 350 $
TT Roadster 3.2 quattro man	59 800 $

BENTLEY

Arnage R	247 990 $
Arnage T	271 990 $
Arnage RL	294 990 $
Azure	368 990 $
Brooklands	374 990 $
Continental GT	193 990 $*
Continental GT Speed	219 990 $*
Continental Flying Spur	189 990 $
Continental Flying Spur Speed	216 990 $
Continental GTC	212 990 $*

BMW

M Coupé	63 900 $*
M Roadster	64 900 $*
M3 Berline	69 900 $*
M3 Coupé	71 300 $*
M3 Cabriolet	81 900 $*
M5 Berline	113 300 $*
M6 Coupé	128 300 $*
M6 Cabriolet	138 300 $*
Série 1 Coupé 128i	33 900 $*
Série 1 Coupé 135i	41 700 $*
Série 1 Cabriolet 128i	39 900 $*
Série 1 Cabriolet 135i	47 200 $*
Série 3 Berline 323i	35 900 $*
Série 3 Berline 328i	41 000 $*
Série 3 Berline 328xi	43 600 $*
Série 3 Berline 335i	49 900 $*
Série 3 Berline 335xi	52 500 $*
Série 3 Coupé 328i	43 600 $*
Série 3 Coupé 328xi	46 100 $*
Série 3 Coupé 335i	51 600 $*
Série 3 Coupé 335xi	54 100 $*
Série 3 Cabriolet 328i	56 600 $*
Serie 3 Cabriolet 335i	66 600 $*
Série 3 Touring 328xi	45 100 $*
Série 5 Berline 528i	59 900 $*
Série 5 Berline 528xi	62 500 $*
Série 5 Berline 535i	68 900 $*
Série 5 Berline 535xi	71 500 $*
Série 5 Tou ring 535xi	73 600 $*
Série 5 Berline 550i	82 900 $*
Série 6 Coupé 650i	101 500 $*
Série 6 Cabriolet 650i	111 500 $*
Série 7 750i	108 500 $*
Série 7 750Li	115 100 $*
Série 7 760Li	174 500 $*
X3 3.0i	45 300 $*
X3 3.0si	51 100 $*
X5 3.0si	61 900 $*
X5 4.8i	73 500 $*
X6 xDrive35i	63 900 $
X6 xDrive50i	78 100 $

BUGATTI

Veyron	1 400 000 $ US

BUICK

Allure CX	26 995 $
Allure CXL	29 295 $
Allure Super	38 995 $
Enclave CX	41 595 $
Enclave CXL	48 995 $
Enclave CX (AWD)	44 595 $
Enclave CXL (AWD)	51 995 $
Lucerne CX	31 995 $
Lucerne CXL	34 995 $
Lucerne Super	47 995 $

CADILLAC

CTS 3.6L	39 365 $
CTS 3.6L (TI)	43 690 $
CTS 3.6L injection directe	42 330 $
CTS 3.6L injection directe (TI)	46 655 $
CTS-V	n.d.
DTS	n.d.
Escalade (TI)	81 320 $
Escalade (TI) Hybride	n.d.
Escalade ESV (TI)	84 905 $
Escalade EXT (TI)	76 530 $
SRX V6	46 910 $
SRX V8	60 725 $
STS V6	59 055 $
STS V8	68 365 $
STS-V	103 210 $
XLR	100 315 $
XLR-V	115 870 $

CHEVROLET CAMIONS

Avalanche LS (2RM)	40 470 $
Avalanche LT (2RM)	41 995 $
Avalanche LS (4RM)	43 715 $
Avalanche LT (4RM)	45 240 $
Avalanche LTZ (4RM)	55 285 $
Colorado LS à cabine classique (2RM)	22 665 $
Colorado LT à cabine classique (2RM)	23 705 $
Colorado LS à cabine classique (4RM)	26 470 $
Colorado LT à cabine classique (4RM)	27 400 $
Colorado LS à cabine allongée (2RM)	24 735 $
Colorado LT à cabine allongée (2RM)	25 830 $
Colorado LS à cabine allongée (4RM)	28 540 $
Colorado LT à cabine allongée (4RM)	29 525 $
Colorado LT à cabine multiplace (2RM)	30 035 $
Colorado LT à cabine multiplace (4RM)	35 035 $
Equinox LS	26 870 $
Equinox LS (TI)	29 625 $
Equinox LT	29 620 $
Equinox LT (TI)	32 320 $
Equinox Sport	33 045 $
Equinox Sport (TI)	35 745 $
HHR LS	19 855 $
HHR LT	21 185 $
HHR SS	28 240 $
Silverado 1500, à cabine classique caisse régulière (2RM)	22 940 $
Silverado 1500, à cabine classique caisse longue (4RM)	26 840 $
Suburban 1500 LS (2RM)	49 215 $
Suburban 1500 LT (2RM)	50 955 $
Suburban 1500 LS (4RM)	52 795 $
Suburban 1500 LT (4RM)	54 895 $
Suburban 1500 LTZ (4RM)	68 995 $
Tahoe LS (2RM)	46 110 $
Tahoe LT (2RM)	47 810 $
Tahoe Hybride bimode (2RM)	66 765 $
Tahoe LS (4RM)	50 095 $
Tahoe LT (4RM)	51 865 $
Tahoe Hybride bimode (4RM)	69 765 $
Tahoe LTZ (4RM)	65 995 $
TrailBlazer LT1 (4RM)	39 795 $
TrailBlazer LT3 (4RM)	44 795 $
TrailBlazer SS (4RM)	52 750 $
Uplander LS	24 390 $
Uplander LT1	26 460 $
Uplander LT2	29 490 $
Uplander LS allongé	27 620 $
Uplander LT1 allongé	28 775 $
Uplander LT2 allongé	32 615 $

CHEVROLET

Aveo berline LS	13 270 $
Aveo berline LT	15 770 $
Aveo 5 portes LS	13 270 $
Aveo 5 portes LT	15 770 $
Cobalt coupé LS	15 225 $
Cobalt coupé LT	17 895 $
Cobalt coupé SS	25 045 $
Cobalt berline LS	15 225 $
Cobalt berline LT	17 895 $
Cobalt berline SS	25 045 $
Corvette Coupé	63 795 $
Corvette Cabriolet	76 370 $
Corvette Z06	92 365 $
Corvette ZR1	125 195 $
Impala LS	25 995 $
Impala LT	27 495 $
Impala LTZ	29 995 $
Impala SS	35 995 $
Malibu LS	23 395 $
Malibu 1LT	24 995 $
Malibu 2LT	26 395 $
Malibu LTZ	31 250 $
Malibu Hybride	27 595 $

CHRYSLER

300 Limited	35 695 $
300 Limited (TI)	39 795 $
300 Touring	32 095 $
300 Touring (TI)	36 395 $
300C	45 595 $
300C (TI)	49 045 $
300C SRT8	53 695 $
Aspen Limited	49 995 $
Aspen Limited HEV	55 995 $
PT Cruiser Classic	21 995 $
Sebring LX	22 995 $
Sebring Touring	26 495 $
Sebring Limited	29 295 $
Sebring Cabriolet LX	29 995 $
Sebring Cabriolet Touring	34 595 $
Sebring Cabriolet Limited	40 995 $
Town & Country Touring	36 995 $
Town & Country Limited	42 995 $

DODGE

Avenger SE	21 995 $
Avenger SXT	24 295 $
Avenger R/T	29 895 $
Caliber	15 995 $
Caliber SXT	18 195 $
Caliber SRT4	24 995 $
Challenger SE	24 995 $
Challenger R/T	34 995 $
Challenger SRT8	45 995 $
Charger SE RWD	29 095 $
Charger SXT RWD	32 595 $
Charger RT RWD	39 745 $
Charger SE (TI)	32 695 $
Charger SXT (TI)	35 095 $
Charger RT (TI)	41 845 $
Charger SRT8	46 595 $
Dakota Cab. allongée ST 4X2	25 695 $
Dakota Cab. allongée SXT 4X2	28 495 $
Dakota Cab. allongée ST 4X4	29 295 $
Dakota Cab. allongée SXT 4X4	32 095 $
Dakota Crew cab SXT 4X2	30 995 $
Dakota Crew cab SLT 4X2	33 695 $
Dakota Crew cab SXT 4X4	34 695 $
Dakota Crew cab SLT 4X4	37 395 $
Durango SLT	44 995 $
Grand Caravan	26 595 $
Grand Caravan SE Stow n Go	28 795 $
Grand Caravan SXT	30 495 $
Journey SE	19 995 $
Journey SXT	24 995 $
Journey R/T	27 995 $
Journey SXT (TI)	27 595 $
Journey R/T (TI)	29 995 $
Nitro SE 4X2	24 995 $
Nitro SE 4X4	27 995 $
Nitro SLT 4X4	30 995 $
Ram 1500 ST Cab Reg 4X2	26 995 $
Ram 1500 SLT Cab Reg 4X2	30 930 $
Ram 1500 Cab Double ST 4X2	32 975 $
Ram 1500 Mega SXT 4X2	37 120 $
Ram 1500 Mega Laramie 4X4	47 070 $
Viper SRT10 Coupe	99 600 $
Viper SRT10 Roadster	98 600 $

FERRARI

599 GTB Fiorano F1	425 600 $
612 Scaglietti F1	390 570 $
California	n.d.
F430 man	256 595 $
F430 F1	274 258 $
F430 Spider man	296 595 $
F430 Spider F1	314 258 $
F430 Scuderia	350 000 $

FORD

Edge SEL	33 499 $
Edge SEL (TI)	35 499 $
Edge Limited	36 999 $
Edge Limited (TI)	38 999 $
Escape XLT 4L man.	23 999 $
Escape XLT 4L	25 099 $
Escape XLT 4L (4RM)	27 499 $
Escape XLT V6	26 699 $
Escape XLT V6 (4RM)	29 099 $
Escape Limited 4L (4RM)	33 299 $
Escape Limited V6 (4RM)	34 899 $

Escape Hybrid	32 399 $
Escape Hybrid (4RM)	34 799 $
Expedition SSV 4X4	38 379 $
Expedition SSV MAX 4X4	41 129 $
Expedition XLT 4X4	39 499 $
Expedition XLT MAX Limousine 4X2	39 499 $
Expedition Eddie Bauer 4X4	47 799 $
Expedition Eddie Bauer MAX 4X4	50 299 $
Expedition Limited 4X4	51 499 $
Expedition Limited MAX 4X4	53 999 $
Expedition King Ranch 4X4	55 399 $
Expedition King Ranch MAX 4X4	57 899 $
Explorer XLT V6	35 999 $
Explorer XLT V8	37 499 $
Explorer Eddie Bauer V6	42 399 $
Explorer Eddie Bauer V8	43 899 $
Explorer Limited V8	48 299 $
Explorer Sport Trac XLT 4.0l 4X2	32 099 $
Explorer Sport Trac XLT 4.6l 4X4	36 699 $
Explorer Sport Trac Limited 4.0l 4X2	36 399 $
Explorer Sport Trac Limited 4.6l 4X4	40 999 $
Explorer Sport Trac Adrenalin Limited 4.6l (TI)	42 699 $
F150 XL 4X2	24 199 $
F150 XLT 4X2	26 899 $
F150 XL 4X4	29 799 $
F150 XLT 4X4	32 099 $
F150 Super Cab XL 4X2	29 899 $
F150 Super Cab STX 4X2	30 899 $
F150 Super Cab XLT 4X2	31 399 $
F150 Super Cab XL 4X4	34 099 $
F150 Super Cab XLT 4X4	35 599 $
F150 Super Crew XLT 4X2	33 199 $
F150 Super Crew XLT 4X4	37 499 $
F150 Super Crew Lariat 4X2	42 499 $
F150 Super Crew Lariat King Ranch 4X4	50 299 $
F150 Super Crew Lariat Platinum 4X4	54 699 $
Flex SEL	34 999 $
Flex SEL (TI)	36 999 $
Flex Limited	40 999 $
Flex Limited (TI)	42 999 $
Focus Coupé SE	16 499 $
Focus Coupé SES	18 799 $
Focus Berline S	14 799 $
Focus Berline SE	16 199 $
Focus Berline SES	18 999 $
Focus Berline SEL	18 399 $
Fusion SE 4L	21 499 $
Fusion SE V6	25 399 $
Fusion SE V6 (TI)	27 399 $
Fusion SEL 4L	23 999 $
Fusion SEL V6	27 499 $
Fusion SEL V6 (TI)	29 499 $
Mustang Coupé	24 799 $
Mustang Convertible	28 899 $
Mustang GT Coupé	33 999 $
Mustang GT Convertible	38 099 $
Ranger XL 4X2	15 899 $
Ranger XL 4X2 Caisse 7pi	16 699 $
Ranger XL Super Cab 4X2	16 999 $
Ranger XL Super Cab 4X4	19 999 $
Ranger Sport Super Cab 4X2	17 799 $
Ranger Sport Super Cab 4X4	22 299 $
Ranger XLT Super Cab 4X2	21 799 $
Ranger XLT Super Cab 4X4	24 799 $
Ranger FX4/Off Road Super Cab 4X4	25 599 $
Shelby GT500 Coupe	54 299 $
Shelby GT500 Convertible	58 399 $
Taurus SE	30 499 $
Taurus SEL	30 999 $
Taurus SEL (TI)	33 499 $
Taurus Limited (TI)	39 199 $
Taurus X SEL	34 999 $
Taurus X SEL (TI)	36 999 $
Taurus X Limited	40 499 $
Taurus X Limited (TI)	42 499 $

GMC

Acadia SLE	36 695 $
Acadia SLT	42 995 $
Acadia SLE (TI)	39 695 $
Acadia SLT (TI)	45 995 $
Canyon SL à cabine classique (2RM)	22 665 $
Canyon SLE à cabine classique (2RM)	23 705 $
Canyon SL à cabine classique (4RM)	26 470 $
Canyon SLE à cabine classique (4RM)	27 400 $
Canyon SL à cabine allongée (2RM)	24 735 $
Canyon SLE à cabine allongée (2RM)	25 830 $
Canyon SL à cabine allongée (4RM)	28 540 $
Canyon SLE à cabine allongée (4RM)	29 525 $
Canyon SLE à cabine multiplace (2RM)	30 035 $
Canyon SLE à cabine multiplace (4RM)	35 035 $
Envoy SLE (4RM)	40 695 $
Envoy SLT (4RM)	45 195 $
Envoy Denali (4RM)	51 950 $
Sierra 1500 SLE, à cabine classique, caisse standard (2RM)	28 660 $
Sierra 1500 SLE, à cabine classique, caisse longue (4RM)	33 110 $
Sierra 1500 SLT, à cabine allongée, caisse longue (4RM)	44 605 $
Sierra 1500 Denali, à cabine multiplace, caisse courte (4RM)	53 190 $
Yukon SLE (2RM)	46 575 $
Yukon SLT (2RM)	52 375 $
Yukon SLT Hybride bimode (2RM)	67 545 $
Yukon SLE (4RM)	50 935 $
Yukon SLT (4RM)	56 995 $
Yukon SLT Hybride bimode (4RM)	70 530 $
Yukon Denali (TI)	69 300 $
Yukon XL SLE (2RM)	49 505 $
Yukon XL SLT (2RM)	55 345 $
Yukon XL SLE (4RM)	53 795 $
Yukon XL SLT (4RM)	59 795 $
Yukon XL Denali (TI)	72 740 $

HONDA

Accord Coupé EX	27 990 $*
Accord Coupé EX-L	30 390 $*
Accord Coupé EX-L Navigation	33 190 $*
Accord Coupé V6 EX-L	35 490 $*
Accord Coupé V6 EX-L Navigation	38 290 $*
Accord LX	25 090 $*
Accord EX	27 490 $*
Accord EX-L	31 090 $*
Accord EX-L Navigation	32 690 $*
Accord V6 EX	31 690 $*
Accord V6 EX-L	34 990 $*
Accord V6 EX-L Navigation	37 790 $*
Civic Berline DX	16 990 $*
Civic Berline DX-G	19 480 $*
Civic Berline LX	20 980 $*
Civic Berline EXL	23 480 $*
Civic Berline SI	26 680 $*
Civic Coupé DX	17 190 $*
Civic Coupé DX-G	19 780 $*
Civic Coupé LX	21 280 $*
Civic Coupé EXL	23 780 $*
Civic Coupé SI	26 680 $*
Civic Hybrid	26 350 $*
CR-V LX	27 790 $*
CR-V LX (4RM)	29 790 $*
CR-V EX	32 690 $*
CR-V EX-L	35 190 $*
CR-V EX-L Navigation	37 790 $*
Element LX	25 290 $*
Element EX	28 090 $*
Element EX (4RM)	30 390 $*
Element SC	29 990 $*
Fit DX man	14 980 $
Fit DX-A man	16 280 $
Fit LX man	17 380 $
Fit Sport man	19 280 $
Odyssey DX	31 490 $*
Odyssey LX	33 590 $*
Odyssey EX	36 990 $*
Odyssey EX-L	40 590 $*
Odyssey Touring	48 890 $*
Pilot LX (2RM)	36 820 $
Pilot LX (4RM)	39 820 $
Pilot EX (4RM)	42 220 $
Pilot EX-L (4RM)	44 520 $
Pilot EX-L RES (4RM)	46 120 $
Pilot Touring	49 920 $
Ridgeline LX	35 820 $*
Ridgeline EX-L	40 520 $*
Ridgeline EX-L Navigation	41 720 $*
Ridgeline EX-L SR	45 220 $*
S2000	50 600 $*

HUMMER

H2 CUS	70 395 $
H2 VUS	72 295 $
H3	40 995 $

HYUNDAI

Accent 3 portes L man	13 595 $
Accent 3 portes GL Comfort man	15 295 $
Accent 3 portes GL Sport man	16 995 $
Accent Berline L man	14 295 $
Accent Berline GL man	15 745 $
Accent Berline GLS	18 645 $
Azera GLS	35 995 $*
Azera Limited	39 195 $*
Elantra Berline L man	15 845 $
Elantra Berline GL man	18 095 $
Elantra Berline GLS	20 595 $
Elantra Berline GL Sport man	21 395 $
Elantra Berline Limited	23 795 $
Elantra Touring	n.d.
Entourage L	30 995 $*
Entourage GL	33 395 $*
Entourage GLS	37 495 $*
Entourage Limited	39 495 $*
Genesis 3.8	37 995 $
Genesis 3.8 Premium	39 995 $
Genesis 3.8 Technologie	44 995 $
Genesis 4.6	43 995 $
Genesis 4.6 Technologie	48 995 $
Santa Fe 2.7 GL FWD man	25 995 $*
Santa Fe 2.7 GLS FWD	29 945 $*
Santa Fe 3.3 GL FWD	28 745 $*
Santa Fe 3.3 GL AWD	30 545 $*
Santa Fe 3.3 GLS FWD	31 045 $*
Santa Fe 3.3 GLS AWD	32 845 $*
Santa Fe 3.3 Limited 5 passagers	35 245 $*
Santa Fe 3.3 Limited 7 passagers	36 945 $*
Sonata GL man	21 995 $
Sonata GL Sport	25 695 $
Sonata Limited	27 995 $
Sonata V6 GL	27 795 $
Sonata V6 GL Sport	29 595 $
Sonata V6 Limited	31 495 $
Tiburon GS	18 995 $*
Tiburon GS Sport man	21 395 $*
Tiburon GT man	25 595 $*
Tiburon GTP auto	28 695 $*
Tucson L 2.0l FWD man	21 195 $
Tucson GL 2.0l FWD man	22 995 $
Tucson GL V6 2.7l FWD	26 495 $
Tucson GL V6 2.7l AWD	28 795 $
Tucson Limited 2.7l V6	28 895 $
Tucson Limited 2.7l AWD V6	30 995 $
Veracruz GL	35 995 $*
Veracruz GLS	39 995 $*
Veracruz Limited	46 295 $*

INFINITI

EX35	40 400 $*
FX35 Privilège	50 700 $
FX35 Navigation	56 450 $
FX35 Technologie	59 950 $
FX50 Privilège	58 900 $
FX50 Navigation	64 650 $
FX50 Technologie	68 150 $
FX50 Sport	70 650 $
G35	39 990 $*
G35x (TI)	43 540 $*
G35x Sport (TI)	48 440 $*
G37 Coupé	47 350 $*
G37 Coupé Sport	49 950 $*
G37 Cabriolet	n.d.
M35	49 400 $*
M35x (TI) man	52 900 $*
M45x (TI)	66 950 $*
M45 Sport	67 150 $*
QX56	69 700 $

JAGUAR

XF Luxe	59 800 $
XF Premium	65 800 $
XF Supercharged	77 800 $
XJ 8	85 000 $*
XJ Vanden Plas	93 000 $*
XJ R	101 000 $*
XJ Super V8	118 000 $*
XK Coupé	103 000 $*
XK R Coupé	117 000 $*
XK R Portfolio Coupé	130 500 $*
XK Cabriolet	113 000 $*
XK R Cabriolet	127 000 $*
XK R Portfolio Cabriolet	140 500 $*
X-Type 3.0	45 000 $*
X-Type Familiale 3.0	49 000 $*

JEEP

Commander Sport	42 395 $
Commander Limited	53 895 $
Compass Sport	17 995 $
Compass Limited	23 195 $
Compass Sport (TI)	19 995 $
Compass Limited (TI)	25 195 $
Grand Cherokee Laredo	40 995 $
Grand Cherokee Limited	52 595 $
Grand Cherokee Overland	56 995 $
Grand Cherokee SRT8	49 995 $
Liberty Sport	28 995 $
Liberty Limited	32 995 $
Patriot Sport	16 995 $
Patriot Limited	22 795 $
Patriot Sport (TI)	18 995 $
Patriot Limited (TI)	24 795 $
Wrangler X	19 995 $
Wrangler Sahara	26 995 $
Wrangler Rubicon	29 995 $
Wrangler Unlimited X	25 495 $
Wrangler Unlimited Sahara	28 995 $
Wrangler Unlimited Rubicon	31 995 $

KIA

Amanti	29 995 $
Amanti Luxe	37 195 $
Borrego V6 LX	36 995 $
Borrego V6 EX	40 995 $
Borrego V8 LX	39 495 $
Borrego V8 EX	43 495 $
Magentis LX	21 895 $*
Magentis LX Premium	25 095 $*
Magentis EX	26 395 $*
Magentis LX -V6	24 195 $*
Magentis LX V6 Luxe	27 995 $*
Rio EX	13 595 $*
Rio EX Convenience	15 395 $*
Rio5 EX	13 995 $*
Rio5 EX Convenience	15 995 $*
Rio5 EX Sport	18 295 $*
Rondo LX	19 995 $*
Rondo EX	22 095 $*
Rondo EX 7 places	22 895 $*
Rondo EX Premium	24 095 $*
Rondo EX V6	23 095 $*
Rondo EX V6 7 places	23 895 $*
Rondo EX V6 Luxury	26 095 $*
Sedona LX	29 745 $*
Sedona EX	32 795 $*
Sedona EX Power	34 795 $*
Sedona EX Luxe	38 195 $*

Sorento LX	32 495 $*
Sorento LX Luxe	38 995 $*
Spectra LX	15 995 $*
Spectra LX Convenience	18 195 $*
Spectra LX Premium	20 525 $*
Spectra5 LX	16 495 $*
Spectra5 LX Convenience	18 695 $*
Spectra5 SX	21 175 $*
Sportage LX	21 695 $
Sportage LX Convenience (2RM)	23 895 $
Sportage LX Convenience (4RM)	25 895 $
Sportage LX V6 (2RM)	27 235 $
Sportage LX V6 (4RM)	29 235 $
Sportage LX V6 Luxe (4RM)	30 935 $

LAMBORGHINI

Gallardo Superleggera	327 128 $*
Gallardo LP560-4	255 000 $ est.
Murciélago LP640 Coupe	459 236 $*
Murciélago LP640 Roadster	453 056 $*
Reventon	1 500 000 $

LAND ROVER

LR2 HSE	44 900 $*
LR3 V6 SE	53 900 $*
LR3 V8 SE	57 900 $*
LR3 V8 HSE	64 200 $*
Range Rover HSE	92 900 $*
Range Rover Supercharged	110 800 $*
Range Rover Sport HSE	71 600 $*
Range Rover Sport Supercharged	85 500 $*

LEXUS

ES 350	39 900 $
ES 350 Navigation	44 150 $
ES 350 Premium Navigation	47 850 $
ES 350 Ultra Premium Navigation	51 200 $
GS 350 RWD	51 000 $*
GS 350 RWD Premium	58 000 $*
GS 350 AWD	59 100 $*
GS 350 AWD Ultra Premium	62 600 $*
GS 460 RWD	71 100 $*
GS 450h	69 200 $*
GX 470	57 800 $
GX 470 Ultra Premium	64 200 $
IS 250 RWD	31 900 $*
IS 250 RWD Cuir	35 200 $*
IS 250 RWD X	39 350 $*
IS 250 RWD Sport	41 600 $*
IS 250 AWD	37 600 $*
IS 250 AWD Cuir	41 450 $*
IS 250 AWD Luxe	46 000 $*
IS 350	43 350 $*
IS 350 Sport	49 450 $*
IS 350 Luxe Navigation	55 450 $*
IS-F	64 400 $*
IS-F Serie 2	68 500 $*
LS 460	80 100 $*
LS 460 Technology	88 800 $*
LS 460 L	87 000 $*
LS 460 L Premium	95 400 $*
LS 460 L Technologie	98 800 $*
LS 460 L Executive	111 200 $*
LS 600h L	119 400 $*
LS 600h L Premium	146 100 $*
LX 570	79 800 $
LX 570 Premium	85 400 $
LX 570 Ultra Premium	95 950 $
RX 350 Cuir	42 950 $
RX 350 Premium	47 950 $
RX 350 Premium navigation	51 600 $
RX 350 Touring	52 500 $
RX 350 Pebble Beach	54 000 $
RX 350 Ultra Premium	56 500 $
SC 430	78 300 $
SC 430 Pebble Beach	81 400 $

LOTUS

Elise	54 500 $*
Elise S	61 900 $*
Exige S	67 750 $*

LINCOLN

Mark LT 4X4	55 399 $*
MKS	45 599 $
MKS (TI)	47 799 $
MKX (TI)	42 200 $
MKZ	36 499 $
MKZ (TI)	40 299 $
Navigator Ultimate 4X4	64 300 $
Navigator Ultimate L 4X2	67 300 $
Navigator Limo L 4X2	54 300 $

MASERATI

GranTurismo	139 900 $
GranTurismo S	165 000 $ est.
Quattroporte	151 822 $
Quattroporte S	163 681 $
Quattroporte Executive GT	165 490 $

MAYBACH

57	339 500 $ US
57S	375 000 $ US
62	390 500 $ US
62S	430 000 $ US
Landaulet	n.d.

MAZDA

CX-7 GS	29 995 $
CX-7 GS (4RM)	31 995 $
CX-7 GT (4RM)	35 695 $
CX-9 GS	36 795 $
CX-9 GS (TI)	38 795 $
CX-9 GT (TI)	44 395 $
Mazda3 berline GX man	14 895 $
Mazda3 berline GS man	18 095 $
Mazda3 berline GT man	20 945 $
Mazda3 Sport GX man	15 895 $
Mazda3 Sport GS man	20 195 $
Mazda3 Sport GT man	21 495 $
MazdaSpeed3	29 360 $
Mazda5 GS man	19 995 $
Mazda5 GT man	23 295 $
Mazda6 4L GS man	22 495 $
Mazda6 4L GT man	27 395 $
Mazda6 V6 GS	27 495 $
Mazda6 V6 GT	33 095 $
MX-5 GX man	28 195 $*
MX-5 GS man	31 350 $*
MX-5 GT man	34 500 $*
MX-5 Special man	37 490 $*
RX-8 GS	37 295 $
RX-8 GT	42 395 $
RX-8 R3	40 780 $
Série B2300 Cab simple SX 4X2 man	14 995 $*
Série B3000 Cab allongée DS 4X2 man	18 645 $*
Série B4000 Cab allongée DS 4X2 auto	23 445 $*
Série B4000 Cab allongée SE 4X4 man	22 375 $*
Tribute 4L GX	22 550 $
Tribute V6 GS	26 995 $
Tribute V6 GT (TI)	32 150 $

MERCEDES-BENZ

B200	29 900 $
B200 Turbo	34 400 $
C230	35 800 $
C230 4Matic	39 500 $
C300	41 200 $
C300 4Matic	44 900 $
C350	48 200 $
C350 4Matic	50 400 $
C63 AMG	63 500 $
CL550	131 900 $*
CL600	185 000 $*
CL63 AMG	158 000 $*
CL65 AMG	236 500 $*
CLK350 coupé	68 100 $*
CLK350 cabriolet	77 000 $*
CLK550 coupé	82 400 $*
CLK550 cabriolet	91 400 $*
CLK63 AMG cabriolet	117 900 $*
CLS550	93 500 $
CLS63 AMG	128 300 $
E300 4MATIC	65 800 $*
E320 BlueTEC	68 100 $*
E350 4MATIC berline	74 500 $*
E350 4MATIC familiale	77 300 $*
E550 4MATIC	85 300 $*
E63 AMG	121 100 $*
G500	111 900 $*
G55 AMG	152 450 $*
GL320 CDI	71 500 $*
GL450	82 500 $*
GL550	91 000 $*
ML320 CDI	61 400 $*
ML350	59 900 $*
ML550	74 900 $*
ML63 AMG	97 500 $*
R320 CDI	65 000 $*
R350	63 500 $*
R550	78 200 $*
S450 4Matic	108 000 $*
S550 4Matic	123 000 $*
S600	183 000 $*
S63 AMG	149 500 $*
S65 AMG	229 500 $*
SL550	125 000 $
SL600	175 500 $
SL63 AMG	181 500 $
SL65 AMG	238 500 $
SLK300	57 500 $
SLK350	63 500 $
SLK55 AMG	84 800 $

MINI

Cooper Classique	22 800 $*
Cooper	24 800 $*
Cooper S	29 900 $*
Cooper John Cooper Works	38 390 $
Cooper Cabriolet	29 900 $*
Cooper S Cabriolet	36 600 $*
Cooper Clubman	26 400 $*
Cooper S Clubman	31 500 $*
Cooper Clubman John Cooper Works	39 990 $

MITSUBISHI

Eclipse GS man	25 998 $
Eclipse GT-P man	34 798 $
Eclipse Spyder GS man	32 298 $
Eclipse Spyder GT-P man	37 798 $
Endeavor SE	35 998 $*
Endeavor SE (TI)	39 298 $*
Endeavor LTD (TI)	43 298 $*
Galant ES	23 998 $
Galant GT	27 998 $
Galant Ralliart	32 998 $
Lancer DE	16 598 $
Lancer SE	19 998 $
Lancer GT	21 998 $
Lancer GTS	22 998 $
Lancer Evolution GSR	41 498 $*
Lancer Evolution MR	47 498 $*
Outlander ES (2RM)	24 998 $*
Outlander ES (4RM)	26 998 $*
Outlander LS 5 places (4RM)	28 898 $*
Outlander LS 7 places (4RM)	29 498 $*
Outlander XLS (4RM)	33 698 $*

NISSAN

350Z Coupé Grand Touring M6	49 948 $*
350Z Roadster Grand Touring M6	56 498 $*
Altima Berline 2.5 S man	22 698 $
Altima Berline 3.5 S	27 198 $
Altima Berline 3.5 SE man	29 498 $
Altima Berline Hybrid	32 298 $
Altima Coupé 2.5 S man	25 998 $
Altima Coupé 3.5 SE man	29 798 $
Armada LE	53 298 $
Armada Technologie	56 698 $
Frontier King Cab XE 4X2 man	22 598 $
Frontier King Cab SE 4X4 man	28 148 $
Frontier King Cab PRO-4X 4X4 man	31 798 $
Frontier Crew Cab SE 4X4 man	32 048 $
Frontier Crew Cab PRO-4X 4X4 auto	37 998 $
Frontier Crew Cab LE 4X4 auto	39 198 $
GT-R	81 900 $
Maxima	37 900 $
Maxima Sport	39 950 $
Maxima Technologie	42 400 $
Maxima Premium	41 050 $
Maxima Navigation	43 150 $
Murano S (TI)	37 648 $
Murano SL (TI)	39 348 $
Murano LE (TI)	47 498 $
Pathfinder S V6	36 298 $
Pathfinder SE V6	40 698 $
Pathfinder LE V8	46 098 $
Quest 3.5 S	32 598 $*
Quest 3.5 SL	37 398 $*
Quest 3.5 SE	46 998 $*
Rogue S	23 798 $
Rogue S (TI)	26 598 $
Rogue SL	26 398 $
Rogue SL (TI)	28 398 $
Sentra 2.0 man	16 798 $*
Sentra 2.0 S man	19 598 $*
Sentra 2.0 SL	23 998 $*
Sentra SE-R	22 798 $*
Sentra SE-R Spec V	24 298 $*
Titan King Cab XE 4X2	31 498 $
Titan King Cab SE 4X2	35 098 $
Titan King Cab SE 4X4	38 498 $
Titan King Cab PRO-4X 4X4	40 498 $
Titan King Cab LE 4X4	45 298 $
Titan Crew Cab XE 4X4	37 498 $
Titan Crew Cab SE 4X4	41 198 $
Titan Crew Cab PRO-4X 4X4	43 198 $
Titan Crew Cab LE 4X4	48 998 $
Versa Berline 1.8 S man	14 998 $*
Versa Berline 1.8 SL man	17 798 $*
Versa Hatchback 1.8 S man	13 598 $
Versa Hatchback 1.8 SL man	16 498 $
Xterra S man	32 598 $
Xterra Off-Road man	35 098 $
Xterra SE	36 398 $

PONTIAC

G3 Wave berline	13 270 $
G3 Wave berline SE	15 770 $
G3 Wave 5 portes	13 270 $
G3 Wave 5 portes SE	15 770 $
G5 coupé	15 645 $
G5 coupé SE	18 295 $
G5 coupé GT	22 385 $
G5 berline	15 645 $
G5 berline SE	18 295 $
G6 berline SE	23 995 $
G6 berline GT	27 995 $
G6 berline GXP	35 995 $
G6 coupé GT	27 995 $
G6 coupé GXP	35 995 $
G6 cabriolet GT	35 995 $
G8	31 995 $
G8 GT	36 995 $
G8 GXP	n.d.
Montana SV6	25 060 $
Montana SV6 Haut de gamme 1	26 460 $
Montana SV6 Haut de gamme 2	29 490 $
Montana SV6 allongé	27 930 $
Montana SV6 allongé Haut de gamme 1	28 775 $
Montana SV6 allongé Haut de gamme 2	32 465 $
Solstice	28 365 $
Solstice GXP	35 995 $
Torrent	27 575 $
Torrent GT	30 265 $
Torrent GXP	33 665 $
Torrent (TI)	30 295 $
Torrent GT (TI)	32 975 $
Torrent GXP (TI)	36 375 $
Vibe	15 995 $

Vibe (TI)	21 270 $
Vibe GT	24 995 $

PORSCHE

911 Carrera	94 800 $
911 Carrera Cabriolet	107 600 $
911 Carrera S	107 600 $
911 Carrera S Cabriolet	120 400 $
911 Carrera 4	102 100 $
911 Carrera 4 Cabriolet	115 000 $
911 Carrera 4S	115 000 $
911 Carrera 4S Cabriolet	127 800 $
911 GT2	235 400 $*
911 GT3	133 800 $*
911 GT3 RS	155 100 $*
911 Targa 4	109 700 $*
911 Targa 4S	122 400 $*
911 Turbo	161 700 $
911 Turbo Cabriolet	174 600 $
Boxster	58 400 $
Boxster S	70 600 $
Boxster S Porsche Design Edition 2	n.d.
Cayenne	56 100 $
Cayenne S	73 200 $
Cayenne GTS	87 000 $
Cayenne Turbo	118 900 $
Cayenne Turbo S	150 400 $
Cayman	63 900 $
Cayman S	75 800 $
Cayman S Sport	n.d.

ROLLS-ROYCE

Phantom	350 000 $
Phantom EWB	415 000 $
Phantom Drophead Coupé	423 000 $

SAAB

9-3 Sport	35 950 $
9-3 Aero Sport	43 990 $
9-3 SportCombi	37 550 $
9-3 Aero SportCombi	45 690 $
9-3 Cabriolet	54 390 $
9-3 Aero cabriolet	58 990 $
9-5 Berline	43 900 $
9-5 Aero	44 800 $
9-5 SportCombi	45 500 $
9-5 Aero SportCombi	46 400 $
9-7x 4.2i	49 295 $
9-7x 5.3i	52 805 $
9-7x Aero	54 950 $

SATURN

Astra XE 5 portes	17 910 $
Astra XR 5 portes	20 550 $
Astra XR 3 portes	21 250 $
Aura XE	24 710 $
Aura XR-4	27 565 $
Aura XR-6	31 965 $
Aura Green Line hybride	28 215 $
Outlook XE	35 010 $
Outlook XR	39 140 $
Outlook XE (TI)	38 010 $
Outlook XR (TI)	42 140 $
Sky	33 210 $
Sky Red Line	39 660 $
Vue XE	26 910 $
Vue XR	31 385 $
Vue Red Line	36 085 $
Vue Hybrid	31 075 $
Vue XE (TI)	31 245 $
Vue XR (TI)	33 970 $
Vue Red Line (TI)	38 670 $

SMART

Fortwo Coupé Pure	14 990 $
Fortwo Coupé Passion	18 250 $
Fortwo Coupé Limited One	20 900 $
Fortwo Cabriolet Passion	21 250 $
Fortwo Cabriolet Limited One	23 900 $

SUBARU

Forester 2.5X	25 795 $
Forester Tourisme	27 995 $
Forester Limited	32 395 $
Forester 2.5XT Limited	34 895 $
Impreza berline 2.5i	20 695 $*
Impreza berline 2.5i Sport	23 195 $*
Impreza berline WRX	32 995 $*
Impreza berline WRX265	n.d.
Impreza 5 portes 2.5i	21 595 $*
Impreza 5 portes 2.5i Sport	24 895 $*
Impreza 5 portes WRX	33 895 $*
Impreza 5 portes WRX265	n.d.
Impreza 5 portes WRX STI	44 995 $*
Legacy berline PZEV	26 995 $
Legacy berline 2.5i Touring	29 495 $
Legacy berline 3.0R Limited	36 995 $
Legacy berline 3.0R Optimum	38 995 $
Legacy berline 2.5GT spec.B	41 995 $
Legacy familiale PZEV	27 995 $
Legacy familiale 2.5i Touring	30 495 $
Outback 2.5i	30 995 $
Outback 2.5i Limited	39 245 $
Outback 3.0R Optimum	43 595 $
Outback PZEV Plus	34 145 $
Tribeca	39 995 $
Tribeca Limited	45 195 $
Tribeca Optimum	48 195 $

SUZUKI

Grand Vitara JA man	25 995 $
Grand Vitara JX auto	27 995 $
Grand Vitara JLX auto	28 995 $
Grand Vitara JLX-L auto	29 995 $
Grand Vitara V6 JLX auto	31 695 $
Grand Vitara V6 JLX-L auto	32 695 $
Swift+ man	13 995 $*
Swift+ S man	16 295 $*
SX4 5 portes man	17 395 $
SX4 5 portes JX auto	19 995 $
SX4 5 portes JX (TI) man	21 195 $
SX4 5 portes JLX (TI) man	23 195 $
SX4 Berline man	17 195 $*
SX4 Berline Sport man	18 995 $*
XL-7 JX FWD	30 995 $*
XL-7 JX AWD	32 995 $*
XL-7 JLX FWD	33 995 $*
XL-7 JLX AWD	35 995 $*

TOYOTA

4Runner SR5 V6	38 560 $*
4Runner Limited V6	47 925 $*
4Runner Limited V8	50 565 $*
Avalon XLS	39 840 $*
Camry LE	23 400 $
Camry LE V6	28 235 $
Camry XLE V6	35 020 $
Camry SE man	25 435 $
Camry SE auto	26 785 $
Camry SE V6	31 350 $
Camry Hybride	30 660 $
Corolla CE man	14 465 $
Corolla CE auto	15 565 $
Corolla S man	18 930 $
Corolla S auto	19 975 $
Corolla LE	19 900 $
Corolla XRS	21 665 $
FJ Cruiser V6 man	29 725 $*
Highlander 4L 2.7l	n.d.
Highlander V6	34 900 $*
Highlander V6 SR5	37 150 $*
Highlander V6 Sport	41 450 $*
Highlander V6 Limited	45 150 $*
Highlander Hybrid	41 075 $*
Highlander Hybrid Limited	54 220 $*
Matrix man	15 705 $
Matrix auto	16 715 $
Matrix LE	18 180 $
Matrix XR man	19 180 $
Matrix XR auto	20 735 $
Matrix XR (TI)	25 220 $
Matrix XRS man	24 945 $
Matrix XRS auto	26 855 $
Prius	27 600 $*
RAV4 (4RM)	26 050 $*
RAV4 Sport (4RM)	29 400 $*
RAV4 Limited (4RM)	29 950 $*
RAV4 V6 (4RM)	28 550 $*
RAV4 V6 Sport (4RM)	30 350 $*
RAV4 V6 Limited (4RM)	32 400 $*
Sequoia SR5 V8 4.7l	44 675 $*
Sequoia Limited V8 5.7l	54 200 $*
Sequoia Platinum V8 5.7l	59 900 $*
Sienna CE 7 places	28 990 $
Sienna CE 8 places	29 795 $
Sienna CE 7 places (TI)	33 895 $
Sienna LE 7 places	33 380 $
Sienna LE 8 places	33 810 $
Sienna LE 7 places (TI)	37 420 $
Sienna XLE Limited 7 places (TI)	47 770 $
Sienna XLE 8 places	39 400 $
Tacoma Access Cab 4X2 man	20 215 $
Tacoma Access Cab 4X4 man	24 855 $
Tacoma Access Cab V6 4X4 man	27 240 $
Tacoma Access Cab X-Runner 4X2 man	29 775 $
Tacoma Double Cab V6 4X4 man	31 470 $
Tundra Cab régulière 4X2 4,7 litres	23 825 $*
Tundra Cab régulière 4X2 5,7 litres	28 185 $*
Tundra Cab double 4X2 4,7 litres	30 610 $*
Tundra Cab double 4X2 5,7 litres	36 175 $*
Tundra Cab double LTD 4X4 4,7 litres	44 500 $*
Tundra CrewMax 4X2 5,7 litres	36 275 $*
Tundra CrewMax LTD 4X2 5,7 litres	46 180 $*
Venza 4L 2.7l	n.d.
Venza 4L 2.7l (TI)	n.d.
Venza V6 3.5l	n.d.
Venza V6 3.5l (TI)	n.d.
Yaris Hatchback 3 portes CE man	13 165 $*
Yaris Hatchback 3 portes RS man	17 895 $*
Yaris Hatchback 5 portes LE man	14 245 $*
Yaris Hatchback 5 portes RS man	18 335 $*
Yaris Berline man	13 945 $*

VOLKSWAGEN

Eos 2.0T Trendline man	35 975 $
Eos 2.0T Comfortline man	40 375 $
GLI 2.0T man	29 975 $
Golf City 2.0l man	15 300 $
GTI 2.0T 3 portes man	27 975 $
GTI 2.0T 5 portes man	28 975 $
Jetta Berline 2.0 TDI Trendline man	24 275 $
Jetta Berline 2.0 TDI Comfortline man	26 775 $
Jetta Berline 2.0 TDI Highline man	29 775 $
Jetta Berline 2.0T Trendline man	27 475 $
Jetta Berline 2.0T Comfortline man	30 475 $
Jetta Berline 2.0T Highline man	31 800 $
Jetta Berline 2.5 Trendline man	21 975 $
Jetta Berline 2.5 Comfortline man	24 475 $
Jetta Berline 2.5 Highline man	27 475 $
Jetta Familiale 2.5 Trendline man	23 475 $
Jetta Familiale 2.5 Comfortline man	25 975 $
Jetta Familiale 2.5 Highline man	29 375 $
Jetta Familiale 2.0 TDI Trendline man	25 775 $
Jetta Familiale 2.0 TDI Comfortline man	28 275 $
Jetta Familiale 2.0 TDI Highline man	31 675 $
Jetta City 2.0l man	16 900 $
New Beetle Trendline man	21 975 $
New Beetle Comfortline man	23 635 $
New Beetle Highline man	24 895 $
New Beetle Cabriolet Trendline man	26 975 $
New Beetle Cabriolet Comfortline man	28 450 $
New Beetle Cabriolet Highline man	29 970 $
Passat Berline 2.0T Trendline	27 475 $*
Passat Berline 2.0T Comfortline	29 975 $*
Passat Berline VR6 3.6l Comfortline	42 975 $*
Passat Familiale 2.0T Trendline	28 975 $*
Passat Familiale 2.0T Comfortline	31 475 $*
Passat Familiale VR6 3.6l Comfortline	42 975 $*
Rabbit 3 portes Trendline man	19 975 $
Rabbit 3 portes Comfortline man	20 950 $
Rabbit 5 portes Trendline man	20 975 $
Rabbit 5 portes Comfortline man	21 950 $
Routan Trendline	27 975 $
Routan Comfortline	33 975 $
Routan Highline	39 975 $
Routan Execline	49 975 $
Tiguan 2.0T Trendline	27 575 $
Tiguan 2.0T Comfortline	33 975 $
Tiguan 2.0T Highline	38 375 $
Touareg 2 V6 Comfortline	44 975 $
Touareg 2 V6 Highline	53 975 $
Touareg 2 V6 Execline	58 675 $
Touareg 2 V8 Highline	59 275 $
Touareg 2 V8 Execline	66 975 $

VOLVO

C30 2.4i	27 695 $
C30 T5	32 195 $
C30 2.4i R-Design	32 195 $
C30 T5 R-Design	36 395 $
C70 T5	52 095 $
S40 2.4i	31 695 $
S40 T5	37 695 $
S40 T5 (TI)	40 195 $
S40 2.4i R-Design	36 195 $
S40 T5 R-Design	41 895 $
S40 T5 R-Design (TI)	44 395 $
S60 2.5T	36 395 $
S60 2.5T (TI)	41 395 $
S80 3.2	49 995 $
S80 T6 (TI)	56 495 $
S80 V8 Executive	64 995 $
V50 2.4i	33 195 $
V50 T5	39 195 $
V50 T5 (TI)	41 695 $
V50 2.4i R-Design	37 845 $
V50 T5 R-Design	43 545 $
V50 T5 R-Design (TI)	46 045 $
V70 3.2	42 495 $
XC60	n.d.
XC70 3.2 (TI)	44 095 $
XC70 T6 (TI)	51 595 $
XC90 3.2 5 places	48 595 $
XC90 3.2 7 places	54 495 $
XC90 3.2 R-Design 5 places	56 545 $
XC90 3.2 R-Design 7 places	58 995 $
XC90 V8 5 places	63 595 $
XC90 V8 7 places	65 895 $
XC90 V8 R-Design 5 places	68 295 $
XC90 V8 R-Design 7 places	70 595 $

NOTE : les prix identifiés avec un «*» sont les prix des modèles 2008. Il ne s'agit pas d'une liste exhaustive.
Pour plus de renseignements, veuillez contacter le concessionnaire. Les manufacturiers peuvent changer leurs prix sans préavis.
Ces prix n'incluent pas les taxes, frais de transport et de préparation, ainsi que les options.

LES MEILLEURES... COMME LES PIRES

Depuis quelques années, le *Guide de l'auto* répertorie les véhicules qui consomment le moins dans quelques catégories populaires et, à l'inverse, ceux qui consomment le plus, toute catégorie confondue. Ces données de consommation, de même que celles utilisées pour la partie «essai» du présent *Guide*, proviennent de la brochure Énerguide de Transport Canada. À noter que nous prenons les chiffres de la colonne «ville», qui représentent mieux la réalité du conducteur moyen. Et quand nous le pouvons, nous prenons la mesure de la boîte manuelle.

Curieusement, la consommation des véhicules ne baisse pas de façon tangible d'une année à l'autre malgré l'adoption, par plusieurs manufacturiers, de moteurs plus modernes et moins polluants. Par contre, il faut noter qu'il y a à peine cinq ans, les données de consommation des cinq premières places dans chacune des catégories auraient été passablement plus élevées. Il faut donc garder espoir même si les améliorations en matière de consommation ne vont pas suffisamment vite pour notre portefeuille!

LES PLUS ÉCONOMIQUES, TOUTES CATÉGORIES CONFONDUES

1 TOYOTA PRIUS
4,0 l/100 km

2 HONDA CIVIC HYBRIDE
4,7 l/100 km

3 NISSAN ALTIMA HYBRID
5,6 l/100 km

4 FORD ESCAPE HYBRIDE
5,7 l/100 km

5 TOYOTA CAMRY HYBRIDE
5,7 l/100 km

SOUS-COMPACTES

1 SMART FORTWO 5,9 l/100 km
2 HONDA FIT 6,5 l/100 km
3 TOYOTA YARIS 6,9 l/100 km
4 MINI CLUBMAN / COOPER 7,1 l/100 km
5 HYUNDAI ACCENT 7,4 l/100 km

1

2

3

4

5

1

2

3

COMPACTES

1 TOYOTA PRIUS 4,0 l/100 km
2 HONDA CIVIC HYBRIDE 4,7 l/100 km
3 TOYOTA COROLLA 7,8 l/100 km
4 HONDA CIVIC 8,2 l/100 km
5 NISSAN SENTRA 8,3 l/100 km

4

5

CABRIOLETS ET ROADSTER

1. SMART FORTWO ROADSTER — 5,9 l/100 km
2. MINI COOPER CABRIOLET — 7,1 l/100 km
3. AUDI TT 2.0T ROADSTER — 9,0 l/100 km
4. MAZDA MX-5 — 9,7 l/100 km
5. VOLKSWAGEN EOS — 10,3 l/100 km

1

2

3

4

5

1

2

3

4

5

6

INTERMÉDIAIRES

1. NISSAN ALTIMA HYBRID — 5,6 l/100 km
2. TOYOTA CAMRY HYBRIDE — 5,7 l/100 km
3. CHEVROLET MALIBU HYBRID — 6,2 l/100 km
4. MERCEDES-BENZ CLASSE C C230 — 7,5 l/100 km
5. SATURN AURA HYBRIDE — 8,5 l/100 km
6. NISSAN ALTIMA 2.5 — 8,9 l/100 km

VUS COMPACTS

1	FORD ESCAPE HYBRIDE	5,7 l/100 km
2	TOYOTA HIGHLANDER HYBRIDE	7,4 l/100 km
3	JEEP COMPASS / PATRIOT 2,0 CVT	9,0 l/100 km
4	NISSAN ROGUE	9,5 l/100 km
5	JEEP PATRIOT 2,4 MANUEL	9,9 l/100 km

1

2

3

4

5

1

2

3

ET À L'AUTRE BOUT DU SPECTRE...

1	ASTON MARTIN DB9	20,9 l/100 km
2	FERRARI 612 SCAGLIETTI	22,8 l/100 km
3	BENTLEY CONTINENTAL GT SPEED	25,3 l/100 km
4	LAMBORGHINI MURCIELAGO	25,9 l/100 km
5	BENTLEY ARNAGE BROOKLANDS	28,8 l/100 km

4

5

STATISTIQUES

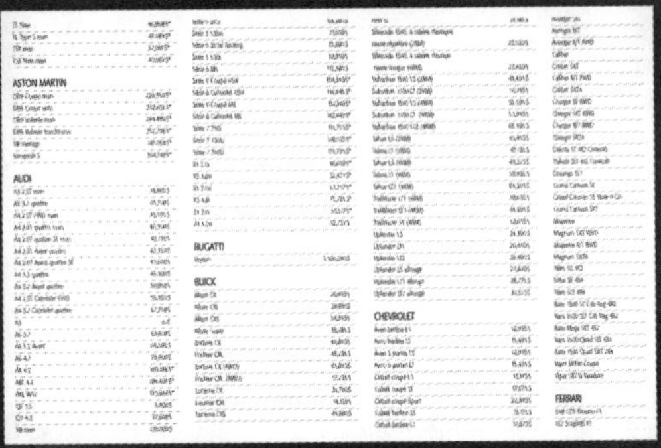

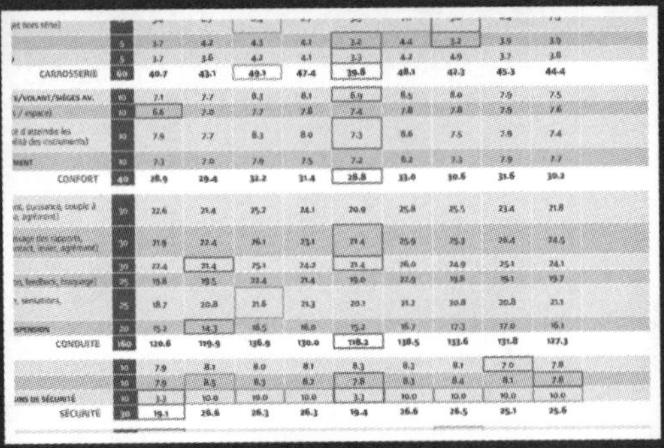

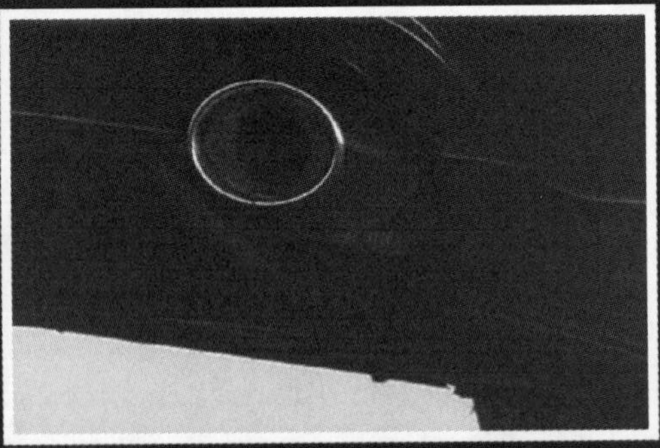

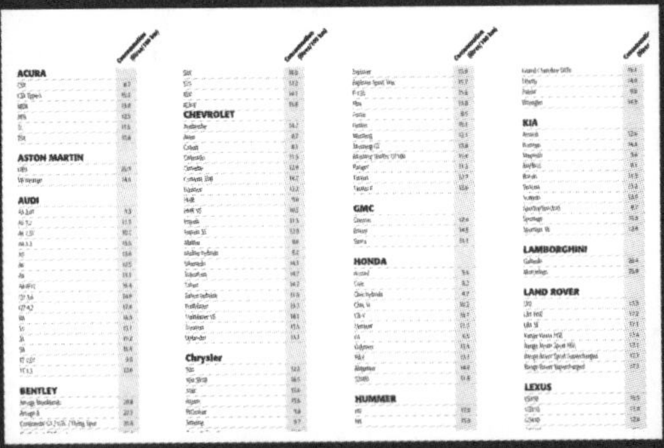

ACURA • ASTON MARTIN • AUDI • BENTLEY • BMW • BUICK • CADILLAC • CHEVROLET
CHRYSLER • DODGE • FERRARI • FORD • HONDA • HUMMER • HYUNDAI • INFINITI • JAGUAR
JEEP • KIA • LAMBORGHINI • LAND ROVER • LEXUS • LINCOLN • LOTUS • MASERATI • MAYBACH
MAZDA • MERCEDES-BENZ • MINI • MITSUBISHI • NISSAN • PONTIAC • PORSCHE • ROLLS-ROYCE
SAAB • SATURN • SUBARU • SUZUKI • TOYOTA • VOLKSWAGEN • VOLVO

PRIX

Outre la liste de prix « officielle » que vous trouverez ailleurs dans ce *Guide*, voici les mêmes prix... mais en ordre croissant.

Toyota Yaris Hatchback 3 portes CE man	13,165.00$*
Chevrolet Aveo 5 portes LS	13,270.00$*
Chevrolet Aveo berline LS	13 270.00$
Pontiac G3 Wave 5 portes	13 270.00$
Pontiac G3 Wave berline	13 270.00$
Hyundai Accent 3 portes L man	13 595.00$
Kia Rio EX	13 595.00$*
Nissan Versa Hatchback 1.8 S man	13 598.00$
Toyota Yaris Berline man	13 945.00$*
Kia Rio5 EX	13 995.00$*
SuzukiSwift+ man	13 995.00$*
Toyota Yaris Hatchback 5 portes LE man	14 245.00$*
Hyundai Accent Berline L man	14 295.00$
Toyota Corolla CE man	14 465.00$
Ford Focus Berline S	14 799.00$
Mazda3 berline GX man	14 895.00$
Honda Fit DX man	14 980.00$
Smart Fortwo Coupé Pure	14 990.00$
Mazda Série B2300 Cab simple SX 4X2 man	14 995.00$*
Nissan Versa Berline 1.8 S man	14 998.00$*
Chevrolet Cobalt berline LS	15 225.00$
Chevrolet Cobalt coupé LS	15 225.00$
Hyundai Accent 3 portes GL Comfort man	15 295.00$
Volkswagen Golf City 2.0l man	15 300.00$
Kia Rio EX Convenience	15 395.00$*
Toyota Corolla CE auto	15 565.00$
Pontiac G5 berline	15 645.00$
Pontiac G5 coupé	15 645.00$
Toyota Matrix man	15 705.00$
Hyundai Accent Berline GL man	15 745.00$
Chevrolet Aveo 5 portes LT	15 770.00$
Chevrolet Aveo berline LT	15 770.00$
Pontiac G3 Wave 5 portes SE	15 770.00$
Pontiac G3 Wave berline SE	15 770.00$
Hyundai Elantra Berline L man	15 845.00$
Mazda3 Sport GX man	15 895.00$
Ford Ranger XL 4X2	15 899.00$
Dodge Caliber	15 995.00$
Kia Rio5 EX Convenience	15 995.00$*
Kia Spectra LX	15 995.00$*
Pontiac Vibe	15 995.00$
Ford Focus Berline SE	16 199.00$
Honda Fit DX-A man	16 280.00$
Suzuki Swift+ S man	16 295.00$*
Kia Spectra5 LX	16 495.00$*
Nissan Versa Hatchback 1.8 SL man	16 498.00$
Ford Focus Coupé SE	16 499.00$
Mitsubishi Lancer DE	16 598.00$
Ford Ranger XL 4X2 Caisse 7pi	16 699.00$
Toyota Matrix auto	16 715.00$
Nissan Sentra 2.0 man	16 798.00$*
Volkswagen Jetta City 2.0l man	16 900.00$
Honda Civic Berline DX	16 990.00$*
Hyundai Accent 3 portes GL Sport man	16 995.00$
Jeep Patriot Sport	16 995.00$
Ford Ranger XL Super Cab 4X2	16 999.00$
Honda Civic Coupé DX	17 190.00$*
Suzuki SX4 Berline man	17 195.00$*
Honda Fit LX man	17 380.00$
Suzuki SX4 5 portes man	17 395.00$
Nissan Versa Berline 1.8 SL man	17 798.00$*
Ford Ranger Sport Super Cab 4X2	17 799.00$
Chevrolet Cobalt berline LT	17 895.00$
Chevrolet Cobalt coupé LT	17 895.00$
Toyota Yaris Hatchback 3 portes RS man	17 895.00$*
Saturn Astra XE 5 portes	17 910.00$
Jeep Compass Sport	17 995.00$
Hyundai Elantra Berline GL man	18 095.00$
Mazda3 berline GS man	18 095.00$
Toyota Matrix LE	18 180.00$
Dodge Caliber SXT	18 195.00$
Kia Spectra LX Convenience	18 195.00$*
Smart Fortwo Coupé Passion	18 250.00$
Kia Rio5 EX Sport	18 295.00$*
Pontiac G5 berline SE	18 295.00$
Pontiac G5 coupé SE	18 295.00$
Toyota Yaris Hatchback 5 portes RS man	18 335.00$*
Ford Focus Berline SEL	18 399.00$
Hyundai Accent Berline GLS	18 645.00$
Mazda Série B3000 Cab allongée DS 4X2 man	18 645.00$*
Kia Spectra5 LX Convenience	18 695.00$*
Ford Focus Coupé SES	18 799.00$
Toyota Corolla S man	18 930.00$
Hyundai Tiburon GS	18 995.00$*
Jeep Patriot Sport (TI)	18 995.00$
Suzuki SX4 Berline Sport man	18 995.00$*
Ford Focus Berline SES	18 999.00$
Toyota Matrix XR man	19 180.00$
Honda Fit Sport man	19 280.00$
Honda Civic Berline DX-G	19 480.00$*
Nissan Sentra 2.0 S man	19 598.00$*
Honda Civic Coupé DX-G	19 780.00$*
Chevrolet HHR LS	19 855.00$
Toyota Corolla LE	19 900.00$
Toyota Corolla S auto	19 975.00$
Volkswagen Rabbit 3 portes Trendline man	19 975.00$
Dodge Journey SE	19 995.00$
Jeep Compass Sport (TI)	19 995.00$
Jeep Wrangler X	19 995.00$
Kia Rondo LX	19 995.00$*
Mazda5 GS man	19 995.00$
Suzuki SX4 5 portes JX auto	19 995.00$
Mitsubishi Lancer SE	19 998.00$
Ford Ranger XL Super Cab 4X4	19 999.00$
Mazda3 Sport GS man	20 195.00$
Toyota Tacoma Access Cab 4X2 man	20 215.00$
Kia Spectra LX Premium	20 525.00$*
Saturn Astra XR 5 portes	20 550.00$
Hyundai Elantra Berline GLS	20 595.00$
Subaru Impreza berline 2.5i	20 695.00$*
Toyota Matrix XR auto	20 735.00$
Smart Fortwo Coupé Limited One	20 900.00$
Mazda3 berline GT man	20 945.00$
Volkswagen Rabbit 3 portes Comfortline man	20 950.00$
Volkswagen Rabbit 5 portes Trendline man	20 975.00$
Honda Civic Berline LX	20 980.00$*
Kia Spectra5 SX	21 175.00$*
Chevrolet HHR LT	21 185.00$
Hyundai Tucson L 2.0l FWD man	21 195.00$
Suzuki SX4 5 portes JX (TI) man	21 195.00$
Saturn Astra XR 3 portes	21 250.00$
Smart Fortwo Cabriolet Passion	21 250.00$
Pontiac Vibe (TI)	21 270.00$
Honda Civic Coupé LX	21 280.00$*
Hyundai Elantra Berline GL Sport man	21 395.00$
Hyundai Tiburon GS Sport man	21 395.00$*
Mazda3 Sport GT man	21 495.00$
Ford Fusion SE 4L	21 499.00$
Subaru Impreza 5 portes 2.5i	21 595.00$*
Toyota Corolla XRS	21 665.00$
Kia Sportage LX	21 695.00$
Ford Ranger XLT Super Cab 4X2	21 799.00$
Kia Magentis LX	21 895.00$*
Volkswagen Rabbit 5 portes Comfortline man	21 950.00$
Volkswagen Jetta Berline 2.5 Trendline man	21 975.00$
Volkswagen New Beetle Trendline man	21 975.00$
Chrysler PT Cruiser Classic	21 995.00$
Dodge Avenger SE	21 995.00$
Hyundai Sonata GL man	21 995.00$
Mitsubishi Lancer GT	21 998.00$
Kia Rondo EX	22 095.00$*
Ford Ranger Sport Super Cab 4X4	22 299.00$
Mazda Série B4000 Cab allongée SE 4X4 man	22 375.00$*
Pontiac G5 coupé GT	22 385.00$
Mazda6 4L GS man	22 495.00$
Mazda Tribute 4L GX	22 550.00$
Nissan Frontier King Cab XE 4X2 man	22 598.00$
Chevrolet Colorado LS à cabine classique (2RM)	22 665.00$
GMC Canyon SL à cabine classique (2RM)	22 665.00$
Nissan Altima Berline 2.5 S man	22 698.00$
Jeep Patriot Limited	22 795.00$
Nissan Sentra SE-R	22 798.00$*
Mini Cooper Classique	22 800.00$*
Kia Rondo EX 7 places	22 895.00$*
Chevrolet caisse régulière (2RM)	22 940.00$
Chrysler Sebring LX	22 995.00$
Hyundai Tucson GL 2.0l FWD man	22 995.00$
Mitsubishi Lancer GTS	22 998.00$
Kia Rondo EX V6	23 095.00$*
Jeep Compass Limited	23 195.00$
Subaru Impreza berline 2.5i Sport	23 195.00$*
Suzuki SX4 5 portes JLX (TI) man	23 195.00$
Mazda5 GT man	23 295.00$
Chevrolet Malibu LS	23 395.00$
Toyota Camry LE	23 400.00$
Mazda Série B4000 Cab allongée DS 4X2 auto	23 445.00$*
Volkswagen Jetta Familiale 2.5 Trendline man	23 475.00$
Honda Civic Berline EXL	23 480.00$*
Volkswagen New Beetle Comfortline man	23 635.00$
Chevrolet Colorado LT à cabine classique (2RM)	23 705.00$
GMC Canyon SLE à cabine classique (2RM)	23 705.00$
Honda Civic Coupé EXL	23 780.00$*
Hyundai Elantra Berline Limited	23 795.00$
Nissan Rogue S	23 798.00$
Toyota Tundra Cab régulière 4X2 4,7 litres	23 825.00$*
Kia Rondo EX V6 7 places	23 895.00$*
Kia Sportage LX Convenience (2RM)	23 895.00$
Smart Fortwo Cabriolet Limited One	23 900.00$
Pontiac G6 berline SE	23 995.00$
Mitsubishi Galant ES	23 998.00$
Nissan Sentra 2.0 SL	23 998.00$*
Ford Escape XLT 4L man.	23 999.00$
Ford Fusion SEL 4L	23 999.00$
Kia Rondo EX Premium	24 095.00$*
Kia Magentis LX -V6	24 195.00$*
Ford F150 XL 4X2	24 199.00$
Volkswagen Jetta Berline 2.0 TDI Trendline man	24 275.00$
Dodge Avenger SXT	24 295.00$
Nissan Sentra SE-R Spec V	24 298.00$*
Chevrolet Uplander LS	24 390.00$
Volkswagen Jetta Berline 2.5 Comfortline man	24 475.00$
Saturn Aura XE	24 710.00$
Chevrolet Colorado LS à cabine allongée (2RM)	24 735.00$
GMC Canyon SL à cabine allongée (2RM)	24 735.00$
Jeep Patriot Limited (TI)	24 795.00$
Ford Mustang Coupé	24 799.00$
Ford Ranger XLT Super Cab 4X4	24 799.00$
Mini Cooper	24 800.00$*
Toyota Tacoma Access Cab 4X4 man	24 855.00$
Subaru Impreza 5 portes 2.5i Sport	24 895.00$*
Volkswagen New Beetle Highline man	24 895.00$
Toyota Matrix XRS man	24 945.00$
Chevrolet Malibu 1LT	24 995.00$
Dodge Caliber SRT4	24 995.00$
Dodge Challenger SE	24 995.00$
Dodge Journey SXT	24 995.00$
Dodge Nitro SE 4X2	24 995.00$
Pontiac Vibe GT	24 995.00$
Mitsubishi Outlander ES (2RM)	24 998.00$*
Chevrolet Cobalt berline SS	25 045.00$
Chevrolet Cobalt coupé SS	25 045.00$
Pontiac Montana SV6	25 060.00$
Honda Accord LX	25 090.00$*
Kia Magentis LX Premium	25 095.00$*
Ford Escape XLT 4L	25 099.00$
Jeep Compass Limited (TI)	25 195.00$
Toyota Matrix XR (TI)	25 220.00$
Honda Element LX	25 290.00$*
Ford Fusion SE V6	25 399.00$
Toyota Camry SE man	25 435.00$
Jeep Wrangler Unlimited X	25 495.00$
Hyundai Tiburon GT man	25 595.00$*
Ford Ranger FX4/Off Road Super Cab 4X4	25 599.00$
Dodge Dakota Cab. allongée ST 4X2	25 695.00$
Hyundai Sonata GL Sport	25 695.00$
Volkswagen Jetta Familiale 2.0 TDI Trendline man	25 775.00$
Subaru Forester 2.5X	25 795.00$
Chevrolet Colorado LT à cabine allongée (2RM)	25 830.00$
GMC Canyon SLE à cabine allongée (2RM)	25 830.00$
Kia Sportage LX Convenience (4RM)	25 895.00$
Volkswagen Jetta Familiale 2.5 Comfortline man	25 975.00$
Chevrolet Impala LS	25 995.00$
Hyundai Santa Fe 2.7 GL FWD man	25 995.00$*
Suzuki Grand Vitara JA man	25 995.00$
Mitsubishi Eclipse GS man	25 998.00$
Nissan Altima Coupé 2.5 S man	25 998.00$
Toyota RAV4 (4RM)	26 050.00$*
Kia Rondo EX V6 Luxury	26 095.00$*
Honda Civic Hybrid	26 350.00$*
Chevrolet Malibu 2LT	26 395.00$
Kia Magentis EX	26 395.00$*
Nissan Rogue SL	26 398.00$
Mini Cooper Clubman	26 400.00$*
Chevrolet Uplander LT1	26 460.00$
Pontiac Montana SV6 Haut de gamme 1	26 460.00$
Chevrolet Colorado LS à cabine classique (4RM)	26 470.00$
GMC Canyon SL à cabine classique (4RM)	26 470.00$
Chrysler Sebring Touring	26 495.00$
Hyundai Tucson GL V6 2.7l FWD	26 495.00$
Dodge Grand Caravan	26 595.00$
Nissan Rogue S (TI)	26 598.00$
Honda Civic Berline SI	26 680.00$*
Honda Civic Coupé SI	26 680.00$*
Ford Escape XLT V6	26 699.00$
Volkswagen Jetta Berline 2.0 TDI Comfortline man	26 775.00$
Toyota Camry SE auto	26 785.00$
Chevrolet caisse longue (4RM)	26 840.00$
Toyota Matrix XRS auto	26 855.00$
Chevrolet Equinox LS	26 870.00$
Ford F150 XLT 4X2	26 899.00$
Saturn Vue XE	26 910.00$
Volkswagen New Beetle Cabriolet Trendline man	26 975.00$
Acura CSX man	26 990.00$*
Buick Allure CX	26 995.00$
Dodge Ram 1500 ST Cab Reg 4X2	26 995.00$
Jeep Wrangler Sahara	26 995.00$
Mazda Tribute V6 GS	26 995.00$
Subaru Legacy berline PZEV	26 995.00$
Mitsubishi Outlander ES (4RM)	26 998.00$*
Nissan Altima Berline 3.5 S	27 198.00$
Kia Sportage LX V6 (2RM)	27 235.00$
Toyota Tacoma Access Cab V6 4X4 man	27 240.00$
Mazda6 4L GT man	27 395.00$
Ford Fusion SE V6 (TI)	27 399.00$
Chevrolet Colorado LT à cabine classique (4RM)	27 400.00$
GMC Canyon SLE à cabine classique (4RM)	27 400.00$
Volkswagen Jetta Berline 2.0T Trendline man	27 475.00$
Volkswagen Jetta Berline 2.5 Highline man	27 475.00$
Volkswagen Passat Berline 2.0T Trendline	27 475.00$*
Honda Accord EX	27 490.00$*
Chevrolet Impala LT	27 495.00$
Mazda6 V6 GS	27 495.00$
Ford Escape XLT 4L (4RM)	27 499.00$
Ford Fusion SEL V6	27 499.00$

Saturn Aura XR-4	27 565.00$
Pontiac Torrent	27 575.00$
Volkswagen Tiguan 2.0T Trendline	27 575.00$
Chevrolet Malibu Hybride	27 595.00$
Dodge Journey SXT (TI)	27 595.00$
Toyota Prius	27 600.00$*
Chevrolet Uplander LS allongé	27 620.00$
Volvo C30 2.4i	27 695.00$
Honda CR-V LX	27 790.00$*
Hyundai Sonata V6 GL	27 795.00$
Pontiac Montana SV6 allongé	27 930.00$
Volkswagen GTI 2.0T 3 portes man	27 975.00$
Volkswagen Routan Trendline	27 975.00$
Honda Accord Coupé EX	27 990.00$*
Dodge Journey R/T	27 995.00$
Dodge Nitro SE 4X4	27 995.00$
Hyundai Sonata Limited	27 995.00$
Kia Magentis LX V6 Luxe	27 995.00$*
Pontiac G6 berline GT	27 995.00$
Pontiac G6 coupé GT	27 995.00$
Subaru Forester Tourisme	27 995.00$
Subaru Legacy familiale PZEV	27 995.00$
Suzuki Grand Vitara JX auto	27 995.00$
Mitsubishi Galant GT	27 998.00$
Honda Element EX	28 090.00$*
Nissan Frontier King Cab SE 4X4 man	28 148.00$
Toyota Tundra Cab régulière 4X2 5,7 litres	28 185.00$*
Mazda MX-5 GX man	28 195.00$*
Saturn Aura Green Line hybride	28 215.00$
Toyota Camry LE V6	28 235.00$
Chevrolet HHR SS	28 240.00$
Volkswagen Jetta Familiale 2.0 TDI Comfortline man	28 275.00$
Pontiac Solstice	28 365.00$
Nissan Rogue SL (TI)	28 398.00$
Volkswagen New Beetle Cabriolet Comfortline man	28 450.00$
Dodge Dakota Cab. allongée SXT 4X2	28 495.00$
Chevrolet Colorado LS à cabine allongée (4RM)	28 540.00$
GMC Canyon SL à cabine allongée (4RM)	28 540.00$
Toyota RAV4 V6 (4RM)	28 550.00$*
GMC caisse standard (2RM)	28 660.00$
Hyundai Tiburon GTP auto	28 695.00$*
Hyundai Santa Fe 3.3 GL FWD	28 745.00$*
Chevrolet Uplander LT1 allongé	28 775.00$
Pontiac Montana SV6 allongé Haut de gamme 1	28 775.00$
Dodge Grand Caravan SE Stow n Go	28 795.00$
Hyundai Tucson GL V6 2.7l AWD	28 795.00$
Hyundai Tucson Limited 2.7l V6	28 895.00$
Mitsubishi Outlander LS 5 places (4RM)	28 898.00$*
Ford Mustang Convertible	28 899.00$
Volkswagen GTI 2.0T 5 portes man	28 975.00$
Volkswagen Passat Familiale 2.0T Trendline	28 975.00$*
Toyota Sienna CE 7 places	28 990.00$
Jeep Liberty Sport	28 995.00$
Jeep Wrangler Unlimited Sahara	28 995.00$
Suzuki Grand Vitara JLX auto	28 995.00$
Dodge Charger SE RWD	29 095.00$
Ford Escape XLT V6 (4RM)	29 099.00$
Kia Sportage LX V6 (4RM)	29 235.00$
Buick Allure CXL	29 295.00$
Chrysler Sebring Limited	29 295.00$
Dodge Dakota Cab. allongée ST 4X4	29 295.00$
MazdaSpeed3	29 360.00$
Volkswagen Jetta Familiale 2.5 Highline man	29 375.00$
Toyota RAV4 Sport (4RM)	29 400.00$*
Chevrolet Uplander LT2	29 490.00$
Pontiac Montana SV6 Haut de gamme 2	29 490.00$
Subaru Legacy berline 2.5i Touring	29 495.00$
Mitsubishi Outlander LS 7 places (4RM)	29 498.00$*
Nissan Altima Berline 3.5 SE man	29 498.00$
Ford Fusion SEL V6 (TI)	29 499.00$
Chevrolet Colorado LT à cabine allongée (4RM)	29 525.00$
GMC Canyon SLE à cabine allongée (4RM)	29 525.00$
Hyundai Sonata V6 GL Sport	29 595.00$
Chevrolet Equinox LT	29 620.00$
Chevrolet Equinox LS (TI)	29 625.00$
Toyota FJ Cruiser V6 man	29 725.00$*
Kia Sedona LX	29 745.00$*
Toyota Tacoma Access Cab X-Runner 4X2 man	29 775.00$
Volkswagen Jetta Berline 2.0 TDI Highline man	29 775.00$
Honda CR-V LX (4RM)	29 790.00$*
Toyota Sienna CE 8 places	29 795.00$
Nissan Altima Coupé 3.5 SE man	29 798.00$
Ford F150 XL 4X4	29 799.00$
Dodge Avenger R/T	29 895.00$
Ford F150 Super Cab XL 4X2	29 899.00$
Mercedes-Benz B200	29 900.00$
Mini Cooper Cabriolet	29 900.00$*
Mini Cooper S	29 900.00$*
Hyundai Santa Fe 2.7 GLS FWD	29 945.00$*
Toyota RAV4 Limited (4RM)	29 950.00$*
Volkswagen New Beetle Cabriolet Highline man	29 970.00$
Volkswagen GLI 2.0T man	29 975.00$
Volkswagen Passat Berline 2.0T Comfortline	29 975.00$*
Acura CSX Technologie man	29 990.00$*
Honda Element SC	29 990.00$*
Chevrolet Impala LTZ	29 995.00$
Chrysler Sebring Cabriolet LX	29 995.00$
Dodge Journey R/T (TI)	29 995.00$
Jeep Wrangler Rubicon	29 995.00$
Kia Amanti	29 995.00$
Mazda CX-7 GS	29 995.00$
Suzuki Grand Vitara JLX-L auto	29 995.00$
Chevrolet Colorado LT à cabine multiplace (2RM)	30 035.00$
GMC Canyon SLE à cabine multiplace (2RM)	30 035.00$
Pontiac Torrent GT	30 265.00$
Pontiac Torrent (TI)	30 295.00$
Toyota RAV4 V6 Sport (4RM)	30 350.00$*
Honda Accord Coupé EX-L	30 390.00$*
Honda Element EX (4RM)	30 390.00$*
Volkswagen Jetta Berline 2.0T Comfortline man	30 475.00$
Dodge Grand Caravan SXT	30 495.00$
Subaru Legacy familiale 2.5i Touring	30 495.00$
Ford Taurus SE	30 499.00$
Hyundai Santa Fe 3.3 GL AWD	30 545.00$*
Toyota Tundra Cab double 4X2 4,7 litres	30 610.00$*
Toyota Camry Hybride	30 660.00$
Ford F150 Super Cab STX 4X2	30 899.00$
Dodge Ram 1500 SLT Cab Reg 4X2	30 930.00$
Kia Sportage LX V6 Luxe (4RM)	30 935.00$
Dodge Dakota Crew cab SXT 4X2	30 995.00$
Dodge Nitro SLT 4X4	30 995.00$
Hyundai Entourage L	30 995.00$*
Hyundai Tucson Limited 2.7l AWD V6	30 995.00$
Subaru Outback 2.5i	30 995.00$
Suzuki XL-7 JX FWD	30 995.00$*
Ford Taurus SEL	30 999.00$
Hyundai Santa Fe 3.3 GLS FWD	31 045.00$*
Saturn Vue Hybrid	31 075.00$
Honda Accord EX-L	31 090.00$*
Saturn Vue XE (TI)	31 245.00$
Chevrolet Malibu LTZ	31 250.00$
Mazda MX-5 GS man	31 350.00$*
Toyota Camry SE V6	31 350.00$
Saturn Vue XR	31 385.00$
Ford F150 Super Cab XLT 4X2	31 399.00$
Toyota Tacoma Double Cab V6 4X4 man	31 470.00$
Volkswagen Passat Familiale 2.0T Comfortline	31 475.00$*
Honda Odyssey DX	31 490.00$*
Hyundai Sonata V6 Limited	31 495.00$
Nissan Titan King Cab XE 4X2	31 498.00$
Mini Cooper S Clubman	31 500.00$*
Volkswagen Jetta Familiale 2.0 TDI Highline man	31 675.00$
Honda Accord V6 EX	31 690.00$*
Suzuki Grand Vitara V6 JLX auto	31 695.00$
Volvo S40 2.4i	31 695.00$
Nissan Frontier King Cab PRO-4X 4X4 man	31 798.00$
Audi A3 2.0T man	31 800.00$
Volkswagen Jetta Berline 2.0T Highline man	31 800.00$
Lexus IS 250 RWD	31 900.00$*
Saturn Aura XR-6	31 965.00$
Buick Lucerne CX	31 995.00$
Jeep Wrangler Unlimited Rubicon	31 995.00$
Mazda CX-7 GS (4RM)	31 995.00$
Pontiac G8	31 995.00$
Nissan Frontier Crew Cab SE 4X4 man	32 048.00$
Chrysler 300 Touring	32 095.00$
Dodge Dakota Cab. allongée SXT 4X4	32 095.00$
Ford Explorer Sport Trac XLT 4.0l 4X2	32 099.00$
Ford F150 XLT 4X4	32 099.00$
Mazda Tribute V6 GT (TI)	32 150.00$
Volvo C30 2.4i R-Design	32 195.00$
Volvo C30 T5	32 195.00$
Mitsubishi Eclipse Spyder GS man	32 298.00$
Nissan Altima Berline Hybrid	32 298.00$
Chevrolet Equinox LT (TI)	32 320.00$
Subaru Forester Limited	32 395.00$
Ford Escape Hybrid	32 399.00$
Toyota RAV4 V6 Limited (4RM)	32 400.00$*
Pontiac Montana SV6 allongé Haut de gamme 2	32 465.00$
Kia Sorento LX	32 495.00$*
Dodge Charger SXT RWD	32 595.00$
Nissan Quest 3.5 S	32 598.00$*
Nissan Xterra S man	32 598.00$
Chevrolet Uplander LT2 allongé	32 615.00$
Honda Accord EX-L Navigation	32 690.00$*
Honda CR-V EX	32 690.00$*
Dodge Charger SE (TI)	32 695.00$
Suzuki Grand Vitara V6 JLX-L auto	32 695.00$
Kia Sedona EX	32 795.00$*
Hyundai Santa Fe 3.3 GLS AWD	32 845.00$*
Acura TSX man	32 900.00$
Dodge Ram 1500 Cab Double ST 4X2	32 975.00$
Pontiac Torrent GT (TI)	32 975.00$
Jeep Liberty Limited	32 995.00$
Subaru Impreza berline WRX	32 995.00$*
Suzuki XL-7 JX AWD	32 995.00$*
Mitsubishi Galant Ralliart	32 998.00$
Chevrolet Equinox Sport	33 045.00$
Mazda6 V6 GT	33 095.00$
GMC caisse longue (4RM)	33 110.00$
Honda Accord Coupé EX-L Navigation	33 190.00$*
Volvo V50 2.4i	33 195.00$
Ford F150 Super Crew XLT 4X2	33 199.00$
Saturn Sky	33 210.00$
Ford Escape Limited 4L (4RM)	33 299.00$
Toyota Sienna LE 7 places	33 380.00$
Hyundai Entourage GL	33 395.00$*
Acura CSX Type S	33 400.00$*
Ford Edge SEL	33 499.00$
Ford Taurus SEL (TI)	33 499.00$
Honda Odyssey LX	33 590.00$*
Pontiac Torrent GXP	33 665.00$
Dodge Dakota Crew cab SLT 4X2	33 695.00$
Mitsubishi Outlander XLS (4RM)	33 698.00$*
Toyota Sienna LE 8 places	33 810.00$
Subaru Impreza 5 portes WRX	33 895.00$*
Toyota Sienna CE 7 places (TI)	33 895.00$
BMW Série 1 Coupé 128i	33 900.00$*
Saturn Vue XR (TI)	33 970.00$
Volkswagen Routan Comfortline	33 975.00$
Volkswagen Tiguan 2.0T Comfortline	33 975.00$
Suzuki XL-7 JLX FWD	33 995.00$*
Ford Mustang GT Coupé	33 999.00$
Ford F150 Super Cab XL 4X4	34 099.00$
Subaru Outback PZEV Plus	34 145.00$
Mercedes-Benz B200 Turbo	34 400.00$
Mazda MX-5 GT man	34 500.00$*
Chrysler Sebring Cabriolet Touring	34 595.00$
Dodge Dakota Crew cab SXT 4X4	34 695.00$
Kia Sedona EX Power	34 795.00$*
Mitsubishi Eclipse GT-P man	34 798.00$
Ford Escape Hybrid (4RM)	34 799.00$
Subaru Forester 2.5XT Limited	34 895.00$
Ford Escape Limited V6 (4RM)	34 899.00$
Toyota Highlander V6	34 900.00$*
Honda Accord V6 EX-L	34 990.00$*
Buick Lucerne CXL	34 995.00$
Dodge Challenger R/T	34 995.00$
Ford Flex SEL	34 999.00$
Ford Taurus X SEL	34 999.00$
Audi A3 2.0T Premium man	35 000.00$
Saturn Outlook XE	35 010.00$
Toyota Camry XLE V6	35 020.00$
Chevrolet Colorado LT à cabine multiplace (4RM)	35 035.00$
GMC Canyon SLE à cabine multiplace (4RM)	35 035.00$
Dodge Charger SXT (TI)	35 095.00$
Nissan Titan King Cab SE 4X2	35 098.00$
Nissan Xterra Off-Road man	35 098.00$
Honda CR-V EX-L	35 190.00$*
Lexus IS 250 RWD Cuir	35 200.00$*
Hyundai Santa Fe 3.3 Limited 5 passagers	35 245.00$*
Audi A4 Berline 2.0T FWD man	35 350.00$*
Honda Accord Coupé V6 EX-L	35 490.00$*
Ford Edge SEL (TI)	35 499.00$
Ford F150 Super Cab XLT 4X4	35 599.00$
Chrysler 300 Limited	35 695.00$
Mazda CX-7 GT (4RM)	35 695.00$
Chevrolet Equinox Sport (TI)	35 745.00$
Mercedes-Benz C230	35 800.00$
Honda Ridgeline LX	35 820.00$*
BMW Série 3 Berline 323i	35 900.00$*
Saab 9-3 Sport	35 950.00$
Volkswagen Eos 2.0T Trendline man	35 975.00$
Chevrolet Impala SS	35 995.00$
Hyundai Azera GLS	35 995.00$*
Hyundai Veracruz GL	35 995.00$*
Pontiac G6 berline GXP	35 995.00$
Pontiac G6 cabriolet GT	35 995.00$
Pontiac G6 coupé GXP	35 995.00$
Pontiac Solstice GXP	35 995.00$
Suzuki XL-7 JLX AWD	35 995.00$*
Mitsubishi Endeavor SE	35 998.00$*
Ford Explorer XLT V6	35 999.00$
Saturn Vue Red Line	36 085.00$
Toyota Tundra Cab double 4X2 5,7 litres	36 175.00$*
Volvo S40 2.4i R-Design	36 195.00$
Acura TSX Premium man	36 200.00$
Toyota Tundra CrewMax 4X2 5,7 litres	36 275.00$*
Nissan Pathfinder S V6	36 298.00$
Pontiac Torrent GXP (TI)	36 375.00$
Chrysler 300 Touring (TI)	36 395.00$
Volvo C30 T5 R-Design	36 395.00$
Volvo S60 2.5T	36 395.00$
Nissan Xterra SE	36 398.00$
Ford Explorer Sport Trac Limited 4.0l 4X2	36 399.00$
Lincoln MKZ	36 499.00$
Mini Cooper S Cabriolet	36 600.00$*
GMC Acadia SLE	36 695.00$
Ford Explorer Sport Trac XLT 4.6l 4X4	36 699.00$
Mazda CX-9 GS	36 795.00$
Honda Pilot LX (2RM)	36 820.00$
Audi A3 2.0T quattro DSG	36 900.00$
Hyundai Santa Fe 3.3 Limited 7 passagers	36 945.00$*
Toyota Solara SLE V6	36 975.00$*
Honda Odyssey EX	36 990.00$*
Chrysler Town & Country Touring	36 995.00$
Kia Borrego V6 LX	36 995.00$
Pontiac G8 GT	36 995.00$
Subaru Legacy berline 3.0R Limited	36 995.00$
Ford Edge Limited	36 999.00$
Ford Flex SEL (TI)	36 999.00$
Ford Taurus X SEL (TI)	36 999.00$
Dodge Ram 1500 Mega SXT 4X2	37 120.00$
Toyota Highlander V6 SR5	37 150.00$*
Kia Amanti Luxe	37 195.00$
Mazda RX-8 GS	37 295.00$

Dodge Dakota Crew cab SLT 4X4	37 395.00$
Nissan Quest 3.5 SL	37 398.00$*
Toyota Sienna LE 7 places (TI)	37 420.00$
Mazda MX-5 Special man	37 490.00$*
Hyundai Entourage GLS	37 495.00$*
Nissan Titan Crew Cab XE 4X4	37 498.00$
Ford Explorer XLT V8	37 499.00$
Ford F150 Super Crew XLT 4X4	37 499.00$
Saab 9-3 SportCombi	37 550.00$
Lexus IS 250 AWD	37 600.00$*
Nissan Murano S (TI)	37 648.00$
Volvo S40 T5	37 695.00$
Honda Accord V6 EX-L Navigation	37 790.00$*
Honda CR-V EX-L Navigation	37 790.00$*
Mitsubishi Eclipse Spyder GT-P man	37 798.00$
Volvo V50 2.4i R-Design	37 845.00$
Nissan Maxima	37 900.00$
Hyundai Genesis 3.8	37 995.00$
Nissan Frontier Crew Cab PRO-4X 4X4 auto	37 998.00$
Saturn Outlook XE (TI)	38 010.00$
Ford Mustang GT Convertible	38 099.00$
Kia Sedona EX Luxe	38 195.00$*
Honda Accord Coupé V6 EX-L Navigation	38 290.00$*
Volkswagen Tiguan 2.0T Highline	38 375.00$
Ford Expedition SSV 4X4	38 379.00$
Mini Cooper John Cooper Works	38 390.00$
Nissan Titan King Cab SE 4X4	38 498.00$
Toyota 4Runner SR5 V6	38 560.00$*
Saturn Vue Red Line (TI)	38 670.00$
Mazda CX-9 GS (TI)	38 795.00$
Buick Allure Super	38 995.00$
Kia Sorento LX Luxe	38 995.00$*
Subaru Legacy berline 3.0R Optimum	38 995.00$
Ford Edge Limited (TI)	38 999.00$
Acura TSX Tech man	39 000.00$
Saturn Outlook XR	39 140.00$
Hyundai Azera Limited	39 195.00$*
Volvo V50 T5	39 195.00$
Nissan Frontier Crew Cab LE 4X4 auto	39 198.00$
Ford Taurus Limited (TI)	39 199.00$
Subaru Outback 2.5i Limited	39 245.00$
Mitsubishi Endeavor SE (TI)	39 298.00$*
Nissan Murano SL (TI)	39 348.00$
Lexus IS 250 RWD X	39 350.00$*
Cadillac CTS 3.6L	39 365.00$
Toyota Sienna XLE 8 places	39 400.00$
Hyundai Entourage Limited	39 495.00$*
Kia Borrego V8 LX	39 495.00$
Ford Expedition XLT 4X4	39 499.00$
Ford Expedition XLT MAX Limousine 4X2	39 499.00$
Mercedes-Benz C230 4Matic	39 500.00$
Saturn Sky Red Line	39 660.00$
GMC Acadia SLE (TI)	39 695.00$
Dodge Charger RT RWD	39 745.00$
Chevrolet TrailBlazer LT1 (4RM)	39 795.00$
Chrysler 300 Limited (TI)	39 795.00$
Honda Pilot LX (4RM)	39 820.00$
Toyota Avalon XLS	39 840.00$*
BMW Série 1 Cabriolet 128i	39 900.00$*
Lexus ES 350	39 900.00$
Toyota Solara SLE V6 Cabriolet	39 900.00$*
Nissan Maxima Sport	39 950.00$
Volkswagen Routan Highline	39 975.00$
Infiniti G35	39 990.00$*
Mini Cooper Clubman John Cooper Works	39 990.00$
Hyundai Genesis 3.8 Premium	39 995.00$
Hyundai Veracruz GLS	39 995.00$
Subaru Tribeca	39 995.00$
Volvo S40 T5 (TI)	40 195.00$
Lincoln MKZ (TI)	40 299.00$
Volkswagen Eos 2.0T Comfortline man	40 375.00$
Infiniti EX35	40 400.00$*
Chevrolet Avalanche LS (2RM)	40 470.00$
Nissan Titan King Cab PRO-4X 4X4	40 498.00$
Ford Taurus X Limited	40 499.00$
Honda Ridgeline EX-L	40 520.00$*
Honda Odyssey EX-L	40 590.00$*
GMC Envoy SLE (4RM)	40 695.00$
Nissan Pathfinder SE V6	40 698.00$
Mazda RX-8 R3	40 780.00$
Chrysler Sebring Cabriolet Limited	40 995.00$
Hummer H3	40 995.00$
Jeep Grand Cherokee Laredo	40 995.00$
Kia Borrego V6 EX	40 995.00$
Ford Explorer Sport Trac Limited 4.6l 4X4	40 999.00$
Ford Flex Limited	40 999.00$
BMW Série 3 Berline 328i	41 000.00$*
Nissan Maxima Premium	41 050.00$
Toyota Highlander Hybrid	41 075.00$*
Ford Expedition SSV MAX 4X4	41 129.00$
Nissan Titan Crew Cab SE 4X4	41 198.00$
Mercedes-Benz C300	41 200.00$
Volvo S60 2.5T (TI)	41 395.00$
Acura RDX	41 400.00$*
Lexus IS 250 AWD Cuir	41 450.00$*
Toyota Highlander V6 Sport	41 450.00$*
Mitsubishi Lancer Evolution GSR	41 498.00$*
Buick Enclave CX	41 595.00$
Lexus IS 250 RWD Sport	41 600.00$*
Volvo V50 T5 (TI)	41 695.00$
BMW Série 1 Coupé 135i	41 700.00$*
Honda Ridgeline EX-L Navigation	41 720.00$*
Dodge Charger RT (TI)	41 845.00$
Volvo S40 T5 R-Design	41 895.00$
Chevrolet Avalanche LT (2RM)	41 995.00$
Subaru Legacy berline 2.5GT spec.B	41 995.00$
Saturn Outlook XR (TI)	42 140.00$
Audi A4 Berline 2.0T quattro man	42 150.00$*
Lincoln MKX (TI)	42 200.00$
Honda Pilot EX (4RM)	42 220.00$
Cadillac CTS 3.6L injection directe	42 330.00$
Jeep Commander Sport	42 395.00$
Mazda RX-8 GT	42 395.00$
Ford Explorer Eddie Bauer V6	42 399.00$
Nissan Maxima Technologie	42 400.00$
Volvo V70 3.2	42 495.00$
Ford F150 Super Crew Lariat 4X2	42 499.00$
Ford Taurus X Limited (TI)	42 499.00$
Ford Explorer Sport Trac Adrenalin Limited 4.6l (TI)	42 699.00$
Lexus RX 350 Cuir	42 950.00$
Volkswagen Passat Berline VR6 3.6l Comfortline	42 975.00$*
Volkswagen Passat Familiale VR6 3.6l Comfortline	42 975.00$*
Chrysler Town & Country Limited	42 995.00$
GMC Acadia SLT	42 995.00$
Ford Flex Limited (TI)	42 999.00$
Nissan Maxima Navigation	43 150.00$
Nissan Titan Crew Cab PRO-4X 4X4	43 198.00$
Mitsubishi Endeavor LTD (TI)	43 298.00$*
Lexus IS 350	43 350.00$*
Kia Borrego V8 EX	43 495.00$
Infiniti G35x (TI)	43 540.00$*
Volvo V50 T5 R-Design	43 545.00$
Subaru Outback 3.0R Optimum	43 595.00$
Audi A4 Avant 2.0T quattro	43 600.00$*
BMW Série 3 Berline 328xi	43 600.00$*
BMW Série 3 Coupé 328i	43 600.00$*
Cadillac CTS 3.6L (TI)	43 690.00$
Chevrolet Avalanche LS (4RM)	43 715.00$
Ford Explorer Eddie Bauer V8	43 899.00$
Saab 9-5 Berline	43 900.00$
Saab 9-3 Aero Sport	43 990.00$
Hyundai Genesis 4.6	43 995.00$
Volvo XC70 3.2 (TI)	44 095.00$
Lexus ES 350 Navigation	44 150.00$
Mazda CX-9 GT (TI)	44 395.00$
Volvo S40 T5 R-Design (TI)	44 395.00$
Toyota Tundra Cab double LTD 4X4 4,7 litres	44 500.00$*
Honda Pilot EX-L (4RM)	44 520.00$
Buick Enclave CX (AWD)	44 595.00$
GMC caisse longue (4RM)	44 605.00$
Toyota Sequoia SR5 V8 4.7l	44 675.00$*
Chevrolet TrailBlazer LT3 (4RM)	44 795.00$
Saab 9-5 Aero	44 800.00$
Land Rover LR2 HSE	44 900.00$*
Mercedes-Benz C300 4Matic	44 900.00$
Volkswagen Touareg 2 V6 Comfortline	44 975.00$
Dodge Durango SLT	44 995.00$
Hyundai Genesis 3.8 Technologie	44 995.00$
Subaru Impreza 5 portes WRX STI	44 995.00$*
Audi A3 3.2 quattro DSG	45 000.00$
Jaguar X-Type 3.0	45 000.00$*
Acura RDX Tech	45 100.00$*
BMW Série 3 Touring 328xi	45 100.00$*
Toyota Highlander V6 Limited	45 150.00$*
GMC Envoy SLT (4RM)	45 195.00$
Subaru Tribeca Limited	45 195.00$
Honda Ridgeline EX-L SR	45 220.00$*
Chevrolet Avalanche LT (4RM)	45 240.00$
Nissan Titan King Cab LE 4X4	45 298.00$
BMW X3 3.0i	45 300.00$*
Saab 9-5 SportCombi	45 500.00$
Chrysler 300C	45 595.00$
Lincoln MKS	45 599.00$
Saab 9-3 Aero SportCombi	45 690.00$
Dodge Challenger SRT8	45 995.00$
GMC Acadia SLT (TI)	45 995.00$
Lexus IS 250 AWD Luxe	46 000.00$*
Volvo V50 T5 R-Design (TI)	46 045.00$
Nissan Pathfinder LE V8	46 098.00$
BMW Série 3 Coupé 328xi	46 100.00$*
Chevrolet Tahoe LS (2RM)	46 110.00$
Honda Pilot EX-L RES (4RM)	46 120.00$
Toyota Tundra CrewMax LTD 4X2 5,7 litres	46 180.00$*
Hyundai Veracruz Limited	46 295.00$*
Saab 9-5 Aero SportCombi	46 400.00$
GMC Yukon SLE (2RM)	46 575.00$
Dodge Charger SRT8	46 595.00$
Cadillac CTS 3.6L injection directe (TI)	46 655.00$
Audi TT Coupé 2.0T FWD auto	46 900.00$
Cadillac SRX V6	46 910.00$
Nissan Quest 3.5 SE	46 998.00$*
Dodge Ram 1500 Mega Laramie 4X4	47 070.00$
BMW Série 1 Cabriolet 135i	47 200.00$*
Infiniti G37 Coupé	47 350.00$*
Mitsubishi Lancer Evolution MR	47 498.00$*
Nissan Murano LE (TI)	47 498.00$
Toyota Sienna XLE Limited 7 places (TI)	47 770.00$
Ford Expedition Eddie Bauer 4X4	47 799.00$
Lincoln MKS (TI)	47 799.00$
Chevrolet Tahoe LT (2RM)	47 810.00$
Lexus ES 350 Premium Navigation	47 850.00$
Toyota 4Runner Limited V6	47 925.00$*
Lexus RX 350 Premium	47 950.00$
Buick Lucerne Super	47 995.00$
Subaru Tribeca Optimum	48 195.00$
Mercedes-Benz C350	48 200.00$
Ford Explorer Limited V8	48 299.00$
Infiniti G35x Sport (TI)	48 440.00$*
Volvo XC90 3.2 5 places	48 595.00$
Honda Odyssey Touring	48 890.00$*
Buick Enclave CXL	48 995.00$
Hyundai Genesis 4.6 Technologie	48 995.00$
Nissan Titan Crew Cab LE 4X4	48 998.00$
Jaguar X-Type Familiale 3.0	49 000.00$*
Chrysler 300C (TI)	49 045.00$
Chevrolet Suburban 1500 LS (2RM)	49 215.00$
Saab 9-7x 4.2i	49 295.00$
Audi TT Coupé 2.0T quattro auto	49 350.00$
Infiniti M35	49 400.00$*
Lexus IS 350 Sport	49 450.00$*
Audi A4 Berline 3.2 quattro man	49 500.00$*
GMC Yukon XL SLE (2RM)	49 505.00$
Audi TT Roadster 2.0T FWD auto	49 900.00$
BMW Série 3 Berline 335i	49 900.00$*
Honda Pilot Touring	49 920.00$
Nissan 350Z Coupé Grand Touring M6	49 948.00$*
Infiniti G37 Coupé Sport	49 950.00$*
Volkswagen Routan Execline	49 975.00$
Chrysler Aspen Limited	49 995.00$
Jeep Grand Cherokee SRT8	49 995.00$
Volvo S80 3.2	49 995.00$
Chevrolet Tahoe LS (4RM)	50 095.00$
Ford Expedition Eddie Bauer MAX 4X4	50 299.00$
Ford F150 Super Crew Lariat King Ranch 4X4	50 299.00$
Mercedes-Benz C350 4Matic	50 400.00$
Toyota 4Runner Limited V8	50 565.00$*
Honda S2000	50 600.00$*
Infiniti FX35 Privilège	50 700.00$
GMC Yukon SLE (4RM)	50 935.00$
Audi A4 Avant 3.2 quattro man	50 950.00$*
Chevrolet Suburban 1500 LT (2RM)	50 955.00$
Lexus GS 350 RWD	51 000.00$*
BMW X3 3.0si	51 100.00$*
Lexus ES 350 Ultra Premium Navigation	51 200.00$
Ford Expedition Limited 4X4	51 499.00$
Volvo XC70 T6 (TI)	51 595.00$
BMW Série 3 Coupé 335i	51 600.00$*
Lexus RX 350 Premium navigation	51 600.00$
Audi A5 3.2 quattro man	51 850.00$
Chevrolet Tahoe LT (4RM)	51 865.00$
GMC Envoy Denali (4RM)	51 950.00$
Buick Enclave CXL (AWD)	51 995.00$
Volvo C70 T5	52 095.00$
Audi TT Roadster 2.0T quattro auto	52 350.00$
GMC Yukon SLT (2RM)	52 375.00$
Acura MDX	52 500.00$*
BMW Série 3 Berline 335xi	52 500.00$*
Lexus RX 350 Touring	52 500.00$
Jeep Grand Cherokee Limited	52 595.00$
Chevrolet TrailBlazer SS (4RM)	52 750.00$
Chevrolet Suburban 1500 LS (4RM)	52 795.00$
Saab 9-7x 5.3i	52 805.00$
Audi A4 Cabriolet 2.0T FWD CVT	52 900.00$
Infiniti M35x (TI) man	52 900.00$*
GMC caisse courte (4RM)	53 190.00$
Nissan Armada LE	53 298.00$
Lexus RX 400h Premium	53 650.00$
Chrysler 300C SRT8	53 695.00$
GMC Yukon XL SLE (4RM)	53 795.00$
Jeep Commander Limited	53 895.00$
Land Rover LR3 V6 SE	53 900.00$*
Volkswagen Touareg 2 V6 Highline	53 975.00$
Ford Expedition Limited MAX 4X4	53 999.00$
Lexus RX 350 Pebble Beach	54 000.00$
BMW Série 3 Coupé 335xi	54 100.00$*
Audi Q7 3.6 quattro	54 200.00$
Toyota Sequoia Limited V8 5.7l	54 200.00$*
Toyota Highlander Hybrid Limited	54 220.00$*
Ford Shelby GT500 Coupe	54 299.00$
Lincoln Navigator Limo L 4X2	54 300.00$
Saab 9-3 Cabriolet	54 390.00$
Volvo XC90 3.2 7 places	54 495.00$
Lotus Elise	54 500.00$*
Ford F150 Super Crew Lariat Platinum 4X4	54 699.00$

Chevrolet Suburban 1500 LT (4RM)	54 895.00$
Saab 9-7x Aero	54 950.00$
Chevrolet Avalanche LTZ (4RM)	55 285.00$
GMC Yukon XL SLT (2RM)	55 345.00$
Ford Expedition King Ranch 4X4	55 399.00$
Lincoln Mark LT 4X4	55 399.00$*
Lexus IS 350 Luxe Navigation	55 450.00$*
Audi TT Coupé 3.2 quattro man	55 500.00$
Audi A4 Cabriolet 2.0T quattro auto	55 800.00$
Chrysler Aspen Limited HEV	55 995.00$
Porsche Cayenne	56 100.00$
Infiniti FX35 Navigation	56 450.00$
Volvo S80 T6 (TI)	56 495.00$
Nissan 350Z Roadster Grand Touring M6	56 498.00$*
Lexus RX 350 Ultra Premium	56 500.00$
Volvo XC90 3.2 R-Design 5 places	56 545.00$
BMW Série 3 Cabriolet 328i	56 600.00$*
Nissan Armada Technologie	56 698.00$
GMC Yukon SLT (4RM)	56 995.00$
Jeep Grand Cherokee Overland	56 995.00$
Acura MDX Tech	57 200.00$*
Mercedes-Benz SLK300	57 500.00$
Lexus GX 470	57 800.00$
Ford Expedition King Ranch MAX 4X4	57 899.00$
Land Rover LR3 V8 SE	57 900.00$*
Lexus GS 350 RWD Premium	58 000.00$*
Ford Shelby GT500 Convertible	58 399.00$
Porsche Boxster	58 400.00$
Volkswagen Touareg 2 V6 Execline	58 675.00$
Infiniti FX50 Privilège	58 900.00$
Saab 9-3 Aero cabriolet	58 990.00$
Volvo XC90 3.2 R-Design 7 places	58 995.00$
Cadillac STS V6	59 055.00$
Lexus GS 350 AWD	59 100.00$*
Volkswagen Touareg 2 V8 Highline	59 275.00$
Audi Q7 3.6 quattro Premium	59 300.00$
GMC Yukon XL SLT (4RM)	59 795.00$
Audi TT Roadster 3.2 quattro man	59 800.00$
Jaguar XF Luxe	59 800.00$
Audi A6 Berline 3.2	59 900.00$*
BMW Série 5 Berline 528i	59 900.00$*
Mercedes-Benz ML350	59 900.00$*
Toyota Sequoia Platinum V8 5.7l	59 900.00$*
Infiniti FX35 Technologie	59 950.00$
Cadillac SRX V8	60 725.00$
Mercedes-Benz ML320 CDI	61 400.00$*
BMW X5 3.0si	61 900.00$*
Lotus Elise S	61 900.00$*
Lexus RX 400h Ultra Premium	62 100.00$
Acura MDX Elite	62 200.00$
BMW Série 5 Berline 528xi	62 500.00$
Lexus GS 350 AWD Ultra Premium	62 600.00$
Audi A6 Avant 3.2	62 800.00$*
Mercedes-Benz C63 AMG	63 500.00$
Mercedes-Benz R350	63 500.00$*
Mercedes-Benz SLK350	63 500.00$
Volvo XC90 V8 5 places	63 595.00$
Chevrolet Corvette Coupé	63 795.00$
Acura RL	63 900.00$*
BMW M Coupé	63 900.00$*
BMW X6 xDrive35i	63 900.00$
Porsche Cayman	63 900.00$
Land Rover LR3 V8 HSE	64 200.00$*
Lexus GX 470 Ultra Premium	64 200.00$
Lincoln Navigator Ultimate 4X4	64 300.00$
Lexus IS-F	64 400.00$*
Infiniti FX50 Navigation	64 650.00$
Audi A4 Cabriolet 3.2 quattro auto	64 900.00$
BMW M Roadster	64 900.00$*
Volvo S80 V8 Executive	64 995.00$
Mercedes-Benz R320 CDI	65 000.00$*
Jaguar XF Premium	65 800.00$
Mercedes-Benz E300 4MATIC	65 800.00$*
Volvo XC90 V8 7 places	65 895.00$
Audi S5 man	65 900.00$
Chevrolet Tahoe LTZ (4RM)	65 995.00$
BMW Serie 3 Cabriolet 335i	66 600.00$*
Chevrolet Tahoe Hybride bimode (2RM)	66 765.00$
Infiniti M45x (TI)	66 950.00$*
Volkswagen Touareg 2 V8 Execline	66 975.00$
Infiniti M45 Sport	67 150.00$*
Lincoln Navigator Ultimate L 4X2	67 300.00$
GMC Yukon SLT Hybride bimode (2RM)	67 545.00$
Lotus Exige S	67 750.00$*
Mercedes-Benz CLK350 coupé	68 100.00$*
Mercedes-Benz E320 BlueTEC	68 100.00$*
Infiniti FX50 Technologie	68 150.00$
Volvo XC90 V8 R-Design 5 places	68 295.00$
Cadillac STS V8	68 365.00$
Lexus IS-F Serie 2	68 500.00$*
BMW Série 5 Berline 535i	68 900.00$*
Chevrolet Suburban 1500 LTZ (4RM)	68 995.00$
Lexus GS 450h	69 200.00$*
GMC Yukon Denali (TI)	69 300.00$
Acura RL Elite	69 500.00$*
Infiniti QX56	69 700.00$
Chevrolet Tahoe Hybride bimode (4RM)	69 765.00$
BMW M3 Berline	69 900.00$*
Hummer H2 CUS	70 395.00$
Audi S4 Berline quattro man	70 400.00$*
GMC Yukon SLT Hybride bimode (4RM)	70 530.00$
Volvo XC90 V8 R-Design 7 places	70 595.00$
Porsche Boxster S	70 600.00$
Infiniti FX50 Sport	70 650.00$
Lexus GS 460 RWD	71 100.00$*
BMW M3 Coupé	71 300.00$*
BMW Série 5 Berline 535xi	71 500.00$*
Mercedes-Benz GL320 CDI	71 500.00$*
Land Rover Range Rover Sport HSE	71 600.00$*
Audi S4 Avant quattro man	71 850.00$*
Audi A6 Berline 4.2	71 900.00$*
Hummer H2 VUS	72 295.00$
GMC Yukon XL Denali (TI)	72 740.00$
Porsche Cayenne S	73 200.00$
BMW X5 4.8i	73 500.00$*
BMW Série 5 Touring 535xi	73 600.00$*
Mercedes-Benz E350 4MATIC berline	74 500.00$*
Mercedes-Benz ML550	74 900.00$*
Audi Q7 4.2	75 100.00$
Audi S4 Cabriolet man	75 500.00$
Porsche Cayman S	75 800.00$
Chevrolet Corvette Cabriolet	76 370.00$
Cadillac Escalade EXT (TI)	76 530.00$
Mercedes-Benz CLK350 cabriolet	77 000.00$*
Mercedes-Benz E350 4MATIC familiale	77 300.00$*
Jaguar XF Supercharged	77 800.00$
BMW X6 xDrive50i	78 100.00$
Mercedes-Benz R550	78 200.00$*
Lexus SC 430	78 300.00$
Lexus LX 570	79 800.00$
Lexus LS 460	80 100.00$*
Cadillac Escalade (TI)	81 320.00$
Lexus SC 430 Pebble Beach	81 400.00$
BMW M3 Cabriolet	81 900.00$*
Nissan GT-R	81 900.00$
Mercedes-Benz CLK550 coupé	82 400.00$*
Mercedes-Benz GL450	82 500.00$*
BMW Série 5 Berline 550i	82 900.00$*
Mercedes-Benz SLK55 AMG	84 800.00$
Cadillac Escalade ESV (TI)	84 905.00$
Jaguar XJ 8	85 000.00$*
Mercedes-Benz E550 4MATIC	85 300.00$*
Lexus LX 570 Premium	85 400.00$
Land Rover Range Rover Sport Supercharged	85 500.00$*
Lexus LS 460 L	87 000.00$*
Porsche Cayenne GTS	87 000.00$
Lexus LS 460 Technology	88 800.00$*
Mercedes-Benz GL550	91 000.00$*
Mercedes-Benz CLK550 cabriolet	91 400.00$*
Chevrolet Corvette Z06	92 365.00$
Land Rover Range Rover HSE	92 900.00$*
Jaguar XJ Vanden Plas	93 000.00$*
Mercedes-Benz CLS550	93 500.00$
Audi RS4 quattro man	94 200.00$*
Porsche 911 Carrera	94 800.00$
Audi A8 4.2	95 000.00$
Lexus LS 460 L Premium	95 400.00$*
Lexus LX 570 Ultra Premium	95 950.00$
Audi S6	96 900.00$*
Mercedes-Benz ML63 AMG	97 500.00$*
Dodge Viper SRT10 Roadster	98 600.00$
Lexus LS 460 L Technologie	98 800.00$*
Dodge Viper SRT10 Coupe	99 600.00$
Audi A8 L 4.2	100 000.00$
Cadillac XLR	100 315.00$
Jaguar XJ R	101 000.00$*
BMW Série 6 Coupé 650i	101 500.00$*
Porsche 911 Carrera 4	102 100.00$
Jaguar XK Coupé	103 000.00$*
Cadillac STS-V	103 210.00$
Porsche 911 Carrera Cabriolet	107 600.00$
Porsche 911 Carrera S	107 600.00$
Mercedes-Benz S450 4Matic	108 000.00$*
BMW Série 7 750i	108 500.00$*
Porsche 911 Targa 4	109 700.00$*
Land Rover Range Rover Supercharged	110 800.00$*
Lexus LS 460 L Executive	111 200.00$*
BMW Série 6 Cabriolet 650i	111 500.00$*
Mercedes-Benz G500	111 900.00$*
Jaguar XK Cabriolet	113 000.00$*
BMW M5 Berline	113 300.00$*
Porsche 911 Carrera 4 Cabriolet	115 000.00$
Porsche 911 Carrera 4S	115 000.00$
BMW Série 7 750Li	115 100.00$*
Cadillac XLR-V	115 870.00$
Jaguar XK R Coupé	117 000.00$*
Mercedes-Benz CLK63 AMG cabriolet	117 900.00$*
Jaguar XJ Super V8	118 000.00$*
Porsche Cayenne Turbo	118 900.00$
Lexus LS 600h L	119 400.00$*
Porsche 911 Carrera S Cabriolet	120 400.00$
Mercedes-Benz E63 AMG	121 100.00$*
Porsche 911 Targa 4S	122 400.00$*
Mercedes-Benz S550 4Matic	123 000.00$*
Mercedes-Benz SL550	125 000.00$
Chevrolet Corvette ZR1	125 195.00$
Audi S8	127 000.00$
Jaguar XK R Cabriolet	127 000.00$*
Porsche 911 Carrera 4S Cabriolet	127 800.00$
BMW M6 Coupé	128 300.00$*
Mercedes-Benz CLS63 AMG	128 300.00$
Jaguar XK R Portfolio Coupé	130 500.00$*
Mercedes-Benz CL550	131 900.00$*
Porsche 911 GT3	133 800.00$*
BMW M6 Cabriolet	138 300.00$*
Aston Martin V8 Vantage	139 700.00$
Maserati GranTurismo	139 900.00$
Jaguar XK R Portfolio Cabriolet	140 500.00$*
Audi R8 4.2 man	141 000.00$
Lexus LS 600h L Premium	146 100.00$
Mercedes-Benz S63 AMG	149 500.00$*
Porsche Cayenne Turbo S	150 400.00$
Maserati Quattroporte	151 822.00$
Mercedes-Benz G55 AMG	152 450.00$*
Audi R8 4.2 DSG	152 500.00$
Porsche 911 GT3 RS	155 100.00$*
Mercedes-Benz CL63 AMG	158 000.00$*
Aston Martin V8 Vantage Roadster	160 200.00$
Porsche 911 Turbo	161 700.00$
Maserati Quattroporte S	163 681.00$
Maserati GranTurismo S	165 000.00$
Maserati Quattroporte Executive GT	165 490.00$
Audi A8 L W12	166 400.00$
BMW Série 7 760Li	174 500.00$*
Porsche 911 Turbo Cabriolet	174 600.00$
Mercedes-Benz SL600	175 500.00$
Mercedes-Benz SL63 AMG	181 500.00$
Mercedes-Benz S600	183 000.00$*
Mercedes-Benz CL600	185 000.00$*
Bentley Continental Flying Spur	189 990.00$
Bentley Continental GT	193 990.00$*
Aston Martin DB9 Coupe	198 800.00$*
Aston Martin DB9 Volante	206 500.00$*
Bentley Continental GTC	212 990.00$*
Bentley Continental Flying Spur Speed	216 990.00$
Bentley Continental GT Speed	219 990.00$*
Mercedes-Benz S65 AMG	229 500.00$*
Porsche 911 GT2	235 400.00$*
Mercedes-Benz CL65 AMG	236 500.00$*
Mercedes-Benz SL65 AMG	238 500.00$
Bentley Arnage R	247 990.00$
Lamborghini Gallardo LP560-4	255 000.00$
Ferrari F430 man	256 595.00$
Bentley Arnage T	271 990.00$
Ferrari F430 F1	274 258.00$
Aston Martin DBS	292 000.00$
Bentley Arnage RL	294 990.00$
Ferrari F430 Spider man	296 595.00$
Ferrari F430 Spider F1	314 258.00$
Lamborghini Gallardo Superleggera	327 128.00$*
Maybach 57	339 500.00$
Ferrari F430 Scuderia	350 000.00$
Rolls-Royce Phantom	350 000.00$
Bentley Azure	368 990.00$
Bentley Brooklands	374 990.00$
Maybach 57S	375 000.00$
Maybach 62	390 500.00$
Ferrari 612 Scaglietti F1	390 570.00$
Rolls-Royce Phantom EWB	415 000.00$
Rolls-Royce Phantom Drophead Coupé	423 000.00$
Ferrari 599 GTB Fiorano F1	425 600.00$
Maybach 62S	430 000.00$
Lamborghini Murcielago LP640 Roadster	453 056.00$*
Lamborghini Murciélago LP640 Coupe	459 236.00$*
Bugatti Veyron	1 400 000.00$
Lamborghini Reventon	1 500 000.00$
Moyenne	54 978.11$

Les prix suivis d'un * sont ceux de 2008.
Les prix mentionnés ci-haut peuvent changer sans préavis.
Il ne s'agit pas d'une liste exhaustive.
Ces prix n'incluent pas les taxes, frais de transport et de préparation, ainsi que les options.
Pour plus de renseignements, veuillez contacter le concessionnaire.

CATÉGORIE

Pour répondre aux multiples besoins des consommateurs, l'automobile se décline en plusieurs configurations. On retrouve les berlines (quatre portes avec un coffre séparé), les coupés (deux portes), les familiales (les bons vieux "station wagon"), les fourgonnettes (souvent nommées, à tort, mini fourgonnettes), les *hatchback* (l'habitacle et le coffre ne font qu'un), les cabriolets (des décapotables quatre places), les roadsters (des décapotables deux places), les VUS et, enfin, les multisegments (un mélange de VUS, de familiale, de berline, etc) Il ne faudrait pas oublier la catégorie appelée sous-compacte qui regroupe les plus petites voitures offertes sur le marché et une catégorie nommée GT qui présente les voitures les plus racées de la planète. Enfin, les VUS, désormais trop nombreux, doivent être départagés en trois catégories (compacts, intermédiaires et grand format).

PRÉSENTATION PAR ORDRE DE CONSTRUCTEUR

ACURA

CSX	Berline compacte
RL	Berline de luxe
TL	Berline de luxe
TSX	Berline sport
RDX	VUS compact
MDX	VUS intermédiaire

ASTON MARTIN

DB9	Cabriolet
V8 Vantage	Cabriolet
DB9	Coupé
DBS	GT
V8 Vantage	GT

AUDI

A8	Berline de grand luxe
A4	Berline de luxe
A6	Berline de luxe
TT	Cabriolet
A5	Coupé
TT	Coupé
A3	Familiale
A4	Familiale
A6	Familiale
R8	GT
Q5	VUS compact
Q7	VUS intermédiaire

BENTLEY

Continental GT	GT
Arnage	Berline de grand luxe
Azure	Cabriolet
Brooklands	Coupé
Continental GTC	Cabriolet
Continental Flying Spur	Berline de grand luxe
Continental GT	Coupé

BMW

Série 7	Berline de grand luxe
Série 3	Berline de luxe
Série 5	Berline de luxe
Série 1	Cabriolet
Série 3	Cabriolet
Série 6	Cabriolet
Série 1	Coupé
Série 3	Coupé
Série 6	Coupé
Série 3	Familiale
Série 5	Familiale
X6	Multisegment
X3	VUS compact
X5	VUS intermédiaire

BUICK

Lucerne	Berline de luxe
Allure	Berline grand format
Enclave	Multisegment

CADILLAC

STS	Berline de luxe
DTS	Berline grand format
CTS	Berline sport
Escalade	VUS grand format
Escalade EXT	Camionnette grand format
SRX	Multisegment
XLR	Roadster

CHEVROLET

Aveo	Sous-compactes
Cobalt	Berline compacte
Impala	Berline intermédiaire
Malibu	Berline intermédiaire
Avalanche	Camionnette grand format
Colorado	Camionnette grand format
Silverado	Camionnette grand format
Cobalt	Coupé
Corvette	Coupé
HHR	Familiale
Uplander	Fourgonnette
Aveo	Hatchback
Traverse	Multisegment
Corvette	Roadster
Equinox	VUS compact
Tahoe	VUS grand format
Suburban	VUS grand format
Trailblazer	VUS intermédiaire

CHRYSLER

300	Berline grand format
Sebring	Berline intermédiaire
Sebring	Cabriolet
PT Cruiser	Familiale
Town & Country	Fourgonnette
Aspen	VUS grand format

DODGE

Durango	VUS grand format
Avenger	Berline intermédiaire
Charger	Berline grand format
RAM	Camionnette grand format
Dakota	Camionnette intermédiaire
Challenger	Coupé
Viper	Coupé
Grand Caravan	Fourgonnette
Caliber	Hatchback
Journey	Multisegment
Viper	Roadster
Nitro	VUS compact

FERRARI

F430	Coupé
599 GTB Fiorano	GT
612 Scaglietti	GT
F430	Roadster

FORD

Focus	Berline compacte
Taurus	Berline grand format
Fusion	Berline intermédiaire
Mustang	Cabriolet
F-150	Camionnette grand format
Explorer Sport Trac	Camionnette intermédiaire
Ranger	Camionnette intermédiaire
Focus	Coupé
Mustang	Coupé
Edge	Multisegment
Flex	Multisegment
Taurus X	Multisegment
Escape	VUS compact
Expedition	VUS grand format
Explorer	VUS intermédiaire

GMC

Sierra	Camionnette grand format
Canyon	Camionnette intermédiaire
Acadia	Multisegment
Envoy	VUS intermédiaire
Yukon	VUS grand format

HONDA

Civic	Berline compacte
Accord	Berline intermédiaire
Ridgeline	Camionnette intermédiaire
Accord	Coupé
Civic	Coupé
Fit	Hatchback
Odyssey	Fourgonnette
S2000	Roadster
CR-V	VUS compact
Element	VUS compact
Pilot	VUS intermédiaire

HUMMER

H2	VUS grand format
H3	VUS intermédiaire

HYUNDAI

Accent	Sous-compactes
Elantra	Berline compacte
Azera	Berline de luxe
Genesis	Berline de luxe
Sonata	Berline intermédiaire
Accent	Coupé
Tiburon	Coupé
Elantra Touring	Familiale
Entourage	Fourgonnette
Santa Fe	VUS compact
Tucson	VUS compact
Veracruz	VUS intermédiaire

INFINITI

G35	Berline de luxe
M35/45	Berline de luxe
G37	Coupé
EX35	Multisegment
FX35/50	Multisegment
QX56	VUS grand format

JAGUAR

X-Type	Berline de luxe
XJ	Berline de grand luxe
XF	Berline de luxe
XK	Cabriolet
XK	Coupé
X-Type	Familiale

JEEP

Compass	VUS compact
Liberty	VUS compact
Patriot	VUS compact
Wrangler	VUS compact
Commander	VUS intermédiaire
Grand Cherokee	VUS intermédiaire

KIA

Rio	Sous-compactes
Rio5	Hatchback
Spectra	Berline compacte
Spectra5	Hatchback
Amanti	Berline de luxe
Magentis	Berline intermédiaire
Sedona	Fourgonnette
Rondo	Multisegment
Sportage	VUS compact
Borrego	VUS intermédiaire
Sorento	VUS intermédiaire

LAMBORGHINI

Gallardo	GT
Murcielago	GT
Reventon	GT
Gallardo	Roadster
Murcielago	Roadster

LAND ROVER

LR2	VUS compact
Range Rover	VUS grand format
Range Rover Sport	VUS grand format
LR3	VUS intermédiaire

LEXUS

GS	Berline de luxe
LS	Berline de grand luxe
ES	Berline intermédiaire
IS	Berline sport
SC	Cabriolet
GX	VUS intermédiaire
LX	VUS grand format
RX	VUS intermédiaire

LINCOLN

MKS	Berline de luxe
MKZ	Berline de luxe
MKX	Multisegment
Navigator	VUS grand format

LOTUS

Elise, Exige S	Roadster

MASERATI

Quattroporte	Berline de grand luxe
Gran Turismo	GT

MAYBACH

57 - 62	Berline de grand luxe

MAZDA

Mazda3	Berline compacte
Mazda6	Berline intermédiaire
Série B	Camionnette intermédiaire
RX-8	Coupé
Mazda3	Familiale
Mazda5	Fourgonnette
CX-7	Multisegment
CX-9	Multisegment
MX-5	Roadster
Tribute	VUS compact

MERCEDES-BENZ

Classe CLS	Berline de grand luxe

Classe S	Berline de grand luxe
Classe E	Berline de luxe
Classe C	Berline intermédiaire
Classe CLK	Cabriolet
Classe SL	Cabriolet
Classe CL	Coupé
Classe CLK	Coupé
Classe SL	Coupé
Classe SLR	GT
Classe E	Familiale
Classe B	Multisegment
Classe R	Multisegment
Classe SLK	Roadster
Classe SLR	Roadster
Classe GLK	VUS compact
Classe G	VUS grand format
Classe GL	VUS grand format
Classe M	VUS intermédiaire

MINI

Cooper	Cabriolet
Cooper	Coupé
Clubman	Familiale

MITSUBISHI

Lancer	Berline compacte
Galant	Berline intermédiaire
Evolution	Berline sport
Eclipse	Cabriolet
Eclipse	Coupé
Outlander	VUS compact
Endeavor	VUS intermédiaire

NISSAN

Maxima	Berline grand format
Sentra	Berline compacte
Altima	Berline intermédiaire
Titan	Camionnette grand format
Frontier	Camionnette intermédiaire
350Z	Coupé
Altima	Coupé
Quest	Fourgonnette
GT-R	GT
Versa	Hatchback
Murano	Multisegment
350Z	Roadster
Armada	VUS grand format
Rogue	VUS compact
Xterra	VUS compact
Pathfinder	VUS intermédiaire

PONTIAC

G3 Wave	Sous-compactes
G5	Berline compacte
G6	Berline intermédiaire
G8	Berline grand format
G6	Cabriolet
G5	Coupé
G6	Coupé
Vibe	Familiale
Montana SV6	Fourgonnette
G3 Wave	Hatchback
Solstice	Roadster
Torrent	VUS compact

PORSCHE

911	Coupé
Cayman	Coupé
911	Roadster
Boxster	Roadster
Cayenne	VUS intermédiaire

ROLLS-ROYCE

Phantom	Berline de grand luxe
Drophead Coupé	Cabriolet

SAAB

9-3	Berline compacte
9-5	Berline de luxe
9-3	Cabriolet
9-3	Familiale
9-5	Familiale
9-7x	VUS intermédiaire

SATURN

Aura	Berline intermédiaire
Astra	Hatchback
Outlook	Multisegment
Sky	Roadster
VUE	VUS compact

smart

Fortwo	Coupé
Fortwo	Roadster

SUBARU

Impreza	Berline compacte
Legacy, Outback	Berline intermédiaire
Impreza WRX	Berline sport
Impreza WRX	Familiale
Impreza WRX STi	Familiale
Legacy, Outback	Familiale
Impreza	Hatchback
Tribeca	Multisegment
Forester	VUS compact

SUZUKI

SX4	Berline compacte
Swift+	Sous-compactes
SX4	Hatchback
Grand Vitara	VUS compact
XL-7	VUS intermédiaire

TOYOTA

Camry	Berline intermédiaire
Corolla	Berline compacte
Yaris	Sous-compactes
Avalon	Berline grand format
Tundra	Camionnette grand format
Tacoma	Camionnette intermédiaire
Matrix	Familiale
Sienna	Fourgonnette
Prius	Hatchback
Highlander	Multisegment
4Runner	VUS compact
RAV4	VUS compact
Sequoia	VUS grand format
FJ Cruiser	VUS intermédiaire

VOLKSWAGEN

Jetta	Berline compacte
Jetta City	Berline compacte
Passat	Berline intermédiaire
Eos	Cabriolet
New Beetle	Cabriolet
New Beetle	Coupé
Jetta	Familiale
Passat	Familiale
Golf City	Hatchback
Rabbit	Hatchback
Tiguan	VUS compact
Touareg	VUS intermédiaire

VOLVO

S60	Berline de luxe
S80	Berline de luxe
S40	Berline sport
C70	Cabriolet
C30	Coupé
V50	Familiale
V70	Familiale
XC70	Multisegment
XC90	Multisegment

PRÉSENTATION PAR ORDRE DE CATÉGORIE

BERLINE COMPACTE

Acura	CSX
Chevrolet	Cobalt
Ford	Focus
Honda	Civic
Hyundai	Elantra
Kia	Spectra
Mazda	3
Mitsubishi	Lancer
Nissan	Sentra
Pontiac	G5
Saab	9-3
Subaru	Impreza
Suzuki	SX4
Toyota	Corolla
Volkswagen	Jetta
Volkswagen	Jetta City

BERLINE DE GRAND LUXE

Audi	A8
Bentley	Arnage
Bentley	Continental Flying Spur
BMW	Série 7
Jaguar	XJ
Lexus	LS
Maserati	Quattroporte
Maybach	57 - 62
MercedesBenz	Classe CLS
MercedesBenz	Classe S
RollsRoyce	Phantom

BERLINE DE LUXE

Acura	RL
Acura	TL
Audi	A4
Audi	A6
BMW	Série 3
BMW	Série 5
Buick	Lucerne
Cadillac	STS
Hyundai	Azera
Hyundai	Genesis
Infiniti	G35
Infiniti	M35/45
Jaguar	XF
Jaguar	X-Type
Kia	Amanti
Lexus	GS
Lincoln	MKS
Lincoln	MKZ
MercedesBenz	Classe E
Saab	9-5
Volvo	S60
Volvo	S80

BERLINE GRAND FORMAT

Buick	Allure
Cadillac	DTS
Chrysler	300
Dodge	Charger
Ford	Taurus
Nissan	Maxima
Pontiac	G8
Toyota	Avalon

BERLINE INTERMÉDIAIRE

Chevrolet	Impala
Chevrolet	Malibu
Chrysler	Sebring
Dodge	Avenger
Ford	Fusion
Honda	Accord
Hyundai	Sonata
Kia	Magentis
Lexus	ES
Mazda	Mazda6
MercedesBenz	Classe C
Mitsubishi	Galant
Nissan	Altima
Pontiac	G6
Saturn	Aura
Subaru	Legacy, Outback
Toyota	Camry
Volkswagen	Passat

BERLINE SPORT

Acura	TSX
Cadillac	CTS
Lexus	IS
Mitsubishi	Evolution
Subaru	Impreza WRX
Volvo	S40

CABRIOLET

AstonMartin	DB9
AstonMartin	V8 Vantage
Audi	TT
Bentley	Azure
Bentley	Continental GTC
BMW	Série 1
BMW	Série 3
BMW	Série 6
Chrysler	Sebring
Ford	Mustang
Jaguar	XK
Lexus	SC
MercedesBenz	Classe CLK
MercedesBenz	Classe SL
Mini	Cooper
Mitsubishi	Eclipse
Pontiac	G6
RollsRoyce	Drophead Coupé
Saab	9-3
Volkswagen	Eos
Volkswagen	New Beetle
Volvo	C70

CAMIONNETTE GRAND FORMAT

Cadillac	Escalade EXT
Chevrolet	Avalanche
Chevrolet	Colorado
Chevrolet	Silverado
Dodge	RAM
Ford	F-150
GMC	Sierra
Nissan	Titan
Toyota	Tundra

CAMIONNETTE INTERMÉDIAIRE

Dodge	Dakota
Ford	Explorer Sport Trac
Ford	Ranger
GMC	Canyon
Honda	Ridgeline
Mazda	Série B
Nissan	Frontier
Toyota	Tacoma

COUPÉ

AstonMartin	DB9
Audi	A5
Audi	TT
Bentley	Brooklands
Bentley	Continental GT
BMW	Série 1
BMW	Série 3
BMW	Série 6
Chevrolet	Cobalt
Chevrolet	Corvette
Dodge	Challenger
Dodge	Viper
Ferrari	F430
Ford	Focus
Ford	Mustang
Honda	Accord
Honda	Civic
Hyundai	Accent

CATÉGORIE (suite)

Hyundai	Tiburon
Infiniti	G37
Jaguar	XK
Mazda	RX-8
MercedesBenz	Classe CL
MercedesBenz	Classe CLK
MercedesBenz	Classe SL
Mini	Cooper
Mitsubishi	Eclipse
Nissan	350Z
Nissan	Altima
Pontiac	G5
Pontiac	G6
Porsche	911
Porsche	Cayman
smart	Fortwo
Volkswagen	New Beetle
Volvo	C30

FAMILIALE

Audi	A3
Audi	A4
Audi	A6
BMW	Série 3
BMW	Série 5
Chevrolet	HHR
Chrysler	PT Cruiser
Hyundai	Elantra Touring
Jaguar	X-Type
Mazda	Mazda3
MercedesBenz	Classe E
Mini	Clubman
Pontiac	Vibe
Saab	9-3
Saab	9-5
Subaru	Impreza WRX
Subaru	Impreza WRX STi
Subaru	Legacy, Outback
Toyota	Matrix
Volkswagen	Jetta
Volkswagen	Passat
Volvo	V50
Volvo	V70

FOURGONNETTE

Chevrolet	Uplander
Chrysler	Town & Country
Dodge	Grand Caravan
Honda	Odyssey
Hyundai	Entourage
Kia	Sedona
Mazda	5
Nissan	Quest
Pontiac	Montana SV6
Toyota	Sienna

GT

AstonMartin	DBS
AstonMartin	V8 Vantage
Audi	R8
Bentley	Continental GT
Ferrari	599 GTB Fiorano
Ferrari	612 Scaglietti
Lamborghini	Gallardo
Lamborghini	Murcielago
Lamborghini	Reventon
Maserati	Gran Turismo
MercedesBenz	Classe SLR
Nissan	GT-R

HATCHBACK

Chevrolet	Aveo
Dodge	Caliber
Honda	Fit
Kia	Rio5
Kia	Spectra5
Nissan	Versa
Pontiac	G3 Wave
Saturn	Astra
Subaru	Impreza
Suzuki	SX4
Toyota	Prius
Volkswagen	Golf City
Volkswagen	Rabbit

MULTISEGMENT

BMW	X6
Buick	Enclave
Cadillac	SRX
Chevrolet	Traverse
Dodge	Journey
Ford	Edge
Ford	Flex
Ford	Taurus X
GMC	Acadia
Infiniti	EX35
Infiniti	FX35/50
Kia	Rondo
Lincoln	MKX
Mazda	CX-7
Mazda	CX-9
MercedesBenz	Classe B
MercedesBenz	Classe R
Nissan	Murano
Saturn	Outlook
Subaru	Tribeca
Toyota	Highlander
Volvo	XC70
Volvo	XC90

ROADSTER

Cadillac	XLR
Chevrolet	Corvette
Dodge	Viper
Ferrari	F430
Honda	S2000
Lamborghini	Gallardo
Lamborghini	Murcielago
Lotus	Elise, Exige S
Mazda	MX-5
MercedesBenz	Classe SLK
MercedesBenz	Classe SLR
Nissan	350Z
Pontiac	Solstice
Porsche	911
Porsche	Boxster
Saturn	Sky
smart	Fortwo

SOUS-COMPACTES

Chevrolet	Aveo
Hyundai	Accent
Kia	Rio
Pontiac	G3 Wave
Smart	ForTwo
Suzuki	Swift+
Toyota	Yaris

VUS COMPACT

Acura	RDX
Audi	Q5
BMW	X3
Chevrolet	Equinox
Dodge	Nitro
Ford	Escape
Honda	CR-V
Honda	Element
Hyundai	Santa Fe
Hyundai	Tucson
Jeep	Compass
Jeep	Liberty
Jeep	Patriot
Jeep	Wrangler
Kia	Sportage
landrover	LR2
Mazda	Tribute
MercedesBenz	Classe GLK
Mitsubishi	Outlander
Nissan	Rogue
Nissan	Xterra
Pontiac	Torrent
Saturn	VUE
Subaru	Forester
Suzuki	Grand Vitara
Toyota	4Runner
Toyota	RAV4
Volkswagen	Tiguan

VUS GRAND FORMAT

Cadillac	Escalade
Chevrolet	Tahoe
Chevrolet	Suburban
Chrysler	Aspen
Dodge	Durango
Ford	Expedition
GMC	Yukon
Hummer	H2
Infiniti	QX56
landrover	Range Rover
landrover	Range Rover Sport
Lexus	LX
Lincoln	Navigator
MercedesBenz	Classe G
MercedesBenz	Classe GL
Nissan	Armada
Toyota	Sequoia

VUS INTERMÉDIAIRE

Acura	MDX
Audi	Q7
BMW	X5
Chevrolet	Trailblazer
Ford	Explorer
GMC	Envoy
Honda	Pilot
Hummer	H3
Hyundai	Veracruz
Jeep	Commander
Jeep	Grand Cherokee
Kia	Borrego
Kia	Sorento
landrover	LR3
Lexus	GX
Lexus	RX
MercedesBenz	Classe M
Mitsubishi	Endeavor
Nissan	Pathfinder
Porsche	Cayenne
Saab	9-7x
Suzuki	XL-7
Toyota	FJ Cruiser
Volkswagen	Touareg

DIESEL

Malgré les bienfaits de ce type de moteur, on retrouve bien peu de diesels en Amérique du Nord. Voici les quelques modèles qui l'offrent. Il y a cependant fort à parier que d'ici quelques années, le diesel devienne de plus en plus populaire, malgré son prix élevé. Un moteur diesel consomme beaucoup moins qu'un moteur carburant à l'essence, ce qui augmente beaucoup l'autonomie de la voiture, tout en polluant très peu.

Audi	Q7 3.0 TDI
BMW	335d (à venir)
Jeep	Grand Cherokee 3.0
Mercedes-Benz	Classe E320 Bluetec
Mercedes-Benz	Classe GL320 Bluetec
Mercedes-Benz	Classe ML320 Bluetec
Volkswagen	Jetta TDI
Volkswagen	Touareg (à venir)

HYBRIDES

L'offre des constructeurs en termes d'hybrides se bonifie bon an mal an mais on est loin du pactole. Certains prédisent à la technologie hybride un avenir plutôt sombre mais, en attendant de trouver mieux, l'hybridation des véhicules demeure une alternative très intéressante. De plus en plus de modèles hybrides verront le jour d'ici quelques années. Pour le moment, voici ce que nous retrouvons sur le marché.

Chevrolet	Malibu Hybrid
Chevrolet	Tahoe Hybrid
Chrysler	Aspen Hybrid
Ford	Escape Hybrid
GMC	Sierra Hybrid
Honda	Civic Hybrid
Lexus	GS450h
Lexus	LS460h
Nissan	Altima Hybrid
Saturn	Aura Hybrid
Saturn	VUE Hybrid
Toyota	Camry Hybrid
Toyota	Highlander Hybrid
Toyota	Prius

CO_2

Il y dix ans, seuls ceux qui avaient déjà touché à la chimie savaient ce qu'était le CO_2. Aujourd'hui, tout le monde est concerné par les émanations nocives de dioxyde de carbone, rejetées par les pots d'échappement des voitures.

(émissions de dioxyde de carbone en kg par an selon EnerGuide de Ressources naturelles Canada)

PRÉSENTATION PAR ORDRE DE CONSTRUCTEUR

(en kg/an)

ACURA
CSX Type-S	4176
RDX	5280

ASTON MARTIN
V8 Vantage	6864
DB9	8160

AUDI
TT 2.0T	3744
A3 2.0T	3936
A6	5040
TT 3.2	5088
A4 3.2	5328
S5	6048
R8	6672
S8	6720

BENTLEY
Continental GT	8064
Arnage T	8784

BMW
328i	4464
135i	4848
535i	5040
X3 3.0si	5184
650i	5520
750Li	5520
X6 xDrive35i	5600
M3	6048
X5 4.8i	6336

BUICK
Allure Super	5184

CADILLAC
CTS	4848
STS	5472
XLR	5472
DTS	5520
SRX	6384

CHEVROLET
Malibu hybride	3600
Aveo	3752
Impala	4560
Equinox	4992
Uplander	5328
Traverse	5520
Avalanche	6000
Tahoe	6000
Trailblazer	6240
Colorado	6384

CHRYSLER
PtCruiser	4224
Sebring	5088
300C	5568
Aspen	6720

DODGE
Caliber SRT4	4464
Charger SXT	5040
Avenger R/T	5088
Grand Caravan	5376
Challenger R/T automatique	5472
Nitro R/T	5760
Viper	6432
Dakota	6480
RAM	6624

FERRARI
F430	7680
599 GTB Fiorano	8160
612 Scaglietti	8784

FORD
Focus	3456
Escape	4368
Fusion	5040
Flex	5088
Taurus	5136
Edge	5184
Mustang GT	5472
Taurus X	5568
Explorer	6528
Explorer Sport Trac	6672
Ranger	6672
Expedition	7009

GMC
Sierra	6192

HONDA
Civic	3408
Accord	4368
CR-V	4512
Element	4848
S2000	4896
Odyssey	4944
Ridgeline	6000

HUMMER
H3	6096
H2	6984

HYUNDAI
Accent	3312
Elantra	3504
Sonata	4032
Tiburon	4224
Azera	4896
Tucson	4944
Santa Fe	5136
Entourage	5376
Veracruz	5616

INFINITI
G37	4848
EX35	5280
M45	5520
QX56	7344

JAGUAR
XJ8	5136
X-Type	5424
XK-R	5520

JEEP
Patriot	4416
Grand Cherokee	5778
Liberty	5808
Wrangler	6432
Commander	6720

KIA
Rio/Rio5	3360
Spectra/Spectra5	3648
Magentis	3936
Rondo	4512
Amanti	5088
Sedona	5376
Sorento	5808

LAMBORGHINI
Gallardo	8016
Murcielago	10224

LAND ROVER
LR2	5376
Range Rover HSE	7008
LR3 HSE	7032
Range Rover Sport Supercharged	7128

LEXUS
GS450h	3984
LS600h	4368
ES	4464
IS-F	5280
RX350	5280
SC430	5280
GX470	6528
LX570	6960

LINCOLN
MKZ	5136
MKX	5184
MKS	5760
Navigator	7009

MASERATI
Gran Turismo	6864

MAYBACH
57S / 62S	7660

MAZDA
Mazda3	3888
Mazda6	3936
MX-5	4128
Mazda5	4512
CX-9	5184
RX-8	5280
CX-7	5376

MERCEDES-BENZ
Classe GL450	3402
Classe E320 Bluetec	4104
Classe B200T	4128
Classe GLK	4224
Classe C230	4656
Classe SLK350	5136
Classe R320 CDI	5184
Classe ML320 CDI	5400
Classe CLS550	6000
Classe CL550	6144
Classe S550 4Matic	6144
Classe SL550	6432
Classe CLK63 AMG	7344
Classe G550	7776

MINI
Cooper S	3264

MITSUBISHI
Lancer GTS	4176
Outlander	4464
Galant Ralliart	5088
Eclipse GT-P	5184
Endeavor	5952

NISSAN
Versa	3456
Sentra	3600
Rogue	4176
Altima V6	4464
350Z	4944
Quest	5232
Xterra	5760
Frontier	6240
Pathfinder	6960
Titan	7296

PONTIAC
G3 Wave	3752
Solstice GXP	4368
G6	4800

PORSCHE
G3 Wave	3752
Solstice GXP	4368
G6	4800

ROLLS-ROYCE
Phantom	7248

SAAB
9-3	4368
9-5	4848
9-7x 4.2	6240

SATURN
Astra	3648
VUE	4512
Aura	4608
Outlook XR	5520

SMART
Fortwo	2592

SUBARU
Impreza	4464
Impreza WRX	4656
Legacy, Outback	5040
Tribeca	5520

SUZUKI
SX-4	3984
Grand Vitara	5472
XL-7	5616

TOYOTA
Prius	1968
Camry hybride	2736
Yaris	3024
Corolla	3264
Matrix XRS	3984
Avalon	4320
RAV4	4608
Sienna	4848
Highlander	5184
4Runner	5760
FJ Cruiser	5760
Tacoma	5760
Sequoia	6720
Tundra	7008

VOLKSWAGEN
Golf City	4128
Passat 2.0T	4128
Eos	4224
New Beetle	4224
Jetta 2.5	4320
Rabbit	4320
Touareg	7104

VOLVO
C30 2.4i	4272
C70	4560
S60 2.5T	4752
S40 T5	4992
S80 V8	5520
XC70 3.2	5760
XC90	6480

PRÉSENTATION PAR ORDRE DE REJET DE CO2

Toyota Prius	1968
smart Fortwo	2592
Toyota Camry hybride	2736
Toyota Yaris	3024
MINI Cooper S	3264
Toyota Corolla	3264
Hyundai Accent	3312
Kia Rio/Rio5	3360
Mercedes-Benz Classe GL450	3402
Honda Civic	3408
Ford Focus	3456
Nissan Versa	3456
Hyundai Elantra	3504
Chevrolet Malibu hybride	3600
Nissan Sentra	3600
Kia Spectra/Spectra5	3648
Saturn Astra	3648
Audi TT 2.0T	3744
Chevrolet Aveo	3752
Pontiac G3 Wave	3752
Mazda Mazda3	3888
Audi A3 2.0T	3936
Kia Magentis	3936
Mazda6	3936
Lexus GS450h	3984
Suzuki SX-4	3984
Toyota Matrix XRS	3984
Hyundai Sonata	4032
Mercedes-Benz Classe E320 Bluetec	4104
Mazda MX-5	4128
Mercedes-Benz Classe B200T	4128
Volkswagen Golf City	4128
Volkswagen Passat 2.0T	4128
Acura CSX Type-S	4176
Mitsubishi Lancer GTS	4176
Nissan Rogue	4176
Chrysler PtCruiser	4224
Hyundai Tiburon	4224
Mercedes-Benz Classe GLK	4224
Volkswagen Eos	4224
Volkswagen New Beetle	4224
Volvo C30 2.4i	4272
Toyota Avalon	4320
Volkswagen Jetta 2.5	4320
Volkswagen Rabbit	4320
Ford Escape	4368
Honda Accord	4368
Lexus LS600h	4368
Pontiac Solstice GXP	4368
Saab 9-3	4368
Jeep Patriot	4416
BMW 328i	4464
Dodge Caliber SRT4	4464
Lexus ES	4464
Mitsubishi Outlander	4464
Nissan Altima V6	4464
Subaru Impreza	4464
Honda CR-V	4512
Kia Rondo	4512
Mazda5	4512
Saturn VUE	4512
Chevrolet Impala	4560
Volvo C70	4560
Saturn Aura	4608
Toyota RAV4	4608
Mercedes-Benz Classe C230	4656
Subaru Impreza WRX	4656
Porsche Boxster S	4752
Porsche Cayman S	4752
Volvo S60 2.5T	4752
Pontiac G6	4800
BMW 135i	4848
Cadillac CTS	4848
Honda Element	4848
Infiniti G37	4848
Saab 9-5	4848
Toyota Sienna	4848
Honda S2000	4896
Hyundai Azera	4896
Honda Odyssey	4944
Hyundai Tucson	4944
Nissan 350Z	4944
Chevrolet Equinox	4992
Volvo S40 T5	4992
Audi A6	5040
BMW 535i	5040
Dodge Charger SXT	5040
Ford Fusion	5040
Subaru Legacy, Outback	5040
Audi TT 3.2	5088
Chrysler Sebring	5088
Dodge Avenger R/T	5088
Ford Flex	5088
Kia Amanti	5088
Mitsubishi Galant Ralliart	5088
Ford Taurus	5136
Hyundai Santa Fe	5136
Jaguar XJ8	5136
Lincoln MKZ	5136
Mercedes-Benz Classe SLK350	5136
BMW X3 3.0si	5184
Buick Allure Super	5184
Ford Edge	5184
Lincoln MKX	5184
Mazda CX-9	5184
Mercedes-Benz Classe R320 CDI	5184
Mitsubishi Eclipse GT-P	5184
Toyota Highlander	5184
Nissan Quest	5232
Acura RDX	5280
Infiniti EX35	5280
Lexus IS-F	5280
Lexus RX350	5280
Lexus SC430	5280
Mazda RX-8	5280
Audi A4 3.2	5328
Chevrolet Uplander	5328
Dodge Grand Caravan	5376
Hyundai Entourage	5376
Kia Sedona	5376
Land Rover LR2	5376
Mazda CX-7	5376
Mercedes-Benz Classe ML320 CDI	5400
Jaguar X-Type	5424
Cadillac STS	5472
Cadillac XLR	5472
Dodge Challenger R/T automatique	5472
Ford Mustang GT	5472
Suzuki Grand Vitara	5472
BMW 650i	5520
BMW 750Li	5520
Cadillac DTS	5520
Chevrolet Traverse	5520
Infiniti M45	5520
Jaguar XK-R	5520
Saturn Outlook XR	5520
Subaru Tribeca	5520
Volvo S80 V8	5520
Chrysler 300C	5568
Ford Taurus X	5568
BMW X6 xDrive35i	5600
Hyundai Veracruz	5616
Suzuki XL-7	5616
Dodge Nitro R/T	5760
Lincoln MKS	5760
Nissan Xterra	5760
Toyota 4Runner	5760
Toyota FJ Cruiser	5760
Toyota Tacoma	5760
Volvo XC70 3.2	5760
Jeep Grand Cherokee	5778
Jeep Liberty	5808
Kia Sorento	5808
Mitsubishi Endeavor	5952
Chevrolet Avalanche	6000
Chevrolet Tahoe	6000
Honda Ridgeline	6000
Mercedes-Benz Classe CLS550	6000
Audi S5	6048
BMW M3	6048
Hummer H3	6096
Mercedes-Benz Classe CL550	6144
Mercedes-Benz Classe S550 4Matic	6144
GMC Sierra	6192
Chevrolet Trailblazer	6240
Nissan Frontier	6240
Saab 9-7x 4.2	6240
BMW X5 4.8i	6336
Cadillac SRX	6384
Chevrolet Colorado	6384
Dodge Viper	6432
Jeep Wrangler	6432
Mercedes-Benz Classe SL550	6432
Dodge Dakota	6480
Volvo XC90	6480
Ford Explorer	6528
Lexus GX470	6528
Dodge RAM	6624
Audi R8	6672
Ford Explorer Sport Trac	6672
Ford Ranger	6672
Audi S8	6720
Chrysler Aspen	6720
Jeep Commander	6720
Toyota Sequoia	6720
Aston Martin V8 Vantage	6864
Maserati Gran Turismo	6864
Lexus LX570	6960
Nissan Pathfinder	6960
Hummer H2	6984
Land Rover Range Rover HSE	7008
Toyota Tundra	7008
Ford Expedition	7009
Lincoln Navigator	7009
Land Rover LR3 HSE	7032
Volkswagen Touareg	7104
Land Rover Range Rover Sport Supercharged	7128
Rolls-Royce Phantom	7248
Nissan Titan	7296
Infiniti QX56	7344
Mercedes-Benz Classe CLK63 AMG	7344
Maybach 57S / 62S	7660
Ferrari F430	7680
Mercedes-Benz Classe G550	7776
Lamborghini Gallardo	8016
Bentley Continental GT	8064
Aston Martin DB9	8160
Ferrari 599 GTB Fiorano	8160
Bentley Arnage T	8784
Ferrari 612 Scaglietti	8784
Lamborghini Murcielago	10224
Moyenne	**5310**

MOTEURS

Du plus petit au plus gros, du moins puissant au plus déluré, voici la liste des moteurs des différents véhicules faisant l'objet d'une analyse dans le *Guide de l'auto*. Il ne s'agit pas d'une liste exhaustive.

PRÉSENTATION PAR ORDRE DE CONSTRUCTEUR

ACURA

		Puissance (ch)	Couple (lb-pi)
CSX	4L	155	139
CSX Type-S	4L	197	139
MDX	V6	300	275
RDX	4L	240	260
RL	V6	300	271
TL	V6	300	271
TL	V6	280	254
TSX	4L	201	172

ASTON MARTIN

		Puissance (ch)	Couple (lb-pi)
DB9	V12	450	420
DBS	V12	510	420
V8 Vantage	V8	380	302

AUDI

		Puissance (ch)	Couple (lb-pi)
A3 2.0T	4L	200	207
A3 3.2	V6	250	236
A4 2.0T	4L	200	207
A4 3.2	V6	265	243
A5	V6	265	243
S5	V8	354	325
A6	V6	255	243
A6	V8	350	325
S6	V10	435	398
A8	V8	350	325
S8	V10	450	398
A8	W12	450	428
Q5	V6	270	243
Q7 4.2	V8	350	325
Q7 3.0 TDi	V6	221	406
Q7 3.6	V6	280	266
R8	V8	420	317
TT 2.0T	4L	200	207
TT 3.2	V6	250	236
TTS	4L	272	258

BENTLEY

		Puissance (ch)	Couple (lb-pi)
Arnage T	V8	500	738
Arnage Brooklands	V8	530	774
Continental GT/GTC/Flying Spur	W12	552	479
Continental GT Speed	W12	600	553

BMW

		Puissance (ch)	Couple (lb-pi)
Série 1 128i	6L	230	200
Série 1 135i	6L	300	300
Série 3 323i	6L	200	180
Série 3 328i, 328Xi	6L	230	200
Série 3 335i, 335Xi	6L	300	300
Série 3 M3	V8	414	295
Série 5 528i, 528Xi	6L	230	200
Série 5 535i, 535Xi	6L	300	300
Série 5 550i	V8	360	360
Série 5 M5	V10	500	383
Série 6 650i	V8	360	360
Série 6 M6	V10	500	383
Série 7 Alpina B7	V8	500	516
Série 7 750i, 750Li	V8	360	360
Série 7 760Li	V12	438	444
X3 3.0i	6L	215	185
X3 3.0si	6L	260	225
X5 3.0si	6L	260	225
X5 4.8i	V8	350	350
X6 xDrive50i	V8	400	450
X6 xDrive35i	6L	300	300

BUICK

		Puissance (ch)	Couple (lb-pi)
Allure CX, CXL	V6	200	230
Allure Super	V8	300	323
Enclave	V6	288	270
Lucerne CX, CXL	V6	227	237
Lucerne Super	V8	292	288

CADILLAC

		Puissance (ch)	Couple (lb-pi)
CTS	V6	263	253
CTS CTS-V	V8	550	550
DTS	V8	275	295
DTS	V8	292	288
Escalade / EXT	V8	403	417
SRX	V6	255	254
SRX	V8	320	315
STS	V6	302	272
STS	V8	320	315
STS-V	V8	469	439
XLR	V8	320	310
XLR-V	V8	443	414

CHEVROLET

		Puissance (ch)	Couple (lb-pi)
Avalanche	V8	310	335
Avalanche	V8	403	417
Avalanche	V8	366	380
Aveo	4L	106	105
Cobalt	4L	155	150
Cobalt	4L	260	260
Colorado	5L	242	242
Colorado	4L	185	190
Corvette	V8	430	424
Corvette Z06	V8	505	470
Corvette ZR1	V8	638	604
Equinox	V6	185	210
Equinox	V6	264	250
HHR	4L	172	167
HHR SS	4L	260	260
HHR	4L	155	150
Impala	V6	211	214
Impala	V6	233	240
Impala SS	V8	303	323
Malibu	4L	169	160
Malibu	V6	252	251
Malibu Hybrid	4L	164	159
Silverado	V8	403	417
Silverado	V6	195	260
Silverado	V8	295	305
Silverado	V8	315	338
Silverado	V8	367	375
Suburban	V8	320	340
Suburban	V8	310	335
Suburban	V8	366	380
Tahoe	V8	320	340
Tahoe	V8	395	417
Tahoe Hybride	V8	332	367
Trailblazer LT	6L	285	276
Trailblazer SS	V8	390	400
Traverse	V6	281	253
Traverse	V6	288	270
Uplander	V6	240	240

Chrysler

		Puissance (ch)	Couple (lb-pi)
300 Touring, Limited	V6	250	250
300 300C	V8	370	398
300 SRT8	V8	425	420
Aspen Hybrid	V8	385	380
Aspen	V8	303	330
Aspen Limited	V8	365	390
PtCruiser	4L	150	165
Sebring LX	4L	173	165
Sebring Touring, Limited	V6	190	190
Sebring Touring, Limited	V6	235	232
Town & Country Limited	V6	251	260
Town & Country Touring	V6	197	230

DODGE

		Puissance (ch)	Couple (lb-pi)
Avenger SE	4L	173	166
Avenger SXT	V6	190	190
Avenger R/T	V6	235	232
Caliber SE, SXT	4L	148	125
Caliber R/T	4L	172	165
Caliber SRT-4	4L	285	265
Challenger SE, SXT	V6	250	250
Challenger R/T manuelle	V8	376	410
Challenger SRT8	V8	425	420
Challenger R/T automatique	V8	372	401
Charger SE	V6	190	190
Charger SXT	V6	250	250
Charger R/T	V8	370	398
Charger SRT8	V8	425	420
Charger R/T Daytona	V8	350	390
Dakota	V6	210	235
Dakota	V8	302	329
Durango SLT	V8	303	330
Durango Hybrid	V8	345	380
Grand Caravan	V6	175	205
Grand Caravan	V6	197	230
Grand Caravan	V6	251	259
Journey SXT, R/T	V6	235	232
Journey SE	4L	173	166
Nitro	V6	210	235
Nitro R/T	V6	260	265
RAM	V6	215	235
RAM	V8	310	330
RAM	V8	390	407
Viper	V10	600	560

FERRARI

		Puissance (ch)	Couple (lb-pi)
599 GTB Fiorano	V12	620	448
612 Scaglietti	V12	540	434
F430	V8	490	343
F430 Scuderia	V8	510	347

FORD

		Puissance (ch)	Couple (lb-pi)
Edge	V6	265	250
Escape Hybride	4L	153	136
Escape	V6	240	223
Escape	4L	171	171
Expedition	V8	300	365
Explorer	V6	210	254
Explorer	V8	292	300
Explorer Sport Trac	V6	210	254
Explorer Sport Trac	V8	292	300
F-150	V8	248	294
F-150	V8	320	390
F-150	V8	292	320
F-150	V8	310	370
Flex	V6	262	248
Focus	4L	140	136
Fusion	4L	160	156
Fusion	V6	221	205
Mustang	V6	210	240
Mustang GT	V8	300	320
Mustang Shelby GT500	V8	500	480
Ranger	4L	143	154
Ranger	V6	207	238
Ranger	V6	148	180
Taurus	V6	263	249
Taurus X	V6	263	249

GMC

		Puissance (ch)	Couple (lb-pi)
Acadia	V6	288	270
Canyon	V8	320	320
Canyon	4L	185	190
Canyon	5L	242	242
Envoy SLE, SLT	6L	285	276
Envoy Denali	V8	300	321
Sierra	V8	295	305
Sierra	V8	315	338
Sierra	V8	367	375
Sierra	V8	403	417
Yukon	V8	320	340
Yukon XL	V8	310	335
Yukon XL	V8	366	376
Yukon XL	V8	352	382
Yukon XL 2500	V8	403	417

HONDA

		Puissance (ch)	Couple (lb-pi)
Accord	4L	177	161
Accord	4L	190	162
Accord	V6	271	251
Civic Hybride	4L	110	123
Civic	4L	140	128
Civic Si	4L	197	139
CR-V	4L	166	161
Element	4L	166	161
Fit	4L	118	107
Odyssey	V6	244	240
Pilot	V6	250	253
Ridgeline	V6	250	247
S2000	4L	237	162

HUMMER

		Puissance (ch)	Couple (lb-pi)
H2	V8	393	415
H3	5L	239	241
H3	V8	300	320

HYUNDAI

		Puissance (ch)	Couple (lb-pi)
Accent	4L	110	106
Azera	V6	263	257
Elantra	4L	138	136
Entourage	V6	250	253
Genesis	V6	290	264
Genesis	V8	368	324
Santa Fe	V6	185	183
Santa Fe	V6	242	226
Sonata	4L	175	168
Sonata	V6	249	229
Tiburon	4L	138	136
Tiburon	V6	172	181
Tucson	4L	140	136
Tucson	V6	173	178
Veracruz	V6	260	257

INFINITI

		Puissance (ch)	Couple (lb-pi)
EX	V6	297	253
FX35	V6	303	262
FX50	V8	390	369
G35, G35x	V6	306	268
G37 coupé	V6	330	270
M35, M35x	V6	275	268
M45, M45x	V8	325	336
QX S6	V8	320	393

JAGUAR

		Puissance (ch)	Couple (lb-pi)
X-Type	V6	227	206
XF	V8	300	310
XF Supercharged	V8	420	413
XJ	V8	300	310
XJ8-R	V8	400	413
XK	V8	300	310
XK-R	V8	420	413

JEEP

		Puissance (ch)	Couple (lb-pi)
Commander	V6	210	235
Commander	V8	305	334
Commander	V8	357	389
Compass	4L	172	165
Compass	4L	158	141
Grand Cherokee diesel	V6	215	376
Grand Cherokee	V6	210	235
Grand Cherokee	V8	305	334
Grand Cherokee	V8	357	389

		Puissance (ch)	Couple (lb-pi)
Grand Cherokee SRT8	V8	420	420
Liberty	V6	210	235
Patriot	4L	158	141
Patriot	4L	172	165
Wrangler	V6	202	237

KIA

		Puissance (ch)	Couple (lb-pi)
Amanti	V6	264	260
Borrego	V6	276	267
Borrego	V8	337	323
Magentis	4L	161	163
Magentis	V6	185	182
Rio/Rio5	4L	110	107
Rondo	4L	162	163
Rondo	V6	182	182
Sedona	V6	250	253
Sorento	V6	242	228
Sorento	V6	262	260
Spectra/Spectra5	4L	138	136
Sportage	4L	140	136
Sportage	V6	173	178

LAMBORGHINI

		Puissance (ch)	Couple (lb-pi)
Gallardo	V10	520	377
Gallardo LP560-4	V10	560	398
Murcielago	V12	640	487
Reventon	V12	650	487

LAND ROVER

		Puissance (ch)	Couple (lb-pi)
LR2	6L	230	234
LR3 SE	V6	216	269
LR3 SE, HSE	V8	300	315
Range Rover Suralimenté	V8	400	420
Range Rover HSE	V8	305	325
Range Rover Sport HSE	V8	300	315
Range Rover Sport Suralimenté	V8	400	420

LEXUS

		Puissance (ch)	Couple (lb-pi)
ES 350	V6	272	254
GS350	V6	303	274
GS450h	V6	339	267
GS430	V8	290	319
GS460	V8	342	339
GX 470	V8	263	323
IS250	V6	204	185
IS350	V6	306	277
IS-F	V8	416	371
LS460	V8	380	367
LS600h L	V8	438	385
LX570	V8	383	403
RX350	V6	270	251
SC430	V8	288	317

LINCOLN

		Puissance (ch)	Couple (lb-pi)
MKS	V6	273	270
MKX	V6	265	250
MKZ	V6	263	249
Navigator	V8	300	365

LOTUS

		Puissance (ch)	Couple (lb-pi)
Elise	4L	190	134
Exige S	4L	220	165

MASERATI

		Puissance (ch)	Couple (lb-pi)
Gran Turismo	V8	400	339
Quattroporte	V8	395	326

MAYBACH

		Puissance (ch)	Couple (lb-pi)
57 - 62	V12	543	664
57S - 62S	V12	604	738

MAZDA

		Puissance (ch)	Couple (lb-pi)
CX-7	4L	244	258
CX-9	V6	273	270
Mazda3	4L	148	135
Mazda3	4L	156	150
MazdaSpeed3	4L	263	280
Mazda5	4L	153	148
Mazda6	4L	170	167
Mazda6	V6	272	269
MX-5 automatique	4L	163	140
MX-5	4L	166	140
RX-8 manuelle	rotatif	232	159
RX-8 automatique	rotatif	212	159
Série B	4L	143	154
Série B	V6	148	180
Série B	V6	207	238
Tribute	4L	171	171
Tribute	V6	240	223

MERCEDES-BENZ

		Puissance (ch)	Couple (lb-pi)
Classe B B200	4L	134	136
Classe B B200 T	4L	193	206
Classe C C300	V6	228	221
Classe C C350	V6	268	258
Classe C C230	V6	201	181
Classe C C63 AMG	V8	451	443
Classe CL CL550	V8	382	391
Classe CL CL63 AMG	V8	518	465
Classe CL CL600	V12	510	612
Classe CL CL65 AMG	V12	603	738
Classe CLK CLK350	V6	268	258
Classe CLK CLK550	V8	382	391
Classe CLK CLK63 AMG	V8	475	465
Classe CLS CLS63 AMG	V8	507	465
Classe CLS CLS550	V8	382	391
Classe E E300 4MATIC	V6	228	221
Classe E E320 Bluetec	V6	210	388
Classe E E350 4MATIC	V6	268	258
Classe E E550 4MATIC	V8	382	391
Classe E E63 AMG	V8	507	465
Classe G G550	V8	382	391
Classe G G55 AMG	V8	500	517
Classe GL GL320 CDI	V6	210	400
Classe GL GL450	V8	335	339
Classe GL GL550	V8	382	391
Classe GLK	V6	272	258
Classe M ML320 CDI	V6	210	400
Classe M ML350	V6	268	258
Classe M ML550	V8	382	391
Classe M ML63 AMG	V8	503	465
Classe R R350	V6	268	258
Classe R R320 CDI	V6	210	400
Classe S S600	V12	510	612
Classe S S65 AMG	V12	603	738
Classe S S550 4Matic	V8	382	391
Classe S S450 4Matic	V8	335	339
Classe S S63 AMG	V8	518	465
Classe SL SL550	V8	382	391
Classe SL SL63 AMG	V8	518	465
Classe SL SL600	V12	510	612
Classe SL SL65 AMG	V12	603	738
Classe SLK SLK 350	V6	300	266
Classe SLK SLK 55 AMG	V8	355	376
Classe SLK SLK 300	V6	228	221
Classe SLR SLR McLaren	V8	617	575

MINI

		Puissance (ch)	Couple (lb-pi)
Clubman	4L	118	114
Clubman S	4L	172	177
Cooper Cooper	4L	118	114
Cooper Cooper S	4L	172	177
Cooper John Cooper Works	4L	208	207

MITSUBISHI

		Puissance (ch)	Couple (lb-pi)
Eclipse GS	4L	162	162
Eclipse GT-P	V6	260	258
Endeavor	V6	225	255
Evolution MR / GSR	4L	291	300
Galant ES	4L	160	157
Galant GT	V6	230	250
Galant Ralliart	V6	258	258
Lancer	4L	152	146
Lancer Ralliart	4L	237	253
Lancer GTS	4L	168	167
Outlander	V6	220	204
Outlander	4L	168	167

NISSAN

		Puissance (ch)	Couple (lb-pi)
350Z	V6	306	268
Altima 2.5	4L	175	180
Altima 3.5	V6	270	258
Altima Hybrid	4L	158	162
Armada	V8	317	385
Frontier	4L	152	171
Frontier	V6	261	281
GT-R	V6	480	430
Maxima	V6	290	261
Murano	V6	265	248
Pathfinder	V6	266	288
Pathfinder	V8	310	388
Quest	V6	235	240
Rogue	4L	170	175
Sentra	4L	140	147
Sentra SE-R	4L	177	172
Sentra SE-R Spec V	4L	200	180
Titan	V8	317	385
Versa	4L	122	127
Xterra	V6	261	281

PONTIAC

		Puissance (ch)	Couple (lb-pi)
G3 Wave	4L	106	105
G5	4L	148	152
G5 GT	4L	171	167
G6	4L	164	156
G6	V6	219	221
G6	V6	252	251
G6	V6	222	238
G8	V6	256	248
G8 GT	V8	361	385
G8 GXP	V8	402	402
Montana SV6	V6	240	240
Solstice	4L	173	167
Solstice GXP	4L	260	260
Torrent	V6	185	210
Torrent GXP	V6	264	250
Vibe	4L	132	128
Vibe AWD et GT	4L	158	162
Wave	4L	103	107

PORSCHE

		Puissance (ch)	Couple (lb-pi)
911 Carrera	H6	345	288
911 GT3	H6	415	300
911 Turbo	H6	480	460
911 GT2	H6	530	505
911 S	H6	385	310
Boxster	H6	245	201
Boxster S	H6	295	251
Cayenne S	V8	385	369
Cayenne Turbo	V8	500	516
Cayenne Turbo S	V8	550	553
Cayenne GTS	V8	405	369
Cayenne	V6	290	273
Cayman S	H6	295	252
Cayman	H6	245	201

ROLLS-ROYCE

		Puissance (ch)	Couple (lb-pi)
Phantom / Drophead Coupé	V12	453	531

SAAB

		Puissance (ch)	Couple (lb-pi)
9-3	4L	210	221
9-3 Turbo X	V6	280	295
9-5	4L	260	258
9-7x 5.3	V8	300	321
9-7x 4.2	6L	285	276
9-7x Aero 6.0i	V8	390	400

SATURN

		Puissance (ch)	Couple (lb-pi)
Astra	4L	138	125
Aura	V6	224	220
Aura Hybride	4L	164	159
Aura XR	V6	252	251
Outlook	V6	281	253
Outlook XR	V6	286	255
Sky Red Line	4L	260	260
Sky	4L	173	167
VUE	4L	169	161
VUE	V6	222	219
VUE XR, Red Line	V6	257	248
VUE Hybride bi-mode	V6	255	252

smart

		Puissance (ch)	Couple (lb-pi)
Fortwo	3L	70	68

SUBARU

		Puissance (ch)	Couple (lb-pi)
Forester	H4	170	170
Forester	H4	224	226
Impreza	H4	170	170
Impreza WRX 265	H4	265	244
Impreza WRX, STi	H4	224	226
Impreza WRX STi	H4	305	290
Legacy, Outback	H4	170	170
Legacy, Outback	H4	243	241
Legacy, Outback H6, 3.0	H6	245	215
Tribeca	H6	256	247

SUZUKI

		Puissance (ch)	Couple (lb-pi)
Grand Vitara	V6	185	184
Swift+	4L	103	107
SX-4	4L	143	136
XL-7	V6	252	243

TOYOTA

		Puissance (ch)	Couple (lb-pi)
4Runner	V6	236	266
4Runner	V8	260	306
Avalon	V6	268	248
Camry	4L	158	161
Camry Hybride	4L	187	138
Camry	V6	268	248
Corolla	4L	132	128
Corolla XRS	4L	158	162
FJ Cruiser	V6	239	278
Highlander	V6	270	248
Highlander Hybride	V6	270	212
Matrix	4L	132	128
Matrix XR, XRS	4L	158	162
Matrix AWD	4L	158	162
Prius	4L	110	82
RAV4	4L	166	165
RAV4	V6	269	246
Sequoia	V8	381	401
Sequoia SR5	V8	276	313
Sienna	V6	266	245
Tacoma	4L	159	180
Tacoma	V6	236	266
Tundra	V8	276	313
Tundra	V8	381	401
Yaris	4L	106	103

VOLKSWAGEN

		Puissance (ch)	Couple (lb-pi)
Eos	4L	200	207
Golf City	4L	115	122
Jetta 2.5	5L	170	177
Jetta 2.0T	4L	200	207
Jetta 2.0 TDi	4L	140	236
Jetta City	4L	115	122
New Beetle	5L	150	170
Passat 2.0T	4L	200	207
Passat	V6	280	265
Rabbit	5L	170	177
Rabbit GTi, GLi	4L	200	207
Tiguan	4L	200	207
Touareg V6	V6	280	265

VOLVO

		Puissance (ch)	Couple (lb-pi)
C30 2.4i	5L	168	170
C30 T5	5L	227	236
C70	5L	227	236
S40 2.4i	5L	168	170
S40 T5	5L	227	236
S60 2.5T	5L	208	236
S80 3.2	6L	235	236
S80 V8	V8	311	325
S80 T6	6L	281	295
V50 2.4i	5L	168	170
V50 T5	5L	227	236
V70 3.2	6L	235	236
XC60	6L	281	295
XC70 3.2	6L	235	236
XC70 T6	6L	281	295
XC90	6L	235	236
XC90	V8	311	325

MOTEURS (SUITE)

PRÉSENTATION PAR ORDRE DE PUISSANCE DU MOTEUR

		Puissance (ch)	Couple (lb-pi)
smart Fortwo	3L	70	68
Pontiac Wave	4L	103	107
Suzuki Swift+	4L	103	107
Chevrolet Aveo	4L	106	105
Pontiac G3 Wave	4L	106	105
Toyota Yaris	4L	106	103
Honda Civic Hybride	4L	110	123
Hyundai Accent	4L	110	106
Kia Rio/Rio5	4L	110	107
Toyota Prius	4L	110	82
Volkswagen Golf City	4L	115	122
Volkswagen Jetta City	4L	115	122
Honda Fit	4L	118	107
MINI Clubman	4L	118	114
MINI Cooper	4L	118	114
Nissan Versa	4L	122	127
Pontiac Vibe	4L	132	128
Toyota Corolla	4L	132	128
Toyota Matrix	4L	132	128
Mercedes-Benz Classe B B200	4L	134	136
Hyundai Elantra	4L	138	136
Hyundai Tiburon	4L	138	136
Kia Spectra/Spectra5	4L	138	136
Saturn Astra	4L	138	125
Ford Focus	4L	140	136
Honda Civic	4L	140	128
Hyundai Tucson	4L	140	136
Kia Sportage	4L	140	136
Nissan Sentra	4L	140	147
Volkswagen Jetta 2.0 TDI	4L	140	236
Ford Ranger	4L	143	154
Mazda Série B	4L	143	154
Suzuki SX-4	4L	143	136
Dodge Caliber SE, SXT	4L	148	125
Ford Ranger	V6	148	180
Mazda3	4L	148	135
Mazda Série B	V6	148	180
Pontiac G5	4L	148	152
Chrysler PtCruiser	4L	150	165
Volkswagen New Beetle	5L	150	170
Mitsubishi Lancer	4L	152	146
Nissan Frontier	4L	152	171
Ford Escape Hybride	4L	153	136
Mazda5	4L	153	148
Acura CSX	4L	155	139
Chevrolet Cobalt	4L	155	150
Chevrolet HHR	4L	155	150
Mazda3	4L	156	150
Dodge Caliber SE, SXT (opt)	4L	158	141
Jeep Compass	4L	158	141
Jeep Patriot	4L	158	141
Nissan Altima Hybrid	4L	158	162
Pontiac Vibe AWD et GT	4L	158	162
Toyota Camry	4L	158	161
Toyota Corolla XRS	4L	158	162
Toyota Matrix XR, XRS	4L	158	162
Toyota Matrix AWD	4L	158	162
Toyota Tacoma	4L	159	180
Ford Fusion	4L	160	156
Mitsubishi Galant ES	4L	160	157
Kia Magentis	4L	161	163
Kia Rondo	4L	162	163
Mitsubishi Eclipse GS	4L	162	162
Mazda MX-5 automatique	4L	163	140

		Puissance (ch)	Couple (lb-pi)
Chevrolet Malibu Hybrid	4L	164	159
Pontiac G6	4L	164	156
Saturn Aura	4L	164	159
Saturn Aura Hybride	4L	164	159
Honda CR-V	4L	166	161
Honda Element	4L	166	161
Mazda MX-5	4L	166	140
Toyota RAV4	4L	166	165
Mitsubishi Lancer GTS	4L	168	167
Mitsubishi Outlander	4L	168	167
Volvo C30 2.4i	5L	168	170
Volvo S40 2.4i	5L	168	170
Volvo V50 2.4i	5L	168	170
Chevrolet Malibu	4L	169	160
Saturn VUE	4L	169	161
Mazda6	4L	170	167
Nissan Rogue	4L	170	175
Subaru Forester	H4	170	170
Subaru Impreza	H4	170	170
Subaru Legacy, Outback	H4	170	170
Volkswagen Jetta 2.5	5L	170	177
Volkswagen Rabbit	5L	170	177
Ford Escape	4L	171	171
Mazda Tribute	4L	171	171
Pontiac G5 GT	4L	171	167
Chevrolet HHR	4L	172	167
Dodge Caliber R/T	4L	172	165
Hyundai Tiburon	V6	172	181
Jeep Compass	4L	172	165
Jeep Patriot	4L	172	165
MINI Clubman S	4L	172	177
MINI Cooper S	4L	172	177
Chrysler Sebring LX	4L	173	165
Dodge Avenger SE, SXT	4L	173	166
Dodge Journey SE	4L	173	166
Hyundai Tucson	V6	173	178
Kia Sportage	V6	173	178
Pontiac Solstice	4L	173	167
Saturn Sky	4L	173	167
Dodge Grand Caravan	V6	175	205
Hyundai Sonata	4L	175	168
Nissan Altima 2.5	4L	175	180
Honda Accord	4L	177	161
Nissan Sentra SE-R	4L	177	172
Kia Rondo	V6	182	182
Chevrolet Colorado	4L	185	190
Chevrolet Equinox	V6	185	210
GMC Canyon	4L	185	190
Hyundai Santa Fe	V6	185	183
Kia Magentis	V6	185	182
Pontiac Torrent	V6	185	210
Suzuki Grand Vitara	V6	185	184
Toyota Camry Hybride	4L	187	138
Chrysler Sebring Touring, Limited	V6	190	190
Dodge Avenger SXT	V6	190	190
Dodge Charger SE	V6	190	190
Honda Accord	4L	190	162
Lotus Elise	4L	190	134
Mercedes-Benz Classe B B200 T	4L	193	206
Chevrolet Silverado	V6	195	260
GMC Sierra	V6	195	260
Acura CSX Type-S	4L	197	139
Chrysler Town & Country Touring	V6	197	230
Dodge Grand Caravan	V6	197	230
Honda Civic Si	4L	197	139
Audi A3 2.0T	4L	200	207
Audi A4 2.0T	4L	200	207
Audi TT 2.0T	4L	200	207

		Puissance (ch)	Couple (lb-pi)
BMW Série 3 323i	6L	200	180
Buick Allure CX, CXL	V6	200	230
Nissan Sentra SE-R Spec V	4L	200	180
Volkswagen Eos	4L	200	207
Volkswagen Jetta 2.0T	4L	200	207
Volkswagen Passat 2.0T	4L	200	207
Volkswagen Rabbit GTi, GLi	4L	200	207
Volkswagen Tiguan	4L	200	207
Acura TSX	4L	201	172
Mercedes-Benz Classe C C230	V6	201	181
Jeep Wrangler	V6	202	237
Lexus IS IS250	V6	204	185
Ford Ranger	V6	207	238
Mazda Série B	V6	207	238
MINI Cooper John Cooper Works	4L	208	207
Volvo S60 2.5T	5L	208	236
Dodge Dakota	V6	210	235
Dodge Nitro	V6	210	235
Ford Explorer	V6	210	254
Ford Explorer Sport Trac	V6	210	254
Ford Mustang	V6	210	240
Jeep Commander	V6	210	235
Jeep Grand Cherokee	V6	210	235
Jeep Liberty	V6	210	235
Mercedes-Benz Classe E E320 Bluetec	V6	210	388
Mercedes-Benz Classe GL GL320 CDI	V6	210	400
Mercedes-Benz Classe M ML320 CDI	V6	210	400
Mercedes-Benz Classe R R320 CDI	V6	210	400
Saab 9-3	4L	210	221
Chevrolet Impala	V6	211	214
Mazda RX-8 automatique	rotatif	212	159
BMW X3 3.0i	6L	215	185
Dodge RAM	V6	215	235
Jeep Grand Cherokee	V6	215	376
Land Rover LR3 SE	V6	216	269
Pontiac G6	V6	219	221
Lotus Exige S	4L	220	165
Mitsubishi Outlander	V6	220	204
Audi Q7 3.0 TDI	V6	221	406
Ford Fusion	V6	221	205
Pontiac G6	V6	222	238
Saturn VUE	V6	222	219
Saturn Aura	V6	224	220
Subaru Forester	H4	224	226
Subaru Impreza WRX, STi WRX	H4	224	226
Mitsubishi Endeavor	V6	225	255
Buick Lucerne CX, CXL	V6	227	237
Jaguar X-Type	V6	227	206
Volvo C30 T5	5L	227	236
Volvo C70	5L	227	236
Volvo S40 T5	5L	227	236
Volvo V50 T5	5L	227	236
Mercedes-Benz Classe C C300	V6	228	221
Mercedes-Benz Classe E E300 4MATIC	V6	228	221
Mercedes-Benz Classe SLK SLK 300	V6	228	221
BMW Série 1 128i	6L	230	200
BMW Série 3 328i, 328Xi	6L	230	200
BMW Série 5 528i, 528Xi	6L	230	200
Land Rover LR2	6L	230	234
Mitsubishi Galant GT	V6	230	250
Mazda RX-8 manuelle	rotatif	232	159
Chevrolet Impala	V6	233	240
Chrysler Sebring Touring, Limited	V6	235	232
Dodge Avenger R/T	V6	235	232
Dodge Journey SXT, R/T	V6	235	232
Nissan Quest	V6	235	240
Volvo S80 3.2	6L	235	236
Volvo V70 3.2	6L	235	236

		Puissance (ch)	Couple (lb-pi)
VolvoXC70 3.2	6L	235	236
Volvo XC90	6L	235	236
Toyota 4Runner	V6	236	266
Toyota Tacoma	V6	236	266
Honda S2000	4L	237	162
Mitsubishi Lancer Ralliart	4L	237	253
Hummer H3	5L	239	241
Toyota FJ Cruiser	V6	239	278
Acura RDX	4L	240	260
Chevrolet Uplander	V6	240	240
Ford Escape	V6	240	223
Mazda Tribute	V6	240	223
Pontiac Montana SV6	V6	240	240
Honda Odyssey	V6	241	240
Chevrolet Colorado	5L	242	242
GMC Canyon	5L	242	242
Hyundai Santa Fe	V6	242	226
Kia Sorento	V6	242	228
Subaru Legacy, Outback	H4	243	241
Honda Odyssey	V6	244	240
Mazda CX-7	4L	244	258
Porsche Boxster	H6	245	201
Porsche Cayman	H6	245	201
Subaru Legacy, Outback H6, 3.0	H6	245	215
Ford F-150	V8	248	294
Hyundai Sonata	V6	249	229
Audi A3 3.2	V6	250	236
Audi TT 3.2	V6	250	236
Chrysler 300 Touring, Limited	V6	250	250
Dodge Challenger SE, SXT	V6	250	250
Dodge Charger SXT	V6	250	250
Honda Pilot	V6	250	253
Honda Ridgeline	V6	250	247
Hyundai Entourage	V6	250	253
Kia Sedona	V6	250	253
Chrysler Town & Country Limited	V6	251	260
Dodge Grand Caravan	V6	251	259
Chevrolet Malibu	V6	252	251
Pontiac G6	V6	252	251
Saturn Aura XR	V6	252	251
Suzuki XL-7	V6	252	243
Audi A6	V6	255	243
Cadillac SRX	V6	255	254
Saturn VUE Hybride bi-mode	V6	255	252
Pontiac G8	V6	256	248
Subaru Tribeca	H6	256	247
Saturn VUE XR, Red Line	V6	257	248
Mitsubishi Galant Ralliart	V6	258	258
BMW X3 3.0si	6L	260	225
BMW X5 3.0si	6L	260	225
Chevrolet Cobalt	4L	260	260
Chevrolet HHR	4L	260	260
Dodge Nitro R/T	V6	260	265
Hyundai Veracruz	V6	260	257
Mitsubishi Eclipse GT-P	V6	260	258
Pontiac Solstice GXP	4L	260	260
Saab 9-5	4L	260	258
Saturn Sky Red Line	4L	260	260
Toyota 4Runner	V8	260	306
Nissan Frontier	V6	261	281
Nissan Xterra	V6	261	281
Ford Flex	V6	262	248
Kia Sorento	V6	262	260
Cadillac CTS	V6	263	253
Ford Taurus	V6	263	249
Ford Taurus X	V6	263	249
Hyundai Azera	V6	263	257
Lexus GX	V8	263	323

		Puissance (ch)	Couple (lb-pi)
Lincoln MKZ	V6	263	249
Mazda MazdaSpeed3	4L	263	280
Chevrolet Equinox	V6	264	250
Kia Amanti	V6	264	260
Pontiac TorrentGXP	V6	264	250
Audi A4 3.2	V6	265	243
Audi A5	V6	265	243
Ford Edge	V6	265	250
Lincoln MKX	V6	265	250
Nissan Murano	V6	265	248
Subaru Impreza WRX, STi WRX 265	H4	265	244
Nissan Pathfinder	V6	266	288
Toyota Sienna	V6	266	245
Toyota Sienna	V6	266	245
Mercedes-Benz Classe CC350	V6	268	258
Mercedes-Benz Classe CLK CLK350	V6	268	258
Mercedes-Benz Classe E E350 4MATIC	V6	268	258
Mercedes-Benz Classe M ML350	V6	268	258
Mercedes-Benz Classe R R350	V6	268	258
Toyota Avalon	V6	268	248
Toyota Camry	V6	268	248
Toyota RAV4	V6	269	246
Audi Q5	V6	270	243
Lexus RX RX350	V6	270	251
Nissan Altima 3.5	V6	270	258
Toyota Highlander	V6	270	248
Toyota Highlander Hybride	V6	270	212
Honda Accord	V6	271	251
Audi TTS	4L	272	258
Lexus ES	V6	272	254
Mazda6	V6	272	269
Mercedes-Benz Classe GLK	V6	272	258
Lincoln MKS	V6	273	270
Mazda CX-9	V6	273	270
Cadillac DTS	V8	275	295
Infiniti MM35, M35x	V6	275	268
Kia Borrego	V6	276	267
Toyota Sequoia SR5	V8	276	313
Toyota Tundra	V8	276	313
Acura TL	V6	280	254
Audi Q7 3.6	V6	280	266
Saab 9-3 Turbo X	V6	280	295
Volkswagen Passat	V6	280	265
Volkswagen Touareg V6	V6	280	265
Chevrolet Traverse	V6	281	253
Saturn Outlook	V6	281	253
Volvo S80 T6	6L	281	295
Volvo XC60	6L	281	295
Volvo XC70 T6	6L	281	295
Chevrolet Trailblazer LT	6L	285	276
Dodge Caliber SRT-4	4L	285	265
GMC Envoy SLE, SLT	6L	285	276
Saab 9-7x 4.2	6L	285	276
Saturn Outlook XR	V6	286	255
Buick Enclave	V6	288	270
Chevrolet Traverse	V6	288	270
GMC Acadia	V6	288	270
Lexus SC SC430	V8	288	317
Hyundai Genesis	V6	290	264
Lexus GS GS430	V8	290	319
Nissan Maxima	V6	290	261
Porsche Cayenne	V6	290	273
Mitsubishi Evolution MR	4L	291	300
Mitsubishi Evolution GSR	4L	291	300
Buick Lucerne Super	V8	292	288
Cadillac DTS	V8	292	288
Ford Explorer	V8	292	300
Ford Explorer Sport Trac	V8	292	300
Ford F-150	V8	292	320
Chevrolet Silverado	V8	295	305

		Puissance (ch)	Couple (lb-pi)
GMC Sierra	V8	295	305
Porsche Boxster S H6	295	251	n.d.
Porsche Cayman S H6	295	252	n.d.
Infiniti EX V6	297	253	n.d.
Acura MDX	V6	300	275
Acura RL	V6	300	271
Acura TL	V6	300	271
BMW Série 1 135i	6L	300	300
BMW Série 3 335i, 335Xi	6L	300	300
BMW Série 5 535i, 535Xi	6L	300	300
BMW X6 xDrive35i	6L	300	300
Buick Allure Super	V8	300	323
Ford Expedition	V8	300	365
Ford Mustang GT	V8	300	320
GMC Envoy Denali	V8	300	321
Hummer H3	V8	300	320
Jaguar XF	V8	300	310
Jaguar XJ	V8	300	310
Jaguar XK	V8	300	310
Land Rover LR3 SE, HSE	V8	300	315
Land Rover Range Rover Sport HSE	V8	300	315
Lincoln Navigator	V8	300	365
Mercedes-Benz Classe SLK SLK 350	V6	300	266
Saab 9-7x 5.3	V8	300	321
Cadillac STS	V6	302	272
Dodge Dakota	V8	302	329
Chevrolet Impala SS	V8	303	323
Chrysler Aspen Durango	V8	303	330
Dodge Durango SLT	V8	303	330
Infiniti FX35	V6	303	262
Lexus GS350	V6	303	274
Cadillac CTS	V6	304	273
Jeep Commander	V8	305	334
Jeep Grand Cherokee	V8	305	334
Land Rover Range Rover HSE	V8	305	325
Subaru Impreza WRX, STi, WRX STi	H4	305	290
Infiniti G35, G35x	V6	306	268
Lexus IS350	V6	306	277
Nissan 350Z	V6	306	268
Chevrolet Avalanche	V8	310	335
Chevrolet Suburban	V8	310	335
Dodge RAM	V8	310	330
Ford F-150	V8	310	370
GMC Yukon XL	V8	310	335
Nissan Pathfinder	V8	310	388
Volvo S80 V8	V8	311	325
Volvo XC90	V8	311	325
Chevrolet Silverado	V8	315	338
GMC Sierra	V8	315	338
Infiniti QX	V6	317	385
Nissan Armada	V8	317	385
Nissan Titan	V8	317	385
Cadillac SRX	V8	320	315
Cadillac STS	V8	320	315
Cadillac XLR	V8	320	310
Chevrolet Colorado	V8	320	320
Chevrolet Suburban	V8	320	340
Chevrolet Tahoe	V8	320	340
Ford F-150	V8	320	390
GMC Canyon	V8	320	320
GMC Yukon	V8	320	340
Infiniti QX	V8	320	393
Infiniti M45, M45x	V8	325	336
Infiniti G37 coupé	V6	330	270
Chevrolet Tahoe Hybride	V8	332	367
Dodge Durango SLT (option)	V8	335	370
Mercedes-Benz Classe GL450	V8	335	339
Mercedes-Benz Classe S450 4Matic	V8	335	339
Kia Borrego	V8	337	323
Lexus GS450h	V6	339	267

		Puissance (ch)	Couple (lb-pi)
Lexus GS460	V8	342	339
Dodge Durango Hybrid	V8	345	380
Porsche 911 Carrera	H6	345	288
Audi A6	V8	350	325
Audi A8	V8	350	325
Audi Q7 4.2	V8	350	325
BMW X5 4.8I	V8	350	350
Dodge Charger R/T Daytona	V8	350	390
Chevrolet Suburban	V8	352	383
GMC Yukon XL	V8	352	382
Audi S5	V8	354	325
Mercedes-Benz Classe SLK 55 AMG	V8	355	376
Jeep Commander	V8	357	389
Jeep Grand Cherokee	V8	357	389
BMW Série 5 550i	V8	360	360
BMW Série 6 650i	V8	360	360
BMW Série 7 750i, 750Li	V8	360	360
Pontiac G8 GT	V8	361	385
Chrysler Aspen Limited	V8	365	390
Chevrolet Avalanche	V8	366	380
Chevrolet Suburban	V8	366	380
GMC Yukon XL	V8	366	376
Chevrolet Silverado	V8	367	375
GMC Sierra	V8	367	375
Hyundai Genesis	V8	368	324
Chrysler 300, 300C	V8	370	398
Dodge Charger R/T	V8	370	398
Dodge Challenger R/T automatique	V8	372	401
Dodge Challenger R/T manuelle	V8	376	410
Aston Martin V8 Vantage	V8	380	302
Lexus LS460	V8	380	367
Toyota Sequoia	V8	381	401
Toyota Tundra	V8	381	401
Mercedes-Benz Classe CL CL550	V8	382	391
Mercedes-Benz Classe CLK CLK550	V8	382	391
Mercedes-Benz Classe CLS CLS550	V8	382	391
Mercedes-Benz Classe E E550 4MATIC	V8	382	391
Mercedes-Benz Classe G G550	V8	382	391
Mercedes-Benz Classe GL GL550	V8	382	391
Mercedes-Benz Classe M ML550	V8	382	391
Mercedes-Benz Classe S S550 4Matic	V8	382	391
Mercedes-Benz Classe SL SL550	V8	382	391
Lexus LX570	V8	383	403
Chrysler Aspen Hybrid	V8	385	380
Porsche 911S	H6	385	310
Porsche Cayenne S	V8	385	369
Chevrolet Trailblazer SS	V8	390	400
Dodge RAM	V8	390	407
Infiniti FX50	V8	390	369
Saab 9-7x Aero 6.0i	V8	390	400
Hummer H2	V8	393	415
Chevrolet Tahoe	V8	395	417
Maserati Quattroporte	V8	395	326
BMW X6 xDrive50i	V8	400	450
Jaguar XJ8-R	V8	400	413
Land Rover Range Rover Suralimenté	V8	400	420
Land Rover Range Rover Sport Suralimenté	V8	400	420
Maserati Gran Turismo	V8	400	339
Pontiac G8 GXP	V8	402	402
Cadillac Escalade	V8	403	417
Cadillac Escalade EXT	V8	403	417
Chevrolet Avalanche	V8	403	417
Chevrolet Silverado	V8	403	417
GMC Sierra	V8	403	417
GMC Yukon XL 2500	V8	403	417
Porsche Cayenne GTS	V8	405	369
BMW Série 3 M3	V8	414	295
Porsche 911 GT3	H6	415	300
Lexus IS-F	V8	416	371
Audi R8	V8	420	317

		Puissance (ch)	Couple (lb-pi)
Jaguar XF Supercharged	V8	420	413
Jaguar XK-R	V8	420	413
Jeep Grand Cherokee SRT8	V8	420	420
Chrysler 300 SRT8	V8	425	420
Dodge Challenger SRT8	V8	425	420
Dodge Charger SRT8	V8	425	420
Chevrolet Corvette	V8	430	424
Audi S6	V10	435	398
BMW Série 7 760Li	V12	438	444
Lexus LS600h L	V8	438	385
Cadillac XLR-V	V8	443	414
Aston Martin DB9	V12	450	420
Audi A8	W12	450	428
Audi S8	V10	450	398
Bentley Arnage R, RL, Azure	V8	450	645
Mercedes-Benz Classe C C63 AMG	V8	451	443
Rolls-Royce Drophead Coupé	V12	453	531
Rolls-Royce Phantom	V12	453	531
Cadillac STS	V8	469	439
Mercedes-Benz Classe CLK CLK63 AMG	V8	475	465
Nissan GT-R	V6	480	430
Porsche 911 Turbo	H6	480	460
Ferrari F430	V8	490	343
Bentley Arnage T	V8	500	738
BMW Série 5 M5	V10	500	383
BMW Série 6 M6	V10	500	383
BMW Série 7 Alpina B7	V8	500	516
Ford Mustang Shelby GT500	V8	500	480
Mercedes-Benz Classe G G55 AMG	V8	500	517
Porsche Cayenne Turbo	V8	500	516
Mercedes-Benz Classe M ML63 AMG	V8	503	465
Chevrolet Corvette Z06	V8	505	470
Mercedes-Benz Classe CLS CLS63 AMG	V8	507	465
Mercedes-Benz Classe E E63 AMG	V8	507	465
Aston Martin DBS	V12	510	420
Ferrari F430 Scuderia	V8	510	347
Mercedes-Benz Classe CL CL600	V12	510	612
Mercedes-Benz Classe S S600	V12	510	612
Mercedes-Benz Classe SL SL600	V12	510	612
Mercedes-Benz Classe CL CL63 AMG	V8	518	465
Mercedes-Benz Classe S S63 AMG	V8	518	465
Mercedes-Benz Classe SL SL63 AMG	V8	518	465
Lamborghini Gallardo	V10	520	377
Bentley Arnage Brooklands	V8	530	774
Porsche 911 GT2	H6	530	505
Ferrari 612 Scaglietti	V12	540	434
Maybach 57 - 62	V12	543	664
Cadillac CTS CTS-V	V8	550	550
Porsche Cayenne Turbo S	V8	550	553
Bentley Continental GT/GTC/Flying Spur	W12	552	479
Lamborghini Gallardo LP560-4	V10	560	398
Bentley Continental GT Speed	W12	600	553
Dodge Viper	V10	600	560
Mercedes-Benz Classe CL CL65 AMG	V12	603	738
Mercedes-Benz Classe S S65 AMG	V12	603	738
Mercedes-Benz Classe SL SL65 AMG	V12	603	738
Maybach 57S - 62S	V12	604	738
Mercedes-Benz Classe SLR SLR McLaren	V8	617	575
Ferrari 599 GTB Fiorano	V12	620	448
Chevrolet Corvette ZR1	V8	638	604
Lamborghini Murcielago	V12	640	487
Lamborghini Reventon	V12	650	487
Moyenne		**281.3**	**282.1**

0-100 KM/H

Une des données qui en dit le plus sur la puissance d'une voiture demeure le fameux 0-100 km/h. Plus le véhicule est puissant, plus il atteint rapidement, à partir d'un arrêt complet, la barre des 100 km/h. Cette donnée ne dit pas tout puisqu'un véhicule très puissant peut être plus lent qu'un autre à cause de son poids élevé.

PRÉSENTATION PAR ORDRE DE CONSTRUCTEUR

(en seconde)

ACURA

CSX Type-S	7.2
RDX	8.5
RL	7.7
TL	6.9
TSX	8.0

ASTON MARTIN

DB9	5.2
DBS	4.3
V8 Vantage	5.0

AUDI

A3 2,0T	6.8
A4 3,2	7.5
A6	7.7
Q5	7.8
Q7 3.0 TDI	9.1
R8	4.4
S5	5.2
S8	4.9
TT 2,0T	6.6
TT 3m2	5.5

BENTLEY

Arnage t	5.4
Continental GT/GTC/Flying Spur	6.1

BMW

135i	5.4
328i	7.5
535i	5.9
650i	6.7
750Li	5.9
M3	4.8
X3 3,0si	7.4
X5 4.8i	6.8
X6 xDrive35i	7.2

BUICK

Lucerne	10.8

CADILLAC

CTS	5.9
DTS	7.8
SRX	8.2
STS	6.0
XLR	5.8

CHEVROLET

Avalanche	11.3
Aveo	11.0
Cobalt	11.0
Corvette ZR-1	3.4
Colorado	8.7
Equinox	10.5
HHR	10.0
Impala	8.6
Malibu hybride	10.6
Tahoe hybride	8.8
Trailblazer	8.9
Traverse	7.6
Uplander	9.5

CHRYSLER

300C	6.8
Aspen	8.2
PtCruiser	11.7
Sebring	8.5

DODGE

Avenger R/T	7.6
Caliber SRT4	6.4
Challenger R/T automatique	5.8
Charger SXT	8.9
Dakota	8.5
Grand Caravan	10.2
Journey V6	10.4
Nitro R/T	7.7
RAM	6.5
Viper	4.0

FERRARI

599 GTB Fiorano	3.7
612 Scaglietti	4.2
F430	4.0

FORD

Edge	8.1
Escape	11.0
Expedition	9.3
Explorer	8.8
Explorer Sport Trac	7.8
Flex	8.3
Focus	9.6
Fusion	7.5
Mustang GT	5.7
Ranger	9.2
Taurus	7.4
Taurus X	9.5

HONDA

Accord	8.2
Civic	8.6
CR-V	10.3
Element	10.3
Odyssey	10.7
Pilot	10.0
Ridgeline	9.4
S2000	6.2

HUMMER

H2	11.2
H3	9.2

HYUNDAI

Accent	10.8
Azera	7.3
Elantra	9.5
Entourage	10.5
Genesis	6.5
Santa Fe	9.0
Sonata	10.7
Tiburon	9.5
Tucson	11.2
Veracruz	8.6

INFINITI

M45	6.0
EX	7.4
G37	6.2
QX56	9.1

JAGUAR

XF	6.5
XJ8	6.7
XK-R	5.1
X-Type	7.5

JEEP

Commander	7.9
Grand Cherokee	9.3
Liberty	9.8
Patriot	10.3
Wrangler	11.9

KIA

Amanti	7.1
Borrego	9.4
Magentis	10.9
Rio/Rio5	12.8
Rondo	10.2
Sedona	10.5
Sorento	8.1
Spectra/Spectra5	10.8

LAMBORGHINI

Gallardo	4.2
Murcielago	3.8

LAND ROVER

LR2	9.7
LR3 HSE	9.8
Range Rover HSE	10.2
Range Rover Sport Supercharged	8.9

LEXUS

ES	7.2
GS450h	6.0
GX	10.0
IS-F	4.6
LS600h	6.5
LX570	8.2
RX350	8.2
SC430	6.5

LINCOLN

MKS	7.7
MKX	8.3
MKZ	8.0
Navigator	9.3

LOTUS

Exige S	4.3

MASERATI

Gran Turismo	5.2

MAYBACH

57S / 62S	5.0

MAZDA

CX-7	7.5
CX-9	7.9
Mazda3	8.7
Mazda5	10.2
Mazda6	8.0
MX-5	8.3
RX-8	7.3

MERCEDES-BENZ

Classe B200T	8.4
Classe C230	7.1
Classe CL550	5.6
Classe CLK63 AMG	5.2
Classe CLS550	6.2
Classe E 320 bluetec	8.0
Classe G550	9.7
Classe GL450	7.4
Classe GLK	7.1
Classe ML320 CDI	8.6
Classe R320 CDI	8.8
Classe S550 4Matic	6.3
Classe SLK350	5.5
SL550	5.4

MINI

Cooper S	7.1

MITSUBISHI

Eclipse GT-P	6.8
Endeavor	8.8
Evolution MR	5.8
Galant Ralliart	7.7
Lancer GTS	8.9
Outlander	12.1

NISSAN

350Z	5.9
Altima V6	7.0
Frontier	9.0
GT-R	4.0
Maxima	6.9
Murano	9.8
Pathfinder	7.2
Quest	9.4
Rogue	8.9
Sentra	10.3
Titan	7.8
Versa	9.5
Xterra	7.9

PONTIAC

G3 Wave	11.6
G6	8.4
Solstice GXP	6.0

PORSCHE

911	4.5
Boxster S	5.5
Cayenne GTS	6.1
Cayman S	5.4

ROLLS-ROYCE

Phantom	5.9

SAAB

9-3 Turbo X	6.6
9-5	8.3
9-7x 4.2	10.2

SATURN

Astra	12.0
Aura	9.8
Outlook XR	8.5
VUE	12.5

SMART

Fortwo	15.2

SUBARU

Forester	8.9
Impreza	9.8
Impreza WRX, STi	6.1
Legacy, Outback	6.4
Tribeca	8.5

SUZUKI

Grand Vitara	11.5
SX-4	9.3
XL-7	9.6

TOYOTA

4Runner	9.6
Avalon	7.4
Camry hybride	8.6
Corolla	10.8
FJ Cruiser	10.1
Highlander	7.9
Matrix XRS	7.8
Prius	10.9
RAV4	8.0
Sequoia	8.2
Sienna	9.8
Tacoma	7.3
Tundra	6.9
Yaris	11.5

VOLKSWAGEN

Eos	7.5
Golf City	10.4
Jetta 2.5	9.8
New Beetle	9.2
Passat 2,0T	8.4
Rabbit	8.6
Tiguan	9.1
Touareg	8.5

VOLVO

C30 2.4i	8.8
C70	8.0
S40 T5	7.1
S60 2,5T	7.2
S80 V8	7.3
XC70 3.2	9.2
XC90	8.7

PRÉSENTATION 0-100 KM/h EN ORDRE

	(en seconde)
Chevrolet Corvette ZR-1	3.4
Ferrari 599 GTB Fiorano	3.7
Lamborghini Murcielago	3.8
Dodge Viper	4.0
Ferrari F430	4.0
Nissan GT-R	4.0
Ferrari 612 Scaglietti	4.2
Lamborghini Gallardo	4.2
Aston Martin DBS	4.3
Lotus Exige S	4.3
Audi R8	4.4
Porsche 911	4.5
Lexus IS-F	4.6
BMW M3	4.8
Audi S8	4.9
Aston Martin V8 Vantage	5.0
Maybach 57S / 62S	5.0
Jaguar XK-R	5.1
Aston Martin DB9	5.2
Audi S5	5.2
Maserati Gran Turismo	5.2
Mercedes-Benz Classe CLK63 AMG	5.2
Bentley Arnage t	5.4
BMW 135i	5.4
Mercedes-Benz SL550	5.4
Porsche Cayman S	5.4
Audi TT 3m2	5.5
Mercedes-Benz Classe SLK350	5.5
Porsche Boxster S	5.5
Mercedes-Benz Classe CL550	5.6
Ford Mustang GT	5.7
Cadillac XLR	5.8
Dodge Challenger R/T automatique	5.8
Mitsubishi Evolution MR	5.8
BMW 535i	5.9
BMW 750Li	5.9
Cadillac CTS	5.9
Nissan 350Z	5.9
Rolls-Royce Phantom	5.9
Cadillac STS	6.0
Infiniti M45	6.0
Lexus GS450h	6.0
Pontiac Solstice GXP	6.0
Bentley Continental GT/GTC/Flying Spur	6.1
Porsche Cayenne GTS	6.1
Subaru Impreza WRX, STi	6.1
Honda S2000	6.2
Infiniti G37	6.2
Mercedes-Benz Classe CLS550	6.2
Mercedes-Benz Classe S550 4Matic	6.3
Dodge Caliber SRT4	6.4
Subaru Legacy, Outback	6.4
Dodge RAM	6.5
Hyundai Genesis	6.5
Jaguar XF	6.5
Lexus LS600h	6.5
Lexus SC430	6.5
Audi TT 2,0T	6.6
Saab 9-3 Turbo X	6.6
BMW 650i	6.7
Jaguar XJ8	6.7
Audi A3 2,0T	6.8
BMW X5 4.8i	6.8
Chrysler 300C	6.8
Mitsubishi Eclipse GT-P	6.8
Acura TL	6.9
Nissan Maxima	6.9
Toyota Tundra	6.9
Nissan Altima V6	7.0
Kia Amanti	7.1
Mercedes-Benz Classe C230	7.1
Mercedes-Benz Classe GLK	7.1
MINI Cooper S	7.1
Volvo S40 T5	7.1
Acura CSX Type-S	7.2
BMW X6 xDrive35i	7.2
Lexus ES	7.2
Nissan Pathfinder	7.2
Volvo S60 2,5T	7.2
Hyundai Azera	7.3
Mazda RX-8	7.3
Toyota Tacoma	7.3
Volvo S80 V8	7.3
BMW X3 3,0si	7.4
Ford Taurus	7.4
Infiniti EX	7.4
Mercedes-Benz Classe GL450	7.4
Toyota Avalon	7.4
Audi A4 3,2	7.5
BMW 328i	7.5
Ford Fusion	7.5
Jaguar X-Type	7.5
Mazda CX-7	7.5
Volkswagen Eos	7.5
Chevrolet Traverse	7.6
Dodge Avenger R/T	7.6
Acura RL	7.7
Audi A6	7.7
Dodge Nitro R/T	7.7
Lincoln MKS	7.7
Mitsubishi Galant Ralliart	7.7
Audi Q5	7.8
Cadillac DTS	7.8
Ford Explorer Sport Trac	7.8
Nissan Titan	7.8
Toyota Matrix XRS	7.8
Jeep Commander	7.9
Mazda CX-9	7.9
Nissan Xterra	7.9
Toyota Highlander	7.9
Acura TSX	8.0
Lincoln MKZ	8.0
Mazda6	8.0
Mercedes-Benz Classe E 320 bluetec	8.0
Toyota RAV4	8.0
Volvo C70	8.0
Ford Edge	8.1
Kia Sorento	8.1
Cadillac SRX	8.2
Chrysler Aspen	8.2
Honda Accord	8.2
Lexus LX570	8.2
Lexus RX350	8.2
Toyota Sequoia	8.2
Ford Flex	8.3
Lincoln MKX	8.3
Mazda MX-5	8.3
Saab 9-5	8.3
Mercedes-Benz Classe B200T	8.4
Pontiac G6	8.4
Volkswagen Passat 2,0T	8.4
Acura RDX	8.5
Chrysler Sebring	8.5
Dodge Dakota	8.5
Saturn Outlook XR	8.5
Subaru Tribeca	8.5
Volkswagen Touareg	8.5
Chevrolet Impala	8.6
Honda Civic	8.6
Hyundai Veracruz	8.6
Mercedes-Benz Classe ML320 CDI	8.6
Toyota Camry hybride	8.6
Volkswagen Rabbit	8.6
Chevrolet Colorado	8.7
Mazda Mazda3	8.7
Volvo XC90	8.7
Chevrolet Tahoe hybride	8.8
Ford Explorer	8.8
Mercedes-Benz Classe R320 CDI	8.8
Mitsubishi Endeavor	8.8
Volvo C30 2.4i	8.8
Chevrolet Trailblazer	8.9
Dodge Charger SXT	8.9
Land Rover Range Rover Sport Supercharged	8.9
Mitsubishi Lancer GTS	8.9
Nissan Rogue	8.9
Subaru Forester	8.9
Hyundai Santa Fe	9.0
Nissan Frontier	9.0
Audi Q7 3.0 TDI	9.1
Infiniti QX56	9.1
Volkswagen Tiguan	9.1
Ford Ranger	9.2
Hummer H3	9.2
Volkswagen New Beetle	9.2
Volvo XC70 3.2	9.2
Ford Expedition	9.3
Jeep Grand Cherokee	9.3
Lincoln Navigator	9.3
Suzuki SX-4	9.3
Honda Ridgeline	9.4
Kia Borrego	9.4
Nissan Quest	9.4
Chevrolet Uplander	9.5
Ford Taurus X	9.5
Hyundai Elantra	9.5
Hyundai Tiburon	9.5
Nissan Versa	9.5
Ford Focus	9.6
Suzuki XL-7	9.6
Toyota 4Runner	9.6
Land Rover LR2	9.7
Mercedes-Benz Classe G550	9.7
Jeep Liberty	9.8
Land Rover LR3 HSE	9.8
Nissan Murano	9.8
Saturn Aura	9.8
Subaru Impreza	9.8
Toyota Sienna	9.8
Volkswagen Jetta 2.5	9.8
Chevrolet HHR	10.0
Honda Pilot	10.0
Lexus GX	10.0
Toyota FJ Cruiser	10.1
Dodge Grand Caravan	10.2
Kia Rondo	10.2
Land Rover Range Rover HSE	10.2
Mazda5	10.2
Saab 9-7x 4.2	10.2
Honda CR-V	10.3
Honda Element	10.3
Jeep Patriot	10.3
Nissan Sentra	10.3
Dodge Journey V6	10.4
Volkswagen Golf City	10.4
Chevrolet Equinox	10.5
Hyundai Entourage	10.5
Kia Sedona	10.5
Chevrolet Malibu hybride	10.6
Honda Odyssey	10.7
Hyundai Sonata	10.7
Buick Lucerne	10.8
Hyundai Accent	10.8
Kia Spectra/Spectra5	10.8
Toyota Corolla	10.8
Kia Magentis	10.9
Toyota Prius	10.9
Chevrolet Aveo	11.0
Chevrolet Cobalt	11.0
Ford Escape	11.0
Hummer H2	11.2
Hyundai Tucson	11.2
Chevrolet Avalanche	11.3
Suzuki Grand Vitara	11.5
Toyota Yaris	11.5
Pontiac G3 Wave	11.6
Chrysler PtCruiser	11.7
Jeep Wrangler	11.9
Saturn Astra	12.0
Mitsubishi Outlander	12.1
Saturn VUE	12.5
Kia Rio/Rio5	12.8
smart Fortwo	15.2
Moyenne	**8.1**

80-120 KM/H

Que voilà une donnée importante ! En général, les véhicules possédant un moteur avec beaucoup de couple effectuent une reprise entre 80 et 120 km/h plus rapidement que ceux qui en possèdent moins. Cette donnée, exprimée en secondes, indique la facilité avec laquelle une voiture peut, par exemple, en dépasser une autre sur une route secondaire.

PRÉSENTATION PAR ORDRE DE CONSTRUCTEUR

(en seconde)

ACURA

CSX Type-S	5.2
TL	5.8
RL	6.4
RDX	7.0
TSX	7.3

ASTON MARTIN

DB9	4.3
V8 Vantage	4.5

AUDI

R8	3.2
S5	4.0
TT 2.0T	5.1
A3 2,0T	5.5
A6	6.0
A4 3.2	6.2
Q5	6.5
Q7 3.0 TDI	6.5

BENTLEY

Continental GT/GTC/Flying Spur	4.7
Arnage T	5.0

BMW

535i	5.0
650i	5.0
M3	5.4
X6 xDrive35i	6.0
X5 4.8i	6.1
750i	6.8
328i	7.0
X3 3.0si	7.0

BUICK

Lucerne	8.0

CADILLAC

CTS	5.0
XLR	5.0
STS	5.4
DTS	6.7
SRX	8.8

CHEVROLET

Traverse	6.9
Tahoe hybride	7.5
Colorado	7.7
Impala	7.7
Avalanche	7.8
Trailblazer	7.8
Aveo	8.5
HHR	8.5
Uplander	8.7
Malibu hybride	9.0
Equinox	9.2
Cobalt	9.8

CHRYSLER

300C	6.0
Aspen	6.0
Sebring	6.5
PtCruiser	10.2

DODGE

Viper	3.6
Caliber SRT4	4.1
Challenger R/T automatique	4.2
RAM	5.5
Avenger R/T	6.0
Nitro R/T	6.7
Dakota	7.0
Charger SXT	8.0
Journey	8.8
Grand Caravan	9.1

FERRARI

599 GTB Fiorano	3.0
612 Scaglietti	3.2
F430	3.2

FORD

Mustang GT	5.2
Taurus	6.0
Edge	6.2
Explorer Sport Trac	6.6
Flex	6.6
Fusion	6.8
Explorer	7.5
Taurus X	7.7
Expedition	8.2
Ranger	8.4
Escape	8.6
Focus	10.0

HONDA

S2000	6.2
Accord	6.3
Civic	7.1
Pilot	7.4
Ridgeline	8.4
Odyssey	8.6
CR-V	8.7
Element	9.2

HUMMER

H3	8.7
H2	9.4

HYUNDAI

Azera	6.8
Santa Fe	7.6
Veracruz	7.7
Sonata	8.0
Tiburon	8.0
Tucson	8.1
Accent	9.7
Entourage	9.8
Elantra	10.9

INFINITI

G37	4.4
M45	5.1
EX	5.6
QX56	8.2

JAGUAR

XK-R	3.8
XJ8	5.5
XF	5.9
X-Type	6.6

JEEP

Commander	6.0
Grand Cherokee	8.1
Liberty	8.5
Patriot	8.8
Wrangler	10.5

KIA

Amanti	5.5
Sorento	6.9
Spectra/Spectra5	7.7
Borrego	8.2
Rondo	8.8
Magentis	9.3
Sedona	9.8
Rio/Rio5	11.4

LAMBORGHINI

Murcielago	4.4
Gallardo	4.5

LAND ROVER

Range Rover Sport Supercharged	7.0
LR2	8.3
LR3 HSE	9.0
Range Rover HSE	9.1

LEXUS

IS-F	3.5
GS 450h	4.6
ES	4.7
LS600h	4.7
SC430	4.9
LX570	5.8
RX350	7.0
GX	9.1

LINCOLN

MKZ	5.5
MKX	6.5
MKS	6.8
Navigator	8.2

MASERATI

Gran Turismo	4.8

MAYBACH

57S / 62S	3.2

MAZDA

RX-8	5.7
CX-7	6.8
CX-9	6.8
Mazda6	7.0
Mazda3	7.5
MX-5	7.9
Mazda5	9.9

MERCEDES-BENZ

Classe CLK63 AMG	4.1
Classe SL550	4.1
Classe CL550	5.0
Classe S550 4Matic	5.0
Classe CLS550	5.3
Classe B200T	5.8
Classe SLK350	5.9
Classe GL450	6.1
Classe GLK	6.2
Classe E320 Bluetec	6.3
Classe R320 CDI	7.0
Classe ML320 CDI	7.5
Classe G550	7.7
Classe C230	9.7

MINI

Cooper S	4.5

MITSUBISHI

Eclipse GT-P	4.5
Evolution MR	4.9
Galant Ralliart	5.5
Lancer GTS	6.8
Endeavor	7.9
Outlander	10.4

NISSAN

GT-R	3.4
Altima V6	4.8
Maxima	5.7
Pathfinder	5.8
350Z	6.0
Titan	6.2
Xterra	6.2
Quest	7.2
Murano	7.3
Frontier	7.4
Rogue	7.7
Versa	8.3
Sentra	8.9

PONTIAC

Solstice GXP	5.4
G6	7.3
G3 Wave	8.6

PORSCHE

911	4.3
Boxster S	5.0
Cayman S	5.0
Cayenne GTs	6.5

ROLLS-ROYCE

Phantom	5.5

SAAB

9-3 Turbo X	5.8
9-5	6.3
9-7x 4.2	8.4

SATURN

Aura	7.2
Outlook XR	7.3
Astra	8.2
VUE	10.1

SMART

Fortwo	13.4

SUBARU

Legacy, Outback	4.5
Impreza WRX	5.0
Tribeca	7.2
Forester	8.4
Impreza	9.3

SUZUKI

SX-4	7.2
XL-7	8.8
Grand Vitara	12.0

TOYOTA

Tundra	5.2
Avalon	5.3
Sequoia	6.0
Tacoma	6.2
RAV4	6.3
Highlander	7.1
4Runner	7.9
Camry hybride	7.9
Prius	8.1
Sienna	8.1
Corolla	8.4
FJ Cruiser	8.6
Matrix XRS	9.6
Yaris	11.7

VOLKSWAGEN

Passat 2.0T	5.5
Eos	5.6
Touareg	6.8
New Beetle	7.2
Golf City	7.7
Jetta 2.5	8.3
Rabbit	8.5
Tiguan	8.6

VOLVO

S40 T5	5.4
S80 V8	5.6
C70	7.2
XC90	7.2
S60 2.5T	7.6
C30 2.4i	7.9
XC70 3.2	8.5

PRÉSENTATION
80-120 KM/h EN ORDRE

	(en seconde)
Ferrari 599 GTB Fiorano	3.0
Audi R8	3.2
Ferrari 612 Scaglietti	3.2
Ferrari F430	3.2
Maybach 57S / 62S	3.2
Nissan GT-R	3.4
Lexus IS-F	3.5
Dodge Viper	3.6
Jaguar XK-R	3.8
Audi S5	4.0
Dodge Caliber SRT4	4.1
Mercedes-Benz Classe CLK63 AMG	4.1
Mercedes-Benz Classe SL550	4.1
Dodge Challenger R/T automatique	4.2
Aston Martin DB9	4.3
Porsche 911	4.3
Infiniti G37	4.4
Lamborghini Murcielago	4.4
Aston Martin V8 Vantage	4.5
Lamborghini Gallardo	4.5
MINI Cooper S	4.5
Mitsubishi Eclipse GT-P	4.5
Subaru Legacy, Outback	4.5
Lexus GS 450h	4.6
Bentley Continental GT/GTC/Flying Spur	4.7
Lexus ES	4.7
Lexus LS600h	4.7
Maserati Gran Turismo	4.8
Nissan Altima V6	4.8
Lexus SC430	4.9
Mitsubishi Evolution MR	4.9
Bentley Arnage T	5.0
BMW 535i	5.0
BMW 650i	5.0
Cadillac CTS	5.0
Cadillac XLR	5.0
Mercedes-Benz Classe CL550	5.0
Mercedes-Benz Classe S550 4Matic	5.0
Porsche Boxster S	5.0
Porsche Cayman S	5.0
Subaru Impreza WRX	5.0
Audi TT 2.0T	5.1
Infiniti M45	5.1
Acura CSX Type-S	5.2
Ford Mustang GT	5.2
Toyota Tundra	5.2
Mercedes-Benz Classe CLS550	5.3
Toyota Avalon	5.3
BMW M3	5.4
Cadillac STS	5.4
Pontiac Solstice GXP	5.4
Volvo S40 T5	5.4
Audi A3 2,0T	5.5
Dodge RAM	5.5
Jaguar XJ8	5.5
Kia Amanti	5.5
Lincoln MKZ	5.5
Mitsubishi Galant Ralliart	5.5
Rolls-Royce Phantom	5.5
Volkswagen Passat 2.0T	5.5
Infiniti EX	5.6
Volkswagen Eos	5.6
Volvo S80 V8	5.6
Mazda RX-8	5.7
Nissan Maxima	5.7
Acura TL	5.8
Lexus LX570	5.8
Mercedes-Benz Classe B200T	5.8
Nissan Pathfinder	5.8
Saab 9-3 Turbo X	5.8
Jaguar XF	5.9
Mercedes-Benz Classe SLK350	5.9
Audi A6	6.0
BMW X6 xDrive35i	6.0
Chrysler 300C	6.0
Chrysler Aspen	6.0
Dodge Avenger R/T	6.0
Ford Taurus	6.0
Jeep Commander	6.0
Nissan 350Z	6.0
Toyota Sequoia	6.0
BMW X5 4.8i	6.1
Mercedes-Benz Classe GL450	6.1
Audi A4 3.2	6.2
Ford Edge	6.2
Honda S2000	6.2
Mercedes-Benz Classe GLK	6.2
Nissan Titan	6.2
Nissan Xterra	6.2
Toyota Tacoma	6.2
Honda Accord	6.3
Mercedes-Benz Classe E320 Bluetec	6.3
Saab 9-5	6.3
Toyota RAV4	6.3
Acura RL	6.4
Audi Q5	6.5
Audi Q7 3.0 TDI	6.5
Chrysler Sebring	6.5
Lincoln MKX	6.5
Porsche Cayenne GTs	6.5
Ford Explorer Sport Trac	6.6
Ford Flex	6.6
Jaguar X-Type	6.6
Cadillac DTS	6.7
Dodge Nitro R/T	6.7
BMW 750i	6.8
Ford Fusion	6.8
Hyundai Azera	6.8
Lincoln MKS	6.8
Mazda CX-7	6.8
Mazda CX-9	6.8
Mitsubishi Lancer GTS	6.8
Volkswagen Touareg	6.8
Chevrolet Traverse	6.9
Kia Sorento	6.9
Acura RDX	7.0
BMW 328i	7.0
BMW X3 3.0si	7.0
Dodge Dakota	7.0
Land Rover Range Rover Sport Supercharged	7.0
Lexus RX350	7.0
Mazda6	7.0
Mercedes-Benz Classe R320 CDI	7.0
Honda Civic	7.1
Toyota Highlander	7.1
Nissan Quest	7.2
Saturn Aura	7.2
Subaru Tribeca	7.2
Suzuki SX-4	7.2
Volkswagen New Beetle	7.2
Volvo C70	7.2
Volvo XC90	7.2
Acura TSX	7.3
Nissan Murano	7.3
Pontiac G6	7.3
Saturn Outlook XR	7.3
Honda Pilot	7.4
Nissan Frontier	7.4
Chevrolet Tahoe hybride	7.5
Ford Explorer	7.5
Mazda3	7.5
Mercedes-Benz Classe ML320 CDI	7.5
Hyundai Santa Fe	7.6
Volvo S60 2.5T	7.6
Chevrolet Colorado	7.7
Chevrolet Impala	7.7
Ford Taurus X	7.7
Hyundai Veracruz	7.7
Kia Spectra/Spectra5	7.7
Mercedes-Benz Classe G550	7.7
Nissan Rogue	7.7
Volkswagen Golf City	7.7
Chevrolet Avalanche	7.8
Chevrolet Trailblazer	7.8
Mazda MX-5	7.9
Mitsubishi Endeavor	7.9
Toyota 4Runner	7.9
Toyota Camry hybride	7.9
Volvo C30 2.4i	7.9
Buick Lucerne	8.0
Dodge Charger SXT	8.0
Hyundai Sonata	8.0
Hyundai Tiburon	8.0
Hyundai Tucson	8.1
Jeep Grand Cherokee	8.1
Toyota Prius	8.1
Toyota Sienna	8.1
Ford Expedition	8.2
Infiniti QX56	8.2
Kia Borrego	8.2
Lincoln Navigator	8.2
Saturn Astra	8.2
Land Rover LR2	8.3
Nissan Versa	8.3
Volkswagen Jetta 2.5	8.3
Ford Ranger	8.4
Honda Ridgeline	8.4
Saab 9-7x 4.2	8.4
Subaru Forester	8.4
Toyota Corolla	8.4
Chevrolet Aveo	8.5
Chevrolet HHR	8.5
Jeep Liberty	8.5
Volkswagen Rabbit	8.5
Volvo XC70 3.2	8.5
Ford Escape	8.6
Honda Odyssey	8.6
Pontiac G3 Wave	8.6
Toyota FJ Cruiser	8.6
Volkswagen Tiguan	8.6
Chevrolet Uplander	8.7
Honda CR-V	8.7
Hummer H3	8.7
Cadillac SRX	8.8
Dodge Journey	8.8
Jeep Patriot	8.8
Kia Rondo	8.8
Suzuki XL-7	8.8
Nissan Sentra	8.9
Chevrolet Malibu hybride	9.0
Land Rover LR3 HSE	9.0
Dodge Grand Caravan	9.1
Land Rover Range Rover HSE	9.1
Lexus GX	9.1
Chevrolet Equinox	9.2
Honda Element	9.2
Kia Magentis	9.3
Subaru Impreza	9.3
Hummer H2	9.4
Toyota Matrix XRS	9.6
Hyundai Accent	9.7
Mercedes-Benz Classe C230	9.7
Chevrolet Cobalt	9.8
Hyundai Entourage	9.8
Kia Sedona	9.8
Mazda5	9.9
Ford Focus	10.0
Saturn VUE	10.1
Chrysler PtCruiser	10.2
Mitsubishi Outlander	10.4
Jeep Wrangler	10.5
Hyundai Elantra	10.9
Kia Rio/Rio5	11.4
Toyota Yaris	11.7
Suzuki Grand Vitara	12.0
smart Fortwo	13.4
Moyenne	**6.9**

100-0 KM/H

Inutile de décrire les bienfaits d'un freinage puissant ! Plus un véhicule stoppe rapidement, plus il est sécuritaire. Pour soi et pour les autres ! La distance est calculée en mètres. Bien entendu, les sportives, généralement légères, s'immobilisent plus rapidement tandis que les gros VUS ou les camionnettes demandent plus d'espace.

PRÉSENTATION PAR ORDRE DE CONSTRUCTEUR

(en mètres)

ACURA

CSX Type-S	43.6
RDX	39.0
RL	37.0
TL	37.0
TSX	40.0

ASTON MARTIN

DB9	37.0
V8 Vantage	39.0

AUDI

A3 2.0T	37.0
A4 3.2	40.6
A6	40.5
Q5	41.8
Q7 3.0 TDI	39.6
R8	38.0
S5	36.3
TT 2.0T	37.1

BENTLEY

Arnage T	39.5
Continental GT/GTC/Flying Spur	36.5

BMW

328i	40.0
535i	39.0
650i	34.6
750Li	38.0
M3	36.8
X3 3.0si	43.0
X5 4.8i	38.6
X6 xDrive35i	40.0

BUICK

Lucerne	42.4

CADILLAC

CTS	37.4
DTS	42.4
SRX	39.4
STS	40.1
XLR	38.0

CHEVROLET

Avalanche	45.1
Aveo	44.0
Cobalt	42.4
Colorado	41.0
Equinox	42.0
HHR	43.6
Impala	41.0
Trailblazer	44.3
Traverse	41.5
Uplander	41.2

CHRYSLER

300C	41.2
Aspen	42.9
PtCruiser	43.0
Sebring	42.0

DODGE

Avenger R/T	41.8
Caliber SRT4	40.8
Challenger R/T automatique	40.0
Charger SXT	41.0
Dakota	54.2
Grand Caravan	45.5
Journey V6	43.0
Nitro R/T	43.2
RAM	43.0
Viper	36.5

FERRARI

599 GTB Fiorano	30.0
612 Scaglietti	32.3

FORD

Edge	48.0
Escape	40.0
Expedition	45.4
Explorer	36.9
Explorer Sport Trac	40.2
Flex	43.0
Focus	47.9
Fusion	40.0
Mustang GT	38.5
Ranger	44.0
Taurus	39.1
Taurus X	43.6

HONDA

Accord	42.3
Civic	42.8
CR-V	42.5
Element	40.0
Odyssey	43.0
Pilot	42.0
Ridgeline	42.0
S2000	37.0

HUMMER

H2	44.0
H3	43.0

HYUNDAI

Accent	40.9
Azera	40.5
Elantra	42.5
Entourage	47.0
Genesis	39.6
Santa Fe	43.9
Sonata	41.0
Tiburon	43.0
Tucson	39.4
Veracruz	44.4

INFINITI

EX	39.5
G37	39.5
M45	37.1
QX56	44.3

JAGUAR

XF	37.0
XJ8	41.7
XK-R	37.4
X-Type	37.0

JEEP

Commander	41.8
Grand Cherokee	45.4
Liberty	43.8
Patriot	45.6
Wrangler	45.0

KIA

Amanti	41.7
Borrego	42.0
Magentis	41.0
Rio/Rio5	45.0
Rondo	39.7
Sedona	47.0
Sorento	42.0
Spectra/Spectra5	43.0

LAMBORGHINI

Gallardo	33.4
Murcielago	30.7

LAND ROVER

LR2	41.0
LR3 HSE	42.0
Range Rover HSE	44.0
Range Rover Sport supercharged	41.0

LEXUS

ES	41.0
GS450h	39.1
GX	42.0
IS-F	38.6
LS600h L	46.5
LX570	42.0
RX350	42.0
SC430	36.6

LINCOLN

MKS	38.9
MKX	46.8
MKZ	41.7
Navigator	45.4

LOTUS

Exige S	33.5

MASERATI

Gran Turismo	38.0

MAYBACH

57S / 62S	39.2

MAZDA

CX-7	41.2
CX-9	39.8
Mazda3	40.0
Mazda5	42.4
Mazda6	38.0
MX-5	37.8
RX-8	37.9

MERCEDES-BENZ

Classe B200T	42.0
Classe C230	39.0
Classe CL550	38.1
Classe CLK63 AMG	34.0
Classe CLS550	39.0
Classe E320 Bluetec	37.0
Classe G550	47.1
Classe GL450	39.5
Classe GLK	38.9
Classe ML320 CDI	36.5
Classe R320 CDI	41.0
Classe S550 4Matic	37.0
Classe SL550	37.0
Classe SLK350	45.0

MINI

Cooper S	37.7

MITSUBISHI

Eclipse GT-P	42.7
Endeavor	43.0
Evolution MR	38.9
Galant Ralliart	42.0
Lancer GTS	41.5
Outlander	43.0

NISSAN

350Z	34.0
Altima V6	40.0
Frontier	41.0
GT-R	33.5
Maxima	41.0
Murano	41.0
Pathfinder	42.8
Quest	40.0
Rogue	40.6
Sentra	41.6
Titan	44.2
Versa	41.5
Xterra	42.0

PONTIAC

G3 Wave	44.0
G6	43.0
Solstice GXP	40.5

PORSCHE

911	38.0
Boxster S	36.6
Cayenne GTS	38.0
Cayman S	36.0

ROLLS-ROYCE

Phantom	40.0

SAAB

9-3 Turbo X	39.0
9-5	40.0

SATURN

Astra	43.5
Aura	42.7
Outlook XR	46.5
VUE	44.0

SMART

Fortwo	42.0

SUBARU

Forester	37.7
Impreza	41.0
Impreza WRX	39.8
Legacy, Outback	40.1
Tribeca	42.0

SUZUKI

Grand Vitara	41.0
SX-4	41.9
XL-7	41.0

TOYOTA

4Runner	42.0
Avalon	40.0
Camry hybride	42.1
Corolla	42.0
FJ Cruiser	44.0
Highlander	41.0
Matrix XRS	41.0
Prius	44.4
RAV4	41.0
Sequoia	43.0
Sienna	45.0
Tacoma	40.3
Tundra	45.9
Yaris	41.0

VOLKSWAGEN

Eos	36.0
Golf City	39.2
Jetta 2.5	43.6
New Beetle	39.0
Passat 2.0T	41.0
Rabbit	38.0
Tiguan	38.6
Touareg	40.0

VOLVO

C30 2.4i	38.9
C70	40.0
S40 T5	38.0
S60 2.5T	40.5
S80 V8	40.0
XC70 3.2	39.7
XC90	42.9

PRÉSENTATION 100-0 KM/h EN ORDRE

	(en mètres)
Ferrari 599 GTB Fiorano	30.0
Lamborghini Murcielago	30.7
Ferrari 612 Scaglietti	32.3
Lamborghini Gallardo	33.4
Lotus Exige S	33.5
Nissan GT-R	33.5
Mercedes-Benz Classe CLK63 AMG	34.0
Nissan 350Z	34.0
BMW 650i	34.6
Porsche Cayman S	36.0
Volkswagen Eos	36.0
Audi S5	36.3
Bentley Continental GT/GTC/Flying Spur	36.5
Dodge Viper	36.5
Mercedes-Benz Classe ML320 CDI	36.5
Lexus SC430	36.6
Porsche Boxster S	36.6
BMW M3	36.8
Ford Explorer	36.9
Acura RL	37.0
Acura TL	37.0
Aston Martin DB9	37.0
Audi A3 2.0T	37.0
Honda S2000	37.0
Jaguar XF	37.0
Jaguar X-Type	37.0
Mercedes-Benz Classe E320 Bluetec	37.0
Mercedes-Benz Classe S550 4Matic	37.0
Mercedes-Benz Classe SL550	37.0
Audi TT 2.0T	37.1
Infiniti M45	37.1
Cadillac CTS	37.4
Jaguar XK-R	37.4
MINI Cooper S	37.7
Subaru Forester	37.7
Mazda MX-5	37.8
Mazda RX-8	37.9
Audi R8	38.0
BMW 750Li	38.0
Cadillac XLR	38.0
Maserati Gran Turismo	38.0
Mazda6	38.0
Porsche 911	38.0
Porsche Cayenne GTS	38.0
Volkswagen Rabbit	38.0
Volvo S40 T5	38.0
Mercedes-Benz Classe CL550	38.1
Ford Mustang GT	38.5
BMW X5 4.8i	38.6
Lexus IS-F	38.6
Volkswagen Tiguan	38.6
Lincoln MKS	38.9
Mercedes-Benz Classe GLK	38.9
Mitsubishi Evolution MR	38.9
Volvo C30 2.4i	38.9
Acura RDX	39.0
Aston Martin V8 Vantage	39.0
BMW 535i	39.0
Mercedes-Benz Classe C230	39.0
Mercedes-Benz Classe CLS550	39.0
Saab 9-3 Turbo X	39.0
Volkswagen New Beetle	39.0
Ford Taurus	39.1
Lexus GS450h	39.1
Maybach 57S / 62S	39.2
Volkswagen Golf City	39.2
Cadillac SRX	39.4
Hyundai Tucson	39.4
Bentley Arnage T	39.5
Infiniti EX	39.5
Infiniti G37	39.5
Mercedes-Benz Classe GL450	39.5
Audi Q7 3.0 TDI	39.6
Hyundai Genesis	39.6
Kia Rondo	39.7
Volvo XC70 3.2	39.7
Mazda CX-9	39.8
Subaru Impreza WRX	39.8
Acura TSX	40.0
BMW 328i	40.0
BMW X6 xDrive35i	40.0
Dodge Challenger R/T automatique	40.0
Ford Escape	40.0
Ford Fusion	40.0
Honda Element	40.0
Mazda3	40.0
Nissan Altima V6	40.0
Nissan Quest	40.0
Rolls-Royce Phantom	40.0
Saab 9-5	40.0
Toyota Avalon	40.0
Volkswagen Touareg	40.0
Volvo C70	40.0
Volvo S80 V8	40.0
Cadillac STS	40.1
Subaru Legacy, Outback	40.1
Ford Explorer Sport Trac	40.2
Toyota Tacoma	40.3
Audi A6	40.5
Hyundai Azera	40.5
Pontiac Solstice GXP	40.5
Volvo S60 2.5T	40.5
Audi A4 3.2	40.6
Nissan Rogue	40.6
Dodge Caliber SRT4	40.8
Hyundai Accent	40.9
Chevrolet Colorado	41.0
Chevrolet Impala	41.0
Dodge Charger SXT	41.0
Hyundai Sonata	41.0
Kia Magentis	41.0
Land Rover LR2	41.0
Land Rover Range Rover Sport supercharged	41.0
Lexus ES	41.0
Mercedes-Benz Classe R320 CDI	41.0
Nissan Frontier	41.0
Nissan Maxima	41.0
Nissan Murano	41.0
Subaru Impreza	41.0
Suzuki Grand Vitara	41.0
Suzuki XL-7	41.0
Toyota Highlander	41.0
Toyota Matrix XRS	41.0
Toyota RAV4	41.0
Toyota Yaris	41.0
Volkswagen Passat 2.0T	41.0
Chevrolet Uplander	41.2
Chrysler 300C	41.2
Mazda CX-7	41.2
Chevrolet Traverse	41.5
Mitsubishi Lancer GTS	41.5
Nissan Versa	41.5
Nissan Sentra	41.6
Jaguar XJ8	41.7
Kia Amanti	41.7
Lincoln MKZ	41.7
Audi Q5	41.8
Dodge Avenger R/T	41.8
Jeep Commander	41.8
Suzuki SX-4	41.9
Chevrolet Equinox	42.0
Chrysler Sebring	42.0
Honda Pilot	42.0
Honda Ridgeline	42.0
Kia Borrego	42.0
Kia Sorento	42.0
Land Rover LR3 HSE	42.0
Lexus GX	42.0
Lexus LX570	42.0
Lexus RX350	42.0
Mercedes-Benz Classe B200T	42.0
Mitsubishi Galant Ralliart	42.0
Nissan Xterra	42.0
smart Fortwo	42.0
Subaru Tribeca	42.0
Toyota 4Runner	42.0
Toyota Corolla	42.0
Toyota Camry hybride	42.1
Honda Accord	42.3
Buick Lucerne	42.4
Cadillac DTS	42.4
Chevrolet Cobalt	42.4
Mazda5	42.4
Honda CR-V	42.5
Hyundai Elantra	42.5
Mitsubishi Eclipse GT-P	42.7
Saturn Aura	42.7
Honda Civic	42.8
Nissan Pathfinder	42.8
Chrysler Aspen	42.9
Volvo XC90	42.9
BMW X3 3.0si	43.0
Chrysler PtCruiser	43.0
Dodge Journey V6	43.0
Dodge RAM	43.0
Ford Flex	43.0
Honda Odyssey	43.0
Hummer H3	43.0
Hyundai Tiburon	43.0
Kia Spectra/Spectra5	43.0
Mitsubishi Endeavor	43.0
Mitsubishi Outlander	43.0
Pontiac G6	43.0
Toyota Sequoia	43.0
Dodge Nitro R/T	43.2
Saturn Astra	43.5
Acura CSX Type-S	43.6
Chevrolet HHR	43.6
Ford Taurus X	43.6
Volkswagen Jetta 2.5	43.6
Jeep Liberty	43.8
Hyundai Santa Fe	43.9
Chevrolet Aveo	44.0
Ford Ranger	44.0
Hummer H2	44.0
Land Rover Range Rover HSE	44.0
Pontiac G3 Wave	44.0
Saturn VUE	44.0
Toyota FJ Cruiser	44.0
Nissan Titan	44.2
Chevrolet Trailblazer	44.3
Infiniti QX56	44.3
Hyundai Veracruz	44.4
Toyota Prius	44.4
Jeep Wrangler	45.0
Kia Rio/Rio5	45.0
Mercedes-Benz Classe SLK350	45.0
Toyota Sienna	45.0
Chevrolet Avalanche	45.1
Ford Expedition	45.4
Jeep Grand Cherokee	45.4
Lincoln Navigator	45.4
Dodge Grand Caravan	45.5
Jeep Patriot	45.6
Toyota Tundra	45.9
Lexus LS600h L	46.5
Saturn Outlook XR	46.5
Lincoln MKX	46.8
Hyundai Entourage	47.0
Kia Sedona	47.0
Mercedes-Benz Classe G550	47.1
Ford Focus	47.9
Ford Edge	48.0
Dodge Dakota	54.2
Moyenne	**40.8**

CONSOMMATION

Il y a une vingtaine d'années, prendre quelques pages du *Guide de l'auto* pour afficher les cotes de consommation de tous les véhicules proposés au Canada, aurait été une hérésie. Aujourd'hui, c'est une bénédiction ! Il faut noter que les cotes ci-dessous proviennent du livret Énerguide, émis chaque année par Transport Canada, Pour donner une bonne idée de la consommation moyenne d'un véhicule, nous inscrivons la consommation obtenue en ville par Transport Canada. La liste qui suit n'est pas exhaustive.

PRÉSENTATION PAR ORDRE DE CONSTRUCTEUR

ACURA

	Consommation (litres/100 km)
CSX	8,7
CSX Type-S	10,2
MDX	13,8
RDX	12,5
TL	11,6
TSX	10,6

ASTON MARTIN

	Consommation (litres/100 km)
DB9	20,9
V8 Vantage	14,5

AUDI

	Consommation (litres/100 km)
A3 2,0T	9,3
A3 3,2	11,3
A4 2,0T	10,2
A4 3,2	13,6
A5	13,6
A6	12,5
A8	13,1
A8 W12	16,4
Q7 3,6	14,9
Q7 4,2	17,4
R8	16,9
S5	15,1
S6	15,2
S8	16,6
TT 2,0T	9,0
TT 3,2	12,6

BENTLEY

	Consommation (litres/100 km)
Arnage Brooklands	28,8
Arnage R	22,3
Continental GT / GTC / Flying Spur	20,8
Continental GT Speed	25,3

BMW

	Consommation (litres/100 km)
128i	11,2
135i	12,0
323i	11,2
328i	11,1
335i	12,4
528i	12,3
535i	12,6
550i	14,0
650i	13,8
750Li	13,8
760Li	15,9
Alpina B7	15,4
M3	15,3
M5	19,9
M6	19,9
X3 3,0i	12,8
X3 3,0si	12,8
X5 3,0si	13,6
X5 4,8i	15,6
X6 xDrive35i	14,4

BUICK

	Consommation (litres/100 km)
Allure Super	12,9
Lucerne	11,9

CADILLAC

	Consommation (litres/100 km)
CTS	12,3
DTS	13,8
Escalade	17,7
SRX	14,3
SRX	16,0
STS	12,2
XLR	14,1
XLR-V	15,6

CHEVROLET

	Consommation (litres/100 km)
Avalanche	14,7
Aveo	8,7
Cobalt	8,7
Colorado	11,5
Corvette	12,9
Corvette Z06	14,2
Equinox	12,2
HHR	9,6
HHR SS	10,3
Impala	11,5
Impala SS	12,9
Malibu	9,6
Malibu hybride	6,2
Silverado	14,1
Suburban	14,7
Tahoe	14,7
Tahoe hybride	11,0
Trailblazer	15,3
Trailblazer SS	18,1
Traverse	13,5
Uplander	13,1

CHRYSLER

	Consommation (litres/100 km)
300	12,2
300 SRT8	16,5
300C	13,6
Aspen	15,6
PtCruiser	9,8
Sebring	9,7
Town & Country	13,3

DODGE

	Consommation (litres/100 km)
Avenger R/T	12,9
Avenger SXT	9,7
Caliber R/T	10,0
Caliber SRT4	10,9
Caliber SXT	8,5
Challenger R/T	13,6
Challenger SRT8	16,5
Charger R/T	13,6
Charger SE	11,3
Charger SRT8	16,5
Charger SXT	12,5
Dakota	15,6
Durango	15,6
Grand Caravan	12,6
Journey V6	12,1
Nitro	13,2
Nitro R/T	13,6
RAM	13,5
Viper	16,8

FERRARI

	Consommation (litres/100 km)
599 GTB Fiorano	20,1
612 Scaglietti	22,8
F430	18,9

FORD

	Consommation (litres/100 km)
Edge	12,8
Escape	10,3
Escape hybride	5,7
Expedition	17,1
Explorer	15,9
Explorer Sport Trac	15,7
F-150	15,8
Flex	13,0
Focus	8,5
Fusion	10,1
Mustang	12,1
Mustang GT	13,8
Mustang Shelby GT500	15,4
Ranger	11,2
Taurus	12,7
Taurus X	13,6

GMC

	Consommation (litres/100 km)
Canyon	12,4
Envoy	14,8
Sierra	14,1

HONDA

	Consommation (litres/100 km)
Accord	9,4
Civic	8,2
Civic hybride	4,7
Civic Si	10,2
CR-V	10,7
Element	11,3
Fit	6,5
Odyssey	12,4
Pilot	13,1
Ridgeline	14,4
S2000	11,8

HUMMER

	Consommation (litres/100 km)
H2	17,0
H3	15,0

HYUNDAI

	Consommation (litres/100 km)
Accent	7,4
Azera	12,2
Elantra	8,4
Entourage	13,2
Genesis	11,4
Santa Fe	11,3
Sonata	9,9
Sonata V6	11,1
Tiburon	10,2
Tucson	10,7
Veracruz	13,9

INFINITI

	Consommation (litres/100 km)
EX	12,9
G35	12,2
G37	12,0
M35	13,2
M45	13,5
QX56	18,2

JAGUAR

	Consommation (litres/100 km)
XJ8	12,8
XJ8-R	13,9
XK	13,1
XK-R	13,7
X-Type	13,2

JEEP

	Consommation (litres/100 km)
Commander	14,8
Compass	9,0
Grand Cherokee	12,0
Grand Cherokee SRT8	19,1
Liberty	14,0
Patriot	9,0
Wrangler	14,9

KIA

	Consommation (litres/100 km)
Amanti	12,6
Borrego	14,4
Magentis	9,6
Rio/Rio5	8,1
Rondo	11,0
Sedona	13,2
Sorento	13,5
Spectra/Spectra5	8,7
Sportage	10,9
Sportage V6	12,4

LAMBORGHINI

	Consommation (litres/100 km)
Gallardo	20,4
Murcielago	25,9

LAND ROVER

	Consommation (litres/100 km)
LR2	13,3
LR3 HSE	17,2
LR3 SE	17,1
Range Rover HSE	17,4
Range Rover Sport HSE	17,1
Range Rover Sport Supercharged	17,7
Range Rover Supercharged	17,7

LEXUS

	Consommation (litres/100 km)
ES350	10,9
GS350	11,0
GS430	12,8
GS450h	8,7
GS460	12,4
GX470	15,3
IS250	9,7
IS350	10,8
IS-F	13,1
LS460	12,6
LS600h	10,6
LX570	17,1
RX350	12,8
SC430	12,8

LINCOLN

	Consommation (litres/100 km)
MKS	13,0
MKX	12,8
MKZ	12,7
Navigator	17,1

LOTUS

	Consommation (litres/100 km)
Elise	11,5
Exige S	13,5

MASERATI

	Consommation (litres/100 km)
Gran Turismo	16,7
Quattroporte	16,9

MAYBACH

	Consommation (litres/100 km)
57S / 62S	16,4

MAZDA

	Consommation (litres/100 km)
CX-7	12,9
CX-9	12,6
Mazda3	9,1

	Consommation (litres/100 km)
Mazda5	10,6
Mazda6	9,7
Mazdaspeed3	11,8
MX-5	9,7
RX-8 automatique	12,9
RX-8 manuelle	12,8
Série B4000	15,7

MERCEDES-BENZ

Classe B200	9,2
Classe B200T	9,5
Classe C230	7,5
Classe C300	11,7
Classe C350	12,2
Classe CL550	15,4
Classe CL600	14,3
Classe CL63 AMG	13,9
Classe CL65 AMG	19,1
Classe CLK350	12,3
Classe CLK550	14,5
Classe CLK63 AMG	18,4
Classe CLS550	15,1
Classe CLS63 AMG	17,7
Classe E300 4Matic	13,0
Classe E320 Bluetec	9,0
Classe E350 4Matic	12,9
Classe E550 4Matic	15,6
Classe E63 AMG	17,2
Classe G55 AMG	19,8
Classe G550	18,4
Classe GL320 CDI	11,6
Classe GL450	16,3
Classe GL550	16,6
Classe GLK	10,4
Classe M350	14,2
Classe ML320 CDI	11,3
Classe ML550	16,0
Classe ML63 AMG	20,1
Classe R320 CDI	11,2
Classe R350	14,4
Classe S450 4Matic	14,4
Classe S550 4 Matic	15,4
Classe S600	18,4
Classe S63 AMG	18,9
Classe S65 AMG	18,5
Classe SL550	16,5
Classe SL600	18,5
Classe SL63 AMG	17,9
Classe SL65 AMG	19,0
Classe SLK300	12,1
Classe SLK350	12,3
Classe SLK55 AMG	15,0
Classe SLR McLaren	17,4

MINI

Clubman	7,1
Clubman S	7,7
Cooper	7,1
Cooper S	7,7

MITSUBISHI

Eclipse GS	10,6
Eclipse GT-P	13,1
Endeavor	14,2
Evolution MR	12,2
Galant ES	10,4
Galant GT	12,6
Galant Ralliart	12,8
Lancer	9,7
Lancer GTS	10,1
Outlander	10,4

NISSAN

	Consommation (litres/100 km)
350Z	12,0
Altima 2,5	8,9
Altima hybride	5,6
Altima V6	10,6
Armada	17,8
Frontier	12,6
GT-R	16,0
Maxima	10,8
Murano	12,0
Pathfinder	15,3
Quest	12,9
Rogue	9,5
Sentra	8,3
Sentra SE-R	9,8
Sentra SE-R Spec V	9,4
Titan	17,7
Versa	7,9
Xterra	13,5

PONTIAC

G3 Wave	8,2
G5	9,6
G5 GT	9,4
G6	10,2
G8	12,2
G8 GT	14,4
Montana SV6	13,1
Solstice	10,8
Solstice GXP	10,8
Torrent	12,6
Torrent GXP	13,0
Wave	9,1

PORSCHE

911	12,0
911 GT2	13,6
911 GT3	14,0
911 Turbo	13,3
Boxster	10,9
Boxster S	11,8
Cayenne	15,4
Cayenne GTS	16,5
Cayenne S	17,1
Cayenne Turbo	18,0
Cayman	10,1
Cayman S	11,8

ROLLS-ROYCE

Drophead Coupé	19,2
Phantom	19,2

SAAB

9-3	10,8
9-3 Turbo X	14,1
9-5	12,3
9-7x 4,2	15,3
9-7x 5,3	14,7
9-7x Aero 6,0i	18,1

SATURN

Astra	8,4
Aura	9,6
Aura hybride	8,5
Aura XR	12,2
Outlook XE	13,0
Outlook XR	13,5
Sky	11,9
Sky Red Line	10,8
VUE	11,0
VUE XE	13,3
VUE XR	11,9

smart

Fortwo	5,9

SUBARU

Forester	11,0
Impreza	10,7
Impreza WRX	11,2
Impreza WRX, STi	12,2
Legacy, Outback	10,7
Legacy, Outback H6 3,0	12,1
Tribeca	13,3

SUZUKI

	Consommation (litres/100 km)
Grand Vitara	13,0
Swift+	8,7
SX-4	9,5
XL-7	13,5

TOYOTA

4Runner	13,5
Avalon	10,6
Camry	9,6
Camry hybride	5,7
Corolla	7,8
Corolla XRS	8,1
FJ Cruiser	13,5
Highlander	12,3
Highlander hybride	7,4
Matrix	7,8
Matrix AWD	10,2
Matrix XRS	9,7
Prius	4,0
RAV4	10,1
Sequoia	16,1
Sienna	11,7
Tacoma	10,1
Tundra	15,5
Yaris	6,9

VOLKSWAGEN

Eos	10,3
Golf City	9,8
Gti	9,3
Jetta 2,0T	10,1
Jetta 2,5	10,6
Jetta City	9,8
New Beetle	10,2
Passat	12,8
Passat 2,0T	10,1
Rabbit	10,8
Tiguan	11,2
Touareg	15,1

VOLVO

C30 2,4i	10,5
C30 T5	11,1
C70	11,3
S40 2,4i	10,5
S40 T5	12,2
S60 2,5T	11,7
S80 3,2	13,3
S80 T6	13,7
S80 V8	13,8
V50 2,4i	10,9
V50 T5	12,2
V70 3,2	13,3
XC70 3,2	14,4
XC90	13,9

PRÉSENTATION PAR ORDRE DE CONSOMMATION

	Consommation (litres/100 km)
Toyota Prius	4,0
Honda Civic hybride	4,7
Nissan Altima hybride	5,6
Ford Escape hybride	5,7
Toyota Camry hybride	5,7
smart Fortwo	5,9
Chevrolet Malibu hybride	6,2
Honda Fit	6,5
Toyota Yaris	6,9
MINI Clubman	7,1
MINI Cooper	7,1
Hyundai Accent	7,4
Toyota Highlander hybride	7,4
Mercedes-Benz Classe C230	7,5
MINI Clubman S	7,7
MINI Cooper S	7,7
Toyota Corolla	7,8
Toyota Matrix	7,8
Nissan Versa	7,9
Kia Rio/Rio5	8,1
Toyota Corolla XRS	8,1
Honda Civic	8,2
Pontiac G3 Wave	8,2
Nissan Sentra	8,3
Hyundai Elantra	8,4
Saturn Astra	8,4
Dodge Caliber SXT	8,5
Ford Focus	8,5
Saturn Aura hybride	8,5
Acura CSX	8,7
Chevrolet Aveo	8,7
Chevrolet Cobalt	8,7
Kia Spectra/Spectra5	8,7
Lexus GS450h	8,7
Suzuki Swift+	8,7
Nissan Altima 2,5	8,9
Audi TT 2,0T	9,0
Jeep Compass	9,0
Jeep Patriot	9,0
Mercedes-Benz Classe E320 Bluetec	9,0
Mazda Mazda3	9,1
Pontiac Wave	9,1
Mercedes-Benz Classe B200	9,2
Audi A3 2,0T	9,3
Volkswagen Gti	9,3
Honda Accord	9,4
Nissan Sentra SE-R Spec V	9,4
Pontiac G5 GT	9,4
Mercedes-Benz Classe B200T	9,5
Nissan Rogue	9,5
Suzuki SX-4	9,5
Chevrolet HHR	9,6
Chevrolet Malibu	9,6
Kia Magentis	9,6
Pontiac G5	9,6
Saturn Aura	9,6
Toyota Camry	9,6
Chrysler Sebring	9,7
Dodge Avenger SXT	9,7
Lexus IS250	9,7
Mazda Mazda6	9,7
Mazda MX-5	9,7
Mitsubishi Lancer	9,7
Toyota Matrix XRS	9,7
Chrysler PtCruiser	9,8
Nissan Sentra SE-R	9,8
Volkswagen Golf City	9,8
Volkswagen Jetta City	9,8
Hyundai Sonata	9,9
Dodge Caliber R/T	10,0
Ford Fusion	10,1
Mitsubishi Lancer GTS	10,1
Porsche Cayman	10,1
Toyota RAV4	10,1
Toyota Tacoma	10,1
Volkswagen Jetta 2,0T	10,1
Volkswagen Passat 2,0T	10,1
Acura CSX Type-S	10,2
Audi A4 2,0T	10,2
Honda Civic Si	10,2
Hyundai Tiburon	10,2
Pontiac G6	10,2
Toyota Matrix AWD	10,2
Volkswagen New Beetle	10,2
Chevrolet HHR SS	10,3
Ford Escape	10,3
Volkswagen Eos	10,3
Mercedes-Benz Classe GLK	10,4
Mitsubishi Galant ES	10,4
Mitsubishi Outlander	10,4
Volvo C30 2,4i	10,5
Volvo S40 2,4i	10,5
Acura TSX	10,6
Lexus LS600h	10,6

CONSOMMATION (SUITE)

	Consommation (litres/100 km)
Mazda Mazda5	10,6
Mitsubishi Eclipse GS	10,6
Nissan Altima V6	10,6
Toyota Avalon	10,6
Volkswagen Jetta 2,5	10,6
Honda CR-V	10,7
Hyundai Tucson	10,7
Subaru Impreza	10,7
Subaru Legacy, Outback	10,7
Lexus IS350	10,8
Nissan Maxima	10,8
Pontiac Solstice	10,8
Pontiac Solstice GXP	10,8
Saab 9-3	10,8
Saturn Sky Red Line	10,8
Volkswagen Rabbit	10,8
Dodge Caliber SRT4	10,9
Kia Sportage	10,9
Lexus ES350	10,9
Porsche Boxster	10,9
Volvo V50 2,4i	10,9
Chevrolet Tahoe hybride	11,0
Kia Rondo	11,0
Lexus GS350	11,0
Saturn VUE	11,0
Subaru Forester	11,0
BMW 328i	11,1
Hyundai Sonata V6	11,1
Volvo C30 T5	11,1
BMW 128i	11,2
BMW 323i	11,2
Ford Ranger	11,2
Mercedes-Benz Classe R320 CDI	11,2
Subaru Impreza WRX	11,2
Volkswagen Tiguan	11,2
Audi A3 3,2	11,3
Dodge Charger SE	11,3
Honda Element	11,3
Hyundai Santa Fe	11,3
Mercedes-Benz Classe ML320 CDI	11,3
Volvo C70	11,3
Hyundai Genesis	11,4
Chevrolet Colorado	11,5
Chevrolet Impala	11,5
Lotus Elise	11,5
Acura TL	11,6
Mercedes-Benz Classe GL320 CDI	11,6
Mercedes-Benz Classe C300	11,7
Toyota Sienna	11,7
Volvo S60 2,5T	11,7
Honda S2000	11,8
Mazda Mazdaspeed3	11,8
Porsche Boxster S	11,8
Porsche Cayman S	11,8
Buick Lucerne	11,9
Saturn Sky	11,9
Saturn VUE XR	11,9
BMW 135i	12,0
Infiniti G37	12,0
Jeep Grand Cherokee	12,0
Nissan 350Z	12,0
Nissan Murano	12,0
Porsche 911	12,0
Dodge Journey V6	12,1
Ford Mustang	12,1
Mercedes-Benz Classe SLK300	12,1
Subaru Legacy, Outback H6 3,0	12,1
Cadillac STS	12,2
Chevrolet Equinox	12,2
Chrysler 300	12,2
Hyundai Azera	12,2
Infiniti G35	12,2
Mercedes-Benz Classe C350	12,2
Mitsubishi Evolution MR	12,2
Pontiac G8	12,2
Saturn Aura XR	12,2

	Consommation (litres/100 km)
Subaru Impreza WRX, STi	12,2
Volvo S40 T5	12,2
Volvo V50 T5	12,2
BMW 528i	12,3
Cadillac CTS	12,3
Mercedes-Benz Classe CLK350	12,3
Mercedes-Benz Classe SLK350	12,3
Saab 9-5	12,3
Toyota Highlander	12,3
BMW 335i	12,4
GMC Canyon	12,4
Honda Odyssey	12,4
Kia Sportage V6	12,4
Lexus GS460	12,4
Acura RDX	12,5
Audi A6	12,5
Dodge Charger SXT	12,5
Audi TT 3,2	12,6
BMW 535i	12,6
Dodge Grand Caravan	12,6
Kia Amanti	12,6
Lexus LS460	12,6
Mazda CX-9	12,6
Mitsubishi Galant GT	12,6
Nissan Frontier	12,6
Pontiac Torrent	12,6
Ford Taurus	12,7
Lincoln MKZ	12,7
BMW X3 3,0i	12,8
BMW X3 3,0si	12,8
Ford Edge	12,8
Jaguar XJ8	12,8
Lexus GS430	12,8
Lexus RX350	12,8
Lexus SC430	12,8
Lincoln MKX	12,8
Mazda RX-8 manuelle	12,8
Mitsubishi Galant Ralliart	12,8
Volkswagen Passat	12,8
Buick Allure Super	12,9
Chevrolet Corvette	12,9
Chevrolet Impala SS	12,9
Dodge Avenger R/T	12,9
Infiniti EX	12,9
Mazda CX-7	12,9
Mazda RX-8 automatique	12,9
Mercedes-Benz Classe E350 4Matic	12,9
Nissan Quest	12,9
Ford Flex	13,0
Lincoln MKS	13,0
Mercedes-Benz Classe E300 4Matic	13,0
Pontiac Torrent GXP	13,0
Saturn Outlook XE	13,0
Suzuki Grand Vitara	13,0
Audi A8	13,1
Chevrolet Uplander	13,1
Honda Pilot	13,1
Jaguar XK	13,1
Lexus IS-F	13,1
Mitsubishi Eclipse GT-P	13,1
Pontiac Montana SV6	13,1
Dodge Nitro	13,2
Hyundai Entourage	13,2
Infiniti M35	13,2
Jaguar X-Type	13,2
Kia Sedona	13,2
Chrysler Town & Country	13,3
Land Rover LR2	13,3
Porsche 911 Turbo	13,3
Saturn VUE XE	13,3
Subaru Tribeca	13,3
Volvo S80 3,2	13,3
Volvo V70 3,2	13,3
Chevrolet Traverse	13,5
Dodge RAM	13,5
Infiniti M45	13,5

	Consommation (litres/100 km)
Kia Sorento	13,5
Lotus Exige S	13,5
Nissan Xterra	13,5
Saturn Outlook XR	13,5
Suzuki XL-7	13,5
Toyota 4Runner	13,5
Toyota FJ Cruiser	13,5
Audi A4 3,2	13,6
Audi A5	13,6
BMW X5 3,0si	13,6
Chrysler 300C	13,6
Dodge Challenger R/T	13,6
Dodge Charger R/T	13,6
Dodge Nitro R/T	13,6
Ford Taurus X	13,6
Porsche 911 GT2	13,6
Jaguar XK-R	13,7
Volvo S80 T6	13,7
Acura MDX	13,8
BMW 650i	13,8
BMW 750Li	13,8
Cadillac DTS	13,8
Ford Mustang GT	13,8
Volvo S80 V8	13,8
Hyundai Veracruz	13,9
Jaguar XJ8-R	13,9
Mercedes-Benz Classe CL63 AMG	13,9
Volvo XC90	13,9
BMW 550i	14,0
Jeep Liberty	14,0
Porsche 911 GT3	14,0
Cadillac XLR	14,1
Chevrolet Silverado	14,1
GMC Sierra	14,1
Saab 9-3 Turbo X	14,1
Chevrolet Corvette Z06	14,2
Mercedes-Benz Classe M350	14,2
Mitsubishi Endeavor	14,2
Cadillac SRX	14,3
Mercedes-Benz Classe CL600	14,3
BMW X6 xDrive35i	14,4
Honda Ridgeline	14,4
Kia Borrego	14,4
Mercedes-Benz Classe R350	14,4
Mercedes-Benz Classe S450 4Matic	14,4
Pontiac G8 GT	14,4
Volvo XC70 3,2	14,4
Aston Martin V8 Vantage	14,5
Mercedes-Benz Classe CLK550	14,5
Chevrolet Avalanche	14,7
Chevrolet Suburban	14,7
Chevrolet Tahoe	14,7
Saab 9-7x 5,3	14,7
GMC Envoy	14,8
Jeep Commander	14,8
Audi Q7 3,6	14,9
Jeep Wrangler	14,9
Hummer H3	15,0
Mercedes-Benz Classe SLK55 AMG	15,0
Audi S5	15,1
Mercedes-Benz Classe CLS550	15,1
Volkswagen Touareg	15,1
Audi S6	15,2
BMW M3	15,3
Chevrolet Trailblazer	15,3
Lexus GX470	15,3
Nissan Pathfinder	15,3
Saab 9-7x 4,2	15,3
BMW Alpina B7	15,4
Ford Mustang Shelby GT500	15,4
Mercedes-Benz Classe CL550	15,4
Mercedes-Benz Classe S550 4 Matic	15,4
Porsche Cayenne	15,4
Toyota Tundra	15,5
BMW X5 4,8i	15,6
Cadillac XLR-V	15,6

	Consommation (litres/100 km)
Chrysler Aspen	15,6
Dodge Dakota	15,6
Dodge Durango	15,6
Mercedes-Benz Classe E550 4Matic	15,6
Ford Explorer Sport Trac	15,7
Mazda Série B4000	15,7
Ford F-150	15,8
BMW 760Li	15,9
Ford Explorer	15,9
Cadillac SRX	16,0
Mercedes-Benz Classe ML550	16,0
Nissan GT-R	16,0
Toyota Sequoia	16,1
Mercedes-Benz Classe GL450	16,3
Audi A8 W12	16,4
Maybach 57S / 62S	16,4
Chrysler 300 SRT8	16,5
Dodge Challenger SRT8	16,5
Dodge Charger SRT8	16,5
Mercedes-Benz Classe SL550	16,5
Porsche Cayenne GTS	16,5
Audi S8	16,6
Mercedes-Benz Classe GL550	16,6
Maserati Gran Turismo	16,7
Dodge Viper	16,8
Audi R8	16,9
Maserati Quattroporte	16,9
Hummer H2	17,0
Ford Expedition	17,1
Land Rover LR3 SE	17,1
Land Rover Range Rover Sport HSE	17,1
Lexus LX570	17,1
Lincoln Navigator	17,1
Porsche Cayenne S	17,1
Land Rover LR3 HSE	17,2
Mercedes-Benz Classe E63 AMG	17,2
Audi Q7 4,2	17,4
Land Rover Range Rover HSE	17,4
Mercedes-Benz Classe SLR McLaren	17,4
Cadillac Escalade	17,7
Land Rover Range Rover Sport Supercharged	17,7
Land Rover Range Rover Supercharged	17,7
Mercedes-Benz Classe CLS63 AMG	17,7
Nissan Titan	17,7
Nissan Armada	17,8
Mercedes-Benz Classe SL63 AMG	17,9
Porsche Cayenne Turbo	18,0
Chevrolet Trailblazer SS	18,1
Saab 9-7x Aero 6,0i	18,1
Infiniti QX56	18,2
Mercedes-Benz Classe CLK63 AMG	18,4
Mercedes-Benz Classe G550	18,4
Mercedes-Benz Classe S600	18,4
Mercedes-Benz Classe S65 AMG	18,5
Mercedes-Benz Classe SL600	18,5
Ferrari F430	18,9
Mercedes-Benz Classe S63 AMG	18,9
Mercedes-Benz Classe SL65 AMG	19,0
Jeep Grand Cherokee SRT8	19,1
Mercedes-Benz Classe CL65 AMG	19,1
Rolls-Royce Drophead Coupé	19,2
Rolls-Royce Phantom	19,2
Mercedes-Benz Classe G55 AMG	19,8
BMW M5	19,9
BMW M6	19,9
Ferrari 599 GTB Fiorano	20,1
Mercedes-Benz Classe ML63 AMG	20,1
Lamborghini Gallardo	20,4
Bentley Continental GT / GTC / Flying Spur	20,8
Aston Martin DB9	20,9
Bentley Arnage R	22,3
Ferrari 612 Scaglietti	22,8
Bentley Continental GT Speed	25,3
Lamborghini Murcielago	25,9
Bentley Arnage Brooklands	28,8
Moyenne	**12,9**

INDEX

CAMIONNETTES

DERNIERE HEURE

CHEVROLET · FERRARI · FORD · HONDA · HYUNDAI · KIA
NISSAN · TOYOTA · VOLKSWAGEN · VOLVO

WOB GO 209

CHEVROLET

CAMARO

Une des voitures sport les plus médiatisées en Amérique au cours des deux dernières années va enfin se retrouver dans les salles de démonstration des concessionnaires de Chevrolet, dès le printemps prochain. Les variantes LS et LT seront propulsées par un moteur V6 de 3,6 litres qui développe près de 300 chevaux, tandis que la foudroyante version SS avec son moteur V8 de 6,2 litres annonce une puissance de 420 chevaux. Le design et la conception de la planche de bord font évidemment référence à celle que l'on retrouvait dans les Camaro des années 70. Après cette version coupé très attendue, ce sera au tour de la décapotable de se faire désirer.

Photos : Chevrolet

CHEVROLET
VOLT

L'an passé, nous avions parlé de la Chevrolet Volt dans la section dédiée aux prototypes de notre *Guide*. Nous récidivons cette année, mais cette fois dans notre section « dernière heure », ce qui signifie que l'an prochain, nous pourrions fort bien la retrouver parmi les essais routiers. Sa motorisation hybride de type rechargeable sur une prise de courant domestique regroupe principalement un moteur électrique et la batterie au lithium-ion qui l'alimente. Un petit moteur atmosphérique de 1,0 litre turbo complète le tout. Ce dernier pourrait même s'abreuver de biocarburant, tel l'éthanol E85. Une solution à pile à combustible est toujours à l'étude.

Photos : Chevrolet

FERRARI
CALIFORNIA

Le dévoilement d'une nouvelle Ferrari peut prendre jusqu'à une décennie, mais c'est toujours un événement couru par la presse mondiale. Cette fois-ci, nous apprenons à connaître, par petites brides, la future California, une sportive qui sort allègrement des sentiers battus de Maranello. Sa conception est inspirée du modèle 250 California produit entre les années 1958 et 1963. La génération récente est la première Ferrari à utiliser un toit rigide rétractable, un moteur en position centrale avant et qui dispose pour la première fois d'un système d'injection directe. Ce moteur a une cylindrée de 4,3 litres de 460 chevaux, et il est relié à une boîte séquentielle à sept rapports.

Photos : Ferrari

FORD

FIESTA (VERVE CONCEPT)

Depuis maintenant deux ans, on la voit se promener un peu partout sous le nom de Verve Concept, mais désormais on doit utiliser le nom de Fiesta. Elle sera la deuxième voiture de Ford à diffusion mondiale. Très populaire en Europe, elle vient en Amérique pour reconquérir un marché de voitures compactes, largement accaparé par les Japonais et les Coréens. Deux modèles de type *hatchback*, soit à trois ou cinq portières, seront assemblés au Mexique. Je parie que les versions américaines nous seront dévoilées au prochain Salon de Detroit, ainsi que leurs principales données techniques, incluant une version ECOnetic très peu polluante.

Photos : Ford

HONDA

FCX CLARITY

Tandis que la très grande majorité des constructeurs automobiles est toujours à la recherche de la pile à combustible idéale, une fois de plus, c'est Honda qui prend les devants. Ainsi, il offre à un millier de citoyens californiens un plan de location « extrême » de trois ans, à dessein d'expérimenter sur une base journalière l'utilisation d'une telle voiture. La Honda FCX Clarity possède un moteur électrique qui s'alimente à l'hydrogène et qui développe 136 chevaux (100 kW). L'approvisionnement en hydrogène est assuré par un réseau de trois stations de ravitaillement spécialement conçues à cet effet.

Photos : Honda

HYUNDAI

GENESIS COUPE

Pour le moment, Hyundai va mettre plus d'emphase sur sa nouvelle berline haut de gamme, la Genesis. Toutefois, le nom Genesis, c'est aussi le nom d'une nouvelle gamme de produits appelée à s'élargir au cours des prochaines années. Après la berline, ce sera au tour d'un élégant coupé, aux lignes très fluides, de venir s'exposer, dès l'an prochain, dans les salles de démonstration de la marque. Deux motorisations sont au programme, un quatre cylindres de 2,0 litres turbocompressé d'environ 210 chevaux et un V6 de 3,8 litres de plus de 300 chevaux. Non, ce dernier ne sera pas le remplaçant du coupé Tiburon, mais un coupé de classe supérieure.

Photos : Hyundai

KIA

SOUL

Avec son très original SOUL, Kia vise une clientèle jeune et surtout branchée, en plus de vouloir séduire la clientèle féminine. Il dispose de tous les attributs, y compris un nom, qui selon certaines informations, pourraient servir au développement d'une gamme complète de nouveaux produits de catégorie compacte. La version définitive de ce multisegment verra le jour au prochain Mondial de l'automobile à Paris. Conçu pour une diffusion mondiale, ce dernier devra offrir des motorisations adaptées à notre marché. Il ne serait donc pas surprenant de revoir un nouveau quatre cylindres de 2,0 litres, revu et particulièrement raffiné.

Photos : Kia

NISSAN
CUBE

Au Japon, cette jolie boîte carrée appelée Nissan Cube est considérée comme une icône, au même titre que la Nissan GT-R, mais pour des raisons diamétralement opposées. Ce n'est pas d'hier que l'on parle de l'importer en Amérique, mais cette fois-ci est la bonne, puisque le Nissan Cube sera sur le marché dès le printemps prochain. Avec une silhouette aussi sympathique, nul doute qu'il connaîtra beaucoup de succès. Sous son petit capot, nous retrouvons le moteur de la populaire Nissan Versa, un quatre cylindres de 1,8 litre développant 122 chevaux.

Photos : Nissan

TOYOTA

VENZA

Dans une autre époque, le Venza aurait pu être considéré comme une version familiale de la Camry; aujourd'hui, il se présente toutefois davantage sous la forme d'un véhicule multisegment qui vient s'intégrer entre les modèles RAV4 et Highlander. D'ailleurs, ce nouveau venu est assemblé aux côtés des modèles Camry, chez nos voisins du sud. L'habitacle peut accueillir avec grand confort, polyvalence et multiples gâteries de type multimédia cinq adultes de forte taille. Offert en configurations à traction ou intégrale, le Venza propose deux moteurs de quatre ou six cylindres associés à une boîte automatique séquentielle à six rapports.

Photos : Toyota

VOLKSWAGEN
ROUTAN

Les visiteurs du dernier Salon de l'auto de Chicago ont été les premiers à découvrir la minifourgonnette Routan de Volkswagen. Cette nouvelle venue est, dans les faits, un véhicule Chrysler plus cossu, arborant une calandre ainsi que des phares et feux de position griffés Volkswagen. Sans nécessairement apporter de changements majeurs à la présentation intérieure, Volkswagen s'est tout de même permis d'apposer quelques touches familières à la marque. Les moteurs V6 de 3,8 litres et 4,0 litres délivrant respectivement 197 chevaux et 251 chevaux, développés chez Chrysler, demeurent jumelés à une boîte automatique à six rapports.

Photos : Volkswagen

VOLKSWAGEN

GOLF VI

Jusqu'à présent, il s'est vendu plus de 26 millions d'unités de VW Golf, et c'est loin d'être terminé, avec la sortie de la sixième génération de cette voiture emblématique. Esthétiquement, les changements apportés ressemblent beaucoup plus à un simple *lifting*, mais dans la réalité, c'est beaucoup plus que cela. De dimensions légèrement plus relevées que celles du modèle précédent, les passagers à l'arrière pourront profiter de dégagements plus intéressants. Les dirigeants de la marque ont une bonne année devant eux pour choisir les modèles, les versions, les équipements et surtout les motorisations qui seront offerts en sol nord-américain.

Photos : Volkswagen

VOLVO

XC60

Les ventes le prouvent, le marché des gros VUS est en chute libre. Par contre, celui des VUS compacts prend de l'ampleur et la sortie, prévue en mars 2009, du très attendu Volvo XC60 arrive au bon moment. Cette version de série affiche un *look* très agréable, tout en perdant le style accrocheur et agressif du véhicule concept. Son moteur six cylindres en ligne de 3,2 litres délivre 235 chevaux et est accouplé à une boîte automatique à six rapports. Il y a de fortes chances de voir dans un avenir rapproché ce type de moteur se nourrir en biocarburant. À noter que ce véhicule n'est offert qu'en version à traction intégrale.

Photos : Volvo

Achevé d'imprimer au Canada
sur les presses de l'imprimerie Québécor World St-Jean Inc. en septembre 2008.